L'ASCENDANT

COMMENT L'IDENTIFIER

Données de catalogage avant publication (Canada)

Aubry, Jacqueline

L'ascendant, comment l'identifier

3e éd.

Publ. antérieurement sous le titre: *Découvrez votre ascendant*. c1992.

ISBN 2-7640-0143-6

1. Zodiaque. 2. Ascendant (Astrologie). 3. Astrologie. 4. Découvrez votre ascendant. I. Titre.

BF1726.A924 1998 133.5'2 C98-940046-8

LES ÉDITIONS QUEBECOR
7, chemin Bates
Outremont (Québec)
H2V 1A6
Téléphone: (514) 270-1746

Bibliothèque nationale du Québec
Bibliothèque nationale du Canada
ISBN: 2-7640-0143-6

Éditeur: Jacques Simard
Coordonnatrice à la production: Dianne Rioux
Conception de la page couverture: Bernard Langlois
Photo de la page couverture: Reza Estakhrian / Tony Stone
Photo de l'auteure: Pierre Dionne
Correction d'épreuves: Francine St-Jean
Infographie: Composition Monika, Québec
Impression: Imprimerie L'Éclaireur

L'ASCENDANT

COMMENT L'IDENTIFIER

JACQUELINE AUBRY

Le Bélier et ses ascendants

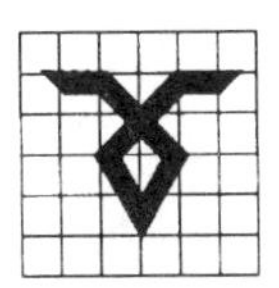
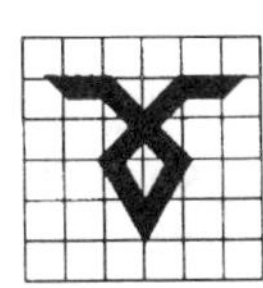

BÉLIER ASCENDANT BÉLIER

Double signe de feu, deux paires de cornes, double signe cardinal, signe de commandement, un chef et rien d'autre! C'est un passionné, un violent même, en amour comme en affaires. Rien ne l'arrête, et sur plusieurs fronts à la fois. Une seule entreprise ne lui suffit jamais et un seul amour, très difficilement. Si, par exemple, on le plaçait dans le contexte du cinéma, eh bien, il serait à la fois le réalisateur, l'acteur, le producteur, le metteur en scène, le cascadeur et sa propre doublure pour en rajouter!

C'est un signe de feu, donc un être magnétique qui attire à lui, qui fait venir à lui, qui impose par sa seule vibration. Il ne supporte pas qu'on lui résiste, et si une résistance se présente il la fait sauter et ce n'est pas long!

Il veut se faire aimer, se faire adorer de préférence! C'est un égocentrique qui n'admet aucune de ses erreurs: comment, lui, un être aussi parfait, aussi capable de tout, pourrait-il en commettre une! Impensable! Tout simplement impensable!

Très habile au chantage, il sait parfaitement jouer avec vos cordes sensibles pour vous faire faire ce que son Gros Moi désire. Lui d'abord, et tant mieux si ça vous fait plaisir.

Excessif, il ne cesse de bâtir; rien n'est jamais assez gros ni assez puissant. Ambitieux, il l'est sans commune mesure.

Il lui faut ouvrir les portes devant lui, à la dynamite si nécessaire, une dynamite intellectuelle de préférence!

Sa deuxième maison est celle du Taureau, l'argent. Il a généralement toujours peur d'en manquer. L'argent le sécurise, il lui en faut beaucoup. L'argent réussit parfois à combler chez lui un vide affectif, l'amour qu'il n'arrive pas à trouver au gré de ses désirs. Cette position ne le rend pas particulièrement généreux. Il serait du type économe qui a toujours l'air de tout dépenser, mais allez-y voir de plus près... Vous voilà en train de payer la note parce qu'il vous a fait un beau sourire et que Bélier-Bélier a décidé qu'il fallait bien rembourser sa complaisance!

Sa troisième maison est celle du Gémeaux. Il se fait des amis partout. Il est intellectuellement curieux, capable d'apprendre au-delà de la moyenne des gens. Vif d'esprit, il peut répondre à n'importe quoi et à n'importe qui. Les mots ne lui font pas peur. Il en a même la maîtrise dans le secteur où il s'est spécialisé. Autant il peut vous tenir un long discours, autant il est capable de vous faire parler pour découvrir ce qu'il a besoin de savoir sur vous. Il est même tellement curieux qu'il cherche à fouiller dans l'intimité de ceux qu'il connaît pour apprendre comment ils vivent en dehors de ce qu'ils laissent paraître.

Sa quatrième maison est celle du Cancer. Il aime la famille, il y est attaché malgré ses airs d'indépendance. Ses œuvres et ses réalisations ont le plus souvent pour but de léguer à ses enfants, à sa famille, le pouvoir qu'il a acquis. Cette quatrième maison étant en aspect négatif ou en conflit avec le Bélier, il arrive souvent que le natif se retrouve avec des problèmes familiaux importants. Une sorte de lutte de pouvoir peut s'engager entre lui et ses enfants. Il leur apprend à «se tenir debout» mais, au fond, il n'aimerait surtout pas qu'on le dépasse malgré tout l'amour qu'il peut porter à sa progéniture. Double signe cardinal ce Bélier-Bélier, pour un régime dictatorial, c'est le signe idéal. Demandez-lui donc s'il est dictateur. Il vous répondra non, mais qu'il faut toujours un chef quelque part et que lui il sait s'imposer, pur hasard! Il est né chef et si un Bélier-Bélier n'arrive pas à s'imposer en tant que chef, patron, premier quelque part, vous avez là un Bélier-Bélier bien malheureux frôlant de près la dépression.

Sa cinquième maison est celle du Lion, l'amoureux, celui qui fait ou qui admire les arts et y apporte une sérieuse contribution. Cette position parle des enfants du natif, quand il en a, bien sûr; encore une fois, revient ici l'idée qu'il demandera à ses enfants de briller... Attention qu'ils ne lui fassent pas d'ombre quand même. Avec de bons aspects, il y a de fortes chances que l'un d'eux ou plusieurs réussissent à se tailler une place au soleil. Le ou les enfants auront pris leur place et le Bélier-Bélier sera alors béat d'admiration pour celui ou ceux qui auront réussi, et non pas à être de ceux qui regardent la parade de la vie, mais qui la font.

Sa sixième maison est celle de la Vierge. Il n'a pas peur du travail, il y mettra le temps qu'il faut pour bâtir. Encore une fois revient l'idée de l'économie. Il ne gaspille pas. Il est prévoyant, bien qu'il donne souvent l'apparence de ne pas penser plus loin que son nez. Astucieux, il peut vous dérouter quand il a besoin de vous et que vous lui refusez quelque chose, au point que vous céderez sous la pression subtile de son insistance tout aussi subtile, ou alors vous aurez peur de ses insinuations menaçantes! Il possède également une grande résistance physique. La maladie, quand elle l'atteint, a peur de lui... le feu la brûle. Ce natif a, par ailleurs, des peurs irraisonnées de tomber malade... Qu'il cesse de s'en faire, je le répète la maladie a peur de lui.

Sa septième maison est celle de la Balance. Naturellement, ce natif cherchera le partenaire idéal, une personne alliant l'intelligence et la beauté. Il sera sélectif tout en ayant l'air de désirer plusieurs personnes. Aussi indépendant puisse-t-il être, il est généralement incapable d'éviter le mariage ou les unions; il aime aimer, il aime se savoir aimé, pardon adoré! Pour le garder, il faut déployer une grande passion et ne pas lui assurer que vous êtes totalement gagné et en même temps lui faire savoir que vous l'êtes. Il a un faible pour les points d'interrogation sentimentaux, ça lui permet de reconnaître qu'il y a là un défi à relever.

Sa huitième maison est celle du Scorpion: la mort. Il la défiera. Toujours sans en avoir l'air, il se posera de multiples questions à ce sujet. Il pourra même s'adonner à un moment de sa vie à la recherche métaphysique, aux questions existentielles, et, selon les planètes situées dans ses différentes maisons, il trouvera ou non les réponses qu'il cherche. En réalité, il cherche Dieu dont il finit par accepter la réalité omniprésente dans la deuxième partie de sa vie «avancée» ou «mature». Son évolution se fait à travers la matière; tout d'abord il lui faut gagner sur la matière, c'est vital ensuite, il prend le temps de s'adonner à de profondes réflexions.

Sa neuvième maison, située ordinairement dans le signe du Sagittaire, lui donne sa perpétuelle exaltation, la chance est présente, elle l'attend toujours dans un détour et le rattrape même quand il croit que tout est perdu. Il obtient facilement des contacts avec les personnes en vue, et ses rapports avec les gouvernements ne présentent aucune difficulté. Il aime voyager, mais il revient toujours. En bon Bélier qui se respecte, il décide, souvent à la dernière minute de partir. Tout attire cette personnalité, aussi bien le cinéma que la politique. Quoi qu'il fasse, il faut toujours un peu théâtre là où il passe; vous ne l'oublierez pas, même après ne l'avoir vu qu'une fois.

Sa dixième maison, naturellement dans le Capricorne, en fait une personne capable d'atteindre le sommet qu'elle s'est fixé, le temps jouant toujours en sa faveur. Dans toute son impatience de double signe de feu, il est tenace dans son éparpillement, il a toujours un plan pour ramasser tous les morceaux du casse-tête et même en faire une œuvre d'art! Premier prix de composition et d'ingéniosité! Cette dixième maison entrant en conflit zodiacal avec le Bélier, il y a possibilité que ce natif bifurque de sa vocation première, ou du moins de son désir premier, le hasard et la chance jouant en sa faveur au bout du compte. Il sait être opportuniste et voir là où sont ses plus gros intérêts. Il a pu vivre quelques conflits d'autorité avec son père, et lui-même en tant que père aura tendance à perpétuer le conflit. Il devra donc surveiller cet aspect de sa nature et éviter les erreurs d'autorité de son propre père. Il aura sans doute oublié qu'on l'a obligé; les Béliers oublient souvent ce qui ne leur a pas plu mais, sans s'en rendre compte, ils reprennent le chemin de leurs racines paternelles.

Sa onzième maison, située dans le signe du Verseau, le rend sociable et peut lui apporter, à un certain moment, la chance d'être reconnu auprès d'une masse qui correspond à son milieu, à son travail. Ce natif supporte mal de passer inaperçu. Avez-vous déjà vu un dictateur ne pas se faire entendre? On le voit de loin, en bien ou en mal, mais vous l'aurez vu, reconnu, remarqué. Cette maison étant en bon aspect avec son Soleil de Bélier, le natif sait fort bien reconnaître qui sont ses vrais amis. Il a peut-être l'air d'apprécier tout le monde, mais il n'en est rien au fond. Il fait semblant de ne pas voir qui est contre lui et, aussi astucieux puisse-t-il être, il s'arrangera pour que son ennemi ou son compétiteur ait besoin de lui et lui soit finalement redevable.

Sa douzième maison, dans le signe du Poissons, peut lui faire commettre de nombreux excès et, dans certains cas, le rendre malhonnête. Puis tout à coup vous verrez ce natif se transformer en saint, ce qui peut surprendre. Son évolution peut se faire quasi spontanément, effet éclair, la plupart du temps après une épreuve. À partir de là, la limite n'est plus matérielle, c'est le ciel!

Toute cette puissance qui l'habite peut aussi le détruire, il n'est jamais satisfait. Avec le Scorpion il bat les records de suicide, sauf que dans le cas du Bélier-Bélier il y aura une fanfare, des étincelles, une explosion, une bonne douzaine de ses amis auront été avertis. Il ne le fera pas tout de suite, il espérera qu'on insiste pour le garder en vie, ce qu'on fera mais... un beau jour, plus personne n'aura envie d'entendre ses lamentations. Hop! le suicide est réussi, et comme il sera spectaculaire, on en parlera. Le suicide est un acte interdit par la loi divine. Bélier-Bélier ferait bien de méditer là-dessus car le prix à payer dans la prochaine incarnation, m'a-t-on dit (message du ciel), est fort coûteux. Et quand le feu d'un Bélier-Bélier disparaît, ça laisse un vide tellement grand! Et ceux qu'il réchauffait, que feront-ils?

On ne s'ennuie pas avec lui, le dynamisme est sa marque. L'audace, l'inédit, l'innovation. Il est dévoré de passion, ne l'oubliez pas, et il a continuellement besoin d'alimenter son feu.

Premier signe du zodiaque, double premier signe du zodiaque, bébé malin, affamé d'amour, ses sourires sont une promesse, mais faites-la-lui tenir tout de suite car, comme un bébé, demain il aura autre chose en tête et autre chose à faire, et il vous aura oublié là!

Bien qu'agressif, ce double signe de feu ne veut jamais être méchant et quand il l'est c'est bien malgré lui, c'est qu'il a parlé vite, «à travers son chapeau émotionnel»! Il le sait fort bien quand il va trop loin et il est assez intelligent pour se reprendre et faire le bon geste pour se faire pardonner.

Il met du temps pour atteindre la sagesse et il faut qu'il soit bien décidé pour y arriver. Comme il a horreur de s'ennuyer, il est prêt à provoquer des tempêtes pour créer de l'action qui peut tout aussi bien être physique qu'intellectuelle.

Si vous en avez un chez vous, n'ayez jamais peur de lui dire ce que vous pensez de lui, il ne se gêne pas, lui, après tout. Et faites-lui remarquer que vous le traitez comme il vous traite. Là, vous marquerez un point et peut-être réussirez-vous à le ramener plus vite sur le chemin de la sagesse. Et peut-être réussirez-vous à lui faire comprendre qu'il n'a pas à calculer sa générosité. S'il veut passer pour un saint, qu'il le soit vraiment. Qu'il soit bon avec ceux qui ont vraiment besoin et qu'il n'y ait pas de gloire à en retirer, sauf celle d'être satisfait de lui-même. Être approuvé c'est bien, être approuvé par soi, être satisfait de soi, être bien dans sa peau, être vrai de la tête au pied, c'est rendre les gens à l'aise, c'est faire leur bonheur. Donner, c'est multiplier les cadeaux à recevoir, c'est une loi cosmique, une loi divine. Ce double signe de feu est attachant par son emballement. Il possède en lui cette faculté d'être un enfant émerveillé, de vous surprendre et de vous faire sourire quand il ne vous fait pas rire aux larmes!

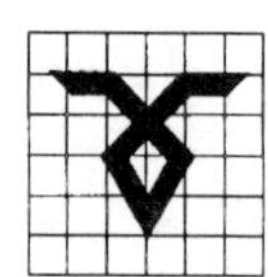
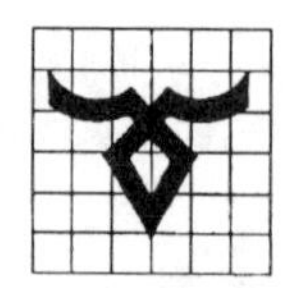

BÉLIER ASCENDANT TAUREAU

Voilà un être gentil, mais qui a lui aussi une double paire de cornes. Plus calme que le Bélier-Bélier, plus pacifique peut-être aussi parce qu'il essuie plus de peine dans sa vie! Il est moins gâté en général, il doit mener une lutte pour mériter ses médailles. Il est tantôt bon et donnant, tantôt prenant et égoïste. Il mène à la fois une lutte intérieure entre le détachement et la possession.

Votre Soleil, en étant Bélier ascendant Taureau, se retrouve dans votre douzième maison, la maison des épreuves, la maison de la réflexion, la maison des grandes transformations psychiques et aussi celle de la grande sagesse.

Il y a une contradiction dans tout cela: en tant que Bélier-Taureau, le sujet a peur de manquer d'argent et il s'inquiète plus qu'un autre de savoir si demain il aura autant qu'hier! Ce natif a un comportement qui tantôt le pousse à économiser au maximum, tantôt à tout dépenser d'un seul coup, certain que le ciel pourvoira à ses besoins et ça arrive le plus souvent.

La sagesse dit que lorsqu'on fait confiance à Dieu, à l'Esprit universel, nommez-le comme vous le voulez, on ne manque de rien. Notre Bélier ascendant Taureau a son côté mystique très croyant et son côté «doute», à savoir si Dieu accomplira le miracle... et Dieu, pour lui, le fait.

Le Bélier est un signe cardinal et le Taureau, un signe fixe; alors, quand il s'engage sur une voie, c'est rapidement et pour longtemps! Le Bélier est celui qui donne des ordres et le Taureau celui qui n'en prend pas. Essayez donc alors de lui donner un conseil. Juste pour voir. Il dira oui, d'accord, mais il n'en fera qu'à son idée! Et il reviendra vous voir s'il s'est trompé, s'il a commis une erreur parce qu'il ne vous a pas écouté et il aura cette humilité d'avouer sa défaite. Ce Bélier-Taureau en est bien capable.

Le Bélier est régi par Mars et le Taureau, par Vénus. Vous avez donc là un être de «chair» qui aime tout ce qui est bon, agréable, cher, luxueux même. Sensuel, il aime que l'on comble ses appétits.

Nous sommes en présence de deux signes qui font partie de la première phase de l'évolution de la conscience. Nous avons là un être qui ne se rend pas toujours compte qu'il est égocentrique, narcissique et peut-être même pas mal égoïste par certains côtés, du moins dans la première partie de sa vie. Mais certains s'en guérissent très bien. Le monde a été créé pour lui, pour son bonheur, mais ce n'est pas du tout le genre de conversation qu'il aime qu'on lui tienne. Bien au contraire, il vous dira qu'il est prêt à faire n'importe quoi pour plaire aux autres. Mais, au fond, si vous grattez bien, vous verrez que c'est pour se faire plaisir, pour qu'on lui fasse plaisir ensuite. Il a une grande qualité de cœur dans tout ça, il sait parfaitement le reconnaître quand vous lui avez rendu service et il tiendra à vous rembourser d'une manière ou d'une autre. Il pourrait cependant mettre du temps avant de le faire, le Taureau à l'ascendant le rend lent.

La deuxième maison de ce natif est dans le signe du Gémeaux, ce qui peut le rendre fort dépensier, susciter chez lui un désir irrésistible de s'offrir du luxe, de nombreux luxes et parfois aussi des pacotilles, bien que l'ascendant Taureau lui fasse aimer le beau et le cher. Mais il lui arrive aussi de se récompenser avec des choses de peu de valeur, de s'offrir aussi une compensation pour ses insatisfactions intellectuelles quand il n'arrive pas à tout comprendre ou quand il vit des périodes de solitude, ce qu'il n'apprécie guère. Il vous dira lui-même qu'il est fait pour l'amour, ce qui n'est pas faux! Mais il est pressé qu'on l'aime, il est pressé d'aimer, et cela peut parfois le faire tomber dans le mauvais «panneau». Il arrive à ce natif d'être plus ou moins bon dans le domaine de la spéculation financière. Il possède un côté naïf, et il est facile de l'étourdir en se servant de sa raison, tout en jouant avec son cœur sans qu'il s'en rende compte. Quand vous lui parlez d'argent, de contrat, voilà qu'il réfléchit en même temps que vous parlez. Résultat: il n'a pas tout retenu! Et il se retrouve en train de payer, ce qu'il n'avait pas prévu. Il gagne souvent de l'argent dans un monde de communication où il y a une circulation de gens et des têtes nouvelles à observer. Il aime aussi «barguiner» pour son seul plaisir, car il achète rarement ce pour quoi il négocie. Ça ne vaut plus assez cher une fois qu'il a obtenu un rabais!

Sa troisième maison est celle du Cancer. Intérieurement, ce natif a toujours l'impression qu'il devrait déménager, aller ailleurs, que ce serait mieux ailleurs. Il a du mal à se satisfaire de son chez-soi. Bien que très attaché à la famille, il peut s'y tenir à distance; il peut aussi l'avoir quittée très tôt dans sa jeunesse, à la fin de l'adolescence ou à l'adolescence même. Il a besoin d'élargir ses horizons tôt dans la vie. Il a peur d'être coincé. Autant il a le goût de la liberté, autant il aime la stabilité, et il n'est pas facile de vivre avec les deux à la fois. Il lui faut du temps pour s'ajuster et faire le pont pour équilibrer les deux tendances.

Sa quatrième maison est celle du Lion, de la famille, de l'amour, des enfants, et vous l'entendrez rarement dire du mal de ceux qu'il aime. Bien au contraire, il voit sa famille d'un œil émotionnel et ne se rend pas compte qu'elle peut provoquer un blocage dans sa créativité, ses aspirations. La mère joue un rôle important dans la vie de ce natif; elle est le plus souvent un modèle dans le cas d'une femme et, pour un homme, il y est si attaché qu'il peut avoir du mal à accepter qu'une femme ne ressemble pas à sa mère. La mère du natif est une protectrice avec laquelle il a rarement des conflits, à moins que de très mauvaises influences de sa carte natale ne l'indiquent. Ses enfants, quand il en a, sont poussés de l'avant, mais ils peuvent aussi être possédés de façon exagérée. Le natif est à son tour protecteur, trop «couveur» et il risque d'entraver ou de retarder la liberté d'action des siens. Sa famille est souvent une famille plutôt à l'aise qui l'éduque en fonction du confort et qui lui suggère de se trouver un conjoint sans problèmes, une fille ou un gars bien, qui a de bonnes racines, princières de préférence!

Sa cinquième maison est celle de la Vierge. Cinquième maison, maison de l'amour. Vierge, signe du travail. Il arrive aussi très souvent que le natif rencontre l'amour sur les lieux du travail ou très près. Les amours seront compliquées, du moins dans la première partie de la vie. Le natif discutera trop longuement des qualités et des défauts du partenaire qu'il rencontre. Il l'auscultera. Le décortiquera jusqu'à «l'os» intérieur. Il peut aussi finir par décourager l'autre par trop d'exigences involontaires. L'amour qui se sent imparfait prend la fuite ou se trouve des raisons pour s'éloigner... à la longue, c'est pénible de n'être jamais à la hauteur. Ici le jeu des relations amoureuses est subtil et le sujet se rend à peine compte de son attitude méticuleuse à vouloir que l'autre soit fait et agisse selon sa mesure. Bien que plusieurs natifs de ce signe aient des enfants, nombreux sont ceux qui n'en font pas, n'en veulent pas pour différents motifs personnels, et parfois à cause de circonstances incontrôlables qui marquent leur vie. Advenant qu'il n'en ait pas, il aura toujours pour l'enfant un profond respect. Dans le cas d'une femme qui n'a pu en avoir, elle ressentira tout au fond d'elle-même une sorte de regret, de nostalgie de n'avoir pu vivre la maternité.

Sa sixième maison est celle de la Balance, sa maison de travail. Le natif aura très souvent des rapports avec le monde des arts, de l'esthétique, du théâtre, de la justice. Il pourra même devenir avocat ou travailler pour des avocats. Tout dépend naturellement du système planétaire dans son ensemble. Cette personne est minutieuse au travail, recherchant à la fois l'efficacité et la beauté. Elle essaiera d'entretenir de bonnes relations avec son entourage, mais il peut arriver qu'elle se fasse des ennemis, bien malgré elle, simplement parce qu'elle aura dit une vérité qu'on n'avait justement pas envie d'entendre. Elle aime la vérité et les relations franches, ouvertes et parfaitement honnêtes, sauf que tout le monde n'est pas comme elle. Elle devra apprendre à laisser tomber, à ne pas se mêler des affaires d'autrui, à ne pas offrir ses services avant qu'on la sollicite. Malheureusement elle paie de sa générosité. On la remercie mal. En réalité, en offrant ses services à l'autre, elle fait sentir qu'elle est indispensable, et la personne qui reçoit peut alors interpréter cela comme un complexe de supériorité de la part du natif. Ce n'est pas tout le monde qui peut apprécier un service gratuit!

La septième maison du Bélier-Taureau est dans le signe du Scorpion, ce qui signifie que l'union peut être détruite par un premier conjoint trop autoritaire, trop sévère, trop jaloux, trop possessif. Un conjoint qui, parfois, ne gagne pas bien sa vie et profite de l'argent du natif. Si ce natif vit un échec dans le mariage, il mettra longtemps avant de s'en remettre. La blessure peut être profonde et le souvenir, vivace, ce qui le rend méfiant face à ses nouvelles rencontres, bien qu'il soit perpétuellement affamé d'amour. Dans certains cas, le natif pourrait même avoir été victime d'une certaine violence de la part d'un premier conjoint. Pour un homme, sa première femme – c'est souvent le cas – aura détruit ses rêves ou les aura assombris. L'exception fait la règle.

Sa huitième maison est en Sagittaire, ce qui annonce une mort douce à un âge bien avancé. Plus le natif vieillit, plus il devient sage, et plus il est apte à conseiller. Plus il vieillit, plus il est chanceux. Il a un profond respect des opinions politiques et religieuses d'autrui. Souvent la chance intervient dans sa vie et la transforme du tout au tout, dans le travail comme dans l'amour. De toute manière, les transformations sont bénéfiques. Un voyage peut souvent être à l'origine, chez lui, d'une grande transformation de vie et même d'une autre manière de penser; un voyage ou un séjour à l'étranger peut développer un grand sens philosophique. Le natif est, la plupart du temps, un grand croyant. Il n'est pas superstitieux et il saisit profondément que Dieu est une omnipuissance avec laquelle il n'a pas à marchander, qui veille sur lui comme sur tout le monde, avec quelques moments de distraction, mais la confiance règne et lui donne raison.

Sa neuvième maison est dans le signe du Capricorne. Il placera souvent l'étranger ou les étrangers sur un piédestal. Il sera fasciné. Capable de vivre seul, bien qu'il ne le désire pas du tout, sa solitude lui apportera la sagesse dont il a besoin pour mûrir. La maturité sera plus heureuse qu'il ne l'aurait cru. Ce natif, quand il poursuit un idéal, le fait honnêtement, de tout son cœur et avec toute sa flamme de Bélier. Comme le Capricorne entre en conflit zodiacal avec le Bélier, il arrive qu'on essaie de le décourager de son idéal, mais ce ne sera pas pour toute la vie; il y revient un jour quand il a mûri et qu'il est sûr de lui. Si certains des aspects l'indiquent dans leur carte natale, pourront s'engager politiquement au nom d'un idéal.

Sa dixième maison est celle du Verseau. Il aura souvent comme idéal de voir le monde se transformer, devenir tout beau, tout parfait, uni. Il pourra aussi s'illusionner dans sa jeunesse sur ce monde parfait et découvrir qu'il devra changer lui-même parce qu'il n'arrivera pas à réformer l'humanité, à la rendre parfaitement pacifique. En vieillissant, il peut arriver que ce signe s'associe à un mouvement pacifique, ne supportant plus les injustices. Il lui arrivera aussi d'intervenir pour prendre la défense des faibles. Des amis haut placés le protégeront. Il est souvent l'ami des gens qui ont réussi royalement. Il n'enviera pas leur place, il se contentera de respecter et d'admirer leur force. Il peut travailler dans un endroit où il est en contact avec le public et avec tout ce qui relève d'Uranus, c'est-à-dire la médecine moderne, l'imprimerie, les journaux, etc. Il aura un faible pour l'astrologie, pour les sciences occultes, la radio, la télévision.

Sa onzième maison est celle du Poissons. Si ce natif décide de s'adonner à la politique, il devra être sur ses gardes. Sa naïveté ne lui fait pas prévoir les coups qui peuvent parfois venir par derrière, ni le jeu compétitif qui s'y joue. Lui, il fait la paix, il défend un idéal honnêtement!

Il devra surveiller sa circulation sanguine, ménager son cœur qui peut sournoisement créer des problèmes. Mais il saura intervenir à temps. Profondément croyant en Dieu, si ce natif pouvait demander sans douter, il obtiendrait du ciel tout ce qu'il désire. Demandez et vous recevrez!

Cette évolution demande qu'il se regarde tel qu'il est, qu'il écoute sérieusement ce qu'on dit de lui, qu'il observe ce qu'il provoque comme réactions chez les autres!

Ce peut être un choc, mais un choc qui lui évitera d'être malheureux en amour. Comme je l'ai dit au début, le Soleil de ce natif se trouvant en douzième maison, cela lui permet, à travers les épreuves, d'atteindre le bonheur, la sérénité, la sagesse. Il fera quelques petits détours, mais ça en vaudra le coup!

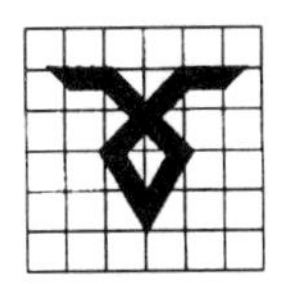 

BÉLIER ASCENDANT GÉMEAUX

Bélier, signe cardinal de feu, Gémeaux, signe d'air double, voilà quelqu'un qui s'exécute rapidement, sans vraiment trop réfléchir. La chance et l'audace. Parfois, une sorte d'effronterie le porte là où il veut arriver. Le Gémeaux est un signe double, et si une partie commet une erreur, l'autre partie la réparera. Signe de feu d'abord, alimenté par un signe d'air. Qu'arrive-t-il quand l'air souffle sur le feu? Le feu s'élève! Et point de limite!

Cet être aime parler, discuter, rire; la routine le rend malheureux, pour ne pas dire malade. Il est sympathique, séduisant. On aime sa compagnie. Ce n'est pas qu'il dise toujours des choses intelligentes! Non, il lui arrive de dire tout ce qui lui passe par la tête... il est quelquefois girouette... Mais jamais il ne veut être désagréable!

Son message, lorsqu'on le voit pour la première fois est: «Regardez-moi, je suis une personne importante et vous devez vous en rendre compte!» Cela peut taper sur les nerfs de certains vieux signes sur la roue du zodiaque! Tout le monde ne ressent pas ce besoin de se faire regarder et d'être important, et tout le monde n'a pas envie de s'asseoir en spectateur. Vous pouvez dire franchement à cet individu qu'il prend de la place. Il en conviendra, mais il ne sera pas vraiment dérangé. Bien au contraire, il sera flatté! Vous l'avez remarqué!

En fait, ce signe peut être un vrai petit génie à trois têtes, une avec le Bélier et deux avec le Gémeaux. Il lui arrive de douter de lui, mais cela ne l'empêchera pas de parler. Mais sa belle assurance n'est souvent qu'une façade pour se sortir de sa peur de ne pas être aimé et approuvé.

Le Soleil de ce natif se retrouve dans la onzième maison, ce qui signifie qu'il est né pour les communications et la multiplication des amis. Il sait également s'en faire en haut lieu, bien placés. Ce natif n'a pas beaucoup de scrupules quand il s'agit de se faire un chemin, il passe, un point c'est tout. Et s'il passe devant vous ou vous dépasse en vous bousculant un peu, il n'a pas de véritables regrets, il se dit en lui-même que vous n'aviez qu'à être plus rapide que lui ou simplement ne pas vous trouver sur sa route. L'intelligence est éveillée et curieuse. Sa famille, c'est l'univers. Il trouve généralement son cercle familial bien étroit. Cette position solaire lui fait adorer les voyages, les départs, le lointain, l'aventure, l'inédit.

Sa première maison, celle de son ascendant Gémeaux, lui donne une allure jeune, pétillante, nerveuse. Il est facilement irrité par un détail, mais jamais pour longtemps. Une contradiction est vite expédiée aux oubliettes. Ce n'est pas un être rancunier, bien qu'il ait une bonne mémoire quand on lui fait du tort.

Sa deuxième maison est celle du Cancer. C'est la maison de l'argent. Aussi ce natif sait-il, même s'il est dépensier, mettre des sous de côté. Il sait prévoir pour les jours moins heureux, moins prospères. Dans sa jeunesse il aura peut-être pris certains risques financiers en essuyant quelques pertes, mais il apprend tout de même assez rapidement la valeur de l'argent. Il ne vous le dira pas, parce qu'il aime passer pour quelqu'un de tout à fait libéré de la «matière», mais il a son petit magot au cas où! Et plus il vieillira, plus le magot prendra forme jusqu'à l'achat d'une maison et de placements sûrs.

Sa troisième maison est celle du Lion. Troisième maison, la parole; Lion, le spectacle. Il n'est pas rare de retrouver ces gens dans le milieu artistique, pour un travail écrit ou parlé. Ils sont fortement attirés par les arts: de la scène, oraux, écrits, etc. La voix est généralement belle et porte loin, ce qui en fait de bons orateurs ou de bons chanteurs, ou encore de bons plaideurs. Ils savent se défendre et défendre les autres quand il y va de leurs intérêts. Il aime bien passer pour une personne non calculatrice, mais il l'est plus qu'il ne le pense lui-même. Le sens de la justice est important pour ce natif, surtout si son honneur ou sa réputation sont mis en jeu; il sait alors fort bien assurer sa défense.

Sa quatrième maison est celle de la Vierge, ce qui implique des déménagements assez fréquents. Ou encore a-t-il deux endroits où loger, comme une maison à la ville et une autre à la campagne. Il aime l'ordre et la propreté dans sa maison. S'il en a les moyens, soyez assuré qu'il fera faire son ménage, sinon la besogne est pour le plaisir de vivre dans un endroit bien propre et bien ordonné. Il traverse des périodes où il a envie de ne voir personne. Ce sont des phases de réclusion, de récupération de ses énergies. Il reste chez lui, il lit, s'informe, mange à ses heures et porte des pantoufles! Il ne répond pas au téléphone. Il veut être seul. Ça dure rarement plus de deux ou trois jours, ensuite il a besoin de voir du monde!

Sa cinquième maison est celle de la Balance, sa maison de l'amour, ce qui fait de cette personnalité un être fortement influencé par les arts et l'amour, de préférence par un artiste à aimer. L'amour est au sommet de son idéal et tout est fait de paix et d'aspirations à l'harmonie. Ces natifs ne sont pas particulièrement épris de la vie de famille.

Sa maison cinq représente les enfants. Ce natif aime bien les enfants, surtout s'ils sont sages, et de préférence comme des images, et immédiatement prêts pour la vie. Prendre soin d'un bébé, «pouponner» n'est pas du ressort de cette personnalité. Bien sûr, il peut le faire, mais ce pourrait être une véritable corvée pour lui qui préfère la vie sociale à la vie de famille et au «paternage ou maternage»! Il vous le dira lui-même, chacun son métier... Cette position favorise ses rapports avec la loi, la justice, advenant des problèmes qui doivent être débattus en cour. Simple, il séduira les juges, il saura rougir à temps, répondre et se taire au bon moment. Pour que ce natif s'éprenne sérieusement de quelqu'un, il doit pouvoir l'admirer. Et la personne qui tombera amoureuse du Bélier-Gémeaux ne doit, en fait, lui donner que trois quarts d'assurance-amour... Le Bélier aime tout autant conquérir que se laisser conquérir. Les querelles n'auront en fait qu'un but: rétablir la paix et l'harmonie. Quand il y a provocation de la part de ce signe, c'est qu'il commençait sérieusement à s'ennuyer.

La sixième maison de ce natif est dans le signe du Scorpion. Sixième maison, celle du travail, de la maladie ou de la santé. La personnalité est travailleuse et prête à foncer dans le «tas» pour se faire une route. La santé est généralement robuste, c'est une nature toute faite de nerfs! Quand il tombe malade, c'est sérieux, mais en peu de temps il se remet sur pied. Excessif, il dépense son énergie en quantité surprenante et la récupère de la même manière. Avec cette maison six dans le signe du Scorpion, il n'est pas rare que ce natif ait des relations sexuelles avec des personnes de son milieu de travail; d'autres aspects nous indiquent alors si oui ou non c'est bénéfique. Si des aspects précis l'indiquent, ce natif peut être porté à la drogue ou à abuser de médicaments. Il soigne sa nervosité!

Sa septième maison se trouve dans le signe du Sagittaire. Souvent ce natif choisira comme conjoint ou partenaire une personne qu'il ne peut attacher, qui a besoin d'une grande liberté d'action et qui aime voyager. La position de cette maison, pour plusieurs, peut indiquer deux unions si la première s'est faite trop jeune. Ce sujet attirera à lui mari, femme, amant ou maîtresse, le plus souvent des gens fortunés ou ayant beaucoup de chance. Seule l'exception fait la règle! Advenant, par exemple, que le natif soit marié et qu'il voyage, il aura alors beaucoup de mal à résister aux charmes, avances ou propositions qu'on lui ferait. Il pourra dire que c'était une simple curiosité ou expérience.

Sa huitième maison, celle de la mort, comme celle de la sexualité, se situe dans le signe du Capricorne. Il y a de très fortes chances que ce natif vive très vieux, qu'il soit très résistant et établisse même des records de longévité! Il peut arriver à certains de ces natifs, la carte natale confirme ou annule cet aspect, d'utiliser leurs charmes physiques pour obtenir un poste en vue, mais comme le Capricorne est en aspect zodiacal négatif avec le Bélier, cela peut leur jouer un vilain tour, les circonstances se retournant contre eux. Il y a possibilité que le natif ait vécu d'importants conflits familiaux, particulièrement avec le père, conflit d'autorité, opposition radicale dans la manière de penser.

La neuvième maison est celle du Verseau. Cette personne veut être l'amie de tout le monde et, encore une fois, cette position indique qu'elle attire les gens haut placés qui peuvent, au besoin, lui donner un coup de pouce. L'esprit est ouvert à toutes les cultures et il respecte les différentes manières de vivre sur cette planète. L'individu est curieux de connaître, fasciné par la nouveauté, attiré par le monde du paranormal, sans oser l'approcher de trop près, jusqu'au jour où il lui est permis de vivre une expérience qui le place devant l'évidence de cette réalité. Il pourrait avoir peur de ce monde invisible qu'il pressent. Il attirera à lui, à un moment de sa vie, une ou plusieurs personnes qui ont des rapports importants avec ce monde invisible où il puisera une connaissance qui lui permettra de chasser ses peurs.

Sa dixième maison est celle du Poissons: deux carrières de front, deux objectifs qu'il peut parfois atteindre, mais il est conseillé à ce natif de centrer ses énergies pour éviter le gaspillage et ne pas se perdre en cours de route. S'il s'éparpille, il risque d'éloigner le moment de sa réussite. Mais, comme tout bon Bélier qui se respecte, il aimerait tout faire, tout de suite et vite.

Sa onzième maison, celle où se trouve son soleil, indique une personnalité «détonante», «explosive» et très magnétique. L'échec est rare quand on naît Bélier ascendant Gémeaux. Le sujet peut, pendant une partie de sa vie, vivre plusieurs petits succès, jusqu'à ce qu'enfin il se décide à prendre une orientation fixe avec un but précis. Il a besoin de vivre de nombreuses expériences pour apprendre et, finalement, quand il sent qu'il a fait le tour, il s'installe.

Bélier et Gémeaux, air et feu. Vous avez parfois droit à des explosions de colère éclatantes, cinématographiques! Et puis hop! dix minutes après, tout est oublié! Mais pas pour tout le monde!

Cette personne peut devenir bien capricieuse. Elle est facilement un centre d'attraction, et cela peut la conduire à l'exagération! Là, on commence à ne plus la trouver drôle. Ce besoin d'être important prend parfois des proportions alarmantes, non seulement pour le natif lui-même, mais aussi pour les gens qui vivent près de lui.

Cette évolution n'est pas facile. Il y a une recherche intérieure qui se fait, mais le plus souvent l'être se retourne sur lui-même. Pour se trouver, il faut lever les yeux au-delà de soi. Qui seriez-vous donc sans les autres? Qui êtes-vous si vous ne faites rien pour les autres? Petite morale: tout ce qu'on donne nous revient. Mais, souvent, le Bélier ascendant Gémeaux en doute parce que sa foi est embrouillée et que les valeurs matérielles prennent le dessus. Comment pourrait-il croire à ce qu'il ne voit pas? Le temps joue tout de même en sa faveur et lui permet l'éveil. La méchanceté est rare chez ce natif, mais il doit développer sa conscience et vivre les conséquences de ses actes face à ce qu'il dit à autrui. Il peut lui arriver de dire des choses vraies, mais qui peuvent être blessantes, marquer pour longtemps celui ou celle qui est en face de lui. Sous une forme positive, il peut faire beaucoup de bien quand sa franchise est utilisée avec diplomatie, pratique qu'il aura à exploiter tout au long de sa vie mais qu'il peut réussir avec brio.

Sa douzième maison se trouve dans le signe du Taureau, symbole de l'épreuve: soit que le natif subit l'amour ou qu'il profite d'un partenaire sentimental. Le natif devrait méditer sur l'amour et la générosité s'il veut vivre un équilibre sentimental dans un partage d'égal à égal. Cette douzième maison symbolise l'épreuve qui doit être surmontée par sa propre analyse de ses comportements face à ses partenaires ou son conjoint.

BÉLIER ASCENDANT CANCER

Voici un tendre créateur, ou presque! Il a naturellement son petit caractère prompt de Bélier, et un Bélier, c'est toujours et avant tout un Bélier, quelqu'un qui a du chemin à faire pour s'assagir! D'un côté, il aimerait être sage et, de l'autre, il aime sa propre folie, ses emballements, ses rêves!

Intérieurement, ce Bélier est incertain, il est persuadé qu'il n'y a pas que les valeurs matérielles qui existent et que, derrière tout ce que l'on voit, il peut se cacher un trésor plus intéressant que ce qu'il a sous les yeux.

Nous avons ici un Bélier de carrière et peut-être même sacrifiera-t-il sa vie privée parce que sa carrière le réclame. Il a un besoin quasi viscéral de vivre et de travailler pour une masse, de se sentir utile. Il a besoin d'un public pour être approuvé, aimé. Il a aussi ce profond besoin d'apporter quelque chose de plus à l'humanité. Le Cancer est un signe d'eau, un signe de profonde sensibilité, un symbole maternel, en conséquence, un symbole de fertilité. Il se laisse toucher par la misère. Il a du mal à concevoir qu'en cette fin de siècle il y a encore des gens qui meurent de faim. Il n'aime pas qu'on souffre autour de lui. Ça l'émeut et il voudrait presque se mettre à la place des autres. Il ne voudrait pas vivre dans la misère, pas plus qu'il n'aime constater que des centaines de milliers de personnes doivent accepter ou supporter l'inconfort jusqu'à la misère.

Sa deuxième maison est celle du Lion. L'argent est souvent gagné aussi grâce au milieu artistique, que le natif y tienne ou non une place importante, ou encore en vue. Il peut aussi s'agir d'un comptable, d'une secrétaire, mais le milieu aura le plus souvent un rapport avec les arts de la scène, la radio, la télévision, le théâtre ou autres domaines artistiques. Ce natif attire l'argent. Il n'est pas rare non plus de trouver des employés de banque ayant ce signe et cet ascendant. La deuxième maison, celle de l'argent, et le Lion symbolisant l'or, il aime aussi dépenser pour acquérir des objets de luxe. Ses goûts sont raffinés, il aime faire des cadeaux, il est ému quand il en reçoit et il sait dire merci lorsqu'on lui fait une faveur ou qu'on lui accorde un bénéfice spécial.

Sa troisième maison est celle de la Vierge. Le natif, le plus souvent, est très intelligent et il peut apprendre très facilement, mais il peut en résulter une indécision dans ses choix de carrière. Il est bien embêtant de faire un choix quand on a envie de tout connaître, de tout apprendre et que cela nous est possible! L'agitation intellectuelle étant vive, il peut alors en résulter une extrême nervosité physique allant, à certains moments, jusqu'à l'angoisse. Le natif est particulièrement fragile à l'adolescence, au moment où il fait ses choix de vie, où il affirme ce qu'il est, où il s'oriente vers le devenir. Il ne faudra pas le faire douter de lui ou l'écraser s'il manifeste beaucoup d'hésitation et d'incertitude et s'il pose des quantités de questions. Il serait plutôt sage de l'aider dans ses choix et ne pas s'objecter, même si son orientation ne correspond pas au goût de ses parents. Il pourrait en résulter une personne qui se débrouille bien, mais qui n'arrive pas à goûter le véritable bonheur qui l'habite. Cette nature est si instinctive qu'elle sait ce qu'elle veut accomplir comme destin. Il faut savoir l'écouter et se conformer à ses aspirations qui, la plupart du temps, sont nobles, mais l'exception fait la règle!

Sa quatrième maison est celle de la Balance. Cette maison nous parle de la mère du natif, le plus souvent une «femme de tête», sociable, ayant des affinités avec les arts, parfois la justice, ou du moins là où elle a un rôle à jouer. Rarement cette mère sera une femme passive. Au foyer du natif on se sent le plus souvent bien à l'aise, on y apprend aussi à vivre avec la raison en contrôlant ses émotions. Il arrive que le natif se soumette aux lois et règles que lui impose sa mère, mais un jour il surgit une rébellion si la mère n'a pas su se montrer souple devant la voie que le natif voulait suivre, si elle a fait obstacle ou si, subtilement, elle a réussi à lui faire embrasser une carrière tout autre que celle que le fils désirait au départ.

Sa cinquième maison est celle des arts, des amours, des enfants. Elle se trouve dans le signe du Scorpion. Il peut alors survenir quelques ennuis concernant les enfants. Pour une femme, ce peut être un accouchement difficile. Si d'autres aspects l'indiquent, et que ce natif se soit retourné vers les arts, il pourrait bien y consacrer sa vie. Il est attiré par le monde invisible, la voyance, lui-même possédant la faculté de deviner, d'intuitionner autant ce qui se passe et se passera dans sa vie et dans celle des autres. Il arrive qu'il ait peur de la mort, cette inconnue qui ne vous rend jamais ceux qu'elle vous enlève. Il voudrait bien en percer le mystère, avoir une preuve. Comme il n'y arrive pas, il se range du côté de la foi.

Sa sixième maison est celle du Sagittaire. La maison du travail, qui se trouve dans un signe, peut l'amener à voyager pour son travail. Il devra prendre garde aux «virus» qu'il pourrait contracter à l'étranger. Le plus souvent il travaillera deux fois plus fort que la moyenne des gens, mais il encaissera aussi deux fois plus d'argent que la moyenne! En général, il supporte mal la routine de neuf à cinq, il lui faut de l'action. Il veut avoir l'occasion de s'affirmer, de prendre un certain contrôle. Ce double signe cardinal aime bien commander. Il le fait directement, mais sans agressivité, sans harcèlement.

Sa septième maison, dans le signe du Capricorne, représente le conjoint. Pour une femme, ce sera souvent un conjoint plus âgé ou une personne qui fait figure de père ou qui a la même attitude envers la native. Pour un homme, il se peut qu'il soit attiré par une femme plus âgée ou une femme dont la nature, en plus d'être organisatrice, aurait un côté froid, dont certains natifs Bélier-Cancer pourraient souffrir. La nature du Bélier a grand besoin de chaleur pour vivre et réussir sa vie. Le natif, en fait, inconsciemment ou non, recherche comme partenaire un protecteur ou une protectrice, et c'est d'ailleurs avec une telle personne qu'il se sent bien et évolue harmonieusement. Une différence d'âge entre lui et l'autre offre une sorte de sécurité comme si l'autre, vu l'expérience de temps qu'il a de plus que le natif, saurait prévenir les dangers, préserver et respecter sa jeune personnalité qui est tantôt manifestement sûre d'elle-même et tantôt apeurée.

Sa huitième maison se trouve dans le signe du Verseau. C'est celle de la mort. Dans le signe du Verseau, une mort qui fait parler, une mort surprenante, une mort qui n'a rien d'habituel. D'autres aspects d'Uranus indiquent plus clairement de quel genre de mort il s'agit. Rassurez-vous, la maison de la mort n'indique pas l'âge et l'âge appartient à Dieu et non à un astrologue. Cette position indique le plus souvent que la foi du natif s'active avec l'âge. Qu'il a une perception peu commune et bien à lui de concevoir Dieu et les hommes. Si des aspects l'indiquent, il peut, à un moment de sa vie, se rebeller contre Dieu lui-même, constatant que toute épreuve est une injustice puis, la sagesse du temps faisant son petit bonhomme de chemin, il finit par en venir à accepter ces inégalités.

Sa neuvième maison, qui est celle de la religion, de la philosophie, des grands voyages, se trouve dans le signe du Poissons, ce qui fait que ce natif a presque toujours la sensation qu'il n'a rien vu, ne connaît rien et qu'il faudrait bien faire quelque chose pour les peuples qui souffrent. Il a naturellement le goût de venir en aide au monde entier. D'autres planètes indiquent s'il s'exécutera ou s'il ne fera qu'y penser toute sa vie. S'il a la foi, il aura le désir de partir comme missionnaire! Il se peut aussi qu'il fasse du bénévolat, qu'il se consacre à de bonnes œuvres. Peut-être bien que, s'il ne le fait pas, s'il n'obéit pas à ce profond idéal, il en résultera une insatisfaction majeure, comme j'ai pu le constater chez quelques natifs de ce signe et de cet ascendant qui m'ont répété qu'ils voudraient faire quelque chose d'utile pour les autres, qu'ils y pensent, mais qui ne le font pas. Il est bien facile de se rendre utile, il suffit d'ouvrir les yeux sur la solitude d'autrui, les dépressifs, les grands malades, ceux qui sont isolés, et de leur tenir compagnie. C'est une grande œuvre car ils en ont largement besoin.

C'est dans la dixième maison que se trouve le Soleil de ce natif. La dixième maison étant celle de la carrière, le Soleil du Bélier représente la jeunesse. À moins d'aspects négatifs, ce natif commence sa longue carrière tôt dans la vie, souvent même avant la vingtaine. Jeune, il pense en adulte et se rend bien compte que tout le monde ne bénéficie pas des mêmes droits et plaisirs que lui. Il s'éveille tôt à la conscience qu'il fait partie d'un tout et que sa participation est utile ou pourrait l'être. Les hésitants mettront plus de temps à s'engager sur la voie de sauvetage par le biais de la profession, de la carrière, du métier.

Sa onzième maison se trouve dans le signe du Taureau, symbole d'argent. Cette maison qui représente le Verseau vient ici, une fois de plus, confirmer que ce natif fait de l'argent avec la masse, la foule. Il pourrait aussi se retrouver en politique ou exercer une puissante influence, selon la situation des planètes dans les maisons astrologiques dont nous parlons. Ce natif se fait beaucoup d'amis, il a des relations avec les gens qui ont de l'argent, principalement avec ceux qui ont un standing plus élevé que la masse. Il ne s'en flattera pas, les choses étant ce qu'elles sont. Il ne s'attribuera pas une plus grande valeur parce qu'il fréquente les «gens bien», qui ont un compte en banque bien garni.

Sa douzième maison, qui est celle de l'épreuve, se trouve dans le signe du Gémeaux. Comme cette maison participe également à l'évolution, il peut arriver que le natif évolue au moyen de la communication avec autrui, mais qu'il ait aussi des ennemis parmi ceux qu'il croit être ses amis, et qu'il subisse une influence mentale et psychologique négative qui nuise à son épanouissement profond. Il doit prendre garde de ne pas «se raconter des histoires et se faire des peurs» qui, sans qu'il s'en soit rendu compte, ont été forgées par autrui en vue de le manipuler. Il doit apprendre à respecter la liberté d'autrui, surtout sur le plan des idées, et à garder les siennes, celles auxquelles il croit. Il doit devenir moins susceptible, ce qui l'aidera à contrôler une super-émotivité où il ne s'y retrouve plus car il est atteint jusqu'à l'angoisse.

Ce sujet est très influençable à cause de sa sensibilité. N'allez jamais lui faire peur, il y croira. Grand intuitif, il doit se fier à ce qu'il ressent, car ce qu'il ressent, c'est la vérité. On peut essayer de lui mentir, mais il sentira alors dans son estomac ce petit quelque chose qui lui dit que ça va de travers. Alors, Bélier-Cancer, écoutez le gargouillement subtil dans votre estomac, quand ça ne va pas, il vous parle. Il pourrait peut-être vous dire que les événements passent par le plexus solaire. Comme le natif irradie, il peut transformer un climat au point que ceux qui l'entourent adoptent ses craintes sans se rendre compte de ce qui se passe. Quand il développe la joie de vivre, elle est tout aussi contagieuse que la peur mais ça fait une grosse différence pour tout le monde. Votre mission c'est de rendre l'humanité heureuse. Faites-le!

Ce Bélier-Cancer peut être déroutant dans sa carrière, car dans une même vie, il peut en vivre deux tout à fait exemplaires et tout à fait originales.

L'âme s'ouvre plus largement et veut comprendre, l'âme ressent et veut vivre deux dimensions à la fois, celles du visible et de l'invisible.

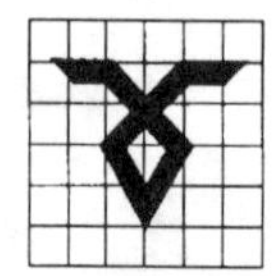

BÉLIER ASCENDANT LION

Double signe de feu. Bélier, signe cardinal, Lion, signe fixe. Ce n'est pas quelqu'un d'ordinaire. C'est du feu, et il est persuadé qu'il brille pour vous plaire, vous réchauffer de son moi et de sa connaissance.

Il sait tout.

Ce peut être parfois pénible de toujours l'entendre dire qu'il sait et qu'on n'a rien à lui apprendre.

Alors, il commettra des erreurs.

Mais il se reprendra. Son Lion, signe fixe, est un signe qui grandit, qui apprend, qui veut devenir un adulte et qui veut briller dans toute sa perfection. Double signe de feu! C'est toujours très impressionnant! Passionné, authentique, il a horreur du mensonge et il le détecte immédiatement. Il se comporte avec droiture et il veut qu'on se comporte de la même manière avec lui! N'a-t-il pas raison, après tout?

Élevé dans un milieu essentiellement matérialiste qui ne tient nullement compte des valeurs humaines morales, cet être devient un véritable dictateur, une personne à succès. Socialement, il n'y a pas à dire, il réussit. La chance le porte. Il gagne gros et, même s'il perdait, il saurait se refaire rapidement. Ingénieux, habile, magnétique, il trouve toujours quelqu'un pour lui venir en aide, le secourir dans le besoin, alors même qu'il n'aurait rien demandé, mais c'est plus rare. De toute manière, sous son signe de Bélier on ne se gêne nullement pour demander, et avec son ascendant Lion, comment oserait-on refuser à un «seigneur»?

Le moi est gigantesque, il reconnaît qu'il est quelqu'un de bien et vous feriez mieux de le reconnaître aussi!

Alors, si ce Bélier est élevé sans profondeur, c'est-à-dire à ne croire qu'en ce qu'il voit, qu'en ce qu'il possède, à ne juger les gens que par rapport à leur classe sociale, s'il n'apprend également à ne juger que sur les valeurs matérielles et les possessions d'autrui, sans tenir compte de leurs valeurs intérieures, vous aurez là, quand il vieillira, une personne ridée, déprimante parce qu'il ne lui restera plus qu'à vous raconter ses exploits financiers et à vous dire: «Dans mon temps, MOI...»

Éduqué selon des valeurs morales, notre Bélier-Lion devient un être de lumière que tout le monde aime parce qu'on lui a appris que, être authentique, c'est la meilleure manière de vivre et que pour aimer quelqu'un il n'est pas nécessaire d'être riche d'argent, il suffit d'être riche de cœur. Il saura éclairer tous ceux qui se trouveront sur sa route; il donnera et il recevra.

Portés par une foi aveugle, ses rêves les plus fous peuvent devenir réalité! Pourvu que ses rêves soient bons pour tout le monde, car il a besoin de développer cette conscience qu'il fait partie d'un tout et que, s'il sert le tout, le tout le servira, mais que s'il ne sert que lui-même, qui donc alimentera sa double flamme, Bélier-Lion?

La deuxième maison de ce Bélier, sa maison d'argent, est dans le signe de la Vierge. Ce qui fait de lui un comptable. Entendons-nous: il aime compter de l'argent, calculer, voir combien il possède et comment il pourrait davantage économiser pour devenir plus riche. Ne jouez pas à l'argent avec lui, il n'aime pas perdre. Économie, il peut même devenir avare, ce qui n'a rien d'une qualité dans le cas de ce Bélier. Il vous invite, mais il oublie son porte-monnaie, sauf s'il doit vous impressionner! Parce que ça va rapporter! Il a souvent deux sources de revenus, deux manières de gagner sa vie. Face à l'argent, il peut être profondément insécure. Ils sont nombreux dans notre société capitaliste à croire qu'on ne les aimera que s'ils sont riches et ont une profession qui les comble d'honneurs. Des témoins verront qu'on le salue et il se persuadera qu'il est arrivé! Le Bélier-Lion se laisse facilement prendre à ce jeu. Il est même capable de faire semblant d'y prendre du plaisir.

Sa troisième maison est celle de la Balance. Ce natif aime les gens qui sont beaux, élégants, les superficiels aussi. Mondain par nature, il se fait rarement des ennemis, mais il arrive que certaines personnes se fatiguent de ses jeux de richard. Sa troisième maison, dans le signe de la Balance, juste en face de son Soleil, fait qu'il ne garde pas trop longtemps les mêmes amis: quand on se fait trop souvent dicter sa conduite, on s'esquive, on s'excuse, on a autre chose à faire. Ce natif sera souvent attiré par les longues études et il peut même lui arriver de suivre deux cours à la fois. L'intelligence et la logique sont puissantes sous ce signe. L'astuce et la stratégie dans les questions matérielles ne manquent pas non plus. On pourrait dire que l'intelligence elle-même est ambitieuse.

Sa quatrième maison est celle qui représente le foyer. Elle représente la mère du natif qui se trouve dans le signe du Scorpion. Ce natif aura souvent une mère possessive qui peut, avec de mauvais aspects, détruire ou ralentir les aspirations de son fils. Le foyer peut être détruit par le divorce, et si le divorce ne survient pas entre les parents, il arrive que le foyer ait quand même un effet destructeur sur lui. Le foyer tentera de limiter le natif dans ses possibilités. Et celui-ci qui a un grand sens de la propriété pourra intérieurement entretenir la peur de voir sa maison, ses biens disparaître. Il est généralement très attaché à sa mère comme si un lien psychique le retenait, lui interdisait de trop s'éloigner. La pression peut devenir passablement forte dans le cas d'un type masculin; il aura tendance à accepter une soumission trop forte, inconsciente la plupart du temps. Dans le cas d'une naissance féminine, il peut y avoir rébellion contre la mère.

Sa cinquième maison se trouve dans le signe du Sagittaire. Cinquième maison, les amours, qui peuvent être nombreuses, enflammées, qui peuvent aussi être rencontrées en voyage. Cette cinquième maison dans le signe du Sagittaire lui apporte de la chance financière, ce flair qui lui permet de toujours tomber sur les bonnes personnes, soit pour établir un contact, obtenir un emprunt, soit pour mettre sur pied un projet qui demande du financement. Il aspirera au vedettariat, à être reconnu dans une sphère bien spécifique. Il ne supporte pas d'occuper la deuxième place, et souvent il organise si bien les situations qu'il tient effectivement la première. Déterminé, ambitieux, il a le sens du pouvoir, mais il ne vole pas la place des autres, il s'impose en qualité de leader! Cette position lui donne un grand sens de l'honnêteté. Plus il vieillit, plus il sait combattre pour un idéal. Attaqué, il prendra sa défense honorablement.

La sixième maison de ce natif est dans le signe du Capricorne. Sa maison de travail en est une d'acharnement. Encore une fois, nous trouvons ici l'indication d'un désir puissant d'ascension et de pouvoir. Ce type est un bâtisseur d'entreprise solide. Il ferait mieux de travailler à «son compte» le plus tôt possible. Il donne des ordres, mais il n'en reçoit pas! Capricorne, signe du père. Il peut lui arriver de reprendre l'entreprise paternelle ou de partager le travail avec lui.

Sa septième maison, celle du conjoint, est dans le signe du Verseau. Il recherchera des partenaires originaux, qui lui serviront d'éveilleurs. Dans une vie de couple, il aimera bien quelques petits affrontements, histoire de revigorer la relation! Cela peut aussi tourner à la catastrophe! Avec de mauvais aspects dans cette maison et la planète Uranus, il y aurait presque une garantie de divorce, au cas où le natif ne trouverait pas le conjoint soumis!

Sa huitième maison est dans le signe du Poissons. Le natif ne veut absolument pas croire à la mort, il préfère définitivement l'immortalité. Il peut même arriver qu'il ait des frayeurs à ce sujet si on ne lui explique rien quand il est jeune. Cette position, avec de mauvais aspects, peut le porter à l'alcoolisme ou à la consommation de drogues à un moment de sa vie. Ne l'oublions pas, ce double signe de feu est un passionné. Quand il fait quelque chose il y met tout son cœur et toute son énergie et s'il buvait, il serait un consommateur difficile à guérir. Le Bélier n'écoute pas les conseils, et le Lion n'accepte aucun ordre. Vous voyez alors qu'il est difficile de lui faire voir une autre couleur que celle qu'il veut.

Le Soleil de ce natif se trouve alors dans la neuvième maison de son ascendant. Cela en fait souvent un sportif, une personne qui a un sens aigu de la compétition et a horreur de perdre! Aussi utilisera-t-il toutes ses forces et sa volonté pour atteindre le but fixé. La neuvième maison, qui symbolise le Sagittaire, le feu, et lui, Bélier, font de lui un être chanceux, une personne à succès. Bélier de défi. Ce qui l'intéresse, c'est de gagner et la chance est avec lui. Encore une fois, revient ici l'idée de l'honneur et de l'honnêteté. Possibilité d'une élection ou d'une reconnaissance publique avec cet aspect. Avec de forts aspects de Jupiter, de Mars et de son Soleil, il peut même atteindre la célébrité.

Sa dixième maison est celle du Taureau, maison aussi de l'argent. Ce natif, en fait, n'a qu'à se lancer un défi, qu'à se fixer une ligne de conduite et le ciel placera sur sa route tous les éléments qui garantiront son succès. Son ambition, c'est le plus souvent la possession: devenir très riche, posséder, pour se sentir en sécurité et avoir du prestige. Bélier ascendant Lion, l'orgueil ne manque pas! Il y a possibilité, advenant le cas de la célébrité, qu'il traverse une longue période où il sera imbu de lui-même, sans trop de respect pour ceux qui sont au bas de l'échelle. Il se rendra compte qu'il fait fausse route, et qu'il n'a aucune raison de se prendre pour le nombril du monde. Il n'est pas méchant, il saura réviser sa position, garder sa place et, du même coup, respecter celle des autres. La dixième maison représente le père du natif. Le Taureau étant le signe de l'argent, il y a possibilité que le père ait une position enviable dans une sphère sociale donnée et qu'il intervienne financièrement en faveur du fils. Le Taureau étant un signe fixe, on peut s'attendre à une certaine rigidité de la part du père: autorité et affection possessive.

Sa onzième maison est dans le signe du Gémeaux. Revient ici encore une fois son sens social, son goût de participer à la collectivité, tout en se plaçant sur le devant, bien sûr! Position qui indique encore un esprit rapide, concepteur, innovateur, audacieux. La onzième maison étant le symbole de la télévision, de la foule, allié à Mercure du Gémeaux, la parole, le natif peut faire un bon comédien, ou un commentateur. Cette position indique, encore une fois, qu'il a de nombreux amis, mais qu'ils peuvent aussi être en continuel renouvellement. En fait, ce ne sont jamais les mêmes, ou si peu.

Sa douzième maison est celle du Cancer, symbole de la famille et de la mère. La douzième maison est aussi celle de l'épreuve. Il peut arriver que ce natif subisse des influences maternelles négatives sans même qu'il s'en rende compte. Son subconscient absorbe tout de la mère et s'il arrivait que la mère soit plus ou moins honnête, sans chaleur et sans générosité, ce Bélier-Lion pourrait devenir une personne si économe que, secrètement, on dira de lui qu'il est «séraphin». Le foyer comporte généralement une épreuve qui touche profondément le natif. Ce peut être le divorce, parfois la mort de l'un des parents, mais plus rarement. Il peut en découler alors une difficulté à s'épancher envers autrui. Il aura du mal à donner, à faire un cadeau, mais il ne saura pas comment manifester les profonds sentiments qui l'habitent. Cette position lui donne une grande perception. Il pressent, mais il ne peut l'expliquer. Il lui arrive même de prévoir ce qui l'attend, c'est tout juste s'il peut se l'écrire. La vie est mouvementée, pleine de surprises. Le ciel lui donne la chance de se réaliser plus facilement que beaucoup d'autres. Il devra apprendre à être généreux sans trop compter et ne pas se dire que tout ce qu'on lui donne, on le lui devait d'une manière ou d'une autre. Ce double signe de feu ne devra pas se laisser aveugler par son succès dans l'entreprise choisie. Quand il s'apercevra que ceux qui se disaient ses amis le délaissent, plutôt que d'y voir un complot, il fera mieux de se demander ce qu'il est en train de faire. Surtout, qu'il évite de sombrer dans les vapeurs de l'alcool. Ce signe de feu Bélier-Lion est un double signe masculin, et les femmes sont ultraféminines ou ultramasculines, selon les planètes qui se sont glissées à l'horizon au jour du premier souffle. L'ambition est tout aussi présente, les capacités également, mais elle est plus discrète dans ses manifestations, plus diplomate aussi dans ses négociations. Elle saura user de charme pour qu'on lui dise oui, là où tout le monde avait essuyé un refus. Elle pourrait même être plus tenace qu'un homme du même signe, plus patiente.

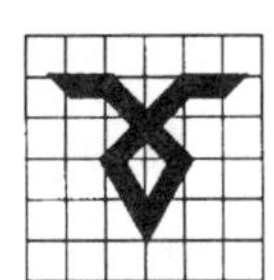

BÉLIER ASCENDANT VIERGE

Le Bélier est régi par la planète Mars. Son «talon d'Achille» est sa tête. La Vierge est régie par Mercure, le mental, la raison. Son «talon d'Achille» est l'intestin.

Vous me direz que nous avons là un constipé!

Vous brûlez!

Il a peur d'être malade, au point qu'il peut finir par en avoir l'air! Les microbes le dérangent! La poussière l'obsède! Il critique, vous n'avez jamais raison avec lui, il en a toujours une meilleure, et il en sait bien plus que vous...

Il calcule, additionne, soustrait. S'il dépense, c'est aussi que sa marge de crédit est bien bonne et bien large. Ingénieux et même rusé, il sait tirer profit de tout ce qu'il fait. Il peut lui arriver de négliger sa famille: les affaires et l'argent l'intéressent au plus haut point!

Sa sexualité et ses sentiments passent d'abord par la raison. Il n'improvise pas, lui! On peut le trouver ennuyeux et se dire même que ce n'est pas un vrai Bélier! C'est un Bélier sérieux, qui fait de l'humour quand il en a le temps et que ça ne lui fait pas perdre d'argent ou que son humour lui rapporte.

Socialement, il est très bien, c'est une personne correcte, très correcte! Il se fait passer pour le type «parfait»!

Mais allez donc voir dans sa vie privée. La première union n'a pas marché, et s'il refait le même jeu, ne s'intéresser qu'à son compte en banque, la deuxième fois, on le quittera encore.

Pourtant, il est capable d'être sensible. Comme la Vierge, il est capable de rendre service, mais il a tellement peur d'être roulé, d'avoir mal calculé et qu'on ne lui rende pas ce qu'il a prêté, car il ne donne pas. Il prête! Il fait un excellent chirurgien, méticuleux. Pharmacien, le propriétaire naturellement. Il peut aussi tenir un magasin d'alimentation.

Sous de mauvais aspects, plutôt qu'un médecin nous pouvons avoir là un boucher! Ou un exploiteur, vendeur de produits miracles.

La Vierge est un signe double. Aussi, dans la jeunesse, ce Bélier aura-t-il besoin d'explications bien claires au sujet de la sexualité. Avec son imagination, il peut développer des fantasmes et des fantaisies érotiques qui peuvent déborder le champ de ce qu'on nomme amour et sexualité. Bélier, signe de Mars, avec un tel ascendant, on peut aboutir au masochisme ou au sadisme, ou aux deux à la fois. L'imagination de Mercure de la Vierge, alliée au feu du Bélier, peut l'inciter à mettre à exécution des fantasmes peu communs. Si ce Bélier-Vierge est éduqué dans un milieu où l'on y enseigne les valeurs spirituelles, il pourra sublimer sa sexualité, du moins la vivre sainement.

Sa deuxième maison est celle de la Balance, sa maison d'argent, juste en face de son Soleil. Il arrive que ce natif devienne un parasite. Il vous demande beaucoup, mais il ne dépense pas son argent. Celui-ci peut être gagné par les arts, plutôt par les artistes qu'il fait travailler, «pour pas trop cher», avec de belles promesses! Il aimera paraître riche, il aimera suivre la mode, avec juste un peu de convention pour n'effrayer personne et plaire à chacun. Il voguera entre le conventionnel et le marginal. On ne saura pas toujours à quel clan il appartient! Est-il lui-même un artiste ou un gérant?

Sa troisième maison, celle des amitiés, est dans le signe du Scorpion. Il peut avoir des amis étranges. Avec de mauvais aspects, il lui est facile d'avoir de mauvaises fréquentations! Il ferait bien de se surveiller là-dessus. Pour lui, amitié et relations sexuelles vont souvent de pair, ce qui peut déplaire à quelqu'un qui s'est lié à lui avec un espoir d'exclusivité! Position qui tend à ne pas dire toute la vérité ou à la camoufler. Position importante à la phase adolescente, où la personnalité peut se transformer du tout au tout. Peut-être avez-vous cru qu'il serait toujours timide ou toujours exubérant? Possibilité, pour plusieurs, d'une transformation totale tant sur les valeurs de la vie que sur le plan mental. Bien orienté, il peut faire de grandes choses. L'intelligence est forte et prête aux plus grands défis. Le danger réside dans l'éparpillement des forces.

Sa quatrième maison est celle du Sagittaire, le foyer. Il arrive que ce natif déménage souvent, qu'il vienne de l'étranger ou, s'il est de chez nous, qu'il aille ailleurs. Il n'a jamais l'impression de s'être définitivement installé quelque part. Il vous parlera de sa maison avec conviction et peut-être, pour vous impressionner, en rajoutera-t-il un peu au sujet de sa propriété et de ses biens. La quatrième maison est aussi le symbole de la mère du natif. Dans le signe du Sagittaire, cela indique qu'elle est une personne intuitive, hautement spiritualisée ou royalement matérialiste, mais les deux ne se retrouvent que rarement chez la même personne. La mère du natif peut parfois vivre loin du lieu de résidence de ce dernier, mais un profond attachement les liera, même une sorte de complicité.

Sa cinquième maison est celle du Capricorne, la maison des enfants, des amours, de la réalisation artistique. Plus il vieillira, plus il sera créateur. Dans sa jeunesse, les amours peuvent être décevantes et le marquer longtemps, et c'est lorsqu'il arrivera à maturité qu'il découvrira l'amour. Il sera alors plus sage, la flamme aura disparu pour faire place à un feu non violent mais durable. Il peut lui arriver de concevoir un enfant «sur le tard». Possibilité de rapports plutôt froids avec l'auteur de ses jours à qui il n'aura pu exprimer ses sentiments. Encore une fois ici, l'adolescence peut être farouche.

Sa sixième maison, maison du travail, est dans le signe du Verseau. Il sera attiré par le monde cinématographique, peut-être plus particulièrement par le côté technique. Il peut se sentir bien à l'aise avec le monde des ordinateurs. Tout ce qui se nomme «onde» l'attire. Il peut aussi travailler dans les communications, communication de masses, ou devenir un fanatique de la «religion», se prendre parfois pour «la connaissance» et essayer d'inculquer aux autres «sa connaissance» et rejeter aussi les autres. Dieu parfois lui échappe... il voudrait pouvoir l'expliquer. On n'explique pas Dieu, Il est. Dieu, c'est un acte de foi sans raison. Le hasard lui fait parfois choisir sa route de travail. Comme tout bon Bélier, il suffit qu'on lui lance un défi pour que le goût d'agir se manifeste instantanément. Ce natif a généralement une grande facilité d'élocution, il sait entretenir la galerie! Il sait impressionner, il peut en rajouter sans que ça paraisse trop!

Sa septième maison est celle du Poissons, la maison du conjoint. Ce natif se choisit le plus souvent des conjoints étranges, des gens «à problèmes» qu'il essaiera de «résoudre» par la psychologie et, parfois, par une psychanalyse personnelle... Il arrive souvent que deux mariages, ainsi que de nombreuses unions vite faites et vite défaites surviennent dans sa vie. En tant que Bélier, il essaiera de dominer la situation conjugale, mais ça ne marche pas toujours. Il n'est pas facile pour lui de vivre à deux, il a du mal à faire des concessions et il ne supporte pas qu'on lui demande où il était quand il arrive avec une heure de retard! Le conjoint finit aussi par devenir une épreuve pour le natif qui adopte parfois l'attitude d'un parasite, d'un passif, soit pour éviter le combat, soit parce que, au départ, il avait déjà un problème de dépendance.

Le Soleil de ce natif se retrouve dans la huitième maison, qui est celle du Scorpion. Vous avez là un Bélier bien excessif. Ça donne souvent une personne aux goûts sexuels un peu bizarres. La bisexualité et l'homosexualité attirent fortement ce natif. Les aspects d'une carte du ciel révéleront s'il est positif ou négatif, et comme il est excessif, il peut être parfaitement honnête ou parfaitement malhonnête. Avec son Soleil dans la huitième maison, il écoute bien mal les conseils d'autrui. Une tendance autodestructrice peut exister chez lui. Il est à surveiller dès son bas âge afin qu'il puisse développer toutes les puissances de son signe. Bienfaiteur ou malfaiteur?

Sa neuvième maison se retrouve dans le signe du Taureau. Bien qu'il aime les grands départs, quand il part, c'est pour longtemps. Il fait souvent plus d'argent à l'étranger qu'à son lieu d'origine. La neuvième maison symbolisant les religions, les philosophies dans le signe du Taureau, le natif peut, ici, se borner à une seule idée et croire qu'il est le seul à détenir la clé de la vérité. Il lui faut faire attention aux cultes de pacotilles, aux superstitions également.

Sa dixième maison, dans le signe du Gémeaux, lui fait embrasser plus d'une carrière dans sa vie. Il sera heureux dans le monde des communications, mais il a grand besoin de l'approbation d'autrui pour démontrer l'utilité de son existence. Il peut lui arriver de créer des besoins à autrui pour avoir ensuite le plaisir de les satisfaire. Cette position, toutefois, tend à lui faire entreprendre beaucoup de choses qu'il ne finira pas. Il devra faire un effort de concentration pour parvenir au but, car il lui arrive de s'aligner sur un idéal matériel et ne pas se rendre compte de la raison de son insatisfaction. En fait, il est plus heureux quand il travaille sur des idées, au service d'autrui, que dans le seul but d'acquérir plus d'argent. L'argent, le plus souvent, vient quand on s'est acharné sur un idéal. Les gens paient pour se joindre à ceux qui leur ouvrent une voie honnête. La masse n'est pas aussi dupe que certains publicitaires le croient. Elle réagit en quittant quand elle ne conteste pas.

Sa onzième maison est dans le signe du Cancer. Ses amis sont souvent des personnalités artistiques, des comédiens, des poètes, des écrivains. En fait, il réussit à se créer une famille avec des amis quand il doit vivre loin de son foyer de naissance. Doué d'une grande imagination, il peut l'exploiter au service d'une action concrète ou se raconter des histoires! Il fonctionne en donnant de grands coups de bouclier au travail. Il peut alors aller jusqu'à l'épuisement, puis voilà que la Lune passe sans lui faire un clin d'œil et une tempête intérieure se déchaîne, phase dépressive. L'agressivité peut être retournée contre autrui ou lui-même. De toute façon, quand il se fâche contre quelqu'un il s'en veut à mort.

Sa douzième maison est dans le signe du Lion, maison de l'épreuve, du mystère, de l'infini, de la foi mystique, maison où siègent les couches les plus profondes du subconscient. Cette maison est en bons aspects avec le signe du Bélier. Aussi, quand quelque chose ne va pas dans la vie de ce natif, il ne peut qu'accuser lui-même. Une intuition puissante le guidait vers la chose à faire mais il lui arrive de ne pas écouter! Cette maison est celle de l'épreuve dans l'amour. Le natif devra à plusieurs reprises refaire le point, se départir de son envie de n'aimer que pour sauver quelqu'un, que pour donner de la valeur à sa vie. Il apprendra, au fil de sa vie, à aimer dans le plus parfait détachement, à donner juste pour faire plaisir, pour voir le visage du receveur heureux. La loi cosmique, juste parce qu'elle est divine, lui donnera en retour ce que souvent il désespérait de recevoir, le grand amour partagé. Position vue sous un angle plus matériel qui peut possiblement créer un conflit avec les banques ou les institutions financières, mais, encore une fois, comme le Lion est en bons aspects avec le Bélier, les choses s'arrangent mystérieusement à la faveur du natif.

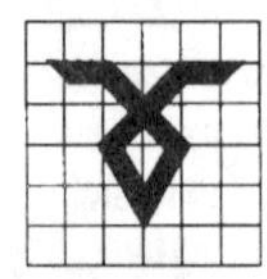
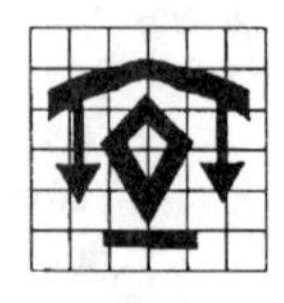

BÉLIER ASCENDANT BALANCE

Il lui faut absolument un conjoint, il ne souffre pas de vivre seul, il ne supporte pas de vivre sans aimer, sans être aimé! L'amour tient la première place! La vie émotionnelle est à l'honneur, la sensibilité est à fleur de peau!

Il a tellement besoin des autres qu'il préférera même vivre dans la dépendance et la servitude plutôt que dans la solitude. Il préférera vivre étouffé plutôt qu'en liberté, mais rarement jusqu'à la mort. Cependant, il fera presque tout pour sauver son ménage.

Double signe cardinal, un chef! Mais avec un beau sourire, prêt à concilier, à jouer, même contre ses propres intérêts, comme tous les signes qui vivent avec leur opposé, qui donnent beaucoup et reçoivent peu en retour. Mais, fort heureusement, le voile de l'ascendant à l'opposé du signe se lève dans la quarantaine, on donne et on reçoit, et parce qu'on a beaucoup donné on reçoit en grande quantité!

Beaucoup d'artistes ont cette association de signes. Le plus souvent, comme l'être n'arrive pas à trouver l'amour idéal, il le recrée dans une œuvre et il arrive parfois à faire de son œuvre, son amour. Compensation qui n'a rien de désagréable, qui remplit et qui donne, car on ne crée pas pour soi, on crée pour donner à autrui, pour apporter sa part à l'humanité.

C'est un rêveur. Peut-être est-ce le dernier amant romantique? Dernière maîtresse et princesse magique à la fois?

Mais si, à tout hasard, ce Bélier-Balance devait subir un peu trop d'affronts amoureux, après avoir tout essayé, alors vous aurez affaire à un être calculateur et froid! Attitude totalement régie par la crainte de se faire prendre de nouveau. Il aura beau s'y refuser, un jour, et justement celui où il s'y attendait le moins, arrive devant lui l'amour. Il y succombe agréablement avec l'espoir que ce soit pour toujours.

Le Bélier, même s'il n'est pas rancunier, n'oublie rien. La Balance, elle, est rancunière! Finalement, à force de tourner et de retourner le mal en soi, on se blesse plus qu'on ne blesse autrui. Ce Bélier, qu'il advienne un grand échec ou qu'il transporte continuellement sa rancune avec lui, risque de voir ses amis s'éloigner pour lui laisser le temps de réfléchir. Quelle tristesse et quel gâchis!

L'apparence est très importante dans cette association. Se montrer sous son meilleur jour en public, que tout le monde en parle en bien, qu'on se souvienne de lui comme d'une personne parfaite, intéressante... Mais certains diront qu'il est casse-pied parce qu'il parle de ses qualités plutôt que de vous les laisser découvrir... Il fait ça pour être aimé et qu'on sache tout de suite qu'il est adorable!

Il s'agit ici d'une association entre le premier signe et le septième: le premier est égocentrique et l'autre s'intéresse à celui qui l'aime! Ce peut être compliqué de vouloir être généreux et, en même temps, ne pas oublier de prendre son morceau de gâteau.

Ce Bélier a besoin de réflexion, de détente. Il est facilement crispé par sa peur du manque d'amour ou, s'il n'a pas d'amour, par sa peur de devoir toujours vivre ainsi!

Sa deuxième maison, celle de l'argent, est dans le signe du Scorpion, symbole du tout ou rien, beaucoup ou pas du tout, tout gagner et tout reperdre. Tantôt un économe exagéré, tantôt un dépensier tout aussi excessif. Il a souvent une attitude inquiète face à l'argent. S'il affiche un air détaché, ne le prenez pas trop au sérieux, l'argent le sécurise plus qu'il ne veut le démontrer et, en même temps, il se dit qu'il est faux de concevoir l'argent comme le gage d'une certitude financière. En fait, il pourrait entretenir tout au fond de lui un rêve: qu'on lui fasse cadeau d'une somme extraordinaire, qu'il ne soit pas redevable, qu'il n'ait aucun compte à rendre. D'une autre manière, qu'on le prenne à charge sans qu'il ait à se soumettre à aucun contrôle! Gagner à la loterie c'est l'idéal, mais bien qu'il y ait beaucoup d'appelés, peu sont élus!

Sa troisième maison est celle du Sagittaire. Ses amis, il va souvent les chercher à l'étranger ou dans des cercles intellectuels. D'habitude c'est à l'adolescence qu'il développe des amitiés qu'il conserve tout au long de sa vie, ou du moins sur de très longues périodes de temps. Il aimera se déplacer, voyager, il sera curieux de philosophie, d'astrologie, mais il aura bien du mal à approfondir quoi que ce soit, voulant tout apprendre en même temps. Il pourra également s'intéresser à la Bourse, au placement, mais là encore il doit être prudent, il risque de se fier à des conseillers désireux de remplir d'abord «leurs poches». L'appât d'un gain rapide peut lui faire commettre une bévue financière regrettable! Son rêve de devenir spontanément riche peut devenir un cauchemar.

Sa quatrième maison, qui représente le foyer, est dans le signe du Capricorne, foyer de naissance aux règles peut-être un peu trop strictes pour ce Bélier dont la nature tend à l'art, à l'amour, à la tendresse et aux «petites fleurs bleues»! Son «chez-soi» aura parfois un côté sévère, vieillot, comme s'il voulait conserver quelque chose de ses ancêtres pour ne pas perdre racine. Ses rapports avec les parents sont distants, tout en étant très importants pour lui. Sa mère aura la plupart du temps pris le contrôle total de son éducation. Il sera, si je puis m'exprimer ainsi, sous son influence maternelle dictatoriale! On l'incite à réussir royalement sa vie, mais sans trop s'éloigner de sa mère ou après avoir obtenu son accord. Naturellement, sa mère ne tient pas ce langage. Une mère n'a jamais l'intention consciente de soumettre son enfant à sa loi; elle le fait inconsciemment, par le biais du chantage émotionnel subtil: si tu me quittes ou si tu ne m'obéis pas j'aurai beaucoup de peine, tu me feras mal, etc. Le natif lui-même, en tant que parent, pourrait adopter cette attitude vis-à-vis de sa progéniture. Un trait à surveiller.

Sa cinquième maison, celle des enfants, de l'amour, est dans le signe du Verseau. Plus que les autres signes, il pourrait se retrouver avec les enfants des autres, et il aura ce respect de la vie, il pourra même être fasciné par tous les enfants du monde, comme s'il avait un cœur universel. Ses amours seront parfois étranges et subiront des chocs, comme si la vie lui envoyait cette épreuve pour qu'il apprenne à déployer toujours plus d'amour. Malgré les épreuves, ce Bélier-Balance finira par trouver un vrai bonheur sentimental à l'âge indiqué par les aspects planétaires. Il a tendance, surtout quand il est jeune, à tomber amoureux d'un idéal plus que d'une personne réelle, qui a sa propre autonomie, son caractère propre et tout ce qui vient avec elle. Quand il se rend compte que la personne n'est pas conforme à l'image qu'il s'en était faite, il se sent lésé, il est désillusionné. Mais ce n'est tout de même pas la faute de l'autre s'il ne correspond pas au rêve du natif, car c'est ce dernier lui-même qui avait monté le scénario...

Sa sixième maison, dans le signe du Poissons, amènera deux gagne-pain, deux sources d'argent. Tantôt il aura beaucoup de travail, tantôt il en manquera. Il s'en trouvera blessé quand il ne pourra pas travailler, il aura l'impression qu'on a conspiré contre lui. Il peut alors développer des maladies psychiques, se croire victime, imaginer des ennemis!

Ce natif est serviable envers ceux qui souffrent, cependant s'il lui arrivait de travailler dans un milieu médical, il devra prendre garde de ne pas devenir comme les malades ni de se culpabiliser de sa bonne santé pendant que d'autres souffrent! Avec cette sixième maison en Poissons, qui relie Neptune et Mercure, on peut le trouver dans les professions les plus diverses, autant écrivain, poète, que médecin, chercheur, ou encore dans le monde du cinéma et de la musique. Sa carte natale, selon la position des planètes Mercure et Neptune, précise le genre de travail dans lequel il se sent le plus à l'aise.

Son Soleil se trouve alors le plus souvent dans la septième maison. De là son goût du faste. Il veut manifester sa présence en public, se faire voir, se faire aimer à tout prix. La maison sept représente le mariage, mais, avec l'ascendant Balance à l'opposé, le divorce ou la rupture le guette plus que tout autre signe, surtout si le mariage est contracté avant la maturité. Inconsciemment, il demandera à son conjoint de faire son bonheur! Le Bélier est un être plus exigeant qu'il ne le croit lui-même; il lui faut parfois un choc pour qu'il prenne conscience qu'il a sa part à fournir et que le partage réel ne vient pas que d'une direction. Il aura comme idéal de se mouler à l'autre, de faire un avec l'autre. La contradiction vient du fait qu'il est celui qui demande à l'autre de se plier ou de se mouler à sa personnalité. C'est un passionné, un tendre aussi. L'amour demande un renouvellement constant et une répétition de gestes qui doivent prendre la forme d'une attention affectueuse soutenue. Le Bélier a du mal à vivre la répétition et à y plonger quotidiennement. Il a besoin de variété, d'une sorte de jeu dans sa passion. Il détermine les règles du jeu, mais il oublie d'en faire part, tenant pour acquis qu'on l'a certainement deviné, alors qu'il n'en est rien. La plupart du temps, c'est un échec qui le réveille et lui fait comprendre qu'il s'impose et repousse en même temps, sans s'en rendre compte et tout en en ayant besoin, l'affection et l'amour de son conjoint, dès que la répétition s'installe et qu'on cesse de le surprendre.

Sa huitième maison, qui représente la mort, se trouve alors dans le signe du Taureau: longue vie! Tout ce qui a trait aux mystères cachés, à l'astrologie, à l'occulte s'y trouve aussi. Malheureusement cela crée souvent à celui qui possède sa huitième maison en Taureau une vue rétrécie sur les mondes invisibles. Il peut facilement se laisser prendre par les apparences, étant donné que cette maison est dans le signe du Taureau, lequel est régi par Vénus. Cette position le porte à vivre l'amour comme un virage interdit. La vibration qui émanera d'une telle pensée provoquera malgré lui des conflits sentimentaux que le natif n'avait pas espérés.

Sa neuvième maison, qui se retrouve alors dans le signe du Gémeaux, lui fait souvent voir le visage de la philosophie plutôt que de la profondeur. Il sera curieux de ce qu'on dit, de ce qu'on écrit, mais il aura du mal à intégrer la dimension profonde des différentes doctrines dont il prendra connaissance. Il aura sans cesse besoin de mouvement, de déplacement, de voyages «aux alentours» et autour du monde! Il connaîtra les «gens bien», pourra avoir des amis fortunés qui sont à la mode. La dimension sociale prend une grande importance pour lui, au point qu'elle peut atteindre une démesure quand il se met à négliger sa vie privée. Le déséquilibre n'a que rarement donné un heureux résultat, mais il faut parfois voir les deux côtés d'une chose pour apercevoir le juste milieu.

Sa dixième maison se trouve dans le signe du Cancer. Bien que le natif puisse rêver de faire carrière à l'étranger, il reviendra vers son lieu natal comme pour répondre à un appel venant du plus profond de son cœur. Encore une fois revient l'idée de l'influence de sa mère, comme on l'a dit plus haut, puisque le Cancer la représente, la dixième, elle, symbolisant l'objectif. Peut-être que la mère a eu ou a une grande importance dans l'orientation de la vie professionnelle de son fils. La dixième maison représente le père, mais celui-ci ne correspond peut-être pas suffisamment à l'image du père qu'un Bélier aime avoir. Le Bélier aime admirer, il aime la force, et la nature du père peut être toute faite d'émotions, de sensibilité. Ici, sous ce signe et cet ascendant, les rôles des parents se trouvent inversés. La mère jouant plutôt un rôle masculin, et le père jouant un rôle féminin. D'où l'identification difficile pour le fils, non pas en tant qu'être sexué mais plutôt en fonction de son épanouissement social et personnel à l'âge adulte. Vivre en voulant à la fois partir et rester demeure une décision difficile à prendre. Aussi le natif pourra-t-il se sentir déchiré entre son propre choix et celui qu'on lui impose inconsciemment.

Sa onzième maison, celle d'Uranus, est en Lion. Cela laisse prévoir un succès fulgurant suivi d'une chute tout aussi surprenante. Pour éviter une telle situation, il devra être vigilant. Il aimera les artistes, les acteurs, le cinéma, et il sera fasciné par la nouveauté, allant même jusqu'à se créer des illusions. Des problèmes peuvent survenir avec ses propres enfants dont il peut être séparé à cause d'un divorce. Il se peut aussi qu'il n'en désire pas du tout. J'en connais qui répètent à qui veut les entendre qu'ils veulent des enfants, mais ils prennent toujours le moyen de ne pas rester unis assez longtemps avec la même personne afin d'éviter l'engagement familial! Ou il faut les entendre dire qu'ils veulent des enfants, mais qu'il leur faut réfléchir... et quelques années plus tard décider qu'ils n'ont plus l'âge! Contradiction! Il veut prendre soin des autres, à condition de ne pas perdre une parcelle de terrain! Il met un certain temps avant d'atteindre la sagesse, l'équilibre, il veut l'amour! Mais, le plus souvent, il ne voit dans l'amour qu'une affaire étroitement personnelle.

Étant donné que ce signe vit avec la Balance comme son opposée, certains, peu nombreux, sont capables de dépasser leur unique besoin et de vivre vers autrui, dans une ouverture généreuse et passionnée. Il m'a été permis d'observer qu'il s'agissait d'une exception. La nature du Bélier est égocentrique. Donc pour qu'il soit heureux, selon lui, tout doit tourner autour de sa personne. Vous lui devez de l'attention. La Balance, de son côté, s'éveille à autrui et il arrive qu'elle s'oublie au point de devenir le reflet de l'autre. Si Bélier et Balance font chacun la moitié du chemin, cela donnera un être qui sait tout aussi bien s'occuper de lui que d'autrui.

Sa douzième maison, celle de l'épreuve, se trouve dans le signe de la Vierge, symbole de travail mais aussi de maladie. Avec cette position, la maladie peut être d'origine psychique. Les voies respiratoires pourraient avoir quelques faiblesses. Attention aussi aux irritations cutanées, aux allergies de la peau imputables généralement à une certaine alimentation que le natif ne supporte pas ou très mal. Autant il peut être un créateur hors pair, autant il peut aussi pencher du côté de la dépression mentale. Le travail lui-même peut devenir une épreuve quand le sujet doit aborder un deuxième choix de carrière. Cet aspect peut l'entraîner à une foi de pacotille. Il peut se laisser influencer par des charlatans, et quand le Bélier se laisse aveugler il court au précipice sans s'en rendre compte. Ce double signe cardinal, donc de chef, n'est pas facile à conseiller; il vit ses expériences et, dans ce cas-ci, il les retient.

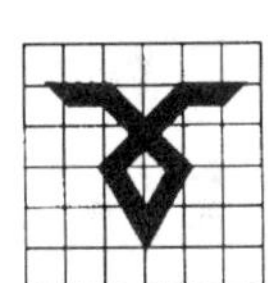

BÉLIER ASCENDANT SCORPION

Quelle personne tendue, prompte, intolérante, passionnée! Double signe de Mars, la guerre... Bélier, signe cardinal, de commandement. Scorpion, signe fixe, qui n'en accepte aucun. Allez donc lui donner un conseil. Vous aurez la sensation d'avoir parlé au voisin. Ce Bélier-Scorpion est un instinctif, un impulsif inquiet pour hier, pour demain, pour il y a vingt ans et pour le reste de sa vie!

C'est un être combatif, qui peut se mettre à terre pour une cause, pour ce à quoi il croit, pour son patron, si celui-ci a le don d'exiger et s'il paie bien, naturellement.

Ce Bélier n'abandonne pas, et ce qui l'intéresse c'est le défi. Là où d'autres ont échoué, il réussira car il s'acharnera, même au risque de malmener sa santé. Double signe suicidaire... ils ne se suicident pas tous, c'est une façon de parler, tenez-en compte de grâce!

C'est un être extrêmement sensible qui se sent préoccupé tant pour lui que pour les autres. En fait, il tient à ce qu'on dise du bien de lui. Il peut être généreux après une courte réflexion, car il agit rapidement, mais il peut s'en mordre les pouces si sa générosité a fait un trou dans son budget. Le Scorpion a réfléchi, il ne le fera plus... jusqu'à la prochaine fois.

Les Béliers ont sérieusement tendance à commettre plusieurs fois la même bêtise, comme de se mettre en colère pour la même raison, alors qu'ils s'étaient promis que cette chose ne les toucherait plus!

Ce Bélier est attiré par l'occulte. Il peut développer des dons de voyance et être habile au tarot. Peut-être fera-t-il un bon astrologue...

En amour, il a bien du mal à être heureux. D'une part, il tient l'autre pour acquis et, d'autre part, il a peur de le perdre! Le malaise peut être vif à l'intérieur de lui!

Il doit apprendre à méditer, à se relaxer, à faire confiance à la vie, à cesser d'avoir peur de manquer de quelque chose pour le lendemain: «Dieu ne nourrit-il pas les oiseaux du ciel?» Alors comment oserait-il abandonner un Bélier-Scorpion?

Sa deuxième maison, celle du Sagittaire, indique que ce Bélier aime l'argent et le plaisir que cela lui procure. Il fait de petits placements, des gros aussi, et il est généralement chanceux, ça rapporte! Il ne prend pas vraiment de risques et, malgré sa peur de manquer de tout, il n'en manque jamais car il est excessivement prudent en tout ce qui concerne l'avoir. Cette position est également l'indice que ce natif accepte volontiers qu'on paie pour lui à répétition et qu'il ne se décide à ouvrir sa bourse que si on lui fait remarquer qu'il commence à abuser! Il réagira avec fierté, paiera sa part... Vous l'observerez se sentir un tantinet insulté, il croyait qu'on lui devait ça!

Sa troisième maison est celle du Capricorne, donc il n'apprendra rien d'inutile! Il aura du talent pour les chiffres, la comptabilité. On pourra lui donner de grandes responsabilités, il tiendra bien son rôle à moins que des aspects négatifs n'interviennent dans sa carte natale. Il ne sera jamais très loin du patron. Ce dernier a besoin de lui, car il sait tout, il sait où se trouve ce dont on a besoin pour la bonne marche de l'entreprise. Il a tendance à être radical dans ses opinions sur différents sujets. En cas d'opposition, il ne veut pas comprendre... il faudra être tenace pour le faire changer d'avis.

Sa quatrième maison est celle du Verseau. Son foyer de naissance aura pu subir quelques chocs durant sa jeunesse, plus près de l'enfance que de l'adolescence. Choc uranien, ce peut tout aussi bien être une tornade que le feu ou des chocs électriques. Il pourra aussi décider subitement de vivre loin de son lieu natal. La plupart du temps, il aura cette étrange sensation d'être déraciné, qu'il soit chez lui ou ailleurs. Il peut rester vingt ans à la même place, il n'a pas envie de partir, il a juste du mal à reconnaître qu'il est enraciné, parce que, tout au fond de lui, il n'est jamais totalement certain que son entourage l'accepte totalement. Aussi sûr de lui puisse-t-il paraître, aussi inquiet est-il au plus profond de lui-même. Sa maison, ou son appartement, ne manquera pas de gadgets modernes la plupart du temps. Le Verseau représentant les ordinateurs, peut-être ce natif a-t-il été le premier à en avoir un chez lui! Cette position indique également que ses amis sont les membres de sa famille ou leurs amis. Bref, ses relations amicales tournent autour de la famille.

Sa cinquième maison, celle de l'amour, se trouve dans le signe du Poissons. Il est bien possible qu'à l'adolescence, vers 18 ans, il ait pu vivre un amour impossible dont il gardera le secret, mais aussi la douleur. Il aura du mal à exprimer ses sentiments à son ou sa partenaire. Il voudra qu'on le devine. Chez lui, les peines d'amour sont cuisantes, pouvant même l'entraîner à l'alcoolisme. D'autres aspects devront quand même le confirmer. L'amour est vécu comme un idéal, un monde infini, mais en même temps ce natif pourra s'y sentir en prison. Les aventures extra conjugales ne sont pas rares sous ce signe. Le Bélier a le sens de la conquête et le Poissons prend ses rêves pour des réalités. Additionnez les deux et vous aurez là un Bélier qui va faire de son rêve une réalité.

Le Soleil de ce natif se trouve dans la sixième maison, celle du travail. Il n'a pas peur de l'effort et il est constant, mais, en même temps, très insécure. La santé est fragile, et les maux de tête sont fréquents. La tension nerveuse est aiguë. Il a bien du mal à refuser un service, il suffit de jouer avec ses cordes sensibles. Il peut se sous-estimer et développer une série de complexes qu'il cachera sous le masque de Pluton, symbole du Scorpion et sa première maison. Il aura l'air fort et dissimulera par orgueil son extrême sensibilité et sa vulnérabilité. Doué d'une excellente mémoire lorsqu'il s'agit de son travail, de ses intérêts autant que ceux de son patron, il oublie beaucoup de choses en dehors de cette sphère, et si vous avez une course à lui faire faire, il faut lui écrire ça sur un bout de papier... et peut-être même oubliera-t-il une fois qu'il l'aura mis au fond de sa poche. Il est préoccupé davantage par ses besoins que par ceux d'autrui, surtout s'il s'agit d'un problème de travail... Alors là, vous venez de le perdre.

Sa septième maison, celle des unions, des mariages, se trouve dans le signe du Taureau. Il ne désire pas se marier deux fois! Et quand il s'engage, c'est pour longtemps, bien qu'il puisse faire des cachotteries sentimentales! Il désirera que le conjoint lui apporte sécurité, à la fois sentimentale et matérielle. Il aime l'argent parce qu'il a peur d'en manquer et il comptera sur son conjoint pour l'aider si jamais il en manque! Mais il a tellement le sens du devoir et il est si acharné au travail, qu'il est bien rare qu'il doive vivre une pénurie.

Sa huitième maison est celle du Gémeaux. Elle représente la mort et la transformation. Ce natif peut se laisser aller à des idées noires! Avec de mauvais aspects, naturellement, les bronches représentent une menace pour sa vie, et il pourrait avoir quelques faiblesses de ce côté. Le système nerveux est fragile à cause des pensées négatives qu'il entretient tant à son sujet que sur les gens qui l'entourent. Cependant, la huitième maison se trouvant dans le signe de Mercure, le natif peut, par sa propre volonté, transformer complètement le négatif en positif. L'intellect est puissant, l'esprit est logique, mais il est aussi extrêmement intuitif.

Sa neuvième maison est dans le signe du Cancer. Le plus souvent, sa résidence est loin du lieu natal. Il préférera un endroit tranquille, calme, si possible la campagne ou la banlieue. Il est profondément croyant et conserve en mémoire le souvenir du temps où il était petit! Aussi est-il attaché à sa famille dont il est souvent éloigné. Ce natif aura également tendance à faire de l'embonpoint à l'âge de Jupiter, vers 35 ou 36 ans, s'il ne surveille pas son alimentation. Position qui favorise l'appui financier venant de la famille à l'âge où il traversera cette maison, selon son thème natal, et qui indique également que ce natif n'est pas méchant: colérique, oui; profondément méchant, non, ou rarement. Il y a bien eu quelques exceptions, mais je m'adresse aux plus nombreux.

Sa dixième maison se situe dans le signe du Lion. L'ambition est grande et le sens de la continuité ne manque pas. Il peut aussi avoir des rêves demesurés de grandeur, de richesse; les positions planétaires indiquent alors si le sujet atteindra son objectif. Il peut aussi avoir un enfant à la maturité si, naturellement, des planètes viennent appuyer sa dixième maison en Lion. Il est possible que s'il fait carrière, surtout dans le cas d'une femme, notre système de garderie n'étant pas au point, le natif aura bien du mal à fonder un foyer et à se décider de s'éloigner du but fixé. Cette dixième maison représente le père. Le natif y est généralement très attaché et entretient avec celui-ci de bonnes relations, souvent meilleures qu'avec la mère. Position qui indique un père orgueilleux.

Sa onzième maison se trouve dans le signe de la Vierge. Le natif se fait le plus souvent des amis au travail et a avec eux d'excellentes relations, à moins d'aspects contraires dans sa carte natale. Position qui lui donne une grande facilité d'élocution, surtout quand il est question de bien défendre ses droits s'ils sont attaqués. Il devient alors extrêmement nerveux devant l'injustice et s'énerve jusqu'à une puissante agitation qui peut atteindre un point très élevé de contestation... En avez-vous déjà vu un faire une crise? Impressionnant, non?

Sa douzième maison, signe de l'épreuve et aussi de l'évolution psychique, est dans le signe de la Balance. Cela signifie que le natif peut vivre une épreuve à cause du partenaire. Les aspects indiquent s'il s'agit d'une épreuve de santé, d'argent ou autre. De par cette position, le conjoint peut également participer à l'évolution du natif, le rendre plus généreux et moins égocentrique, le Bélier étant fortement marqué par le «occupez-vous de moi!» Cette position indique, encore une fois, que la santé du natif pourrait être plus fragile, bien que ce soit peu apparent, surtout avec de mauvais aspects de Neptune qui, à ce moment, l'entraîneraient à de fréquentes insomnies et à des difficultés de récupération. L'ascendant Scorpion lui assure tout de même une régénération. Instinctivement il ira vers la source qui le remet sur pied, et ce peut être le sport, la relaxation ou tout autre moyen que notre vie moderne peut offrir.

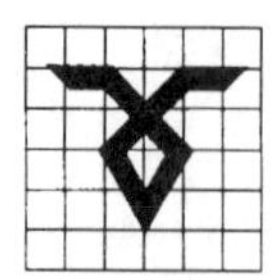 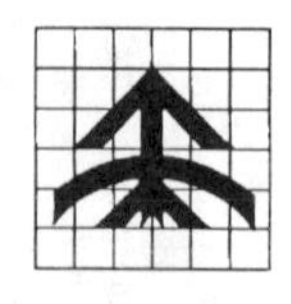

BÉLIER ASCENDANT SAGITTAIRE

Il n'y va pas par quatre chemins. Posez-lui une question, n'importe laquelle si vous avez l'audace d'une indiscrétion, vous aurez une réponse et pas n'importe laquelle, c'est un rapide.

Double signe de feu. Trois personnes: un Bélier (1) + un Sagittaire (signe double, donc 2) = 3.

Il ne manque pas de projets. L'un n'est même pas terminé qu'il en a déjà un autre en tête. Il est pressé, mais ça ne veut pas dire qu'il va terminer! Il faudra peut-être un peu le pousser. Mais comme banque d'idées, celles qui rapportent de l'argent naturellement, c'est fameux. Double signe de feu, le premier le neuvième du zodiaque. Nous avons là un Bélier qui n'est plus tout à fait innocent – il le sait fort bien quand il fait marcher les autres – et qui peut aussi fort bien calculer les répercussions de ses actes.

Mais il est rarement méchant. Profiteur, oui. Mais on lui donne, il vous le dira lui-même, on lui fait des cadeaux! C'est vrai, car c'est à peine s'il a à demander, sa vibration lui attire des grâces.

C'est un conquérant et il est sincère avec chaque conquête. Infidèle malgré lui, comment aurait-il pu refuser de rendre une personne heureuse? Mais ça ne se fait pas! Il vous le dira!

Ce double signe de feu a naturellement besoin qu'on s'intéresse à lui, qu'on l'adore de préférence, mais il n'est pas aussi certain qu'il en fera autant pour vous. D'abord Bélier égocentrique, il est ensuite Sagittaire aventurier. Les hautes sphères l'intéressent, les sphères matérielles comme cela arrive le plus souvent, sportives également. De temps à autre nous sommes en présence d'un explorateur des profondeurs humaines, d'un découvreur des jeux de l'âme, d'un mystique zélé. Naturellement, il n'y a rien de calme avec un double signe de feu. Il peut avoir l'air calme, mais dites-vous bien que, quand on est double signe de feu, un coup de vent et le feu se disperse... De l'eau et il s'éteint, tout comme si on jetait de la terre dessus. Même effet, mais plus lentement, et douleur plus intense et plus longue.

Il a besoin d'encouragement même s'il a l'air de ne rien réclamer, et qu'il vous laisse croire que tout est parfait. Signe double, le Sagittaire s'éparpille; il faut l'aider à s'unifier afin qu'il ne perde pas confiance en son talent.

Sa deuxième maison est celle du Capricorne. Souvent il gagnera son argent en étant employé pour une grosse compagnie ou pour le gouvernement. Cet argent sera souvent gagné grâce à l'appui de personnes plus âgées et ayant une attitude paternaliste à son égard. Il saura faire des placements pour «assurer» ses vieux jours, car il craint d'être obligé de demander du secours à ce moment-là. Il prépare sa retraite bien jeune en mettant quelques sous de côté!

Sa troisième maison est celle du Verseau, ce qui lui vaut de se faire des amis partout. Il a le sens de l'universalité, est extrêmement sociable, parle avec conviction et a une multitude de connaissances qu'il se plaît à étaler pour épater! Il le fera toutefois avec un certain comique. Il aime se retrouver dans des endroits où il y a beaucoup de circulation, et si une nouvelle tête attire son attention, il se décidera bien vite à faire sa connaissance. Il aime parler, discourir, attirer l'attention. Il a un grand sens de la repartie. Quand la Lune passe dans ce signe vous pouvez alors le voir s'enflammer pour la cause à la mode du jour, se mettre en avant. Position qui l'invite à vouloir continuellement se déplacer, à aller chez les uns et les autres, à prendre le train, l'avion, à voir du pays. Il a le sens du mouvement, il bouge beaucoup, même en parlant d'un sujet reposant! Il s'agitera en vous expliquant combien c'est reposant de faire ceci et cela!

Sa quatrième maison, son foyer, dans le signe du Poissons, ressemble à une invitation au déménagement. Le monde est sa patrie, le lieu où il habite n'est jamais le dernier. Il lui faut au moins deux foyers pour être heureux, un à la ville et l'autre à la campagne, et, dans beaucoup de cas, il aura tellement d'amis que cela lui permettra de séjourner à plusieurs endroits successivement, chez l'un et l'autre. Il est du genre: j'arrive, je m'installe, et puis hop! il a refait ses valises se sentant de trop ou s'ennuyant! Le foyer de naissance a pu comporter quelques épreuves, certaines difficultés. La mère peut en être à l'origine, comme elle peut aussi les avoir subies, ce qui ne sera pas sans être ressenti par le natif qui transpose en ayant toujours envie de partir. Le malaise qu'il peut vivre au foyer, il préfère l'oublier au milieu de nouvelles gens.

Son Soleil se trouve donc dans la cinquième maison, celle de l'or, aussi voit-il grand, gros, riche. Le sommet n'existe pas pour lui, le ciel est sa limite!

Avec de mauvais aspects sur le Soleil, en tant que Bélier, il peut arriver qu'il commette quelques erreurs et se croie plus puissant et plus important qu'il ne l'est en réalité. Il se laisse aussi facilement prendre par les apparences, mais pas longtemps. Son petit doigt lui fait vite comprendre quand il a investi son temps et son argent au mauvais endroit, avec les mauvaises personnes. Il n'est pas non plus à l'abri de l'orgueil! En amour, il peut être aveuglément passionné aussi longtemps qu'on le traite comme un roi ou une reine; en dehors de ça, il est reparti pour une autre conquête dans un autre royaume. Il a cette faculté d'aller d'un milieu à l'autre sans se sentir embarrassé. Bien qu'il puisse être amoureux, il n'oublie pas ses intérêts et aura tendance à fréquenter les gens qui le protègent, qui lui donnent un avantage quelconque. La plupart d'entre eux se découvrent une passion très tôt dans la vie, ils décident ce qu'ils seront et vivent tout au long de la démarche comme s'ils avaient déjà atteint leur idéal. Et comme la foi déplace les montagnes, le Bélier atteint toujours son rêve.

Sa sixième maison, dans le signe du Taureau, fait du natif une personne active mais, comme son signe de feu l'indique, il prend les bouchées doubles. Puis, si la motivation baisse, alors le voilà ailleurs et cherchez-le! On peut lui confier une responsabilité où, naturellement il sera à l'honneur!

La seconde place le choque! Il est habile avec les chiffres, l'argent, les papiers à remplir; il saura faire baisser un prix, marchander. Il en veut pour son argent en payant le moins cher possible! On peut lui confier de grandes responsabilités, mais si vous l'assurez qu'il restera toujours là où il est, il aura déjà commencé à chercher ailleurs. Il sera fortement attiré par un travail où l'art et la créativité entrent en ligne de compte ou par la fréquentation d'artistes, ce qui lui donne la sensation d'avoir du prestige. Il peut aussi être attiré vers les gens qui possèdent le pouvoir et l'argent.

Sa septième maison, celle du conjoint, est dans le signe du Gémeaux, et cela signifie souvent au moins deux unions! Le natif étant «tombé» amoureux trop jeune la première fois, il supportera mal un conjoint qui lui pose trop de questions. Son âme sœur a besoin de le laisser s'aérer si elle veut le garder.

Quand cette personnalité n'a pas d'amour «sérieux» dans sa vie, elle risque l'éparpillement, la multiplication des aventures et aussi beaucoup de déceptions. Elle est à la recherche de la passion, l'amitié ne lui suffit pas. Cependant, elle fait tout d'abord la première promesse passionnée, vous laisse entendre qu'il en sera toujours ainsi, mais il ne tarde pas qu'elle vous charge de la rendre heureuse, amoureuse. Elle veut que vous attisiez son feu... double signe de feu... vous lui devez ça... et ne marchez pas trop devant elle... elle aime être à l'honneur.

Sa huitième maison est celle du Cancer. Avec de mauvais aspects dans cette maison, le natif peut s'adonner à l'alcool, aux drogues. Souvent le foyer aura été un lieu de douleurs ou de puissantes restrictions morales, tout comme avec de mauvais aspects, cela peut être tout à fait le contraire, mœurs relâchées au maximum. La mère du natif aura pu être bizarre ou possessive, souvent un mystère lourd de conséquences entoure le foyer de naissance protégé secrètement par le sujet.

Sa neuvième maison est celle du Lion. Le natif préférera la fréquentation des gens haut placés. Il sera habile à traiter avec les «grands» de ce monde et se fera des relations dans les hautes sphères de la société. Il sera le plus souvent honnête avec ceux avec qui il traitera, et cela peut aller dans certains cas jusqu'à une certaine naïveté, mais certainement pas durant toute sa vie. Le flair est tout de même très aiguisé avec le double feu. Il pourra lui arriver d'aimer les riches et de dédaigner ceux qui sont les plus démunis. S'il part au loin, il oubliera ses origines. S'il part d'un milieu fortuné, il ne sera pas intéressé à connaître ceux qui n'ont pas eu autant de chance. Il lui faut apprendre à ne pas se fier uniquement aux apparences qui, elles, changent. Qui sait si le plus petit ne deviendra pas le plus grand? L'inverse est aussi vrai! En tant que double signe de feu, sa philosophie peut aller d'un extrême à l'autre, s'emballer pour une doctrine aujourd'hui et pour une autre quelques mois ou quelques semaines plus tard! Avec cette neuvième maison dans le signe du Lion, ce natif peut être fortement attiré par les sports et devenir un expert dans la ligne qu'il aura choisie. Position où il est rarement méchant. Le double signe de feu est emballé, mais il n'a jamais l'intention de faire mal à qui que ce soit. Il est combatif et sait se défendre, mais il n'est pas du genre à attaquer, à moins qu'on ne le provoque sérieusement. Il aime le rire et le plaisir. Advenant le cas où il doit vivre une difficulté, il la dramatisera et la rendra grosse comme une montagne; ça peut durer un jour, un mois au maximum, mais un beau matin il se lève et a décidé qu'il a tout oublié et qu'il repart en neuf!

Sa dixième maison est celle de la Vierge. Encore une fois, l'aspect travail revient. Il sera habile à diriger, et, en tant que patron, il saura valoriser ses employés au bon moment. Exigeant, il donnera tout d'abord le bon exemple et saura récompenser ceux qui se dévouent. Employé, il sera fidèle au point que l'on croira que l'entreprise lui appartient! Il aura le sens du détail en tout ce qui concerne la compagnie qui l'emploie, et s'il est patron, le succès lui est assuré, à moins que de mauvais aspects n'interviennent fortement. La dixième maison représentant le père, il n'est pas rare que le Bélier-Sagittaire ait des relations de travail avec son père, qu'ils travaillent tous deux dans la même entreprise ou qu'il soit à l'emploi de son père. Ou, comme il est dit plus avant, le sujet bénéficiera, de la part de ceux qui l'entourent au travail, d'une protection quasi paternelle. Position qui indique que le père du natif est une personne extrêmement intelligente. Avec le signe de la Vierge, et de mauvais aspects dans cette maison, ce peut être le contraire, un père à l'esprit tortueux.

Sa onzième maison dans le signe de la Balance, qui, elle, représente les unions, laisse présager que le mariage en est un d'amitié et de raison plus que de passion, malgré sa nature «emballée». Ce natif a aussi un grand sens de la justice: il sait prendre la défense de ceux qu'on offense injustement, il supporte mal de voir la misère et est facilement prêt à apporter son secours en cas de nécessité. Plus justement, il ira chercher les personnes qui, elles, feront le travail à sa place. Il sera persuasif, s'il s'agit d'un sauvetage! Avec de mauvais aspects d'Uranus, sa générosité peut se retourner contre lui, mais jamais pour longtemps avec l'ascendant Sagittaire.

Sa douzième maison dans le signe du Scorpion, symbole du meilleur comme du pire, et particulièrement en association avec le Poissons, monde de l'illusion, de l'infini, laisse présager que le natif, s'il est mis en contact avec le monde obscur – drogue, alcool, prostitution, orgie et tout ce qui touche la bassesse humaine et une certaine facilité –, peut s'y adonner et y nager comme un poisson dans l'eau.

Cependant, le même aspect peut être, au contraire, une attirance vers le mysticisme, l'astrologie, la religion et, avec certains aspects particuliers, l'ascétisme, ce qui est plutôt rare en ces temps modernes. Ce natif peut avoir l'air d'un ange, mais il faut y regarder de plus près! Il peut avoir l'air fort, l'être aussi, tout comme il peut vivre de grandes dépressions intérieures. Ce double signe de feu a besoin d'encouragement. Malgré ses allures de grand seigneur, il n'est pas si certain d'obtenir la couronne et les lauriers. Quand il les obtient, il n'est pas certain qu'il pourra les conserver.

Mais il le peut, car le ciel lui a donné une foi démesurée, un courage peu commun et même de la chance s'il sait s'y accrocher sans douter! Il est si pressé que, lorsque ça n'arrive pas tout de suite, il s'emballe ou vit un profond sentiment négatif.

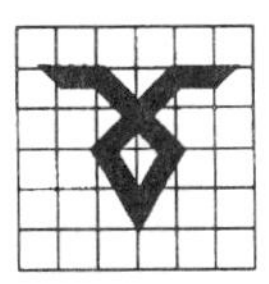

BÉLIER ASCENDANT CAPRICORNE

Voici deux bêtes à cornes, deux signes cardinaux, deux signes de chef, l'un de feu, le Bélier, qui s'emporte, et l'autre de terre, le Capricorne. Si le Capricorne met trop de terre sur le feu, vous avez là un Bélier à mi-temps, entre l'exaltation et l'anxiété.

Vous avez là un Bélier confiant pour aujourd'hui et tout apeuré pour ce que l'avenir lui réserve. D'un côté, il adore dépenser et, de l'autre, il a très peur de manquer d'argent pour ses vieux jours. Le Bélier est à la merci de ce qu'on pense de lui, et le Capricorne avance à son rythme, selon ses convictions... De là provient un déchirement entre vivre pour ce que les autres pensent de soi et vivre pour ce qu'on pense de soi-même.

Ce Bélier, premier signe du zodiaque, accompagné du vieux Capricorne, nous donne un Bélier qui a toujours un petit bobo quelque part, mais sans importance vous dira-t-il, et c'est vrai qu'il est extrêmement résistant. Sa seule faiblesse, il l'a dans les genoux.

Le Bélier broute au bas des montagnes alors que le Capricorne monte. Vous avez là un Capricorne à l'ascendant qui dit à la petite brebis qu'elle peut aller bien plus haut et bien plus loin! Le défi l'intéresse. Le Bélier-Capricorne a envie de puissance. Les sommets exercent sur lui une puissante fascination. Un seul sommet à atteindre pourrait bien ne pas suffire, il lui en faut plusieurs. Pourquoi pas? Et tout de suite. Ce double signe cardinal a horreur d'attendre, la patience lui fait défaut. Exécution, et vite, dit-il! Quand il se fait Capricorne il boude et quand il est lui-même, il hurle! Ou presque. Jamais en public, il a trop besoin qu'on le reconnaisse comme une personne bien, c'est plutôt dans sa vie intime qu'il est quelquefois insupportable, ou presque!

Personnalité intéressante, n'est-ce pas? Compliquée, oui, mais intéressante tout de même!

Le Bélier est un signe de feu, et le Capricorne est un signe de terre, régi par Saturne, le froid. D'un côté, nous avons, socialement, un chaleureux Bélier, mais, dans le privé, il peut se fermer et devenir quelqu'un d'inabordable parce que ça ne rapporte pas d'être gentil!

Oh oui! Ce qu'il fait doit rapporter, les services ne sont pas gratuits. C'est un calculateur, un économe qui n'en a pas l'air. Il accepte bien les cadeaux, mais il n'en fait pas souvent, à moins qu'il n'ait à dire merci parce que vous lui avez rendu service! Le Bélier veut bien en faire, mais ça coûte cher; le Capricorne, lui, est un économe. Et si plus tard il en manquait?...

Fort heureusement, en vieillissant son caractère s'adoucit, il devient plus tolérant et il se rend compte qu'il n'avait pas raison d'avoir aussi peur quand il était plus jeune.

S'il l'apprenait un peu plus tôt, ça lui rendrait service et il saurait faire de son moment présent un gros paquet de plaisirs plutôt qu'un gros paquet de peurs sorties tout droit de son imagination.

Sa deuxième maison, celle de l'argent dans le signe du Verseau, symbolise que le natif pourra gagner son argent en étant en contact avec un certain public. Gagner de l'argent à la manière uranienne signifie que le travail est fourni soudainement par l'entremise d'amis, de connaissances, et même par une sorte de hasard. Ce natif aime l'argent et le pouvoir que cela lui apporte, en plus de la sécurité. Il préférera d'ailleurs fréquenter ceux qui en ont! Je vous l'ai déjà dit, il peut devenir très agité s'il ressent un doute au sujet de ses finances, car il a en tête «ses vieux jours»! Même quand il est jeune, il a toujours plus d'économies qu'il ne le laisse entendre, vous vous en rendrez compte en observant qu'il peut toujours s'offrir ce qui lui fait envie.

Sa troisième maison dans le signe du Poissons en fait une personne intelligente, aux multiples capacités, mais où peut se trouver une confusion entre l'intellect et l'émotion.

Le sujet peut connaître des périodes de grande euphorie et même de folies joyeuses et de grandes dépressions frôlant l'autodestruction. Mais ce double signe cardinal n'a certainement pas en tête de perdre quoi que ce soit et il sait se reprendre rapidement. Il peut apprendre n'importe quoi et exceller dans plusieurs domaines, tant dans celui de l'abstraction que celui de la matière. Il se posera d'ailleurs de multiples questions avant de se situer définitivement dans un domaine ou dans un autre. Ayant sa troisième maison dans le signe du Poissons, il arrive que, sous une mauvaise influence, le natif devienne un manipulateur et un menteur. Il faudra le corriger tôt dans sa jeunesse. Le signe du Poissons étant tout ce qui est caché et la troisième maison étant celle de la parole, il arrive que ce natif vous fasse des cachotteries ou ne vous dise que la moitié de la vérité! L'autre moitié, il la garde pour lui, pour des motifs parfois ignorés de lui-même. Il aime se rendre important, il aime qu'on l'admire, qu'on ait des attentions pour lui.

Sa quatrième maison, le foyer, où se trouve généralement son Soleil, signifie une maison où l'agressivité pourrait régner, qu'elle soit exprimée ou non. Cela dépend alors des autres aspects dans la carte natale. La quatrième maison étant aussi celle de la mère, symbole du Cancer, le natif pourra vivre une révolte contre celle-ci, encore une fois, exprimée ou non. Comme un Bélier est un sujet rebondissant, ce peut être par coups d'éclat, quand la Lune dans le ciel vient frapper l'aspect natal de la colère chez le Bélier! Il hésitera avant de quitter son lieu de naissance; il sera aussi attaché à sa mère qu'il voudra s'en libérer. Les aspects de Mars, en ce qui concerne le foyer, jouent un rôle important dans la vie de ce natif. Avec de bons aspects de Mars, il sera ambitieux; influencé par de mauvais aspects, il sera ambitieux, mais sans direction précise et il devra trouver sa voie lui-même, en s'égarant sur quelques routes en réparation!

Sa cinquième maison est dans le signe du Taureau. Le natif sera fortement attiré par les arts, mais si, à tout hasard, il se rendait compte que les arts ne paient pas... il se tournera vers un travail plus rémunérateur, mais il saura trouver une place en avant où il sera à l'honneur. L'amour est plus vécu comme une affaire que comme une passion, et plus le sujet vieillit, plus il risque de devenir calculateur dans le choix de ses partenaires amoureux: combien vaut-il (elle) et saura-t-il (elle) gagner confortablement le pain? Dans le cas de l'homme, il ne tient pas particulièrement à «crémer» continuellement le gâteau!

Sa sixième maison se trouve dans le signe du Gémeaux. La sixième étant le travail, la maladie, le natif aura le plus souvent deux emplois et plus, de préférence ceux qui lui permettent de prendre l'air, d'être en mouvement. Sur le plan de la santé, il est fortement irritable et son système nerveux est fragile. La tête étant en perpétuelle activité, cela peut créer des courts-circuits: encore une fois, alternance entre le génie et la folie, entre l'excitation et la dépression, des haut et des bas qui peuvent avoir lieu dans la même journée.

Sa septième maison, celle du conjoint, se trouve dans le signe du Cancer. Inconsciemment, le natif recherchera chez l'autre l'aspect protecteur qui l'enveloppe, qui lui offre un toit, un nid douillet... et quand il se sentira étouffé, il quittera! La septième maison du zodiaque est celle de la Balance. Avec une alliance au Cancer, le natif recherchera, sans trop s'en rendre compte, des situations où il pourra s'opposer et faire le jeu du pouvoir sur l'autre, mais il risque ainsi de se retrouver seul après qu'on l'aura quitté. Qui donc a envie d'un général comme conjoint? Qui croit à l'égalité, au partage des tâches, mais qui ne fait à peu près jamais sa part dès qu'une certaine habitude s'est installée...

Sa huitième maison, celle de la mort et des transformations, se trouve dans le signe du Lion. On peut alors assister à des métamorphoses complètes de l'individualité de cette personnalité, tant sur le plan physique qu'intérieur. Le natif possède une intuition éclairée dont il pourra se servir afin d'éviter de se mettre «les pieds dans les plats». Le Lion représente aussi les enfants, et il n'est pas rare de rencontrer des natifs Bélier-Capricorne qui ne désirent pas d'enfants ou, quand ils en ont, considèrent leur progéniture comme un obstacle à leur réalisation personnelle. L'égocentrisme est puissant sous le Bélier, et faire un enfant signifie aussi céder sa place, se donner! Ce n'est pas facile quand on vient au monde avec le Soleil dans la quatrième maison. Cette position fait du Bélier une personne qui refuse souvent de grandir, bien qu'elle soit capable de prendre de grandes responsabilités sociales. Quand il a des enfants, il lui faut faire attention de ne pas tout décider à leur place. Il en résulterait des enfants révoltés ou si soumis qu'ils n'auraient aucun sens de l'initiative... ce qui surprendrait bien ce natif.

Sa neuvième maison se trouve le plus souvent dans le signe de la Vierge: religion de forme, croyances traditionnelles. Le natif cherche des preuves de la foi, alors qu'elles n'existent qu'en soi et jamais au dehors, ni dans les rites ni dans les «gourous»! Il cherchera à se conformer à une mode puis, tout à coup, il s'y opposera, la rejetant d'une manière anarchique. Chez lui, l'ordre est souvent une manifestation d'un désordre intérieur entre ce qu'il croit et ce que les autres croient. Qu'est-ce qui est vrai? Il a bien du mal à se faire sa propre idée. La Vierge symbolise le travail, la maladie. Le sujet pourra un jour devoir rencontrer les gens de la médecine de l'âme de par la maison neuf, celle du Sagittaire. Il devra choisir soigneusement, tout dépendra alors des aspects. On peut l'aider comme on peut, et aussi l'enfoncer dans de nouvelles croyances superficielles. Au travail, il jouera un rôle important, mais il aura du mal à devenir grand patron! Toutefois, il aura l'occasion de participer à l'expansion de l'entreprise dans laquelle il s'engage. Cette position est dans un double signe double, quatre ambitions, quatre sommets, quatre buts à atteindre... Ce n'est pas facile de tout faire en même temps ni de faire son choix.

Sa dixième maison est dans le signe de la Balance. Son ambition est souvent l'art, sous une forme ou sous une autre, une recherche de la reconnaissance publique, un goût de manifester sa présence. La loi, la justice, le droit peuvent exercer une puissante attraction: un avocat qui veut devenir juge! La dixième maison dans le signe de la Balance fait aussi que ce natif a pour objectif de trouver un partenaire à la fois amoureux et pratique. Les amours seront étranges, la rencontre se faisant le plus souvent au détour d'une carrière en transformation. Trouver un partenaire qui sera à la fois artiste et pratique n'est pas une mince affaire! Et trouver quelqu'un qui dit toujours oui à tous ses caprices, c'est encore moins facile.

Sa onzième maison est dans le signe du Scorpion. Il peut arriver que le natif ait sur sa route des amis qui le transformeront, mais qui peuvent aussi le détruire. Avec cette onzième maison en Scorpion, étant Bélier, le sujet peut, à un moment de sa vie indiqué par les planètes, fréquenter des gens peu recommandables! Il est possible aussi que ceux qu'il croyait ses amis soient, en fait, des gens jaloux, ennemis même, qui convoitent la réussite du natif, quelle qu'elle soit. Cette position de maison laisse supposer également que le natif est compétitif au point de se placer dans des situations dangereuses pour sa propre vie. On pourrait lui dire: Tu sautes ou pas? Entre le départ et l'arrivée, il y a un précipice! Ses pseudo-amis espèrent qu'il n'y verra rien, qu'il sautera... Surprise! Ce double signe cardinal a une force plus grande qu'on ne le soupçonne!

Sa douzième maison est celle du Sagittaire. De là aussi vient son inquiétude et sa peur de manquer d'argent. Une attirance pour le paranormal, l'astrologie, l'occultisme, lesquels, s'ils présentent des aspects négatifs, peuvent devenir source d'épreuves, une sorte de maladie de l'âme. Bien que Bélier et emporté, ce sujet n'est pas méchant et, au fond de lui, il aimerait sauver l'humanité. Il est le type missionnaire à sa façon. Le lointain l'attire fortement, et s'il vient à partir, cela pourra créer à la fois une épreuve et un éveil psychique. La prise de conscience ne se fait pas sans difficulté, mais il y arrivera. Double signe cardinal, l'individu n'est pas démuni de volonté, bien au contraire; double signe cardinal, il lui faut passer à l'action, mais le Capricorne le freinera au moment de l'emballement, le fera réfléchir aux conséquences de ses actes. Il faut juste donner un peu de temps à ce signe.

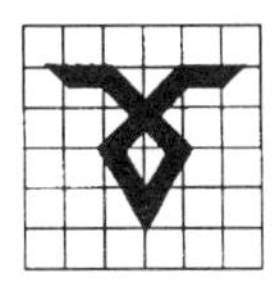
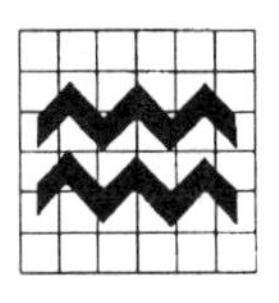

BÉLIER ASCENDANT VERSEAU

Voilà un gros paquet d'enthousiasme, un tas de rêves! Un tas d'illusions aussi. Le Bélier, signe de feu; le Verseau, signe d'air explosif.

On devrait lui faire faire du théâtre; il aime épater, prendre de la place, ne pas faire comme les autres, se distinguer! Il a parfois exagérément confiance en lui, en ses charmes. Il lui arrive aussi de croire qu'il sait tout.

L'anticonformisme l'attire, mais il est aussi un Bélier et ça le fait hésiter un petit peu avant de ne pas faire comme les autres, au cas où on l'aimerait moins!

Un jour, il vous arrive et vous annonce qu'il change sa vie du tout au tout; le lendemain, il a oublié sa décision, le feu s'est éteint, ou un coup de vent l'a emporté.

Il est essentiellement amical, on devrait l'embaucher dans les relations publiques, il aime les gens, il aime la compagnie, il se sent quelqu'un en société. Il n'est pas né pour vivre seul.

Il adore argumenter. Il faut bien discuter, après tout, sinon on ne changera rien à cette humanité. C'est un réformateur, et les idées neuves lui arrivent les unes après les autres. Quelques-unes dépassent la réalité ou le budget.

Il lui faut absolument trouver un travail qui associe naturellement gain et loisir, ou la communication avec autrui. Il ne supporte pas l'ennui, la routine. Ça le rend fou.

Ce Bélier peut être bien excité dès qu'il pense qu'il peut réussir quelque chose, mais ce qu'il voudrait surtout, c'est qu'on le fasse à sa place. Bélier, signe cardinal de commandement, Verseau, signe fixe qui ne prend pas d'ordres, ayant toujours aussi un côté tyrannique, comme s'il aimait faire bouger en créant une crainte.

En amour, il est rarement satisfait, il n'en a jamais assez. La personne qui partage sa vie est ennuyeuse, elle devrait faire quelque chose pour le distraire! Par exemple, aller lui chercher la Lune et y installer une piscine pour qu'il puisse y prendre son bain de minuit!

Il n'est jamais tout à fait à l'heure, quelque chose l'a toujours retardé, mais il n'est pas menteur, il vous dira carrément qu'il causait avec un voisin et qu'il a oublié l'heure... Il soignait ses relations publiques, un éventuel client, qui sait? Ou quelqu'un qui se pâme devant ses affirmations, ses projets, ses ambitions, tout peut y passer.

Il aime l'argent, il aimerait en mettre plein la vue à tout le monde. Verseau, un peu tyrannique, il aime le pouvoir, et l'argent apporte un certain pouvoir, mais pas un pouvoir certain...

Les valeurs morales doivent être acquises sous ce signe et cet ascendant. Les apparences peuvent prendre le dessus, et ce Bélier sera bien déçu dans sa vieillesse: l'argent ne lui apportera pas la santé, ne lui apportera ni d'amis ni le pouvoir tel qu'il l'aurait souhaité: la paix et l'harmonie doivent être cultivées, entretenues, comme on entretient un jardin. Désirer l'amour et non le pouvoir!

La spiritualité ne doit pas être négligée, puisque c'est elle qui fait grandir un être. On peut réussir sa vie sociale et rater sa vie intérieure si le seul contentement n'était que dans les apparences!

Sa deuxième maison se trouve dans le signe du Poissons. La deuxième maison, l'argent; le Poissons, celui qui la dilapide parce que ce n'est qu'une illusion de plus; cela peut aussi signifier deux sources de revenus. Ce natif doit toujours être prudent avec les biens, comme s'ils lui glissaient entre les doigts.

Avec de mauvais aspects dans cette deuxième maison, l'argent peut être gagné d'une manière douteuse, la maison deux étant vénusienne. Les natives de ce signe peuvent jouer de leurs charmes afin d'obtenir des faveurs matérielles, et les hommes se transformer en une sorte de parasite grignotant le salaire de la conjointe! Disons qu'il s'agit là d'une exception. Ce Bélier-Verseau est un débrouillard en ce qui concerne l'argent, grand symbole de pouvoir dans ce monde moderne.

Le Soleil de ce Bélier se trouve alors dans la troisième maison, ce qui en fait une personne extrêmement communicative, bavarde, très bonne vendeuse. Généralement, le natif commence très tôt à se débrouiller dans la vie, il apprend vite, il ne retient pas tout, mais bien ce qui est nécessaire à son élévation sociale, ce à quoi il aspire profondément. Il aura beaucoup d'amis fidèles: communication tout de même rapide, bavardage qui entretient la relation. Il est honnête, mais il pourra avoir plusieurs vérités, selon le moment et les personnes qui l'entourent. Il ne sait pas qu'il a plusieurs vérités, il ne s'en rend compte que lorsqu'on les lui place sous le nez et qu'on lui demande d'examiner soigneusement ce qu'il avance. Il y a une grande possibilité qu'il soit doué pour l'écriture, pour le journalisme. Il saura se montrer bon orateur à l'occasion.

Sa quatrième maison est celle du Taureau. La mère est souvent du type matérialiste, mais puisque le Taureau est vénusien, l'originalité ne manquera pas. Le natif sera souvent poussé par la mère à agir dans le monde matériel et à s'y tailler une place de choix. Le foyer est généralement sécuritaire dans l'enfance et le sujet y est toujours le bienvenu. Même quand il a atteint la maturité, il a un puissant besoin de revoir sa mère, de se remettre sous sa protection, d'entendre ses conseils ou même ses remontrances. L'exception fait la règle. Il s'arrangera pour être propriétaire de sa maison, de son appartement, parfois avec peu de moyens. Sa maison sera du type luxueux ou décorée avec un goût exquis. Artiste, fin, raffiné, original, chaud et accueillant en même temps.

Sa cinquième maison, qui représente les valeurs du Lion, amour, or, enfants, spectacle, cinéma, richesse, luxe, se trouve dans le signe du Gémeaux, symbole de Mercure et de l'esprit. Cela symbolise que, très souvent, le natif accumulera des connaissances avec lesquelles il pourra épater. Il aura du mal à approfondir les sujets sérieux, et l'introspection peut lui faire grandement peur. Sa parole sera loyale, il tiendra ses promesses, en général, comme tout bon Bélier, mais cela peut tout de même arriver avec un peu de retard. Ses amours seront compliquées. Il voudra apprendre quelque chose, mais il aura bien du mal à observer les conseils qu'on lui donnera. L'écriture peut l'attirer, et le journalisme est tout indiqué. Cette position, dans le cas d'une femme, n'est guère favorable à la famille nombreuse! Une native préférera les enfants des autres, à temps partiel. Quand elle en a, bonne maman Bélier, elle est protectrice, mais elle a du mal à leur inculquer des valeurs profondes; elle se contente de leur enseigner la surface, ce qui se fait et ne se fait pas, ce qui rapporte et ne rapporte pas... Ici le niveau de vie est très important et pour le natif et pour ses enfants.

Sa sixième maison se trouve dans le signe du Cancer. Sixième, le travail, la maladie. Ce natif sera fort attiré, étant ascendant Verseau, par la médecine, les soins à apporter aux enfants. S'il a une famille, il sait en prendre soin et y est très attaché. Avec de mauvais aspects dans cette maison six, la maladie peut jouer un rôle au foyer, ou la maladie de l'un des parents à l'âge indiqué par les planètes.

Le natif est travailleur, mais il sait aussi s'accorder de longues périodes, non pas de repos mais de «paresse», ayant le «tour» de faire faire son travail par les autres! Cette position est l'indice d'une personne qui peut travailler pour une masse, et ce peut être par le biais tant de la vente que de la médecine, là où on voit défiler une foule de gens différents. La carte natale le spécifie.

Sa septième maison, celle du partenaire se trouve dans le signe du Lion. Le natif recherchera quelqu'un de brillant, à caractère social marqué, le plus possible une personne susceptible de se frayer un chemin parmi les gens influents ou riches! Le mariage peut alors être basé sur une apparence plutôt que sur une réalité, et la désillusion peut s'ensuivre... À l'idée de l'amour, le natif s'emballera, démontrera une grande passion, mais il faudra que l'autre, celui qui en est l'objet, puisse l'entretenir. Avec un ascendant Verseau, le natif peut, à un certain moment, vouloir fuir, mais comme le Verseau est un signe fixe, il a bien du mal à rompre les liens. Et comme il est aussi le signe des divorces, le sujet peut décider promptement, après avoir vécu longtemps en couple, de reprendre sa liberté sous différents prétextes personnels et qui ne tiennent nullement compte des besoins de l'autre.

Sa huitième maison, celle des transformations, de la mort et aussi de la sexualité, se trouve alors dans le signe de la Vierge. Ce natif pourra avoir tendance à une certaine frigidité si la flamme de la passion n'est pas rallumée périodiquement. Il pourra vous dire de temps à autre qu'il croit devenir fou, qu'il est dépressif. En fait, il vous pose une question, et en même temps, il est en train d'analyser ce qui peut le mettre dans cet état. Alors, quand vous lui donnez une réponse, placez un magnétophone, il y a de bonnes chances que, pris dans sa propre analyse, il ne vous écoutera pas vraiment. Ce natif craint la mort, la maladie, et un Bélier ascendant Verseau peut même développer une sorte de hantise face à ces sujets. La pensée crée toutes les réactions du corps. En ayant peur de la maladie, il y a plus de risque qu'elle s'installe pour vous donner raison d'avoir pensé à elle! Sous ce signe, les transformations ne se font pas rapidement, malgré l'ascendant Verseau qui est radical et le Bélier qui est pressé. L'esprit s'agite dans toutes les directions longtemps avant de se décider, et après avoir étudié longuement la question. Il sera curieux d'astrologie, d'occultisme, de voyance, tout en ayant peur de pénétrer dans ce monde ou d'y croire. Plus influençable qu'il ne le croit lui-même, il peut être la proie des charlatans. Position qui indique une attirance vers la médecine, surtout si d'autres aspects donnent de la force à cette maison.

Sa neuvième maison se retrouve dans la Balance. Souvent le natif rencontre une personne prête à l'aider, à l'encourager. Il lui reste à accepter ou à refuser l'offre. Il vit régulièrement un rêve en rapport avec sa relation, il l'exalte plus qu'il ne la voie telle qu'elle est. Son union vit des transformations profondes et puissantes, mais il a plus de chances de la voir durer que celle de beaucoup d'autres signes. Lorsqu'il a signé un contrat légal, il tient à le respecter intégralement. Il pourra être fortement attiré par les étrangers et il n'est pas rare qu'il épouse une personne venant d'un autre pays.

Sa dixième maison se situe dans le signe du Scorpion. Les ambitions sont énormes et le chemin pour les atteindre n'a rien de facile. Il pourra vivre des hauts et des bas assez fulgurants dans sa carrière, mais il réussira toujours à s'en sortir avec quelques honneurs, même dans la défaite. Avec sa neuvième maison dans le signe de la Balance, il arrive parfois que le natif ait provoqué des dépenses extravagantes et ait nui considérablement aux finances du couple... Même s'il a commis une grosse erreur dans son association, et s'il n'a pas réussi à tenir toutes les promesses qu'il avait faites, il ne devient pas pour autant l'ennemi de l'autre! On lui pardonne plus aisément qu'à un autre. La vibration est ainsi.

Sa onzième maison se trouve dans le signe du Sagittaire. Ce natif se fait des amis partout, il a l'art de se faufiler ou de se faire inviter chez les gens haut placés, d'y prendre une place et de se faire remarquer. Il peut d'ailleurs aller et venir d'un milieu à un autre sans se sentir dépaysé. Il voyage par eau et par air, il est sportif, son sens de la compétition se limite souvent à se faire remarquer, à compter un bon point, et puis... au revoir! Il s'est fait plaisir et cela lui suffit, et tant mieux si les autres applaudissent. La composition entre le Bélier et l'ascendant Verseau, le feu et l'air, donne le goût de l'action, mais elle a du mal à être soutenue car le natif a trop d'idées à la fois, ne sait plus par où commencer. Aussitôt qu'il a une nouvelle idée il entreprend de la réaliser sans en avoir fini avec la précédente. Il devra arriver, à un certain âge, à une maturité certaine avant de se décider à aller jusqu'au bout!

Sa douzième maison se situe dans le signe du Capricorne, ce qui crée souvent, dès l'enfance, des problèmes d'autorité avec le père. Pour plusieurs, c'est la soumission qui, un jour, entraîne à la révolte et au rejet du père, ou alors, dès la jeunesse le natif refuse totalement les conseils et même la protection du père. Il n'est pas rare de constater de nombreuses perturbations au niveau du couple parental de ce sujet, ce qui, naturellement, se répercute sur sa propre vie sentimentale. L'ascendant Verseau, signe fixe, «fixe» le natif dans telle situation, même s'il ne s'y sent pas à l'aise. Et comme il est très fier, avant de rompre une liaison il hésitera longtemps: «Comment aurais-je pu faire une telle erreur!» Position également qui peut entraîner avec l'âge un problème d'ossature, l'arthrite par exemple.

L'émotion est vive sous ce signe et cet ascendant, mais la raison est tout aussi forte, le Verseau étant un signe d'air et n'étant pas non plus représenté par un animal. Ce Bélier essaiera de soumettre à sa raison sa spontanéité qui ne peut, en réalité, se retenir bien longtemps et qui éclate en crise, comme une accumulation de ses frustrations! Le Bélier étant égocentrique et le Verseau ayant un petit côté dictateur, bien souriant – le jeu étant caché au natif lui-même –, il veut se montrer aimable, mais il veut aussi qu'on lui obéisse. Il prendra du temps avant de changer, croyant que c'est l'environnement, les gens autour de lui qui sont la cause de son malheur, de ses échecs, de ses déboires. Mais il apprendra, la vie joue en sa faveur.

Moitié martien, moitié uranien, un jour l'explosion en fait un être transformé selon ce qu'il veut!

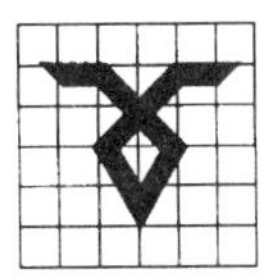 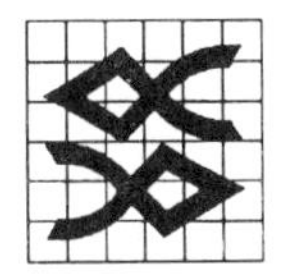

BÉLIER ASCENDANT POISSONS

Voici un romantique confus! Altruiste à ses heures, égoïste à d'autres. On le rencontre euphorique le dimanche et complètement dépressif le lundi. Qu'est-ce qui s'est passé dans sa tête? Il a cru que son rêve allait se réaliser tout de suite, mais la lampe d'Aladin n'a pas fonctionné, et c'est la faute des autres!

Au départ on le trouve sympathique, gentil, sensible, prêt à vous écouter, il vous écoute... pendant qu'il pense à lui, à ses problèmes, et il cherche comment il pourra vous les exprimer afin qu'il fasse assez pitié pour que vous preniez soin de lui!

Il a tant besoin d'amour et de compréhension! Laissé dans un milieu qui ne lui donne aucune direction, il n'en mène pas large, il vivra tous les excès, alcoolisme et drogue de préférence.

Élevé dans un milieu qui le soutient, il peut développer de belles qualités d'âme et réaliser ses rêves. C'est un créateur qui a besoin d'encouragements! Il peut avoir un talent de double vue, des pouvoirs paranormaux. Il peut devenir un être serviable plutôt qu'un plaignard et un braillard. Un débrouillard plutôt que celui qui a besoin qu'on fasse tout pour lui.

Bélier, signe de feu; Poissons, signe d'eau. L'eau éteint le feu, il faut y voir. Comme le feu peut réchauffer l'eau, la faire bouillir, elle remonte, déborde et éteint encore le feu. Ou alors le feu fait bouillir l'eau lentement et celle-ci s'évapore. Où est donc passée la sensibilité? La création est dans les nuages, qui la réalisera?

Il n'est jamais facile de venir au monde avec cet ascendant. Il est le douzième, il donne cette conscience d'appartenir au grand Tout; le Poissons est le sauveur du monde, alors notre Bélier a déjà bien du mal à se sauver lui-même.

Il peut capter l'invisible, s'en faire un allié, qui lui permettra de faire, d'agir. Si un jour un Bélier-Poissons venait en contact avec la métaphysique, il apprendrait à réaliser et peut-être à faire des miracles!

Généralement, le Soleil de ce Bélier se trouve dans la deuxième maison. Vous avez là un être qui peut se dévouer entièrement à une cause, mais aussi quelqu'un qui pourrait ne vivre que pour l'argent, le pouvoir de l'argent et encore l'argent, car il peut être perpétuellement inquiet d'en manquer, même s'il est riche! Ce natif pourrait également être de ceux qui vont d'une conquête amoureuse à une autre sans jamais être satisfaits, trouvant que chaque personne qu'ils rencontrent ne correspond nullement à leur idéal! Il pourrait avoir tendance à se surestimer, apparemment, alors qu'au fond de lui il n'est sûr de rien. Deux tendances fortement opposées peuvent apparaître sous ce signe: l'altruisme et l'égoïsme à un point aigu!

Sa troisième maison se situe dans le signe du Taureau. Vous avez là, sous un air souple, une personnalité qui ne change pas facilement d'avis. Ses pensées, si elles n'ont pas reçu de messages d'amour humain, sont alors toutes dirigées vers la possession, la propriété et le pouvoir qu'il pourrait avoir sur les autres! Selon les positions planétaires, le sujet pourrait aussi se diriger vers un objectif bien précis et s'y maintenir tant et aussi longtemps qu'il ne l'aura pas atteint. Quelquefois il arrive qu'il soit sur une mauvaise voie, mais il ne s'en rend pas compte et il y reste. Un jour l'inévitable le placera en face d'une autre réalité.

Sa quatrième maison se trouve dans le signe du Gémeaux. Voilà quelqu'un qui ne reste pas enfermé à la maison bien longtemps, il a besoin de prendre l'air, de voir des têtes nouvelles, de renouveler fréquemment son cercle d'amis. Il ne refuse pas un voyage, un déplacement. L'imagination est débordante, il peut tout aussi bien ridiculiser une situation dramatique que dramatiser une situation ridicule.

Dès l'adolescence ce natif a envie de quitter son foyer, il le sent trop étroit pour lui. Le vaste monde l'appelle, et c'est souvent ainsi qu'il multiplie ses connaissances tout en ayant du mal à les approfondir.

Sa cinquième maison, celle de l'amour, se trouve dans le signe du Cancer, ce qui lui fait souvent rechercher un partenaire protecteur, maternel ou paternel. Ses craintes de perdre la personne aimée sont nombreuses et quand il se sent trop épris, l'envie de quitter lui vient en même temps! Il s'ensuit alors plusieurs confusions sentimentales. Il essaiera fortement, même inconsciemment, de recréer la forme d'amour qu'il a reçue dans son enfance. Il peut avoir vécu des difficultés avec ses parents ou ses parents eux-mêmes avaient des problèmes; il reproduira alors ses racines, bonnes ou mauvaises, sans même s'en rendre compte, sauf si on lui met la situation bien au clair.

Sa sixième maison, celle du travail, se trouve dans le signe du Lion, qui représente l'or! Ce qui fait que le natif travaille pour obtenir du brillant, pour être riche. La tendance à vouloir épater est puissante également. Il n'est pas rare non plus de trouver ces natifs dans les milieux artistiques – artistes, agents ou autre travail en relation avec les arts. Le cinéma aussi leur sied bien. Ce natif devra surveiller son alimentation. Il mangera trop bien, trop richement. Avec un ascendant Poissons, il peut faire de l'embonpoint. Quand il suit un régime, il est trop sévère, et quand il se relâche, il le fait complètement; l'excès le guette dangereusement.

Sa septième maison, celle du conjoint, se trouve dans le signe de la Vierge, ce qui laisse supposer deux unions. La rencontre avec l'âme sœur se fait souvent dans le milieu du travail et il n'est pas rare non plus que le natif partage le même objectif que son partenaire amoureux. Avec la septième maison dans le signe de la Vierge, la relation avec le conjoint n'est jamais tout à fait claire, sauf après de nombreuses tribulations, des réajustements, des éloignements et des rapprochements qui alimentent la passion de ce Bélier.

Sa huitième maison est dans le signe de la Balance. La huitième, symbole des grandes transformations, de la mort aussi. Il arrive que ce soit un partenaire amoureux qui transforme le natif et lui donne un objectif fixe. Secrètement, celui-ci, après qu'il s'est attaché à quelqu'un, ne vit que pour lui! Il peut en arriver, après quelques années de partage, à faire abstraction de lui, ce qui ne peut durer indéfiniment sans qu'il fasse une «petite dépression». Ce natif a grand besoin de sommeil pour récupérer, car ses moments de fatigue sont intenses. De 100% d'énergie vitale, il peut se retrouver soudainement à zéro! Il doit s'astreindre à un régime de vie régulier afin de se ménager.

Sa neuvième maison, son attrait pour l'occultisme, se trouve dans le signe du Scorpion. Le sujet est très perceptif, il devine les gens, leur avenir, il ressent profondément ce qui lui arrivera, ce qui arrivera à ceux qui l'entourent. Il a des qualités de devin qu'il essaie d'étouffer avec la raison ou qu'il ne veut pas voir, n'ayant pas été mis en contact avec ces forces dans son jeune âge. Tôt ou tard il acceptera de développer ses facultés paranormales, il finira par consentir à la vérité de ses pressentiments.

Sa dixième maison, celle de son ambition, est dans le signe du Sagittaire. Aussi n'est-il pas rare que le sujet fasse carrière à l'étranger ou loin de son lieu natal. En s'éloignant, il trouve la chance. Il a le sens de l'opportunité. S'il voit une porte entrouverte, il l'ouvrira complètement et saisira l'occasion qui s'offre afin de progresser dans l'entreprise qui l'intéresse. Avec cette dixième maison dans le signe du Sagittaire, il sera à l'affût de la nouveauté. Il saura profiter de la dernière nouvelle vague pour faire de l'argent. En ce moment il y a la vidéo, le monde des ordinateurs, les nouveaux loisirs, etc. Ce natif sait s'organiser pour que ça rapporte!

Sa onzième maison dans le signe du Capricorne fait qu'il a très peu d'amis, et ceux qu'il a il les garde longtemps. Il est attaché à sa famille et il lui arrive souvent de faire travailler sa parenté dans son entreprise. Il a un grand sens du devoir et il est dévoué envers ses enfants quand il en a. Position qui peut avoir donné naissance à des conflits avec le père: autorité, restriction.

Sa douzième maison est dans le signe du Verseau. La douzième étant le signe de l'épreuve, le Verseau, symbole uranien, les malheurs arrivent alors soudainement, sans avertir en relation directe avec la position d'Uranus dans sa carte natale. Un divorce peut survenir sans que le natif s'y attende. Il doit prendre garde aux chocs électriques, à la foudre, au feu, à tout ce qui a rapport aux explosions ou aux appareils modernes. Il peut également, au cours d'une seconde union, se retrouver avec les enfants de l'autre et vivre quelques épreuves de ce côté, mais cela l'aidera considérablement à évoluer.

Le Taureau et ses ascendants

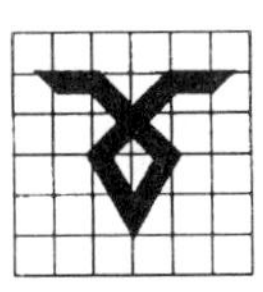

TAUREAU ASCENDANT BÉLIER

Efficace, rapide, énergique. L'argent, l'argent, l'argent, l'argent... je pourrais l'écrire cent fois et il sourirait parce qu'il sait très bien qu'il aime l'argent et que, dans l'argent, il y a la force, le pouvoir et la liberté de faire ce qu'on a bien envie de faire sans demander la permission à qui que ce soit! L'argent peut devenir un dieu!

Chez ce natif, le Soleil se trouve en deuxième maison qui représente les biens. L'argent peut être gagné par le monde des affaires aussi bien que des arts... Le Taureau étant un signe de Vénus, il se complaît dans la beauté. Ce natif sait comment s'y prendre pour que son travail rapporte.

C'est un bâtisseur qui sait se créer un emploi et en créer pour d'autres qui seront à son service, naturellement. Né sous un signe fixe, il ne reçoit aucun ordre, mais son ascendant Bélier, un signe cardinal, fait qu'on lui donne des ordres! Vous voyez le tableau du petit dictateur, avec le sourire charmant et bon enfant de Vénus pour couronner le tout.

Ses ambitions reposent sur des bases solides. Il est prêt à mettre l'effort pour les réaliser et il y arrive. Un Taureau a une excellente mémoire et ne commet jamais deux fois les mêmes erreurs, alors qu'un Bélier est d'action. Alliez les deux et vous avez une grande force. Il vous dira lui-même qu'il n'est pas n'importe qui, il est presque facile à repérer dans la foule: deux paires de cornes ça se voit de loin, non? De plus, il aime bien se faire regarder... pourquoi pas, je mérite bien ça, se dit-il. L'orgueil ne manque pas, non plus que la détermination. La première place l'intéresse. Bien qu'il soit prêt à commencer au bas de l'échelle, c'est le sommet qu'il désire!

Il lui arrive de croire qu'on pense comme lui, qu'on veut les mêmes choses que lui, et il peut arriver qu'il ait tort! Il a bien du mal à se mettre à la place des autres. Il peut être égoïste dans ses désirs et oublier qu'il faut aussi penser aux autres pour avoir une vie équilibrée. Penser aux autres ça ne veut pas dire faire un cadeau à quelqu'un quand on sait que, dans les trois semaines qui suivront, on aura besoin de l'aide de cette personne! Il a la manie de s'imaginer qu'il fait les choses d'une manière détachée, qu'il est presque un philanthrope! Il n'y a pas à en douter, c'est un réalisateur, un réaliste, un faiseur de ce qui se voit... et même de loin!

Il se peut bien qu'en amour il ne soit pas aussi chanceux; il croit donner beaucoup alors qu'en réalité il en a pris plus que sa générosité. Il était si occupé à remplir ses caisses et à bâtir son empire... Il aime impressionner, seulement l'amour ce n'est pas une question d'impression, pas du tout. Taureau, signe fixe, il n'est pas vraiment changeant, il aime flirter, se prouver qu'il plaît, mais il revient à l'enclos s'assurer que tout est en place. Il sait qu'il plaît et ça lui suffit, mais en amour ça ne suffit jamais et personne ne devient jamais, jamais, jamais la propriété de l'autre. Le Taureau-Bélier semble le croire parfois. C'est bien inconsciemment la plupart du temps. Si vous le lui expliquez en commençant par le début, et que tout se fait posément, sans énervement, il comprendra fort bien. Et une chose comprise de A à Z, chez lui, c'est pour la vie. Je vous l'ai dit, il ne tient pas à répéter deux fois les mêmes erreurs.

Quand il est blessé, il l'est profondément et il ne pardonne pas facilement. Il peut aussi tromper avant d'être trompé après un échec sentimental grave, ce qui arrive fréquemment dans notre monde actuel. Et vous verrez, il vous dira qu'il n'y a qu'à lui que ça arrive! Nous avons ici deux bêtes à cornes, un Bélier et un Taureau, et ça fait mal quand ça rentre dans le corps de quelqu'un!

Son ascendant lui donne de l'audace, il a envie de faire les choses pas comme les autres. Il veut être original, unique. Il s'agit souvent d'une personne ayant le sens de l'innovation, quel que soit le domaine où elle opère.

Son Soleil étant dans sa deuxième maison, en tant que Taureau, c'est bien sûr sa place idéale, ce qui en fait un bon spéculateur, un bon manipulateur de foule également. Ce natif, bien qu'il soit très attaché à l'argent, qu'il ait un grand besoin de sécurité, sera très attiré par les arts. Si vous ne le saviez pas, c'est un domaine peu payant au Québec: nous manquons de spectateurs et, de plus, avec la dénatalité... Il aura grande envie de plaire à la foule, à beaucoup de monde, ce qui en fera un bon vendeur, une personne capable de s'adresser à n'importe qui. Il manifeste une telle assurance que vous le prendriez pour un «superman» ou une «superwoman». Allez voir un peu derrière, vous découvrirez une personne constamment affamée d'amour et de reconnaissance. Il n'est pas si sûr qu'il en a l'air. Si, par exemple, vous lui dites une bêtise, une toute petite, vous le verrez rougir et il y pensera longtemps, se demandant qui, de vous ou de lui, a raison. Généralement, la voix de ce natif est puissante et magnétise ceux qui l'écoutent. C'est un enjôleur!

La troisième maison de ce Taureau est dans le signe du Gémeaux, ce qui lui donne, encore une fois au risque de me répéter, une grande facilité de parole. Il peut aussi lui arriver de parler trop vite, de ne pas expliquer en détail, ce qui fait surgir chez les interlocuteurs des points d'interrogation, mais le magnétisme du Taureau représente une promesse pour celui qui écoute. Vous aurez envie d'y revenir, il n'a pas tout dit. Ce natif connaît généralement beaucoup de monde, mais ses relations ne sont pas intimes comme on pourrait l'espérer de sa part. Il se contente souvent de savoir ce que l'autre fait au cas où cela pourrait lui être utile dans l'entreprise qui l'intéresse. Pour dire vrai, il calcule, mesure et pèse. Bien sûr il a quelques amis intimes, mais ceux-là il les a depuis longtemps.

Sa quatrième maison se trouve le plus souvent dans le signe du Cancer, ce qui en fait une personne généralement attachée à sa famille et fiable pour les siens. Ce type de personne n'abandonne pas ceux qu'il aime. Après ses nombreuses activités, il se retire le plus souvent chez lui, en famille avec les gens qu'il connaît; il enfile ses pantoufles, il lit, il prépare un bon repas, il regarde la télé pour se détendre et être au courant des dernières nouvelles, il veut savoir ce qui se passe un peu partout, ça pourrait lui être utile. Bref, il a besoin de cette tranquillité pour récupérer.

Sa cinquième maison, celle de l'amour dans le signe du Lion, entre naturellement et très souvent en carré avec son Soleil, du moins l'aspect entre le Taureau et le Lion ne facilite pas une très bonne réception. Ce qui signifie que ce natif peut être déçu de la personne à qui il a donné son amour: il l'avait idéalisée. Ce Taureau-Bélier recherche les amours de qui il peut être fier et qu'il peut aisément présenter à «la foule» ou à ses amis, certain qu'on trouvera son partenaire tout à fait correct. C'est un passionné. Il doit lui-même se mettre en garde contre les amours subites bien que son signe fixe, Taureau, ait tendance à l'enchaîner malgré lui dans de belles mais aussi de moins belles relations sentimentales. C'est un séducteur qui se laisse séduire. Est bien pris qui voulait prendre!

Sa sixième maison, qui est à la fois celle du travail et de la maladie, se trouve en Vierge, donc en bon aspect avec son Soleil de Taureau, ce qui en fait un être résistant bien que nerveux. Il se contrôle, son mental est agile à l'analyse et il sait placer au réfrigérateur ses émotions quand il ne doit pas en avoir dans une situation précise. Il a assez de contrôle pour ne trembler qu'en cachette, chez lui. Sa nature en fait un travailleur; cette maison le confirme encore une fois. Il peut même lui arriver d'occuper deux postes en même temps. Il ne faut pas oublier qu'il a de l'énergie, qu'il est passionné et qu'il aime l'argent, ce qui crée une forte impulsion à l'action.

Sa septième maison est dans le signe de la Balance, un autre signe vénusien, tout comme le Taureau. La Balance étant le sixième signe du Taureau, il arrive que le conjoint ait été rencontré sur les lieux du travail ou présenté par un compagnon ou une compagne de travail. En fait, le contact amour (mariage) est le plus souvent durable quand ce Taureau-Bélier partage un lien intellectuel ou des affinités concernant le travail avec son partenaire. Le conjoint sera souvent un type plus patient et plus analytique que le natif qu'il réussira à calmer dans les moments de tempête. Le danger est aussi que ce natif y perde sa spontanéité par trop de recommandations et qu'il perde même d'excellentes occasions. Il pourra se dire: «J'aurais dû suivre mon flair plutôt que d'écouter ma raison.»

Sa huitième maison est celle du Scorpion, ce qui le laisse sous l'influence des aspects de Mars et de Pluton. Il peut alors arriver qu'il ait peur de la mort, tout comme il peut être intrigué par le secret que représente la mort. Il peut être superstitieux ou profondément attiré par la spiritualité, et seule sa carte natale donne des précisions sur ce point. Avec de mauvais aspects, quand ce natif «attrape» un coup de cafard, il peut descendre bien bas et avoir des idées si noires qu'on ne saurait se surprendre de l'entendre dire qu'il songe à se donner la mort... Il ne le fera pas, il ne fait qu'apprivoiser la mort. Il aimerait avoir la certitude de ce que lui réserve l'au-delà, mais comme personne ne peut l'informer officiellement et lui garantir le paradis, il revient de son cafard et reste parmi nous, pour notre grand bonheur à tous. Il prend tellement de place qu'il laisse un vide quand il disparaît!

Sa neuvième maison se trouve le plus souvent dans le signe du Sagittaire, symbole des voyages, de l'étranger, et comme cette maison est en bon aspect avec son ascendant et qu'elle est la huitième maison à partir du signe du Taureau, il arrive souvent que ce natif aille vivre ailleurs ou qu'il soit fortement attiré par les gens d'une autre culture que la sienne... et que cela transforme complètement sa vie, pour le meilleur ou pour le pire, selon encore une fois, sa carte natale. L'exotisme l'attire. Le lointain exerce continuellement une fascination sur lui. Il y a tant à voir et à faire. En tant que Taureau, il est stable; aussi, au cas où il déciderait d'aller vivre hors de son lieu natal, ce serait pour une longue période de temps mais il y penserait encore aussi très longtemps. Même s'il aime le dépaysement, il aime rentrer chez lui.

Sa dixième maison est dans le signe du Capricorne. Pour lui, c'est sa place idéale, c'est presque une assurance de succès matériel et de sécurité pour ses vieux jours. Ce natif a plus d'endurance qu'il paraît en avoir car, de temps à autre, il aime bien se plaindre et se faire plaindre. Il aime attirer l'attention quand on se détourne de lui.

Sa onzième maison, dans le signe du Verseau, naturellement en aspect de carré avec son Soleil, fait qu'il lui arrive de temps à autre de découvrir que ses amis ne sont pas tout à fait ce qu'il avait cru qu'ils étaient. Mais il en a partout, et souvent jusqu'à l'autre bout du monde. Cette onzième maison, celle d'Uranus, provoque à un moment de sa vie une grande prise de conscience, et même souvent une crise de conscience. Il ne sait plus s'il ne doit croire qu'en ses moyens, l'autre l'ayant délaissé, ou s'il doit continuer de prier pour obtenir les faveurs qu'il sollicite. La position d'Uranus nous informe sur son évolution à la fois spirituelle et mentale.

Sa douzième maison, qui est celle de l'épreuve, se trouvant dans le signe du Poissons, il faut voir les aspects de Neptune pour connaître exactement d'où vient l'épreuve. Par exemple, pour ceux qui sont nés entre octobre 1942 et décembre 1955, la position de Neptune dans le signe de la Balance fait une opposition à l'ascendant et a provoqué chez plusieurs des divorces ou des peines d'amour. Naturellement quelques-uns y ont échappé, mais ça n'a sûrement pas été facile!

Cette douzième maison en Poissons, qui est aussi la place idéale du natif, en fait un être intuitif qui, à son grand détriment, peut de temps à autre se laisser tromper par les apparences. S'il se fiait à son flair, il minimiserait ses erreurs.

Ce natif peut être magique; on ne l'ignore pas quand il passe car il dégage des vibrations puissantes qu'il peut utiliser pour le bien ou pour le mal, selon ce qu'il a décidé, car vous ne déciderez rien à la place d'un Taureau. Il bouge quand il a décidé de bouger, car il est un signe fixe. Son ascendant Bélier lui fait des «chatouilles» dans le corps pour aller de l'avant, mais c'est le Taureau qui décide.

Les deux signes associés (Taureau ascendant Bélier) peuvent faire du natif, surtout dans la première partie de sa vie, une personne superficielle trop attachée aux biens de ce monde et pas assez à la raison profonde qui anime aussi la vie des autres. Trop tourné vers ses besoins, il néglige ceux des autres, ce qui, un jour ou l'autre, a ses petits rebondissements. On finit par l'avoir sous le nez mais, en tant que Taureau, la réflexion le pousse à voir bien clairement la répercussion de ses actes et à transformer le négatif en positif. Avec la position du Soleil en deuxième maison, position idéale pour le Taureau, il finit un jour par se rendre compte qu'il n'est pas le nombril du monde et qu'il est ce qu'il est parce qu'il n'est pas seul... Que ferait donc un Taureau seul sur la planète? Il aurait beau chercher les applaudissements, l'affection... Se croire seul au monde, c'est une absurdité, il n'y a qu'à prendre le métro!

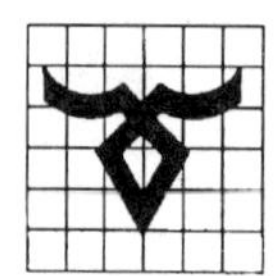
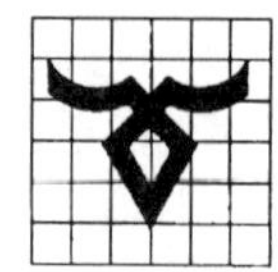

TAUREAU ASCENDANT TAUREAU

Propriétaire-né, il n'est pas heureux s'il ne possède pas des biens, beaucoup d'argent, des choses bien à lui, son territoire, ses idées, ses petites affaires, et comme il est un double signe fixe, il croit «dur comme fer» qu'il a raison d'être ce qu'il est, de croire à ce qu'il croit et que tout le monde devrait en faire autant.

Posséder l'ascendant de son propre signe ne fait jamais de ce natif une personne ordinaire. Il peut arriver que vous ayez affaire à un Taureau-Taureau marginal, surtout si des aspects de Vénus marquent une certaine originalité. Nous pouvons tout aussi bien avoir ici un homme d'affaires dur qu'un artiste ayant des idées qui se distinguent de celles de beaucoup d'autres.

Double signe de Vénus, la vie lui offre des grâces agréables, des moments merveilleux de plaisir, de détente, d'amour, mais il arrive qu'il s'y refuse ou qu'il en abuse. «Tête dure», buté, mais qui d'autre que lui-même pourrait le changer: ne tentez rien, car c'est lui qui décide de sa vie.

Grand réaliste, double signe de terre, double signe de Vénus, il peut aussi, selon LUI, être un grand artiste réaliste.

Il a bien du mal à démontrer de l'affection. Signe de terre, cette dernière peut être sèche si elle n'est pas alimentée par quelques planètes en signes d'eau. Il peut devenir égoïste et cruel même. Un Taureau, ça a l'air bien gentil comme ça, mais ne le provoquez pas. Quand cette bête à cornes s'emporte, elle ne voit plus clair, elle fonce dans le tas, vous n'aviez qu'à ne pas vous trouver sur sa route!

Son évolution est lente et ses sentiments se développent aussi lentement. Signe de terre, prudence, il ne se confie pas facilement, surtout s'il a déjà eu des difficultés en amour!

La stabilité lui convient, il aime les enfants, il est souvent plus démonstratif avec eux qu'avec le conjoint. Ce dernier est acquis, ça lui appartient! Le partenaire est sur la tablette à sa disposition.

Ce double signe de terre, double signe de Vénus, peut être extrêmement généreux ou égoïste. Quand on a affaire à un signe pur, il est toujours plus difficile de le «cataloguer» parce que les aspects de sa carte natale lui donnent son orientation.

Face à l'argent, comme il possède sa deuxième maison en Gémeaux, il peut être dépensier et même, de temps à autre, un parasite pour ceux qui l'entourent ou celui qui a deux sources d'argent et qui économise tout ce qu'il peut. Le deuxième type est le plus courant.

L'adolescence n'est jamais facile pour lui, c'est le moment où il recherche son identification propre, où il veut son indépendance. Il peut à ce moment devenir un Taureau taciturne et mélancolique ou alors un Taureau si expressif qu'on a du mal à le supporter.

Sa troisième maison, dans le signe du Cancer, en fait souvent un être agité durant sa jeunesse, intellectuellement ou physiquement, et parfois les deux en même temps. Il aime quitter la maison, revenir et décider que c'est là qu'il est le mieux, puis, tout à coup, avoir la sensation que la famille l'écrase, et c'est de nouveau la fuite.

À l'âge adulte, quand ses maisons prennent de l'importance dans sa carte natale, une sensation d'étouffement peut tout à coup saisir ce Taureau-Taureau et, soudainement, comme ce double signe fixe peut le faire, il abandonne son foyer sans trop prévenir. Mais comme il est double signe fixe, il y aura réfléchi suffisamment avant de faire le geste. Les spectateurs ou les témoins auront, eux, l'impression que ça s'est fait tout d'un coup.

Sa quatrième maison, qui représente le foyer, se trouve dans le signe du Lion. Le plus souvent ce natif aimera les belles et grandes maisons. Le foyer luxueux attire son attention mais, en tant que Taureau-Taureau symbole d'argent, il vivra rarement au-dessus de ses moyens, cela mettrait sa sécurité en danger.

Il y a toujours une contradiction chez ce double signe fixe: autant il aime son foyer et ses enfants, autant il a envie de ne pas y être. Mais Taureau-Taureau, symbole du devoir, il restera jusqu'à ce qu'il sache qu'on n'a plus vraiment besoin de lui. Ce signe n'est pas aussi simple qu'il en a l'air. Il peut être lourd à porter. Son côté vénusien veut plaire, mais Taureau-Taureau est aussi un signe de grande mélancolie. Signe des «verts pâturages», en vieillissant l'envie peut lui prendre sérieusement d'aller explorer de nouvelles terres!

Sa cinquième maison, celle de l'amour, en fait souvent un être un peu avare de ses sentiments, quelqu'un qui se sent mal compris, mal aimé. Il ne veut pas être aimé pour ce qu'il rapporte ou pour ce qu'il fait et, d'un autre côté, il se contente souvent de donner des preuves matérielles pour démontrer son attachement. Encore une fois, c'est contradictoire. Il raisonne l'amour alors qu'il sent bien que c'est quelque chose de presque complètement indépendant de la raison. Il peut aussi lui arriver de commettre quelques infidélités bien qu'il soit signe fixe et que ce ne soit pas dans sa nature mais, un goût soudain d'exploration.

Sa sixième maison se trouve dans le signe de la Balance: sixième, maison du travail, de la maladie; Balance, symbole du mariage, de la justice. Alors ce natif peut vivre un mariage malade, vivre des arts, vivre d'un travail tout à fait du type de la Balance, soit de raison, de logique pure. Il aura de la difficulté à communiquer avec son entourage dans le milieu du travail, il aura peur d'être mal jugé. Si nous avons affaire à un type Taureau-Taureau marginal, alors il fera n'importe quoi pour qu'on le remarque, en bien ou en mal, peu importe, du moment qu'il fait sa marque! Il peut arriver également à ce natif de vivre avec un conjoint qui est plus compliqué qu'il ne lui apparaissait au début et qui le pousse à exprimer ce qu'il est, à prouver qu'il est encore plus fort dans son milieu qu'il ne le paraît.

Sa septième maison, dans le signe du Scorpion, représente le conjoint. Il peut alors arriver que celui-ci, naturellement avec de mauvais aspects de Vénus et de Mars dans sa carte natale, soit destructeur ou autodestructeur.

Le plus souvent ce Taureau-Taureau attirera une personne repliée sur elle-même, il prendra cela pour de la profondeur, alors que la réalité est tout autre. Le Scorpion, symbole du masque de Pluton, ne tombe souvent qu'après de nombreuses années, le Scorpion étant aussi un signe fixe à l'opposé du Soleil du Taureau. Un beau matin, ce Taureau-Taureau se rend compte qu'il ne va nulle part avec son conjoint, qu'il se détruit, et voilà que le mariage est subitement rompu. D'autres aspects viennent confirmer ou non cette position; nous parlons de la généralité. (D'après mon expérience et mes nombreuses constatations, avec cette position; Scorpion en septième maison, il y a eu plus de divorces que de mariages.)

Sa huitième maison est dans le signe du Sagittaire. C'est la maison des grandes transformations. Notre natif vit le plus souvent ses changements de vie à l'étranger, loin de son lieu natal. Les événements lui font accepter un travail à l'étranger, ou, poussé par l'impulsion, il sent le besoin de s'exiler pour élargir son expérience de vie. Il lui arrive souvent de faire plus d'argent à l'étranger que dans son lieu natal.

Sa neuvième maison, dans le signe du Capricorne, fait qu'il devra attendre la maturité pour devenir vraiment sage et conciliant envers autrui... vers quarante-cinq ans environ! Mieux vaut tard que jamais! À ce moment il commencera à abandonner son côté radical. Le Capricorne étant le signe du père et la neuvième maison étant le signe du Sagittaire régi par Jupiter qui représente aussi les enfants, il peut arriver que ce natif, à un moment de sa vie, vive éloigné de ses enfants. Il se peut que ce soit lui ou eux qui soient à l'étranger.

Sa dixième maison étant celle du Verseau, il aura très peu d'amis ou alors ils seront choisis, ils feront partie des élus. Dans le cas d'un Taureau-Taureau marginal, ceux qui l'entoureront seront des «flyés»! Ils seront aussi choisis selon des critères bien précis et appartenant à ce double signe fixe qui ne change pas facilement d'avis. Comme cette dixième maison, dans le signe du Verseau, il se trouve très souvent en carré avec son Soleil; il peut alors arriver que ce natif ne garde pas si longtemps ses amis, qu'il s'en éloigne aussi parce qu'il prend l'avion! Verseau, on le sait, est un signe d'air et d'espace!

Sa onzième maison, dans le signe du Poissons, c'est la onze, les amis, et la douze, les épreuves. Voilà que notre natif se demande pourquoi on l'a laissé se débrouiller tout seul! Et s'il était moins radical, plus souple dans ses opinions envers eux, il s'éviterait quelques mauvaises surprises après tout! Mais il arrive aussi que ce natif rencontre une personne amie qui lui dit ses quatre vérités et voilà notre Taureau-Taureau en pleine réflexion. Une certaine violence peut l'habiter, violence physique, violence des sentiments qu'il exprime souvent au mauvais moment et avec les mauvaises personnes... Où sont passés ses amis? Eh bien, eux aussi ont pris l'avion pour le fuir!

Sa douzième maison se trouve dans le signe du Bélier, maison des épreuves dans un signe de Mars. En fait, les épreuves viennent le plus souvent de lui-même, de ses impulsions à retardement. Le Bélier, qui régit la tête, peut entraîner le natif à se croire fou à certains moments... Une courte dépression en général dont on ressort en faisant un geste, une action rapide. La position de Mars, surtout s'il est mal aspecté dans son thème natal, indique d'où vient l'épreuve. Prenons l'exemple de Mars dans le signe de la Balance, qui, à ce moment, est à l'opposition de sa maison d'épreuve dans sa sixième maison: le mariage ne reposera que sur des bases fragiles et le sujet réagira en s'éloignant de son conjoint par la voie du travail. Un beau jour, Taureau-Taureau s'en va sous un autre ciel! Et dans certains cas, on le quitte.

Il met du temps, ce double signe fixe, à affirmer vraiment et profondément ce qu'il est. Double signe de Vénus, ce peut être l'artiste qui a du mal à choisir quel art lui convient le mieux, l'homme d'affaires qui se demande dans quel domaine ça rapporte le plus, sauf qu'il n'a pas vraiment perdu du temps, ses caisses sont pleines. Ce peut être aussi celui qui se pose aussi sans cesse la même question: je suis marié mais suis-je vraiment bien, ou, je suis célibataire mais suis-je vraiment bien?

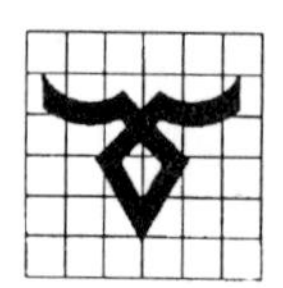

TAUREAU ASCENDANT GÉMEAUX

Ou Taureau ascendant instable! Beaucoup d'idées, une grande imagination, mais qu'en fera-t-il? Quand commencera-t-il à réaliser ses rêves? Il y arrivera, mais il prendra plus de temps qu'un autre.

Nous avons un Taureau (1) + un Gémeaux (2) = 3 personnes. Il faudra alors un certain temps, deux adolescences, avant que ce Taureau prenne vraiment la réalité pour ce qu'elle est.

Le Gémeaux est un signe d'adolescent et le Taureau, d'un gros bébé joufflu et confiant! Ça ne fait pas une grande personne trop vite! Mais que ferions-nous sans la jeunesse? De toute manière, sous ce signe il y a de bonnes chances pour que l'apparence physique demeure juvénile! Quelle merveille d'arriver à quarante ans et d'avoir encore un air de petit garçon ou de petite fille! On vous enviera! Pas de chirurgie, vous attendrez la soixantaine!

La deuxième maison de ce Taureau-Gémeaux se trouve dans le signe du Cancer: la famille sera alors un bon appui financier sur lequel il peut compter. Son ascendant Gémeaux, deuxième maison réelle du Taureau, le porte à dépenser, mais ce Taureau, avec sa maison deux dans le signe du Cancer, a sa petite réserve de sécurité. Et comme il est confiant que l'argent arrivera à temps, avec une imagination alliée à l'espoir avec cette maison deux en Cancer deux, représentant le Taureau où, quand la Lune s'y trouve, elle est exaltée, et Cancer dont la Lune est la maîtresse, cet astre étant l'inspiration, ce Taureau-Gémeaux aura l'intuition: il saura où, comment, à quel moment il trouvera l'argent nécessaire. Sa manière de gagner de l'argent sera alors directement reliée à la position de la Lune dans sa carte natale.

Sa troisième maison se trouve dans le signe du Lion. Dans sa jeunesse, ce natif se contentera d'apprendre superficiellement, il sera du genre qui étudie pour l'examen mais qui oublie tout ensuite. Sa parole sera brillante, il sera encourageant pour les autres. Un peu naïf, surtout dans la jeunesse, il se laissera flatter par autrui et se fera avoir par des arguments qui ont l'air logique! Ce natif aspire quand même à briller par son intellect; il aime qu'on reconnaisse son intelligence et ses capacités intellectuelles. Cependant, il a quand même bien du mal à terminer ou à approfondir ce qu'il entreprend. Les arts peuvent l'attirer, surtout ceux de la scène, avec parole à l'appui. Il aimera le mouvement, la danse aussi. La maison trois, régie par Mercure dans le signe du Lion, laisse présager un mouvement gracieux et étudié, mais, encore une fois, il peut arriver que ça manque de fini.

Sa quatrième maison se trouve dans le signe de la Vierge. La quatre représente le foyer; la Vierge, la maison du travail. Il peut arriver que le natif fasse un travail au foyer, un travail intellectuel, puisque la maison quatre est dans le signe de la Vierge. Il pourra souvent avoir l'impression qu'il n'habite définitivement pas là où il se trouve. Avec la quatre en Vierge, le natif est très ordonné ou très désordonné, tout dépend des aspects de Mercure. Le foyer pourra être un sujet de souci indiqué par les aspects de Mercure.

Sa cinquième maison, celle de l'amour, se trouve dans le signe de la Balance. Cinquième, l'amour, l'or; Balance, l'union, le mariage, la justice, l'esthétique. Ce natif recherchera une de ces correspondances. Il peut alors rencontrer une personne qui a un grand sens de l'esthétique, un avocat, un homme d'affaires, puisque la Balance est un signe de raison. Ce peut tout aussi bien être un notaire, un comptable... mais le conjoint sera sûrement une personne logique et raisonnable. Ce natif aura aussi fortement tendance à rechercher une personne qui lui apporte la sécurité matérielle, de préférence le luxe. Il voudra calculer le moment où il fera des enfants. Il cherchera un équilibre certain avec son partenaire avant d'atteindre un équilibre amoureux. Avec la maison cinq dans le signe de la Balance, le natif a toutes les chances du monde de voir son vœu se réaliser.

Sa sixième maison est dans le signe du Scorpion. Sixième maison, celle du travail; Scorpion, qui représente les lieux obscurs, l'ésotérisme, l'astrologie. Ce natif sera fortement attiré par un travail en marge des autres, mais son ascendant Gémeaux lui fait en même temps rechercher la présence des gens qui passent mais qui ne reviennent pas. On peut tout aussi bien retrouver le Taureau-Gémeaux travaillant de nuit, dans des lieux où l'on vend de l'alcool, dans le service aux chambres, que dans des professions médicales, astrologiques, ésotériques. Taureau-Scorpion lui fait rechercher le contact corporel dans le milieu de travail (il peut être masseur) et aussi, si des aspects l'indiquent, des relations sexuelles avec les gens du milieu du travail. Mars et Pluton confirmeront la tendance exacte du travail recherché et pratiqué.

Souvent le natif quitte soudainement son travail pour vivre autre chose ou exploiter un autre de ses talents. Sa sixième maison étant dans le signe du Scorpion, il est possible que surviennent des complications au niveau des organes génitaux. La sexualité est aussi gourmande sous ce signe et cet ascendant, et en même temps, elle est curieuse de vivre des expériences différentes. Ce natif, avec la maison six en Scorpion, peut, à un certain moment de sa vie, avoir un penchant pour le vice et, à un autre moment, pour la vertu! Sa fidélité peut être mise en doute, surtout si on lui facilite les occasions où s'il ne se sent pas aimé suffisamment.

Sa septième maison, dans le signe du Sagittaire, lui fera rechercher un partenaire qui vient d'un autre pays ou quelqu'un qui a déjà voyagé ou qui aime les voyages. Il attirera aussi très souvent un conjoint qui a des affinités avec la philosophie, les religions, et tout ce qui élève l'esprit. Un voyage est souvent un point de rencontre, un point de liaison entre lui et l'autre. Il arrive aussi que, formant une vie de couple, une séparation à la suite d'un voyage les rapproche. Souvent, ce natif sera le deuxième conjoint de la personne qu'il attirera. Les divorces ne sont pas rares non plus sous ce signe.

Sa huitième maison est dans le signe du Capricorne. Huitième, symbole du Scorpion à la fois de destruction et de restructuration; Capricorne, symbole du père. Il n'est pas rare que ce natif ait vécu quelques épreuves par le père, lesquelles auront contribué à son évolution. La maturité apporte de grandes transformations dans la vie de ce natif: il vieillit en approfondissant ses relations avec autrui, il sera curieux de connaître les motifs cachés qui font agir ceux qui l'entourent. Longue vie à ce natif, à moins d'avoir de très mauvais aspects de Mars et de Saturne!

Sa neuvième maison, dans le signe du Verseau, attire souvent à lui des amis étrangers, originaux, mais dont l'esprit tend à l'élévation, à un élargissement des connaissances humaines. Le natif est le plus souvent profondément croyant, et il croit aussi à la magie de l'esprit sur le corps et même sur la matière. Cette position fait qu'il attire souvent à lui les enfants des autres, tout comme il peut être prêt à adopter des enfants venant d'un pays lointain. Il a le respect des enfants et, bizarrement, il lui arrive d'être plus attentif aux enfants d'autrui qu'aux siens, bien que le Taureau soit très près de ses enfants.

Sa dixième maison se trouve dans le signe du Poissons. Ce natif voudra sauver l'humanité de ses maux, c'est pourquoi il s'oriente souvent vers le monde médical. Il aura tout de même beaucoup de mal à choisir l'objectif: le Poissons étant un signe double, le natif hésite avant de s'engager ou alors il s'engage vers deux objectifs, mais il lui sera bien difficile de les atteindre tous les deux en même temps. Le plus souvent, il sera persuadé qu'il a une mission à remplir, mais laquelle? Son rêve, c'est de remettre le monde à l'endroit et de lui indiquer où se trouvent le bonheur, la libération de ses malheurs! Le but est noble et grand, comme il peut aussi être illusoire. Il arrive que ce Taureau-Gémeaux s'occupe ardemment des autres pour ne pas voir les problèmes qui l'habitent personnellement. Comme le Poissons est un signe d'épreuves, la carrière n'est pas facile à mener; les aspects de Neptune et de Saturne indiquent où se trouvent alors les difficultés.

Sa onzième maison se situe dans le signe du Bélier. Ce natif se fait des amis partout, mais ce n'est pas certain qu'il ait envie de poursuivre les relations. Il peut manquer à sa parole parce qu'il a oublié, parce qu'il n'a pas eu le temps. Dans sa jeunesse, il se laissera facilement épater par les beaux parleurs à qui il voudra s'attacher, mais un mauvais aspect d'Uranus ou de Mars peut lui réserver une désagréable surprise: peut-être ses amis sont-ils partis vivre sous des cieux plus exotiques...

Son Soleil se trouve dans la douzième maison, ce qui entraîne notre Taureau dans des états de nostalgie et même de dépression, et certains auront plus de difficulté à en sortir. Mais l'esprit évolue fortement si le sujet se dirige vers le bien, le bon, le meilleur. Un Taureau-Gémeaux qui serait plus égoïste pourrait lui-même s'empoisonner l'existence à ne vivre que pour lui-même.

Ce Taureau a envie de faire un tas de choses et d'apprendre tout, vraiment tout. Par où va-t-il commencer? Il n'en sait rien, il sait seulement qu'il a besoin de vivre entouré de gens, nouveaux de préférence, il aime découvrir de nouvelles têtes.

La routine le mine, il en perd sa spontanéité. Il ne marche pas, il sautille! Taureau, signe de terre, et Gémeaux, signe d'air, cela fait un être plus léger, moins dramatique et plus rieur, avec plus d'espoir, même un espoir naïf.

Sa vie n'est pas aussi facile qu'elle le paraît. Vouloir tout faire... Un jour, il faut s'y mettre et choisir sa place!

La sensibilité est grande, il y a aussi parfois sensiblerie; on s'en fait pour des petits riens. En fait, il s'agit d'une accumulation de petits riens qui engendre tout à coup un gros drame. Personne ne comprend ce qui s'est passé parce que, au moment où le Taureau éclatait, la situation n'en valait pas la peine. Mais lui le sait; il a accumulé ses frustrations et il les sort toutes en même temps, comme une éruption volcanique!

Ce Taureau aime bavarder, mais il devra passer à l'action d'une manière plus assidue s'il veut réaliser ses rêves. Il a besoin de se donner une discipline. Quand on veut tout faire, il arrive que les priorités se mêlent et que, finalement, il n'y en ait plus du tout. Voilà qu'on arrive au bout de sa vie en se demandant encore qu'est-ce qu'on pourrait faire pour se réaliser. Le temps a passé, les expériences se sont accumulées et elles auraient dû servir à une ou plusieurs personnes!

Taureau-Gémeaux, pour réaliser vos rêves il faut passer à l'action!

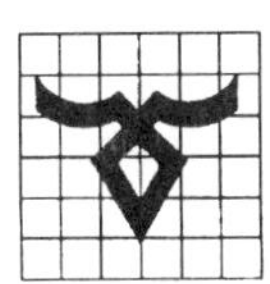

TAUREAU ASCENDANT CANCER

Voici un gourmand, un gourmet aussi, un petit cœur sensible. Taureau, régi par Vénus... Cancer, par la Lune, L'AMOUR, L'AMOUR, L'AMOUR et le confort!

Il peut être naïf, il a besoin de tendresse comme un enfant a besoin de compréhension. Il est tolérant envers autrui, on peut lui taper sur la tête, il souffrira sans mot dire! C'est triste pour lui, tout de même. Quand on pense que les gens heureux ont bien raison de l'être!

On peut le rouler assez facilement quand il est jeune; après, ce n'est plus pareil, c'est lui qui vous embarquera pour la Lune! Son union et ses enfants occupent le centre de sa vie. S'il n'a pas ça dans sa vie, on se demande bien ce qu'il en fait. Il a besoin de donner tout cet amour qu'il possède en lui-même. C'est une personne de maison, qui aime faire la cuisine, avoir une belle maison où tout le monde se sent chez soi, où personne ne manque de rien, pas même d'affection! Il voit à tout.

Il transporte avec lui une magie calme et reposante. D'un regard, quand vous lui demandez quelque chose, il vous le fait apparaître et il tiendra promesse.

Par contre, il a peur de demander, il craint qu'on lui dise non. Aussi lui arrive-t-il de se priver de bonnes choses de la vie, tout simplement parce qu'il n'a rien demandé. Il peut être timide au point qu'il faut aller le chercher dans une conversation. Certaines personnes le croiront distant, alors qu'il n'en est rien. Approchez-vous et vous ressentirez ses vibrations, il veut vous aimer et c'est gratuit.

Sa deuxième maison, qui se trouve dans le signe du Lion, représente l'argent souvent gagné dans un milieu artistique ou qui a quelques rapports avec les arts. Le plus souvent, il aura une place d'organisateur, de conseiller. Habile dans les spéculations, il peut avoir l'air naïf, l'air de se «faire embarquer», mais ne vous y trompez pas, il est plus fin que vous ne le pensez lorsqu'il s'agit de questions financières. Il sait se protéger et protéger ceux à qui il tient. Comme Taureau, il aime l'argent et la sécurité que cela apporte, mais il ne craint pas les grosses dépenses, surtout s'il s'agit de ses enfants. Il est prêt à tout leur donner, ou presque; ils ne manqueront de rien avec lui. Il a des goûts de luxe et il sait les satisfaire; il est capable de fournir un gros effort de travail, de faire des économies jusqu'à ce qu'il soit en possession de son rêve matériel. Après, bien sûr, il en aura un autre. Il est insatiable en ce qui touche son mieux-être. Plus, plus beau, plus grand...

Sa troisième maison se trouve dans le signe de la Vierge. Son imagination travaille, les idées fourmillent. Il lui arrive d'hésiter avant d'émettre ses opinions: il n'est pas certain qu'elles soient justes et précises. Fort habile à démêler les papiers, à sélectionner, un travail dans un monde de communication, indiqué par les aspects de Mercure, lui convient bien. Peu expansif, il aime rencontrer de nouvelles personnes; ça lui permet d'étudier les divers spécimens qui existent sur terre. Il connaît une foule de gens et il les connaît plus profondément qu'il ne le dit, car il a un sens aigu de l'observation et une excellente mémoire. Il a le don de pouvoir analyser des besoins ou des désirs de masse. Ce natif devient très bavard quand il se sent en confiance, quand il est sûr que vous ne serez pas négatif face à ses désirs qui pourraient parfois paraître sortir tout droit d'un conte de fées. Il pourra vous expliquer son plan de A à Z. Si vous riez, s'il ressent que vous avez des doutes sur ses capacités, il se taira en émettant une sorte de petit claquement de pinces de crabe et en donnant un coup de sabot de Taureau! Si vous entendez ces bruits, soyez averti que vous aurez ri pour rien!

Sa quatrième maison se trouve dans le signe de la Balance. Son foyer est généralement bien beau; il aime l'ordre, les beaux meubles, l'élégance. Il peut lui arriver de vivre avec une personne qui ne sait pas encore si oui ou non elle veut des enfants. La quatrième maison étant celle du Cancer, de la famille, et la Balance, celle du conjoint, Cancer-Balance entrant en quadrature, il en résulte souvent que le conjoint de ce natif met un temps certain avant de fonder une famille. Ce conjoint est souvent une personne indépendante, plus tournée vers la société que vers la famille, et qui ne sait pas toujours au juste ce qui serait le mieux. La Balance étant aussi le sixième signe du natif, il arrive que ce dernier travaille chez lui ou ait une compagnie qu'il dirige à partir de chez lui. Possibilité également que le conjoint participe à ce travail, dans le dernier cas.

Sa cinquième maison, dans le signe du Scorpion, n'est pas la position idéale pour faire des enfants. Ce peut être que le natif n'en veut pas ou que son partenaire refuse. L'amour, dans ce couple; évolue difficilement, bien que ce natif soit passionné. Il exprime mal ses besoins sexuels et affectifs, il aura tendance à se replier sur lui-même, et il idéalise l'amour plus qu'il ne le vit réellement. Il place l'autre sur un piédestal et se regarde lui-même dans un miroir déformant. Il arrive que certains de ces natifs se sacrifient pour l'amour, par amour, se dévouent pour le conjoint ou le partenaire, mais qu'ils n'en retirent pas autant qu'ils ont donné.

Sa sixième maison, celle de la maladie et du travail, se trouve dans le signe du Sagittaire, ce qui peut lui occasionner des déplacements pour son travail. Généralement, il est chanceux quand il veut changer d'emploi, obtenir une promotion. Il a le sens de l'innovation, bien qu'il fasse preuve de timidité lorsqu'il doit exprimer ses opinions. La vie à l'étranger ne lui convient pas; il risque d'attraper une maladie ou de subir un malaise. Il est bien chez lui, dans son lieu natal, à moins d'aspects tout à fait contradictoires dans sa carte natale. Il est capable de se dévouer et même de soigner des gens qui viennent de l'étranger. Ses relations avec l'étranger se résument souvent à des services à rendre ou à une visite protocolaire.

Sa septième maison, celle de son conjoint, se situe dans le signe du Capricorne. Il peut parfois s'agir d'une personne plus âgée ou d'un partenaire ambitieux, un tantinet froid, plus occupé que l'autre à dépenser son énergie en vue de la réussite. Le mariage peut reposer sur des motifs étranges chez ce natif déterminé par les aspects de Saturne et de Vénus, aussi il n'est pas toujours réussi sur le plan intime, mais plutôt sur le plan social: il paraît bien aux yeux des autres et cela lui convient ou il s'en accommode. Ce Taureau-Cancer est conformiste et traditionnel, il respecte les rites et usages du pays qui l'abrite. Si, pour lui, la tradition lui dit de se taire dans sa vie de couple, il le fera longtemps; il faudra presque qu'il arrive à un point d'usure morale pour s'échapper d'une situation qu'il a du mal à vivre. Il touche le bonheur à la maturité, souvent après la quarantaine. Il réalise qu'il n'a pas à souffrir et comme il a beaucoup donné, il reçoit beaucoup.

Sa huitième maison, dans le signe du Verseau, lui réserve parfois la mauvaise surprise de constater qu'on le trompe, mais il n'aime ni le divorce ni la séparation, parce qu'il s'attache à l'autre et parce qu'il aime bien poursuivre la tradition! Ce natif est un grand croyant. Il a souvent un talent de visionnaire, il voit mal à l'intérieur de lui, mais il voit bien à l'intérieur des autres. Généralement, les changements sont plutôt radicaux dans sa vie. Si d'autres planètes le confirment, Verseau symbolise également les enfants des autres, et le Scorpion, la mort. Il peut sauver la vie des enfants des autres comme il peut arriver qu'il aille les chercher bien loin de son lieu natal ou même, dans certains cas, qu'il sauve des enfants, sans l'avoir recherché, ou qu'il prenne les enfants des autres à sa charge. Position qui implique une lutte avant d'atteindre son objectif matériel.

Sa neuvième maison, maison aussi très spirituelle se trouve dans le signe du Poissons, ce qui vient encore une fois donner une dimension profonde à l'esprit et la pensée de ce Taureau. Le but général de sa vie est humaniste, mais il ne s'oubliera quand même pas. En tant que Taureau, il sait très bien protéger sa sécurité et sa vie, mais il y a au fond de lui, et qui finit toujours par faire surface, un missionnaire, un donneur, un être profondément touché par la misère d'autrui. Il refuse la méchanceté, il n'est pas capable de se venger; même après avoir subi un affront, il regardera en lui-même et excusera l'autre de sa maladresse ou presque. Peut-être dira-t-il sous le coup de l'emportement que l'autre «va y goûter»; seulement, peu de temps après, la sagesse lui fait signe... et non plus la colère!

Sa dixième maison, son but, son objectif, se trouve dans le signe du Bélier. Ce natif est très ferme quand il prend des décisions à caractère financier. Il est ambitieux sans toujours en avoir l'air. La position de cette maison est puissante, puisque le Bélier est régi par Mars et que Mars se trouve exalté dans la dixième maison; aussi ce natif atteint souvent l'objectif qu'il s'était fixé. Il devient souvent un patron, un bon patron qui sait reconnaître celui qui a du talent et comment il pourrait l'aider à progresser et, en même temps, à fournir un meilleur rendement pour son entreprise. Jeune il aura un grand esprit d'initiative. Parfois le manque d'expérience lui fera commettre quelques imprudences, mais il retiendra la leçon, soyez-en certain, et il ne refera jamais deux fois la même bêtise.

Le Soleil de ce natif se retrouve dans la onzième maison, ce qui fait de lui une personne recherchée et aimée par son entourage. Il pourra toucher à la politique ou à toute autre organisation sociale. Il s'accommode très bien du public malgré son apparente timidité. Il se faufile partout et se fait toujours accepter là où il passe. De temps à autre, il laisse voir qu'il a de l'autorité et ça fonctionne... à son propre étonnement! Comme le Soleil est dans la onzième maison, cette position confirme encore une fois que le natif se retrouve souvent avec les enfants des autres. Il peut épouser une personne qui en a ou en adopter. Compréhensif et tolérant envers le genre humain, il fait un bon psychologue.

Dans son milieu intime, dans sa vie quotidienne, il mettra longtemps avant de se débarrasser de sa mauvaise habitude de donner des ordres, ce qui peut lui valoir de mauvais points. Ou, si de mauvais aspects de Saturne interviennent, on peut aussi le quitter! Il n'est pas rare de trouver des Taureau ayant le Soleil en onzième maison dans le monde de la télévision, de la radio, de la musique, de l'édition, ce qui leur permet d'une certaine façon de toucher un grand public. Ce Taureau aimera prendre l'avion et se rendre dans un pays qu'il ne connaît pas. Bien que timide, il s'y fera des amis vers qui il pourra retourner.

Sa douzième maison est dans le signe du Gémeaux. Ses épreuves lui viennent du fait qu'il dit tout ce qu'il pense dès qu'il se trouve en face d'une injustice ou de quelqu'un qui pourrait en commettre une! Il ferait bien d'apprendre à se taire sous le coup de l'émotion, ses paroles pouvant dépasser sa pensée. Ce natif pourrait être sujet à des problèmes de bronches, de rhume. De temps à autre, il peut se laisser aller à une certaine mélancolie et, parfois, il a besoin de témoins! On l'écoute, mais on pourrait aussi, éventuellement, se servir de ses plaintes contre lui. Il ne dit jamais totalement la vérité sur ce qui le hante ou le blesse; on peut toujours inventer le reste à sa place et l'interpréter. Il lui arrive aussi de rencontrer des gens qui jouent son jeu et ne lui disent que la moitié de ce qu'il serait supposé savoir!

Bien que ce natif soit le plus souvent généreux, il lui arrive de se buter et de se replier sur lui, de se fermer à toute nouvelle connaissance ou ouverture sur le monde... croyant alors être le seul à avoir raison.

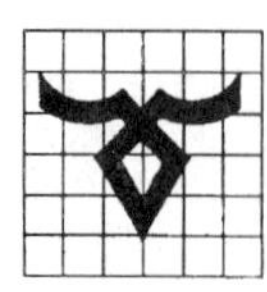

TAUREAU ASCENDANT LION

Nous avons une bête à cornes et une bête sauvage à l'ascendant! Ce n'est pas drôle tous les jours, surtout si les deux s'énervent en même temps parce qu'il y a de l'orage dans l'air. Taureau, signe de terre, Lion, signe de feu. Trop de terre sur le feu l'éteint; la passion se dessèche, une terre brûlée par les rayons solaires, alors tout finit par se déshydrater, surtout l'amour!

Alors, qu'est-ce qu'on fait quand on a un tel ascendant? Double signe fixe, on a la tête dure et on n'écoute pas tellement ce qu'on nous dit. Les conseils, Taureau-Lion, vous en prenez très peu, mais vous êtes prêt à en donner à profusion. Double signe fixe, vous passez bien avant les autres. Ne devez-vous pas toujours être le premier? N'a-t-on pas inventé la planète Terre pour vous? C'est à peine si on se rend compte sous ce signe et cet ascendant qu'on est exigeant à ce point. Double signe fixe, endurance et ténacité vous marquent de leurs empreintes! Puis vient un temps où vous vous apercevez qu'il faut de la patience, de la diplomatie et qu'il est important de donner de son attention à autrui... Cette fois, vous êtes capable de tomber dans l'extrême générosité, de vous «faire avoir», comme on dit couramment. Un beau matin vous vous réveillez et décidez que vous en avez assez de votre naïveté: expérience des extrêmes à l'appui, voilà enfin l'équilibre!

Vous êtes généreux, mais quand ça vous tente, quand vous avez besoin qu'on s'intéresse à vous. Vous oubliez parfois de vous mettre à la place des autres, de ceux qui ont une première place dans leur propre vie. Encore une fois, ce comportement n'est pas conscient lorsque vous êtes jeune. La force de réflexion étant puissante, vous faites le bilan des pour et des contre, et vous vous ajustez.

Double signe fixe, quand vous vous alignez vers un but vous l'atteignez, vous marquez des points dans votre carrière. Double signe fixe, qui peut être aussi tenace que vous sinon un autre double signe fixe?

Votre ascendant vous rend orgueilleux au point qu'on peut vous faire marcher par la flatterie, et voilà qu'on vous roule. Dans toute cette force que vous dégagez, vous avez la faiblesse de croire que vous n'avez jamais réussi. Vous êtes ambitieux au point que vous en oubliez de vivre votre vie intime.

En amour vous êtes surpris si on vous quitte quand ça va mal. En fait, vous n'avez pas pris soin de l'autre; vous aviez le temps de le faire, mais vous étiez certain que c'était ce que l'autre voulait.

Sous votre signe, l'angoisse fait partie du quotidien. Avec un ascendant Lion, il y a toujours un côté créateur et c'est souvent cette angoisse qui alimente votre création. Mais ce n'est pas drôle pour vous, et pas toujours non plus pour ceux qui vous entourent.

Double signe fixe, vous êtes fidèle, on peut vous avoir pour ami pour la vie. Vous êtes buté aussi, même dans l'erreur, même quand tout le monde vous disait que vous faisiez fausse route.

La deuxième maison se trouve dans le signe de la Vierge. Les gains s'effectuent par la nature de Mercure; la carte natale en donne la précision. Le natif doit travailler pour gagner son argent, il ne le vole pas, il le mérite. Souvent il aura deux sources d'argent, deux emplois. La créativité est présente dans le cas de l'artiste, aussi manquera-t-il rarement de travail. L'homme ou la femme d'affaires qui a ce double signe fixe, Taureau-Lion, sait toujours s'imposer et gagner les batailles qu'il entreprend. La Vierge étant en bons aspects avec le Taureau, il arrive au natif d'être très dépensier après avoir décidé d'économiser! Son signe l'incitant à ne dépendre de personne, quand l'argent s'est envolé le voilà prêt à travailler deux fois plus fort pour récupérer!

Sa troisième maison, dans le signe de la Balance, fait de cette personne un esprit rapide: repartie vive, qui peut aussi être comique, qui sait détendre les autres, les mettre à l'aise. L'intelligence est aiguisée. L'esprit est observateur, le sens du détail est présent surtout en ce qui a trait aux comportements de son entourage, de ses amis. Il aime les mettre à l'aise. Naturellement, il peut aussi se fâcher. Le Taureau-Lion n'aime pas vraiment être contrarié, mais il se fera un plaisir de venir en aide à ses amis dans la détresse. Position qui donne à l'intelligence un grand sens artistique, une vision à la fois du détail et de l'ensemble d'une même chose, qui pousse le natif à rechercher un conjoint communicateur, pour ne pas dire bavard à ses heures. Le Taureau-Lion a besoin de parler, de discuter de ses sentiments, de leurs changements. Il a cette nette sensation que rien ne peut être comme hier, il faut qu'il en parle. Il aime les discussions philosophiques. Observateur du comportement humain, il découvre beaucoup, tant chez autrui que chez lui-même. Plus il vieillit, plus il devient sage. L'adolescence est souvent marquée par un grand amour qui n'est pas toujours ce que le Taureau attendait, d'où une déception et une très longue réflexion.

Sa quatrième maison, celle du foyer, se trouve dans le signe du Scorpion. Souvent, le foyer de naissance représente un lieu de douleur, une épreuve avec l'un des deux parents ou avec les deux. Le natif tentera de rejeter ce qu'on veut lui apprendre de force. Il ne supportera pas l'autorité parentale qui est trop souvent sévère et manque d'ouverture face à ce sujet. Il pourra, dans certains cas, subir une certaine violence ou alors se sentir possédé par l'un ou par les deux parents. Le foyer a souvent des secrets douloureux dont le natif parle très peu. La sexualité a joué un rôle important dans sa jeunesse; il n'est pas rare qu'il ait subi très jeune des attouchements sexuels de la part de l'un des parents ou d'autres membres de sa famille. Il voudra très tôt quitter son foyer. Mais en même temps il sera tenté d'aller voir pourquoi rien n'était jamais clair dans son milieu de naissance. Ce natif peut développer de grandes peurs, la nuit plus particulièrement, et certains peuvent souffrir d'insomnie. Cette quatrième maison appartient à la Lune, l'imagination, dans le signe du Scorpion, qui représente le mystère, la sexualité, l'alcool, la nuit, la drogue. Juste en face du Taureau, le Scorpion étant aussi le septième signe du Taureau, il arrive que ce natif rencontre des amours obscures, des gens qui souffrent et qui le font souffrir. Cette position, la quatrième maison, soit la Lune, représentant la nourriture, il lui est facile d'engraisser plutôt que de faire face à ses peurs, c'est-à-dire d'être délaissé, de se retrouver seul face à l'univers qui bouge sans cesse. Il admet l'évolution, les mutations, mais il voudrait que ce soit à son rythme, ce qui n'est pas toujours le cas.

Sa cinquième maison, dans le signe du Sagittaire, crée des attirances pour les gens qui viennent de loin, les étrangers. L'amour est idéalisé. Cette cinquième maison est aussi la huitième du Taureau. Il arrive que le natif vive un désenchantement amoureux qu'il mettra du temps à oublier, la mémoire du Taureau étant puissante. Il peut aussi arriver qu'il vive éloigné du partenaire, à l'étranger, pour des raisons professionnelles. Fortement attiré par les arts, il peut soit faire des acquisitions à l'étranger, soit y travailler et obtenir un succès important. Après, il pourra dire que, véritablement, nul n'est prophète dans son pays! C'est sans doute un Taureau-Lion qui a inventé, cette maxime. L'étranger représente pour lui non seulement une transformation de sa vie extérieure mais également de sa vie intérieure. Comme si les deux se liaient pour l'aider à dissiper ses peurs, une position qui lui donne une puissante intuition et même un aperçu de l'avenir.

Sa sixième maison, celle du travail ou de la maladie, se trouve dans le signe du Capricorne, ce qui confirme une fois de plus son endurance au travail. Ce natif est prêt à commencer au bas de l'échelle qu'il gravira lentement mais sûrement.

D'une grande résistance physique, des aspects de Saturne et de Mercure déterminent son état de santé. Il peut être angoissé, mais il a suffisamment de maîtrise pour dominer ses émotions dans les moments importants, surtout ceux où il joue sa carrière. La ligne de travail est généralement choisie d'une manière fixe vers vingt-sept ans. À partir de ce moment, il s'orientera vers le sommet.

Sa septième maison, celle du conjoint, dans le signe du Verseau, lui fait rechercher les êtres particuliers, originaux, vraiment pas comme les autres, qui se détachent même d'un groupe. Un partenaire mystérieux l'attire. Ce natif peut également être attiré par des personnes qui ont des attitudes sexuelles dépravées. Cette septième maison, en Verseau, en aspects négatifs avec le Soleil du Taureau dans la plupart des cas, met toujours la relation en danger. Explosion uranienne, la rupture est soudaine, inattendue. Le sujet trompe ou est trompé. La vie de couple n'est pas facile car, la plupart du temps, ce natif place sa carrière loin en avant de sa vie intime et, là-dessus, il n'est pas prêt à faire de nombreuses concessions. Son indépendance et son autonomie financière prennent une place importante. Le Taureau, bien que signe de Vénus et de l'amour, est aussi le symbole de l'argent dont il ne veut pas manquer. Il arrive souvent, si ce natif a fait un choix de carrière, que ce soit aux alentours de la quarantaine qu'il trouve la véritable stabilité amoureuse, tant en lui-même qu'avec l'autre.

Sa huitième maison se trouve dans le signe du Poissons. Le Taureau-Lion peut être fortement attiré par l'astrologie, les sciences occultes et, dans certains cas, la magie noire; les aspects de Neptune et de Pluton nous l'indiquent clairement. Avec de mauvais aspects de Neptune, la drogue et l'alcool peuvent exercer un sérieux attrait sur le natif, mais il est rare qu'il y reste accroché. Il est généralement perspicace. Il peut arriver aussi qu'il développe un certain fanatisme face à la religion ou aux dogmes. Sa nature de chef fait qu'il insiste pour qu'on le suive. Il peut développer une foi aveugle ou s'opposer radicalement à une religion ou à une philosophie qui ne conviennent pas à sa ligne de pensée. Cette position est aussi celle de la sexualité. À un moment, les besoins, priment sur la raison et, tout à coup le natif se prive totalement parce qu'il ne vit qu'avec sa raison. On peut dire qu'à un moment de sa vie il peut naviguer entre la grande permissivité sexuelle et la sainteté ou, plus simplement, la continence!

Sa neuvième maison, celle des voyages, se trouve dans le signe du Bélier. Voyages décidés à la dernière minute. La nature de ces voyages est indiquée par la position de la planète Mars dans la carte natale: Mars en Vierge, prompt déplacement à l'étranger pour le travail; Mars en Scorpion, possibilité que le natif aille à l'étranger pour une opération, les organes génitaux étant en jeu; Mars en Balance, voyage d'étude ou rejoindre une personne aimée qui se trouve à l'étranger, etc. Cette neuvième maison, dans le signe du Bélier, indique la chance à l'étranger, souvent des dénouements rapides aux attentes du natif. Ce peut être également un coup d'argent fait à l'étranger. Mais comme le Bélier est aussi le douzième signe du Taureau, notre natif pourrait se sentir inquiet et tourmenté à l'étranger, alors qu'il aurait le vif désir de rentrer malgré la réussite qu'il peut vivre.

Le Soleil se trouve dans la dixième maison de ce natif, ce qui en fait un gagnant dans l'entreprise qu'il a choisie. Ascension lente mais certaine, à moins d'aspects adverses et fortement négatifs. Le sujet aime la gloire, se mesurer aux autres. Il a besoin de la reconnaissance publique, c'est sa manière de prouver qu'il est quelqu'un. L'orgueil ne manque pas sous ce signe. Il a même intérêt à prendre quelques leçons d'humilité. En fait, nul n'a besoin d'en chercher; au détour de la vie, il y en a toujours une si on n'a pas observé les règles du respect que l'on doit à chacun, qu'il soit grand ou petit. Position qui confirme le sens de la continuité dans la sphère de travail choisi: lutte pour l'ascension et le succès.

Sa onzième maison, dans le signe du Gémeaux, lui permet de se faire des amis partout. Il aimera tous les enfants, les siens et ceux des autres. C'est une personne sociable en société et qui passe partout parmi tout le monde. De commerce agréable, il aime être informé de ce qui se passe dans cet univers. L'originalité dans la créativité est présente chez lui, le sens de l'innovation allant même jusqu'à une certaine marginalité. Le sujet est souvent doué pour l'écriture, mais il arrive qu'il soit d'abord incompris. Le temps joue alors en sa faveur. Il peut lui arriver de mélanger la vraie philosophie avec une philosophie de pacotille. Le temps, une fois de plus, fera son œuvre. Souvent, l'amour commence par une relation d'amitié, étant donné que sa septième maison est en Verseau et la onzième, dans le signe du Gémeaux. En cas de rupture, le natif demeure ami avec la personne qu'il a aimée et, en tant que Taureau, s'il y a investi tout son amour, il aura bien du mal à oublier, à tourner la page. Il aime la présence de gens intellectuels qui lui apprendront quelque chose de neuf, qu'il s'agisse de son mieux-être intime ou de son travail.

Sa douzième maison, celle de l'épreuve, se trouve dans le signe du Cancer d'où l'aspect, encore une fois, d'une possibilité de vivre une épreuve familiale. Souvent, le sujet sera totalement incompris de ses parents. Sa jeunesse peut être marquée par une sorte de réclusion, le pensionnat ou une prise en charge par d'autres membres de la famille. Il peut aussi s'agir d'une naissance en milieu défavorisé, qui n'a apporté aucune sécurité à ce Taureau-Lion.

Le Taureau-Lion est naturellement un être excessif. Il ne fait rien à demi et si, à tout hasard, nous avions affaire à un de ceux qui mènent une vie douteuse, nous avons là un être bien malheureux, qui veut s'autodétruire.

Taureau-Lion, vous avez besoin de spiritualité pour évoluer, pour dépasser la matière. La vérité n'est pas toujours dans ce qu'on touche ou dans ce qu'on voit. L'invisible fait partie du quotidien, vous en avez le sentiment et les pressentiments; seulement, il arrive que vous vous laissez prendre par des illusions, parce que votre foi est faite de superstitions ou que vous n'avez qu'une seule vision, celle de la gloire, de l'argent, de la puissance sur autrui. Qui, croyez-vous, les forcera à vous aimer? Illusion totale. Quand vous êtes aimé, c'est pour vous-même, non pas pour ce que vous représentez. Mais si, à tout hasard, vous vous étiez fait une représentation de vous-même qui vous pousse à vous aimer vous-même, pour ce que vous faites, vous détournerez les gens de vous-même. Plutôt que de s'intéresser à vous, ils s'intéresseront uniquement à ce que vous faites. Vous aurez créé toute la situation en la centrant sur votre carrière, votre puissance, vos avoirs, et on ne peut ni impressionner ni acheter qui que ce soit, surtout pas l'amour. L'amour ne se laisse impressionner que par l'amour.

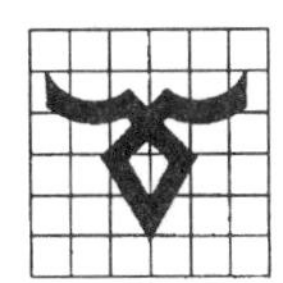

TAUREAU ASCENDANT VIERGE

Honnête, sincère et droit, on peut compter sur lui. Double signe de terre, il est réaliste et infatigable au travail, et ne manque pas d'imagination non plus. Taureau, (signe fixe, 1) + Vierge (signe double, 2) = 3 personnes. Il se peut qu'il y ait des hésitations à l'intérieur de cette personne.

Son signe double lui donne le goût de multiples entreprises, toutes aussi réalistes et payantes les unes que les autres. Mais par laquelle faut-il commencer? La Vierge, c'est l'intelligence, la raison avec sa part d'imagination et de sensibilité. Qu'est-ce qu'on en fait quand ce signe est associé à un signe de Vénus, soit l'amour, l'argent, la création, la sécurité?

Une chose est certaine: il faut que ce Taureau fasse quelque chose qui soit utile et qui rende service à plusieurs personnes, qui soit beau... et qui rapporte!

Double signe de terre, il s'éveille lentement aux sentiments, et il se «fait aussi marcher dessus». Mais, attention: une éruption volcanique, un fort tremblement de terre, ça pourrait sérieusement ébranler ceux qui en profiteraient un peu trop. Double signe de terre et la Vierge qui représente le service aux autres: ça fait une drôle de bonne personne! On en abuse quand il est jeune, on l'exploite assez facilement. Le Taureau se laisse prendre aux charmes qui demandent, et la Vierge n'est pas capable de refuser un service.

Sa deuxième maison, celle de l'argent, dans le signe de la Balance, peut le rendre parfois irréaliste en ce qui concerne l'acquisition des biens; il voudrait que ça tombe du ciel. La Balance étant un signe d'air qui représente aussi le conjoint, ce natif aura souvent un partenaire amoureux gagnant bien sa vie et parfois mieux que lui-même.

L'argent peut être gagné par les arts ou par un travail créatif. La Balance étant un signe de raison bien que régi par Vénus, le natif s'engagera le plus souvent dans un travail raisonnable qui fait appel à la logique. Ce natif a grand besoin de contact avec autrui. En fait, c'est surtout de cette manière qu'il arrive à bien gagner sa vie. Il arrive souvent que ce natif ait peur de demander trop d'argent pour les services qu'il rend. L'ascendant Vierge lui apporte beaucoup d'humilité et même une sous-estimation de lui. La Balance veut être juste, ce qui le fait hésiter à prendre une décision au moment d'une vente ou d'un contrat d'engagement. Le temps jouant en sa faveur, le natif en arrive un jour à obtenir justice, au moment où il est persuadé de sa valeur, de ses compétences.

Sa troisième maison se trouve dans le signe du Scorpion. L'esprit est incisif; il peut aussi, à ses heures, devenir cynique dans ses paroles. Habile à discerner le vrai du faux devant les discours qu'on lui tient, il sait parfois, au plus profond de lui-même, que la personne qu'il a devant lui n'est pas honnête. Tout à coup, le voilà en train de brasser des affaires avec elle! On l'a eu au sentiment, à la culpabilité, on lui a fait peur... Il devient extrêmement méfiant devant les gens trop expressifs, du genre de ceux qui en rajoutent, surtout s'il en rencontre beaucoup! Il a peu d'amis.

L'adolescence comporte parfois un traumatisme dans la prise de conscience de sa sexualité. Les interdits sont puissants, sous ce signe, dans la jeunesse; il peut alors devenir un «refoulé» ou quelqu'un qui ne sait pas demander sa part d'affection au partenaire. Mais comme il est un double signe de terre, il est patient et capable d'attendre qu'on veuille bien lui être agréable. Position qui le pousse à certains moments, surtout quand la Lune le porte à broyer du noir, à n'additionner que ses fautes... Il s'ensuit une légère dépression, ou parfois une grande dépression si d'autres planètes passent aussi dans le signe du Scorpion. De temps à autre il souffrira d'un complexe d'infériorité par rapport à son conjoint, il ne se sent pas à la hauteur, il lui trouve plus de qualités qu'il n'en a et se dévalue à un point tel que le partenaire pourrait bien abuser de son autorité ou de sa pseudo-supériorité!

Sa quatrième maison, celle de son foyer, dans le signe du Sagittaire, représente souvent un foyer original, où il apprend la sagesse qui lui servira dans sa trente-cinquième année. Ses parents lui inculqueront le plus souvent de précieux principes moraux. Un ou des membres de sa famille pourront occuper un poste prestigieux, et comme le Sagittaire est la huitième maison de son signe solaire, il se peut qu'un des siens intervienne afin de lui faire franchir une autre étape de sa carrière. L'influence peut être matérielle, intellectuelle ou spirituelle. Ses parents lui fourniront un confort souvent néfaste parce qu'il risque de s'endormir pendant quelque temps. Ce double signe de terre est stable; il faut parfois un tremblement de terre pour le faire bouger. Avec sa quatrième maison en Sagittaire, il arrive que son foyer de naissance reçoive des visiteurs étrangers, qui peuvent l'aider mais, avec de mauvais aspects, qui peuvent lui nuire. Avec de bons aspects, le foyer de naissance peut être aussi accueillant qu'un hôtel: on y reçoit beaucoup et le natif peut observer la différence entre toutes ces personnes, ce qui lui permet d'affiner son jugement.

Sa cinquième maison, dans le signe du Capricorne, est la maison de l'amour dans un signe froid. Ce natif est souvent un candidat au célibat ou à une union tardive. Il sera attiré par un partenaire plus âgé, que ce soit sur le plan physique ou comportemental. Le Taureau sent généralement le besoin de s'unir à quelqu'un de très jeune. Si le mariage a lieu dans la vingtaine, la vie du couple ne sera pas sans connaître de nombreux bouleversements. Le Taureau n'étant pas un signe de divorce, s'il réussit à maintenir son union, c'est que tous deux s'y seront presque désespérément accrochés. Le sujet sera très attaché à son père pour qui il aura un «saint» respect, à moins de sérieuses afflictions dans sa carte natale. Il ne devient souvent parent que tard dans la vie, ou il arrive qu'il conçoive un enfant alors qu'il a atteint sa maturité. Face à ses enfants, il saura assumer ses responsabilités sérieusement. Il se comportera comme un père avec tous les enfants. Il pourra être à ses heures moralisateur.

Sa sixième maison, celle du travail, dans le signe du Verseau, provoque une attirance pour les carrières du type uranien, principalement les ordinateurs, la radio, le cinéma, et tout ce qui touche la technologie moderne. Son vif désir est d'atteindre la masse à travers son travail, de lui rendre un service unique. Ses idées sont souvent originales. La sixième maison dans un signe uranien fait qu'il lui arrive d'avoir ce que certains appellent des idées folles. Ces idées peuvent être en avance sur celles de son temps et il peut être incompris quand il propose une réorganisation du travail ou une nouvelle technique. Comme le Verseau, sa sixième maison, est en aspect de carré avec son Soleil en Taureau, des conflits au travail peuvent surgir soudainement, sans qu'il s'y attende. Le Verseau étant la dixième maison du Taureau, ce natif peut vivre, sans même qu'il le veuille ou s'en rende compte, une sérieuse compétition avec ses patrons, ceux qui ont le pouvoir.

On reconnaît son talent, il est différent et il pourrait faire basculer l'ordre établi; aussi devient-il une menace pour certains «bureaucrates» qui ne font rien d'autre que constater que leur chaise à bascule «de neuf à cinq» est confortable! Notre dévoué Taureau-Vierge les dérange et voilà que, avec de mauvais aspects d'Uranus principalement, on le congédie. Mais c'est un signe fixe, double signe de terre, il reviendra assurément, mais autrement. Et il prouvera qu'il avait raison. Un double signe de terre ne démissionne pas, il sort par une porte et il entre par une autre.

Sa septième maison dans le signe du Poissons lui fait souvent choisir un partenaire faible ou mal assuré, bien qu'il gagne confortablement sa vie. Il se chargera, avec toute l'affection dont il dispose, de réconforter son partenaire et de le rassurer car ce dernier sera parfois enclin à la dépression. L'union est souvent scellée pour des motifs mystérieux que le natif n'arrive pas à s'expliquer, union karmique, cycle qu'on n'a pas achevé, qu'on ne peut contourner, dette que l'on doit rembourser! Le partenaire sera aussi très souvent un être intuitif qui a du mal à croire en son intuition et qui renie de temps à autre sa sensibilité. Sa septième maison dans son signe double lui fait souvent rechercher un partenaire aux humeurs changeantes dont il s'accommode parce que son ascendant Vierge se met alors à en trouver la raison et à l'excuser! Malheureusement, il est souvent deuxième dans son union et il arrive que le feu qui dort à l'intérieur de son signe de terre explose... Il mettra beaucoup de temps avant d'affirmer qu'il veut rompre ou divorcer. Le mariage, l'union dans le signe du Poissons est souvent une épreuve pour le natif, un moyen aussi d'élever son âme et de développer une plus grande générosité. Comme le Poissons est en bons aspects avec le Taureau, si le partenaire tient à son Taureau, ils pourront ensemble traverser l'épreuve et même vivre une vie de couple harmonieuse et échapper au terrible divorce. Le Taureau le supporte bien mal et cela suscite chez lui un profond sentiment d'échec dont il peut se culpabiliser longtemps. En cas d'échec, il aura tendance à en prendre toute la responsabilité... C'est se donner beaucoup d'importance.

Sa huitième maison est dans le signe du Lion. Il peut arriver qu'il n'ait pas d'enfants, ou que surviennent des problèmes assez sérieux qui le tiendront occupé à cause de ses enfants, surtout avec de mauvais aspects de Mars, de Pluton et du Soleil. La huitième maison étant celle de la mort et le Lion représentant les enfants, il peut soit perdre un enfant soit s'occuper d'orphelins ou d'enfants dans la douleur ou isolés de leurs parents. Les épreuves de la mort ont un effet tragique sur lui, surtout s'il a aimé la personne disparue. Il a du mal à admettre la mort comme allant de soi après un cycle de vie, quelle que soit sa durée. Ce natif vit intensément sans le laisser paraître. Il camoufle si bien ses états émotifs et passionnels qu'à certains moments les témoins de sa vie pourraient croire qu'il ne ressent rien, qu'il contrôle tout. Détrompez-vous! Il aimerait trop les contrôler réellement.

Quand il vit un traumatisme il en est même obsédé et, encore une fois, cette position peut l'emmener à vivre des états dépressifs. Le Lion, le quatrième signe du Taureau, symbolise le foyer; allié à cette huitième, on peut dire que le foyer est en mutation continuelle, en évolution, en transformation, et quand il a des enfants, ce sont eux qui forcent le renouvellement du natif, et il l'accepte par amour. Il peut même être si attaché à sa famille qu'il supportera bien des contrariétés qui viendront d'elle. Certains peuvent nuire à leurs propres besoins, à leur carrière, parce qu'ils accordent trop d'importance à ce que la famille pensera!

Son Soleil se trouvant dans la neuvième maison, ce natif sera fortement attiré par les étrangers et il aura toujours envie d'aller séjourner ailleurs, hors de son pays natal, pour vivre en exil ou un dépaysement; mais, en tant que Taureau, il mettra du temps avant de prendre cette décision. Le plus souvent il se contentera d'y rêver! Généralement, il connaît l'explosion, la réussite de son entreprise vers sa trente-cinquième année. Son Soleil dans la neuvième maison lui fait voir la vie en couleurs malgré les obstacles de parcours. Il garde espoir et puisqu'il est tenace comme un Taureau se doit de l'être, il finit par avoir raison d'avoir cru à son idéal. Je vous l'ai dit plus haut, il passe par des périodes noires que son imagination fertile lui fait noircir davantage.

Sa dixième maison, dans le signe du Gémeaux, le fait souvent hésiter dans ses objectifs et le rend inconstant dans ses atteintes. Il doit éviter de se fier à autrui dans son entreprise et ne s'appuyer en réalité que sur sa seule force. Il lui arrive de rencontrer des gens qui promettent et ne tiennent pas parole. Bizarrement, il le savait, mais il a quand même risqué.

Cette maison Capricorne, dans le signe du Gémeaux, lui fait garder une attitude juvénile, celle d'un adolescent prêt à partir à l'aventure. Il peut même être naïf alors qu'au fond de lui il avait vu le danger, le mensonge. Il arrive que les gens plus âgés profitent de ses services sans savoir le remercier. Il voudrait embrasser deux carrières, mais il lui est difficile de choisir. Il reste fixé sur ses rêves de jeunesse dont il a du mal à s'extirper. Comme la foi soulève les montagnes et qu'il sait s'accrocher, en tant que double signe de terre il y a une très grande possibilité qu'il réalise ses espoirs de petit gars ou de petite fille.

Sa onzième maison, dans le signe du Cancer, apporte souvent des bouleversements familiaux. Les aspects d'Uranus, en bien ou en mal, en indiquent la nature; tout dépend encore une fois de la carte natale. Le natif aura bien du mal à se faire de véritables amis en dehors de son cercle familial, ou alors les amis qu'il se fera seront présentés par des membres de la famille proche ou éloignée. Position qui indique encore qu'il peut être en avance sur son temps. Il sait, par exemple, que tel ou tel projet fonctionnera avec succès. On pourra le repousser au départ, mais que voit-il apparaître un jour? Ce qu'il avait proposé! Mais il n'en est pas toujours le premier bénéficiaire. On devrait l'écouter plus attentivement dans ses pronostics d'avenir, il voit mieux qu'il n'en a l'air. Il connaît le devenir, mais à force de se faire dire qu'il voit trop loin, il perd la force de sa vision et tend à la supprimer.

Sa douzième maison, celle de l'épreuve dans le signe du Lion, représente une douleur à cause des enfants: ou il ne peut en avoir à lui, ou il s'inquiète de ceux des autres qu'il élève parce qu'ils ont un comportement bizarre ou différents de la norme. Ses moments de dépression sont le plus souvent reliés à la sensation de n'être pas assez aimé, ou de l'être mal – et il arrive que ce soit vrai, comme il peut arriver aussi qu'il l'imagine: les aspects de Neptune confirment s'il a raison de douter.

Ce natif a un grand besoin d'affection bien qu'il puisse vivre seul longtemps. S'il vient quelqu'un dans sa vie, il y restera fidèlement attaché et plus qu'il ne paraît l'être. Ce Taureau-Vierge a le sens du détail, même la manie du détail au travail. C'est un organisateur. Signe double à l'ascendant, il organise plusieurs choses à la fois, il doit toujours surveiller son propre éparpillement qui lui fait perdre du temps. Comme il est de service, il perd aussi un temps considérable à servir les autres en oubliant de se servir lui-même.

Mais, plus notre Taureau-Vierge grandit plus il fixe ses idées et peut-être sa multitude d'idées se groupera-t-elle sous une seule étoile... payante et non pas filante!

Aussi habile manuellement qu'intellectuellement, cela en fait une sorte d'homme ou de femme orchestre! Il se fait facilement des amis mais, en général, ceux qui se font amis avec lui s'arrangent pour en tirer profit, car ils sentent rapidement à quel point il aime se rendre utile! On abuse de lui, mais notre double signe de terre s'en rend compte et... il vous envoie un compte!

Nous avons ici deux signes qui appartiennent au premier niveau de conscience sur la roue du zodiaque, une personne aux prises avec son égocentrisme: réussir pour elle et faire plaisir aux autres pour se faire plaisir à elle!

Ce natif a besoin de cultiver sa spiritualité. Ce n'est pas qu'il doive devenir moins réaliste, mais il devrait de temps à autre faire une prière, et pas uniquement quand ça va mal, pour remercier aussi d'être ce qu'il est. Après tout, ce n'est pas si mal, même s'il préférerait être parfait! Il y a toujours de la place et du temps pour l'amélioration, et comme Rome ne s'est pas bâtie en un jour, comment ce Taureau pourrait-il devenir parfait en criant «ciseau»? Tout se simplifierait et notre ascendant Vierge n'aurait pas besoin de couper un cheveu en quatre pour réussir une coupe!

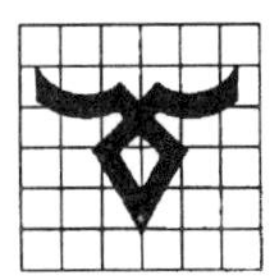
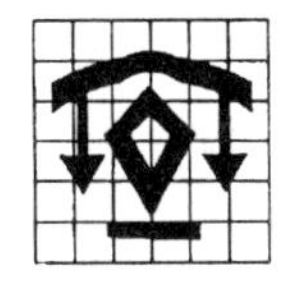

TAUREAU ASCENDANT BALANCE

Voici un Taureau régi par Vénus dans la chair, et une Balance régie par Vénus, amour, beauté et raison! Nous avons là le raffinement de l'esthétique; le goût du luxe et du beau est sérieusement marqué et c'est même un besoin pour ce natif.

La peine et la déception sentimentale peuvent le paralyser pour très longtemps. Il peut ne plus faire confiance à l'amour et devenir un dur avec ceux qui s'offrent pour l'aimer! Il peut donc passer, dans ses principes, de la fidélité à l'infidélité totale! Il en sera malheureux, au fond, la nature du Taureau n'étant pas l'éparpillement mais la concentration des forces.

Il fera alors de sa vie un «party» de réussite sociale! Il trouvera ainsi le moyen de dire qu'il a réussi quelque chose!

Mais, tout au fond de lui, ce qu'il cherche c'est l'amour, le grand amour partagé! Le Taureau est un signe fixe et la Balance, un signe cardinal. Bien qu'il soit régi par Vénus, cela n'en fait pas un cœur tendre dans le monde des affaires matérielles. Il a même la dent dure, car il veut posséder beaucoup. Il peut, dans certains cas de Taureau-Balance, porter un culte au luxe, à la richesse, surtout si l'amour a été déçu, comme ça arrive souvent en cette fin de siècle. Finalement, quand les valeurs humaines et morales, et les cordes sensibles ne vibrent plus, cela fait un bien triste personnage; il a beau essayer de cacher son jeu, on le ressent à distance. Double signe de Vénus, la vibration est puissante, on ne peut l'ignorer, et quelque part dans le repli de son esprit il se dit: «Si je dois passer dans cette vie, autant qu'on me voie!»

Ce Taureau ascendant Balance tient souvent le partenaire sentimental pour acquis une fois qu'ils se sont installés, le Taureau étant un signe fixe de Vénus, accentué par le signe vénusien de la Balance. Soudain, un beau jour, on le quitte sans crier gare, sans que le Taureau ait eu le temps de comprendre. On ne va même pas lui expliquer... il aurait dû comprendre... il donnait tellement l'impression de tout comprendre! Les valises partenaire qu'on croyait être là pour toujours, sont parties, à son grand étonnement.

Quand vous rencontrez une telle personne, elle a toujours le sourire. Double signe de Vénus, on veut vous plaire, mais si vous la regardez de plus près vous y verrez, tout au fond, une larme. Elle brille comme une perle qui attend qu'on aille la cueillir... Souvent, ce natif peut-être fermera les yeux pour qu'on ne la voie pas: on pourrait la lui voler et il ne lui resterait plus rien!

Si ce Taureau-Balance aime tant l'argent, c'est que sa deuxième maison se trouve dans le signe du Scorpion. L'argent peut parfois être gagné d'une manière douteuse. Avec de mauvais aspects, il est capable de tricher, mais assez habilement pour être toujours innocenté! Ce Taureau-Balance, je vous l'ai dit plus haut, a l'air d'un tendre... mais ne vous y fiez pas: quand il s'agit d'affaires, il a la dent dure. Avec la deuxième maison dans le Scorpion, il aime l'argent des autres! Il peut également envier ceux qui sont plus riches que lui et qui mènent un «grand train de vie». Aussi fera-t-il beaucoup d'efforts pour atteindre le confort, le luxe. Élevé dans un milieu où on lui démontre qu'il n'est pas si mal de voler, ce natif peut prendre justement cette habitude de s'emparer de ce qui ne lui appartient pas. Mais attention, si la loi des hommes ne réussit pas à l'attraper parce qu'il sait comment s'y prendre, la loi cosmique, elle, lui donnera la monnaie de sa pièce d'une manière quelconque et ce ne sera certainement pas comique. Le Taureau-Balance, c'est certain, n'est pas un filou quand même, mais disons que ce signe tend à vouloir faire de l'argent le plus facilement possible. Il peut fort bien exceller à faire profiter l'argent des autres tout en se prenant un profit, ce qui est tout à fait normal. Le gâteau de l'autre sera glacé, et le sien aussi.

Sa troisième maison se trouve dans le signe du Sagittaire. Il aime fréquenter les mondains, ceux qui ont de la classe, ceux qui ont réussi, et il m'a été donné d'observer que certains souffraient de pédantisme et de snobisme! Il arrive à ce natif d'être cachottier et pas toujours tout à fait honnête dans ce qu'il avance. Il veut être persuasif et il en rajoute. Cette position fait de lui un excellent relationniste: il sait raconter, il s'exprime élégamment et il a une multitude de connaissances sur une foule de choses qui sont d'actualité. Il a du mal à écouter autrui, aussi de temps à autre perd-il une bonne occasion d'en apprendre plus long sur lui-même. Position qui favorise les études universitaires qui demandent du souffle!

Sa quatrième maison se trouve dans le signe du Capricorne. Souvent il vient d'une famille «stylée», c'est-à-dire qu'il a appris tôt les bonnes manières, la bonne tenue, bref tout ce qu'il a besoin de savoir pour s'élever dans l'échelle sociale. Il n'est pas rare de constater que ce natif a manqué d'affection dans son milieu familial, principalement de la part du père qui tend à l'éduquer en fonction de l'agir et de l'avoir plutôt que de l'être.

Il a pu être en quelque sorte absorbé par la mère, surtout dans le cas d'un sujet masculin. Le Capricorne, en quatrième maison, fait que souvent la mère joue un rôle de père et le père, un rôle de mère. Il en résulte une difficulté d'identification fondamentale. Il faudra des parents solidement équilibrés pour que l'enfant de ce signe soit heureux. Dans le cas d'une femme, elle a pu avoir une mère autoritaire qui, tout au contraire du «dorlotage», l'a poussée de l'avant sans lui donner sa ration d'amour dont une native a grandement besoin pour être pleinement heureuse. Les parents veulent le modeler à leur image alors qu'il a la sienne propre!

Le Taureau est extrêmement sensible, sensibilité agréable quand elle est bien entretenue, comme un beau jardin, sinon ce signe de terre se durcit et, finalement, adopte l'argent, le pouvoir, comme symbole de vie. Sans amour, il a du mal à s'épanouir, l'admiration ne lui suffit pas, même s'il peut faire semblant de s'en contenter. Il recherchera des habitations solides, grandes, ayant un petit côté antique auquel il ajoutera une touche moderne. Ce natif a une excellente mémoire de son passé qui garde ses secrets ou qu'il ne divulgue qu'à demi. La mère peut servir de modèle. Le père se tient caché ou est peu expansif, et ce n'est souvent qu'à l'âge adulte que le natif pourra élucider le modèle et faire le lien qui l'équilibre en lui-même.

Sa cinquième maison, celle de l'amour, se retrouve dans le signe du Verseau. Il est souvent confus dans ses sentiments. Il refuse de les vivre tels qu'ils sont. Il se choisit souvent un conjoint autoritaire qui lui fait vivre des fantaisies qui, à la fin, le tourmentent. En tant que Taureau, il aime la certitude, et les amours instables le «rendent malade»! Quand il a des enfants, il s'en trouve souvent éloigné. Ce peut être pour le travail ou parce qu'il ne s'y intéresse que très peu. Il se contente de leur inculquer les bonnes manières pour qu'ils réussissent leur vie sociale. Ou alors il commet la même erreur que ses propres parents ont commise et il leur transmet ce qu'il veut qu'ils soient et ne cherche pas à savoir ce à quoi les siens aspirent.

Chez ce natif, la progéniture lui fait parfois des surprises étranges et pas toujours des meilleures. Il devrait apprendre, face à ses enfants, à libérer ses sentiments. Les enfants savent tout, ressentent tout mais ils peuvent aussi interpréter à leur façon le comportement de ce natif et le rejeter. En fait si ce natif s'attardait un peu plus, il pourrait apprendre beaucoup de ses enfants! Ils seraient ses meilleurs éducateurs car ils sont toujours à la fine pointe de l'évolution! Et eux, ils n'ont pas peur du changement! Le Taureau en est souvent effrayé sans le dire.

Sa sixième maison est dans le signe du Poissons. Il entreprend généralement plus d'une chose à la fois et est capable d'en réussir deux et même trois. Il est habile dans les négociations et sait toujours mettre en valeur ses capacités de dirigeant, d'organisateur. S'il est chef d'entreprise, il peut arriver qu'il ait quelques problèmes avec ses employés, il pourrait s'attirer des gens qui sont plus ou moins honnêtes, surtout si ce Taureau-Balance a la manie d'exagérer ses qualités ou ses produits. Au bout du compte, on attire ceux qui nous ressemblent.

Il lui arrive également de connaître des phases dépressives, et il se met alors à analyser les motifs qui le font agir. C'est un bien pour lui. Cette position indique un danger de dépendance vis-à-vis des médicaments, calmants, drogues, et parfois alcool, où il noie ses peurs, ses insécurités. S'il le faisait, vous auriez du mal à vous en rendre compte, il sait fort bien le cacher et jouer l'assurance, la certitude, carte sur laquelle il compte beaucoup pour impressionner. Avec de bons aspects de

Neptune et de Mercure dans cette maison, le natif peut avoir une grande influence sociale. Le Poissons étant le onzième signe du Taureau, en bon aspect, grande possibilité d'une reconnaissance publique, s'il a à cœur de desservir les gens par conviction et générosité, plutôt que par besoin de séduction.

Sa septième maison, dans le signe du Bélier, signe de Mars, lui fait souvent choisir un partenaire plus jeune que lui, mais qui, à sa grande surprise, peut le quitter soudainement, le Bélier étant à la fois la douzième maison, celle de l'épreuve du Taureau. Comme il arrive à ce Taureau de ne pas démontrer tout de suite qui il est, car il joue à être plus qu'il n'est réellement, l'autre s'en rend compte et se lasse de vivre avec un personnage qui n'est pas une personne authentique. Son goût de plaire est si puissant qu'il met tout en œuvre pour séduire. Son goût de vivre une union passionnée le pousse à insister, mais parfois il devient oppressant pour certains signes.

Se sentir étouffé n'a rien d'agréable, et l'autre le ressent aussi comme un manque de confiance. On peut toujours impressionner quelqu'un en le fréquentant, mais quand on vit quotidiennement avec une personne les masques tombent, quels qu'ils soient. La passion possède en elle-même plusieurs nuances qui n'ont pas besoin de démonstrations éclatantes. Elle vient tout droit du cœur et elle est ressentie sans qu'il faille y ajouter du lustre. La passion, quand elle vient droit du cœur, n'a pas besoin d'autant d'artifices que peut le croire le Taureau-Balance.

Son Soleil se retrouve dans la huitième maison, celle des transformations et de la mort. Il peut arriver que ce natif vive un drame, la perte d'un être cher tôt dans sa vie, trop tôt pour qu'il puisse vraiment comprendre que la mort n'est tout simplement que la poursuite de la vie dans une autre sphère. Le natif pourra être un inquiet, avoir des peurs qu'il n'arrive pas à maîtriser. Il est du genre à dire non aux voyants, aux astrologues et à les visiter en «cachette» pour se faire rassurer.

Son petit doigt lui dit qu'il y a quelque chose derrière ce qu'il voit! Encore une fois, cette position indique que si le sujet n'est pas éduqué dans les règles et les principes moraux, il peut fort bien tricher pour gagner, en se souciant peu des conséquences, ou du moins en faisant semblant de ne pas les apercevoir. Position qui, en bons aspects de Mars, de Pluton et de son Soleil lui fait un clin d'œil vers l'astrologie, la médecine, et peut lui permettre, si le milieu l'a favorisé, de participer activement à une grande transformation sociale. Le natif sera alors combatif et ne démissionnera pas avant d'avoir fait régner l'idéal pour lequel il se débattait. Tout indique des luttes et des obstacles dans le cas d'un idéal social, une vie surprenante par ses transformations où le sujet aura beaucoup à raconter à ses petits-enfants: les hauts et les bas en alternance, les grands drames comme les grandes joies, ses élans courageux comme ses peurs paralysantes. Le tout pourra avoir l'air d'un feuilleton!

Le sexe opposé exerce une puissante attraction sur lui. Il arrive que sa sexualité soit mal vécue, qu'il s'adonne à des pratiques bizarres. Son monde fantasmique est grand. On pourra retrouver parfois une forme d'impuissance chez ce Taureau dont les fantasmes deviennent finalement plus importants que la véritable sexualité qui, en fait, est le lien entre deux personnes qui s'aiment. Ce peut tout aussi bien être une sexualité si généreuse que le natif a du mal à se satisfaire! Cette huitième maison en est une du tout ou du rien, du zéro ou de l'infini, du vice ou de la vertu, du ciel ou de l'enfer. Son orientation dans sa jeunesse sera d'une importance capitale pour sa vie entière.

Sa neuvième maison, dans le signe du Gémeaux, indique un grand besoin d'activités et de mouvements. Les déplacements seront nombreux, mais la plupart du temps protocolaires. Les voyages auront presque toujours un but. Le sujet a du mal à se détendre et à lâcher prise. Il cogite continuellement une nouvelle méthode de travail, un agrandissement de sa compagnie, une manière de faire de l'argent plus rapidement. Au cours de ses voyages il peut arriver qu'on le vole ou qu'il perde ses effets personnels. Il doit donc rester vigilant durant tous ses déplacements. Bon présage pour le journalisme, les écrits touchant souvent l'actualité, la politique. Si les aspects de Jupiter sont puissants dans la carte natale, de même que Mercure, le natif deviendra un excellent messager, il arrivera avant tout le monde pour la nouvelle et saura instinctivement à quelle porte frapper pour une exclusivité.

Sa dixième maison, dans le signe du Cancer, indique une forte attirance pour la politique, surtout pour sa face cachée où il pourrait y jouer un rôle de conseiller. Mais un jour il pourrait prendre les devants, après un temps d'observation à l'arrière. À la maison, dans sa vie intime, il se conduit comme le maître. Il décide de tout, plus souvent que la plupart des signes. Il devient très tôt propriétaire, il veut être le maître là où il habite, là où il se trouve. Silencieusement ambitieux, il dévoile peu ses plans, préférant surprendre en appliquant des méthodes auxquelles personne n'avait pensé. Il a souvent une réserve d'argent qu'il est le seul à connaître. Cet argent est pour sa famille, ses enfants, plus tard quand il ne sera plus. Il ne voudrait pas qu'ils manquent de quoi que ce soit, si lui-même, à tout hasard devait se trouver tout à coup sans travail. Encore une fois, la position inversée de cette maison indique que le père joue un rôle de mère et la mère un rôle de père. Cela peut être sur les plans physique, psychologique ou psychique, ou tous à la fois.

Sa onzième maison, dans le signe du Lion, fait qu'il fréquente la plupart du temps les puissants de ce monde. Il sera fortement attiré par les artistes, soit pour leur venir en aide, soit pour démontrer qu'il a des fréquentations de choix. Mais il n'est pas certain que ces gens soient de vrais amis. Autant peut-il les utiliser pour son prestige, autant ces gens sauront profiter de ses faveurs financières. Il est du genre à partir à l'autre bout du monde pour sauver les enfants des autres quitte à négliger ceux qui vivent près de lui, trop certain qu'il fait ce qu'il faut selon la loi de la bonne conduite d'un père ou d'une mère. Son foyer de naissance pourra héberger des gens étranges, originaux, qui pourront, à certains moments, l'insécuriser. Il pourrait avoir peur qu'on l'emmène, s'il est petit; et quand il vieillira, autant les originaux l'attireront, autant il en aura peur! Il n'est jamais facile pour un Taureau de vivre de nombreux changements simultanés. Il a besoin de repos et de réflexion entre chacun, de réajustement au nouvel apprentissage, aux nouvelles figures, quelles qu'elles soient.

Sa douzième maison, dans le signe de la Vierge, indique parfois des troubles à l'intestin. Constipation à certains moments, alors qu'à d'autres, il s'agit d'une «sorte de diarrhée», tant physique qu'intérieure! L'être vit un combat entre sa raison et ses émotions. Il est instable; on ne sait pas toujours si on a affaire à une personne sensée ou à un individu si émotif et si exigeant qu'on le prendrait pour un dictateur! Ce natif ne devient généreux que lorsqu'il voit que la personne en difficulté arrive au plus bas. Alors là, il est disposé à la secourir.

Attention: quand il prend conscience qu'il y a le monde à sauver et qu'il se sauve en même temps, vous pouvez avoir là un grand défenseur, au risque même de faire abstraction de lui. Il est entier, tant dans le jeu que dans l'authenticité, s'il a décidé de cette dernière proposition de la vie. Il aura à choisir entre l'acteur ou le réalisateur de sa propre vie. S'il la réalise, il fera le bonheur de beaucoup d'autres personnes; s'il échoue, il fera souffrir et souffrira lui-même. Les astres nous inclinent, mais ils nous laissent le choix d'être. On peut exploiter sa force ou s'enliser dans sa faiblesse.

Chers Taureau-Balance, vous êtes parmi les plus nombreux à vivre la grande déception sentimentale, mais il vous suffirait de songer à tout ce temps que vous perdez à refuser l'amour parce que vous avez peur d'avoir mal.

Se priver de sentiments, c'est bien sûr créer l'interdiction à la douleur, mais c'est aussi créer l'interdiction au bonheur et vous n'êtes radieux que lorsque vous êtes amoureux.

Vous avez beau avoir des réussites sociales, cela vous convient bien, mais, de grâce, ouvrez les yeux sur l'amour et ouvrez l'oreille pour entendre une autre fois un doux murmure d'amour!

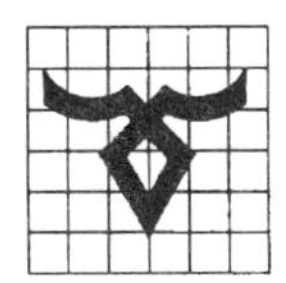
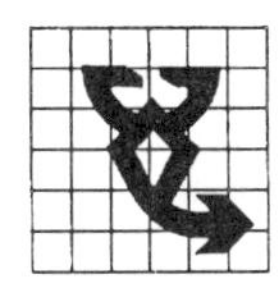

TAUREAU ASCENDANT SCORPION

La sexualité se dérègle facilement sous ce signe et cet ascendant. Privation ou voies obscures de désirs, passionné jaloux, double signe fixe, Scorpion à l'ascendant qui détruit les rêves d'amour du Taureau.

En fait, ce Taureau se place dans des situations pour être mal aimé, ou pour vivre un amour impossible. Une femme qui tombe amoureuse d'un homosexuel, un homme marié qui a déjà deux maîtresses, un homme qui préférait être une femme et qui recherche un homme dans une femme! Homosexualité, bisexualité, la personnalité a du mal à trouver sainement la sexualité et l'amour en même temps.

Ce natif a tout intérêt à orienter ses énergies vers l'art, car il est créateur et, double signe fixe, il ira jusqu'au bout de son choix. Il est attirant et magnétique, mais il a peu d'amis; il considère souvent, avec une certaine prétention, qu'on est indigne de lui. Le Taureau dit «J'ai» et le Scorpion réplique «Nous avons». L'être vit un déchirement intérieur. Doit-il être égoïste ou généreux? Quand il est égoïste, il s'en veut; quand il est généreux, il l'est à un point tel qu'il néglige ses propres besoins jusqu'à se sentir irrespectueux face à lui-même.

L'argent est important sous ce signe. Comme la plupart des Taureaux, il a besoin de se sécuriser et, dans ce cas-ci, il lui en faut beaucoup, il a sa réserve. Quelques-uns font semblant de ne rien posséder pour se faire offrir le plus de choses possible pour faire une économie! Quand le geste est à répétition, les «payeurs» se lassent et, réaction à la fois un peu bizarre dans ce cas, le natif avait la sensation qu'il donnait suffisamment de sa présence et qu'on lui devait bien ça!

Il a des moments de générosité intense quand il vit l'attachement amoureux. Il voudra tout donner à la personne qu'il aime, pour se faire aimer davantage. Il donnera tout, mais il risque de tout perdre; on n'achète personne. Fondamentalement, il n'aura pas donné dans le détachement, il aura donné pour acheter l'amour, la tendresse, l'assiduité, la durée, et avec la certitude que l'autre est là pour lui.

Il lui faudra parfois vivre des échecs financiers, des échecs sentimentaux, des transformations de carrière; cela fait partie de son évolution. Il peut aussi se révolter; vous verrez alors une personne qui s'isole dans le rêve, qui pensera que parce qu'elle le veut elle pourra tout changer, mais ce n'est pas si certain. Ce double signe fixe peut tomber dans l'inertie et ne pas se rendre compte qu'il vit un songe! Cette évolution force l'être à se réincarner dans une même vie dans la bonté. S'il refuse, il vivra de douleurs!

L'être doit se spiritualiser, mais pas au point de renier le matériel de la vie. Il ne doit pas vivre uniquement pour son profit mais dans le respect d'autrui. Cette position apporte souvent une reconnaissance publique dans laquelle l'être se complaît comme dans une sorte de compensation de l'amour!

Si une personne n'arrive pas à lui donner toute la passion qu'il désire, d'autres l'aimeront sans condition, mais cette passion sera ce qu'elle paraît être et non ce qu'elle est. Et quand le Taureau-Scorpion entre chez lui, il se trouve face à la solitude, qu'il supporte mal.

Sa deuxième maison, celle de l'argent, se trouve dans le signe du Sagittaire. Le natif en trouve toujours, mais il n'est pas certain de le garder, son ascendant Scorpion lui faisant toujours craindre le pire au sujet de ses finances. Le plus souvent il a deux sources d'argent, il peut travailler à deux endroits à la fois pour être sûr de ne pas en manquer. Mais il est souvent imprudent face aux questions matérielles, malgré son grand désir de possession. Il prend trop rapidement des décisions au sujet d'investissement, il se laisse influencer par des personnes qui sont parfois plus ou moins qualifiées. Et tout d'un coup, encore une fois, voilà la chance à son détour... il a, tout au fond de lui, une naïveté qui le porte comme on donne toujours une chance de plus aux enfants pour leur permettre de gagner.

La troisième maison de ce natif dans le signe du Capricorne l'incite à des études précises dans un but bien déterminé. Il n'apprend rien qui ne lui soit utile. Son esprit n'apprivoise que lentement la sagesse. Souvent le natif aura eu un père plus ou moins attentionné envers lui. Il en restera marqué d'une certaine manière. Le manque d'affection paternelle pour une femme lui fait souvent choisir un conjoint qui ne s'intéresse en réalité que très peu à ce qu'elle fait. Dans le cas d'un homme, le contact aura été si léger qu'il aura du mal à se faire des amis masculins, ayant toujours la sensation que ça ne mène nulle part. À sa maturité, ce natif deviendra curieux de philosophie; il deviendra plus observateur et saura instantanément à quel type de personne il a affaire. Avec de bons aspects dans cette maison, il peut faire un très bon comptable ou un administrateur.

Sa quatrième maison, dans le signe du Verseau, rend le foyer instable dans la jeunesse, un foyer où les mauvaises surprises sont alors indiquées par les aspects négatifs d'Uranus et de la Lune. Le sujet pourrait continuellement avoir envie de fuir, ne se sentant chez lui nulle part et ayant la certitude que le monde est en réalité sa patrie. Les déménagements et les changements de résidence se font la plupart du temps d'une manière surprenante, ce qui n'est pas sans bouleverser ses habitudes. Si ce natif développe considérablement les tendances négatives du signe une tendance au suicide raté pourra émerger! Il voulait attirer l'attention pour qu'on sache qu'il est là où il est, pour qu'il se trouve lui-même une place. Dans le cas d'une rupture, familiale ou amoureuse, on pourrait le chasser de chez lui, même s'il est le propriétaire! Il avait envie de partir, et il voulait rester en même temps!

Sa cinquième maison, celle de l'amour, est un aspect nébuleux et imprécis dans sa vie. Ce natif prendra grand soin de ses enfants, y sera fortement attaché, mais il peut arriver que l'un d'eux, ou même plusieurs s'il y a lieu, ait des problèmes émotifs, une difficulté d'expression dans les sentiments, etc. Cette position indique également une possibilité qu'un enfant ait des vues artistiques et qu'il ait besoin d'être orienté. Avec cette cinquième maison dans le signe du Poissons, le natif peut tromper ou être trompé. Il peut aussi être attiré par une sexualité libre et libertine. S'il a des enfants, il pourra alors modifier de nombreux comportements sexuels qui, selon l'opinion générale, étaient marginaux. Position qui a pour but, à un moment indiqué par la carte natale, d'élever l'âme et de saisir la toute-puissance du monde invisible, de Dieu.

Sa sixième maison, celle du travail, est dans le signe du Bélier, donc la douzième du Taureau, ce qui suscite des difficultés d'orientation pour le travail. Un jour, le natif entreprend tel genre de profession, puis, tout à coup, sous l'impulsion de Mars, signe qui régie le Bélier, il change d'avis et entreprend une tout autre carrière. Sa vie sexuelle peut être réprimée ou totalement vécue d'une manière même désaxée. Une sorte d'obsession sexuelle peut le poursuivre jusque dans son milieu de travail, comme il peut aussi lui arriver d'avoir ou de désirer une aventure sexuelle – qu'il confondra avec l'amour – avec une personne de son milieu de travail, surtout si des aspects viennent appuyer cette dernière possibilité. La sixième maison est aussi celle de la maladie, dans le signe du Bélier, qui, lui, régit la tête. Le natif peut dont être sujet aux migraines quand il fait de l'angoisse, ce qui peut arriver fréquemment dans le cas du Taureau-Scorpion. Problème possible d'élimination rénale.

Le Soleil de ce natif se trouve en septième maison. Aussi supporte-t-il mal de vivre seul, il peut même préférer une relation difficile à la solitude. Cette position lui fait rencontrer des personnalités souvent connues dans un domaine quelconque et il pourrait bien s'en amouracher et tomber amoureux. Il a soif de pouvoir, un pouvoir qu'il désire sur l'autre, il dit qu'il veut partager, mais son signe fixe de Taureau, au fond, lui fait désirer la possession de l'autre, la domination. Souvent, il utilisera sa sexualité comme appât ou pour retenir. Ce qui ne réussit qu'un très court temps.

Ce natif attire comme partenaire une personne puissante financièrement, parfois célèbre, ou les deux. Mais comme il vit avec l'opposé de son signe, il se peut fort bien que les éléments se retournent contre lui et qu'il ne joue qu'un rôle secondaire dans son union. Ce natif, s'il développe ses dons, capacités et talents, peut lui-même obtenir la reconnaissance publique. Il lui suffira de choisir son moyen d'expression, soit artistique, soit financier. Double signe fixe, une fois qu'il se sera fixé un but, il sera en mesure de l'atteindre car il est patient. Dans cette position, de nombreux Taureau-Scorpion vivent une déchirure entre l'art ou le conjoint ou entre l'art et la famille... vivre de reconnaissance publique ou se satisfaire d'être aimé par les membres de sa famille proche et les amis intimes.

La huitième maison de ce natif, symbole de mort et de transformation, se trouve dans le signe du Gémeaux. Les plus grandes transformations viennent durant sa jeunesse, son adolescence, et souvent elles fixent ce natif dans un état d'esprit qu'il pourra «traîner» longtemps devant et derrière lui. Ce sera pire encore si des événements traumatisants sont intervenus dans sa vie. Curieux d'astrologie, de sciences paranormales, il peut aussi vivre des phénomènes étranges et commencer alors à étudier dans ce domaine. L'esprit est créatif, ingénieux, bref, une curiosité intellectuelle axée sur la mort!

Sa neuvième maison, celle des voyages, est dans le signe du Cancer. Ce Taureau aimerait bien quitter son pays natal, il peut même en faire l'essai à un moment de sa vie, indiqué par les positions de la Lune et de Jupiter, mais il reviendra. Le mal du pays le prendra et il refera ses valises pour revenir vers sa terre natale. Le plus souvent en voyage, il ne se sent pas en sécurité, il a l'impression d'avoir laissé quelque chose derrière lui. Plus il vieillit plus il est à la recherche de la vraie raison de sa naissance. Très perceptif, le rêve peut souvent être un moyen de parcourir ses vies antérieures. Il peut prendre ses rêves à la légère comme il peut aussi s'y intéresser profondément et développer ensuite un don de voyance à l'état de sommeil. Quand il décide de vivre positivement sa vie, il est un appui important pour sa famille, parents, frères, sœurs. Il aura le mot juste pour exprimer un trouble qui peut hanter un des siens et l'aider à s'en sortir.

Sa dixième maison, dans le signe du Lion, lui fait désirer d'accéder à la gloire, et il peut y arriver s'il est déterminé à le faire. Il peut être connu publiquement. Il a un vif désir de briller, il veut souvent dépasser sa classe sociale et il peut même arriver, quand il atteint un certain sommet qu'il renie sa famille et ceux qui l'ont élevé. Rendu à maturité, s'il a réussi il peut se montrer froid envers autrui et même afficher une attitude dédaigneuse qui le laissera bien seul sur son trône! Un ami pourrait le lui faire comprendre et, comme il supporte mal de ne pas être aimé, il peut modifier son comportement et s'humaniser à nouveau.

Sa onzième maison, dans le signe de la Vierge, lui donne la sensation qu'il pourrait devenir fou à trop réfléchir. Il peut avoir des idées de génie et en douter. Ses amis sont souvent des gens angoissés, intelligents, mais peu sûrs de leurs sentiments. Il sera à la recherche de gens pratiques et, d'un autre côté, il constatera qu'il s'ennuie avec eux. Il veut vivre des originalités mais, en même temps, le Taureau veut rester dans la norme. Cette position peut indiquer une grande facilité dans le monde de l'écriture, l'imagination étant puissante. Il se sentira poussé à transmettre ses expériences à un vaste public surtout avec de bons aspects d'Uranus et de Mercure dans sa carte natale.

Sa douzième maison, qui est celle de l'épreuve, se trouve dans le signe de la Balance: vie de couple, union, mariage. Il n'est pas rare que ce natif vive des épreuves par le conjoint. D'un autre côté l'épreuve est faite pour parfaire l'évolution, pour grandir, pour s'affirmer. Trop compter sur l'autre, n'est-ce pas faire abstraction de soi et de ses capacités?

Souvent, c'est vers la quarantaine que le natif de ce signe entreprend de vivre sa vie indépendamment de ce qu'on pense de lui ou de ce que le conjoint en pense. Il devient alors autonome. Il soulève un à un les voiles qui ont caché la vraie vision qu'il a de la vie, de lui et des autres. Il cesse de s'idéaliser et d'idéaliser autrui, ou l'inverse. Il devient lucide, adulte et conséquent avec ses propres attitudes et comportements.

Il n'est pas toujours tendre bien qu'il dise qu'il est persuadé de l'être. Il est exigeant et autoritaire, sans même s'en rendre compte. Quand il a fait le vide autour de lui, il se pose de sérieuses questions. Qui donc a envie de vivre avec un dictateur ou une personne qui a toujours raison? Qui donc a envie d'avoir un ami qui n'écoute jamais ce que vous avez à lui dire?

Ce sujet a intérêt à développer la foi, non pas une foi superstitieuse d'un Dieu punisseur comme il arrive souvent sous ce signe de voir tout en noir ou en gris! La justice humaine a le bras court, comparativement à la justice divine qui, finalement, est le fruit de ses propres pensées. Pensées pures égalent bonheur. Possession, envie, jalousie ne mènent qu'à la défaite, à la tristesse et au renoncement de l'amour. Pour un Taureau, une vie sans amour, puisqu'il est né sous le signe de Vénus, est une vie qui n'a pas de sens. Il peut toujours s'efforcer de vivre avec la raison, il finira par avoir mal au cœur. Avez-vous déjà essayé de vivre la tête en bas, suspendu par les pieds? Non bien sûr, c'est contre nature, et pourtant certains Taureau-Scorpion le font une partie de leur vie!

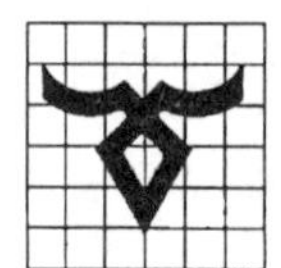
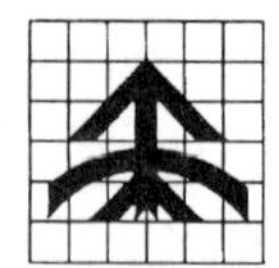

TAUREAU ASCENDANT SAGITTAIRE

Voilà un Taureau qui bouge tout le temps, Taureau (1) + Sagittaire (signe double, 2) = 3 personnes! Et elles veulent toutes voyager en même temps et dans toutes les directions à la fois.

Si le natif ne le fait pas physiquement, alors la folle du logis est bien agitée sur le plan mental! Le voilà en pleine création! Et ça rapporte, naturellement. Nous avons là un Taureau, ne l'oublions pas, et un Sagittaire qui ne ratent jamais une occasion de multiplier leurs avoirs puisque leur ascendant est régi par Jupiter, planète de l'expansion.

Il aime la nature, il croit à sa chance et elle arrive, comme par magie. Il sait faire rire, même dans les moments dramatiques. Optimiste, il trouvera toujours le meilleur côté de ce qui arrive, même dans le pire qui n'est jamais le pire puisque avec lui tout s'arrange, et c'est vrai!

Il est facile de vivre avec lui à condition de ne pas le contrarier. Ne craignez rien, il ne boude pas, il s'en va. Il fait sa valise, mais il ne sait pas quand il reviendra!

Dans une vie de couple il peut devenir exigeant. Il demande et veut recevoir; on lui doit tout puisqu'il daigne vous faire cadeau de sa présence! Il n'est pas du genre Taureau la pantoufle! Surtout pas. Taureau social, il a toujours quelqu'un à voir, une affaire à régler, un gros coup... sûrement pour pouvoir faire un gros cadeau car il est généreux quand il est riche! Il a de l'instinct, son flair le guide bien, le protège des dangers. Il peut être visionnaire et voir les choses et les événements à l'avance, posséder des facultés paranormales. Avec le temps, il finit par être sage, donnez-lui du temps, au moins jusqu'à quarante ans! Avant cela, il se sent à l'étroit là où il est. Le monde est vaste et il a besoin de voir partout où il pousse de la verdure juste pour se rendre compte si un champ ne serait pas plus intéressant à «brouter» que le précédent qu'il a vu!

En amour, on ne peut pas dire qu'il soit vraiment fidèle, ça ne l'intéresse que plus tard dans la vie. Puis avec le temps, il devient sélectif; il a fait toutes ses folies, il a vécu de nombreuses aventures et il recherchera alors la compagnie de gens qui ont quelque chose à lui apprendre.

Après avoir vécu, sans les approfondir, une multitude de choses, il commencera à vouloir découvrir ce qui se cache à l'intérieur. Après avoir vu, touché, il voudra comprendre et ressentir profondément.

Sa deuxième maison se trouve dans le signe du Capricorne. La deuxième étant le signe de l'argent, dans le Capricorne, symbole de restriction, soyez certain que ce Taureau a un bas de laine bien rempli. Il peut être dépensier, mais il a sa réserve!

Plus il vieillit, plus il sait assurer sa sécurité, ce qui ne l'empêchera pas de vouloir continuellement se déplacer et visiter le monde! Souvent son travail le rapprochera du gouvernement, ou du moins réussira-t-il à obtenir quelques subventions qui lui permettront de faire de la recherche ou de s'établir. S'il n'a pas encore tenté d'apprivoiser financièrement le gouvernement pour obtenir des fonds, il devrait bien s'essayer, le ciel est de son côté.

Sa troisième maison, dans le signe du Verseau, le rend communicatif. Il aime parler avec les gens, les découvrir; il est capable de leur faire dire ce qu'il veut entendre. Dans sa jeunesse, il peut se révolter contre son milieu social, vouloir n'en faire qu'à sa tête; à l'adolescence, il n'écoutera que d'une oreille les conseils des vieux! Alors, inutile de trop insister!

Il fait aussi un bon orateur, il a toujours quelque chose à dire et une idée nouvelle en tête. Réformateur de classe, il sait défendre les droits des plus petits ou des opprimés. Il sera fortement attiré vers la médecine, l'astrologie, les sciences pures, le journalisme, l'enseignement, l'informatique, sans oublier tout ce qui s'appelle renouveau, laissant une place à la créativité et à l'invention.

Sa quatrième maison se trouve dans le signe du Poissons. Son foyer le dérange, il peut s'y sentir tellement à l'étroit qu'il a toujours envie de partir. Il est du genre valises toutes prêtes. Il sera attiré par les bateaux, les maisons originales, les grands espaces. Il est extrêmement perceptif. Il aime les enfants, leur pureté, mais il n'a souvent que très peu de temps à leur accorder, sauf s'ils peuvent discuter en adultes! Aussi attend-il souvent que ses enfants soient des adolescents près de la maturité pour établir un véritable contact avec eux. Il n'est pas rare qu'il possède deux maisons, une à la ville et l'autre à la campagne. Il a grand besoin de se ressourcer au grand air pour refaire son énergie. Intense dans ses affirmations, dans ses démarches, il n'aime pas que les choses traînent en longueur, il recherche l'efficacité!

Sa cinquième maison, dans le signe du Bélier, fait qu'il «tombe» spontanément amoureux! Il a des coups de foudre. Il se lasse vite d'une personne qui ne saurait se renouveler, lui apporter quelques nouveautés ou qui ne lui donne aucun défi à relever. Il aime passionnément, mais ça ne veut pas dire que ce sera pour longtemps! Les signes de feu, Bélier, Lion et Sagittaire l'attireront particulièrement. On pourrait tout aussi bien dire qu'il aime la course aux obstacles! Il peut lui arriver de concevoir un enfant en bas âge, désiré ou pas! D'autres aspects de son thème peuvent confirmer ou non cette position par rapport aux enfants. Cette maison de feu dans un signe de feu symbolise, encore une fois, sa nature emballée; le Taureau le restreint et lui fait voir ses limites juste à temps.

Son Soleil se trouve le plus souvent dans sa sixième maison. Il n'est pas rare qu'il ait deux emplois en même temps.

L'être est créatif, tant sur le plan intellectuel que manuel. Il est du genre à pouvoir tout faire, mais il a du mal à tout finir à temps! En tant que Taureau, il tient ses promesses et quand il remet un travail, tout est parfait, même s'il est en retard! Il a généralement une santé robuste. Il peut être nerveux mais sa capacité physique de résistance est immense. Il doit surveiller son régime car il a tendance à trop bien manger et à boire aussi, ne se refusant pas les plaisirs de la table, surtout entre amis qui conversent de tout. D'autres aspects peuvent le pousser vers la médecine. S'il fait un travail manuel sur le plan professionnel ou comme loisir, la créativité y sera.

Sa septième maison, celle des unions, se situe dans le signe du Gémeaux, qui se trouve en même temps son deuxième voisin. Il arrive qu'il fasse un mariage de raison avec une personne qui possède plus qu'il n'a lui-même: une façon de changer de milieu et de se hisser chez les bienheureux! Il est rare que son mariage soit de longue durée ou que lui-même soit vraiment fidèle, bien que son signe fixe l'y porte. Mais étant régi par Vénus et les attirances sensuelles, il lui sera bien difficile de refuser une avance. En tout cas, il aime flirter, il sait persuader tout en évitant de faire une promesse! La possibilité de deux unions se présente ici avec cette maison du mariage en signe double. Et s'il a un conjoint jaloux et possessif, ce natif se sentira mal à l'aise; il n'aime pas tellement qu'on lui pose des questions sur ses allers et retours incessants, ce qui peut être cause de rupture. Le Taureau étant un signe fixe, quand il s'engage il le fait pour longtemps, et avant de rompre une union il peut y mettre un temps fou malgré ses malaises, les difficultés de vivre avec son partenaire. N'étant pas exempt de fierté, surtout avec un ascendant Sagittaire, il peut se dire: «Comment aurais-je pu commettre cette erreur?»

Sa huitième maison, dans le signe du Cancer, lui vaut parfois de substantiels héritages de famille. Disons encore une fois, qu'il est fortement intrigué, attiré par le côté invisible de la vie et qu'il possède des perceptions qui sont souvent d'une justesse extraordinaire. Longue vie à ce natif! Il pourra voir grandir ses petits-enfants! Dans sa jeunesse, il a pu vivre un drame familial ou perdre un membre de sa famille qu'il aimait profondément, ce qui peut le mettre en contact avec le monde invisible.

Sa neuvième maison dans le signe du Lion, lui fait désirer ce qu'il y a de plus beau sur terre. Son esprit tend à s'élever au-dessus de la matière, bien que le Taureau lui tire dessus et lui rappelle qu'il faut beaucoup d'argent pour s'offrir du luxe. Il pourra lui arriver de s'endetter pour se procurer ce qui est à la mode, du dernier cri. Il pourra être fou du cinéma, du théâtre, et sentir comme un appel, car il aura un talent créateur et il saura faire rire au moment où tout le monde pleure sur une scène! Il voyage rarement en bohème! Draps de soie de préférence! Cette position, si elle est appuyée par un bon Jupiter dans sa carte natale, lui procure un don de clairvoyance.

Sa dixième maison, dans le signe de la Vierge, lui fait souvent embrasser deux carrières de front! Étant habile en diverses tâches, professions et métiers, il a bien du mal à choisir: deux métiers ou deux professions, deux sources d'argent. Plus prévoyant qu'il n'en a l'air, c'est souvent à l'adolescence que se dessine son premier objectif à but lucratif.

Ce natif est attachant. On lui fournit des occasions de grossir son capital, car il sait demander sans en avoir l'air. Plus il vieillit plus il diversifie ses connaissances et plus il lui est facile de s'adapter à toute nouvelle situation. Comme il a amassé un gros bagage culturel, il peut répondre à une foule de questions sur divers sujets et peut-être même réussir à établir une communication entre eux. Au sein d'une entreprise, il est une sorte d'homme ou de femme orchestre.

Sa onzième maison, dans le signe de la Balance, lui permet de fréquenter les gens bien. Il est aussi fortement attiré par les artistes. Il peut aussi avoir quelques amis parmi eux, qu'il soit ou non artiste lui-même. Son sens de la justice sociale lui fait élever la voix devant le manque de droiture qu'il perçoit dans certains secteurs de son environnement. L'esthétique aura une forte attraction sur le sujet. Il lui arrivera d'être en avant de son temps dans sa façon de s'habiller. Il aime les discussions, les polémiques, il aime discuter des problèmes sociaux, de justice, de politique. Il sera informé la plupart du temps et il saura s'objecter s'il est persuadé qu'une ou plusieurs personnes font fausse route.

Sa douzième maison, dans le signe du Scorpion, sa maison d'épreuves, est souvent reliée à la mort, à la perte d'un être cher qui éveille en lui des facultés psychiques et qui lui permet aussi d'entrer en contact avec les mondes invisibles. Si, à tout hasard, le natif possédait des planètes dans cette maison, selon les aspects, ses perceptions pourraient être utilisées en bien ou en mal, face à autrui. Il serait alors capable de communiquer et d'influencer à distance comme il pourrait développer un talent de guérisseur, de médium, de voyant. Il pourra entrer aussi dans des moments de profonde introspection. Il sondera quelque peu la dépression, se demandant quelle est sa véritable mission sur terre et, tout d'un coup, ciel à l'appui, il trouvera sa route. Il y a possibilité avec cette position qu'il vive l'épreuve de la maladie, le conjoint pouvant en être victime et le natif venant à la rescousse et le protégeant du mieux qu'il peut.

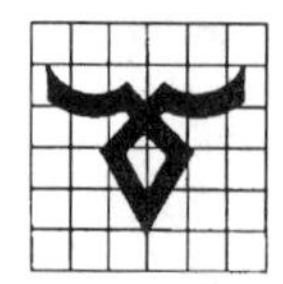
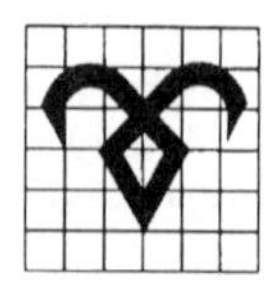

TAUREAU ASCENDANT CAPRICORNE

Deux bêtes à cornes, deux signes de terre, l'un au sol, fixe, l'autre qui escalade les sommets. Un qui fait confiance à la vie, l'autre qui s'en méfie, qui se dit sérieusement qu'il faut travailler dans la vie, et sans arrêt: on s'amusera plus tard! Il y a quand même possibilité qu'à l'adolescence il se soit illusionné sur la vie: il avait cru que ce serait facile et voilà que des événements lui rappellent que c'est à lui seul qu'incombe la responsabilité de sa propre vie.

Rien ne l'arrête, seul l'objectif – matériel – a de l'importance. Il bâtit solidement, pour une durée indéterminée, pour lui et sa postérité! Il ne veut dépendre de personne, il veut être parfaitement autonome. Passablement jeune, il est persuadé qu'il ne peut se fier qu'à lui, aussi fait-il tout, tout seul, et s'il bâtit un empire, il ne le devra à personne.

Taureau, régi par Vénus, le beau, le luxe, l'agréable; Capricorne, régi par Saturne, le solide, le fort, des choses qui durent et qu'on lègue ensuite à ses petits-enfants... Taureau, signe fixe, ne reçoit pas d'ordre, il décide. Capricorne, signe cardinal, signe de chef, de commandement, doit se trouver au-dessus. Il mène la «barque». Il supporte mal qu'on le dirige, qu'on commande sa vie ou qu'on la règle.

Régi par Vénus, son autorité est tout de même empreinte de gentillesse et de diplomatie. Il a une grande sensibilité qu'il ne veut pas manifester au cas où on essaierait de jouer avec ses sentiments. Il connaît lui-même son degré de vulnérabilité.

Il aime la famille, il sait la protéger. Il est attiré par le côté invisible de la vie mais il se dit que s'il ne peut toucher il ne peut croire. Au fond de lui-même, il est persuadé que de l'invisible on le guide, on le protège. La vie lui fera vivre des moments où il sera confronté avec l'invisible, ce qui créera un choc pour son intellect, mais le rendra si curieux qu'il ne pourra résister à faire des recherches sur le monde paranormal.

En tant que Taureau, l'art l'attire immanquablement et on trouve de nombreux artistes sous ce signe. Le ciel le protège car ce Taureau fait une recherche intérieure sur le vrai sens de la vie et les événements se mettent sur sa route pour qu'il découvre!

Courtois et respectueux envers les autres, les imprévus le figent, le font rougir, mais il sait réagir d'instinct et se réajuster assez rapidement. Il contrôle.

Il gagne bien sa vie, et plus il vieillit, mieux il la gagne. Jeune Taureau-Capricorne, si vous avez une idée suivez-la, c'est sûrement la bonne, votre flair est puissant et vous avez toute la force nécessaire pour vous permettre d'atteindre l'objectif!

Sa deuxième maison, dans le signe du Verseau, fait qu'il n'a que très peu d'amis; il préfère ceux qui ont des moyens financiers. Il n'est pas toujours fidèle à ses promesses face aux amis, sauf si ça rapporte. Il pourra lui-même vivre quelques déceptions de ce côté. En fait, sa pensée lui est rendue. Son argent, il le gagnera souvent grâce à la technologie moderne ou au monde uranien, c'est-à-dire par un travail qui est en relation avec un vaste public ou la machine moderne, l'informatique entre autres. Avec de mauvais aspects d'Uranus dans la carte natale, il doit surveiller ses propres investissements et ne pas se fier aux conseils de ses amis, pour faire une «grosse affaire», mais à son propre jugement. Il n'est pas rare que, vers la quarantaine il soit en face d'une fortune à faire, il se doit d'être prudent, l'appât d'un gain plutôt facile peut le rendre imprudent ou téméraire.

Sa troisième maison est celle qui marque l'adolescence dans le signe du Poissons. À ce moment-là, tout en étant sérieux il se sentira confus tant dans sa raison que dans ses émotions. Il sera celui qui rend service et qui se fait avoir... mais pas toute sa vie. Il pourra se laisser entraîner par des amis douteux, subir des influences négatives, mais il est résistant, et il saura se faire à temps une idée juste des gens. Dans sa jeunesse il fréquente «n'importe qui» et il apprend à connaître tout le monde, ce qui, à l'âge adulte, pourra l'aider à ne pas se fier au premier venu. L'expérience de la vie elle-même lui apprend beaucoup. Pour étudier, il a besoin d'être stimulé; laissé à lui-même il peut devenir paresseux au moment de ses études, mais il apprendra bien vite qu'il doit gagner sa vie et travailler. Il a le sens de la débrouillardise et est souvent doué pour une carrière spécifique, bien qu'il puisse faire plusieurs choses.

Sa quatrième maison, dans le signe du Bélier, lui crée souvent un foyer agité, un foyer en mouvement où les habitants sont des gens passionnés, entreprenants, mais qui ne finissent pas nécessairement ce qu'ils commencent. Mais notre Taureau, signe fixe ascendant Capricorne, signe de terre, apprendra que rêver ne suffit pas pour obtenir quelque chose, qu'il faut passer à l'action prudemment, sagement, sûrement. Souvent l'un de ses parents sera de nature colérique ce qui effraiera le natif quand il sera enfant. Cela le fera réfléchir et l'incitera à ne pas faire comme ses parents. Le conflit avec la mère – conflit d'autorité ou conflit émotif – peut mettre du temps à se résorber, la mère exigeant du natif qu'il soit comme la famille ou qu'il fasse quelque chose qu'elle désire. Le sujet résiste jusqu'au point de confusion ou de rejet brutal des directives de sa mère.

Son Soleil se retrouve dans la cinquième maison. Le natif aimera le beau, aura un œil artistique et sera un bâtisseur. Il sera le patron, sinon, il aura bien du mal à se soumettre à la discipline imposée. Il sera aimant et il voudra qu'on l'aime passionnément, assidûment comme il est capable de le faire. À l'adolescence, il vivra souvent un grand amour qui le marquera longtemps s'il vit un échec. Ce sera pour lui une période importante de l'approche sexuelle où il se fera une idée de l'idéal à atteindre. Position qui indique, en général, le succès dans la sphère choisie, grâce à sa ténacité, à son sens de la continuité. Quand vous le rencontrez pour la première fois, il garde ses distances; vous aurez tendance à le prendre pour quelqu'un de froid, mais quand vous le connaîtrez un peu plus, vous verrez que, bien au contraire, il est passionné. Ce peut être en amour, ou lorsqu'il s'agit de sa carrière ou même les deux à la fois.

Sa sixième maison se trouve dans le signe du Gémeaux, ce qui en fait un débrouillard sur le marché du travail. Il aime la perfection. Il sait communiquer quand on parle avec la logique; il aura toutefois bien du mal à exprimer ses émotions telles qu'elles sont, il craint qu'elles ne soient pas ce qu'ils croient qu'elles sont, ou alors il en prévoit déjà le changement. Il se hasarde peu en ce domaine. On pourra trouver quelques psychologues sous ce signe, mais il ne serait pas étonnant de constater qu'ils sont eux-mêmes en train de chercher les vrais motifs qui les animent. Le natif pourra être doué pour l'écriture, pour remplir des papiers, rien ne sera négligé. Il pourra embrasser une carrière alliant imagination et sens pratique. Il aspirera à mettre ses connaissances au service d'un grand nombre de personnes.

Sa septième maison, celle du conjoint, se trouvant dans le signe du Cancer, il recherchera alors un partenaire sensible, stable, aimant la famille, et peut-être même une personne dépendante de lui, de ses attentions! Danger: ce signe fixe se lasse qu'on dépende de lui en même temps! Il aime se sentir fort, mais il finit par se fatiguer de supporter tout le poids d'une relation et c'est souvent sans le vouloir, même sans le savoir, qu'il se place dans un tel état. N'est-ce pas lui prouver qu'il est fort que de se fier à lui? Il désirera que le conjoint soit une personne qui aime la famille, les enfants. Souvent il aura reçu de l'un des parents, comme message verbal ou subconscient, que le but de la vie c'est la famille, et que se marier est une assurance de sécurité émotionnelle pour l'avenir. Il peut arriver qu'il épouse un ami pour faire comme tout le monde, pour se ranger, ce qui peut occasionner une déception à un moment de sa vie!

Sa huitième maison, celle de la mort, celle aussi des transformations dans le signe du Lion, laisse prévoir que ce natif doit surveiller son cœur. Le sujet se dépense beaucoup à son travail et, comme il se replie émotionnellement, le cœur palpite plus fort qu'il ne le devrait. Il arrive souvent qu'un enfant transformera la vision qu'il a de l'univers. Ce natif refusera de vieillir physiquement; aussi, quand il se rendra compte du processus des cellules qui ne se renouvellent pas assez vite, il se mettra à suivre des régimes ou à faire des exercices pour garder la forme, avec toutefois une tendance à exagérer. Cette position indique parfois la mort d'un enfant si d'autres aspects de la carte natale le confirment. Cela peut, avec l'appui d'autres planètes, indiquer une transformation majeure dans la carrière de ce natif, surtout si elle touche le domaine artistique et, dans certains cas, un domaine purement financier et spéculatif.

Sa neuvième maison, dans le signe de la Vierge, fait que ce natif voyage d'abord pour ses affaires, pour son plaisir ensuite. Il devra veiller sur ses effets personnels au cours de ses déplacements, surtout s'il transporte des objets de valeur, car il pourrait être la victime de ceux qui préfèrent voler le bien d'autrui plutôt que de le gagner. Tout d'abord sceptique en ce qui concerne le monde de la philosophie, il demandera des preuves et pourra faire une recherche personnelle en cachette! Et il n'affirmera rien avant qu'il n'ait lui-même trouvé des preuves de ce qui est écrit, dit ou avancé. Il peut même devenir fanatique de certaines doctrines et, tout à coup, rejeter en bloc ce qui ne vient pas de lui!

Il est extrêmement perspicace, mais il peut, pendant longtemps, refuser de vivre avec cette partie de lui et se contenter de croire à ce qu'il touche. Le temps faisant bien son œuvre, à l'âge de Jupiter, soit vers la trente-cinquième année, il pourra commencer à croire que ce qu'il ressent est plus vrai que ce qu'il touche et se mettre à vivre en équilibre entre la vue intérieure et la vue physique.

Sa dixième maison, dans le signe de la Balance, en fait souvent un bon avocat, un bon négociateur, une personne sérieuse, un diplomate. Il aime les arts, en secret ou non. S'il est artiste, il aspirera à la grandeur, au prestige. Il pourra avoir des rôles nettement au-dessus de son âge, mais fera tous les efforts nécessaires pour accéder au sommet et saura se servir de ses relations, au besoin. Il saura flatter la bonne personne. Il est possible qu'une partie de sa vie soit uniquement vouée à la carrière si le défi qu'il s'est lancé demande plusieurs années d'efforts. Il en est capable, son double signe de terre lui permet de s'appuyer et de croître dans la constance.

Sa onzième maison, dans le signe du Scorpion, lui amène souvent des amis plus ou moins sérieuse. Il saura s'entourer de gens puissants, mais dont le caractère incertain pourrait bien le faire sursauter ou lui créer des émotions fortes. Il aimera les gens originaux ou ceux qui vivent dangereusement. Pendant longtemps, il pourra regarder les enfants en se demandant ce qu'ils sont et comment ils peuvent faire pour attendre d'être grands! Il aura bien du mal à les comprendre, il devra mûrir avant. Il sera attiré par l'astrologie, les voyants, mais il n'en soufflera mot.

Il n'aimera pas qu'on lui dise toutes ses vérités. Ayant une haute estime de lui, il connaît ses forces et a horreur qu'on lui parle de ses faiblesses, aussi met-il plus de temps à s'en corriger! Le Soleil étant dans la cinquième maison, soit à la manière d'un Lion, quand il trouve une réponse à ses interrogations, il la fait sienne, et pour longtemps, même s'il est parfois dans l'erreur.

Sa douzième maison, dans le signe du Sagittaire, est aussi la huitième du Taureau. Ce natif peut alors fortement désirer l'exil, vouloir vivre à l'étranger, croyant que ça changera sa vie et qu'il pourra mieux réussir ailleurs... mais ce n'est pas si certain. Il pourra toujours faire un tour de reconnaissance et revenir ensuite. Il aura alors appris une chose: qu'il faut s'en tenir à ce qui est connu et aux gens que l'on connaît! L'étranger peut lui apporter une épreuve, mais aussi participer à son développement personnel, élargir son horizon intérieur et lui donner une plus grande vision de l'humain. Cette position, encore une fois, indique qu'à l'âge de Jupiter le natif deviendra fort sage et qu'il pourra même conseiller ceux qui ne le sont pas encore devenus!

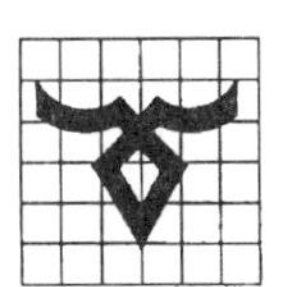
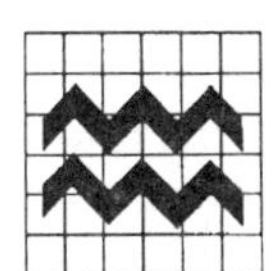

TAUREAU ASCENDANT VERSEAU

Un spécimen que celui-ci! Étrange animal! Il a les deux pieds sur terre et souhaite s'envoler si haut, si haut!

Mais l'attraction terrestre le retient, alors que justement il se disait qu'il devrait être un ange!

Il est passé maître dans l'art de se critiquer et aussi de critiquer les autres, le système, la politique, les banques, les syndicats, tout y passe. Les gens aussi: son oncle, son neveu, sa belle-mère, son beau-père! Ou alors le voilà qui se renferme sur lui-même et tout le monde se demande s'il n'est pas tombé malade? Mais il y a quelqu'un qui dit: laissez-le, il médite...

C'est vrai, il médite, il est retourné à l'ange!

Double signe fixe, il est passionné et constant, il voudrait que ça dure toujours. Lui, il peut le faire durer, mais il arrive que les circonstances de la vie le forcent à changer, à vivre autre chose. Son ascendant Verseau, régi par Uranus, est la planète des changements subits, de ceux qui n'avertissent pas!

Double signe fixe, il veut tout contrôler et, naturellement, ça ne fait pas l'affaire de tout le monde et il peut arriver qu'il manque de diplomatie pour commander, il veut que tout soit exécuté tout de suite.

Voilà quelqu'un qui vous dira quoi faire et ce qu'il pense de vous et de vos talents, mais si vous lui rendez la réciproque, vous risquez, si vous êtes son employé, d'être congédié. Signe fixe, il ne vous rappellera pas!

C'est un signe de grande foi et c'est cette même foi qui le fait se relever des épreuves et s'élever! S'il s'est engagé dans une religion ou s'il défend un dogme qui frôle le fanatisme, il peut s'élever en chef, et ceux qui refusent de le suivre risquent un rejet de sa part!

Sa deuxième maison, celle de l'argent, se trouve dans le signe du Poissons. Il peut gagner beaucoup d'argent, de deux sources en même temps, mais cela peut également signifier une épreuve si son thème natal l'indique. Il est aussi du genre, s'il devient riche, à donner généreusement aux gens dans le besoin, à souscrire aux œuvres philanthropiques et à les encourager. Avec de mauvais aspects, l'argent file entre ses doigts et les ennemis s'en emparent! Avec de mauvais aspects de Vénus et de Neptune, certains peuvent se faire un peu filous, un peu menteurs! L'inverse pourrait également se produire: on lui ment, on profite de lui. Dans le cas de ce Taureau-Verseau, il s'agit souvent de tout ou de rien, de négatif ou de positif, un négatif qui devient entièrement positif ou un positif qui se fait totalement négatif par choix, mais aussi et surtout pour l'équilibre. Il lui a été donné une grande force à la naissance, pas vraiment la facilité, mais une résistance extraordinaire.

Sa troisième maison, dans le signe du Bélier, lui permet de se faire spontanément des amis. Sociable, il a l'esprit vif et la repartie facile, il aime blaguer. Il sait d'ailleurs fort bien camoufler ses problèmes et vous avez toujours l'impression qu'il est bien au-dessus de tout! D'une nature combative, il peut être sujet aux migraines, son cerveau fonctionnant à toute vitesse avec des piles qui ne sont jamais à plat. Cerveau électrique, volcanique. Intensité constante. Il pourra vous faire la confidence qu'il aimerait bien arrêter de penser... mais si vous me dites que quelqu'un peut le faire, j'aimerais bien avoir son adresse!

Son Soleil, dans la quatrième maison, fait de ce Taureau, malgré les obstacles, un être quand même chanceux dans l'organisation générale de sa vie, la ténacité étant sa marque. Il aime la famille, bien qu'il soit plus présent à son œuvre sociale ou à ses affaires, mais, il vous le dira, il fait tout ça pour les siens! Il sera fortement attiré par un travail gouvernemental où il pourra jouer un rôle important. Ce qu'il dira, quel que soit le milieu qu'il fréquente, aura du poids. Souvent issu d'un milieu qui a les moyens financiers de lui faire faire des études, on l'exhortera à aller de l'avant pour qu'il se fraie une route plus large que celle des autres sur le chemin de la vie. Il y réussira; double signe fixe, il ne démissionne pas, il est persuadé de son idéal et y déploie toutes ses forces et sa stratégie.

Il aime qu'on soit fier de lui et qu'on l'apprécie. Il aura du talent pour l'immobilier, l'achat et la vente de terrains. Il pourrait être timide dans sa jeunesse, mais plus le temps avance plus il s'extériorise avec vigueur, la pulsion l'emportant parfois sur la réflexion. Il faut dire qu'il possède cette qualité d'agir avec précision après une courte réflexion et que celle-ci, si le domaine auquel elle appartient a été perfectionné, sera d'une logique époustouflante tant pour le moment présent que pour les conséquences à long terme.

Sa cinquième maison, dans le signe du Gémeaux, lui fait parfois prendre des risques financiers, mais il est généralement chanceux et il vous dira que le risque valait le coup. Il aura un langage franc, vous pourrez le croire pompeux, du genre de celui qui sait tout! En fait, vous aurez un complexe devant la précision et la logique de ce natif. Le sens de la spéculation et celui de la persuasion sont souvent innés, à moins qu'il n'y ait de très mauvais aspects dans cette maison. Celle-ci représente souvent l'or ou les arts de scènes. Voici donc quelqu'un qui fait de l'argent avec des idées originales. Il a le flair de ce qui rapporte, ce qui se développe davantage avec l'âge.

Plus il approche de la quarantaine, plus il sait assurer sa position. Fortement attiré par la littérature, il s'instruira et s'inspirera des grands de ce monde. Il aspirera à devenir l'un d'eux et il pourrait y arriver avec son double signe fixe. Il poussera aussi ses enfants à en connaître davantage, il valorisera la culture, celle qui vous fait passer partout car ses enfants devront toujours bien paraître et lui faire honneur. Un danger: il pourrait se mettre à considérer sa progéniture comme sa propriété plutôt que comme des gens à aimer simplement tout en les dirigeant avec délicatesse.

Sa sixième maison, dans le signe du Cancer, est la maison du travail et de la santé. Ce natif pourra être attiré par la médecine, tant la médecine du corps que celle de l'âme. Il sera travailleur, mais il saura aussi se reposer et prendre congé pour refaire ses forces. Il devra prendre garde à sa nourriture, car il aura tendance à faire de l'embonpoint. Le plaisir lui fait signe et, comme double signe fixe, il pourrait aussi prendre les bouchées doubles. Il n'est pas rare non plus de constater que ce natif n'a que très peu de temps pour ceux qui partagent sa vie, trop occupé qu'il est à ses affaires personnelles, à sa vie en société. Il sera souvent absent, du moins de corps... ce qui peut se refléter sur l'esprit de ceux qui tiennent à le voir plus souvent.

Sa septième maison se retrouve dans le signe du Lion, le mariage. Ce natif voudra un mariage d'amour, de passion, mais saura-t-il entretenir l'union? Il voudra croire que c'est l'autre qui doit alimenter son bonheur! Pensée égocentrique qui risque de mettre le ménage en péril. Mais ce double signe fixe n'aime pas le divorce ou les séparations et, un beau jour, quand on lui annoncera qu'on ne peut vivre avec lui, à cause de ses absences, il pourra se décider à faire un effort d'attention envers l'autre. Il voudra croire que ce n'est pas de sa faute, que le partenaire est trop exigeant. En fait, il n'aura pas su s'attarder aux délices de la vie quotidienne... Il avait oublié qu'il faut renouveler les promesses d'amour et les échanges affectifs, mais il n'est jamais trop tard pour se reprendre et s'il le fait, double signe fixe, ce sera d'une manière doublement passionnée! Au grand bonheur de la personne qui partage sa vie.

Sa huitième maison est dans le signe de la Vierge. Les transformations sont réfléchies. Il ne laisse rien passer qui pourrait brusquer ses plans de travail ou de vie professionnelle, mais son mental agité peut, à un moment décrit dans sa carte du ciel, vouloir vivre autre chose de totalement différent de ce qu'il a vécu précédemment. Une phase de dépression intérieure provoque parfois un changement de carrière et le sujet trouve une toute nouvelle orientation décrite par les aspects planétaires, surtout sous l'influence de Pluton et de Mercure. Le résultat peut être positif ou négatif, le thème individuel le confirme. Cette position, avec de mauvais aspects, donne une fidélité douteuse...

Sa neuvième maison, celle des voyages, mais aussi de la philosophie, des religions, de la foi se trouve en Balance. Voilà que notre natif se met à tout raisonner, qu'il s'agisse de Dieu, d'un philosophe ou d'un prophète, il ne voudra pas se fier trop longtemps à ce qu'il pourrait considérer comme des élucubrations d'artistes! Il y sera attiré, mais sa prudence de Taureau et son raisonnement Verseau le garderont bien de se laisser guider par l'inspiration. Il voudra plutôt se fier à la logique, puis, un beau jour, sous l'influence d'Uranus et de Vénus, il commencera à s'épancher sur un monde moins terrestre, moins visible, par curiosité d'abord, par intérêt ensuite, puis par passion! Il n'est pas rare non plus que ce natif, s'il n'a pas réussi à échapper au divorce, vive une seconde union, laquelle sera plus heureuse que la première! Double signe fixe, il retient les leçons et ne refait jamais deux fois la même erreur.

Sa dixième maison, celle de la carrière, n'est pas donnée puisqu'elle se trouve dans le signe du Scorpion. Il n'est pas exempt des sauts périlleux, des risques. Il donne de grands coups! Il ne lâche pas, il est tenace. L'objectif doit être atteint et il mettra tout en œuvre pour réussir. Il pourra rencontrer des obstacles. Il pourra aussi avoir des ennemis qui le trouvent trop d'avant-garde. Ses idées effraient, mais on finit par y consentir et il se révèle qu'il avait raison. Il peut penser à long terme, il a une pensée de masse, il est intuitif en ce qui concerne les intérêts de l'entreprise pour laquelle il travaille ou pour la sienne. Bon administrateur, il pourra être exigeant envers ceux qui le servent, mais il le sera tout autant pour lui. C'est un travailleur acharné qui sait qu'il doit «gagner son pain à la sueur de son front»... celle de son énergie mentale!

Sa onzième maison, dans le signe du Sagittaire, lui vaut mille et une connaissances et des amis reconnaissants, même quand il leur a dit quelques vérités plus ou moins agréables mais qui sont dans leur intérêt. Il est vif quand il est question de dire ce qu'il pense profondément. Il ne mâche pas ses mots, à moins que la maison planétaire ne soit sérieusement affectée par de mauvais aspects. Il aime fréquenter ceux qui ont du prestige, du pouvoir; il les attire sans même les chercher. Cette position provoque souvent des voyages originaux. Les pays exotiques attirent ce natif. Il en retire beaucoup de leçons et son esprit s'ouvre. Sa vision s'élargit et il devient plus tolérant envers autrui.

Sa douzième maison, dans le signe du Capricorne, lui fait souvent vivre une épreuve par le père quand il est jeune. Ce peut être un père trop autoritaire ou un père absent. Il peut lui ressembler fortement et se dire qu'il ne fera jamais comme lui. Un natif masculin peut mettre du temps avant de bien jouer son rôle de père auprès de ses enfants, il est trop sévère ou pas assez au bon moment, et il explose. Les femmes de ce signe, peuvent vivre des difficultés de communication avec leur conjoint, ce qui se reflète sur la progéniture.

Plus le natif de ce signe vieillit, plus il devient sage, mais jamais il ne perdra son goût de l'aventure et de l'inédit. Il peut manifester ouvertement son originalité ou alors il ne la vivra qu'avec ses intimes. Cette position peut affecter le système osseux, surtout avec de mauvais aspects et quand le natif a tendance à entretenir de vieilles rancunes pour une foule de choses dont souvent il n'est pas vraiment conscient. Si vous faites, par exemple, de l'arthrite, demandez-vous donc si vous n'avez pas retenu des fautes contre quelqu'un que vous respectez, mais qui vous fait peur et à qui vous n'osez vraiment pas dire tout ce que, au fond de vous-même, vous pensez de lui.

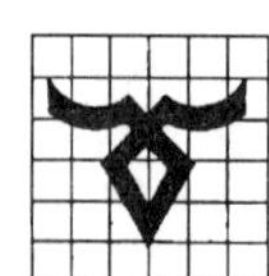
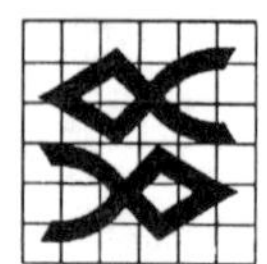

TAUREAU ASCENDANT POISSONS

Voici un grand jouisseur! Taureau, régi par Vénus, plaisir de la chair; Poissons, régi par Neptune, planète des illusions, de l'infini, de la permissivité et, dans certains cas, de la morale élastique!

Ce Taureau est gentil, il veut toujours faire plaisir, il est conciliant, mais il ne s'oubliera pas quand même. Il vous donnera beaucoup, mais pas tout, et pas au point où lui devrait se priver, quand même!

Il doit s'entraîner à la volonté, les plaisirs l'attirent sans cesse; il y est même docile! Il se fait facilement des amis, mais il peut aussi les perdre rapidement car il lui arrive de faire des promesses qu'il ne tiendra pas, il a oublié! Ou il voulait vous faire plaisir, et il a fait une promesse qui est vraiment au-dessus de ses forces.

En amour, il oublie la prudence, il se laisse aller, il manifeste ses émotions sans aucune gêne, il fait des cadeaux de prix. Mais dès qu'il se sent en sécurité, il commence à manifester moins d'intérêt pour l'autre et à en prendre moins soin, à lui donner moins d'attention qu'au début... et tout d'un coup, on le quitte. En fait, il a voulu impressionner. Taureau, signe de terre, il a voulu, inconsciemment, acheter l'amour de l'autre! Le posséder sans s'en rendre compte et pouvoir dire: «Je l'ai!»

Il est immanquablement attiré par les sciences paranormales, l'ésotérisme, mais il y a un côté chez lui qui peut se laisser impressionner par quelques faussetés. Il a bien intérêt avant de s'engager dans une étude sur l'astrologie ou le paranormal d'analyser la personne avec qui il étudiera, de s'efforcer de la ressentir sans tenir compte de la connaissance que le professeur étale. Un de mes amis me dit souvent: «La culture c'est comme la confiture, moins les gens en ont, plus ils l'étalent.» Notre natif aura tendance à se laisser prendre par la garniture! Le Taureau est sujet à succomber à ce qui paraît bien.

Sa deuxième maison, celle de l'argent, dans le signe du Bélier, l'incite à vouloir gagner sa vie très jeune et dans l'indépendance. En fait, il rejettera l'autorité qui le nourrit. La position de Mars lui indique alors les moyens à prendre pour gagner son argent. Mars, planète de l'impulsion, de la poussée sexuelle, peut, en mauvais aspects, l'attirer vers un monde permissif où, charmes à l'appui, il saura tirer profit.

Dans sa jeunesse, l'honnêteté pourrait se laisser désirer. Le natif répond à ses désirs immédiats et il a du mal à voir les répercussions de ses actes à long terme. Comme le Bélier qui est dans cette position, à la fois sa deuxième et sa douzième maisons, il peut arriver que le sujet soit tenté par le vol pour obtenir plus rapidement les objets qu'il convoite. Comme il est affamé d'amour, si dans sa jeunesse il ne reçoit pas l'attention nécessaire à son équilibre, le vol sera une solution de rechange: voler de l'amour! Position qui peut, en fin de compte, faire du natif une victime, surtout quand il engage son cœur sous l'effet d'une attirance sexuelle.

Son Soleil se trouve le plus souvent dans la troisième maison, celle qui représente le Gémeaux, donc Mercure. À l'adolescence, le natif peut être très agité et ne pas se sentir en sécurité. Il a une multitude d'idées, mais il n'arrive pas à savoir laquelle il devra exploiter pour vivre sans ennui. Révolte contre l'autorité parentale, contre le système social. Le natif est souvent doué pour l'écriture, il aime la lecture et c'est par ce moyen qu'il réussit à comprendre ses propres comportements et qu'il développe son sens de l'analyse. Il n'est pas rare de rencontrer des autodidactes sous ce signe. Avec cette position du Soleil en troisième maison, le sujet est nerveux, il fait rarement de l'embonpoint et garde une allure juvénile, même à un âge avancé. Bizarrement, le Taureau étant un signe d'embonpoint, il n'est pas rare de constater que ce Taureau-Poissons passe du plus petit au plus gros par suite de chocs émotifs. Le vieillissement du corps est au ralenti, même dans le cas d'une alternance fréquente entre la pesanteur et la légèreté du poids!

Sa quatrième maison se trouve dans le signe du Gémeaux, dont le symbole représente le foyer. Une fois de plus, cela signifie un foyer instable, avec de nombreux déménagements dans l'enfance, une mère nerveuse ou qui a deux façons contradictoires de vivre et d'agir. Si la mère a plusieurs vérités, le natif aura alors bien du mal à se faire une idée à lui; il empruntera l'une ou l'autre, selon l'humeur du moment.

Il n'est pas rare, sous ce signe, de trouver des gens qui quittent leur foyer, même si celui-ci exerce une puissante attraction sur eux. Le natif a toujours envie d'y revenir et, aussitôt qu'il y est, il a encore envie de partir. Le Taureau étant un signe fixe, cette volonté d'y être ou de le quitter le place dans des états dépressifs périodiques dont il ressort en s'inventant parfois des fables qu'il tente de mettre à exécution. Le Taureau étant le plus souvent un bon parent, avec cette position, quand il a des enfants, il peut devenir constamment inquiet de leur bien-être. Il veut faire plus que les enfants n'en demandent. Il doit surveiller cet aspect. Tout décider pour un enfant afin de le protéger, c'est lui enlever son sens de l'initiative. Que ce Taureau se souvienne à quel point il écoutait bien peu les recommandations qu'on lui faisait quand il était petit!

Sa cinquième maison, celle de l'amour, se trouve dans le Cancer, où la mère, encore une fois, exerce une forte pression sur le natif. Il a du mal à s'en séparer malgré son vif désir de ne pas dépendre d'elle, tant matériellement que psychiquement. Ce natif souhaite toujours que son propre foyer soit fait de calme, d'amour, mais plus souvent il arrive que le foyer en soit un qui bouleverse notre Taureau. Tout en le retenant, il reçoit le message de s'en aller. Que peut-il alors y comprendre, surtout durant sa jeunesse? Plus tard, adulte, il saura équilibrer. Revient encore ici l'idée que ce Taureau, quand il est père ou mère, devient extrêmement protecteur. Il doit se surveiller là-dessus pour éviter d'étouffer la créativité de son enfant. Les enfants ne vivent pas des conseils de parents, ils vivent par l'exemple, par l'imitation.

Sa sixième maison, celle de la maladie et du travail, se trouve dans le signe du Lion. Ce natif veut faire un travail qui rapporte tout de suite et beaucoup, c'est pourquoi il s'engage souvent très tôt sur le marché du travail. Il sera fortement attiré par les arts, mais l'artiste doit travailler et notre Taureau-Poissons voudrait, lui, que tout se fasse aisément et sans trop d'efforts! Ce qui arrive rarement. Ce qui rend ce Taureau malade le plus souvent c'est l'amour! Mal aimé, pas assez! Il peut se mettre à manger par compensation sentimentale ou jeûner, une autre manière d'attirer l'attention sur lui. L'un de ses enfants peut avoir des problèmes dépressifs tout en étant d'une intelligence parfois au-dessus de la moyenne, s'il est surprotégé. Notre Taureau devra s'équilibrer sérieusement afin de permettre à sa progéniture de pousser droit vers le bonheur. Le système nerveux peut être fragile, surtout lorsque des problèmes sentimentaux le perturbent.

Sa septième maison, dans le signe de la Vierge, est celle des unions. Il arrive assez souvent que le natif attire à lui des partenaires bizarres. Il est rare qu'il n'y ait qu'une seule union sous ce signe, à moins de très bons aspects de Vénus, du Soleil et aussi de Mercure, puisque cette septième maison se retrouve dans la Vierge qui est régie par Mercure.

Ce Taureau-Poissons étant très émotif, il peut, sans s'en rendre compte, rechercher un partenaire extrêmement logique afin de trouver un complément, mais la logique sans émotions est alors en déséquilibre... et le natif Taureau-Poissons peut se sentir malheureux ne pas recevoir l'attention chaleureuse dont il a besoin pour être heureux. La logique du partenaire peut être une logique froide, du genre qui «fait son affaire à lui»! Le natif se choisit le plus souvent un partenaire qui travaille beaucoup et qui, finalement, ne lui consacre que peu de temps. Position qui indique que le natif peut avoir pour partenaire, dans certains cas, une personne qui a de gros problèmes psychologiques.

Sa huitième maison, celle des transformations, se trouve dans le signe de la Balance, symbole des unions et aussi la sixième maison du Taureau. Ce Taureau pourrait se retrouver, dans certains cas, à travailler pour le conjoint, comme il pourrait aussi être dans la situation du seul pourvoyeur de sa famille, ou être celui qui assume l'entière responsabilité de l'entreprise en question. Souvent le conjoint de ce natif provoque une importante transformation dans la vie de ce dernier, en bien ou en mal, selon les aspects de la huitième maison, mais il est certain qu'au contact d'un partenaire amoureux ce natif verra sa vie se transformer au point qu'il pourrait se demander s'il a vraiment été ce qu'il croyait être! Il arrive aussi que ce natif attende de son partenaire une protection financière, mais, surprise, ce n'est pas tout à fait ce qu'il avait prévu et voilà que notre Taureau-Poissons se trouve dans une situation de victime, l'ascendant Poissons lui faisant souvent vivre cette épreuve. C'est lui qui devient alors le soutien de l'autre. Parfois, cette huitième maison, dans le signe de la Balance, attire à lui un partenaire violent. Avant de s'engager envers un partenaire amoureux, ce natif a tout intérêt à faire le tour de la question plusieurs fois! Le Taureau a la fâcheuse habitude de se fier aux apparences d'abord, malgré ce qu'il ressent. En fait, il confond le véritable amour avec l'attrait sexuel. Le premier dure, mais le second, sans l'amour profond, risque de s'effriter avec le temps.

Sa neuvième maison, dans le signe du Scorpion, crée un profond intérêt pour la psychologie, la psychanalyse. Il peut arriver aussi que ce natif un jour suive une thérapie qui transformera positivement sa vie. Les voyages peuvent le mettre en danger. S'il prend des risques à l'étranger, cela peut avoir des conséquences graves sur sa vie. Le Taureau-Poissons est souvent attiré par les étrangers, surtout pour une deuxième union. Il faudra alors qu'il y ait de bons aspects avec cette neuvième maison pour que le mariage réussisse!

Cette neuvième maison, en Scorpion, crée également une forte attirance pour les sciences paranormales; le sujet est porté à voir des médiums, des voyants, des astrologues. Il voudra se faire rassurer sur son avenir. Il est extrêmement perspicace, mais il a du mal à écouter ce qu'il ressent, trop porté qu'il est à s'intéresser à ce que les autres pensent de lui. Il veut se faire aimer et il arrive qu'il tombe sur une personne qui ne mérite pas sa générosité. Le Taureau régi par Vénus porte en lui un côté naïf, fleur bleue, quand il s'agit d'amour. L'amour n'est pas uniquement une palpitation du cœur, il est à la fois le cœur, l'esprit, l'âme, le corps, bien sûr! Le véritable amour réunit tout cela, sinon il y manque une dimension. Et notre Taureau se laisse prendre aux sens!

Sa dixième maison, dans le signe du Sagittaire, crée beaucoup d'hésitations dans le choix d'une carrière. Comme je l'ai dit plus haut, le natif veut de l'argent, et vite. Si ce Taureau se retrouve dans le monde de la psychologie, de l'analyse, il pourra se sentir à l'aise et évoluer sans ennuis. Il peut aussi réussir sa vie sociale en investissant l'argent qu'il fait. Doué pour les placements, il peut avoir ce sixième sens qui lui fait découvrir ce qui va rapporter dans peu de temps. Il peut aussi être très attiré par la médecine, mais, avec de mauvais aspects, il peut arriver qu'il soit plutôt le patient. Ce natif est ambitieux beaucoup plus qu'il ne paraît, mais il met longtemps avant de trouver sa voie véritable.

Sa onzième maison, dans le signe du Capricorne, lui fait rechercher la présence d'amis plus âgés qui peuvent avoir sur lui une influence positive ou négative, selon les aspects de Saturne et d'Uranus. Au fond, il y a chez lui une recherche du pouvoir, il aimerait diriger et dominer les situations et la vie des gens. Il y parviendra peut-être dans différents domaines, et aussi par l'argent, seulement on ne peut acheter personne, du moins pas pour longtemps. Avec le temps, rendu à l'âge de la sagesse ce Taureau manifeste plus de tolérance et est capable de voir que la différence entre les gens n'empêche pas l'entente. Le respect de soi porte aussi au respect d'autrui. Non pas un respect poli, protocolaire, mais un profond respect de la vie et de la manière de vivre de chacun.

Sa douzième maison, dans le signe du Verseau, maison de l'épreuve, est signée par Uranus et Neptune. Cette position natale peut parfois provoquer des baisses de vitalité et en même temps une profonde dépression. Le natif peut aussi vivre cette position natale en apportant de lui-même à autrui. Avec de bons aspects de Neptune et d'Uranus, il aura un talent de guérisseur, soit par une médecine traditionnelle soit par la médecine douce.

Cette position souligne aussi une certaine difficulté à maintenir les unions, le divorce étant l'attribut d'Uranus ou du Verseau. Aussi le divorce ou la mésentente font-ils souvent partie de l'évolution du sujet. Rien n'arrive par hasard, et nous avons tous une leçon à apprendre... Vieilles rancunes que l'on traîne sur la roue karmique, apprendre à pardonner à soi-même et à autrui. Un jour ou l'autre, nous devons tous passer l'éponge, faire place nette pour trouver la paix, le bonheur, l'amour et la prospérité matérielle. Notre Taureau-Poissons pourrait vivre deux vies dans une, la première dans une sorte d'intolérance face à lui-même et à autrui, car il demande trop, à lui comme aux autres. Puis le Poissons lui enseigne la tolérance envers tout le monde et notre Taureau-Poissons arrive ainsi à sympathiser avec tout l'univers.

Le Gémeaux et ses ascendants

 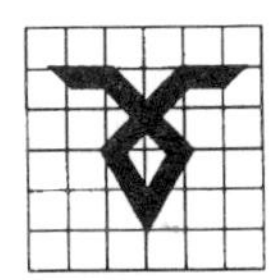

GÉMEAUX ASCENDANT BÉLIER

Vous aimez l'action? Essayez de le suivre, vous risquez l'essoufflement! C'est un rapide! Aucun Gémeaux ne peut être plus impatient que lui, il est le maître en ce domaine!

Habile dans les entreprises, il est sociable et sait s'y prendre pour vous faire accepter une de ses offres: à l'impulsion martienne il sait joindre la raison du Gémeaux qui trouve tous les mots! Bravo! Vous n'êtes vraiment pas n'importe qui et, de plus, vous êtes drôle... aussi longtemps qu'on est d'accord avec vous!

Dans les relations publiques, où il excelle, les contacts se font rapidement. Ça ne veut pas dire que c'est pour longtemps... L'essentiel, c'est que ça rapporte financièrement.

On dit du Gémeaux que c'est signe de raison, mais c'est aussi un signe de dollar parce que, au fond, il ne se sent pas en sécurité. C'est que l'argent lui donne cette sensation de liberté, comme un enfant qui peut s'acheter tous les joujoux qu'il veut parce qu'il a des sous!

Il a bien du mal à se retrouver seul face à lui-même. S'il entre chez lui, et qu'il n'y ait personne, il en ressort aussitôt pour rencontrer des copains, quelque part, là où il peut. Chose certaine, il trouvera quelqu'un pour bavarder, il adore ça!

Il a bien du mal à tomber amoureux une fois pour toutes. Il aimerait bien ça, mais, avec le Bélier à l'ascendant, le goût de la conquête lui vient et il ne peut résister à une nouvelle personne... Pour lui, l'amour c'est une passion continue que l'autre doit alimenter... Je dis bien l'autre. C'est à peine s'il lui vient à l'esprit qu'il pourrait être celui qui alimente la passion. Voyons, il est Gémeaux, il est raisonnable, et la passion, s'il doit y en avoir une, il est bien trop humain pour se laisser aller à une telle chose! Ce serait inhumain, mais parfaitement acceptable si elle lui arrivait tout cuit dans le bec.

Notre Gémeaux-Bélier est un séducteur: plaire pour qu'on lui plaise! N'est-ce pas un peu égocentrique, MOI, MOI et MOI... et l'autre vit pour MOI!

Si un jour on lui déclare qu'on l'aime, c'est la panique totale, et au revoir la visite, il repassera quand tout sera calmé!

Il mettra du temps avant de devenir adulte, il devra passer par plusieurs phases successives de l'adolescence surtout dans le domaine des sentiments car, en affaires, il s'y prend bien, il sait gagner de l'argent, pour sa sécurité, pour se payer du plaisir!

Sa deuxième maison, dans le signe du Taureau, confirme qu'il est habile à faire de l'argent. Cette deuxième maison se trouve à être également la douzième du Gémeaux qui a, entre autres significations, que notre natif peut parfois tricher pour gagner de l'argent! Il n'a certainement pas l'intention d'être malhonnête dans sa tête de Gémeaux. Ce qu'il prend, il est convaincu qu'on le lui doit et qu'on a simplement oublié de le lui donner! Avec de mauvais aspects de Vénus on pourrait avoir affaire à un petit voleur... ou à un grand, mais si habile qu'il ne se fait pas prendre! Il y a également possibilité que le natif fasse de gros coups d'argent, mais qu'il perde tout presque aussi vite, ou qu'il l'engloutisse dans une affaire hasardeuse et se retrouve perdant. Cependant, cette position permet toujours de refaire fortune.

Son Soleil se retrouve dans sa troisième maison, ce qui fait de lui un être rapide, doué de la parole, généralement intelligent, même un peu malin! Excellent communicateur, il peut aussi être doué pour les lettres. Sa position lui permet de vous faire dire ce qu'il veut entendre. Il sait flatter la bonne personne et il a cette faculté d'arriver au bon moment au milieu des intéressés quand il est question de ses affaires.

Sa quatrième maison, dans le signe du Cancer, est aussi le deuxième signe du Gémeaux. Ce natif est fort habile dans le domaine de l'immobilier, il sait spéculer. Il arrive souvent aussi que la famille lui vienne en aide financièrement, qu'il soit un peu comme un enfant gâté. De son côté, quand il aura une famille il lui assurera la sécurité financière et personne ne manquera jamais de rien. Il verra à tout. Ce signe, apparemment généreux, est souvent plus économe qu'il ne le dit et ses dépenses sont, en fait, des placements, ou alors c'est déductible de l'impôt. Ce natif aime les propriétés au bord de l'eau ou perdues dans la nature. Il a grand besoin de calme pour récupérer car son système nerveux est presque continuellement en alerte.

Sa cinquième maison, dans le signe du Lion, la troisième du Gémeaux, fait qu'il sera un bon parent et se fera ami avec ses enfants. Il saura les pousser à s'instruire. Cette position le rend moins fiable en amour, ou alors il mettra longtemps avant de se fixer. La fidélité, pour lui, est un véritable record d'endurance. S'il a des enfants, il sera plus porté à rester... il veut bien remplir son devoir de parent. L'amour et les amis sont souvent liés. Il lui arrive finalement de tomber amoureux d'une personne qu'il fréquente soit au travail, soit aux loisirs, et qu'il a côtoyée pendant un certain temps.

Sa sixième maison, dans le signe de la Vierge, est aussi la quatrième du signe du Gémeaux. Il aimera l'ordre et la propreté au foyer. Il surveillera son alimentation afin de conserver sa ligne et son air de jeunesse. Il aura parfois tendance à couper un cheveu en quatre en ce qui a trait à son foyer. Il aimera s'y trouver tout autant qu'il aimera le fuir pour aller rejoindre des gens qu'il connaît bien. Ce natif est travailleur. Faire du surtemps ne le dérange pas, pourvu que ça rapporte. Il est également du genre à terminer un travail à la maison quand le climat au bureau ou ailleurs l'énerve, surtout s'il s'agit de paperasse. Position qui favorise la mémoire de ce Gémeaux et le rend capable d'apprendre tout ce qui l'intéresse. L'intelligence est vive; il a le sens de la repartie.

Sa septième maison, dans le signe de la Balance, est également la cinquième du Gémeaux. Ce qui signifie, encore une fois, une forte attirance à vivre plusieurs amours à la fois, d'où la disponibilité de contrarier le partenaire qui tient le plus à lui! Il arrivera, dans le cas d'un natif masculin, qu'une femme, pour se l'attacher, lui fasse un enfant sans l'avertir. Comme il y sera sensible, puisqu'il s'agira de sa progéniture, d'un prolongement de lui, il pourra alors signer un contrat de mariage. Les femmes de ce signe et de cet ascendant sont généralement plus fidèles. Elles sont moins tentées par l'aventure que les hommes du même signe.

Il s'agit ici du Gémeaux-Bélier, d'un double signe masculin. La femme pourrait s'y sentir mal à l'aise et, se devant de prouver qu'elle est femme, elle sera plus attentive à son conjoint. Les natives désireront souvent se marier en bas âge. L'homme de ce signe sera attiré par une femme douée d'une nature artistique et ultraféminine, de laquelle il ne sera jamais totalement certain et qui devra toujours le rassurer dès qu'elle sera allée trop loin!

Sa huitième maison, dans le signe du Scorpion, donc le sixième signe du Gémeaux, signifie que le natif est travailleur, même à l'excès. De mauvais aspects de Mars pourront indiquer des risques d'accident au travail. Il peut également arriver à ce natif d'avoir des aventures avec des personnes de son entourage au travail. Il aime bien le genre intrigue romantique... «impossible de se voir ce soir». S'il se retrouve patron, il pourrait devenir très exigeant et très dur avec ses employés. L'argent, son argent, étant très important, il ne veut surtout pas qu'on le vole ou qu'on abuse de lui. Quand la Lune passe dans le signe du Scorpion, ce natif peut avoir, pour un jour ou deux, une forte tendance à déprimer et à se poser des questions existentielles. Avec de bons aspects dans cette maison, il peut être très intuitif, en plus d'être logique.

Sa neuvième maison, dans le signe du Sagittaire, juste en face du Soleil du Gémeaux, fait de lui un être attiré à la fois par les mystères, la religion, l'ésotérisme, mais, sa raison lui fait repousser tout cela aussitôt. Il faudrait qu'on lui apporte des preuves bien nettes de l'existence d'un être invisible pour qu'il en soit certain. Souvent, dans sa trente-cinquième année, il se met à voyager, pour son plaisir ou son travail, la carte du ciel natale l'indique alors. La position de Jupiter nous informera également du degré de spiritualité qu'il peut atteindre.

Le Sagittaire étant le septième signe du Gémeaux, il arrive souvent que ce natif épouse une personne venant d'un autre pays que le sien, ou quelqu'un qui aime follement voyager ou encore qui est plus souvent absent que présent au foyer. Il sera attiré par les personnes qui ont un signe de feu ou plusieurs planètes de feu. Il aime que l'autre soit dynamique, cela le stimule à l'action. Le plus souvent il attirera une personne ambitieuse, aux grandes idées qui, dans certains cas, vont jusqu'à la démesure, ce qui contrarie ce Gémeaux.

Sa dixième maison, dans le signe du Capricorne, également le huitième signe du Gémeaux, lui promet endurance et longévité... même à un âge très avancé. Il pourra peut-être cependant se plaindre de ses os, de ses articulations, tout dépend de la position de Saturne à sa naissance. Il est possible qu'il touche des héritages de famille et les legs seront importants. Position qui favorise la réussite, souvent à partir de la vingt-septième année, où la carrière du natif peut connaître une transformation importante.

Sa onzième maison, dans le signe du Verseau, également la neuvième du Gémeaux, lui fait rechercher dans la quarantaine un nouvel objectif de vie, une nouvelle manière de vivre. Peut-être découvrira-t-il alors la philosophie? Quand ce natif part en voyage, il est généralement chanceux, à moins d'avoir de très mauvais aspects de Jupiter et d'Uranus. Un Gémeaux avec cet ascendant est protégé le plus souvent contre les accidents d'avion! Et s'il en survient un, il sera sauvé! Il sait se faire des amis partout, même à l'étranger où il pourra retourner y séjourner. Il sait entretenir la conversation et il exerce une certaine fascination sur les étrangers. Bon sportif, il excelle dans la compétition. Capable de gagner, il peut aussi garder la tête haute dans la défaite sans démissionner; la prochaine fois il sera meilleur!

Sa douzième maison, dans le signe du Poissons, est celle des épreuves. Le Poissons étant le dixième signe du Gémeaux, il arrive alors que le natif se pose de sérieuses questions quand il décide de changer l'orientation de sa vie. Il peut être également celui qui embrasse deux carrières à la fois et qui réussit dans chacune! Les aspects de Neptune dans sa carte natale nous renseignent sur la manière dont il atteindra ses objectifs. Avec de mauvais aspects de Neptune, il pourrait avoir des ennemis qui se dressent contre lui, dans l'ombre, et cherchent à le «caler»! L'ascendant Bélier de ce natif le rend magnétique. Quand il passe, vous le remarquez; il est visible, un peu tapageur mais rarement désagréable, ce qui peut bien faire quelques jaloux. Il aime dominer, décider. Vos suggestions sont à peine écoutées! Pourtant, l'expérience des autres lui épargnerait des épreuves ou lui ferait sauter les obstacles. Il lui sera donné de réussir dans sa jeunesse, et c'est tout à fait ce qu'il désire.

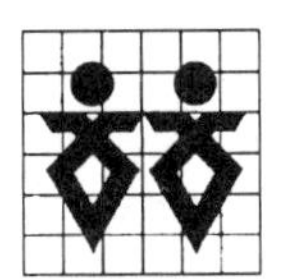
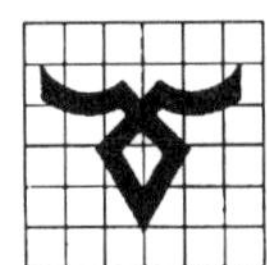

GÉMEAUX ASCENDANT TAUREAU

Voici un Gémeaux plus sérieux que le premier: il aspire à une continuité dans tout ce qu'il fait! Il peut être rapide et impatient puis, dans un autre temps, lent, mesuré et lourd! Gémeaux (2) + Taureau (1) = 3 personnes!

Si vous lui faites du charme, il se laisse prendre facilement. Vénus ouvre l'œil, Gémeaux raisonne et vous fait répéter, il veut être certain qu'il a bien compris, il aime entendre les flatteries.

Ce natif peut être bien égocentrique et ne vivre que pour lui, sans vraiment s'en rendre compte. Il prend, mais ne donne pas la même valeur en échange. Naturellement, la sécurité est importante pour lui. La peur de manquer de quelque chose, d'argent surtout, le hante. Cela peut même devenir le centre de sa vie. Ambitieux, il aime être le premier. Signe fixe de par son ascendant Taureau, il ne lâche pas le morceau avant de le posséder et il ne cédera pas grand-chose non plus. Ses bontés sont le plus souvent calculées. Il vous dira que ce n'est pas vrai, mais il ne peut voir autrement. Petit défaut que le temps corrigera!

Ce Gémeaux ascendant Taureau est tout de même un grand émotif. Comme les enfants, il ne faut pas le menacer de privation. Il ne veut vraiment pas entendre la vérité sur lui-même, il souhaite qu'on lui dise qu'on l'aime sans condition, comme un enfant est certain que c'est ainsi qu'il doit être aimé.

En amour, il peut être retors, mais inconsciemment. Il détruit l'amour; il préfère, de toute manière, la sécurité matérielle, et si l'amour restreint ses gains, ça ne va pas durer. Élimination!

Quand il est question d'argent, ce natif ne manque pas d'imagination. Si c'est une femme qui divorce, elle ira chercher la bourse du conjoint; si c'est un homme, la conjointe ne recevra certainement pas le gros lot comme pension alimentaire. Il est malin avec l'argent.

La spontanéité des gens de ce signe et de cet ascendant est intéressante, amusante. Ils vous répondent franchement sur le coup. Une autre fois, posez la même question et ils vous répondront spontanément, suivant l'émotion du moment et peut-être n'aurez-vous pas la même réponse!

Il ne vous a pas menti, ce n'était pas son intention. C'est que, tout simplement, il peut avoir spontanément une autre émotion, une autre réponse, un avis complètement différent. C'est comique pour l'astrologue observateur!

Le Soleil de ce natif se trouve dans sa deuxième maison, celle qui symbolise l'avoir, l'argent. Aussi, par besoin de sécurité ce type cherchera-t-il à faire de l'argent par plusieurs moyens. Il est généralement chanceux en affaires. Il sait s'y prendre. Toute son énergie est canalisée, concentrée sur la propriété, la possession et le pouvoir que procure l'argent. Étrangement, c'est le plus souvent sous la pression d'une grande peine, d'un dérangement intérieur, d'un conflit familial ou marital que le natif décide qu'il doit travailler lui-même à sa réussite, et quand il a décidé qu'il doit en être ainsi, il se place au premier rang.

Sa troisième maison, dans le signe du Cancer, en fait un bon spéculateur, très habile dans l'achat et la vente de propriétés. Souvent il aura deux maisons, deux toits où se loger. Il pourra être attaché à sa famille. La mère, dans plusieurs cas, aura eu un effet négatif sur le mental du Gémeaux-Taureau et l'aura maintenu dans une forme de dépendance quasi enfantine, ce qui suscitera chez ce natif des difficultés lorsqu'il s'agira pour lui de fonder un véritable foyer. Position qui le pousse à la réflexion et lui donne une part d'instinct et de logique assez particulière. Il peut vous deviner, mais il n'est pas certain qu'il aille au-devant de vos désirs, surtout si cela peut exiger de lui un effort ou un sacrifice de son temps ou de son argent.

Sa quatrième maison se situe dans le signe du Lion. Étrangement, il arrive que les enfants (ou l'enfant) de ce natif soient élevés par un membre de sa famille plutôt que par le sujet lui-même. Il aura tendance à user d'une grande autorité sur ses enfants. Souvent issu d'une famille financièrement à l'aise, ou du moins sans problèmes majeurs d'argent, notre Gémeaux-Taureau est plus amoureux de sa sécurité que de la personne qui la lui apporte. Dans le cas d'une femme, la naissance d'un enfant peut être entourée d'un mystère, d'une intrigue que cette maman garde pour elle. S'il s'agit d'un homme, celui-ci pourra avoir de la difficulté à voir son ou ses enfants lors d'une séparation.

Sa cinquième maison, dans le signe de la Vierge, amène souvent ce natif à travailler dans le domaine artistique ou avec les artistes. Ses malaises viennent surtout de son insatisfaction sentimentale, de cette manie qu'il a de raisonner l'amour. Il voudrait comprendre et expliquer le pourquoi de l'amour. Il arrive souvent qu'il soit amoureux d'une personne en détresse ou aux prises avec quelques problèmes psychologiques, ce qui lui permet de réfléchir à des solutions. Sa fidélité est souvent douteuse et il recourt à plusieurs excuses pour expliquer son comportement quand il va chercher hors de chez lui l'amour, ou plutôt une excitation qui pourrait ressembler vaguement à de l'amour.

Il est à la recherche de la personne qui le sécurisera et qui, en fait, lui apportera une identité qu'il a bien du mal à trouver pour lui-même. Certains aspects pourront indiquer le contraire: c'est lui qui est trompé et, plus souvent, c'est le cas chez les femmes de ce signe et de cet ascendant. En amour, il faut bannir l'esprit critique et le natif a bien du mal à s'en départir. Il voit les petits défauts qui peuvent prendre des proportions démesurées et miner ses propres sentiments envers l'autre.

Sa sixième maison, celle du travail, dans le signe de la Balance, lui permet le plus souvent des contacts sociaux agréables. C'est un excellent relationniste et un bon négociateur pour les entreprises pour lesquelles il travaille. L'art fait partie de sa vie. Il peut écrire ou est en contact avec des gens qui écrivent. Il aime discuter, aller d'un sujet à l'autre. Il veut tout savoir sur les gens qui vivent autour de lui. Il arrive souvent qu'il ait plus d'attention et d'affection pour ceux avec qui il travaille que pour les gens qui vivent près de lui, parents, époux, épouse, enfants, famille proche. L'esprit est habile à détecter la vérité chez autrui, mais il sait aussi cacher la sienne ou ne dire que ce qui le met à l'honneur. Rencontre possible, dans le milieu de travail, sur le plan amoureux. Cette position peut provoquer la rencontre du conjoint ou de la conjointe par l'intermédiaire du travail ou au travail lui-même quand le temps est venu de traverser cette maison astrologique.

Sa septième maison, celle du conjoint, se trouve dans le signe du Scorpion qui est le sixième signe du Gémeaux. Il en découle souvent que le natif travaille avec son conjoint ou trouve un emploi par l'intermédiaire du conjoint mais, le plus souvent, le couple se détruit lentement avec le temps. Il n'est pas rare que le partenaire ait des problèmes d'alcool, de drogue ou d'ordre psychologique, et le natif, sans s'en rendre compte, coopérera à la destruction de ce dernier comme si, inconsciemment, il entretenait la maladie de son partenaire pour mieux le garder près de lui.

Le Taureau à l'ascendant le rend possessif, bien qu'il en ait rarement l'air! Le Scorpion étant le symbole de l'argent des autres, qui occupe cette septième maison, le natif sera poussé à retirer le plus possible de son conjoint ou à se montrer peu généreux à son endroit sur les questions matérielles. Certains aspects peuvent indiquer tout le contraire, le natif se trouvant alors avec un conjoint qui profite de ses biens. Possibilité d'une première union avec une personne violente, physiquement ou psychiquement, ou parfois les deux.

Sa huitième maison, celle des transformations, se trouve dans le signe du Sagittaire, qui se situe juste en face du Soleil de ce Gémeaux. C'est souvent au cours d'un voyage que ce natif réfléchit et décide de changer de vie, de reprendre sa liberté. Les voyages sont souvent pour lui une occasion d'aventure sexuelle et il arrive qu'ils soient l'occasion d'une réflexion qui lui fasse décider d'une séparation.

Il saura parler de bonté, de générosité et de l'importance de posséder ces traits de caractère dans la vie, mais il aura tout de même du mal à appliquer ces principes, car il se laisse prendre par le matérialisme pur et par sa profonde insécurité qui le maintient dans une sorte d'égoïsme. Bien qu'il ait de la difficulté à appliquer ses propres théories et à mettre en pratique ses connaissances sur la sagesse, il est de bon conseil pour autrui car il a une vision juste des situations auxquelles il ne participe pas.

Sa neuvième maison, dans le signe du Capricorne, lui permet souvent de fréquenter des gens de milieux aisés. Avec le temps, surtout après trente-cinq ans, le natif transforme sa philosophie et devient plus souple et plus tolérant. Possibilité d'une seconde union à la maturité. Son sens du devoir est méthodique. Il aime le pouvoir et il finit par l'atteindre. Il est très rare que ce natif demeure subalterne dans une entreprise: il possède un talent ou du moins il sait comment manœuvrer pour obtenir de l'avancement. Le sens de l'opportunité est fort puissant chez lui et, justement, on avait besoin de son talent au moment précis où il se présente.

Sa dixième maison se trouve dans le signe du Verseau, position qui indique des amis et des influences puissantes. En fait, il fréquente d'abord les gens par intérêt, ensuite il peut s'en faire des amis. Il aimera la présence de personnes plus âgées quand il est jeune et pourra ainsi apprendre quelque chose. Pour lui, le plaisir est laissé de côté jusqu'à ce qu'il ait atteint le but qu'il visait. Il accomplit fréquemment un travail qui a des affinités avec le cinéma, la télévision ou tout autre média moderne, pourvu qu'il soit question de communication rapide. Il peut même dépasser son propre objectif; si le destin lui donne cette chance, il sait la prendre. Position qui indique qu'il peut atteindre à une grande sagesse vers la quarantaine, surtout si des aspects viennent, en plus, le confirmer.

Sa onzième maison, dans le signe du Poissons, lui permet d'avoir des amis dans tous les milieux. Il peut croire que ses amis proches lui seront d'un grand secours. Erreur! Le plus souvent, ce sont ceux qu'il connaît à peine qui lui donnent le «meilleur tuyau». Les épreuves, ou un éveil psychique, viennent par les amis sous ce signe.

Les aspects de Neptune et d'Uranus décelés dans la carte natale personnelle donnent plus de détails, mais ils sont difficiles à prévoir. Un mauvais aspect de Neptune laisse supposer une épreuve sournoise... des ennemis cachés; un mauvais aspect d'Uranus indique une sorte d'explosion venant de nulle part... c'est comme la foudre, on ne sait jamais où elle va tomber. Il lui arrivera de fréquenter des gens bizarres, appartenant à un monde totalement différent du sien. Il pourra avoir des amis homosexuels sans l'être lui-même; il aime la présence des marginaux comme s'il en faisait une étude, une énigme à résoudre.

Sa douzième maison, dans le signe du Bélier, indique que ses ennuis ne sont finalement que de courte durée, à moins que Mars ne soit dans un signe fixe dans une maison de signe fixe; là, le natif aura plus de mal à venir à bout de ses problèmes.

Aux prises avec son égocentrisme, et parfois son égoïsme, il se fait tout à coup donner une leçon qu'il n'oubliera pas, car elle vient d'une personne proche qui a bien pris le temps d'analyser la situation avant de porter un jugement de valeur sur le comportement du natif face à ses faits et gestes.

Ce Gémeaux-Taureau est tenace, mais il lui faut lutter contre la morosité que lui apporte son ascendant, s'il veut vivre heureux. Le Taureau possède une excellente mémoire du passé, même négatif. Le Gémeaux oublie plus facilement. Ce natif a donc tout intérêt à tourner la page quand une histoire se termine, à profiter de l'expérience tout en se promettant le meilleur pour la prochaine fois, sans craindre de voir se reproduire les éléments négatifs qui ont pu marquer sa jeunesse.

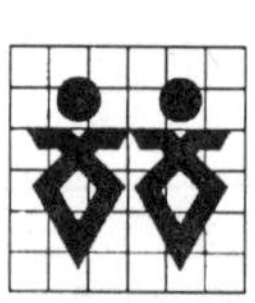

GÉMEAUX ASCENDANT GÉMEAUX

Voici un oiseau rare, double signe double d'air. Essayez donc de l'attraper! Bonne chance! Il s'en va à tire-d'aile, suivant la poussée du vent, là où il fait le plus beau et le plus chaud!

Physiquement, il ne vieillit pas rapidement. Il est un éternel grand enfant. Il s'intéresse à tout, veut tout savoir, adopte de nouvelles idées, de nouvelles philosophies, mais pour ce qui est d'aller jusqu'au bout il lui faudra fournir un effort gigantesque. Il se fait à lui-même des promesses qu'il n'arrive pas à tenir, et celles qu'il fait aux autres il ne faut pas y compter, ou se dire que ce sera pour beaucoup plus tard, ou alors l'écouter comme s'il vous racontait une histoire fascinante. Vous pouvez toujours faire semblant de le croire, ça lui fera plaisir! Surtout évitez-vous une déception!

Quand on arrive à cinquante ou soixante ans, avec la même attitude, les cent mille projets dont aucun n'est terminé, il se peut qu'on se regarde dans la glace en se demandant où on voulait bien aller au début. Le Gémeaux-Gémeaux n'a pas tellement la mémoire du passé sinon ses contes, ses comptines, les fées et les lutins!

En amour, la stabilité est presque impensable. Comment pourrait-il n'aimer qu'une personne, il y en a tant à découvrir! Mais il se peut aussi qu'on se lasse de lui. Ses sentiments manquent de profondeur. Il vous dira qu'il vous aime pour telle ou telle raison, qu'il aime tel aspect de votre personnalité, mais toute votre personne il a bien du mal à la voir. L'évolution n'est pas facile, il ne semble pas vouloir associer le ciel et la terre. Quand il regarde la terre, il ne voit qu'elle; quand il regarde le ciel, il a l'impression d'y être déjà!

La réalité c'est que nous vivons la tête dans le concret alors que l'esprit plonge ses racines dans l'invisible où il puise des connaissances subconscientes qui lui assurent à la fois la survie et l'éternité et le recommencement, mais tout cela est trop illogique pour un Gémeaux-Gémeaux.

On ne peut expliquer l'invisible. Pourtant, le Gémeaux croit en Dieu, mais souvent comme un enfant qui fait confiance à son papa, le père qui surveille, qui récompense et qui punit... le père injuste aussi parce que l'enfant n'a pas tout ce qu'il veut.

Ce natif devra faire un effort dans la connaissance et l'évolution de l'être. Il aime lire, en général, et une multitude de livres sont à la portée de ceux qui veulent dépasser leur signe. Les astres inclinent mais ne déterminent pas, et un Gémeaux-Gémeaux qui veut bien dépasser ce qu'il voit le peut. La nature l'a créé avec une belle intelligence, rapide, mobile, mais elle a oublié de lui donner la stabilité en Gémeaux-Gémeaux.

Sa deuxième maison, dans le signe du Cancer, n'en fait pas une personne bien généreuse! Il ne fait pas souvent de cadeau, il ramasse son argent. Il en a toujours besoin pour payer ses voyages, ses plaisirs, bref pour tout ce qui lui convient à lui! Pour son partenaire il lésinera, mais il n'en manque pas, car il a le bas de laine bien rempli! Position qui le rend fort habile dans les négociations, les achats de propriétés ou de terrains. Le Cancer représentant le foyer, il y a donc possibilité que ce natif ait été éduqué dans un milieu où le confort et la sécurité avaient priorité sur les valeurs morales et la générosité envers autrui. Il devra donc l'apprendre par lui-même. Il a pu être surprotégé par la mère également.

Sa troisième maison se trouve dans le signe du Lion. Il aura donc la parole facile et sera persuasif. Il possédera une foule de renseignements sur bien des sujets, mais il n'est pas certain qu'il ait vraiment approfondi la matière de tous les sujets de conversation qu'il aborde. Cette position en fait un bon comédien; il mémorise facilement les textes qu'il doit connaître sur-le-champ! Il sera une personne respectueuse des enfants et ceux-ci l'aimeront. Il sera l'ami de tous et de chacun. Il a le contact facile, mais ça ne veut pas dire qu'il va rester longtemps avec vous ou qu'il vous affectionnera plus qu'une autre personne. De commerce agréable, il est encourageant, amical, et il vous quittera la plupart du temps sur une note d'espoir.

Sa quatrième maison, dans le signe de la Vierge, fait qu'il n'aime vraiment pas rester à la maison; et quand il y est, c'est pour lire, s'instruire, téléphoner ici et là pour garder le contact avec une foule de gens. S'il a une famille, il aime que tout soit à l'ordre, et il peut être un bon bricoleur en tout ce qui touche sa maison, sa propriété. Ce natif peut souffrir de maux d'estomac s'il mange vite et nerveusement. Quand il est chez lui, il se laisse parfois aller à de grandes réflexions intérieures et il est bien difficile de savoir ce qui lui passe par la tête. Il garde le plus souvent pour lui seul ses analyses et ses constatations.

Sa cinquième maison, dans le signe de la Balance, lui permet de rencontrer le «beau monde» et, malheureusement, de tomber amoureux, plus avec les apparences qu'avec la nature réelle de ceux qu'il côtoie. Il aura l'œil esthétique et saura parler d'amour. S'il a des enfants, ceux-ci risquent de manquer d'amour, d'attention et d'affection, car il est peu enclin à donner de lui-même et de son temps. Il préfère les belles sorties, la fréquentation des gens riches! Ses enfants auront appris par cœur le manuel de l'art de plaire sans nécessairement affectionner le protocole enseigné par le Gémeaux-Gémeaux. Il devra surveiller cet aspect chez lui. L'amour n'est pas protocolaire et ne se contente pas des apparences de l'affection. Dans l'amour, il faut donner de son temps et non pas celui qui nous reste en trop.

Sa sixième maison se trouve dans le signe du Scorpion. Il peut être fortement attiré par la médecine, la psychanalyse, l'astrologie aussi. Doué d'une grande capacité de travail, il est prêt à y consacrer beaucoup d'heures, à condition naturellement que ça rapporte! Il sait également faire travailler les autres pour que ça lui rapporte le plus possible. Son travail connaît souvent de puissantes transformations auxquelles il s'ajuste en toute aisance. Sa mobilité d'esprit et sa faculté d'adaptation lui permettent d'apprendre n'importe quoi, ou presque, et d'exercer le métier qui lui plaît. En tant que Gémeaux-Gémeaux, il lui faut sans cesse entrer en communication avec autrui pour être pleinement satisfait dans son travail et que les «têtes» qu'il voit se renouvellent. Voir continuellement les mêmes personnes l'ennuie.

Sa septième maison, dans le signe du Sagittaire, lui fait rechercher un partenaire étranger, mais il n'est pas certain qu'il restera toute sa vie avec la même personne! Le plus souvent, ce natif se marie deux fois. Le partenaire sera rencontré souvent au cours d'un voyage, d'un déplacement. Il lui arrivera aussi de choisir quelqu'un avec qui il peut argumenter, discuter, ce qui alimente son imagination et lui offre l'occasion de claquer la porte, s'il y a lieu, quand ça ne fait vraiment plus son affaire! Il recherchera un partenaire animé d'un grand idéal et, de préférence, qui a les moyens financiers, ce qui lui évitera de «fouiller» dans son bas de laine. S'étant laissé prendre par les apparences, il peut avoir la surprise de découvrir que la personne avec laquelle il vit s'est transformée et a acquis une maturité à laquelle il ne s'attendait pas et qui exige de lui la même maturité, le même changement, auquel il résiste tellement... que le danger de séparation se pointe dans sa vie de couple.

Sa huitième maison, celle de la mort, dans le signe du Capricorne, indique une longue vie! Ce natif pourra avoir eu un père sévère, autoritaire, lequel a vécu des problèmes d'alcool ou d'ordre psychologique. Il possède une grande endurance et une ténacité insoupçonnée face à ses objectifs de vie et il est toujours plus déterminé qu'il n'en a l'air. Pour lui, la vente commence quand le client lui a dit non! Il n'entend pour ainsi dire pas les refus! Aussi finit-il toujours par obtenir ce qu'il veut. Si la mort se manifeste dans son milieu familial quand il est jeune ou durant son adolescence, il vivra une profonde transformation psychique qui peut affecter tout son système des valeurs et passer de la surface à la profondeur des questions existentielles. Il n'y a pas un seul signe qui ne vive une évolution, mais les degrés en sont indiqués par la carte natale.

Sa neuvième maison, dans le signe du Verseau, fait qu'il se faufile partout. Il s'arrange pour fréquenter les gens qui lui plaisent et lui apportent quelque chose sur le plan intellectuel ou commercial. Il aimera voyager, partir en exploration à l'autre bout du monde. L'avion est son moyen de transport préféré. Il aime aussi la route, les grandes distances. Il se fait des amis dans tous les pays, et y a toujours une place où il peut loger à peu de frais. Il se débrouillera souvent dans plusieurs langues, qu'il ne parlera pas parfaitement mais assez bien pour se faire comprendre et obtenir ce qu'il veut. Profondément croyant, même s'il tente de voir par la logique, l'éveil vers Dieu se fait surtout aux alentours de 35 ans. Il comprend alors qu'il n'est plus le seul maître à bord sur le vaisseau de sa vie et qu'il ne détient qu'une infime partie des commandes.

Sa dixième maison, dans le signe du Poissons, lui fait embrasser deux carrières à la fois: une qui rapporte et l'autre qui lui permet d'agrandir son champ de connaissances. Il peut arriver à ce natif d'avoir des relations avec des personnes haut placées mais de réputation douteuse. Parfois, au départ, sans s'en rendre compte, il peut rejeter ces personnes ou jouer leur jeu, chacun étant libre de choisir son orientation entre le bien et le mal. Il a aussi cette responsabilité. S'il joue le jeu du pouvoir, la responsabilité ne revient qu'à lui. L'essentiel étant l'objectif, il se posera peu de questions sur la moralité de ceux qui l'appuient. Avec de bons aspects de Saturne et de Neptune en rapport avec cette maison, il peut aussi s'intéresser plus sérieusement et plus généreusement à ceux qui souffrent et à ceux qui ont besoin d'une aide morale ou physique, ou les deux. Il pourrait bien attendre, je l'ai dit, sa trente-cinquième année avant d'acquérir cette conscience de générosité envers autrui.

Sa onzième maison, dans le signe du Bélier, lui attire rapidement de nouveaux amis partout où il se trouve. Le contact peut rester superficiel, mais il saura s'en servir en temps voulu. De mauvais aspects de Mars et d'Uranus dans sa carte natale font qu'il peut tromper ses amis ou être trompé par eux. Généralement, la chance l'accompagne pour lui éviter le pire. S'il a à effectuer de nombreux déplacements, il doit prendre garde sur la route, la vitesse exerce une puissante attraction sur lui: ça ne va jamais assez vite et les distances sont toujours trop longues à parcourir.

Sa douzième maison, dans le signe du Taureau, ou de l'argent, sa maison d'épreuves, fait que, même s'il cache de l'argent, il se peut qu'il soit obligé de le sortir de sa cachette, surtout s'il a de mauvais aspects de Vénus et de Neptune. Dans certains cas, l'argent glisse entre ses doigts sans que le Gémeaux-Gémeaux sache vraiment où il est allé. Cependant, cela se produit rarement, le Gémeaux étant toujours plus prudent qu'il n'en a l'air lorsqu'il s'agit de questions financières: pour lui, c'est un moyen d'assurer sa sécurité. Dans la jeunesse il pourra avoir signé un contrat qui lui a peu rapporté, mais il s'en souvient, cette douzième étant dans le signe du Taureau, un signe qui a bonne mémoire. Vous ne verrez jamais ce Gémeaux commettre deux fois la même erreur en affaires; avec l'âge, il se fait prudent, parfois jusqu'à l'avarice! Une position favorable pour rencontrer une personne qui deviendra amoureuse de lui et l'aidera en vue d'un changement majeur de ses propres valeurs. Libre à lui d'accepter ou de refuser l'amour qui fait grandir, évoluer. Le plus souvent, il aura cet éclair de perception et comprendra que la personne susceptible de le faire évoluer doit prendre place dans sa vie et y rester pour son bien à lui et le bonheur de l'autre. Il accepte quand on le met face à l'évidence. Il a la faculté, et même l'humilité, de s'incliner devant son ignorance face à des facettes de la vie où il a encore beaucoup à apprendre.

GÉMEAUX ASCENDANT CANCER

Voilà une humeur changeante. Un intuitif très certainement: il ressent tout, il est bourré d'imagination, il est intéressant, il veut vous intéresser, et il s'intéresse à vous. Vous sentez-vous aussi changeant que lui? La Lune fait-elle le même effet sur vous que sur lui?

Ses opinions varient – ses sentiments aussi – selon les circonstances, selon le mouvement de la Lune dans le ciel! Pas très fiable, il est plus souvent dans la Lune que sur terre et a du mal à prévoir ce qu'il fera dans une heure. Ne lui demandez rien pour demain, vous risquez qu'il n'y soit pas! Parti sur une fusée, peut-être en train aussi!

Mais il est divertissant et il fait un excellent comédien. L'art est son mode d'expression principal; ailleurs, on pourrait croire qu'il n'est pas tout à fait à sa place!

En amour, il bat tous les records, il est idéaliste comme personne ne peut l'être. Chaque fois, tout le système solaire est renversé et renversant; chaque fois, c'est la «première fois» que ça arrive comme ça! Faites-lui remarquer qu'il a dit ça la dernière fois, et il vous répondra que ce n'est pas vrai, qu'il n'a pu dire une telle chose puisque c'est là maintenant que ça arrive! Seul un enregistrement pourrait le placer devant l'évidence!

Il se croit toujours drôle, mais ce n'est pas vrai pour tout le monde. On n'a pas toujours envie de voir un bouffon, un amuseur, et pourtant il se donne ce rôle sans doute pour dissimuler le drame intérieur et les incertitudes qu'il vit perpétuellement.

Il ne se satisfait pas d'un travail routinier, il s'y meurt d'ennui. Ou alors il commence à commettre un tas d'erreurs qui peuvent coûter cher à l'entreprise qui l'embauche et à lui-même. Il a besoin de renouveler les rencontres: peut-être afin de leur faire son théâtre, car c'est plus fort que lui, il lui faut jouer!

Sa deuxième maison se trouve dans le signe du Lion. Très souvent il gagnera sa vie dans le milieu artistique, dans une entreprise où il sera d'ailleurs habile quand il devra négocier de «gros morceaux»: faire baisser le prix d'un vêtement très cher, le prix d'une maison, d'un bijou ou de tout autre objet de luxe. Discuter l'amuse, discuter d'argent le stimule encore davantage.

Ce natif aime être propriétaire, cela lui garantit une sécurité matérielle. Il pense que, s'il possède, il se place alors à un rang supérieur à celui de locataire! Il est maître chez lui et c'est important qu'il vive ainsi. Cette deuxième maison, dans le signe du Lion, indique souvent que dans son enfance il était loin de rouler sur l'or, mais il s'était dit qu'il accéderait à la fortune. Souvent il s'élève au-dessus de sa condition sociale de naissance. La sécurité minimum l'intéresse très peu!

Sa troisième maison, dans le signe de la Vierge, en fait un grand bavard qui pourrait avoir deux opinions: il donne raison au dernier qui a parlé ou à celui qui a parlé le plus fort! Si vous voulez qu'un secret soit divulgué, confiez-le-lui en lui interdisant d'en parler!

Doué d'une grande intelligence, il comprend tout et a un sens de l'analyse hors pair! Mais malgré toute sa compréhension envers autrui, il lui arrive de n'avoir envers vous qu'un demi-respect, surtout si vous n'êtes pas en position de force ou êtes susceptible de ne pas lui être utile. Il n'aura vraiment pitié de quelqu'un que s'il se rend compte que cette personne n'en peut plus, qu'elle est «au bout de son rouleau». Là il s'attendrit et il peut déployer un zèle surprenant.

Sa quatrième maison, dans le signe de la Balance, fait qu'il recherche plus souvent un partenaire stable qu'un partenaire amoureux. Il aime un conjoint pratique et est très hésitant dans le choix de ses partenaires. La quatrième maison représente la Lune, et le signe de la Balance, Vénus, représente l'amour et la raison. Aussi, s'il se laisse aller au romantisme, soyez assuré que c'est pour une personne qui en vaut le prix. Peu communicatif de ses véritables sentiments, il vous donnera l'impression d'être extraverti, alors qu'en réalité il vous cache beaucoup plus que la moitié de ce qu'il pense réellement.

Il est bien difficile de savoir toute la vérité sur lui. Comme il est intelligent, il sait fort bien faire dévier une conversation qui risquerait de le mettre à découvert. Dans le cas d'un homme, c'est quand sa femme devient mère qu'il s'attache profondément à elle et qu'il en comprend toute l'importance.

Dans le cas d'une femme, quand elle devient mère il peut malheureusement lui arriver de «mettre son mari de côté», à sa grande déception pour ne plus s'intéresser qu'aux enfants! Pour une femme, l'équilibre entre être la partenaire de son conjoint et la mère est difficile à atteindre et son ascendant Cancer fera qu'elle surprotégera sa progéniture. Une femme de ce signe devra surveiller cet aspect afin de ne pas menacer le bonheur de sa vie de couple.

Sa cinquième maison, dans le signe du Scorpion, lui fait rechercher un amour impossible et, le plus souvent, ce natif vit une destruction de l'amant ou de la maîtresse ou attire à lui des amours difficiles, surtout dans la jeunesse. S'il a des enfants, il pourrait entretenir la peur qu'il leur arrive quelque chose, et cette même peur peut le pousser à une surprotection. Position qui, dans certains cas, l'incite à ne pas faire d'enfants au cas où il n'arriverait pas à les rendre heureux, au cas où ces enfants seraient menacés par la vie elle-même, par l'avenir qui est toujours incertain.

Dans le cas d'une maternité ou d'une paternité, le sujet devra surveiller sa tendance à la surprotection, laquelle peut dégénérer en une sorte de révolte dont il serait la victime. Un enfant réclame qu'on lui fasse confiance, et si le parent ne le fait pas, il se produit fréquemment que l'enfant prouve à son parent qu'il avait raison de ne pas lui faire confiance... Tout se transmet dans les faits, rien ne s'enseigne!

Sa sixième maison, celle du travail, dans le signe du Sagittaire, lui permet d'aller et venir dans différents secteurs de son travail. Il peut être à la fois un organisateur et un acteur. Débrouillard en plus d'être le plus souvent intelligent, il ne reste pas à rien faire et, de surcroît, la chance lui sourit quand il cherche un emploi. Il arrive au bon moment, rencontre la bonne personne ou est recommandé par quelqu'un à qui on ne peut rien refuser.

Le travail ne devra jamais être statique, car il tuerait la créativité de ce Gémeaux et pourrait même générer des phases dépressives où, plutôt que d'avancer, il reculerait jusqu'à ce qu'il ait compris... Temps perdu pour ce natif, argent également. Le sujet peut être fort doué pour l'enseignement et il n'est pas rare qu'il soit attiré par différentes politiques ou par la politique en général.

Vouloir réformer. Cependant, le vrai rôle du Gémeaux n'est pas de réformer mais plutôt de trouver et d'assembler les gens qui feront cette réforme.

Sa septième maison, dans le signe du Capricorne, lui fait souvent rechercher des conjoints plus âgés que lui, ou dont la maturité est évidente et c'est préférable ainsi. La protection est souvent préférée à la passion. Nombreux sont ceux qui, sous ce signe et cet ascendant, décident de se marier ou de s'unir tardivement, à l'âge de la maturité, sachant à l'avance qu'on leur assure une sécurité financière ou émotionnelle, ou simplement parce qu'ils ont rencontré quelqu'un avec qui ils sont bien et avec qui ils peuvent échanger logiquement, raisonnablement. Le conjoint pourra parfois être une personne distante, très peu démonstrative et affichant peut-être de la froideur; seul le natif sait si cette personne est réellement ce qu'elle laisse paraître.

Sa huitième maison, celle de la mort et des transformations, se trouve dans le signe du Verseau. Les changements sont rapides, et la mort peut être tout aussi rapide si cela est confirmé par les aspects de Mars et d'Uranus. Sans vraiment l'avouer, le sujet peut souvent être hanté par l'idée de la mort. Il pourra s'intéresser en secret au monde du paranormal, n'osant souvent pas y croire ouvertement, ce n'est pas logique, et il veut absolument qu'on le considère comme une personne réfléchie et pratique. Il sait très bien protéger son image. Il a de fortes intuitions qu'il tait également; il sait souvent à l'avance ce qui arrivera à telle ou telle personne sans même devoir passer par tout un processus d'analyse. Il sait intuitivement.

Sa neuvième maison, dans le signe du Poissons, lui fait désirer faire le tour du monde. Il peut arriver qu'il ait des problèmes quand il est en voyage, qu'il se trouve à l'étranger. Il doit surveiller ce qu'il possède car il est exposé à se faire voler ou exploiter quand il se comporte comme un touriste. Cette position de la neuvième maison dans le signe du Poissons souligne encore la perception extrasensorielle de ce natif qu'il utilise davantage quand il atteint sa trente-cinquième année. Il apprend alors à se fier à l'intuition du moment et à s'y conformer, même si sa logique lui fait dire le contraire, et il apprend que son intuition l'a emporté sur la raison. Cette position souligne également que ce Gémeaux ne dit jamais toute la vérité, en cas de mauvais aspects de Neptune; il peut être menteur ou du genre à farder la réalité.

Sa dixième maison, dans le signe du Bélier, indique qu'il décide très tôt de l'orientation de sa vie. Il veut être indépendant financièrement, ne dépendre de personne, ne rien devoir. Il a du mal à se faire l'allié du pouvoir. Bien qu'il soit bavard, il n'est pas vraiment direct et son audace passe souvent pour de la bouffonnerie! Et comme il a tendance à être d'accord avec le dernier qui a parlé, ce qui n'est pas sans être remarqué, on hésite avant de lui donner l'entière responsabilité d'une tâche. Mais il est fidèle à ses supérieurs pourvu qu'on le paie bien.

Sa onzième maison, dans le signe du Taureau, fait qu'il a très peu d'amis, la onzième étant un signe fixe tout comme le Taureau. Il connaît beaucoup de monde mais très peu sont ses intimes. Il a souvent des associations financières avec ses amis, comme l'achat d'une propriété à deux, ou d'un commerce. Il n'est pas rare qu'il ait des amis artistes. Dans ce dernier cas, il devra se méfier de leurs emprunts... Le Taureau étant le douzième signe du Gémeaux, certains amis artistes peuvent le forcer à sortir son bas de laine!

Son Soleil se retrouvant en douzième maison, cela fait de lui un Gémeaux secret, un tantinet manipulateur... Du moins la tentation est bien forte. Ayant cette position solaire, si ce natif essayait de jouer double, la situation se retournerait contre lui. La douzième maison étant celle de la victime, des ennemis cachés peuvent se mettre soudainement à bavarder contre lui pour lui remettre une de ses manipulations! Il a donc tout intérêt à cultiver l'amour des autres plutôt que de vouloir simplement les utiliser. Cela lui rendra de meilleurs services dans l'avenir. Position qui, à un moment de la vie du natif, lui donne une grande chance de comprendre et d'entreprendre une évolution intérieure et d'être profondément généreux envers autrui. L'épreuve de l'argent, de l'amour, s'il ne se révolte pas, peut l'aider à mieux vivre et même à vivre très heureux.

GÉMEAUX ASCENDANT LION

Voici un être fier, plus fier que tous les Gémeaux réunis. Il cherche à être parfaitement beau et impeccable en public, pour qu'on puisse ensuite dire, une fois qu'il a passé: Vous avez vu le magnifique!

Il supporte mal de passer inaperçu. Gémeaux, signe double d'air; Lion, signe fixe, de feu. C'est un perpétuel feu d'artifice! Il a le goût de la fête, du luxe; ce qui coûte cher l'intéresse. Généralement chanceux dans la vie, il choisit une route, mais le destin le place ensuite sur une autre plus favorable que la précédente. Il n'est pas non plus exempt des excès en tous genres!

Ce Gémeaux est bon, il n'aime pas mentir, il veut que vous sachiez la vérité sur ce qu'il pense de vous. Il s'excusera même avant de vous le dire, au cas où il vous blesserait; c'est tout de même de la délicatesse et un geste appréciable. Il ne veut jamais être méchant, il a une grande noblesse de cœur, aimerait être très généreux et est préoccupé par les malaises sociaux.

À le regarder, il a l'air sûr de lui, on le croirait prêt à tout, mais allez voir d'un peu plus près... Il se demande s'il fait la meilleure chose qu'on puisse faire dans la vie, s'il est aussi plaisant que les gens le laissent supposer. Lui a-t-on dit la vérité quand on lui a fait un compliment? Il est envahi par un tas de doutes et la plupart concernent sa personne. Fait-il les choses correctement? L'aime-t-on? Malgré son bon vouloir humaniste, il ne se rend pas toujours compte de son égocentrisme. Ne faites rien pour lui plaire, ne répondez pas à ses demandes, vous verrez alors son ascendant Lion se mettre à rugir, et pas gentiment. C'est un Gémeaux! Il possède d'instinct un vocabulaire propre à vous faire dresser les cheveux sur la tête si vous avez froissé son digne ascendant Lion! Sa majesté tient à ce que sa cour soit d'accord avec ses principes! Il comprendra avec le temps.

Il est humaniste, tout de même. Je vous l'ai dit, il aime la vérité et il veut le bien de tout le monde. Sensible et aimable, il vous rendra service... quand vous l'aurez supplié trois fois. N'oubliez pas qu'il a un ascendant Lion et, avec cet ascendant, c'est le roi qui décide! C'est le plus souvent dans la trentaine qu'il s'insère définitivement dans un milieu et qu'il réussit royalement. Il prendra alors une première place. On l'aimera et il sera plus sûr de lui pour diriger. Il adore se faire servir! Aussi se placera-t-il en avant, et la vie le favorisera de cette manière. Il est bien né, notre Gémeaux-Lion, et la vie lui fera des cadeaux, sans doute parce qu'il a été gentil dans une autre vie. Il n'a qu'à continuer.

Modérer son orgueil ne lui ferait pas de tort. Aimer la même personne plus longtemps, lui trouver plus de qualités que de défauts, de temps à autre descendre de son piédestal et servir comme un bon maître sait le faire avec ses élèves, avoir un petit peu d'humilité, voilà pour que la prochaine vie soit tout à fait parfaite et sans le doute qui harcèle le Gémeaux-Lion sur sa propre valeur. S'occuper des autres, c'est s'oublier soi-même, et une chose est bien certaine, on pensera au bienfaiteur et on voudra le remercier royalement et chaudement.

Sa deuxième maison se trouvant dans le signe de la Vierge, le natif a généralement deux sources de revenus. Habile dans les finances, il peut gagner son argent dans des métiers qui demandent le sens de l'analyse, de la compilation. Très prudent aussi, il a le sens de l'économie, plus que les apparences ne le démontrent. Toujours bien mis et chic, vous aurez l'impression qu'il y a mis tout son argent! Mais la mère prudence lui a fait économiser au moins le même montant que celui qu'il a dépensé. La Vierge étant le signe de Mercure, tout comme le Gémeaux, ce natif est souvent un bon orateur et un bon vendeur d'idées, de produits. Comme Mercure symbolise le mouvement, quand notre natif voudra faire un voyage, il trouvera toujours l'argent qu'il lui faut pour partir. Il peut lui-même s'organiser pour vendre des voyages et, à la fin, avoir son billet payé à même les commissions. C'est un grand débrouillard dans les questions financières bien qu'il vous dise continuellement qu'il n'en a jamais assez. Il a toujours peur d'en manquer! Le roi se doit de s'offrir du luxe... Et n'est-il pas le roi et celui-ci n'en a-t-il pas plus que les autres?

Sa troisième maison, dans le signe de la Balance, fait qu'il aime fréquenter les belles personnes et, le plus souvent, quel que soit le milieu dont elles sont issues, il réussira à s'élever de la classe sociale qui l'a vu naître, car il possède une vibration qui attire à lui les gens riches, les artistes, les élégants! Agréable, il est le moins critique de tous les Gémeaux. Il veut plaire par sa parole parce qu'il veut aussi se faire aimer, et c'est bien normal après tout! Il vaut mieux être aimé que détesté! C'est quelque chose qu'il comprend généralement bien jeune.

Sa quatrième maison, celle du foyer, se trouve dans le signe du Scorpion. Ce natif aura pu vivre quelques conflits avec ses parents, mais malgré tout ce qui aurait pu se passer il reste attaché à sa famille. Il a même du mal à la quitter d'une manière définitive. La mère de ce Gémeaux est souvent une personne possessive et matérialiste qui prêche le confort et l'assurance qu'apporte l'argent, ce qui le pousse d'une certaine manière à se trouver un emploi, un travail rémunérateur.

Tout au contraire de la mère, le père pourra être absent. La mère dominatrice provoquerait alors l'effacement du père. Ce Gémeaux peut également souffrir de cette absence et ne pas se sentir en sécurité dans l'ensemble de sa vie. S'il s'agit d'une personne de sexe féminin, celle-ci recherchera l'homme-père substitut. Dans le cas d'un homme, il aura plutôt tendance à rechercher une femme qui décide à sa place, jusqu'au moment où il en aura assez.

Sa cinquième maison, celle de l'amour, dans le signe double du Sagittaire, procure à ce natif deux amours à la fois, un choix difficile à faire. C'est un idéaliste qui cherche la perle rare et parfaite, de préférence ayant de l'argent. Les femmes attirent souvent à elles des hommes riches; et les hommes, des femmes ayant un statut prestigieux et financièrement à l'aise. Mais ce Gémeaux n'est jamais tout à fait certain d'avoir trouvé la bonne personne! Les voyages, le lointain exercent une puissante fascination sur lui. Il a la sensation qu'ailleurs il pourrait trouver toutes les réponses aux différentes questions qu'il se pose sur la vie. Les voyages exercent sur lui un effet bénéfique et concourent à lui ouvrir l'esprit et à développer une certaine tolérance envers les différentes valeurs de vie.

Sa sixième maison, celle du travail, est dans le signe du Capricorne. Aussi ce natif finira-t-il par se trouver un emploi où il devra collaborer avec le gouvernement ou travailler au sein d'une entreprise établie depuis longtemps. Il sera bon travailleur, mais il ne faudra pas oublier de lui donner son dû. S'il fait du temps supplémentaire, on devra le payer en conséquence, et sans lésiner! Vous devrez lui payer ce qui était convenu!

Cette sixième maison, dans le signe du Capricorne, indique souvent que le père du natif est une personne extrêmement active et qu'avec le temps le fils le sera également, mais il aura plus de succès que le père, ou du moins prendra-t-il la vie d'une manière plus agréable. De mauvais aspects de Saturne dans la carte natale peuvent, à l'occasion, indiquer le contraire.

Il arrive aussi que ce Gémeaux traverse des phases de profonde introversion. Il ne parle plus, ne communique plus; il réfléchit, il est en plein mûrissement. Le déranger vous donnera droit à des paroles vraies, qui vous toucheront profondément, mais qui souvent ne seront ni douces ni délicates. Il a besoin périodiquement de se retirer dans le calme pour refaire ses énergies mentales et psychiques. Laissez-le vivre dans cet état: il en a besoin pour fonctionner à la fois heureusement et raisonnablement.

Sa septième maison se situant dans le signe du Verseau, notre natif sera à la recherche d'une personne excentrique, originale de préférence, marginale à l'occasion et issue d'un milieu plus aisé au sien et dans lequel il pourra s'introduire, afin d'élargir ses vues et son expérience de la vie. Mais le conjoint de ce natif pourrait n'être pas tout à fait ce qu'il attend. Le Verseau régi par Uranus symbolise un partenaire qui peut être autoritaire, un «tantinet dictateur», ou si souvent absent que notre Gémeaux-Lion se sentira délaissé! Mais la nature de ce dernier est puissante et il ne se laisse pas manipuler bien longtemps, même s'il a bon cœur et est aimant! Il pourrait même donner une petite leçon à son conjoint pour lui rappeler les bonnes manières et le respect qu'on lui doit! En principe, il n'aime pas les ruptures, il sait s'expliquer et, s'il est amoureux il mettra tout en œuvre pour éviter un divorce ou une séparation.

Sa huitième maison, celle des transformations et de la mort, se trouve dans le signe du Poissons. Il arrive que ce natif vive des périodes de nostalgie prolongées et qu'il se cache pour les vivre; une personne qui le connaît bien le remarquera rapidement, mais ceux qui ne font que passer dans sa vie n'y verront rien. Cette huitième maison, dans le signe du Poissons, est aussi la dixième du signe du Gémeaux, ce qui signifie que le sujet vit d'étranges transformations dans sa carrière, causées souvent par des ennemis cachés qui trouvent qu'il prend trop de place ou qu'il devient trop important! Étrangement aussi, les événements provoqués qui ont l'air de jouer contre lui deviennent un atout, et le voilà qui récolte de nouveau! La jalousie de ceux qu'il dépasse devient une prime!

Sa neuvième maison se trouve dans le signe du Bélier. Les déplacements sont donc décidés en vitesse et notre natif fait d'heureux voyages! Il se fait de nouveaux amis, il établit des liens amicaux avec les étrangers qu'il visite et, de plus, il est bienvenu la prochaine fois qu'il viendra! Il arrive qu'il ait des aventures au cours de ses périples autour du monde. Les gens du sexe opposé tombent amoureux de lui! Il plaît, il a du charme, il est parfait en société, il sait dire merci et c'est à peine si on entend un «encore»! Il est si subtil dans ses rapports avec les étrangers et si ouvert qu'on ne peut faire autrement que lui ouvrir toute grande la porte et l'inviter à table! Plus, on lui offrira un cadeau souvenir, espérant qu'il se souvienne qu'il est royalement bienvenu.

Sa dixième maison, dans le signe du Taureau, fait que sa carrière s'affirme; il obtient un poste d'autorité et un poste d'honneur. Il fait de l'argent. Ses revenus sont assurés! Mais comme cette dixième maison, dans le signe du Taureau, est aussi le signe qui le précède, donc également le douzième, notre natif, même quand il sera au sommet, doutera qu'il est à la bonne place et, encore une fois, le spectre de l'ennemi apparaîtra. On l'envie! Mais il s'en tire toujours royalement, comme le veut son ascendant Lion. Position qui, pour certains, favorise les placements à la Bourse.

Son Soleil se trouve dans la onzième maison. Les valises pour les voyages au loin sont toujours prêtes! Plus il vieillit, plus il prend conscience de l'importance de son rôle dans la société et l'idée peut lui venir de s'imposer en réformateur. Et il réussira. Il a du magnétisme, du charme et la foule l'aime et peut l'acclamer! Il n'a rien d'ordinaire, il n'a qu'à paraître pour être aimé! C'est à lui d'en profiter et de prouver ensuite qu'on a raison de lui faire confiance. À quarante ans, sa carrière connaîtra un tournant important, surtout s'il s'est préparé à un rôle social... peut-être politique. Il fait un excellent diplomate, un relationniste pacifique, qui sait combattre noblement pour la bonne cause et les bonnes gens. Plus il prend de l'âge, mieux il sait communiquer. Position qui fait les bons vendeurs, les bons journalistes, les bons acteurs ou qui favorise tous ceux qui évoluent dans un domaine connexe aux communications, à la radio, à la télévision, aux appareils modernes, à l'informatique...

Sa douzième maison se trouve dans le signe du Cancer, symbole de la mère, douzième symbole de l'épreuve. Aussi il arrive que la mère du natif soit trop possessive ou sème le doute chez son enfant, surtout à la période de l'enfance et de l'adolescence. La mère étant le plus souvent une personne extrêmement sensible, qui a du mal à s'orienter elle-même, comment pourrait-elle aider notre Gémeaux-Lion à trouver sa voie rapidement? L'emprise psychique de la mère est puissante et il est remarquable de constater que ces natifs ont fréquemment des mères de signes d'eau: Cancer, Poissons ou Scorpion. Mais il est bien né ce Gémeaux, et la chance l'accompagne sans cesse. Il finit par tout expliquer, tout excuser. Il comprendra qu'il ne changera rien chez autrui si ce n'est lui-même.

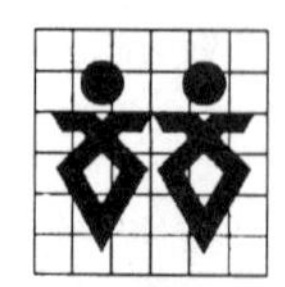

GÉMEAUX ASCENDANT VIERGE

Double signe double, l'un d'air, l'autre de terre. Comment ces quatre personnes feront-elles pour se rejoindre? Vie pas facile, mais intéressante puisqu'il y a un double signe double et que tous deux sont régis par la planète Mercure!

Il y a un petit génie quelque part, mais lequel sortira de sa boîte pour rendre service à l'humanité? C'est ce que la Vierge veut faire. Le Gémeaux lui répond qu'il doit tout d'abord se servir, et revoilà la Vierge qui lui réplique intérieurement qu'il ne va pas vivre sa vie égoïstement... et le dialogue-monologue entre le Gémeaux-Vierge continue inlassablement! Il se fatigue lui-même rien qu'à y penser, demandez-le-lui. Il vous dira qu'il souhaite que sa petite machine s'arrête, qu'il veut vivre comme tout le monde sans trop réfléchir...

Ah! voilà le piège qui le retient: il critique cette humanité, la défait, la reconstruit selon son modèle à lui, ou selon une opinion d'une personne de renom qui a fait du bruit, qui s'est fait valoir, qui avait des arguments logiques. Le Gémeaux-Vierge peut alors se dire que cette personne a peut-être raison, mais sa campagne en faveur de cette nouvelle idée ne dure pas, quelqu'un d'autre sur la scène publique vient d'apparaît elle a une idée toute neuve, lumineuse!

Il raisonne ses sentiments, ce qui ne l'empêche pas d'être ultrasensible à ce qu'on dit et à ce qu'on pense de lui. Mais il ne se gênera pas pour vous dire ce qu'il pense de vous, au risque de vous blesser. Si vous lui faites remarquer que vous êtes blessé, il s'en excusera et fera même beaucoup pour se faire pardonner. Son intention était de vous rendre service en vous disant la vérité. Il ne voulait nullement vous faire du mal et il est sincère.

Vous allez donc lui dire ce que vous pensez de lui. Il vous écoute d'une oreille, il réfléchit pendant que vous parlez, il ne vous approuve pas ni ne vous désapprouve. Deux semaines plus tard, alors que vous lui demandez si les tomates poussent bien dans son jardin, il commencera à décortiquer ce que vous avez dit de lui, que ceci est à peu près vrai, que cela est à peu près faux, que là vous marquez un point et sur ceci, zéro. Vous êtes pris, la conversation recommence et comme il a réfléchi, Mercure étant toujours à l'œuvre, il se peut bien qu'en le quittant vous vous sentiez comme quelqu'un qui fait complètement fausse route dans ses raisonnements!

C'est un analyste à qui rien n'échappe. Il voit tout. Son langage est le plus souvent sérieux et jamais vulgaire car il a la vulgarité en horreur. Double signe de Mercure, planète de l'intelligence, la vulgarité est tout à fait illogique et dénote un comportement qui s'éloigne de l'humain. Un Gémeaux n'est pas un signe animal, une Vierge non plus; alors vous avez là un être totalement humain, mais si critique... que vous pourriez vous demander si vous ne le connaissez pas trop, si un cœur bat ou si c'est une machine quand il vous cache sa sensibilité.

Il a intérêt à suivre plus souvent ses impulsions plutôt que sa logique. Il devra s'efforcer de tenir ses promesses plus rapidement; il tarde là-dessus et on finit par croire qu'il n'a pas dit la vérité. Les banales réalités de la vie ont leur importance puisqu'elles font partie du quotidien et il faudrait bien qu'il en prenne note de temps à autre!

Sa deuxième maison, celle de l'argent, se trouve dans le signe de la Balance. Le contact avec autrui peut être payant. Il a le sens des relations publiques, il fait un excellent relationniste. Ce Gémeaux est artiste, du moins rêvera-t-il durant sa jeunesse de faire de l'argent avec l'art! Il aime fréquenter les artistes. Cette position fait qu'il peut se laisser séduire par ceux qui ont de l'argent ou du moins qui semblent en avoir. Il admire les «vedettes» qu'il voit vivre à un rythme particulier. Il aimera l'argent pour afficher un certain niveau social... artificiel, mais qui le comble d'aise. Il aime se donner l'impression d'être tout à fait différent de ce qu'il est. Certains de ces natifs font d'excellents acteurs: ils peuvent ainsi changer leur rôle et être une autre personne.

Sa troisième maison, dans le signe du Scorpion, fait qu'il passe beaucoup de temps à rechercher la raison qui fait agir l'humain, ou l'émotion qui provoque telle ou telle réaction chez l'un ou l'autre, puis il soupèse la différence. L'esprit est inquisiteur, curieux, observateur. Les pressentiments sont puissants, mais notre natif, régi par un double signe de Mercure, ne les écoute pas suffisamment et il commet là une grave erreur! Le Scorpion est également le sixième signe du Gémeaux.

Si nous superposons cette troisième maison du signe de la Vierge, nous avons là une personne qui écrit bien, qui sait exprimer les sentiments du moment présent même si, dans deux minutes, deux heures, ils ne sont plus les mêmes... qui sait raconter, mais comme nous nous trouvons dans le signe du Scorpion, elle a alors la manie de la destruction de ses créations. Gémeaux-Vierge ou Mercure-Mercure, la personne veut la perfection, mais celle-ci n'est pas de ce monde! Avec de mauvais aspects de Mars, notre natif, à un moment indiqué dans sa carte natale, peut passer par une crise à la fois intellectuelle et psychique, mais il se relèvera. Sa logique est si puissante qu'elle trouvera la raison de cet «énervement».

Sa quatrième maison, dans le signe du Sagittaire, lui fait désirer des habitations confortables et luxueuses, et il réussit généralement à se les offrir. Notre natif a grand besoin de la campagne pour se ressourcer, le grand air lui fait le plus grand bien. Il arrive souvent qu'à la fin de sa vie il décide d'habiter à la campagne. Comme cette quatrième maison se trouve juste en face de son Soleil, ce natif est très porté à vivre en copropriété, le Sagittaire étant un signe double ou de communauté. Il pourrait trouver sa voie en étant propriétaire d'hôtel ou de maison spécialisée soit pour les retraités, soit pour tout genre d'œuvre qui réunit des gens en vue d'un même objectif. Cette position indique une fin de vie heureuse. La mère du natif peut jouer un rôle important de guide moral. Grande possibilité de contact avec le monde invisible, perception aiguë que le sujet a intérêt à écouter.

Sa cinquième maison, les amours, se situe dans le signe du Capricorne. Il arrive souvent que ce natif rencontre l'amour de sa vie à un âge mûr, souvent près de la quarantaine.

Sentimentalement, il manifeste peu ses émotions et met du temps avant de s'attacher, surtout si dans sa jeunesse il a vécu une blessure d'amour, qu'il aura retournée au moins mille fois en lui-même pour en connaître la cause et pouvoir se l'expliquer en détail. Cette position souvent retarde la venue des enfants, ou le natif n'en a pas! Quand il est jeune, il est très porté à avoir des fréquentations sentimentales avec des personnes beaucoup plus âgées que lui ou qui ont vécu des expériences de vie d'adulte. Position qui lui réserve, dans certains cas, la désagréable surprise de constater que le partenaire amoureux est plus froid qu'il ne le laissait paraître.

Sa sixième maison, dans le signe du Verseau, est la maison du travail, alors que le Verseau symbolise l'universalité. Aussi n'est-il pas rare que ce Gémeaux se retrouve dans des emplois au service de la masse, pour la distraire, pour lui être utile. Porté aux associations originales, aux innovations, il a quand même du mal à s'y maintenir à cause de son double signe double. Avec de bons appuis il peut provoquer de grandes transformations sociales dans le secteur indiqué par Mercure, la planète qui régit son double signe double. Cette position rend le natif communicatif, sociable, mais il a besoin d'être entouré de gens pour se réaliser. Il sait, mieux que quiconque, entretenir une conversation sur de nombreux sujets.

Sa septième maison, celle des unions, se trouve dans le signe du Poissons, qui est aussi la dixième maison du Gémeaux. Il s'ensuit souvent que ce natif épouse une personne dont la carrière la retient hors du foyer plus longtemps que lui-même ne le souhaitait! Cette position provoque parfois deux unions. Ce natif attire à lui des partenaires plutôt timides, mais aussi très tolérants à son endroit et qui admirent en secret son intelligence féconde. Il sait si bien parler qu'on se laisse prendre à ses discours, tantôt fantaisistes, tantôt logiques, mais sans cesse renouvelés et fascinants. Il peut attirer des conjoints à faible résistance physique et, dans certains cas, à faible résistance psychique.

Sa huitième maison, celle des transformations et de la mort, se trouve dans le signe du Bélier. Les aspects de Mars indiquent comment notre natif fera son entrée au ciel. Il arrive aussi qu'il ait frôlé la mort durant sa jeunesse ou son enfance. Les transformations qui surviennent dans la vie de ce natif sont souvent provoquées par des coups de tête de sa part, par des impulsions auxquelles il se laisse entraîner, souvent sous l'inspiration d'amis de passage. Dans sa jeunesse et son enfance, il arrive que ce natif ait eu de mauvaises fréquentations: voisins douteux, petits copains marginaux, adeptes de la drogue ou de l'alcool. Même s'il s'y laissait entraîner, son double signe double régi par Mercure, raison et intelligence, l'inciterait à l'approche de l'âge adulte ou à la fin de l'adolescence à reprendre le droit chemin et il se rangerait. Position qui parfois donne au natif certaines visions de l'avenir.

Sa neuvième maison, dans le signe du Taureau, ne provoque vraiment pas de longs voyages ou une envie incontrôlable de faire ses valises pour partir à la découverte du monde, à moins que son travail ne l'y oblige. Généralement il voyage dans le confort et oriente ses vacances du côté de la nature pure et simple, à la manière d'un Taureau. Il pourra avoir une maison de campagne où se réfugier. Ce Gémeaux est, au départ, un grand idéaliste qui pourrait se croire capable de réformer le monde d'un coup de baguette magique... Mais l'expérience de la vie lui démontrera qu'il faudra un peu plus de temps.

Son Soleil se trouve dans la dixième maison, en Gémeaux naturellement. Cette position l'incite souvent à mettre sur pied sa propre entreprise, à travailler «à son compte». Il pourra mettre un certain temps avant de trouver sa route. Le Gémeaux étant un signe double, la Vierge également, quoi faire quand on a autant de talent et dans de nombreux domaines? Mais il trouvera sûrement sa voie et il saura s'assurer confort et sécurité pour ses vieux jours.

Sa onzième maison, dans le signe du Cancer, lui procure souvent un foyer où s'amènent toutes sortes de gens et où il fera l'apprentissage de ce qu'est la vie. Le foyer du natif peut être original, et sa mère peut être marginale dans de nombreux cas: une mère en contradiction avec elle-même, mais en perpétuelle évolution. Ses amis pourront être les membres de sa famille, ou il se fera des amis à partir de certains membres de sa famille.

Sa douzième maison, celle de l'épreuve dans le signe du Lion, peut indiquer une épreuve par les enfants, mais qui sera suivie d'une grande joie, l'épreuve étant le plus souvent un éveil psychique propre à élargir la compréhension et la tolérance. Il n'est pas rare non plus sous ce double signe de Mercure, que la stérilité, la sienne ou celle de son partenaire, l'empêche d'avoir des enfants. Des aspects de sa carte natale doivent alors le confirmer. L'élévation de l'âme est grande. Le natif peut même être longtemps naïf et croire que tout «le monde, il est beau et fin», et se faire jouer un tour. Comme rien ne se perd dans cet univers et que nous sommes venus y apprendre des leçons, et le natif n'y échappant pas, il aura l'occasion de développer sa spiritualité qui l'aidera à traverser la vie et à atteindre le bonheur.

Si des aspects de Neptune l'indiquent, cette position favorise la double vision: un œil sur la terre et l'autre tourné vers le ciel, en contact avec le monde invisible, l'occulte. Il suffirait d'ailleurs à ce Gémeaux de cultiver cet aspect pour qu'il y découvre un monde plus grand que celui qu'il avait imaginé, et plus beau aussi. Si le natif s'attelle à la tâche de ne développer que la pureté qui est en lui, il n'attirera que les gens qui lui ressemblent et il pourra enfin vivre sans être sur le qui-vive... et sans la méfiance analytique de son double signe de Mercure.

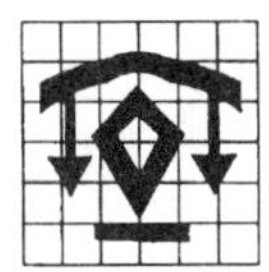

GÉMEAUX ASCENDANT BALANCE

Vénus à l'ascendant, voilà un Gémeaux qui fait rêver d'amour. Double signe d'air, ce n'est pas certain qu'il s'attache définitivement à une seule personne. Tout ce qui est beau l'attire, les belles personnes aussi!

Sociable et affectueux, il a besoin d'échanges humains. Sa jeunesse est mouvementée, il a souvent besoin d'appartenir à différents groupes, pour se lier, pour connaître l'humain. Sentimentalement, il s'enflamme rapidement, mais les amours peuvent aussi se rompre rapidement, ce qui le laisse dans un état douloureux dont il ne croit pas pouvoir se sortir.

Il en sort! Il sait très bien se consoler auprès d'un autre cœur, d'une autre flamme qui vient vers lui! Il est profond, mais pas pour très longtemps! Il en a l'air. Par rapport à certains signes il l'est vraiment, mais pas pour tous.

Et si les ruptures deviennent trop fréquentes, notre signe d'air devient de l'air froid et il peut alors se réfugier dans un rêve qui ne le blessera pas. Mais, en réalité, il aura cessé de sourire.

C'est un brillant créateur, l'art est son domaine. Le public aussi. Il a grand besoin de l'approbation d'autrui et les applaudissements lui font chaud au cœur, les éloges aussi. Ce double signe d'air peut devenir superficiel dans certains milieux et se contenter de petites réussites «familiales». Il est fidèle à ses amis, à ceux qui lui rendent service, et ce sera au moment où vous vous y attendez le moins et où vous aurez tant besoin d'aide qu'il vous donnera ce coup de pouce qui vous fait redémarrer! Double signe d'air, les idées lui viennent spontanément sans qu'il ait vraiment à les chercher. Il est généralement de bonne humeur et veut faire plaisir à ceux qui l'entourent.

Double signe d'air, évitez de lui donner l'occasion de se mettre en colère: un ouragan, c'est terriblement dévastateur et ça ne se contrôle pas! Avez-vous déjà essayé de contrer un ouragan? Ça ne comprend pas, ça poursuit sa course...

Il arrive que la moralité fasse défaut à ce natif, qu'il se sente très attiré par les plaisirs d'une autre chair que celle qui lui est dévolue! L'occasion le fera larron, mais il aura une très bonne excuse à vous donner... double signe d'air et la raison est puissante.

Sa deuxième maison se trouve dans le signe du Scorpion, qui est aussi la sixième du Gémeaux. Il saura très bien gagner sa vie et aussi économiser pour ne jamais dépendre de personne. Il s'en fait même un point d'honneur. Bon travailleur et résistant, il peut faire de longues heures sans se rendre compte de sa fatigue quand il se concentre sur un sujet précis. Souvent habile avec l'écriture, il sait cerner l'idée qui capte le public. On peut le trouver alors dans des carrières reliées à la publicité. Le domaine médical, plus précisément la chirurgie esthétique, l'attire aussi. Il pourra entreprendre de longues études, il a soif de connaissances.

Sa troisième maison se trouve dans le signe du Sagittaire, ce qui fait qu'il est doué pour les langues et est très communicatif. Les amis étrangers ne manqueront pas. Il fera de nombreux séjours à l'étranger pour son travail ou ses études, ou pour apprendre une autre langue. L'adolescence est souvent marquée par un déménagement important, changement de ville, de pays même. La plupart du temps ce natif se sent plus à l'aise avec ses amis qu'avec sa famille. Cette position vient encore une fois souligner sa sociabilité, le goût de la fête, du changement, il ne supporte pas la routine, tant au travail qu'en amour.

Sa quatrième maison, celle de son foyer, se trouve dans le signe du Capricorne, un foyer où il est difficile d'exprimer sa vraie nature, les règles y étant trop rigides. On n'y manque de rien, sauf d'affection. La mère se comporte comme le chef et décide de tout. Dans le cas d'une native, cela en fait une femme qui, très souvent, se sentira mal à l'aise dans le rôle de mère et, pour un natif, il pourra lui arriver d'être trop sévère avec sa progéniture. Il devra surveiller cette attitude qui risque de «couper» l'inspiration à ses propres enfants. Plusieurs de ces Gémeaux ont pu vivre un drame familial en bas âge, la mort d'un parent ou d'un grand-parent ayant pu les toucher profondément.

Sa cinquième maison se trouve dans le signe du Verseau. Le natif, en fait, est très peu porté pour ses propres enfants et préférera souvent les enfants des autres. Comme le Verseau est la neuvième maison du Gémeaux, un enfant peut être conçu à l'étranger et de là une difficulté peut survenir sur les droits de garde. Ou d'autres problèmes surgissent à cause d'Uranus, planète des surprises étonnantes! Notre natif est un amoureux de l'univers qui lui semble trop étroit; il voudrait pouvoir dépasser toutes les limites de notre monde. Il voyagera dans de lointains pays, à la recherche de son idéal, et peut-être le trouvera-t-il finalement.

Sa sixième maison, celle du travail, se trouve dans le signe du Poissons, la dixième du Gémeaux. Il lui arrive donc de travailler pour deux ou trois entreprises à la fois. Il aime être libre de son temps; même s'il est bon travailleur, il préfère décider à quelle heure il produira son œuvre. La pige lui convient très bien. Compétitif, il aime se classer au premier rang, et c'est pourquoi il est très minutieux quand on lui commande un travail. Il peut aller jusqu'au bout de ses forces et dépasser les limites de sa capacité physique. L'esprit est large, la raison est associée à la sensibilité, aussi saisit-il facilement les motifs qui animent les gens; il les devine.

Sa septième maison, celle du conjoint, dans le signe du Bélier, la onzième également du Gémeaux, lui fait souvent épouser une personne amie ou étrangère. Ayant un air juvénile même à un âge certain, il attire à lui des personnes plus jeunes et qui ont le sens de l'entreprise. Un mariage peut être décidé promptement, sans préavis. Il lui arrive aussi de se marier trop jeune et il court alors le risque d'un divorce, l'ascendant Balance apportant à ce Gémeaux un puissant désir de partager l'amour, sans oublier la raison quand même! Ce Gémeaux veut bien se lier à quelqu'un, mais il ne veut pas non plus perdre une parcelle de sa liberté. Dans une vie intime, il oublie le compromis qu'il avait promis de faire! Il oublie qu'il vit à deux... et le conjoint se révolte, à son grand étonnement. Notre Gémeaux ne s'en était pas rendu compte, il croyait qu'il suffisait d'avoir dit je t'aime. Il a oublié qu'il fallait de temps à autre y donner une nouvelle preuve.

Sa huitième maison, dans le signe du Taureau, est la maison des transformations, mais elles sont généralement lentes! Le natif ne change pas de vie aussi radicalement. Cette position provoque parfois de longues périodes où la sexualité est exclue. S'il survient un héritage, étant donné que le Taureau est le douzième signe du Gémeaux, le natif pourra avoir quelques difficultés à obtenir ce qui lui revient. Le Taureau étant un signe de Vénus, notre Gémeaux pourra vivre des épreuves sentimentales cuisantes qu'il n'est pas prêt d'oublier. Les séparations, comme le mariage, arrivent brusquement, sans avertir, sans que le sujet y soit préparé ou ait soupçonné que ça pouvait arriver.

Son Soleil se trouve dans la neuvième maison. Aussi il est très possible qu'il vive longtemps à l'étranger quand il atteint l'âge de Jupiter, soit aux environs de sa trente-cinquième année. Cette position solaire apporte de la chance au natif, ses désirs deviennent des réalités, tôt ou tard. Ce Gémeaux-Balance est une personne joviale, il a le goût de la fête et a bien du mal à refuser une invitation. Il peut même être excessif dans le plaisir. Il aime faire de nouvelles connaissances et c'est souvent au cours d'un «party» qu'il se fait des relations utiles au but qu'il poursuit. Il a le don de décrocher le bon filon, et comme il est travailleur il prouve également qu'il a du talent.

Sa dixième maison, dans le signe du Cancer, fait qu'il ambitionne d'être bien, à l'aise, de n'avoir pas de soucis financiers. Il s'attache aux gens avec qui il travaille et entretient avec eux une sorte de relation quasi familiale. Position qui parfois rapproche le natif de sa mère quand il atteint la maturité et qu'il est en mesure de comprendre qu'elle a donné son maximum malgré les insatisfactions qu'il ressentait.

Sa onzième maison, dans le signe du Lion, indique une fois de plus qu'il mettra du temps avant de faire des enfants! Créateur et innovateur avant tout, l'art lui convient particulièrement. Il sait s'attirer les gens qui ont réussi; il peut vivre parmi eux et avec eux. Il est amoureux du beau, de l'original. Il passe rarement inaperçu. Au départ, on pourrait le trouver froid, distant, mais il suffit d'une minute de conversation pour qu'il devienne votre ami. Il sait écouter et parler à son tour. Il sait être drôle, dramatique, il prend la teinte qui vous fera le plus plaisir, non pas parce qu'il n'est plus lui-même, mais bien parce qu'il sympathise avec ce que vous êtes et lui apprenez.

Sa douzième maison, celle de l'épreuve, se trouve dans le signe de la Vierge. Ce natif pense, pense et pense tant et si bien qu'il en arrive à se demander s'il est normal! Il l'est. Il est juste plus perfectionniste que beaucoup d'autres! Il fait de petites dépressions dont il se relève rapidement en s'intéressant à autre chose qu'à son problème! C'est d'ailleurs une excellente méthode pour ne pas vivre malheureux. Notre natif pourrait de temps à autre s'inquiéter pour ses finances, mais hop, voilà encore une chance nouvelle qui vient vers lui!

La nature de ce Gémeaux-Balance est agréable. Un danger peut le menacer s'il ne s'arrête qu'aux apparences et oublie l'autre dimension, celle de l'âme, de la spiritualité. Un jour la question vient à son esprit et avec le Soleil en neuvième maison et le cœur plein d'espoir, voilà qu'une occasion se présente et lui apporte la réponse à sa question... et une autre phase de son évolution commence!

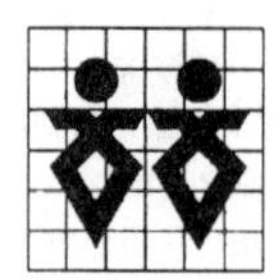
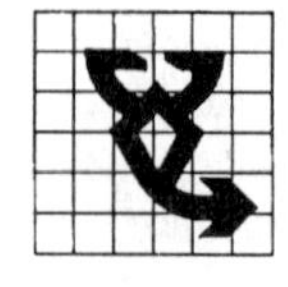

GÉMEAUX ASCENDANT SCORPION

Il n'est pas toujours très drôle, même s'il se prend vraiment au sérieux. Plus souvent qu'autrement il est malin, beau parleur, il sait enjôler, il a plusieurs tours dans son sac, il est irrésistible ou presque...

Il pourrait écrire le manuel de l'art de plaire pour tout obtenir gratuitement ou payer le moins cher possible! La critique est fortement développée sous ce signe: il sait nuire à quelqu'un s'il ne l'aime pas ou s'il a à assouvir une petite vengeance.

Le cœur de ce Gémeaux n'est pas toujours pur: il est assailli entre être la bonne ou la méchante personne. Ascendant Scorpion, il souhaite souvent en secret la mort de son conjoint. Signe fixe, comme Scorpion et il n'arrive pas à quitter... peut-être y perdrait-il trop d'argent... Sa sécurité matérielle et financière l'intéresse à un très haut degré! Alors, il préfère attendre! Mais en attendant, ça ne veut pas dire qu'il sera fidèle. Non. Il fouinera ici et là, et si jamais il trouvait mieux ailleurs, et si on lui offrait plus... peut-être alors se déciderait-il à quitter une vie qui l'ennuie!

Il a bien du mal à trouver les autres importants. Il peut parler du souci qu'il se fait pour l'autre mais, au fond, si l'autre a des problèmes, il pourrait en avoir aussi, et cela, il le supporte mal, ça le rend nerveux et quand un Gémeaux-Scorpion est nerveux, les portes claquent!

Cet ascendant Scorpion rend bon ou méchant, et les deux à la fois sont possibles. Riche ou pauvre? Parfois en alternance. Vivre en surface ou en profondeur? Vivre doucement ou violemment?

Sa deuxième maison se situant dans le signe du Sagittaire, il trouve toujours de l'argent quand il s'agit de partir en voyage. C'est souvent sa raison fondamentale pour empiler ses dollars. Il peut gagner son argent en voyageant, en écrivant des livres de philosophie, et comme le Sagittaire est aussi un guide, il peut être un professeur. Il peut aussi être du genre profiteur, de celui ou de celle qui se fait entretenir. C'est souvent un vœu qu'il fait au fond de lui-même. Ce natif a une haute estime de lui-même et il est persuadé qu'il mérite beaucoup et qu'il vaut cher! C'est à ceux qui le côtoient de juger!

Sa troisième maison, dans le signe du Capricorne, lui donne un air sérieux bien que souriant. Le Gémeaux est un communicatif, ne l'oublions pas. Cette troisième maison est la huitième du signe du Gémeaux, aussi ce natif s'intéresse-t-il souvent aux questions philosophiques et à la mort. Cela en fait un être extrêmement perspicace pour autrui. Il a du mal à se voir lui-même mais il devine bien les autres! Ce natif a souvent vécu dans l'insécurité financière durant sa jeunesse, c'est pourquoi il est tellement porté à compter ses sous! Et puis n'oublions pas qu'il a toujours un départ en tête, quelque part! Lui-même ne sait pas toujours où! Ce natif vivra vieux et restera lucide jusqu'à la fin.

Sa quatrième maison, celle de son foyer, est dans le signe du Verseau. En réalité, sa patrie c'est l'espace, l'univers, il se sent chez lui partout et nulle part à la fois. Les aspects d'Uranus dans sa carte natale nous renseignent davantage sur le genre de foyer dans lequel il a été éduqué, mais dans la plupart des cas ce natif a manqué d'attention: sa mère a pu se comporter bizarrement à son endroit. Comme le Verseau est la neuvième maison du Gémeaux et la quatrième de son ascendant, plusieurs de ces natifs auront vécu leur enfance à la campagne ou, du moins en contact avec la nature.

Sa cinquième maison, dans le signe du Poissons, en fait un idéaliste! Il aimerait n'aimer qu'un seul être, lui consacrer sa vie et que l'autre lui consacre la sienne mais il n'est pas toujours fidèle dans ses relations amoureuses. Comment peut-il n'aimer qu'une seule personne, l'humanité l'appelle au secours, réclame son amour! Il aura tendance à s'éloigner de sa progéniture, à la fuir parfois. Comme le Poissons symbolise l'épreuve, certains de ce signe peuvent avoir des peurs irrationnelles de perdre leurs enfants quand ils en ont et, en même temps ils souhaitent presque les perdre au cas où ils ne pourraient les rendre heureux. Un conflit intérieur peut devenir puissant chez ce Gémeaux. Les aspects de Neptune et du Soleil nous renseignent sur la qualité de vie qu'il apporte à ses enfants quand il en a.

Sa sixième maison, dans le signe du Bélier, lui permet de trouver du travail promptement, aussitôt qu'il en a besoin. Il travaille en donnant de grands coups de collier puis, soudain, le voilà épuisé. Comme cette sixième maison est régie par Mercure, dans un signe de Mars, il arrive que ce natif ait été très indiscipliné dans sa jeunesse et jusqu'à l'adolescence. Il a pu être impatient de comprendre ce que les adultes veulent dire par «faire sa vie». Il arrive qu'il commence dès l'adolescence à travailler, à gagner sa vie comme un adulte.

Sa septième maison, celle du conjoint, dans le signe du Taureau, signifie qu'il recherche un partenaire bien nanti sur le plan financier ou qu'il est attiré par les natures artistes. Tout dépend de la place de sa planète Vénus dans sa carte natale. Bien qu'il ne soit pas vraiment porté à «la fidélité», il y aspire; il vous le dira lui-même, il supporte très mal qu'on le quitte! S'il survient une séparation officielle, il la vivra très mal et craindra d'être abandonné de nouveau pendant longtemps. Après un divorce il fera de nombreuses conquêtes avant de se décider à considérer sérieusement si quelqu'un pourrait l'aimer ou s'il peut aimer encore.

Son Soleil se retrouvant dans la huitième maison, celle du Scorpion, tout comme son ascendant, ce natif peut sembler bizarre, étrange aux yeux de nombreuses personnes. Il peut développer un don de double vue, être un voyant tout comme il peut être un charlatan manipulateur; les aspects de Mercure, de Mars et de Pluton nous renseignent sur la force réelle de ce natif.

Il peut être le financier le plus crapuleux que vous puissiez trouver, tout autant qu'il peut être un saint! Comme je l'ai mentionné plus haut, il peut être les deux à la fois! Position qui lui fait souhaiter la mort de l'autre, consciemment ou inconsciemment, quand ça ne va pas dans ses relations amoureuses, car il anticipe l'héritage, l'argent des autres. Ce Gémeaux manque de sécurité bien qu'il réussisse à afficher une certaine indépendance parce que dans notre monde l'argent symbolise la sécurité, un symbole bien artificiel. La sécurité est l'indice de quelque chose de statique, qui ne bouge pas, qui est solide. Sans mouvement, pas de changements. L'incertitude agite et provoque l'évolution, l'élargissement de ses connaissances, de ses expériences. Ne vous êtes-vous pas souvent surpris à dire des gens riches et en sécurité que leur vie était ennuyeuse, elle ne bouge pas... La certitude n'a pas de mouvement. Le doute fait grandir malgré qu'il provoque des douleurs.

Sa neuvième maison, qui se trouve dans le signe du Cancer, indique encore une fois que la patrie de ce natif est partout et nulle part en même temps. Les déménagements peuvent être nombreux sous ce signe. Souvent il finit sa vie à la campagne dans une contrée étrangère, en toute sécurité et dans la paix. Ce natif aspire à la connaissance et à la métaphysique; les aspects de Jupiter nous indiquent si, oui ou non, il développera ce côté de sa personnalité.

Sa dixième maison se trouve dans le signe du Lion, le troisième signe du Gémeaux. Notre natif désire la grandeur, qui peut être celle de l'âme ou celle du pouvoir de l'argent et de l'or! Il désire ardemment fréquenter les gens brillants, ceux qui ont réussi ou qui en ont l'apparence. La vie le place souvent en face de telles gens et il saura leur parler. Il est à l'aise avec les rois et les reines, les princes et les princesses. Il leur apporte de lui-même et peut-être a-t-il quelques secrets à leur révéler... Il est doué pour l'écriture, le commerce et la vente d'objets coûteux. Il a souvent un talent artistique qu'il développe ou non.

Sa onzième maison, celle des amitiés, se trouve dans le signe de la Vierge. Il peut avoir des amis qui viennent de toutes les couches de la société. Il aime être informé de tout et sur tout. Avec de bons aspects d'Uranus et de Mercure, ce natif peut être doué pour l'astrologie, le paranormal. Avec son ascendant Scorpion il peut utiliser ce talent pour servir ou sévir, pour impressionner ou pour aider.

Sa douzième maison, celle de l'épreuve, se trouve dans le signe de la Balance, signe qui représente le couple, le mariage, les contrats, la loi, l'esthétique, la beauté. Le sujet, avec de mauvais aspects de Neptune et de Vénus, s'il a commis quelques bévues punissables, peut se retrouver devant un tribunal! L'épreuve peut venir d'un mariage, d'une vie de couple dans laquelle il avait beaucoup investi. L'épreuve c'est aussi une manière d'évoluer. Ce natif apprendrait beaucoup à vivre une relation stable, en décidant «de s'abonner» à la fidélité si, naturellement, nous avons affaire, comme il arrive souvent, à un cas d'infidélité chronique. La Balance étant également le cinquième signe du Gémeaux, celui-ci, s'il a des enfants, devrait consacrer plus de temps et d'énergie à sa progéniture. Les enfants placés sur sa route pourraient être pour lui un moyen de grandir, de mûrir, de vivre pleinement sa vie, non pas uniquement pour soi mais pour le bonheur de tous ceux qui vivent autour de lui.

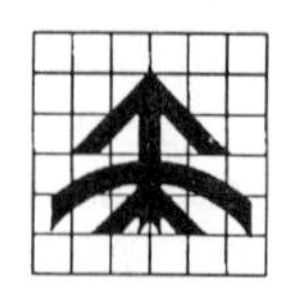

GÉMEAUX ASCENDANT SAGITTAIRE

Voilà un grand acteur, ou une personne qui peut jouer tous les rôles en même temps. Avec quatre personnes en une seule, c'est bien difficile de trouver une identification. S'évader de soi et y revenir, parce qu'il faut bien ressembler à quelqu'un.

Les gens de ce signe sont nerveux, mais ça ne paraît pas tout de suite. Bien au contraire, ils ont l'air sûrs d'eux! On pourrait même les envier! Parfois ils sont arrogants, surtout au moment où ils se sentent supérieurs. Il y a des heures où ils se sentent vraiment comme ça. Ils sont alors insupportables! Ils aiment se placer dans des situations contradictoires, ça leur permet de parler, de causer, de jouer avec la raison, en y mettant quelques émotions, et ça fait mélo!

Vous avez l'impression que cette personne regarde sa vie comme si elle regardait un film, un western... ça galope... Ascendant Sagittaire, moitié homme, moitié cheval, parfois aussi moitié humain dans ses paroles car il peut devenir tyrannique si on lui offre trop de résistance. Il aime qu'on finisse par dire comme lui, mais tout le monde n'a pas envie de lui faire ce plaisir! Les autres ont bien droit à leurs opinions.

Il est curieux de tout, mais pas trop longtemps. Les idées se bousculent, il y a tout à voir, à entendre. Il aime le mariage, l'amour, l'union, mais il n'est pas certain qu'il restera uni bien longtemps, surtout si le conjoint n'est pas distrayant. Au fond, il recherche la raison de son existence. Il peut être philosophe, mais il lui faudra peut-être des siècles avant de trouver la vraie réponse. Elle n'est pas dans la raison mais dans le cœur que l'on offre à l'autre!

Sa deuxième maison, dans le signe du Capricorne, lui fait craindre de manquer d'argent dans l'avenir; aussi il commence très jeune à amasser. Bon investisseur dans l'immobilier, il sait ce qui vaudra plus cher et rapportera beaucoup quand il sera vieux. Il aime savoir que son «bas de laine est rempli», il se sent alors en sécurité. Plutôt économe, il n'est pas celui qui paie pour tout le monde! Quand vient son tour d'offrir «une tournée», il est déjà parti! Il arrive souvent qu'il gagne son argent en occupant un poste gouvernemental ou dans une grosse entreprise qui offre des privilèges lui garantissant sa «retraite».

Sa troisième maison, dans le signe du Verseau, en fait une personnalité capable de s'ouvrir à de nombreuses connaissances. Tout ce qui se fait ou se dit à l'autre bout du monde l'intéresse. Cela en fait un excellent journaliste, un individu qui aime étudier, qui n'en sait jamais assez. L'intelligence est vive sous ce signe et cet ascendant, à moins d'y trouver de très mauvais aspects de Mercure. C'est un intellectuel. Pour lui le monde est vaste et il y a tout à comprendre, à scruter. Ses semblables sont souvent pour lui des centres d'observation qu'il regarde de loin plutôt que de s'y mêler entièrement.

Les femmes de ce signe ont plus de mal à s'affirmer que les hommes, le signe et l'ascendant étant tous deux des signes masculins. La femme doit donc prendre une partie de son temps et de sa vie à prouver qu'elle est femme! Ce qui a longtemps signifié être mère et épouse d'abord et avant tout. Ce qui a créé une entrave au désir de vivre sa vie socialement. Nous le savons, il est bien difficile de vivre en même temps une vie de famille et une carrière, les femmes ayant été peu préparées à jouer les deux rôles à la fois. Les plus jeunes femmes de ce signe et de cet ascendant sont aujourd'hui, en cette fin du vingtième siècle, plus libres de choisir leur vie, leur carrière.

Sa quatrième maison se trouve dans le signe du Poissons. Cela indique que le natif vient souvent d'un milieu modeste et que la famille ne l'a que très peu ou pas du tout orienté dans ses choix de vie. Ce Gémeaux est généralement aimé de sa mère et il y trouve une complicité; il arrive aussi que les hommes de ce signe soit, même à un âge avancé, sous l'emprise psychique de la mère. C'est pourquoi on trouve beaucoup d'hommes célibataires sous ce signe. Quelques-uns peuvent même avoir des problèmes d'identification sexuelle. Les femmes sont proches de leur mère et osent à peine faire mieux, même quand elles constatent que leur mère n'a pas été heureuse!

Sa cinquième maison, dans le signe du Bélier, le rend très magnétique. On a envie de le connaître. Au masculin, le natif tombe rapidement en amour! Au féminin, elle se laisse épouser tôt par un homme qui dit l'aimer. Le natif a tendance à confondre son attirance sexuelle avec le véritable amour. Les coups de foudre ne manquent pas sous ce signe, surtout dans la jeunesse qui peut quand même se prolonger jusque dans la trentaine avec un Gémeaux!

Sa sixième maison se trouve dans le signe du Taureau. Au travail, il est stable, on peut lui confier des postes de responsabilités. Souvent il préférera travailler plutôt que de sortir amoureusement avec une personne qui l'attend, qui tient à lui. Il aime se faire croire qu'on l'attend, qu'on le désire au point de «poireauter» éternellement pour lui! Erreur, sous ce signe et cet ascendant, les divorces sont nombreux. Le natif a oublié qu'il fallait manifester de l'attention et de l'affection pour être aimé en retour! C'est chacun son tour de remporter la part du gâteau! Le travail avant l'amour, c'est bien pour s'assurer une sécurité, mais je ne connais aucun humain qui puisse se comporter comme une machine productive et subir un manque d'amour toute sa vie! Nous sommes faits de raison, d'émotion, d'intuition, qu'un corps supporte.

Le Soleil de ce natif se trouve en septième maison. Il n'est pas rare que le sujet soit une personnalité connue dans le milieu dans lequel il opère. Comme il est travailleur, il sait se rendre indispensable. Il est aussi très attachant par sa conversation et il a le tour de vous faire sentir que vous êtes important. Il agit ainsi en société, mais quand vient l'intimité, il ne pense plus qu'à une chose, se reposer. D'ailleurs, comme il dépense une somme considérable d'énergie au travail, il a grand besoin de récupérer par le sommeil. Il est si occupé par ses affaires sociales qu'il oublie que, pour maintenir un équilibre amoureux, il faut lui donner du temps.

Sa huitième maison se trouve dans le signe du Cancer. Les héritages de famille ne sont pas rares. Il peut être gros ou petit, provenir d'un vieil oncle, d'un ami de la famille ou d'une source tout à fait surprenante. Ce natif a une longue vie généralement, bien qu'il se soit dépensé corps et âme à l'entreprise qu'il poursuivait. La position de cette maison le rend très perspicace: avec l'argent, il sait où il y en a à faire! Il n'a qu'à suivre son intuition, son petit doigt lui indiquera le chemin.

Sa neuvième maison se trouve dans le signe du Lion. Il n'est pas rare que ce signe rencontre l'amour à l'étranger ou avec un étranger, l'étranger participant à son évolution, à sa chance également de vivre sa vie sous un autre angle, plus lumineux que celui qu'il a connu au cours d'une première union. Les voyages sont toujours une occasion d'élévation de l'esprit et du cœur. Cette position, avec de bons aspects du Soleil et de Jupiter, donne de la chance à la loterie et dans les jeux de hasard. Plusieurs personnes de ce signe gagnent des sommes intéressantes.

Sa dixième maison se trouvant dans le signe de la Vierge, le natif sera hésitant dans le choix de sa carrière. Il réussit bien dans les domaines qui demandent de la réflexion, de la comptabilité, de l'analyse, dans tout ce qui s'organise d'une manière systématique. Il excelle dans l'art de remplir des formules, des papiers. Tout sera toujours en ordre. Il est un excellent négociateur face au gouvernement, pour des emprunts par exemple, ou pour obtenir une faveur ou une protection spéciale. Ici le signe double l'empêche, parfois longtemps, de faire son choix. La famille ayant une trop grande influence sur lui, surtout la mère, cela peut retarder la réussite de ce natif ou lui faire faire un choix qui ne lui convient pas parfaitement. Mais il se reprendra. En fin de compte, on ne perd jamais son expérience, même quand elle a été difficile à vivre.

Sa onzième maison, dans le signe de la Balance, le porte à vouloir connaître beaucoup de monde. L'amour naît souvent d'une rencontre au sein d'un groupe, d'une organisation sociale. Il sera fortement attiré par les artistes, les originaux, les créateurs. L'union est difficile à sceller, surtout si de mauvais aspects d'Uranus interviennent. L'amour vole en éclats sans que le natif s'y attende. En fait, il s'est préoccupé la plupart du temps du groupe plutôt que de la personne qui l'aime, ce qui finit par frustrer les partenaires! Pour qu'une vie de couple soit réussie avec lui, il faut en général que le partenaire partage un idéal commun avec le natif.

Sa douzième maison, dans le signe du Scorpion, crée une attirance pour l'astrologie, le paranormal, l'ésotérisme. Cette position, avec de bons aspects de Mars et de Neptune, fait d'excellents psychologues ou médecins, surtout en rapport avec la médecine douce et la médecine de l'âme, l'ascendant Sagittaire poussant le sujet à se servir de la nature elle-même pour soigner. Cette douzième maison en Scorpion peut créer chez ce natif une attirance pour les amours cachées, donner le goût d'avoir des relations sexuelles avec des personnes étranges et parfois aussi «malades dans la tête», ou encore des personnes qui ont une morale douteuse que le natif essaiera de réformer!

Ce natif Gémeaux-Sagittaire, avec l'opposé de son signe à l'ascendant, est souvent une personne incomprise par son entourage. En amour cela joue contre ses intérêts. Le sujet donne à sa manière, mais il ne reçoit pas vraiment ce qu'il croit devoir lui revenir. Il sera porté, quand il est amoureux, à ne vivre que pour l'autre, du moins durant un certain temps, le Gémeaux et le Sagittaire étant tous deux des signes doubles. Dès qu'il se sentira lésé, et cela peut se produire rapidement, il ira vers un autre amour. Il manque de patience dans l'approfondissement du sentiment amoureux. Il arrive souvent que ce signe porte intérêt à un vaste public plutôt qu'à une seule personne surtout s'il a vécu trop d'échecs amoureux et qu'il a l'impression qu'il ferait mieux d'être aimé par une masse plutôt que par une seule personne! Il n'est pas rare de trouver des personnes célèbres sous ce signe. La reconnaissance publique et même la célébrité sont fréquentes sous le Gémeaux-Sagittaire.

GÉMEAUX ASCENDANT CAPRICORNE

Voici le plus responsable de tous, le plus sérieux et peut-être le plus conséquent. Il ne vit pas pour les apparences, mais pour le concret, le solide... pour ce qui est vrai, pour que ça dure longtemps!

Ambitieux, il prend sa vie et ses responsabilités au sérieux. Matérialiste et comptable, il ne dépense pas pour rien. Il est économe. Le Gémeaux est un signe d'air régi par Mercure, la raison, et le Capricorne est un signe de terre régi par Saturne, le froid, l'hiver. Nous avons là de l'air glacé, un être qui peut être d'une froideur incroyable. Il refoule continuellement ses émotions, il s'efforce de vivre comme si elles n'existaient pas. Point n'est besoin de vous expliquer qu'il a peu d'amis et que ces derniers l'invitent plus souvent qu'il ne le fait lui-même... dix fois contre une demie!

La quarantaine, c'est l'occasion d'une crise, d'une prise de conscience. Il se rend compte du temps qu'il a perdu à économiser sa vie. Pas d'amour, rien que la solitude, bref, il a raté des tas de bonnes choses, mais il peut en sortir tout neuf, rajeuni, et prendre une direction différente.

Avec son ascendant Capricorne, il fait un bon diplomate, un chef de file qui sait analyser les situations et les contrôler. Ambitieux, il se marie généralement tard, occupé qu'il était à se tailler un avenir. Il pourvoira aux besoins de sa famille avec soin... il aura tant économisé qu'il n'aura aucun problème. Les femmes sont dominatrices face aux hommes, elles prêchent l'égalité mais ce n'est pas tout à fait ce qu'elles peuvent vivre. Disons qu'elles prennent la meilleure part, surtout celle qui est au-dessus!

Pour évoluer, on doit pratiquer la tolérance sous ce signe, accepter que les autres soient différents et qu'ils aient des fantaisies! Il faut donner du bonheur aux autres, pas uniquement des ordres, et éviter de les critiquer à chaque petite faute commise. Qui peut se dire parfait? Certainement pas un Gémeaux-Capricorne. Il y aspire, mais il a du chemin à faire.

Livrer ses émotions de temps à autre ça fait du bien et ça aide aussi à se faire aimer. Vous êtes né Gémeaux-Capricorne, vous réussissez socialement, mais il y a des gens qui vous regardent de loin et qui se demandent si vous n'êtes pas un petit robot ou un bourreau de travail. Peut-être ont-ils envie de vous connaître, vous cachez tant, que vous cachez aussi vos qualités... L'être humain n'est pas fait pour vivre seul, mais pour partager sa vie et aussi ses biens... À quoi lui sert de gagner l'univers?

Sa deuxième maison, dans le signe du Verseau, le pousse fortement à la recherche du pouvoir par l'argent. Ses mots d'ordre sont: l'avoir et le pouvoir. Excellent investisseur, il peut faire de l'argent avec un produit qu'il vend à la masse, car il est habile à créer un besoin qui lui rapportera gros. Il peut faire de l'argent avec ce qui touche le modernisme, les appareils modernes, les services modernes, la vitesse ou l'accélération de la fabrication d'un produit.

Sa troisième maison, dans le signe du Poissons, lui donne un esprit universel, du genre qui pense à trois ou quatre choses en même temps et trouve la solution idéale à chacune des questions qu'on lui pose. Il peut arriver qu'il se sente déprimé, mais vous aurez du mal à vous en apercevoir, il ne livre pas facilement ses émotions. Il peut être insomniaque tant qu'il n'a pas résolu un problème, surtout avec de mauvais aspects de Neptune et de Mercure. Il peut être porté à boire plus que de raison pour réduire son stress et ne pas se rendre compte qu'il est en train de devenir alcoolique, et dans certains cas un adepte de la drogue. C'est plutôt rare, mais l'ascendant Capricorne mettra le frein juste à temps.

Sa quatrième maison, dans le signe du Bélier, lui procure un foyer où circulent beaucoup de gens quand il est jeune. Le foyer est dynamique, ouvert; le natif a besoin d'intimité et il a du mal à en trouver chez lui. Cela l'incitera très tôt dans la vie à vouloir sa propre maison, sa propriété, où il pourra recevoir qui il veut ou ne pas recevoir du tout! Sujet à des sautes d'humeur, il fera ses colères quand il est seul, la plupart du temps. La mère du natif a souvent été une personne combative; les hommes de ce signe craindront les femmes, ils auront peur d'être dominés par elles. Les femmes pourraient se comporter en généraux, tout comme leur mère, être excessives dans le commandement, ce qui ne donne pas souvent de résultats heureux quant à l'union, surtout si elle s'est faite entre jeunes.

Sa cinquième maison, l'amour, est dans le signe du Taureau. Le natif est généralement un sensuel. Il craint de s'attacher, mais s'il le fait cela peut durer fort longtemps car il aura bien analysé, compris et «testé» la personne à qui il accorde sa confiance. Il peut même en devenir jaloux et possessif, alors qu'il est rare de trouver ces «maladies» chez un Gémeaux.

Son Soleil, qui se retrouve dans la sixième maison, indique qu'il est un véritable bourreau de travail, un compilateur, un acharné du détail, du travail bien fait. Il peut aller jusqu'à l'épuisement tant il dépense d'énergie dans son entreprise. Cela en fait souvent un excellent travailleur manuel, le genre de personne qui sait tout faire, tant chez lui, dans sa maison, que dans la compagnie qui l'emploie. Les femmes de ce signe rencontrent souvent leur futur conjoint dans leur milieu de travail. La position de son Soleil en sixième maison rend l'homme de ce signe critique, souvent insatisfait; même quand tout le monde lui dit que tout est parfait, il trouvera le point qui manque quelque part. Les hommes dans leur relation amoureuse sont si «à cheval» sur l'étiquette – on doit faire comme ceci, comme cela – que les femmes qui partagent leur vie avec de tels sujets finissent par se sous-estimer et, pour survivre, elles quittent la scène! Fort heureusement, cet aspect s'estompe avec l'âge et avec le temps.

Sa septième maison, celle du conjoint, indique que le natif masculin recherchera surtout une femme qui aime la maison, la famille, le foyer, qui sait économiser et faire la cuisine... une femme qui, en fait, ne lui demandera pas trop de temps! Les femmes ont tendance à rechercher un conjoint émotif, fidèle, souvent pantouflard, mais après un certain temps elles commenceront à le trouver mou et trop docile! Les aspects de la Lune et du Soleil indiquent si ce Gémeaux arrivera à trouver sa perle.

Sa huitième maison, celle des transformations, se trouve dans le signe du Lion. Aussi il arrive que ce natif rencontre la vraie raison de sa vie avec un amant ou une maîtresse quand il réussit à se marier! Il doit surveiller les battements de son cœur et passer des examens; la tendance au surmenage peut susciter quelques problèmes de ce côté, surtout si dans la carte natale il y a de mauvais aspects de Mars et du Soleil. Ce Gémeaux-Capricorne est plus passionné qu'il ne le laisse supposer: vous devez le deviner! Petit jeu qui peut fatiguer ceux qui vivent près de lui. L'ascendant Capricorne, qui le rajeunit en vieillissant, le ramène à sa dimension Gémeaux et lui permet de vivre plus tardivement, et peut-être plus lucidement et plus agréablement, sa maturité.

Sa neuvième maison, dans le signe de la Vierge, en fait un être très sceptique en tout ce qui touche le domaine du paranormal et de l'astrologie. Il lui faut des preuves, des démonstrations officielles. Il aura du mal à partir en voyage pour s'amuser: il lui faut avoir un but, il partira pour étudier ou pour travailler. Partir pour partir ne l'intéresse pas vraiment. Le plaisir est futile, on y perd du temps. Il attendra la maturité pour se rendre compte qu'il a perdu de bons moments, mais il saura les rattraper.

Sa dixième maison, dans le signe de la Balance, lui permet de devenir un bon avocat. Il pourra aussi s'intéresser de très près à la politique. Cette position confirme encore une fois que c'est souvent sur le lieu de travail que le natif rencontre son partenaire. En fait, pour qu'un mariage dure sous ce signe, il est quasi nécessaire que le couple soit engagé dans la même entreprise. Cette dixième maison, dans le signe de la Balance, est souvent une assurance de réussite sociale. Le sujet aime que la personne qui partage sa vie soit au cœur de ses intérêts. Il a besoin de ses encouragements, malgré son silence, pour accélérer sa réussite.

Sa onzième maison, dans le signe du Scorpion, qui est aussi la sixième du Gémeaux, lui procure des amis presque essentiellement sur les lieux de travail. Il pourra rencontrer des gens qui aiment sa réussite et qui peut-être lui emprunteront de l'argent! Ils feraient mieux de s'y prendre tôt pour l'obtenir, car il n'est pas vraiment prêteur. S'il l'a fait dans sa jeunesse et s'il a été trompé, il ne sera pas prêt de renouveler l'expérience. Il a bonne mémoire, ce Gémeaux. Pendant longtemps il est capable d'avoir des relations sexuelles avec plusieurs amis. Certains seront aussi portés à la bisexualité.

Sa douzième maison, celle de l'épreuve, se trouve dans le signe du Sagittaire. Naturellement, les épreuves arrivent d'après la position de Jupiter et de Neptune dans la carte natale. Il pourra vivre des épreuves par ses enfants s'il en a, ces derniers lui coûtant plus cher qu'il ne le croyait. S'il survient un divorce, la situation peut être étrange, très confuse entre lui et la relation qu'il entretient avec sa progéniture. Si ce natif va vivre à l'étranger, il pourra alors y rencontrer des obstacles et vivre des drames qu'il n'aurait pas connus s'il était demeuré dans son pays natal. Il peut arriver qu'un enfant soit conçu à l'étranger et que cela provoque un remue-ménage bouleversant dans la vie du natif. Seulement, l'épreuve crée toujours une transformation chez le natif et elle l'aide à évoluer, à mûrir, à mieux comprendre les autres, à se tourner vers eux. S'oubliant lui-même, il peut découvrir qu'en donnant on reçoit davantage, intérêts inclus!

Le Gémeaux-Capricorne vit de profondes mutations. Il se pose de multiples questions sur ce qu'il est et sur ce qu'il provoque chez autrui. Sa nature est méfiante si on l'a déjà trompé, mais il est plutôt rare qu'il en reste là. La sagesse du Capricorne faisant son œuvre, il finit par comprendre que s'il ne s'assouplit pas il risque alors de rester seul et ça, le Gémeaux le supporte mal. Il a trop besoin de communiquer pour s'isoler toute sa vie.

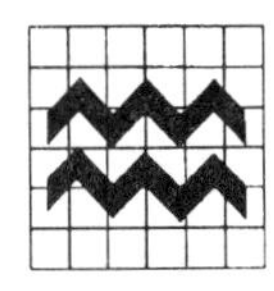

GÉMEAUX ASCENDANT VERSEAU

L'intelligence est vive. Il s'agit ici de l'association Mercure dans le signe du Gémeaux et d'Uranus dans le signe du Verseau. Notre Gémeaux-Verseau s'exprime aisément, il a un vocabulaire savant. Il est même à l'avant-garde du temps. Original, excentrique même, il ne veut surtout pas passer pour n'importe qui et tout le monde: il se distingue. Il peut jouer la comédie comme la tragédie. Il parle avec assurance, il sait, il connaît; il a lu cela quelque part et n'osez pas dire le contraire, vous assisteriez aux foudres d'Uranus!

Il multiplie les succès amoureux car la fidélité n'est pas son genre. Il se lie pour un temps relativement court; double signe d'air, il butine de fleur en fleur, de cœur en cœur.

Extrêmement intuitif, il vous connaît, il devine vos cordes sensibles et sait très bien faire vibrer la bonne pour obtenir de vous ce qu'il désire.

Il a toujours l'air de vouloir une justice exemplaire, unique, la même pour tout le monde, mais attention, il se place bien au-dessus! Son ascendant Verseau lui donne le goût du pouvoir, le goût du règne... pour un instant... deux minutes peut-être, et ce n'est pas long qu'une autre partie du monde l'attire ailleurs... une autre mission à remplir!

Partout où il passe, il crée un climat d'excitation. Après l'avoir entendu, on a envie de croire en quelque chose de neuf, il sait créer l'espoir, mais de là à se mettre en action, c'est une autre histoire... Laissez-le parler, il vous donnera de bonnes idées pour votre entreprise, et plein d'autres choses qu'il n'a pas le temps lui-même d'exécuter.

C'est un original, un créateur qui ne trouve son centre d'intérêt qu'en société. Dans la vie privée, il se sent mal à l'aise et est limité. Il aime s'entourer de nouvelles têtes, rencontrer de nouvelles personnes, se mettre à jour sur les nouveaux courants d'idées. Il étudie le comportement humain comme s'il n'appartenait pas à la planète Terre... Double signe d'air, un oiseau étrange...

Il lui arrive de faire ses crises: double signe d'air, c'est encore un ouragan incontrôlable. Il n'est pas d'accord avec vous, vous n'êtes pas d'accord avec lui, c'est simple, il trouvera bien d'autres gens quelque part dans cet univers pour l'écouter et être fascinés par son intelligence et sa vivacité. Le voilà donc parti faire un autre jeu qui l'amusera pendant un certain moment. Excusez-le. Il ne vous en veut même pas de ce désaccord, il vous a oublié.

Pour évoluer, il doit sérieusement prendre en considération qu'il n'est pas le nombril du monde et qu'il n'a pas la science infuse. Que la terre n'a pas commencé avec lui et pour lui. Que l'union et l'unité créent la force. On dit que les Gémeaux sont les chérubins du ciel et que les Verseaux sont des anges... Il y a de ces petits chérubins adorables ou détestables, et il y a des anges divins comme des anges déchus! Il peut aussi être chacun à tour de rôle!

Sa deuxième maison, celle de l'argent se trouve dans le signe du Poissons, d'où possiblement deux sources de revenus dont l'une peut ne pas être déclarée à l'impôt! Il est très habile là-dessus. Il est du genre à emprunter de l'argent, mais il n'est pas très rapide à le rembourser! Ou il économise et il en est même radin, ou il dépense inconsidérément pour toutes sortes de «gadgets» qu'on offre sur le marché. Possibilité de gains grâce aux placements à la Bourse.

Sa troisième maison, dans le signe du Bélier, lui fait rencontrer des gens partout. Il sympathise rapidement, mais il ne s'enchaîne pas solidement à ceux qu'il rencontre. Les idées jaillissent promptement chez lui, il peut en avoir plusieurs à la fois, il est génial, mais il a du mal à les mettre à exécution lui-même. Il fournit de bonnes idées, payantes en plus! Ce qui l'intéresse, en fait, c'est la conception d'une affaire. D'une nature nerveuse, il gigote sans cesse, ressent continuellement le besoin de bouger, de faire quelque chose de nouveau. On ne s'ennuie pas avec lui, mais il faut avoir du souffle pour le suivre. Ne supportant pas la routine, il se lasse bien vite des gens qui ont des vies trop rangées, trop répétitives.

Sa quatrième maison dans le signe du Taureau lui procure généralement un foyer confortable, mais il faut qu'il le quitte, il s'y sent à l'étroit et il n'aime pas rendre des comptes ni se faire poser des questions. Il aime les maisons confortables, luxueuses, solides, bien que souvent il n'y entre que pour dormir! Doué pour les placements immobiliers, il a du flair pour tout ce qui rapporte. Grand débrouillard, il n'est jamais pris de court!

Son Soleil se trouve dans la cinquième maison, ce qui donne une nature fière, orgueilleuse même. Il se présente «chic et de bon goût», souvent original. Vous le remarquez aussitôt qu'il entre dans une pièce: il aura même la sensation que tout le monde est venu pour le voir! Il fera les frais de la conversation, c'est un expansif. Et comme il possède beaucoup de connaissances, sa curiosité le porte à rechercher tout ce qui se fait de nouveau et dans le plus de domaines possible. Il peut entretenir une conversation avec n'importe qui! Il est le Gémeaux royal, il peut facilement compétitionner avec le roi Lion. S'il réussit à se marier et s'il a des enfants, il les adorera! Il sera si fier de sa progéniture qu'il la mettra sur un piédestal! Et celle-ci devra lui faire honneur. Ce Gémeaux-Verseau est un créateur, son imagination est puissante et sans limites. Sa raison est forte aussi. Il recherchera l'équilibre car il se rend compte de ses excès, et il finira par trouver.

Sa sixième maison, dans le signe du Cancer, en fait un amoureux de la foule, il aime travailler pour la masse, la faire réagir. Ce peut être pour faire de la publicité, monter un spectacle, créer ou vendre un produit utile aux gens. C'est un bon organisateur de fête, par exemple. Il aime la communication, le rire et le plaisir. Il aime se faire plaisir! Il est fidèle dans son travail à condition qu'on lui permette de se renouveler sans cesse et de rencontrer régulièrement de nouvelles personnes. Il aime rencontrer les gens, analyser les différents comportements. Cela le fait cogiter et il est friand de tout ce qui touche le domaine de l'esprit.

Sa septième maison, celle de l'union, dans le signe du Lion, lui fait rechercher la personne parfaite, ce qui le rend très difficile dans ses choix. Il aime que son partenaire brille et se fasse remarquer. Si vous voulez le séduire, faites-vous beau, surtout ne ressemblez à personne. Et si vous êtes artiste, alors là, il vous vouera un culte! Il aime admirer son partenaire. C'est à cette condition qu'il sera fidèle, après tout! Bon courage si vous en avez un chez vous! Si vous avez su le garder, c'est sans doute que vous êtes exceptionnel. Ce Gémeaux est généralement chanceux et il trouve la perle! Il ne reste plus qu'à la garder.

Sa huitième maison, celle des transformations, dans le signe de la Vierge, fait que s'il doit effectuer un changement important dans l'entreprise où il travaille ou qu'il possède, il le fera en toute intelligence. Il a un grand sens de l'astuce. Il pourrait mal se nourrir ou manger trop vite, cela pourrait leur occasionner des problèmes intestinaux. Il ferait bien d'y voir pendant qu'il est jeune pour s'éviter des opérations ou des soins médicaux astreignants.

Sa neuvième maison, dans le signe de la Balance, fait qu'il est fortement attiré par les étrangers et il arrive souvent qu'il épouse une personne d'une autre nationalité que la sienne. Cela le fascine et cette union peut durer! Il n'est pas rare que ce natif fasse une rencontre en voyage, ou que la personne étrangère la rencontre dans son pays natal. Très habile dans les relations diplomatiques, il est d'un commerce agréable avec quiconque, et il cherche à faire plaisir (à se faire plaisir aussi). Comme il veut qu'on l'aime, la plupart du temps, il est bien gentil avec les gens qu'il ne connaît pas. Il est du genre de ceux qu'on aime du premier coup et dont on dit du bien après les avoir rencontrés.

Sa dixième maison, dans le signe du Scorpion, lui fait désirer les situations de défi. La plupart du temps il préfère être le patron de l'entreprise. Travaillant quand il a un but, il ne le lâche pas. Il est capable de faire beaucoup d'heures au point d'oublier qu'il a aussi une vie privée. L'ascension peut être lente, mais elle est quasi assurée à moins de très mauvais aspects de Pluton et de Saturne dans sa carte natale.

Sa onzième maison, dans le signe du Sagittaire, lui procure naturellement des amis de tous les coins de la terre. Il aime voyager, explorer; il est difficile de le retenir à partir du moment où il a pris sa décision. Il lui arrive souvent d'avoir recours au gouvernement ou de recevoir des fonds gouvernementaux pour faire grossir son entreprise. C'est un excellent négociateur. De plus, il est pacifique, même s'il aime le pouvoir.

Sa douzième maison, dans le signe du Capricorne, provoque souvent un désaccord avec le père. Une épreuve par le père. Mais l'épreuve est aussi un point de mûrissement. Il doit surveiller son ossature, l'arthrite peut l'atteindre, surtout s'il est du genre à entretenir des rancunes non exprimées, car il veut la paix! Il peut pardonner en surface, alors qu'au fond de lui il déteste! Si ce natif est de sexe masculin et s'il a des enfants et qu'il divorce, il pourrait avoir des problèmes avec eux. La mère pourrait «monter» les enfants contre lui. Et il faudrait qu'ils deviennent adultes avant qu'ils puissent comprendre que leur père est un oiseau rare! Pour la native de ce signe, elle a pu vivre en compétition avec son propre père: vouloir faire mieux que lui sans l'imiter le moindrement. Un conflit d'autorité est fort possible.

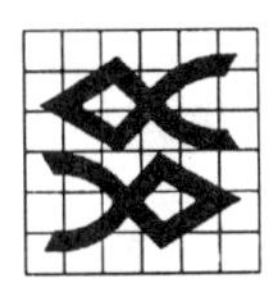

GÉMEAUX ASCENDANT POISSONS

Double signe double: 2 + 2 = 4 personnes en une seule! Gémeaux, signe d'air, Poissons, signe d'eau. L'air est en haut, l'eau est en bas. L'air est en perpétuel mouvement, comme l'eau qui s'agite sous l'effet des vents!

Où va-t-il? il n'en sait rien, il est attiré dans plusieurs directions à la fois! Il rêve. Il est bourré de talents, mais il ne sait lequel il doit exploiter. La confusion s'empare rapidement de lui, comme les spaghettis qui s'emmêlent dans l'assiette!

Quand il rend service c'est pour s'assurer la présence de quelqu'un. Si on l'ennuie, qu'on lui demande un peu trop, il ira ailleurs où on lui demandera moins. C'est un imaginatif. Il raconte en transformant, c'est un véritable romancier, parfois un poète, un réalisateur de film, ou encore un peintre de l'abstraction: personne ne le comprend.

On croirait qu'il ment. Hier il vous a dit telle chose et aujourd'hui ce n'est plus pareil. Les événements se sont transformés dans son imagination, il ne voit plus comme la veille...

On s'épuise à vouloir le suivre! Il faut un entraînement très sérieux pour vivre avec ce personnage à quatre têtes!

La musique, la danse et tout ce qui est mouvement l'attirent. Il aime se soustraire à la routine, à la régularité. Avec un ascendant Poissons, s'il vit dans un milieu dont les racines ne sont pas solides, il est un sérieux candidat à l'alcool, à la drogue. Devenu parasite, il change d'amis quand ces derniers ne peuvent plus entretenir ses vices.

Ce n'est pas qu'il n'aime pas travailler, mais il est persuadé que tout effort est inutile et entraîne l'homme à la déchéance, que l'homme est né pour penser et que la pensée devrait lui suffire et que, finalement, les moins intelligents sont ceux qui agissent! Il lui arrive d'avoir des opinions qui font son affaire, car il cherche à se soustraire le plus possible à ses responsabilités.

Si vous avez un enfant né sous ce signe, il faut l'orienter bien jeune, lui imposer une discipline afin qu'il puisse développer la volonté dans l'action, pour qu'il puisse s'imposer et s'affirmer. Il est continuellement assailli de doutes malgré ses grands airs détachés! Si vous êtes du genre à passer votre temps à lui faire des remarques, il se sentira vite comme une nullité, se mettra sous votre dépendance, persuadé que vous avez toujours raison et que vous le protégerez toujours... N'importe qui finit par se lasser d'avoir continuellement un poids à traîner.

Sa deuxième maison, celle de l'argent, dans le signe du Bélier, suivant les aspects de Mars, peut le rendre extrêmement dépensier ou extrêmement économe. De toute façon il préfère que l'argent lui tombe du ciel. D'ailleurs, il sait jouer à l'enfant perdu ou gâté et il arrive assez souvent qu'on lui fasse des cadeaux! Ce natif, comme attiré dans une sorte de léthargie, pourrait bien choisir un travail manuel pour gagner sa vie, un moyen efficace de le stimuler à l'action, et ainsi, au contact de la matière, il évitera de prendre ses rêves pour des réalités. Le métal exerce une grande fascination sur lui. Un travail en rapport avec le métal ou la mécanique peut lui assurer sa subsistance. Peut-être sera-t-il ingénieur avec de bons aspects de Mercure. Parfois l'ascendant Poissons le pousse vers la médecine, où il sera le sauveur de l'humanité qui souffre. Position qui, avec de bons aspects de Mars, peut faire de lui un bon chirurgien.

Sa troisième maison, dans le signe du Taureau, le fait réagir lentement. Il réfléchit tellement avant de prendre une décision que, finalement, on a passé la commande à un autre. Il aurait avantage de temps à autre à mettre de côté sa raison et à suivre l'impulsion du moment. Cette position en fait un excellent professeur, car il saura prendre le temps nécessaire pour expliquer et aller dans les détails. Expert à faire des drames avec de petits riens, il se tait plus qu'il ne rage. Il pense: vais-je ou non me mettre en colère? Trop tard, il n'y a plus personne pour l'entendre fulminer et voilà qu'il commence à se culpabiliser sur ceci et sur cela. Il se critique puis, tout à coup, il décide que ce n'est pas lui qu'il faut critiquer mais ceux qui sont responsables de ce qui lui arrive! On finit par le trouver bien compliqué!

Son Soleil se trouve en quatrième maison. Cela en fait souvent un «casanier». Il préfère rester à la maison plutôt que de sortir avec ses amis. Il est le Gémeaux le plus solitaire et le plus timide. Il a aussi toujours peur d'être de trop. Sa timidité lui fait perdre des occasions de prouver qu'il peut lui aussi faire des choses intéressantes et être productif. Il est le Gémeaux à sa «maman», il sera attaché à la famille. D'ailleurs la mère d'un enfant de ce signe doit l'encourager à aller vers autrui afin qu'il développe le sens de la sociabilité et qu'il dépasse sa «gêne». Ce natif est sujet aux sautes d'humeur. Il peut passer par des phases de hauts et de bas, de l'excitation au découragement, en un rien de temps. Il lui faut surveiller cet aspect qui peut lui nuire dans ses relations. Position qui favorise les biens immobiliers si le natif est poussé dans cette direction.

Sa cinquième maison, celle de l'amour, est dans le signe du Cancer. Effectivement, un Cancer peut comprendre ses peurs et ses angoisses. Il recherche une personne protectrice à son endroit, qu'il soit homme ou femme. Le natif masculin recherchera souvent une femme plus âgée que lui; et la native féminine devra, pour sa part, rechercher un homme doux et quasi pantouflard, aimant enfants et vie de famille. Il n'est jamais tout à fait simple de vivre avec cet ascendant, car le natif se sent déchiré entre différentes aspirations: vivre près des siens ou être au loin. Comme il peut vivre parmi eux et avoir le désir de s'en éloigner.

Sa sixième maison, celle du travail, se trouve dans le signe du Lion. Il aime les arts et adore faire les choses avec ses mains. Il est habile dans plusieurs domaines car il est très observateur. Il aura tendance à douter de ses capacités, il est perfectionniste, et il a besoin d'encouragements pour persévérer dans le domaine qu'il a choisi. Il pourra aimer la musique, le dessin, et tout ce qui s'exprime d'une manière individuelle. Il a ce qu'on nomme le sens de l'environnement qui peut en faire un bon architecte ou un paysagiste.

Sa septième maison, dans le signe de la Vierge, lui attire des conjoints qui critiquent, et il a lui-même cette tendance, le mariage risque de boiter sérieusement au bout d'un certain temps. Il recherchera une personne pratique, lui qui a tant de mal à l'être. Mais si l'autre prend toutes les responsabilités, il peut aussi se fatiguer et finir par trouver que le Gémeaux-Poissons est un véritable fardeau et le retourner chez sa mère! Encore une fois revient l'aspect où le natif recherche chez l'autre une protection qui peut être tout autant matérielle qu'émotive, ou les deux à la fois.

Sa huitième maison, celle des transformations, est dans le signe de la Balance. Effectivement, un échec dans le mariage peut lui être salutaire, le faire réfléchir profondément, et souvent c'est après une séparation qu'il se prend en main. La douleur sera cuisante, il ne s'y attendait pas, il ne croyait vraiment pas qu'il était aussi difficile de la vivre! Voilà qu'il se met à étudier les méthodes pour un mariage réussi et un bonheur garanti! Après tout, rien n'est impossible. Son ascendant Poissons le met en contact avec l'infini et il a raison d'y croire! Ses rêves peuvent devenir réalité.

Sa neuvième maison, dans le signe du Scorpion, peut lui apporter de sérieux problèmes d'argent s'il ne fait pas attention à son budget. Il sera curieux d'astrologie. Son interprétation pourrait, malheureusement, être faussée par ses propres émotions qu'il reportera sur autrui. Les voyages peuvent lui apporter des ennuis: on le volera peut-être ou il perdra ses effets s'il est distrait. Cette position attire les «microbes» qu'il peut attraper à l'étranger; il guérira, mais avec des soins attentifs.

Sa dixième maison se trouve dans le signe du Sagittaire. Il sera attiré par la politique, il pourra même y jouer un rôle important, mais dans l'ombre! Il aura du mal à utiliser les gens qu'il connaît à cause de son esprit critique, qui lui répète sans cesse qu'il n'est pas assez bien ni assez bon pour demander plus! Il pourra vivre deux importants changements de carrière dans sa vie, surtout vers l'âge de 35 ans. Il pourra devenir plus fort, s'affirmer davantage et s'apprécier à sa plus juste valeur.

Sa onzième maison, dans le signe du Capricorne, lui procure peu d'amis. Il se confie peu, on pourrait même le trouver distant et froid. Il a aussi très peur qu'on abuse de ses services. Il écoute plus qu'il ne parle. Il a peur de s'avancer.

Sa douzième maison, celle de l'épreuve, se trouve dans le signe du Verseau, régi par la planète Uranus. Les aspects de la carte natale nous informent sur le genre d'épreuve que le sujet peut vivre. C'est souvent un ami qui le pousse à l'éveil, en lui donnant une leçon sévère mais qui, finalement, pourrait l'éveiller et le faire mûrir. Si ce natif avait de mauvais aspects d'Uranus et de Mars dans sa carte natale, il pourrait être sujet aux accidents. Uranus c'est à la fois le génie et la folie. Notre natif peut à un certain moment de sa vie sombrer dans de profondes dépressions, sa tendance à se mettre à part le rendant vulnérable.

Sous ce signe et cet ascendant, l'être peut être bourré de talents. L'identification est alors bien difficile et il faudra que le milieu de naissance lui trace une ligne droite dans son orientation pour qu'il puisse bien réussir sa vie et s'équilibrer. Double signe double, tout l'attire en même temps. Les idées, grandes et petites, son monde et l'univers, bref, il peut naviguer entre la réalité et l'imagination sans oser appliquer quoi que ce soit! Si on l'encourage, il peut surprendre et se faire si puissant dans un secteur choisi que plusieurs penseront qu'ils n'auraient jamais pu croire qu'il ait pu être si puissant! Il faut lui donner confiance en lui, c'est peut-être la seule vraie chose dont il ait besoin pour réussir sa vie.

Le Cancer et ses ascendants

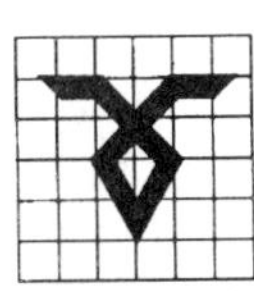

CANCER ASCENDANT BÉLIER

Double signe cardinal, double signe de chef, l'un régi par la Lune, le Cancer, et l'autre par Mars, le Bélier. L'un qui vous apparaît comme un oiseau fragile ou un papillon, et l'autre, comme un ptérodactyle ou un insecte qui mord au sang!

Drôle de mélange! La nature est à la fois vive et nonchalante, assurée et hésitante, tendre et cruelle, timide et agressive. L'un sourit et l'autre grince des dents, l'un vous rassure et l'autre vous effraie et vous tyrannise!

Cancer non violent.

Bélier belliqueux.

Le Cancer-Bélier a de l'instinct, il sait trouver le mot exact pour que vous vous pliiez à sa volonté et fassiez ce qu'il veut. Subtil, il sait utiliser la flatterie pour parvenir à ses fins. Le Cancer ressent les autres comme s'il était à l'intérieur d'eux, et le Bélier exige sérieusement. Avec lui, vous avez beau vous incliner, il déterminera. Mais ça paraît à peine, puisque la Lune du Cancer lui donne une petite allure angélique!

Il est imaginatif, mais son imagination est reliée au pratique, à l'utile, à ce que ça pourrait rapporter. Il est inquiet et a besoin d'argent pour subvenir à ses besoins, car il aime ce qui est beau, ce qui flatte l'œil, ce qui impressionne autrui. Mais il n'est pas un véritable dépensier. Plutôt économe, il sait attendre avant de s'offrir un produit de luxe; il n'aime pas avoir des dettes, ça le fatigue. Il est si malin qu'il s'arrange pour qu'on lui offre ce qu'il veut. Imaginatif et rusé!

Il sait se faire gâter. Nous sommes ici au premier niveau de conscience sur la roue du zodiaque, le quatrième, et le premier signe sous le Cancer; l'âme s'éveille aux autres, mais sous le Bélier il est retenu par lui-même, par ses besoins. Le petit ange se débat avec peine dans son égocentrisme, il est souvent égoïste et loin de lui l'idée de changer, parce que ça rapporte! Ça rapporte d'être ce qu'il est: il peut tout obtenir sans le moindre effort!

Sa philosophie: demandez et vous recevrez. Le pis qui puisse arriver c'est que quelqu'un lui dise non. Mais il peut toujours aller ailleurs où il prendra la chance qu'on lui dise oui cette fois... Quelqu'un qui le connaît moins, ou le charme faisant son œuvre, accrochera!

Si vous lui faites remarquer qu'il n'est pas aussi gentil ni aussi généreux qu'il en a l'air, qu'il fait des promesses qu'il ne tient pas, méfiez-vous. Les pinces du crabe vous enserrent par le bras et les cornes du Bélier vous rentrent dans le cœur: vous êtes cuit.

Il n'admet que rarement ses torts. Il joue à la victime, il s'apitoie sur son sort. Oh! comme il est incompris! Si quelque chose n'a pas marché, ce n'est pas de sa faute à lui... il vous le dira, c'est certain. En amour, il parle de paix et d'harmonie quand il regarde la Lune... Mais comme un Bélier, il porte une armure et est prêt à se battre. Pourquoi? Il ne le sait pas... il a comme cette sensation qu'il faut toujours lutter, que la guerre est sans fin, que la paix est un mot inventé pour les autres qui feront son bonheur sans qu'il ait à fournir un effort. Il est le centre du monde. Il faudra qu'il cesse de penser ainsi, sinon il vieillira mal, retranché dans une solitude qu'il n'a pas vraiment choisie, mais qu'il s'est imposée à force de mal aimer!

Sa deuxième maison se trouve dans le signe du Taureau, ce qui, naturellement, aiguise l'appétit de l'argent de ce natif. Il lui en faut beaucoup, tant pour le luxe qu'il veut s'offrir que pour le mettre de côté afin d'assurer sa survie économique. Il lui arrive d'aimer si fortement l'argent qu'il préfère vivre seul plutôt que de devoir partager. On dit parfois de lui dans les coulisses qu'il est radin, mesquin, avare même! Tout dépend de l'œil qui regarde. Il aura du mal à aimer quelqu'un qui pourrait éventuellement dépendre financièrement de lui!

Sa troisième maison, dans le signe du Gémeaux, en fait un être extrêmement intelligent, présent à lui-même en toutes circonstances et présent lorsque les bonnes occasions s'offrent à lui. Le Gémeaux étant le signe qui précède le Cancer, donc son douzième signe, peut faire de lui un menteur, ou une personne rusée, surtout s'il possède des aspects négatifs de Mercure. Comme celui qui crache en l'air! Notre natif risque à un moment de sa vie d'être aussi trompé par le mensonge.

Le Soleil, dans sa quatrième maison, fait de lui un être fort habile dans les spéculations. Il peut aussi être très attiré par la politique. S'il embrasse une carrière publique, il a toutes les chances du monde de devenir une personnalité populaire fort enviée. Les aspects de la Lune détermineront s'il désire occuper l'avant-scène ou exercer son pouvoir dans l'ombre. Ce natif n'est pas n'importe qui; il sait jouer à celui qui ne sait rien, comme à celui qui sait tout si l'occasion s'y prête. Il sait composer avec les gens qui l'entourent, il a une manière bien à lui de s'adapter, de faire plaisir pour en retirer le maximum. Il n'est pas porté naturellement à être profiteur, mais, il n'hésite pas à prendre le plus gros «morceau de gâteau» qui se présente... C'est si tentant!

Sa cinquième maison, en Lion, également la deuxième du Cancer, vient, une fois de plus, renforcer l'idée que l'argent permet de régner ou du moins d'exercer un certain pouvoir. Ce natif aimera ses enfants, qui ne manqueront de rien, et il leur apprendra très tôt la débrouillardise financière. En amour, il est généralement fidèle, le plus souvent en tout cas, l'exception fait la règle naturellement. S'il existe de mauvais aspects entre Vénus et son Soleil, il aura bien du mal à freiner son appétit sexuel! Il aime le beau, le cher, le riche et il s'arrange pour démontrer qu'il peut posséder et mener sa vie comme un roi, ou presque.

Sa sixième maison, celle du travail, dans le signe de la Vierge, position idéale, fait de lui un bon travailleur, aux idées claires, nettes, précises et qui ne manquent pas d'originalité. Il sait ce que le public désire, ce qu'on attend de lui et, instinctivement, il trouve le filon qui lui permet d'exploiter ses talents, de satisfaire le client. Il peut être un grand nerveux, mais il se contrôle apparemment bien. Il est sujet aux allergies d'origine nerveuse. Il peut aussi manger trop vite. Il est pressé. Que voulez-vous, il doit travailler!

Sa septième maison, dans le signe de la Balance, lui fait rechercher le partenaire idéal. Mais comme la perfection n'est pas encore de ce monde, cette septième maison, qui se trouve en carré ou en mauvais aspects avec le Soleil du Cancer, provoque des ruptures, des divorces. Les mésententes conjugales risquent d'être nombreuses. Ce Cancer-Bélier peut être fort rancunier. Orgueilleux, il a bien du mal à se voir tel qu'il est. Le partenaire se lance dans des explications pour s'entendre dire à la fin qu'il a tort! Ce natif est d'une logique puissante: il sait manier les mots de façon à avoir raison à tout coup! Aussi arrive-t-il que le partenaire se décide un beau jour à le quitter! Le Cancer-Bélier n'en revient pas! Il a tout fait! Il a payé (dans le cas d'un homme). Elle lui a donné tout son cœur (dans le cas d'une femme). Les mesures ne sont pas les mêmes pour tout le monde. Par exemple, quand le Cancer-Bélier fait un cadeau de six dollars, dans sa tête ça en valait trente-six! Celui qui le reçoit ne voit que le six dollars, surtout si le cadeau est reçu par un signe de terre, Taureau, Vierge ou Capricorne! Ce Cancer aura calculé sa démarche, son geste, le papier d'emballage, la carte...

Sa huitième maison, dans le signe du Scorpion, en bons aspects avec son Soleil, lui donne une chance de se réformer à un âge déterminé par les aspects de Mars et de Pluton. Cette position augmente sa perception. Il ressent, voit et comprend les besoins d'autrui, ce qui ne veut pas dire qu'il se montrera plus généreux. Mais, un jour, en se rendant compte qu'il a moins d'amis qu'il ne le croyait, il se mettra à faire des calculs plus justes. Cette position lui vaut une grande résistance physique et une bonne longévité. Il pourra certes atteindre l'âge de la sagesse.

Sa neuvième maison, dans le signe du Sagittaire, lui permet d'habiter des maisons luxueuses, généralement au-dessus de la moyenne. Il en possède souvent deux, une à la ville et une à la campagne. Il pourra aussi acquérir des propriétés à l'étranger ou à la fin de sa vie, élire domicile à l'étranger, sur le bord de la mer, au soleil, où il écrira ses mémoires et racontera comment il aurait aimé avoir vécu! Ce natif a beaucoup d'imagination, c'est pourquoi il a une grande force pour lutter. Il croit aux faveurs du ciel et le ciel lui en envoie jusqu'au jour où on lui demande de rembourser! Il pourrait obtenir un travail qui lui permettrait de se déplacer hors de son lieu natal. Il est généralement chanceux sur le plan du travail. Une tendance à trop bien manger pourrait entraîner des problèmes de poids, autour de la quarantaine, et des irrégularités du côté de son foie.

Sa dixième maison, dans le signe du Capricorne, lui permet de se hisser là où il en a envie, et cette position nous permet de croire qu'il grandira un jour avec sagesse! Cette position indique aussi, surtout si le sujet a des aspects favorables en son Soleil et en Saturne, un intérêt pour la politique.

Sa onzième maison, dans le signe du Verseau, qui est aussi la huitième maison du Cancer, symbolise que ce natif s'entendra un jour dire ses quatre vérités par ses meilleurs amis! Il se peut que, insulté, il refuse pendant longtemps de revoir ces personnes, mais le temps les remettra sur son chemin et, avec la sagesse qu'il aura acquise, il pourra constater qu'elles avaient eu raison à ce moment!

Sa douzième maison, qui est aussi celle de l'épreuve, dans le signe du Poissons, neuvième signe du Cancer, symbolise l'épreuve de la foi! Il faudra bien qu'un jour notre natif se rende à l'évidence qu'il faut sacrifier quelques petites choses et consacrer du temps à ceux qu'on aime! L'épreuve consistera donc en une grande réflexion, à tendance quasi-dépressive, pour permettre à notre Cancer-Bélier de comprendre les principes fondamentaux de la vie, de se rendre compte que la générosité est toujours remboursée, que la mesquinerie a un prix, que lutter pour l'argent n'est pas une garantie de bonheur quand on a l'unique intention de l'amasser pour se protéger seul, sans l'aide de qui que ce soit.

CANCER ASCENDANT TAUREAU

Quand la Lune et Vénus sont réunis, c'est pour chanter un hymne à l'amour. Cancer, signe d'eau, Taureau, signe de terre: nous sommes en terrain fertile!

L'intuition est puissante, l'être est discret, il peut vous laisser mentir et faire semblant d'y croire pour ne pas avoir à discuter avec vous. Si vous lui avez menti, soyez certain qu'à l'avenir il ne recherchera pas votre présence. Il vit dans le vrai, il croit aux sentiments, il croit que l'homme est moitié humain, moitié divin. Il veut que les deux vivent en harmonie, simplement, en grâce et en beauté!

Son confort est important. Sa sécurité financière également. Il voit l'avenir avec optimisme à condition d'avoir de l'argent en banque. Le manque l'effraie, mais il fait confiance à la vie et n'a pas peur de travailler pour se procurer ce dont il a besoin. Économe, sans être radin ou avare, il ne gaspille pas. Il aime la vie simple et les soirées passées avec les bons amis. Surtout pas avec ceux qui cherchent arguments et querelles. Excellent parent, sa progéniture ne manque de rien. Il pourvoit à tout, il sait apporter affection et protection. Sa grande sensibilité lui permet de se faire rassurant.

Pas besoin de parler, il a ressenti. Il sait ce dont vous avez besoin et les paroles de réconfort viennent d'elles-mêmes.

Au fond, cette sensibilité est fragile; il se protège. C'est pourquoi il comprend si facilement ceux qui souffrent, mais il n'admet pas que vous passiez votre temps à souffrir. Fais quelque chose de ta vie et passe aux actes!

En tant que parent, il a bien du mal à voir les enfants grandir. Il risque même, dans certains cas, d'entretenir chez eux un comportement enfantin, mais c'est sans malice. C'est que, inconsciemment, il ne se décide pas à quitter ceux qu'il possède. Nous sommes ici sur le premier niveau de conscience, double signe égocentrique, mais le natif ne se rend pas du tout compte que la plupart du temps, toutes ses gentillesses lui servent à acheter l'amour des autres, à se mettre à l'abri des mauvais vents ou des raz de marée. Il ne rend pas compte qu'il donne son affection inégalement et qu'elle n'a pas une véritable intensité. Sa passion n'a rien d'un feu vibrant, elle est confuse, inégale. Le Cancer est un signe cardinal de commandement et le Taureau, un signe fixe qui ne prend pas d'ordre. Si, à tout hasard, il manque un peu d'eau dans ce signe de Cancer, vous avez alors un Taureau à la terre sèche sur laquelle tout pousse mais où rien n'atteint sa pleine maturité ni toute sa couleur. Si vous avez un Cancer plein d'eau et peu de terre, vous avez de la boue; on s'y enfonce, et la graine pourrit avant de germer. Se doser soi-même n'est pas facile. Il faut faire un effort de conscience, vouloir se connaître, vouloir connaître les autres dans leur dimension profonde, dans leur partie cachée qui est souvent la racine, là où tout se passe réellement!

On remarque beaucoup de tolérance sous ce signe, à la condition qu'on ne le dérange pas et que sa tolérance n'entrave pas le cours de sa vie ni de ses désirs. Laisser dire et laisser vivre, en quelque sorte. Il lui arrive un peu de s'en laver les mains, c'est plutôt rare, mais ça arrive!

Sa deuxième maison, dans le signe du Gémeaux, celle de l'argent, est également la douzième du Cancer. Il arrive que ce natif ait deux sources de revenu, et davantage encore. Il pourra avoir deux emplois dont l'un à mi-temps, pour se payer du luxe, et l'autre pour assurer sa survie. Il pourra gagner son argent par ses écrits ou par la parole, dans le monde des communications, comme vendeur d'idées ou autrement. Il aime bien paraître. Quand il s'achète un vêtement, c'est évident qu'il l'a payé cher! Ne le croyez surtout pas quand il vous dit qu'il est fauché. Il a sa réserve. Il est beaucoup trop prudent pour avoir tout investi dans les apparences! D'une nature théâtrale, le goût du faste ne lui manque pas, mais il ne tient pas à se soustraire aux règles établies. Il suit la mode, mais en y ajoutant sa petite touche personnelle! Il en sera de même pour son logement, son appartement.

Son Soleil se situant dans sa troisième maison, celle de l'esprit, ce natif sera curieux, il aura envie de tout savoir, de tout apprendre. Il saura s'exprimer librement, il pourra même être bavard. La position de Mercure nous renseignera sur la manière dont il gagnera sa vie. Il peut lui arriver de faire des promesses qu'il ne pourra pas tenir immédiatement, vous devez être patient. Mais ça viendra. Encore une fois, cette position indique qu'il a l'art de s'exprimer, par la plume ou par la parole. Habile avec les mots, il est bavard et communicatif, plus bavard que la moyenne des Cancer. Il sera toutefois sujet à des sautes d'humeur, on ne sait d'où elles viennent, mais le plus souvent on peut les relier à son insécurité, à sa peur de manquer d'argent.

Sa quatrième maison, dans le signe du Lion, lui fait aimer les maisons luxueuses, parfois hors de prix, mais il est assez tenace pour finir par en posséder une. Cette quatrième maison étant aussi la deuxième du Cancer, il aimera recevoir chez lui ses amis artistes, ceux qui font parler d'eux, les originaux! Quand il déménage, c'est pour se mieux loger, car il ne se trompe jamais dans ses calculs quand il s'agit d'immobilier, d'appartement et d'investissement de ce côté. Il sera attentif à ses enfants au point d'être parfois étouffant. Il est si fier de sa progéniture qu'il en rajoute! Nul doute qu'il demandera aux siens de faire mieux que lui! Pourquoi pas? Cependant, les enfants apprennent par l'exemple et les mots seuls ne leur suffisent pas. Le plus souvent ils ressemblent à leurs parents, et ils sont même un peu mieux qu'eux, compte tenu de notre évolution.

Sa cinquième maison, dans le signe de la Vierge, fait de ce natif un critique silencieux! Son seul regard vous fait comprendre que vous avez tort. Il lui arrive aussi de se manifester à voix haute! Il fait de même avec ses enfants! Les reproches ne sont jamais très vifs, mais ils sont tout aussi puissants, puisque les enfants peuvent bien imaginer ce qu'ils veulent! Ce natif est extrêmement minutieux dans son travail. Tous les détails sont étudiés à fond, quelle que soit la sphère dans laquelle il évolue: secrétaire, administrateur, artiste de scène, avocat ou toute autre profession qui demande le sens du détail. Ce peut tout aussi bien être dans la construction que dans la coiffure. Il est toujours difficile de définir la nature précise du travail de ce natif, à moins de faire une carte du ciel bien précise, car il est du genre à tout faire, tellement il est curieux et assoiffé de connaissances.

Sa sixième maison, celle du travail, est dans le signe de la Balance, et la Balance symbolise la justice, l'esthétique, les associations, le mariage, etc. Notre natif pourrait donc se retrouver dans un métier ou dans une profession qui a un rapport avec Vénus dans un signe d'air, la raison étant un point important dans le monde de ce Cancer-Taureau. C'est un travailleur, un perfectionniste, et il est coopératif s'il travaille en groupe. Il arrive aussi qu'il rencontre l'âme sœur dans son milieu de travail. Le mariage, représenté par le signe de la Balance, fait un aspect négatif au signe du Cancer. Il peut arriver à ce natif, s'il se marie trop jeune, de devoir se marier deux fois! Il n'est pas du genre à passer sa vie seul. L'amour est important pour lui; l'affection et le partage également. Ne l'oublions pas, ce gentil natif est tout de même Cancer, signe cardinal, ascendant Taureau, signe fixe: il donne des ordres, mais il n'en prend pas tellement!

Sa septième maison, qui représente justement le mariage, se trouve dans le signe du Scorpion, symbole à la fois de mort et de renaissance. Il peut donc arriver que ce natif vive une séparation, qu'il se trouve avec la même personne et qu'il refasse avec son partenaire une vie de couple toute différente de celle qu'ils ont vécue la première fois! Les Cancer n'aiment pas les séparations. Les pinces de crabe décrochent difficilement et le Taureau, en bon signe fixe, reste là où il est! Une autre possibilité avec cette septième maison dans le signe du Scorpion: parfois, c'est la mort du conjoint, mais il faut alors que d'autres aspects l'indiquent dans la carte natale de ce Cancer-Taureau.

Sa huitième maison, dans le signe du Sagittaire, indique que le natif sera curieux d'astrologie et de tout ce qui touche le monde invisible. Cette position indique également la possibilité d'héritages venant parfois d'oncles et de tantes même éloignés. Naturellement, d'autres aspects doivent le spécifier pour en être certain. La huitième maison étant le symbole de la mort, dans le Sagittaire elle indique une mort douce, possiblement à l'étranger, au cours d'un voyage. Cette huitième maison étant également la sixième du Cancer indique que le natif, au cours de ses voyages, doit faire attention à la nourriture. Il est sujet aux maladies virales, mais comme le Sagittaire est un signe double et que la sixième maison du Cancer en est un aussi, il est peu probable que le sujet n'arrive pas à se débarrasser du microbe s'il en attrape un! Cela indique aussi que des changements à son travail lui portent chance et le conduiront sur des chemins de plus en plus larges et prometteurs.

Sa neuvième maison, dans le signe du Capricorne, indique souvent que ce natif attendra sa maturité avant de faire son tour du monde. Il préférera rester chez lui plutôt que de voyager sans confort et même sans luxe. Plus il vieillit, plus il devient sage et ouvert à toutes les connaissances. Cette position, en cas de veuvage, indique un remariage, et parfois avec une personne ayant un statut social particulier et important.

Sa dixième maison, dans le signe du Verseau, également la huitième du Cancer, symbolise des changements soudains dans la carrière qui peuvent amener ce natif à jouer un rôle social plus important que dans la première partie de sa vie. Il saura s'entourer de gens à l'esprit universel. Ce sera une autre manière d'apprendre quelque chose de plus sur la vie et sur lui-même.

Sa onzième maison, dans le signe du Poissons, l'amène à fréquenter des gens de différents milieux, des bien comme des mal aimés. Il voudra les aider, mais viendra un jour où il se rendra compte que certaines personnes n'ont que faire de son aide et n'ont fait qu'abuser de sa générosité! Cela se passe très vite dans le cas du Cancer-Taureau. Il tient à bien vivre, il n'aime pas qu'on lui enlève le pain de la bouche et, surtout il supporte très mal qu'on ne lui dise pas merci, à moins que des aspects n'indiquent qu'il est missionnaire! Il y en a peu sous ce signe et cet ascendant, car cette nature aime trop la bonne chère et la belle vie pour se priver bien longtemps. Il pourra quand même vivre l'expérience de prêter de l'argent à un ami et d'être déçu parce qu'on ne l'aura pas remboursé! Il ne se laissera plus prendre. Cette onzième maison, dans le signe du Poissons, indique encore une fois son attirance pour les sciences paranormales et il peut lui arriver d'aller de temps à autre voir des voyants pour entendre parler de son futur.

Sa douzième maison, dans le signe du Bélier, lui apporte une grande nervosité qui n'est pas toujours apparente. Il peut avoir de fréquents maux de tête, surtout avec de mauvais aspects de Mars. Cette position le protège des ennemis; ces derniers ne s'acharnent pas si le natif vient à en avoir. Il aime la paix et il tient à sa sécurité. Position qui provoque chez lui une profonde angoisse quand il se rend compte qu'il vieillit. Voilà quelque chose qu'il accepte mal et, pourtant il devra se rendre à l'évidence que l'expérience du temps n'est ni une perte ni un échec, mais plutôt une ascension vers la sagesse.

CANCER ASCENDANT GÉMEAUX

La Lune et Mercure, que de fantaisies! Vous vous rendrez à peine compte qu'il est inquiet. Il essaie sans cesse de ne pas l'être. Il adopte à tour de rôle différentes philosophies qui l'aideront à voir la vie sous un nouveau jour, plus optimiste chaque fois, et il adoptera une nouvelle attitude, selon ses fréquentations. Il n'est pas vraiment authentique. Il suit le courant!

Bavard, il aime discuter de ses dernières lectures. Il se les explique en vous les racontant, pour être bien certain qu'il a compris.

Les refus ne le dérangent pas. On peut lui dire non, c'est le droit des autres de refuser. Là-dessus, chapeau! Il réussit à mettre sa fierté dans un sac, mais il ne démissionne pas, il ira demander ailleurs jusqu'à ce qu'on dise oui. Ensuite il vous fera remarquer que c'est comme ça qu'on gagne dans la vie. Il ne faut pas trop s'en faire, mais il ne faut pas non plus perdre le fil de ses idées!

Il aime bien donner des conseils, vous dire comment vivre, manger, vous soigner ou penser. Son discours est persuasif. Vous lui résisterez mal et vous accepterez ses caprices. Et tout content parce qu'il adore constater qu'il a gagné, il vous dira innocemment: «Tu vois comme j'ai réussi à te convaincre!» Vous pourrez le détester durant quelques minutes, car il peut arriver qu'il vous ait fait faire des changements qui vous ont coûté cher!

Intuitif, il dit la vérité qu'il pressent. Écoutez-le, prenez des notes, il a peut-être vu loin en avant de lui et il a souvent raison!

Il n'a pas vraiment la notion du temps. La lune le fait rêver et Mercure le fait parler tout haut de ses rêves. Il fallait qu'il en parle à quelqu'un... vous l'attendiez, mais vous excuserez son retard, il aura un mot si gentil et peut-être un petit cadeau avec lui pour se faire pardonner.

Il aime la distraction, les jeux, la société. Il adore rencontrer des gens, les voir tels qu'ils sont et les imaginer tels qu'ils seraient en mieux. Il est bavard, vous ne vous ennuierez pas avec lui!

Il lui arrive, en revanche, de faire aux autres ce qu'il n'aimerait pas qu'on lui fasse; emprunter un livre, par exemple, et ne pas le remettre. Il en a lui-même prêté spontanément à quelqu'un qu'il aimait et qu'il ne reverra pas... Achetez-vous un autre livre!

En amour, il vit plusieurs ruptures successives, il ne comprend pas comment cela peut arriver... Il est si gentil! C'est que la plupart du temps il s'est occupé de ses amis, il a volé à leur secours pendant que l'âme sœur attendait sur le perron, en grelottant. Il a intérêt à être plus conscient des besoins de ceux qui vivent juste à côté de lui s'il ne veut pas les perdre. Avant de sauver l'humanité, qu'il prenne soin de son petit monde! Il n'est pas vraiment fonctionnel ni autonome, il se fie sur les autres en cas de besoin. L'équilibre n'est pas parfait, mais cela s'apprend; Mercure, l'intelligence, inspiré par la Lune!

Son Soleil se trouve dans la deuxième maison, d'où son besoin d'argent pour vivre. Ça c'est certain, il n'aime pas manquer de quoi que ce soit. Deux types peuvent surgir de ce natif: l'un est assez fier pour ne dépendre de personne, et l'autre est un parasite! En général, il n'aime pas vraiment l'effort, il vous dira qu'il manque d'énergie ou qu'il doit penser! Mais à quoi? Il aime la philosophie et les discussions, je vous l'ai dit déjà! Mais ça ne paie pas toujours. Il est attiré tant par les arts que par le monde de la finance ou de la médecine. Tout dépend des aspects de son Soleil et de Vénus dans sa carte natale. Quoi qu'il fasse, rien ne l'empêchera de bavarder.

Sa troisième maison, dans le signe du Lion, donne du prestige à son langage! Il a le don de vous persuader. Un danger, c'est que ce qu'il avance soit superficiel. Il a du mal à aller en profondeur, lui-même se laissant séduire par les apparences, mais il peut réfléchir et revenir ensuite sur ses paroles. Sa troisième maison étant aussi la deuxième du Cancer, il peut gagner sa vie par des emplois du type mercurien, soit par l'écriture ou dans un travail faisant référence au monde de l'esprit. La position de Mercure dans sa carte natale indique plus clairement comment il gagne «ses sous». L'ascendant de ce natif étant en signe double, cela peut donner deux types de personnalités distinctes. L'un peut être fort sérieux et l'autre tout à fait farfelu! L'un peut parler sérieusement et l'autre, d'une manière fantaisiste.

Sa quatrième maison se trouvant dans le signe de la Vierge, il veut naturellement tout apprendre. Il a du mal à rester chez lui. Souvent il aime habiter chez l'un et chez l'autre pour différentes raisons. Dans un cas, c'est parce qu'il réussit à faire des économies en habitant chez un ami qui, gentiment, le nourrit; dans un autre cas, il peut se sentir très inconfortable dans son milieu familial et il n'est pas rare alors que ses parents ne lui conviennent pas, que l'un des parents soit affecté d'une maladie d'origine nerveuse transmise à ce natif par voie subconsciente, ce qui lui donne ce goût du mouvement. Il se sent bien et mal partout où il passe. Il a du mal à se faire une idée précise de ce qu'il est, il a aussi bien du mal à écouter les conseils qu'on lui donne. Donnez-lui deux semaines pour les absorber et le digérer.

Sa cinquième maison, dans le signe de la Balance, lui donne un grand idéal d'amour, mais pas toujours aussi accessible qu'il le croit. Il recherche naturellement le partenaire unique, à la fois pratique et artiste, qui prendra bien soin de lui! Mais, ô surprise! on ne l'entend pas toujours de cette manière! On lui demande de prendre ses responsabilités! C'est bien difficile pour lui. Il se rend à peine compte qu'il se conduit souvent en enfant gâté à qui tout appartient et à qui tout doit revenir! N'entretient-il pas la conversation? N'est-il pas aimable? Bien sûr qu'il l'est, mais on lui demande un peu plus de preuves pour vivre avec lui, et l'amour, c'est un partage quotidien: il y a le ménage et le lavage et les courses à faire! Ça, il a bien du mal à le voir! Son esprit est au-dessus de tout cela! Il faudra pourtant qu'un jour il se rende à l'évidence.

Sa sixième maison, celle du travail, se situe dans le signe du Scorpion: travail de nuit, dans un bar, gardien, travail dans un laboratoire (médecine et microbes), écrits étranges également! La psychologie l'attire tant pour se comprendre que pour comprendre les autres. La médecine, s'il est orienté dans ce sens durant sa jeunesse, peut exercer une forte attirance sur lui, mais il lui faudra des encouragements, car la médecine exige de gros efforts et notre natif est parfois paresseux et reste superficiel dans ses études. Sensuel, il aimera «essayer» différentes techniques amoureuses! Il pourrait arriver qu'à une période de sa vie il ait plusieurs partenaires et qu'il trempe quelque peu dans le «vice»! Mais il ne passera pas sa vie ainsi. Il expérimentait, il vous le dira lui-même. La bisexualité pourrait exercer un certain attrait! Sa curiosité l'entraîne à vouloir tout connaître, tout essayer!

Sa septième maison, dans le signe du Sagittaire, le prédestine plus que d'autres signes à avoir plus d'un mariage, ou à se lier avec des personnes étrangères. Cette position lui attire des partenaires étrangers ou la fréquentation assidue de ces personnes. Pour s'éviter un divorce, ce natif ferait bien d'attendre la grande maturité pour se marier! Au moins trente-cinq ans! Il peut arriver aussi qu'il rencontre l'être aimé au cours d'un voyage! Il aime vivre quelque chose d'original, de différent, avec l'amour. Il a une image excitante de la vie à deux dans sa tête. Ce n'est pas toujours réaliste, mais il y croit tellement, et avec ses pinces de crabe il peut bien un jour rencontrer son idéal et y rester accroché. Souvent il rencontrera un partenaire ayant plus de moyens financiers que lui! Il les attire en tout cas, il lui suffit de les garder!

Sa huitième maison, dans le signe du Capricorne, signifie une longue vie. On n'a pas fini de l'entendre raconter sa vie et ses péripéties. Ses petits-enfants, s'il en a, ou les enfants des voisins risquent d'être sceptiques s'il leur raconte comment il a réussi à vaincre le grand monstre qui passait dans sa région quand il était jeune! La cinquantaine est l'âge de la sagesse pour lui. Il a fait le tour de sa vie, il commence à être plus tranquille.

Sa neuvième maison, celle de la philosophie, se trouve dans le signe du Verseau, signe très original. Vous pouvez vous attendre naturellement à toutes sortes de théories de sa part: il suit la mode à sa manière! Il peut être attiré par toutes sortes de religions. L'astrologie l'attire aussi, mais il aura du mal à guider les autres, et c'est en fait le but de l'astrologie! Il aime les voyages. Il peut même arriver qu'il conçoive un enfant à l'étranger, qu'il n'en souffle mot s'il s'agit d'un homme!

Cette position qui le rend très bavard peut aussi le rendre populaire! Pour combien de temps? Tout dépend si ce qu'il représente passera ou non de mode bien vite!

Sa dixième maison, celle de la carrière, se trouve dans le signe du Poissons. Alors, quelle carrière va-t-il embrasser? Tout l'attire, mais cette position rend le terrain fertile pour les médecines douces, surtout avec de bons aspects de Neptune et de Jupiter. Ce natif a envie de sauver tout le monde alors qu'il lui arrive d'avoir tant de mal à se sauver lui-même. On dit alors qu'il se surestime, ou qu'il voit tout en couleurs d'une manière si idéaliste que cela peut être proche de l'enfantillage si on le considère d'un œil plus observateur.

Sa onzième maison, dans le signe du Bélier, lui procure de nombreux amis et surtout une multitude de connaissances car il entre très facilement en contact avec autrui. Le Bélier faisant un mauvais aspect sur le Cancer, il se peut quelquefois que les gens qu'il appelle ses amis ne soient pas tout à fait d'accord avec lui sur divers plans. Et notre natif peut très bien faire semblant de n'y voir que du feu, jusqu'au moment où on lui demandera de cesser d'utiliser le nom d'un tel ou de tel autre pour passer à tel ou tel endroit! Bien sûr qu'on s'enthousiasme à son sujet quand on le rencontre. Il a tant à vous apprendre et vous vous laissez prendre, du moins pendant un certain temps. Et quand vous vous rendez compte que le jeu ne se terminera jamais, vous aurez envie de rentrer chez vous!

Sa douzième maison, celle de l'épreuve, est dans le signe du Taureau, signe de Vénus. L'amour peut un jour être vécu avec une douleur cuisante. L'argent peut devenir un problème s'il ne prend pas ses responsabilités. Cette position indique parfois que le natif se place dans des situations où il agit comme un parasite qui vit au crochet de ceux qui veulent bien prendre soin de lui! Mais il risque alors, à un moment bien calculé par celui qui s'en occupe, de se voir banni, et pour longtemps, s'il a abusé d'un signe fixe, par exemple d'un Taureau, d'un Scorpion, d'un Lion ou d'un Verseau. Eux n'oublieront pas la dette qu'il a contractée à leur égard. À moins qu'il ne rembourse, il ferait bien de s'abstenir de leur rendre visite. Ça risquerait de mal tourner pour lui. Un Cancer bien à sa place pourrait lui faire la morale qu'il n'oublierait pas. La Balance lui ferait la tête et la détournerait plutôt que d'engager un combat. Un Capricorne jetterait sur lui un puissant regard de reproche, et un Bélier lui dirait d'un seul trait, dans des termes bien sentis, sa façon de penser! Les signes qui pourraient lui pardonner plus facilement sont le Gémeaux, le Sagittaire, la Vierge et le Poissons, parce que le Gémeaux oublie le passé, le Sagittaire est trop occupé à ses conquêtes pour commencer à faire des reproches, la Vierge le prend en pitié et le Poissons reste tolérant à son égard, après tout, lui aussi aime sauver l'humanité!

CANCER ASCENDANT CANCER

Intéressant! Attirant! Vous ne pouvez le manquer, il ne passe pas inaperçu, il vibre d'émotions. Il dégage! On a envie de s'approcher, d'être tout près. Du premier coup, on a le goût de l'aimer.

Il ressemble à un conte, à un roman d'amour qui finit bien ou qui finit mal, mais où il y a sans cesse du mouvement, le passage d'une émotion à une autre. Il peut vous faire rire, vous faire pleurer, mais, chose certaine, il ne vous laissera pas indifférent. Et une fois que vous l'aurez connu, vous aurez envie d'y revenir. Il est la tendresse, la romance, l'amour. Triste ou gai, il est toujours touchant!

Le sens des affaires est tout de même puissant chez lui. Le sens de l'organisation et le flair y jouent. Il sait ce qui va, ce qui ne va pas. Parfois il sait qu'une idée ne marchera pas. Il sait aussi que, même s'il vous donne un conseil, vous ne l'écouterez pas... Il vous laissera faire la bêtise, vous dira après que si vous lui aviez demandé conseil, il savait. L'instinct est puissant! Il pressent le danger tout comme il sait où il faut aller pour avoir du plaisir.

Il ne supporte pas qu'on lui mente, mais il lui arrive de mentir par diplomatie naturellement, ou tout simplement pour que vous soyez de son avis... il veut vous protéger!

Ces gens montent dans l'échelle sociale. Ils ont aussi leurs coups durs, mais ils se relèvent plus forts qu'avant. Quand les pinces du crabe s'accrochent à l'idée qu'il doit réussir, qu'il doit être heureux, il y parvient, non sans quelques phases de découragement, mais jamais pour longtemps. D'instinct, il trouve la sortie de secours et la lumière!

Il déteste les séparations, pourtant il en vit. Le mariage ne devrait se faire qu'à la maturité, et comme il ne vieillit que lentement, la cinquantaine lui conviendra bien. Pour une femme, c'est plus compliqué: à cet âge on n'a plus tellement envie d'avoir des enfants!

Il aime les enfants, il les respecte. En fait, il respecte tout ce qui vit et pour lui chaque être a son importance. Il arrive très bien à identifier tout le monde, et avec une justesse d'observation surprenante.

Pour s'épanouir, il a besoin d'un climat de tendresse où il reçoit chaque jour sa dose d'affection, renouvelant ainsi son espoir dans la vie et son goût d'agir, non pas pour lui, mais pour les autres. Il a tant besoin d'amour qu'il viendra tout près de se sacrifier pour vous faire plaisir, mais pas autant qu'il le dit!

Si vous en avez un chez vous, juste une fleur, un mot gentil et voilà que vous le faites rêver à l'infini. Et il saura vous entraîner avec lui pour vous faire découvrir à son tour les trésors cachés de la Lune, une Lune dont vous n'aviez jamais soupçonné l'existence. Elle éclate dans toutes les couleurs de l'arc-en-ciel, en teintes diffuses, si lumineuses! Et elle sourit de promesses qu'elle tiendra... faites un vœu!

Sa deuxième maison, dans le signe du Lion, en fait quelqu'un qui a des goûts luxueux. Cette deuxième maison qui représente le Taureau en fait un bon négociateur quand il s'agit d'achat d'objets de luxe, de maisons, de terrains. Il est doué pour les collections d'art, de tableaux qui, éventuellement, lui rapporteront beaucoup. Il arrive souvent que ce Cancer-Cancer soit un enfant gâté dès l'enfance, qu'il ait vécu à l'aise sans trop de soucis, jusqu'au jour où il doit se prendre en main et décider! Là les choses peuvent changer. Cancer ascendant Cancer, surtout si le Soleil se trouve dans la première maison – car il arrive parfois qu'il se trouve dans la douzième ce qui rend alors la vie plus complexe – le natif vient le plus souvent d'un foyer où la mère l'a dorloté au point qu'il aura peut-être un peu de mal à trouver un partenaire qui en prendra autant soin dans l'avenir.

Sa troisième maison, dans le signe de la Vierge, en fait une personne intelligente, vive, prompte à la repartie, minutieuse, ordonnée comme peut l'être une Vierge, et même un peu plus!

La troisième maison étant de Mercure, et la Vierge également, nous avons là deux fois la présence de Mercure, ce qui en fait une sorte de double Vierge, donc un être très intelligent! Et à cheval sur les détails en tout ce qui touche la matière puisque la Vierge est, bien sûr, un signe de terre. Il est également très habile dans les jeux de mots et les jeux d'esprit. On dira même qu'il est difficile à battre. Curieux de tout, il veut tout savoir. L'adolescence est une période importante pour le développement de ce natif. Selon les aspects de Mercure, il peut vouloir prolonger ses études ou les arrêter! Position qui, trop souvent, lui donne le sens de la critique. Aspect négatif, qu'il devra corriger très tôt, car en critiquant on finit par ne voir que le mauvais côté des choses et ça devient agaçant pour ceux qui vivent avec un tel sujet. De plus, cela fait du Cancer-Cancer une personne qui finit par s'isoler puisque trop de gens ont peur d'entendre parler de leurs imperfections.

Sa quatrième maison, dans le signe de la Balance, lui fait désirer une maison aux couleurs pastel. Il s'organisera pour vivre dans un décor tout doux, aux nuances délicates. Cette quatrième maison indique une mère qui ne déborde pas vraiment de passion ni de tendresse pour son rejeton; elle peut être protectrice, mais le natif recevra surtout le message de «taille-toi une place solide dans la vie». Jamais aucune directive sur le véritable bonheur. Cette position indique que le Cancer-Cancer pourrait vivre une première rupture amoureuse s'il n'a pas attendu la maturité pour se marier! Inconsciemment, il recherchera dans sa jeunesse un protecteur plutôt qu'un partenaire amoureux, alors que l'autre ne l'a tout simplement épousé que par amour, pour partager et non pas pour le protéger!

Sa cinquième maison, celle des enfants, dans le signe du Scorpion, peut lui apporter quelques problèmes avec des enfants s'il en a, ou il peut s'en trouver privé pendant longtemps. Dans certains cas de Cancer-Cancer, comme ce signe est en bon aspect avec le Scorpion, il peut arriver que le natif ait des enfants quand il est très près de la quarantaine par exemple, et que ces enfants transforment toute sa vie d'une manière extrêmement positive. Cette cinquième maison, dans le signe du Scorpion, peut rendre ce natif cynique quand il parle d'amour, surtout s'il n'en a pas dans sa vie. Il peut avoir vécu de nombreuses aventures, mais ce n'est pas tout à fait ce qu'il recherche: il s'en contente sans être pleinement satisfait!

Sa sixième maison, dans le signe du Sagittaire, lui fait aimer les voyages, les déplacements. Il arrive qu'il aille travailler à l'étranger. Il supporte mal un travail de neuf à cinq, trop standard, la sixième maison, celle du travail dans le signe du Sagittaire, lui faisant préférer un travail où il est libre de son temps. Ce qui ne l'empêche nullement d'en faire même plus que beaucoup d'autres, mais à son rythme. Cancer-Cancer étant un double signe cardinal, de commandement, il supporte très mal qu'on lui donne des ordres! Il vaut mieux alors qu'il soit son propre patron; c'est préférable pour tout le monde. C'est un touche-à-tout. Il peut aller et venir, d'un milieu à un autre, sans être vraiment dépaysé. Cinéaste ou jardinier, peintre ou serviteur, du moment qu'il se sent bien et qu'il vit quelque chose de neuf! La nature du Sagittaire, signe double de feu, le pousse en avant dans son travail et l'exhorte à diversifier ses emplois. Quand il se spécialise, c'est qu'il se sent vraiment à l'aise, et qu'il gagne tout l'argent dont il a besoin pour vivre. Cancer-Cancer a besoin d'un petit compte en banque pour se sentir rassuré, pour être bien logé et nourri.

Sa septième maison se trouve dans le signe du Capricorne. Si ce natif se marie trop jeune, il pourra à son premier mariage épouser une personne plutôt réservée et même froide, et fort intéressée à ce que son partenaire réussisse financièrement. Ce qui peut également amener le capricieux Cancer-Cancer à repousser consciemment ou non cette personne. Le Cancer étant un signe d'eau, il a besoin de rêver et de savoir qu'il fait rêver son partenaire. Une union tardive est préférable pour ce signe, s'il veut éviter un divorce...

Sa huitième maison, celle des transformations, du sexe également puisqu'il s'agit du Scorpion, se trouve dans le signe du Verseau. Alors méfions-nous des déflagrations d'Uranus et de Pluton, elles mènent tout droit à l'infidélité et à tous les abus, surtout si de mauvais aspects entre Pluton et Uranus ou Uranus et Mars interviennent. Nous aurons alors une personne infidèle et prête à vivre différents abus, drogue, alcool et même fantaisies sexuelles osées ou orgiaques! Mais cette huitième maison dans le signe du Verseau peut aussi transformer subitement ce natif, faire un ange du démon qu'il était! Le Cancer-Cancer n'est pas une nature profondément suicidaire, et s'il lui arrivait de connaître quelques années d'abus, il serait capable de se réformer car il a plus de volonté qu'il ne le laisse paraître. Cette position dans un thème féminin fait souvent refuser la maternité, bien que le Cancer ne se réalise vraiment que s'il fonde famille et foyer! Contradiction qui peut miner la vie d'une femme de ce signe!

Sa neuvième maison, dans le signe du Poissons, lui fait parfois rencontrer une personne douce et compatissante pour sa deuxième union! Il peut développer également une grande et belle philosophie de vie et vouloir venir en aide à tout le monde! Cela peut aller jusqu'à l'exagération! La neuvième maison étant celle du Sagittaire qui représente la philosophie, la religion, à la fois symbole de guide, tout cela dans le signe du Poissons qui lui est le grand missionnaire du zodiaque. Additionnez Neptune et Jupiter, et vous aurez là un prêcheur, une sorte de prêtre, un sauveur de l'humanité souffrante! Dans le signe du Poissons, nous avons là un guide pour ceux qui souffrent de tous les maux de la terre.

Quand le Cancer-Cancer subit dans sa carte natale une forte influence de Neptune et de Jupiter, il peut s'adonner à une œuvre philanthropique uniquement pour le plaisir de venir en aide. C'est d'ailleurs ainsi qu'il évolue et devient moins capricieux, moins préoccupé par ses besoins et plus profondément attentif aux besoins d'autrui.

Sa dixième maison, celle de la carrière, de son moi, de son idéal à atteindre, se trouve dans le signe du Bélier. Il n'est pas rare de constater que, très tôt dans la vie, le natif a fait ses choix: il veut gagner sa vie et ne dépendre de personne, du moins matériellement. La dixième maison représentant aussi le père, dans le signe du Bélier, indique souvent un conflit entre le natif et son père, le signe du Bélier ayant un aspect de conflit avec le Cancer et doublement avec Cancer-Cancer! Ici, le désir est puissant de prendre jeune son envol, de voler de ses propres ailes. Notre Cancer-Cancer est plus combatif que son aspect physique et son attitude ne le laissent supposer. Il est capable de se rebeller tant contre la société et la famille que contre lui-même!

Sa onzième maison, les amis, dans le signe du Taureau, lui procure des amis fidèles, et plus souvent fortunés ou artistes! Comme le Taureau est en bon aspect avec le Cancer, les amis lui seront souvent d'un grand secours dans les moments difficiles de sa vie et lui-même saura le leur rendre en temps et lieu. La onzième maison régie par Uranus, planète du Verseau, et le Taureau régi par Vénus indiquent que l'amour arrive souvent d'une manière tout à fait inattendue, originale et soumise à aucune règle indiquée jusqu'ici par le code des rencontres amoureuses.

Sa douzième maison, dans le signe du Gémeaux, signe de Mercure, est le douzième signe de l'épreuve. Alors les «bobos» de notre Cancer-Cancer viennent tout droit de la tête, de la pensée qui n'arrive pas à s'ajuster à un contexte précis, à une crise mercurienne, ou crise intellectuelle, crise d'ailleurs qui peut fort bien être déclenchée à l'adolescence. Il arrive que le natif qui n'y a pas remédié immédiatement doive alors faire un grand tour de Jupiter, en accord avec Neptune, pour trouver son juste milieu autour de trente-cinq ans environ. Alors tout se replace. Et quand on naît Cancer-Cancer, il est rare que la vie soit ordinaire ou comme celle de tout le monde. Elle comporte beaucoup de nuances, de bizarreries, d'originalité qui peuvent faire l'envie d'autres signes qui, au bout du compte, auront vécu moins dangereusement, plus simplement! Il est écrit dans le ciel que celui qui a beaucoup reçu devra donner beaucoup et il recevra encore beaucoup, et ainsi de suite. Ainsi, les rêves et rêveries du Cancer-Cancer se sont réalisés! Tous jusqu'au plus beau!

CANCER ASCENDANT LION

Il ne voudrait surtout pas manquer d'argent. Qu'est-ce qu'on penserait de lui s'il n'était pas de ceux qui ont réussi?

Il a des goûts dispendieux, il s'offre ce qu'il y a de plus beau! N'a-t-il pas raison? Ne mérite-t-il pas autant, lui, Cancer le magnifique?

Cancer, signe cardinal, Lion, signe fixe, vous avez là quelqu'un qui sait très bien ce qu'il veut et comment atteindre son objectif.

Attention: il commande! Il ne s'en rend même pas compte, il est persuadé qu'il demande toujours gentiment. La plupart du temps c'est vrai, mais au bout de quelques années passées à recevoir des ordres, vous finissez par vous demander si vous ne vivez pas avec un dictateur!

C'est indéniablement un artiste de la tête aux pieds, dans sa tête, dans son cœur et dans ses actes. Original et sensible, cela peut aller jusqu'à l'excentricité. Il supporte très mal de ne pas être vu de loin... Il est lumière et la lumière brille pour éclairer.

Il est sensible à la flatterie, mais n'en mettez pas trop. Si c'est pour obtenir quelque chose de lui, ce n'est pas certain qu'il soit aussi généreux qu'il en a l'air. Tout d'abord il soigne ses intérêts, et si ça lui rapporte quelque chose de soigner les vôtres, alors il y verra!

Gentil et agréable en public, il a envie de connaître tout le monde et il pose des questions sur ce que vous faites, sur ce que vous êtes. Vous pourriez lui être éventuellement utile, il n'oublie jamais de bien soigner ses relations!

Si vous en avez un à la maison, donnez-lui beaucoup d'attentions. Si vous le négligez, il réclamera qu'on s'occupe de lui à grands cris de chantage émotionnel! C'est un Cancer royal, ses pinces sont reluisantes. Il ne traîne pas sur le sable, comme un vulgaire crabe, il se déplace sur une poussière d'or!

Il est sensible à ses besoins. Nous avons affaire à un signe du premier niveau de conscience sur la roue du zodiaque, le moi. C'est écrit en lettres lumineuses, «je suis, vous êtes là pour moi, je vous aime à la condition que vous m'aimiez sans limites». Si peu exigeant, ne trouvez-vous pas? Quand il agit pour votre bien, c'est aussi pour son bien, il arrive rarement à se détacher et à donner vraiment gratuitement!

Il doit apprendre la générosité inconditionnelle, le don de soi. Vivre pour les autres, ce n'est pas facile quand on est persuadé qu'on a été mis sur terre pour être servi comme un roi!

Sa deuxième maison se trouve dans le signe de la Vierge. La deuxième maison étant celle du Taureau, signe de terre, et la Vierge, signe de terre représentant le travail, vous avez là un Cancer acharné au travail. Il veut gagner de l'argent, beaucoup d'argent, il veut s'acheter une belle maison, de beaux meubles, une belle voiture! Tout ce qu'il achète doit être beau et vu! Passer inaperçu ne l'intéresse nullement. C'est un excellent négociateur, il connaît la valeur des choses et vous ne pourrez lui passer un «sapin» ou lui vendre des choux quand il veut des carottes! Il sait où il va et ce qu'il veut quand il est question de faire de l'argent ou d'en dépenser.

Sa troisième maison, dans le signe de la Balance, en fait un être extrêmement habile dans le monde des communications. Il s'exprime avec élégance, il est persuasif, bavard, mais jamais trop. Il sait s'intéresser à vous afin de capter votre attention et d'obtenir tous les renseignements qui peuvent lui être utiles. Cette troisième maison, en Balance, dans le signe de la justice, en fait quelqu'un qui aime justement discuter des lois, pourvu qu'elles le protègent. Il sait aussi fort bien s'organiser avec le monde légal quand vient le temps d'y avoir recours. Il aura même des amis qui évoluent dans le monde de la justice.

Sa quatrième maison, dans le signe du Scorpion, signifie parfois une maison troublée dans sa jeunesse. L'enfance comporte des secrets, quelques douleurs dont il ne veut pas parler. Si des aspects de la Lune et de Mars le confirment, il pourra avoir une tendance à boire ou à se livrer à quelques exagérations du côté de sa vie sexuelle. Là aussi il a ses petits secrets. Durant son enfance il pourra s'être senti possédé par sa mère et ne s'en être rendu compte qu'un peu plus tard, à l'âge adulte.

Sa cinquième maison, dans le signe du Sagittaire, l'incite à multiplier ses amours. Souvent la fidélité laisse à désirer. Idéaliste, il veut vivre quelque chose de grand, de beau, de noble, mais il lui arrive de provoquer quelques chutes à cause de critiques un peu trop directes à l'égard de ses partenaires. Il pourra avoir des aventures dans son milieu de travail, ce qui, malheureusement pour lui, ne passera pas tout à fait inaperçu. Il pourra faire jaser la galerie!

Sa sixième maison, dans le signe du Capricorne, en fait un être ambitieux, attiré par la politique, ou bien il se trouve à l'emploi d'un gouvernement. Dans certains cas il pourrait fort bien travailler pour son père si celui-ci possède une entreprise. Tout dépend alors des aspects de Saturne et de son Soleil. Il pourrait aussi consacrer la plus grande partie de sa vie à ses ambitions et à sa réussite sociale, les amours passant à côté ou après. Ce natif a une mémoire phénoménale, il se souvient des noms, des dates et des prix! Ce ferait aussi un excellent professeur, il est consciencieux. Bref, il peut travailler dans tous les domaines qui demandent un bon souffle. Il sait attendre son heure, il est certain de gagner, il en est si persuadé qu'il finit par obtenir précisément ce qu'il veut!

Sa septième maison, dans le signe du Verseau, fait qu'il se sent attiré par des personnalités étranges, parfois insaisissables, et comme le Verseau est régi par Uranus, planète aussi des divorces, il arrive qu'on le quitte au moment où il s'y attend le moins. Cette septième maison est aussi la huitième du Cancer. Il s'ensuit qu'il pourrait vivre des changements importants à cause des partenaires bons ou mauvais qu'il a choisis, les aspects d'Uranus, de Vénus et de Mars dans sa carte natale nous l'indiquent. Comme cette septième maison est dans un signe fixe, il arrive que ce natif reste marié longtemps avant que surgisse une rupture ou alors le mariage est vécu comme une union libre, surtout pour le sujet lui-même, l'ascendant Lion supportant mal le partage et le Cancer, avec ses pinces de crabe, ne laissant pas facilement aller celui qu'il tient!

Sa huitième maison, dans le signe du Poissons, fait que ce natif est facilement sujet aux maladies psychiques. Il peut prendre beaucoup de temps avant de parler des troubles qu'il ressent profondément. Il est trop orgueilleux aussi pour avoir besoin d'aide! Étant excessif, il arrive qu'en secret il «prenne un petit coup» ou quelques drogues qu'il dira inoffensives, jusqu'à ce que les excès commencent à le ravager plus sérieusement. Et comme il tient à vivre longtemps, en bonne santé et beau, il trouvera le moyen de se débarrasser de ses péchés mignons! La huitième maison étant celle de la mort et des transformations, il vivra d'étranges métamorphoses intérieures et il pourrait aussi connaître une mort étrange. Les aspects de Neptune, de Mars et de Pluton nous l'indiquent dans sa carte natale. La huitième maison étant aussi celle du Scorpion, donc du sexe, dans le signe du Poissons, cela indique que ce natif est friand d'amour, de sensualité et de plaisirs! Il pourra connaître des amours tout aussi étranges que ses transformations.

Sa neuvième maison, dans le signe du Bélier, indique qu'il est chanceux très tôt dans la vie dans les choix qui lui permettront de gagner sa croûte. Il saura miser sur la carrière qui rapporte. Il aura tendance à développer une philosophie du moi. Il pourra s'emporter contre certaines religions ou certains dogmes sans les avoir étudiés à fond. Disons qu'il préfère discuter d'argent plutôt que de religion et de philosophie ou même d'astrologie. Si tant de gens y croient, il n'osera pas dire que c'est faux! Alors vous pourrez le coincer en lui lisant ces mots! Il contrôle son exaltation et il attend que la science déclare l'astrologie science officielle, mais ce n'est pas pour demain. Un jour sans doute, vers l'an 2160, quand nous serons entrés définitivement dans l'ère du Verseau!

Sa dixième maison, dans le signe du Taureau, certifie encore une fois que ce natif est tenace. Si tenace que mener une lutte contre lui, c'est comme vouloir défoncer un mur de béton avec une cuillère à thé! Quand il a pris position, il tient bon. Il va là où il veut aller. La carrière peut l'orienter tant dans le domaine de la finance que dans le monde artistique. S'il choisit un art, il devra payer! Il pourra avoir eu un père exemplaire, un modèle de force qu'il tentera de dépasser, et sans doute qu'il réussira.

Sa onzième maison, dans le signe du Gémeaux, le pousse à rencontrer une multitude de gens. Il se fait peu d'amis nouveaux, mais il a de nombreuses connaissances qui pourront être naturellement utiles à la poursuite de ses objectifs. Il a l'art de s'exprimer en public, il possède naturellement un vocabulaire qui convient à la masse. Il sait jouer sur plusieurs plans.

Son Soleil se trouve dans la douzième maison, celle des épreuves, celle des cachotteries! Il arrive qu'il doive subir les mensonges d'autrui, mais il n'est pas toujours aussi innocent qu'il en a l'air. Dans le cas d'un homme, il peut être infidèle et dans le cas d'une femme, on peut lui être infidèle! Les aspects de Neptune et de la Lune dans la carte natale nous indiquent clairement si oui ou non on doit tenir compte de ces dernières hypothèses! Ayant le Soleil en douzième maison, cette position comporte la plupart du temps une difficulté de la nature de la Lune et de Neptune. Dans quelques cas ce peut être l'alcoolisme ou la drogue, ou encore des difficultés avec ses propres enfants. Le natif peut avoir été mal soigné et subir les conséquences de la négligence d'un médecin. Bref, le mal est généralement mystérieux. Avec cette position, il peut également développer des dons de voyance. Il est perspicace, et en travaillant sérieusement au développement de ses facultés intellectuelles et spirituelles, il peut arriver à un résultat surprenant. Mais il mènera sans doute longtemps une lutte contre les apparences qui lui sourient, le niveau social qui l'attire. Vivre dans l'ombre a peu d'attrait pour lui, à moins qu'il ne développe un intérêt pour la philosophie et la métaphysique.

Il devra se montrer généreux et désintéressé, et de par sa nature ce n'est pas facile, mais rien n'est impossible à celui qui croit. On peut croire que devenir riche apporte le bonheur, et une fois qu'on l'a vécu on se rend compte qu'il doit certainement y avoir autre chose de plus substantiel. On constate surtout que le fait d'être riche n'a pas apporté le bonheur. Le bonheur existe pour celui qui y croit et le Cancer-Lion veut y croire. Il le trouvera alors puisqu'il est en lui et non hors de lui!

CANCER ASCENDANT VIERGE

Tranquille, méticuleux, perfectionniste, serviable, attentif, sensible, aimable... Un être de rêve peut-être, à première vue, à vol d'oiseau.

Voyons de plus près. Tranquille. En effet, il n'aime pas qu'on le dérange. Méticuleux, il l'est aussi jusqu'à la manie du détail. Perfectionniste, oui, au point qu'il a la sensation de ne jamais rien terminer; rien n'est parfait dans ce qu'il fait. Sensible, il supporte mal qu'on lui dise ses vérités. Aimable, si vous l'êtes avec lui...

Il ne vole pas, mais il prend ce qu'on lui donne, et s'il lui arrivait de prendre quelque chose qui ne lui appartient pas vraiment, c'est qu'il est persuadé qu'il le méritait et que vous aviez oublié de le lui donner!

Diplomate, courtois, impeccable, il aime plaire et ne veut surtout pas passer pour un négligé ou un négligent. La considération qu'on lui porte, le respect que les autres lui manifestent sont importants à ses yeux et à son esprit.

Il est plus tourmenté qu'il en a l'air, il lui manque la fantaisie! Le Cancer est un signe d'eau, la Vierge, un signe de terre, le terrain peut être fertile mais la Vierge marque la fin de la saison d'été, de la récolte. Le sol va donc se reposer... Tout est amassé, on est prêt pour l'hiver et on ne manquera de rien. Cancer-Vierge, il a pensé à tout!

On mangera bien cet hiver. La nourriture: un point important. Être en santé, ne pas être malade, rester productif, pour rester en service! Il n'est pas très drôle, ce Cancer-Vierge. S'accorder quelques libertés, ça ne fait pas de tort, ça détend!

Sa deuxième maison, dans le signe de la Balance, lui fait rechercher un travail où il sera quand même en communication avec beaucoup de gens. Il se trouvera ainsi quelqu'un pour reconnaître qu'il a bien travaillé. Ce natif peut tout aussi bien être un intellectuel qu'un travailleur manuel, tout dépend des aspects de Vénus dans sa carte natale. Il sera calculateur dans les moindres détails si on lui confie une caisse. Si, à tout hasard, il s'orientait du côté des ordinateurs, soyez rassuré sur son service. La Balance étant aussi un signe d'artiste, il arrive que le natif gagne son argent avec le public, le spectacle.

Sa troisième maison, dans le signe du Scorpion, fait de lui un être scrutateur, qui veut tout comprendre dans les moindres détails, qui ressent la vérité à travers les paroles que vous lui dites. Il peut faire semblant de vous croire pour vous faire plaisir si vous mentez, mais il sait, et soyez certain que la prochaine fois il s'arrangera pour que vous sachiez qu'il n'a pas confiance en vous. Il a une excellente mémoire! Et il se souvient longtemps, même quand vous croyez qu'il a oublié.

Sa quatrième maison, dans le signe du Sagittaire, lui fait désirer et souvent obtenir deux foyers, un à la ville et un à la campagne. Comme le Sagittaire est le sixième signe du Cancer, donc le signe du travail et aussi le quatrième de l'ascendant Vierge, symbole du travail, ce natif passe donc plus de temps à travailler hors de chez lui. On en arrive à croire qu'il vit sur son lieu de travail. Il arrive que son enfance soit marquée par quelque magie, la mère y jouant un rôle particulier, comme une sorte de guide. On croirait que la mère peut le guider à distance, l'inspirer et presque choisir pour lui son avenir, un avenir tissé de chances multiples, où la malchance n'est qu'un accroc passager! Ce natif a de puissants pressentiments, et souvent sans qu'il en soit conscient. Ils lui viennent du ciel, d'un guide, de quelqu'un qui lui veut du bien!

Sa cinquième maison, dans le signe du Capricorne, signifie qu'il a eu un père assez particulier, une personne qui apporte une lumière dans sa vie. Ce père sera encourageant, quelle que soit la voie choisie. Le Capricorne étant la septième maison du Cancer, il arrive que le choix amoureux se fasse dans la jeunesse et que le natif soit très sérieux. Il arrive aussi que ce choix soit influencé par le père lui-même.

Le sujet pourra être attiré aussi par une personne qui a une grande différence d'âge avec lui, ou son partenaire se comportera avec une plus grande maturité que le natif lui-même.

Sa sixième maison, celle du travail et de la maladie en même temps, tout dépend d'où l'on regarde dans la carte natale, se trouve dans le signe du Verseau. Il arrive assez souvent que ce natif ait des rapports avec le public, le Verseau étant le symbole du modernisme. Il peut être question de télévision, de radio, d'électricité, de publicité, d'ordinateurs. Bref, le monde de l'avant-garde lui ouvre ses portes. Comme le Verseau est un signe fixe, ce natif occupe généralement longtemps le même poste, le même emploi, où il avance en se mettant au courant de tous les développements. Il est bon travailleur parce qu'il faut bien mettre de l'argent de côté au cas où l'hiver viendrait plus vite cette année. Pour ce qui est de la maladie, elle est généralement étrange et le plus souvent d'origine nerveuse. Affaire de surmenage. Un aspect extrêmement négatif entre Uranus et Mercure provoquerait tant d'agitations que le natif pourrait être secoué par une dépression, mais il s'en relèvera, bien sûr. Comme le Verseau est aussi la huitième maison du Cancer et sa sixième, le natif pourrait connaître quelques infidélités passagères avec des personnes de son entourage de travail.

Sa septième maison, celle du conjoint, se trouve dans le signe du Poissons. Il n'est pas rare que ce natif connaisse deux unions dans sa vie. Dans quelques cas spéciaux il peut y avoir séparation et retrouvailles car le signe du Poissons est tout de même en bon aspect avec le Cancer. Il pourra quand même avoir choisi un partenaire inquiet, maladif, physiquement ou émotionnellement, qu'il doit rassurer! Mais comme il est du genre à travailler plus souvent à l'extérieur qu'à être à la maison, il arrive que le partenaire prenne le large, s'évade. Cette septième maison en Poissons indique souvent que ce natif est abandonné plutôt qu'il ne quitte lui-même. Il pourrait se rendre compte qu'il a perdu beaucoup une fois que l'autre est parti!

Sa huitième maison, celle de la sexualité, de la mort et des transformations, dans le signe du Bélier, indique que le natif peut vivre une tragédie familiale quand il est jeune, ou la mort d'un être cher. Cette position indique également qu'il ne s'attardera pas sur la douleur, il sera plus actif sur le plan social, pour oublier, pour ne pas vivre dans la peine. Les transformations dans sa vie arrivent subitement, sans trop avertir. Mais comme la huitième maison est de la nature de Mars tout comme le Bélier, le sujet possède en lui une puissante force de ressourcement. Il sait refaire ses forces, il reconnaît sa limite quand il y est et il s'arrête juste à temps pour ne pas s'écrouler. De par cette position, il est protégé contre les accidents. Quand la mort surgira un jour, elle sera rapide. Il n'aura pas à supporter la douleur et peut-être même qu'il ne pourra le réaliser à l'instant où il quittera cette vie pour entrer dans la suivante. Ce natif est surprenant de par ses observations sur la mort. Il ne la désire pas, mais il n'en a pas profondément peur comme d'autres signes.

Sa neuvième maison, celle des voyages, dans le signe du Taureau, indique que le natif n'a nulle envie de s'installer à l'étranger. Seules des vacances, dans le confort et le luxe de préférence, l'intéressent. Il recherchera les endroits tranquilles; il ne va pas en vacances pour visiter, mais pour se reposer! Souvent il adoptera un territoire de repos où il retournera d'année en année. Le Taureau étant le onzième signe du Cancer, il arrive que le natif ait des amis en pays étranger et qu'il y soit reçu régulièrement. Ce qui lui permettra encore d'économiser...

Sa dixième maison se trouve dans le signe du Gémeaux. Souvent la carrière a deux voies, le natif occupe deux postes en même temps. Il est en communication avec le public, et il peut aussi être dans la vente de produits ou la vente d'idées. Une chose est certaine, il ne reste jamais à ne rien faire... il a des comptes à payer et il doit faire chaud chez lui cet hiver. Cette dixième maison est aussi la douzième du Cancer. Cela indique qu'il peut lui arriver de raconter de faussetés pour obtenir un poste. On peut comploter contre lui, mais il est si perspicace qu'il s'en rend immédiatement compte et sait parer les coups!

Son Soleil se retrouvant dans la onzième maison, il a des réactions semblables à celles d'un Verseau. Il veut régner à tout prix, dominer. Les efforts ne lui font pas peur. Et comme il est déterminé, quand ses pinces de crabe s'accrochent quelque part, vous ne pouvez plus les enlever à moins de les couper. Mais attention: il sait déjà ce que vous allez faire! Plus influent qu'il ne le laisse paraître, il bénéficie souvent d'appuis haut placés. Le Verseau possède la puissance nécessaire pour se hisser vers le sommet, et comme il nourrit de semblables aspirations, il touche le but quel que soit le temps que ça peut prendre; le crabe est patient plus que le Verseau, et il ne casse rien! Il est plus subtil, il sait se faire des amis et il choisit ceux qui lui sont utiles.

Sa douzième maison est dans le signe du Lion. Elle signifie que les épreuves arrivent par le cœur! Les amours, les infidélités aussi! Cette douzième maison étant aussi la deuxième du Cancer, donc sa maison d'argent, le natif arrive à cacher de l'argent astucieusement, son bas de laine est toujours rempli. Il faudrait qu'il ait de très mauvais aspects de Neptune et du Soleil pour qu'on lui subtilise l'argent qu'il cache ou qu'il gagne «sous la table». Il doit tout de même surveiller son cœur et apprendre à faire confiance à la médecine. Si son médecin lui demande de prendre du repos parce que son petit cœur palpite trop vite, il a tout intérêt à l'écouter.

Ce natif a généralement une vie bien remplie et il faut qu'elle soit ainsi sinon il s'ennuierait et deviendrait vite ennuyeux pour les autres... comme il a été dit au début. Le Cancer est un signe d'eau et la Vierge, un signe de terre; trop d'eau sur la terre, c'est de la boue, et pas assez d'eau, c'est-à-dire d'émotions, la terre se dessèche. Ce signe a toutes les chances du monde de trouver son équilibre et de vivre avec les forces du ciel. Il peut parfois traverser quelques remous, mais qu'il se rassure, ce n'est jamais pour très longtemps.

CANCER ASCENDANT BALANCE

Double signe cardinal, double signe de commandement! Un petit caractère, tendre à première vue, beau sourire, les dents sont légèrement serrées, il se méfie un peu. Il a l'air de vous faire confiance, mais ce n'est pas tout à fait vrai: il vous examine, vous juge.

Mais il veut vous être agréable. Il vous dira avec tact et diplomatie ce qu'il pense de vous. Le sens de la justice est bien développé, selon une justice humaine et la sienne, selon ses propres critères de justice auxquels il a réfléchi et qui lui serviront à faire respecter ses droits.

Original, il a le sens de l'esthétique et sait reconnaître ce qui est beau. Il aime le théâtre, l'architecture. Il a aussi une mémoire phénoménale et il peut être fort rancunier si vous l'avez blessé!

Ne jouez pas au malin avec lui quand il est question d'argent. Il sait ce qu'il vaut, selon son évaluation qu'il estime généralement à un prix élevé. Prévoyant, il craint toujours de manquer de quelque chose. La bohème ce n'est pas vraiment pour lui. Même s'il veut bien parfois se donner cet air!

Il y a en lui des pincements de cœur, une angoisse qui lui travaille continuellement les tripes... Il ne vous le fera savoir que si vous êtes vraiment son ami, son confident même.

Souvent il s'attache par intérêt. Toujours cette insécurité, cette peur de n'en avoir pas assez pour vivre. Ses sentiments sont spontanés mais, après réflexion, il n'est plus certain d'avoir eu raison de vous dire qu'il vous aimait tant que ça! Décevant! Mais il ne voudrait surtout pas vous faire de la peine. En amour, l'instabilité est frappante. De plus, il a du mal à vivre la sexualité telle qu'elle est. C'est sûrement plus compliqué que ça et certainement pas aussi simple. L'esprit du natif analyse et décortique: sans réponse. Le jeu de ses propres questions recommence en lui comme un écho.

Il voudrait que les interrogations cessent, mais il a l'art de se placer dans des situations amoureuses où rien n'est jamais vraiment très clair.

Il a besoin de spiritualité pour évoluer et il lui arrive de s'engager dans des voies dites mystiques mais qui, en fait, ne lui font jouer qu'un rôle superficiel. Sa raison est puissante et l'entraîne facilement hors du chemin de la foi qui, elle, n'a pas de raison.

On ne peut expliquer l'invisible, Dieu. Il est. Nous sommes une partie de lui. Nous faisons partie d'un tout indivisible, et pourtant je suis un individu unique... La réflexion et la méditation inspirent, et s'y laisser aller c'est peut-être passer par-dessus tous ses problèmes et pénétrer au cœur du bonheur!

Sa deuxième maison, dans le signe du Scorpion, maison de l'argent, est en bon aspect avec le signe du Cancer, Scorpion étant le cinquième signe du Cancer. Malgré ses craintes, il manque rarement d'argent. Il est suffisamment économe et prévoyant pour en avoir mis de côté au cas où il devrait vivre un arrêt de travail, au cas où il serait malade, au cas où... Ça n'en finit plus! En fait, il ne veut dépendre de personne financièrement, mais il aimerait bien qu'il y ait toujours quelqu'un sur qui il pourrait s'appuyer! L'argent est tout de même gagné durement. Le Scorpion, dans sa seconde maison, ne fait pas de cadeau et le natif doit travailler malgré ses espoirs de vie facile. Il peut gagner de l'argent par des voies obscures ou étranges. Il peut s'adonner à l'astrologie et avoir une clientèle, le Scorpion en étant le symbole, ou être parapsychologue, ou même médecin, ou encore occupé à la recherche dans un laboratoire. L'argent peut provenir d'un travail de nuit, le Scorpion représentant la noirceur. Signe d'eau, les liquides, le natif peut être barman ou barmaid. Les aspects de Mars et de Pluton donnent des précisions sur la manière dont le natif gagne son argent. Il peut aussi être un écrivain qui travaille de nuit.

Sa troisième maison se trouve dans le signe du Sagittaire, d'où la curiosité générale pour tout ce qui touche le genre humain. Il peut être doué pour les langues, pour la musique également si des aspects de Mercure, de Jupiter et de Neptune l'indiquent. Il désire voyager, il a besoin de mouvement. Il souhaite voir de nouvelles figures, ce qui alimente son imagination et forme son jugement. Le Sagittaire étant la sixième maison du Cancer et le troisième signe de son ascendant, nous avons donc affaire à un intellect chargé, puissant, astucieux. Son problème est souvent de faire un choix de carrière, ce natif étant doué pour plusieurs domaines à la fois. Position qui favorise le professeur. L'enseignement universitaire lui est peut-être promis.

Sa quatrième maison, dans le signe du Capricorne, indique souvent un foyer où le natif a vécu tendu. Souvent il n'aura pas reçu l'affection dont un Cancer a besoin pour s'épanouir. Les rapports avec la mère ont pu être tendus, distants et, parfois même froids. La quatrième maison appartient au Cancer et ici elle se trouve dans le Capricorne, son opposé, avec des aspects de Saturne particuliers. Il arrive donc que le natif ait du mal à s'identifier en tant qu'homme ou femme. La mère ayant souvent agi comme un homme, et le père ayant pris la place de la mère au foyer, les parents, à l'endroit d'autres enfants de la même famille, ont pu vivre cette sorte d'opposition sans conflit, mais le natif est vulnérable et d'une profonde sensibilité qui capte en dehors des mots, en dehors des discours qu'on a pu lui tenir. La mère a très bien pu, apparemment, se comporter comme une femme. Il n'en demeure pas moins que le sujet a reçu comme message que la femme menait le foyer d'une main de fer, ce qui éventuellement a pu faire du ravage dans sa vie sentimentale future. À son tour il aura du mal à identifier le rôle qu'il doit y jouer: une femme se fera dictateur et un homme aura tendance à se faire plus petit qu'il ne l'est en réalité.

Sa cinquième maison est dans le signe du Verseau. Les amours dans ce signe uranien indiquent qu'elles sont étranges, originales. Amours impossibles. Confusion également entre l'amour et l'amitié. Certains sujets sont attirés par la bisexualité ou l'homosexualité. Il n'est pas rare de constater que le natif n'a pas d'enfant mais qu'il est attaché aux enfants des autres et qu'il peut faire un très bon éducateur. Il a un esprit universel en ce qui concerne les enfants: tous sont égaux et dignes d'amour. Les amours, dans sa jeunesse se décident rapidement, mais se brisent tout aussi rapidement, et le plus souvent d'une manière tout à fait inattendue. Le Verseau étant le huitième signe du Cancer, ici le cinquième de l'ascendant Balance, le natif pourrait vivre une épreuve par ses enfants ou par l'un de ses enfants, s'il en a.

Sa sixième maison, celle du travail et de la maladie, se trouve dans le signe du Poissons: le sujet aura souvent deux emplois ou sera instable dans son travail. Il est exposé à vivre des remous dans le milieu qui l'emploie; il figure sur la première liste des congédiés. Il se fait des ennemis sans le vouloir, sans le savoir, sa personnalité a quelque chose qui choque, son intelligence est provocante, on a peur d'être dépassé par lui. Pourtant, ce n'est nullement son intention. Il lui peut arriver de n'être pas parfaitement honnête, de commettre des petits larcins, même insignifiants (on sait que les petits vols souvent remplacent, inconsciemment, l'amour et l'affection que n'a pas eus celui qui les commet). Ce natif paraît tout contrôler, il a toujours une solution au moindre obstacle qui se dresse devant lui et souvent les patrons sont effrayés par sa rapidité à tout régler et ils craignent d'être dépassés, et le voilà rejeté sans trop savoir ce qui lui arrive! Au travail il est victime. Il est doué pour les lettres. Avec la sixième maison dans le signe du Poissons, le Poissons symbole du caché, la sixième ou la Vierge, le natif peut écrire pour les autres, faire un travail dont il ne porte pas la responsabilité, mais non plus l'honneur quand il y a réussite.

Sa septième maison est dans le signe du Bélier. Les unions sont décidées trop rapidement, coup de tête, et la déception s'ensuit puisque le Bélier donne un aspect négatif au Cancer. Il choisira, sans s'en rendre compte, des partenaires indépendants, aux tendances agressives, qui le «feront courir»! Avez-vous déjà vu un Cancer courir... ou une Balance? Le crabe aurait bien du mal à accélérer sa course; et deux plateaux qui se balancent... de quel côté faut-il partir? Il est préférable que le natif attende la maturité avant de faire le grand saut du mariage! On pourrait abuser de lui, de sa sensibilité, jouer avec son instabilité émotionnelle.

Sa huitième maison, dans le signe du Taureau, indique qu'il lui faut bien du temps avant de prendre une décision et de faire un changement décisif dans sa vie. Ici nous avons aussi une inversion des maisons: la huitième maison appartient au Scorpion qui, en fait, se trouve juste en face; le Taureau appartient à la deuxième qui, ici, se trouve en huitième maison, position qui symbolise la sexualité, l'argent des autres, l'amour qui peut, encore une fois, être vécu dans la bisexualité. Le natif confond amour et attirance sexuelle. Il a du mal à faire la différence entre ses sentiments et ses sensations, et il fait le jeu de ceux qui savent très bien ce qu'ils veulent. Il pourrait avoir la sensation, quand il se donne sexuellement, que son partenaire lui doit beaucoup, autant matériellement qu'émotionnellement. Il lui faudra beaucoup réfléchir s'il veut se faire une idée juste et bien différencier l'amour des sensations physiques. À certaines périodes de sa vie, il pourra vivre une longue abstinence sexuelle. L'axe Taureau-Scorpion, le tout ou rien.

Sa neuvième maison se situe dans le signe du Gémeaux. Sa philosophie est matérialiste, il a du mal à dépasser ce qu'il ne voit pas, ce qu'il ne touche pas. Dans sa jeunesse, il pourra se faire exploiter par les beaux parleurs, il pourra s'engager dans toutes sortes de croisades religieuses ou philosophiques, s'affilier à différentes églises dites mystiques. L'âge le rendra plus circonspect, plus prudent dans ses choix, mais uniquement après qu'il aura constaté qu'il ne va nulle part et qu'on l'exploite. Cette position lui donne le goût de la fuite lorsqu'arrive l'adolescence, le goût de vivre en marge des autres, comme s'il avait grandi trop vite et qu'en vieillissant il devait reprendre ce temps.

Son Soleil se trouve dans la dixième maison, celle qui, en fait, appartient au Capricorne, son opposé. Il possède le goût du pouvoir et de la réussite. Il a envie d'être reconnu. Il pourrait travailler en ce sens s'il maintient une ligne de conduite droite et qu'il ne se laisse pas influencer par les qu'en-dira-t-on ou les adversaires, les jaloux. Il pourrait hésiter longtemps avant de suivre une voie fixe. Le soleil du Cancer, signe cardinal, et la dixième maison, cardinal aussi, donnent des élans mais font perdre aussi le sens de la direction en ligne droite. On ne peut tout faire en même temps! Cancer, le crabe, Capricorne, le bouc qui escalade la montagne. Il n'est pas facile pour le crabe de grimper en direction de l'air froid dans un signe d'hiver, il vit sur la plage au bord d'un océan! Il doit vivre avec ce contraste et toutes les contradictions qui existent en lui-même. L'intelligence ne manque pas, la continuité et l'endurance peuvent faire défaut.

Sa onzième maison, dans le signe du Lion, indique qu'il aura souvent des amis artistes, vedettes, qu'il admirera, encouragera, des amis stables avec qui il aura des contacts toute sa vie durant. La onzième maison étant l'inverse de la cinquième, soit celle du Lion, les amis auront du mal à l'intégrer à leur milieu ou à le faire participer activement. La onzième étant régie par Uranus, planète de la surprise, si notre natif a de mauvais aspects avec cette planète dans sa carte natale, à la dernière seconde arrive la contradiction. Les amis ont voulu l'aider à faire de l'argent par les arts et voilà que le contrat ne peut être signé ou que la compagnie vient de fermer ses portes! Mais comme le Lion est quand même le deuxième du Cancer, il pourra souvent faire de l'argent non déclaré en ayant un rôle (quasi caché) dans le milieu artistique qui ne cesse de l'attirer.

Sa douzième maison étant celle de l'épreuve, dans le signe de la Vierge, cela crée un grand remous intérieur, intellectuel et émotionnel. Le sujet pourra un jour traverser une crise importante, faire une dépression ou la frôler. Il devra alors faire le compte et reprendre plus calmement et plus sûrement le chemin qu'il avait pris. Le natif a tellement de possibilités qu'il a du mal à faire son choix. Je vous l'ai dit, l'intelligence est puissante, la raison également, les talents sont multiples, mais il a tendance à tellement hésiter, à être si peu sûr de lui au moment des grandes questions qui peuvent transformer sa vie que... le train passe et il lui faut attendre le suivant, jusqu'au jour où plus rien ne l'arrêtera. Le Soleil, ne l'oublions pas, malgré la contradiction, se trouve en dixième maison: le succès peut arriver, il suffit de donner de grands coups de «bouc»!

CANCER ASCENDANT SCORPION

Double signe d'eau! Le Scorpion à l'ascendant ne donne pas vraiment un ange comme individu. Il prend plusieurs formes.

L'eau ne prend-elle pas la forme qu'on lui donne?

La sensibilité est extrêmement puissante, et tout peut être vécu aux extrêmes, dans le bien comme dans le mal.

Ce Cancer est la recherche du sensationnel qui lui ferait vivre une émotion plus puissante que toutes celles qu'il a déjà vécues!

Ce personnage peut être trompeur. Il apparaît comme bourré de qualités et il en a mais, le plus souvent, il utilise sa puissance pour manipuler autrui et pour se faire servir.

Intelligent, il peut faire à peu près n'importe quoi, manuellement ou intellectuellement. Minutieux dans son travail, il veut qu'on l'approuve, qu'on remarque sa compétence et son ingéniosité.

Il n'est jamais facile de vivre avec un ascendant Scorpion: le bien et le mal se battent en une seule personne. Les forces subconscientes agissent sur le sujet, lui donnent un pouvoir magnétique sur autrui. Jusqu'ici je n'ai malheureusement jamais rencontré de vrais mystiques sous ce signe. En revanche, ils sont persuasifs dans leur foi et entraînent à leur suite beaucoup d'autres gens qui, à leur tour, se contenteront d'une foi de pacotille.

Le paranormal les attire, ils sont doués pour la magie, pour créer des illusions à autrui.

Le destin ne sera pas gentil avec celui qui abuse de son pouvoir pour manipuler la masse. L'ascendant Scorpion finit par détruire, par anéantir le porteur de mauvais germes. L'autodestruction se règle d'elle-même. L'énergie nerveuse est puissante, la sensibilité aussi, mais elle est tenue sous contrôle, dirigée vers les autres, comme un transfert qui fait que le porteur de cette sensibilité la fait porter à ceux avec qui il vit. La sexualité mal comprise peut devenir débridée, morbide même, ou maladive.

C'est un être passionné, il peut vous aimer ardemment à la condition que vous lui consacriez votre vie, votre temps et votre argent. Les parasites Cancer-Scorpion ne sont pas rares. Double signe d'eau, il s'infiltre partout, il passe partout, l'eau gruge; avec assurance, elle peut apporter la fertilité, mais autant d'eau peut aussi vous noyer.

Ce personnage doit apprendre à orienter ses pensées qui agissent plus puissamment qu'il ne le croit lui-même. S'il est envahi de négatif, le négatif le détruira. En positif, il se bâtit un avenir, une sorte d'arche, où il pourra mettre tout le monde à l'abri en cas d'inondation.

Il veut être un sauveur mais, le plus souvent, il pense à se sauver lui-même. Il veut être réformateur, mais il veut aussi en tirer la gloire...

La méditation et une vraie spiritualité doivent être développées, sinon il lui en coûtera cher de douleurs et de peine pour n'avoir pas su vivre pour le bien des autres...

Sa deuxième maison, dans le signe du Sagittaire, étant aussi la sixième du Cancer, symbolise souvent que le natif peut gagner son argent comme professeur de philosophie. Sixième maison du Cancer dans le signe du Sagittaire: médecine douce, produits naturels, thérapie spéciale, parfois restauration. Autant il a deux sources d'argent, autant il peut dépenser tout cet argent. Il peut être tout à coup très généreux, surtout quand il veut épater, très mesquin ou les deux tour à tour! Il voudrait en fait gagner de l'argent rapidement en faisant le moins d'efforts possible. N'oublions pas que le Cancer aime bien se prélasser sur une plage, et que le Sagittaire a de gros besoins matériels pour payer ses voyages, ses fantaisies, pour pouvoir aller et venir à sa guise. Notre Cancer a cette vue de l'argent: beaucoup, pour beaucoup de plaisirs, passagers ou non, que lui importe.

Sa troisième maison, dans le signe du Capricorne, l'incite finalement à n'apprendre que ce qui lui est utile et lui rapportera. Il peut parfois prétendre à un grand savoir, mais essayez de pousser plus loin juste pour découvrir jusqu'à quel point il connaît ce dont il parle. Il arrive souvent que ses connaissances soient restées en surface; à la maturité, il pourra apprendre que souvent les gens exigent que vous alliez jusqu'au bout pour vous croire. L'adolescence a pu être instable. Le père (symbole Capricorne), ici dans une troisième maison, représente une sorte de père-enfant par rapport au sujet lui-même. Très tôt dans la vie, le natif comprendra qu'il peut faire mieux que son père! Il arrive qu'il se croie adulte à l'adolescence, il veut se détacher de la famille. En bon Cancer, il mène une lutte, mais le Cancer reste malgré lui proche de ses racines. Jeune, il pourra adopter un vocabulaire emprunté aux adultes mais qu'il n'aura vraiment assimilé qu'à la maturité. Il a bonne mémoire, il retient tout, surtout les mots qui vous désarment et vous impressionnent. Il sait fort bien cacher ses peurs et camoufler sa sensibilité, et parfois la faire disparaître pour quelques instants.

Sa quatrième maison, dans le signe du Verseau, démontre une mère plutôt autoritaire. Le Verseau étant le huitième signe du Cancer, la mère aura pu jouer un rôle tout à fait positif ou tout à fait négatif dans la vie de ce Cancer et, comme chacun le sait, le Cancer, quelle que soit sa mère, a bien du mal à la voir telle qu'elle est, même quand elle n'est pas vraiment bonne pour lui! Ce peut être une mère jouant les victimes, alors qu'elle s'est elle-même donné ce rôle! Le Cancer n'a rien vu, sinon que sa mère demeure l'exemple de femme dans le cas d'un garçon comme dans le cas d'une fille. Cette quatrième maison indique toujours que la mère est d'une nature plus forte qu'elle ne paraît et qu'elle guide ce Cancer là où elle a l'intention qu'il soit jusqu'au jour où il décide, devenu homme ou femme, de prendre sa destinée en main sans se soucier véritablement de sa mère. Une position qui peut indiquer que le foyer du natif est secoué par quelques singularités ou épreuves allant du dramatique au tragique et faisant parfois un saut dans le comique.

Sa cinquième maison est dans le signe du Poissons. Les rencontres multiples provoquent parfois le natif à l'infidélité, surtout s'il n'a signé aucun contrat officiel. Il ne se sent lié à personne! Sa nature est complexe. Quand il est amant ou maîtresse, le Cancer a besoin d'être rassuré. Aussi, dès qu'il se sent sur une sorte de corde raide, qu'il ne se croit pas lié définitivement, il ira vagabonder jusqu'à ce qu'on lui prouve qu'on tient vraiment à lui pour toujours, ou presque. Il tient à sa liberté, mais souhaite qu'on la lui prenne, qu'on l'enlève, que l'amour le soulève. Il demande beaucoup à la personne qui l'aime, et il ne se rend pas toujours compte à quel point réside au fond de lui le goût de dominer et d'être dominé. Ses amours lui viendront de tous les milieux, riches ou pauvres, parfois avec une alternance peu commune.

Sa sixième maison, dans le signe du Bélier, sixième maison du travail, Bélier régi par Mars, signifie que notre Cancer voudrait avoir un travail tout de suite, rapidement. Il lui arrive de travailler à un projet avec acharnement, tout feu tout flamme comme un Bélier, et hop! voilà que soudainement il n'en peut plus, la flamme s'est éteinte! Le Bélier donne un aspect négatif au Cancer, si celui-ci n'évolue pas dans un milieu stable, où il pourra être constamment en relation avec autrui, il risque de changer fréquemment d'emploi. Cette sixième maison, dans le signe du Bélier, est aussi la dixième du Cancer; aussi notre natif est-il pressé d'arriver au sommet de la compagnie qui requiert ses services. Malheureusement, sa hâte risque parfois d'être mal comprise: on dira qu'il a un tempérament nerveux et qu'il veut passer par-dessus la tête de ceux qui étaient là avant lui! Avec le temps, il maîtrise ses impulsions et calme sa tempête d'empressements.

Sa septième maison, dans le signe du Taureau, lui fait rechercher naturellement des partenaires bien pourvus financièrement et qui sont à la fois sensuels et stables. Et il trouve souvent ce qu'il cherche parce que le Taureau donne un bon aspect à son Soleil en Cancer. Comme le Taureau est le onzième signe du Cancer, la rencontre est faite d'une manière originale, soudaine, et quelquefois dans les lieux vénusiens du Taureau, les restaurants, ou avec des amis à la campagne! Comme cette onzième maison représente Uranus, la rencontre peut tout aussi bien se produire à bord d'un avion, quand le natif part en voyage ou en revient. Uranus est d'une nature tapageuse et surprenante: un jour d'orage ou de grand vent!

Sa huitième maison, celle des transformations, se trouve dans le signe du Gémeaux. Aussi le natif changera-t-il sa mentalité, sa manière de penser au cours de sa vie. Cela représente aussi d'importants changements durant l'adolescence comme ses premières relations sexuelles. Cette position indique toutefois qu'il est parfois manipulateur. Il a le don de jouer avec les mots pour faire mal, pour abuser, ou tout simplement pour qu'on soit de son avis. Hommes et femmes de ce signe sont d'habiles séducteurs quand ils «enlignent» une proie! Le plus souvent ils la dévorent! Mais s'ils ont affaire à un signe fixe, Scorpion, Taureau, Verseau ou Lion, ils pourront connaître ce qu'est une véritable rébellion!

Son Soleil, en neuvième maison, lui apporte de la chance, surtout vers l'âge de trente-cinq ans où tout devient clair dans sa vie. Il est possible que ce natif se mette à voyager. Cette position indique parfois qu'il fera un bon médecin ou un prêcheur. Plus il vieillira, plus il sera attiré par les étrangers, et il existe une possibilité qu'il se marie avec un étranger surtout si d'autres aspects de sa septième maison le confirment. Le Soleil en neuvième maison favorise souvent cette sorte d'union. Dans sa jeunesse, ce sujet aura pu être une sorte de «vagabond», habitant chez l'un et chez l'autre, se cherchant à travers les autres pour qu'ils lui donnent une réponse, mais avec le temps, il se rendra compte qu'il est la seule personne à pouvoir se donner cette réponse. La position du Soleil, en neuvième maison, indique une voie plus profonde d'accomplissement à la maturité. Il peut alors développer la continuité, s'il n'y a pas été poussé dans sa jeunesse.

Sa dixième maison se trouve dans le signe du Lion. Naturellement, ce natif aimerait faire une brillante carrière, le vedettariat l'attire, le goût du pouvoir... mais avec son Soleil dans la douzième maison du Lion, il devra être plus modeste si le destin n'a pas placé les bonnes planètes dans sa dixième maison. Il arrive aussi qu'il y ait possibilité d'ascension, la carte natale nous l'indique à ce moment-là. De par cette position, il a tendance à jouer sur deux tableaux à la fois. Avec son ascendant Scorpion, il se fait docile, puisqu'il est double signe d'eau, mais, en même temps, cette dixième maison lui donne le goût de jouer les vedettes. Souvent il est mal vu par les gens qui l'observent, on dit alors qu'il joue faux, que ça ne colle pas. Paroles modestes, attitude royale, ou paroles royales et attitude modeste! Qui est-il? Pourquoi ne reste-t-il pas lui-même? Où veut-il en venir? Pourquoi vouloir épater? On ne lui en demande pas tant! Il aurait intérêt à s'observer pendant qu'on l'épie et qu'on se pose des questions à son sujet!

Sa onzième maison, celle des amis, dans le signe de la Vierge, lui fait rechercher la présence des bavards ou des communicateurs qui ont de l'esprit, selon ce qu'il est lui-même naturellement. On ne juge finalement que d'après ce qu'on est. Il aime la présence des intellectuels, soit parce qu'il en est vraiment un, soit parce que cela dore son blason! L'ascendant Scorpion crée presque toujours une personnalité dont on a le droit de se méfier si on n'a pas observé ce sujet pendant un certain temps! Cette onzième maison est aussi la troisième du natif, ce qui le rend fort communicatif et parfois bien bavard. Il peut arriver qu'il soit celui qui rapporte au patron les paroles des autres. Les aspects de Mercure nous indiquent si sa parole est droite ou sinueuse!

Sa douzième maison, dans le signe de la Balance, la douze, représente les épreuves qu'il pourrait bien vivre à un moment de sa vie, une épreuve par l'union (Balance) ou il peut se retrouver avec un conjoint ayant quelques problèmes émotifs qu'il n'avait pas soupçonnés au début de leur union, tout comme un jour le conjoint pourrait tomber malade, et le natif devra en prendre soin. Les aspects de Neptune et de Vénus nous indiquent quel genre d'épreuve il pourra vivre à ce sujet. La douzième maison (Neptune) étant un symbole de fuite, notre type pourrait un beau matin, s'il n'a pas suffisamment porté attention à son partenaire, se retrouver seul dans son appartement ou sa maison! L'autre a filé sans même laisser une adresse...

C'est finalement en prenant conscience de nos tendances négatives innées que nous pouvons les combattre et vivre une belle vie, en cessant de n'être préoccupé que par soi et en vivant un peu plus pour les autres. Naître dans un double signe d'eau symbolise une grande sensibilité. Le Cancer n'est souvent donnant qu'après avoir reçu. Le Scorpion, lui, est méfiant, on pourrait lui voler quelque chose et personne n'est vraiment totalement pur d'intention. Voilà comment souvent le Cancer-Scorpion réagit. Comme il projette si fort, on lui renvoie son image... en amour, en affaires, dans les deux! Quand le Cancer-Scorpion commencera à se laisser aller à la générosité, quand il verra le divin dans chaque être, pour lui commencera alors une vie si simple, si facile qu'il voudra l'enseigner à autrui.

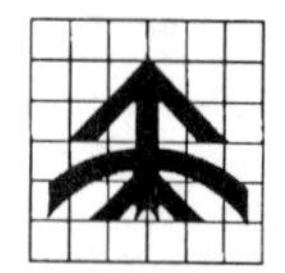

CANCER ASCENDANT SAGITTAIRE

Jouisseur, un air insouciant, mais pas totalement aussi innocent qu'il en a l'air!

Il est lucide, conscient de ses désirs, de ce qu'il provoque. Il sait calculer et jouer ses cartes pour obtenir l'objet de ses désirs. Il est intéressé à réussir, à parvenir à ses fins. Astucieux en même temps qu'amusant, il sait vous faire parler pour obtenir des renseignements utiles à son entreprise, à son objectif.

Il a ce côté vagabond qui lui fait aimer la nouveauté, le dépaysement. L'ascendant Sagittaire lui donne de la chance, multiplie les occasions à gagner à chaque coup qu'il joue. S'il perd, c'est sans conséquence! Il se reprendra ailleurs!

Il tombe souvent en amour, passionnément à chaque fois. Un coup de foudre... c'est profond cette fois... et la prochaine aussi!

Il lui faudra beaucoup d'années pour mûrir. Les vrais sentiments semblent lui couler dessus comme l'eau sur le dos d'un canard. Il a toujours l'impression qu'il fait tout pour l'autre, qu'il a tout donné, et il est persuadé que sa présence suffit à satisfaire et à soulever des émotions. Il n'a pas à agir, il est comme un maître que l'on doit aimer et servir!

Les esclaves se révoltent et quittent. Ce type est trop imbu de lui-même, c'est comme une maladie qui lui colle à la peau. Il n'est pas ambitieux, mais la chance le poursuit, le veinard. Il se calmera dans la quarantaine, deviendra plus sérieux, plus stable, après qu'il aura vécu toutes ses aventures plus ou moins intéressantes, mais qui l'auront bien diverti!

Il a toujours deux objectifs, deux amours, deux de tout. Il a bien du mal à terminer ce qu'il commence, surtout si ça ne rapporte pas assez, pas assez vite pour qu'il puisse se payer ce dont il a envie.

Il pense aux autres, après lui...

Il est d'un type amusant, mais un tantinet parasite qui réussit à se faufiler dans les bagages de ceux qui partent en voyage et qui le nourriront gratuitement.

C'est un Cancer difficile à attacher. Bien sûr qu'il s'ennuiera de sa mère, il y a si longtemps qu'il l'a vue. Il y pense, mais il a tant à faire. Il lui faut découvrir le monde...

Créateur, il est très attiré par la musique. Il fait aussi un bon journaliste. Il bavarde terriblement, de tout et de rien, mais il ne veut pas que sa présence vous ennuie. Vous pourriez le congédier et lui dire d'aller se faire nourrir ailleurs, ce qui ne le gênerait pas non plus. Il y a toujours quelque part une place pour lui.

Pour évoluer, il doit s'efforcer à plus de sagesse, à moins se concentrer sur sa personne et à penser que d'autres sont là et ont des besoins aussi réels que les siens. Il aimerait bien jouer les Robin des bois, il en retirerait une certaine gloire, un honneur! Ce serait encore le moi, un moi aussi gros que la planète Jupiter qui ferait disparaître toute cette sensibilité que la Lune apporte, elle qui éclaire dans la nuit de l'âme.

Sa deuxième maison se trouve dans le signe du Capricorne. Sa maison d'argent se trouve donc dans le symbole du père et en face de son Soleil, soit son septième signe depuis le Cancer. Tout ce système pourrait vous paraître compliqué, mais allez-y voir doucement, votre Sagittaire est empressé de savoir! Nous disions que la seconde maison est dans le signe du Capricorne, ce qui rend notre Cancer peu sûr de lui, alors qu'en réalité très souvent il vit dans le confort, le père apportant suffisamment de vivres, et plus encore, au foyer. Il faut, en fait, de très mauvais aspects de Saturne pour que ce natif soit né dans un milieu pauvre. Et si c'était le cas, avec sa chance, un jour il quittera ce milieu. C'est une première indication également que le Cancer-Sagittaire sera, à l'âge adulte, à la recherche du partenaire fortuné, particulièrement dans le cas d'une naissance féminine, car elle voudra, «elle», consciemment ou non, autant de protection que son père lui en accordait. Le natif, bien qu'à l'aise, aura toujours cette peur d'en manquer, il voudra savoir que ses vieux jours sont assurés!

Sa troisième maison, dans le signe du Verseau, en fait une personne extrêmement intelligente avec des idées à tendance révolutionnaire, du moins marginales. Elle s'exprimera directement sans aucun détour, ce qu'un Cancer fait habituellement. Le côté théâtral n'est pas absent, ni le goût des lettres, des connaissances diversifiées. Curieux, le natif veut tout savoir sur tout et sur chacun de ceux qui vivent autour de lui. Position qui en fait aussi un bon comédien.

Sa quatrième maison, dans le signe du Poissons, fait que souvent, dans l'enfance, il se sent un peu ballotté comme si le milieu familial avait quelque chose d'incertain. Il peut manquer de sécurité et vivre des angoisses plus grandes que celles de beaucoup d'enfants. Il ressent, par exemple, si quelque chose ne va pas entre ses parents, mais il ne peut l'expliquer, rien n'est clair. Il lui arrive souvent d'avoir deux foyers, un à la ville et un à la campagne! Il peut tout aussi bien, à un certain moment, changer plus souvent d'école que ne le font la majorité des enfants de son âge, vu les déplacements dans la vie de ses parents. Cette maison représente la mère du natif qui peut être une personne inquiète et parfois trop protectrice pour le Cancer, qui en a quand même beaucoup besoin, mais, vu l'ascendant Sagittaire, le désir d'indépendance est puissant et incite le sujet à sortir plus jeune de son nid pour voler de ses propres ailes.

Sa cinquième maison, celle des amours, dans le signe du Bélier, également la dixième du Cancer, favorise la rencontre d'amants et de maîtresses sur le lieu de travail du Cancer et, d'une certaine façon, les uns et les autres peuvent aider le natif à se tailler une place de choix dans le milieu qu'il a choisi. Les amours sont quand même passionnées. Il fait des promesses qu'il ne tiendra peut-être pas, l'ascendant Sagittaire le poussant à une nouvelle conquête. Ce natif sera amoureux de l'art, ou du succès lui-même. Il pourra en faire un but.

Sa sixième maison, dans le signe du Taureau, qui est également la onzième du Cancer, l'incite à choisir un métier où il fera un abondant usage du langage, écrit ou parlé, selon les aspects de Mercure. Il sera attiré par le journalisme, mais aussi par les arts de la scène, le théâtre, la télévision, le cinéma. Souvent l'ascendant Sagittaire provoquera des situations de chance, où il n'aura qu'à saisir l'occasion qui se présente à lui. Cette sixième maison dans le signe du Taureau donne un bon appétit au natif et il risque de faire de l'embonpoint s'il ne surveille pas son régime. Le Cancer est souvent fortement attiré par le sucré, et le Sagittaire, par des nourritures grasses. Additionnez les deux et vous venez de prendre quelques kilos en trop!

Sa septième maison, dans le signe du Gémeaux, maison des unions et des associés, également douzième du Cancer, invite notre natif à se marier trop jeune et à divorcer. Dans sa jeunesse il analyse mal les motifs qui le poussent à agir, et sans s'en rendre compte il agit par intérêt, pour se protéger, s'inventant l'amour plus qu'il n'existe réellement. Il peut également arriver qu'ayant fait un mauvais calcul il s'aperçoive que le partenaire l'avait aussi choisi par intérêt et que le mari ou l'épouse ne soit en fait qu'un parasite qui lui coûte cher, qui joue contre lui, qui parle contre lui et même complote contre lui! Le natif devrait attendre une maturité certaine avant de faire le grand saut! De toute façon, il a grand besoin de liberté et supporte mal la limite qu'un partenaire lui impose, même sans le vouloir. La vie à deux est un compromis et notre Cancer-Sagittaire n'en fait pas vraiment beaucoup!

Son Soleil se trouve dans la huitième maison, celle des transformations. Il lui arrive aussi de passer par des phases de profonde dépression en alternance avec des grands moments d'euphorie. Il aura de la suite dans les idées, à la manière d'un Scorpion, et sera habile dans les négociations. Cette position favorise les héritages de famille dont l'importance nous est donnée par les aspects du Soleil et de Pluton. Dans le cas d'une femme, la mort du conjoint peut la transformer et provoquer une vie totalement différente de ce qu'elle faisait avant, mais d'autres aspects doivent aussi le confirmer. Autoritaire, ce natif ne fait pas vraiment de cadeau à ceux qui le côtoient, à moins qu'ils ne le méritent vraiment!

Sa neuvième maison, dans le signe du Lion, apporte la chance en tout ce qui concerne les arts de scène. Possibilité d'une reconnaissance publique et gains obtenus par le spectacle et à la Bourse. Des placements peuvent tout à coup lui rapporter plus qu'il n'avait lui-même prévu même après de sérieux calculs. Possibilité également qu'il tombe amoureux à l'étranger, et qu'il soit parent d'un enfant conçu à l'étranger. Il grandira avec de plus en plus de sagesse dès qu'il se rendra compte qu'il n'est pas le nombril du monde et qu'il y a d'autres nombrils tout aussi importants que le sien.

Sa dixième maison, dans le signe de la Vierge, peut l'inciter à écrire. Il sera un peu ballotté dans ses choix quand il sera jeune car il voudra tout faire en même temps. Mais avec un ascendant Sagittaire, le destin favorise ce qu'il y a de meilleur pour lui. Il est bien possible qu'à la petite école, du moins à ses débuts, il soit distrait, qu'il ait du mal à se concentrer longtemps sur la même matière. Il a besoin de spectaculaire pour qu'on retienne son attention. Il ne faut pas non plus le froisser, le ridiculiser cela peut créer un blocage. L'orgueil ne manque chez lui. La fierté du Sagittaire n'est pas absente. Le Cancer n'ose pas riposter, mais le Sagittaire le fait, lui! Notre natif sera sujet à quelques sautes d'humeur car il supportera mal les contrariétés. N'est-il pas persuadé qu'on lui doit beaucoup puisqu'il est ce qu'il est? Mais quand viendra le moment de faire un choix officiel, il sera alors capable d'une grande concentration.

Sa onzième maison, celle des amis, dans le signe de la Balance, aussi le quatrième signe du Cancer, fait qu'il aimera recevoir ses amis à la maison. Il en aura beaucoup, mais il n'est pas sûr qu'il s'entende avec chacun. Il n'aimera pas qu'on le dirige, encore moins qu'on le domine. Dans sa jeunesse il chassera de la maison ce dominateur en herbe, et rendu à l'âge adulte, celui qui aura voulu lui en montrer ne sera plus invité!

Sa douzième maison, celle des épreuves, se trouve dans le signe du Scorpion, symbole de la mort. Cette position peut rendre le sujet très réceptif et il peut se sentir attiré par le monde occulte. Cela peut lui causer des ennuis, surtout si des aspects de Neptune et de Pluton sont négatifs dans sa carte natale. La mort opérera sur lui une transformation de son psychisme. Peut-être bien qu'il aura besoin d'aide à ce moment. Il ferait bien de ne pas tout régler seul s'il n'en ressent pas la force. Cette douzième maison est tout de même en aspect favorable avec son signe du Cancer. Ce natif aura des pressentiments puissants et possiblement des contacts avec les membres de sa famille qui décéderont.

La vie de ce natif est mouvementée plus que celle de la majorité des gens du Cancer. Il évoluera, il saura prendre conscience de son égocentrisme un jour ou l'autre, surtout quand son meilleur ami lui dira qu'il ne supporte plus ses crises de vedette!

CANCER ASCENDANT CAPRICORNE

Un signe d'eau et un signe de terre opposés sur la roue du zodiaque. Vous les entendez dire: «J'ai tout fait pour la personne qui m'aimait, que j'aimais naturellement, mais elle m'a quitté!» Ce natif vif avec l'opposé de son signe, couteau à double tranchant! Il arrive souvent qu'il soit le serviteur et celui qui est servi ne reconnaît pas ses bienfaits!

Double signe cardinal, double signe de commandement, les ordres arrivent quand même les uns derrière les autres, les promesses aussi, mais il n'est pas certain qu'elles seront tenues. Il n'a pas pu, il ne pouvait pas, et c'est à peine s'il se rend compte qu'il est autoritaire, qu'il a remis à plus tard une promesse qu'il avait faite et que c'est à lui, finalement, qu'il a joué un tour.

Ce natif, c'est vrai, n'a pas la vie facile. Il lui arrive de vouloir être généreux, mais il finit par perdre durant la première partie de sa vie. Il en arrive même à se condamner dans sa propre solitude! Il est important de développer certains principes de vie, surtout celui qui dit que tu ne reçois que ce que tu donnes!

Il n'arrive que bien difficilement à une vie satisfaisante. Il la gâche à vouloir être compris, comme si on devait absolument le comprendre, lui. Et les autres, n'ont-ils pas besoin qu'on s'y intéresse, ne méritent-ils pas aussi son attention? Il a grand besoin d'être vu, entendu!

Le Cancer, quatrième signe, premier cycle du niveau de conscience, le Capricorne, dixième signe, deuxième cycle du niveau de conscience: l'être s'éveille tard dans la vie après qu'il a reçu quelques gifles, mentales et émotionnelles!

Il est habile à manipuler les autres, à tourner les situations matérielles à son avantage, du moins c'est ce qu'il désire, et c'est parfois trop que de le vouloir avec ce signe. Le magnétisme est puissant et on devine à quoi il veut en venir et s'il veut abuser il risque de ne rien recevoir! Il a toujours l'impression qu'on lui demande beaucoup et qu'on ne lui donne pas assez. Il s'estime généralement à un haut prix. Il lui faut apprendre à calculer les répercussions de ses actes. Il veut diriger, mais il manque de tact, de délicatesse, de diplomatie. Il se fait respecter par la peur de temps à autre, mais cet effet ne dure pas. L'amitié et l'amour sont préférables. Il joue au petit dictateur et il risque de rester aussi un petit dictateur que l'on fuira parce qu'on n'a plus envie de l'entendre répéter ses ordres et d'écouter ses exigences. Vous pouvez l'entendre dire qu'il ne demande presque rien, c'est ce qu'il croit!

Mais sa sensibilité est grande. Si le froid de Saturne ne l'a pas tout à fait congelé et figé dans une seule idée, s'il tente de s'assouplir d'une manière évidente, face à autrui, il cache souvent sa sensibilité derrière une attitude froide et méfiante. Mais qu'en retire-t-il alors? De la méfiance, bien sûr! Qui donc a vraiment envie de faire affaire avec les méfiants?

Il est capable d'ascension, d'occuper des postes importants, mais il lui faut aussi apprendre l'humilité. Avant d'être le premier on est souvent le dernier, et quand on arrive devant, il faut se souvenir que le dernier sera peut-être un jour aussi le premier.

Venir au monde sous le quatrième signe signifie toujours une part d'égocentrisme dont il est difficile de se débarrasser. Il faut faire un effort afin de moins se concentrer sur soi et un peu plus sur les autres... Une manière de se faire des amis et d'attirer l'amour!

Ce Cancer-Capricorne ne manque pas d'énergie, de volonté, d'opiniâtreté dans son désir d'ascension. Malgré les efforts qu'il déploie, il a du mal à arriver au but; il faut dire qu'il veut «gros»! Durant la première partie de sa vie, il est possible qu'il joue contre ses intérêts. Il vit avec l'opposé de son signe, en ce sens que, malgré tous les bons coups qu'il fait, il n'obtient pas le résultat espéré. C'est toujours plus petit, ou moins gros, quelle que soit la dimension de sa demande face à la vie tant professionnelle que sentimentale. Mais un jour, quand il aura atteint l'âge de la sagesse, la quarantaine, il aura accumulé tellement d'expérience et aura tellement réfléchi, tant sur lui que sur la vibration qu'il provoque autour de lui, qu'il pourra dépasser son ciel de naissance, mais à une condition: qu'il ait acquis une véritable et profonde sagesse. Une fois qu'il aura appris le vrai détachement, le succès lui est promis. Mais il n'est pas facile de se détacher quand on a autant d'amour pour soi et qu'on est certain que les autres en ont autant pour lui.

Sa deuxième maison, dans le signe du Verseau, n'est pas vraiment facile à vivre. Il ne sera pas très loin de la quarantaine lorsque l'argent lui arrivera pour repartir aussi rapidement, à la manière d'Uranus, comme un choc! Un accident! L'argent peut lui provenir par les voies modernes, le Verseau régissant la télévision, le cinéma, la radio, les ordinateurs et autres appareils de diffusion rapide.

Le Verseau étant également sa huitième maison, cela peut un jour lui apporter de l'argent par héritage, source étrange à laquelle le natif n'avait pas pensé.

Sa troisième maison, dans le signe du Poissons, démontre que la natif, bien que logique, vit surtout selon ses intuitions et il doit les suivre sans hésiter. Dans un calcul logique, il pourrait avoir oublié une donnée qui fausse tout, même ce qu'il croyait qui devait arriver. Ce natif est bien informé, il connaît une foule de choses, à la manière du journaliste. Là où il est finalement un grand spécialiste, c'est sur le fonctionnement du genre humain. Il a une faculté d'analyse exceptionnelle. D'un seul coup d'œil ou d'une seule poignée de main, il peut définir une personne, dire si elle est bonne, mauvaise ou médiocre, avec des détails surprenants sur son attitude face aux gens et à ses conceptions de la vie. Il le sait, il peut avoir peur de commettre une erreur, mais il doit se fier à son intuition qu'il refrène trop souvent. Il doit également surveiller ses paroles qui sont souvent trop directes. Il dit la vérité, bien sûr, mais pas toujours au bon moment, ni au bon endroit. Position qui indique que dans sa jeunesse il peut être mis en contact avec des personnes parfois douteuses. Adolescence qui recherche l'extase, l'infini, avec un manque du côté de la réalité.

Sa quatrième maison se trouvant dans le signe du Bélier, le foyer prend parfois allure de champ de bataille. Il peut y régner de l'inconfort. On ne ménage pas notre Cancer. On ne tient pas compte de sa sensibilité. Avec le Bélier, les changements surgissent soudainement, les déménagements sont rapides au point parfois qu'il peut s'agir d'un coup de tête, d'un acte irréfléchi qui peut aussi jouer contre les intérêts du natif. Tant que le sujet se sent jeune, il peut avoir cette attitude qui le pousse à partir tout de suite! Puis, avec le temps, il apprend à modérer ses emportements et ses emballements qui ne le mènent pas toujours à la meilleure place.

Sa cinquième maison, dans le signe du Taureau, signifie qu'il est très attiré par les carrières artistiques, cinématographiques. Comme le Taureau est sa onzième maison, il arrive qu'il ait des amis dans ce milieu. Il préfère l'amour stable, il aime savoir qu'on l'attend, qu'on l'apprécie. Pour lui l'amour c'est un nid douillet, un havre de repos, mais ce n'est pas toujours ainsi que les choses se passent.

Sa sixième maison, dans le signe du Gémeaux, maison du travail, lui fait faire deux choses à la fois sur le plan du travail. La communication est son domaine. Il peut être tantôt sérieux, tantôt plein d'amour; il aime les jeux de mots, où il excelle d'ailleurs. Encore une fois, cette position symbolise une belle intelligence, un être doué pour la parole. Il a une puissance de la repartie peu commune, qu'il maîtrise de plus en plus en vieillissant. Cette position pousse également le sujet à vouloir travailler très jeune. Il veut son indépendance, tant celle de l'esprit que celle de la vie matérielle. La route n'est pas facile quand il choisit le monde des communications, le Gémeaux, le signe qui le précède, donc le douzième, symbolisant l'épreuve sur le plan de la communication. Mais le natif y arrivera, il est tenace!

Son Soleil se retrouvant généralement en septième maison, il aimera manifester sa présence en public. Il est d'ailleurs fort habile dans les relations publiques. Ayant son ascendant à l'opposé, il pourrait subir des pressions plus ou moins directes de la part de son conjoint, comme si ce dernier freinait ses élans créateurs. La guerre peut tout aussi bien être ouverte que silencieuse, le résultat est le même. Le Cancer déteste le divorce. Quand les pinces du crabe s'accrochent, il veut rester là où il est, mais vivre avec l'opposé de son signe représente un danger de séparation. Avec son Soleil en septième maison, s'il survient un divorce, ce Cancer retrouverait rapidement une autre personne avec qui partager sa vie. Il attire à lui, comme un aimant. Il n'aime pas rentrer chez lui et trouver la maison vide, c'est quasi insupportable pour lui. Il a besoin de refaire ses forces, tant auprès de l'être aimé qu'auprès de sa famille.

Sa huitième maison, dans le signe du Lion, lui donne une nature inquiète, en même temps qu'une grande force pour vivre changement après changement, surtout durant sa jeunesse. Cette position indique également qu'il doit surveiller son cœur et ne pas commettre d'abus quand la fatigue s'empare de lui. Il a besoin de repos et de calme pour récupérer son énergie. Très sensible aussi à ce qu'on pense de lui, il veut projeter une belle image. S'il s'engageait dans une voie artistique, il pourrait vivre des «coups durs», des revers dramatiques parfois de la part de ceux qui tiennent les honneurs ou le gros «bout du bâton», ceux qui parfois dirigent les opérations sans toutefois être les grands patrons. La concurrence est toujours forte autour de lui; il dérange, son magnétisme est puissant. On le ressent comme une menace, et comme il vit avec l'opposé de son signe et qu'il a la langue bien pendue, il répond justement ce qu'il ne fallait pas au moment où il aurait fallu qu'il observe le grand silence.

Sa neuvième maison, dans le signe de la Vierge, le rend fort sceptique en ce qui concerne la philosophie, la voyance et l'astrologie. Il possède une logique à laquelle il s'accroche. En réalité, il aurait plus intérêt à suivre ses intuitions et ses perceptions qui sont plus puissantes que sa logique. Cette maison représente également les voyages dans le signe qui symbolise le travail, mais il y a contradiction. Il peut espérer beaucoup d'un déplacement, mais il pourrait avoir du mal à obtenir bien exactement ce qu'il en espérait. Les voyages dans le signe de Mercure ont souvent trait à une sorte d'étude, une investigation nouvelle dans un domaine du travail qui lui est familier.

Sa dixième maison, dans le signe de la Balance, lui fait espérer réussir le plus souvent dans un domaine public où à la fois l'art et la raison jouent de concert. Comme le signe de la Balance entre en aspect difficile avec le Cancer, il devra lutter pour parvenir au sommet, mais rien n'est impossible quand on vit avec l'opposé de son signe!

Sa onzième maison, celle des amis, se trouve dans le signe du Scorpion. Attention, les amis portent des masques et peuvent abuser de sa naïveté! Le Scorpion étant en très bon aspect avec le Cancer, le natif aura tôt fait de déceler ceux qui lui veulent du bien ou non, l'âge aidant naturellement à lui faire perdre sa naïveté et puis avec le temps, il est moins sensible à la flatterie et aux belles promesses qu'on lui fait sans garantie. Étrangement, ceux qui ont été ses «ennemis», déclarés ou non, pourraient un jour revenir et vouloir à tout prix être ses amis! Il n'est pas dupe, je l'ai dit plus haut, il voit du premier coup d'œil à qui il a affaire, mais il se met à analyser l'attitude de la personne qui est devant lui, même quand il a eu un mauvais «feeling»! Toujours se fier à la première impression qui, elle, ne ment pas.

Sa douzième maison, celle de l'épreuve, se trouve dans le signe du Sagittaire, la sixième maison du Cancer. Donc il est bien possible que le natif vive des épreuves par un travail à l'étranger ou loin de son lieu natal, à moins que certains aspects n'indiquent le contraire! La carte natale le spécifie alors. Cette position rend le sujet perspicace. Il peut même développer une sorte de voyance s'il veut bien y croire! L'argent peut être source d'épreuves également, jusqu'à ce qu'il ait appris à se fier à ses intuitions, qu'il devienne plus philosophe et mette de côté son égocentrisme jusqu'au plus profond détachement... qui relève de la métaphysique. Lire quelques ouvrages là-dessus lui serait d'un grand secours afin de sauter quelques étapes difficiles! Tout est possible à celui qui croit!

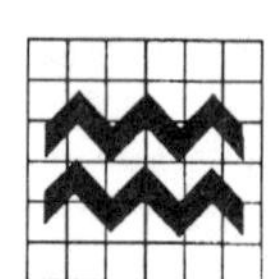

CANCER ASCENDANT VERSEAU

Pardonnez-moi cette franchise, mais dans le privé vous êtes comme une maladie honteuse... invivable! Cancer, signe cardinal, égocentrique, qui donne des ordres. Verseau, signe fixe, qui ne change pas d'avis avant qu'on ait obéi à ses ordres.

Dictateur...

Moi... non jamais!

L'être est nerveux. La Lune et Uranus créent une vive agitation, en font un révolutionnaire, quelqu'un qui parle haut, fort. Il a quelque chose d'important à dire et il veut qu'on l'écoute!

Il est facilement insatisfait de tout, du système social, de ses voisins, de sa famille...

Sa vie intérieure est un véritable tourment. Il ne cesse de se poser des questions, d'en poser, ne serait-ce que pour découvrir une opinion qu'il pourrait encore analyser...

Il dit non à tout, tout de suite... ensuite il se permet de réfléchir et convient que l'opinion d'autrui est valable!

On lui fait des offres, des occasions de réussite. Il se met à réfléchir, et puis voilà que l'affaire a filé, on a tout refilé à quelqu'un qui n'avait pas besoin de réfléchir autant.

Pour lui l'argent ce n'est pas important, mais il lui en faut pour dépenser, pour suivre le mouvement de la vie, se payer du plaisir. En amour, il invente, il a bien du mal à voir la réalité telle qu'elle est. Il lui faut composer, faire un roman. Il aimerait se lier à quelqu'un qui serait toujours parfaitement d'accord avec lui, une personne parfaite en public et en privé, qu'il serait fier de présenter. Un robot, quoi!

Créateur, innovateur, les choses ordinaires ne l'intéressent pas. Il veut à la fois s'atteler à une tâche et en même temps rester libre de son temps. Mais on ne peut tout avoir. Compliqué, mais fort amusant, on ne s'ennuie pas avec lui.

Le chemin qu'il doit parcourir pour arriver à maturité n'est pas facile. Il se laisse facilement distraire en cours de route. La maturité met du temps, elle tarde, elle prend la clé des champs, fait l'école buissonnière. Rien n'est perdu. Le Cancer a toujours besoin de créer une famille et il finit par en trouver une. Avec un ascendant Verseau, c'est une famille spatiale qu'il lui faut et peut-être bien que, dans quelques années, on trouvera le moyen de le faire embarquer, lui et les siens pour une grande exploration dans l'univers, où il ne se lassera pas de découvrir d'autres mondes...

Sa deuxième maison, dans le signe du Poissons, donne souvent deux sources de revenus et deux façons de le dépenser. L'argent coule entre ses doigts, mais il s'arrange pour ne jamais en manquer. Il est fort habile là-dessus et aussi très doué pour cacher certains de ses revenus à l'impôt! Gagner de l'argent par placement l'intéresse sûrement, l'argent qui travaille à sa place lui laisse alors tout le temps pour discuter.

Sa troisième maison, dans le signe du Bélier, lui permet d'apprendre rapidement, de discuter fortement, il aime avoir raison, est capable d'admettre ses torts, mais il faudra qu'on lui fasse une démonstration bien claire et nette de ses erreurs. Il est facilement emporté, parfois jusqu'au comique pour un observateur qui sait fort bien que ce natif peut se fâcher sur le coup mais qu'ensuite, il se sentira très mal s'il a blessé quelqu'un, il sera capable de s'excuser.

Sa quatrième maison, dans le signe du Taureau, apporte de la stabilité au foyer et parfois un foyer où ce natif est gâté, bien nourri, bien élevé, dans des règles strictes et même d'une très grande rigidité. La mère a bien pris soin de lui. Le foyer est souvent un lieu de connaissances où le natif apprend une foule de choses sur la société, les activités politiques. Le milieu de naissance est plutôt favorable à l'épanouissement intellectuel à moins de sérieuses afflictions dans cette maison taurine.

Sa cinquième maison, celle de l'amour, dans le signe du Gémeaux, ne donne qu'une fidélité moyenne. À l'adolescence le natif est un intellectuel romantique, plus en amour avec l'idée de l'amour qu'avec l'amour lui-même. Une défaite sentimentale durant l'adolescence peut causer un grand traumatisme. Il pourrait décider à ce moment de se faire reconnaître uniquement pour ses qualités intellectuelles plutôt que pour ses qualités de cœur qu'on aurait froissées.

Son Soleil se retrouve donc en sixième maison. Excellente position pour les professeurs, les chercheurs, les scientifiques ou pour un travail qui demande une grande minutie et une grande précision. La médecine peut avoir un intérêt particulier pour le natif, surtout avec de bons aspects de Mercure et d'Uranus. Le sujet peut être fort critique, il a un si grand souci de perfection, tant pour sa propre pensée que pour celle des autres, qu'il se donne un rôle de réformateur. Il peut parler de tout ou presque, surtout du progrès social qui l'intéresse à un plus haut degré. Mais il arrive qu'il a toujours raison dans ses développements logiques... pour lui, mais pas pour tout le monde! Il est vrai qu'il a souvent raison, mais avec son ascendant Verseau il peut être vingt ans en avant de son temps! Il aura raison, mais plus tard. Il arrive qu'il oublie de vivre le moment présent! Pour un Cancer, ce n'est pas vraiment normal. C'est surtout troublant.

Sa septième maison, celle du conjoint, également la deuxième de son signe, fait qu'il épouse souvent une personne au-dessus de sa propre condition sociale et ayant des moyens financiers intéressants. Le partenaire aimera les enfants et parfois même s'intéressera aux enfants plus qu'au conjoint lui-même. Ça donne une grande chance à l'ascendant Verseau de prendre l'air! Le mariage étant dans un signe fixe, il a alors de bonnes chances de durer, plus que la moyenne!

Sa huitième maison, celle des transformations, se trouvant dans le signe de la Vierge, l'esprit est en perpétuelle agitation et fait et refait sans cesse le tour d'une question. Il veut la réponse et il l'aura! Vous verrez. Tout ce qui est de nature intellectuelle l'attire, le fascine. Cette position favorise la médecine, la recherche, la science, tout ce qui demande un effort de réflexion. Il aime se retirer pour lire, apprendre. Cette position crée parfois chez le natif une tendance dépressive surtout quand il n'arrive pas à résoudre une situation. Les intestins peuvent être fragiles avec la position de cette maison dans le signe de la Vierge.

Sa neuvième maison, dans le signe de la Balance, crée chez lui une forte attirance pour la justice et les discussions qui s'y rapportent. Il n'est pas rare de trouver des érudits sous ce signe. Il aime discuter de philosophie, surtout quand on a un point de vue opposé au sien. Cela crée de l'animation et il adore ça. Il est toutefois assez diplomate. Malgré sa propension à l'emportement, il réussit à se maîtriser pour éviter les vrais conflits. En réalité, il ne se fait que très peu d'ennemis. On le prend au sérieux ou on le trouve tout à fait à côté de la règle. Il est si original dans sa façon de s'exprimer qu'il fascine, épate. Avec de bons aspects de Jupiter et de Vénus, il peut être avocat ou occuper un poste gouvernemental important avec de grandes chances d'avancement.

Sa dixième maison, celle de la carrière, dans le signe du Scorpion, en bons aspects avec son Soleil en Cancer, fait qu'il peut vaincre tous les obstacles qui se présentent devant lui. Il a une grande soif de pouvoir, la politique peut aussi l'attirer s'il a de bons aspects de Saturne et de Pluton dans sa carte natale.

Sa onzième maison, celle des amitiés, se situe dans le signe du Sagittaire. Il aura des amis importants dans son milieu de travail, surtout ceux qui détiennent un certain pouvoir, et même les honneurs auxquels lui-même aspire. Il voyagera, il aura du succès dans ses déplacements, comme s'il laissait sa marque partout où il passe! On ne l'oublie pas. Ce natif est magnétique dans toute sa fantaisie ou son sérieux s'il a pris cette courbe officiellement.

Sa douzième maison, dans le signe du Capricorne, représente parfois quelques difficultés ou des épreuves par le père. Le natif voudra dépasser ce dernier, mais il se sentira en même temps mal à l'aise s'il réussit. Il peut garder un secret en ce qui concerne le père.

La maturité risque de le conduire à l'isolement et aux maladies étranges, celles du psychisme. Il pourra avoir mal aux os dans la vieillesse, et peut-être se souviendra-t-il combien il aimait l'opposition et la discussion. Il ne serait pas surprenant qu'on ouvre une aile spéciale à l'hôpital pour lui et pour ceux qui aiment discuter, qui ont mal aux os, mais qui n'ont pas la langue dans leur poche.

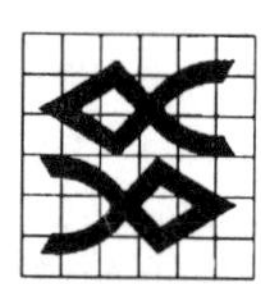

CANCER ASCENDANT POISSONS

Double signe d'eau. Mal aimé, il n'est pas rare qu'il se laisse avoir par l'illusion de la drogue ou qu'il plonge dans l'ivresse qui le soustrait à la pesanteur terrestre.

C'est un être qui aime rendre service, il ne sait pas dire non. Il a besoin de se sentir approuvé, aimé par-dessus tout. Il quitte souvent la maison, il a besoin d'évasion, il supporte mal d'être attaché bien qu'il finisse par revenir.

Sensible, impressionnable, vous avez l'impression que vous pouvez manipuler cette personne, mais pour un certain temps seulement. Si vous avez joué avec ses cordes sensibles, quand le vase déborde, il part.

Sentimental, il aime regarder la fantaisie des autres plus qu'il n'a envie d'y participer lui-même. Il admire ceux qui sont audacieux, mais lui, il n'ose pas. Peut-être qu'on l'aimerait moins s'il était différent et s'il était sûr de lui...

Il mêle amour et besoin. Il se dit que si on l'aime c'est qu'on a besoin de lui. Aussi est-il toujours de service. Il a bien du mal à imaginer qu'on puisse simplement avoir le goût de lui, et non pas le besoin.

Le Cancer-Poissons finit par découvrir que la puissance est dans l'argent, que l'argent apporte la liberté et qu'en faisant des cadeaux, on fait plaisir aux autres qui paraissent alors vous aimer davantage. Une fois qu'il en est persuadé, il se met au travail, s'engage même dans plusieurs travaux à la fois, et il ramasse, il fait de l'argent. Pour les autres.

Cet individu est d'une nature tendre et douce. Il faut dès son jeune âge l'orienter et l'aider à développer sa volonté pour qu'il puisse s'éviter des douleurs ou sombrer dans la drogue ou l'alcool.

Sa deuxième maison, celle de l'argent, se trouve dans le signe du Bélier. Il arrive que ce natif écourte ses études pour gagner sa vie le plus tôt possible. Les conflits avec l'autorité sont possibles, il pourrait aussi être exploité. On peut lui faire confiance s'il s'engage à faire ceci et cela, surtout si on le lui demande avec gentillesse, mais il arrive que les patrons, les gens au-dessus de lui, en profitent, lui en fassent faire beaucoup plus et tentent de le rémunérer le moins possible. Il ne se laissera pas faire toute sa vie, vous verrez.

Sa troisième maison, dans le signe du Taureau, en fait un être buté, fermé à diverses connaissances. Se contentant d'une seule discipline, il lui manque quelque chose, le raffinement de l'esprit, la diversité qui lui permettrait de pouvoir répondre à ceux qui se disent plus savants qui arrivent à lui en faire voir de toutes les couleurs. Ce natif a tout intérêt à choisir une spécialité dans le travail, de s'y maintenir, d'y travailler afin de pouvoir progresser.

Sa quatrième maison, celle de son foyer, se trouvant dans le signe du Gémeaux, le natif peut éprouver un grave malaise dans son milieu de naissance. Il y est instable, il ne reçoit pas d'orientation. Il s'agit parfois d'un foyer où l'on discute beaucoup, mais où les habitants ne passent pas vraiment à l'action. La mère du natif pourrait l'induire en erreur dans ses choix de vie. Ce sujet est souvent aux prises avec la mère, en ce sens que son amour est aveugle et qu'il ne se rend pas compte qu'on le manipule ou qu'on ne dit rien de vraiment encourageant pour lui. Il est sensible et perméable à toutes les idées. Il a même du mal à faire la différence entre une bonne et une moins bonne suggestion, surtout quand elle vient de la mère. La mère n'est pas méchante en soi; c'est le natif souvent qui, à sa façon, en fait une interprétation hors de la réalité, hors champ, hors de sa vue, comme quelque chose qui ne convient pas à sa personnalité.

Son Soleil se trouve donc dans la cinquième maison, ce qui lui donne une grande force de régénération. Même s'il se laisse aller à quelques «péchés mignons», le natif est capable de se relever et de changer de conduite et de s'orienter vers la réussite. Au début, et parfois jusque dans la vingtaine, il est porté à vivre de plaisirs, à se soustraire aux obligations, à opter pour les solutions faciles, à vivre d'amour et d'eau fraîche, avec un soupçon d'idéal. Mais la vie veut qu'il se réforme, s'il s'est laissé aller et qu'il vive mieux, qu'il apprenne à gagner sa vie, à compétitionner sans méchanceté, sans envie, à compétitionner finalement contre lui-même. Comme tous les Cancer, la peur et l'angoisse, accompagnées d'une surcharge émotionnelle, vu le double signe d'eau, sont présentes, mais avec son Soleil en cinquième maison, à la manière d'un Lion, comme il est un «gentil» et qu'il n'a pas pour un sou de malice, du moins la plupart du temps, le ciel lui donne une récompense et lui permet de rencontrer des gens qui lui donneront le coup de pouce et la confiance en lui dont il a grand besoin pour s'acheminer vers la réussite.

Sa sixième maison, celle du travail, se trouve dans le signe du Lion. Malgré les difficultés que ce natif pourra traverser un jour, on lui offrira un travail, un emploi où il sera tout près du patron. Peut-être même agira-t-il en tant que chef de service dans le travail qu'il a choisi. Ce natif a du cœur au ventre malgré qu'il puisse tomber de temps à autre dans des états proches de la dépression. On reconnaît ce qu'il est profondément et on l'appuie. Il aimera les enfants, son sens de la famille est puissant, il fait un bon père ou une bonne mère. Et il sera stimulé davantage à la réussite s'il a des responsabilités familiales. Le profond respect et l'amour qu'il porte aux enfants suffisent parfois à provoquer des pulsions de combat, sans violence. Agressivité d'attaque qui n'a rien de négatif en soi, il s'affirme pour donner l'exemple, et cela lui réussit à merveille.

Sa septième maison, dans le signe de la Vierge, le prédispose à deux grandes amours dans sa vie : possibilité de deux unions, même si ce n'est pas ce qu'il désire vraiment. Le Cancer a horreur des divorces et des séparations. La plupart du temps il se choisira un partenaire amoureux, du type intellectuel, pratique et rationnel, qui peut justement stimuler son goût de l'action. Il est possible, s'il y a un premier mariage, que le premier conjoint soit critique à son égard et froisse sa sensibilité. Il aura sans doute du mal à se relever et se fera cynique durant une bonne période avant de se décider à abandonner une attitude négative qui lui nuit. Il ralentira ainsi le processus d'attraction du sexe opposé ; on aura peur de lui et de ses réactions.

Sa huitième maison se situe dans le signe de la Balance, symbole de l'union, huitième, symbole de la transformation aussi. Cela devient évident que le mariage, les unions transforment notre natif. Il a tant besoin d'amour que c'est à l'intérieur d'une vie de couple qu'il apprend ce qu'il est, ce qu'il est capable de faire, de donner et aussi de prendre. Un divorce peut lui coûter cher ! Plus qu'à d'autres très souvent. Sa sensibilité, toute faite de souvenirs, l'empêche de se défendre, même si le partenaire ambitionne matériellement au cours d'une séparation. Rien n'est totalement négatif, il retient les leçons même s'il doit prendre un long moment pour les absorber.

Sa neuvième maison, dans le signe du Scorpion, est une invitation à la prudence s'il décide de s'exiler, d'aller vivre à l'étranger. Le Scorpion symbole de la mort, des transformations également et du sexe, l'avise qu'il ferait bien de prendre garde aux attirances sexuelles qu'il peut sentir au cours d'un voyage. Il n'est pas rare de constater que la deuxième union le conduit au veuvage, qu'il soit homme ou femme. Ce natif est extrêmement perspicace, cette position nous l'indique encore une fois. Il ressent la misère des gens et il peut lui arriver de jouer au missionnaire, mais il ferait mieux d'être fort lui-même pour s'épargner de subir la douleur qu'il tente de soigner, d'éviter à autrui.

Sa dixième maison, dans le signe du Sagittaire, indique qu'il a bien du mal à choisir une voie d'orientation définitive, à moins que la maison quatre du natif, soit son milieu de naissance, ne l'ait soutenu et orienté. Plus il vieillit et plus il a de la chance, comme si le pouvoir reconnaissait de plus en plus son talent. Un poste gouvernemental assuré pourrait lui échoir sans qu'il l'ait vraiment cherché. En obtenant un poste de responsabilité il pourrait se retrouver dans la situation de celui qui enseigne aux nouveaux. Il fera bien son travail, dans la justice, le respect et l'honnêteté.

Sa onzième maison, celle des amis, dans le signe du Capricorne, lui fait rechercher des amis plus âgés qui sont en même temps ses guides. Si dans sa jeunesse il tombait entre les mains d'un groupe plus ou moins évolué, il suivrait une pente vers le bas, mais la chance de l'homme honnête est toujours là. Sensible, il a du mal à repousser ce qui n'est pas bon pour lui et il a tant besoin de se créer une famille que s'il n'en a pas une qui corresponde vraiment à ses attentes, il en recréera une à l'extérieur de celle-ci par le biais de ses amis. Comme je l'ai dit un peu plus haut, il finit par trouver le « personnage », la figure paternelle, qui le protège et lui ouvre une voie nouvelle. Il n'a qu'à la prendre dès qu'il sent que c'est pour son plus grand bien. Les astres s'inclinent, mais aide-toi et le ciel t'aidera.

Sa douzième maison, dans le signe du Verseau, symbole de l'épreuve, lui vient le plus souvent des mauvaises influences qu'il pourrait subir. Averti, il peut parer les coups. L'influence du Verseau, symbole d'Uranus, indique ici la possibilité d'un divorce après un premier mariage, comme il indique qu'avec de mauvais aspects d'Uranus appuyés par Neptune il peut vivre des phases dépressives. Son ascendant faisant un trigone, excellent aspect avec son Soleil en Cancer, il se relèvera et deviendra plus fort... et meilleur.

Le Lion et ses ascendants

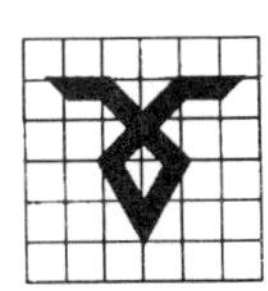

LION ASCENDANT BÉLIER

Double signe de feu. Lion, signe fixe, régi par le Soleil, l'organisateur; Bélier, signe de feu martien, le commandant, le chef, le dictateur. Mais, sous l'effet du Lion, le goût de plaire pour se faire des alliés, pour être mieux servi, donne à l'ascendant Bélier une impulsion précise mais modérée, en ce sens que l'ordre arrive, mais avec le sourire.

Il ne supporte pas d'être deuxième. La première place est la sienne et nulle autre. Quelle que soit l'entreprise dans laquelle il s'engage, il y va à fond et avec passion, et il réussit.

Les obstacles ne lui font pas peur. Le Soleil n'est-il pas le plus gros luminaire... et qui donc pourrait éteindre le Soleil?

Il est séduisant, il cultive le charme, ça rapporte bien. Il l'améliore même. Il a tellement besoin d'impressionner, d'être admiré! Il est ce chef et un chef doit montrer qu'il en est un. Cela demande une certaine pratique devant le miroir le matin...

Le luxe, l'éclat et la richesse lui conviennent, et il fera tout ce qu'il peut pour les avoir. Il les aura.

Il est généralement honnête à moins de mauvais aspects dans son thème de naissance. Sa richesse, il l'a obtenue sans tricher.

L'énergie ne lui manque pas, il a toujours du ressort quelque part... double signe de feu. Il peut tomber malade, très rapidement, mais se relever tout aussi vite!

Sa passion de vivre peut le rendre imprudent, mais le ciel le protège parce qu'il est bon. L'exception fait la règle, naturellement.

Il fait partie du premier niveau de conscience sur la roue astrologique, ce qui lui donne sa part d'égocentrisme d'une manière assez puissante. Premier et cinquième signe du zodiaque, il daignera s'intéresser aux autres, pourvu que ça rapporte.

Il devra faire un effort pour être généreux, gratuitement, sans rien attendre des autres. De toute manière, avec sa chance innée, il est certain que tout lui reviendra et même multiplié par dix.

Sa deuxième maison, dans le signe du Taureau, également la dixième du signe du Lion, lui donne beaucoup d'appétit pour les biens terrestres. Le luxe est, en fait, quelque chose qu'il se doit d'avoir, ne serait-ce que pour être plus généreux! L'argent est souvent un but à atteindre. N'est-ce pas aussi que c'est uniquement avec de l'argent, dans notre monde capitaliste et matérialiste, que l'on peut obtenir à peu près tout ce qu'on désire? Entre autres, se faire servir!

Sa troisième maison, dans le signe du Gémeaux, lui donne une intelligence vive. Il est prompt à la réaction, il aime les discussions et les controverses, pourvu que ça tourne à son avantage. Généralement aimé par son entourage immédiat, il a de nombreux amis. Les gens avec qui il travaille l'estiment et l'admirent souvent. Intègre, il dit ce qu'il pense, ne fait pas de compliments inutilement. Il lui arrive de dire des vérités que l'on n'a pas sur-le-champ envie d'entendre, mais il veut rendre service et il aime bien qu'on lui dise ensuite merci.

Sa quatrième maison, dans le signe du Cancer, également le signe qui le précède, symbolise parfois quelques ennuis au foyer. La mère peut avoir été malade ou avoir surprotégé ce Lion-Bélier. L'un des parents peut aussi avoir eu quelques problèmes d'alcool et le natif lui-même peut y être enclin. Nous avons ici un double signe de feu, ce qui rend le sujet excessif. L'alcool peut, sur le coup, adoucir la flamme, la faire vaciller également, mais il est rare que ce natif plonge d'une manière définitive dans l'alcoolisme. Ce double signe de feu, quand il se rend compte qu'il est responsable du déclin de ses forces, est bien capable de se mettre au régime «sec». Il a suffisamment de volonté pour ne pas céder trop longtemps aux tendances autodestructrices. Il aimera habiter sur le bord de l'eau. La campagne et le grand air sont bénéfiques à sa nature emballée. Il a grand besoin de calme pour récupérer.

Son Soleil se retrouvant dans la cinquième maison, la place du Lion, ce natif peut faire de sa vie ce dont il a envie. Il peut fort bien se retrouver à jouer à la Bourse, être acteur, médecin, électricien. Bref, quoi qu'il fasse tout lui réussit et il réussit à faire de l'argent avec tout. S'il a son entreprise il la fera grandir, et s'il travaille pour le compte de quelqu'un d'autre, il ne tardera pas à se retrouver à la première place. Sa volonté et son ambition sont puissantes! De plus il a de la chance. Il faudrait qu'il le fasse vraiment exprès pour se retrouver dans le trouble! La vie et le ciel le favorisent au départ!

Sa sixième maison, celle du travail, se trouve dans le signe de la Vierge. Bon travailleur, il n'hésite pas à faire du surtemps si c'est nécessaire à son progrès ou à celui de l'entreprise. Bien qu'il aime l'argent et ce qui s'y rattache, ses bienfaits, il est aussi très idéaliste. Généralement il fait deux choses à la fois: double emploi, deux sources d'argent. Il a du nerf et de l'énergie et il lui en faut beaucoup pour satisfaire ses besoins. Il peut être un grand nerveux, mais c'est à peine apparent. Il se maîtrise. Il ne faudrait surtout pas qu'on s'aperçoive qu'il a la moindre faiblesse... Le roi est parfait, il est le maître de sa destinée et du «bateau» de sa vie. D'ailleurs, notre natif est si courageux qu'il serait certainement le dernier à quitter le bateau s'il venait à couler! Il a le sens de l'héroïsme. Il aime également les médailles qu'on pourrait lui offrir en cas d'un naufrage (symbolique) s'il a sauvé des gens! Il est de la race des chevaliers, des conquérants, une race qui s'est perdue, mais il en reste encore quelques-uns qui ont le sens de l'honneur, de la droiture, de la justice.

Sa septième maison, dans le signe de la Balance, symbolise le mariage. Ce natif n'aime pas vivre seul, il a besoin de partager sa vie avec une personne qu'il aime et qui l'aime passionnément. Il supporte mal les divorces. Les ruptures lui causent un profond chagrin, mais ne lui enlèveront jamais l'espoir. L'amour ça existe, il y croit, et il a toutes les chances du monde de le trouver. La personne qui partage sa vie se doit d'être conciliante et admiratrice de ce Lion-Bélier! Alors là, il peut tout faire, tout donner à la personne qui lui voue un culte... ou presque! Il se rend à peine compte qu'il est exigeant en amour. Pour lui, la passion est quelque chose de tout naturel. Le plus souvent il est fidèle, à moins d'aspects contraires et négatifs dans cette septième maison. Malheureusement, toute une génération a été affectée par Neptune dans le signe de la Balance, et on a divorcé beaucoup de ces natifs Lion-Bélier, mais en cette fin de siècle ils ont toutes les chances de leur côté pour retrouver l'amour et le réinventer!

Sa huitième maison, celle de la mort et des transformations, se trouve à sa place dans le signe du Scorpion. Ce qui le porte à des «tout ou rien», le rend extrêmement perspicace, et le protège également contre la mort. Ce Lion-Bélier est parfois téméraire, casse-cou, il aime le risque, mais le ciel le protège et le garde parmi nous. Il a la force de surmonter tous les obstacles qui se présentent devant lui.

Sa neuvième maison, dans le signe du Sagittaire, en bons aspects naturellement avec le signe du Lion, promet des voyages et beaucoup d'argent, surtout s'il approche de trente-cinq ans. La maturité aidant, la prudence s'étant installée et l'esprit de travail en pleine capacité, il peut faire tout ce dont il a envie, et réussir, et être le premier. Il peut également être attiré par la politique ou une profession qui lui permettra de se hisser au premier plan.

Sa dixième maison se trouve dans le signe du Capricorne, le sixième signe du Lion, ce qui peut, encore une fois, lui permettre de s'intéresser à la politique, de travailler au sein d'une organisation gouvernementale où, naturellement, il a des chances d'avancement. L'effort ne le rebute pas. Bien au contraire, pour lui, les défis sont faits pour être relevés. Position également qui favorise les entrepreneurs en construction, les investisseurs en immobilier.

Sa onzième maison, celle des amis, juste en face de son Soleil, lui en procure quelques-uns qui pourraient bien envier son destin, mais qui ne peuvent rien contre lui. Le ciel lui a donné toutes les armes pour se défendre et sa principale est l'amour, ou alors il fait comme si les ennemis n'existaient pas, il ne leur accorde pas d'importance et finalement les fait disparaître. D'instinct, il connaît la loi de la non-résistance.

Sa douzième maison, dans le signe du Poissons, également le huitième du signe du Lion, fait de lui une personne fort tentée par diverses expériences sexuelles. C'est peut-être bien le plus grave danger qui le guette pendant un certain temps de sa vie, ce qui sera précisé par sa carte natale, surtout si de mauvais aspects de Neptune, de Pluton et de Mars interviennent. Il arrive également que ce natif soit privé de sexualité par son partenaire et qu'il en souffre sans oser réagir. Mais ce dernier cas est plus rare.

Il a été donné à ce natif toutes les chances du monde d'évoluer, d'être différent, d'être un guide pour la masse, un guide tant dans les choses matérielles que dans le monde spirituel. À lui d'en décider. Les astres inclinent au succès, à l'amour et à l'équilibre.

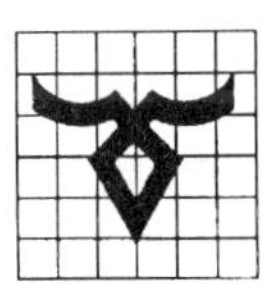

LION ASCENDANT TAUREAU

Il est beau à ravir et a du charme à revendre! Double signe fixe, double signe d'organisateur, double signe de patron. Il se sent responsable.

Mais quel caractère! Il faut une patience d'ange pour vivre avec lui. Il ne supporte pas très bien d'être contrarié et il ne sait même pas qu'il est parfois si exigeant! Il suffira de le lui faire remarquer pour qu'il comprenne. Il a tant besoin d'être aimé!

Taureau, signe de terre, Lion signe de feu.

Le Lion-Taureau est conscient de sa capacité, il possède une grosse résistance au travail et sa santé est florissante. Déterminé, volontaire, il est buté même; comme tout signe fixe, il se doit de l'être. S'il s'engage sur une voie, il ne la quitte plus; il peut même lui arriver d'être dans l'erreur et de continuer, personne ne le fera changer d'avis à moins que lui-même ne l'ait décidé.

Il atteint ses objectifs. Il met souvent ses émotions de côté pour se consacrer à sa réussite. Très porté sur le sexe avec cette association de signes, même s'il est un signe fixe, il se peut qu'il ne soit pas totalement fidèle. À moins qu'il ne se soit engagé définitivement et qu'il ait juré fidélité, alors là il tiendra parole.

Si vous en avez un dans les parages, ne le mettez pas en colère, ce serait terrible.

Si vous en avez un pour ami, choyez-le, il est fidèle dans ses amitiés. Il sera toujours près de vous dès que vous ferez appel à son aide.

Si vous avez une remarque plus ou moins plaisante à lui faire sur un de ses comportements abusifs, faites-lui tout d'abord un compliment, ensuite dites-lui la vérité et vous le verrez accepter bien facilement. Il reconnaîtra que vous aviez raison de lui dire la vérité.

Pour évoluer, il a besoin de se détacher davantage de son matérialisme aigu. Il lui faut mettre de côté cette crainte qu'il a de manquer d'argent. Il gagne de toute manière.

Il a intérêt à faire quelques lectures sur la spiritualité ou la philosophie, ne serait-ce que pour apprendre que l'univers ne se comporte pas comme lui et que les différences entre les gens sont intéressantes, non pas uniquement parce que ceux-ci sont à son service, mais parce qu'ils sont humains!

Avec sa deuxième maison, dans le signe du Gémeaux, il a le sens des relations publiques qui rapportent. Il gagne souvent sa vie par un travail du type mercurien. Il fait un très bon vendeur, un bon administrateur, il sait parler, il sait spéculer, l'essentiel étant de gagner. Il peut même vous étourdir par son verbiage afin de vous prouver qu'il a raison! Il a souvent plus d'une source de revenus. Il peut également être fortement attiré par l'art, les arts écrits, tout comme il sait fort bien spéculer avant de signer un contrat. Il n'a pas la langue dans sa poche et ça rapporte. La médecine peut également l'attirer fortement.

Sa troisième maison, dans le signe du Cancer, lui permet d'approfondir ce dans quoi il s'engage. Il est également très perspicace en ce qui a trait aux besoins d'autrui. Il adore sortir, mais il aime bien rentrer chez lui, dans «sa» maison, «son» appartement, avec «sa» femme ou «son» mari et «ses» enfants! Écoutez-le. Ses «je», «moi», «mon», «ma», «mes» sont nombreux dans sa conversation. Mais, à l'écouter, vous prenez vous aussi le goût de posséder. D'ailleurs, il est fort habile à donner des leçons là-dessus. Il peut être fort généreux pour «sa» famille où il aime se retrouver car il s'y sent en sécurité, surtout s'il s'agit de la famille qu'il a fondée! Il est alors très protecteur bien qu'autoritaire. Il a toujours une idée nouvelle sur la façon dont il pourrait faire plus d'argent! Il aime bien travailler à la maison ou y apporter du travail. Il n'a pas toujours beaucoup d'ordre, mais il se comprend. N'allez surtout pas essayer de ranger ses papiers ou ses effets, il a une très bonne mémoire et il se rappelle où il a laissé traîner ceci et cela! Le foyer de sa naissance est souvent plein de gens bavards, communicatifs, bien que, le plus souvent il ait été éduqué avec une certaine discipline d'esprit. C'est dans son milieu de naissance, de sa mère souvent, qu'il apprend à aimer la diversité en tout. Par sa mère, il s'initie à apprendre! Le Cancer étant le douzième signe du Lion, donc son signe d'épreuve, la mère du natif a pu le troubler dans ses choix de vie durant un certain temps. Du moins à l'adolescence, la relation a pu être difficile.

Son Soleil se retrouve dans la quatrième maison, ce qui lui fait, encore une fois, aimer le foyer. Il affectionne y vivre, y agir, y faire des choses. Il aime les enfants, il veut leur donner ce qu'il y a de mieux, de meilleur. Il lui arrive de bâtir une entreprise qu'il espère familiale et qu'il pourra léguer à ses enfants après avoir travaillé avec eux. Il sera intéressé à la cuisine, à la restauration, à l'industrie de l'alimentation. Bon spéculateur, bon négociateur, l'immobilier peut aussi l'attirer. Il peut y faire fortune s'il s'y adonne. Il sait acheter un terrain et le revendre au bon moment pour en tirer le meilleur profit. Bien que Lion, fier et orgueilleux, ce natif est d'une extrême sensibilité. Vous ne le réaliserez pas sur le coup, mais il ne vous faudra pas plus de dix minutes pour vous en rendre compte. Position solaire qui lui donne bonne fourchette. Il doit surveiller son poids, surtout en prenant de l'âge.

Sa cinquième maison, dans le signe de la Vierge, souligne encore une fois l'attention qu'il portera à ses enfants. Il peut être également fort doué pour les papiers, il sait les remplir, son esprit est à la fois pratique et artistique. Il a toujours plus d'une idée en tête pour l'entreprise qu'il envisage, pour la rénover, la faire progresser. S'il choisit une carrière d'artiste, il est fort probable que le monde de l'écriture sera important pour lui. Comme cette sixième maison est aussi la deuxième du Lion, autant peut-il gagner sa vie en travaillant avec ses mains habiles, qu'en étant professeur, créateur ou innovateur. Avec de bons aspects de Mercure, il peut être comédien, mais un jour ou l'autre, il bifurquera et écrira des romans ou des scénarios pour le théâtre ou le cinéma. Le Lion est toujours attiré par ce domaine où il sait innover. S'il est artiste – et nous le savons, nous n'avons chez nous qu'un nombre limité de lecteurs et de spectateurs –, et comme tous les autres, il aura bien du mal à vivre de son art. Ce natif, par contre, trouvera toujours le moyen de gagner confortablement sa subsistance, et plus encore. Cette position, encore une fois, d'autres aspects le précisant, peut porter ce natif vers la médecine où il pourra gagner sa vie.

Sa sixième maison, dans le signe de la Balance, signe de la justice, est aussi le signe du travail. On rencontre de nombreux avocats de ce signe et de cet ascendant, ce qui leur permet de s'exprimer par la plume et par la parole. Ils ont un sens certain du spectacle. L'esthétique peut également attirer les gens de ce signe. Le conjoint est souvent rencontré sur les lieux du travail ou aux alentours. Ce natif pourrait avoir quelques faiblesses aux reins s'il venait à abuser du bon vin et de la bonne table. Il n'est pas rare qu'il fasse de l'embonpoint; ce double signe fixe est souvent en état d'exagération! Le Lion veut rester beau, mais le Taureau a bien du mal à résister à la gourmandise.

Sa septième maison étant dans le signe du Scorpion, il arrive que ce natif subisse la perte de son conjoint. Un divorce est plus difficile à vivre pour lui que pour la moyenne des gens. Le veuvage est également possible. Il arrive que le sujet choisisse un conjoint qui soit destructeur et trop possessif, lui-même ne donnant pas sa place! Souvent le mariage tiendra le coup très longtemps. Malgré les difficultés d'entente, ce double signe fixe n'est jamais prêt à lâcher prise. Position qui lui fait rechercher un conjoint susceptible de le transformer lui-même, soit que celui-ci l'aide à s'accepter davantage, soit qu'il le détruise en partie. Quand il est jeune, le natif devra se méfier de sa propre passion. Elle l'aveugle au point qu'il ne voit pas toujours très clairement avec qui il s'engage.

Sa huitième maison, dans le signe du Sagittaire, lui permet de devenir sage un jour, du moins de s'assagir sérieusement. Les voyages sont souvent un point important dans sa vie. Ils provoquent les tournants, les transformations. Avec cette position faisant un bon aspect à son Soleil, le natif est protégé contre la mort au cours des voyages. Les aventures sexuelles en «cours de route» exerceront une puissante attirance sur lui. Cela pourrait mettre sa fidélité à rude épreuve... Lui seul saura et il sera fort habile à cacher une «tricherie» de ce genre. La huitième maison, celle de la mort, indique aussi une longue vie et une mort douce pour le natif, à moins d'aspects très négatifs dans sa carte natale. À l'âge de Jupiter, soit vers trente-cinq ans, ce natif peut être fortement attiré par l'astrologie. Il est possible qu'il vive des expériences qui sortent tout à fait de l'ordinaire et qu'il ait des rapports avec le monde invisible. Le Sagittaire étant le cinquième signe du Lion, voilà qu'après sa trente-cinquième année, si le natif est un cœur solitaire, il peut vivre une transformation de vie complète par l'amour, amour sortant généralement de l'ordinaire, amour mystérieux ou entouré d'un mystère.

Sa neuvième maison, dans le signe du Capricorne, signifie que s'il survient un divorce ou un veuvage, il est bien possible que ce natif se remarie à un âge avancé. Possibilité de vieillir en douceur, le cœur étant à peu près toujours plein d'espoir. Bien qu'il ait l'air d'une personne tout à fait logique, rationnelle, ce natif n'est pas exempt d'une certaine naïveté qui lui permet de continuer de rêver et de réaliser ses rêves... Double signe fixe, il est aussi buté qu'un enfant, de temps à autre. Et on le sait, les enfants finissent toujours par avoir ce qu'ils veulent!

Sa dixième maison, dans le signe du Verseau, lui fait rechercher des rencontres avec le grand public. Il aime les foules, il aime le cinéma, il aime tout ce qui est d'avant-garde et c'est souvent un but pour lui. Participer à l'avenir de la société l'intéresse, il aimerait bien y laisser sa marque, et comme il est double signe fixe, s'il s'engage dans un domaine public, il pourrait effectivement laisser une trace importante, surtout avec de bons aspects de Saturne et d'Uranus dans sa carte natale.

Sa onzième maison, dans le signe du Poissons, lui procure des amis de tous les milieux, mais il peut arriver que les amis qu'il croit avoir ne soient pas aussi sincères qu'ils le paraissent. Il court le risque de temps à autre, s'il ne se protège pas bien, de prêter et de ne jamais être remboursé. Si ce natif se lance dans le monde de la restauration, il ferait bien de ne pas trop faire crédit à ses amis qui lui font le plaisir d'une visite. Même s'ils disent qu'ils paieront plus tard, rien n'est moins certain. Quand il sera jeune, il sera assez naïf pour croire qu'il peut sauver l'humanité! Il s'en guérira avec l'expérience. Certains Lions-Taureaux développent parfois tellement de méfiance après avoir été trompés qu'ils ont du mal à faire confiance à ceux qui le méritent. Mais tout s'apprend, il suffit d'avoir le sens de l'observation, une bonne mémoire, et ça le Taureau n'en manque pas!

Sa douzième maison, dans le signe du Bélier, rend les épreuves passagères. Notre natif s'en tire bien, les ennemis ne peuvent s'acharner longtemps. Les profiteurs sont découverts et, à l'âge adulte, on ne le trompe plus. Il retient toutes les leçons, surtout celles qui rapportent et celles qui risqueraient de le faire perdre encore une fois. Il peut avoir des migraines de temps à autre, son cerveau cogite nerveusement, sa sécurité est continuellement en jeu. Il ne veut manquer de rien et, s'il a une famille à sa charge, chacun doit avoir ce dont il a besoin pour être au mieux. Et il ne faut pas oublier qu'il aime la première place, le premier rang en avant, gagnant malgré les obstacles. Rien n'est insurmontable, il y croit profondément.

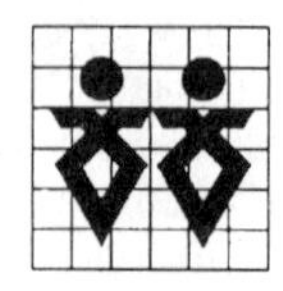

LION ASCENDANT GÉMEAUX

Vous avez tout de suite envie de tout lui donner. Il entre chez vous, il détend le climat, il crée une vibration d'énergie peu commune et exaltante, qui vous donne le goût de tout et la force de déplacer votre propre maison si vous en avez envie!

Gibraltar!

Si vous lui donnez tout en échange de son énergie, il prendra tout. Il s'en ira et il n'oubliera pas non plus de reprendre son énergie!

Il n'est pas mesquin, mais il est persuadé que vous ne voulez que son bien, que tout ce que vous faites pour lui, c'est gratuitement. Vous l'aimez et il ne peut même pas en douter.

Égocentrique, égoïste, lui, jamais!

Parlez-lui de son comportement. Par exemple, dites-lui qu'il y a un léger problème à régler avec lui, avec des partenaires, des associés, ou dans sa vie de couple, il ne voudra pas en entendre parler. Les problèmes, c'est pour les autres, et pas pour lui! S'il y en a, il n'y est sûrement pour rien et il n'y peut rien. Les subalternes s'occupent de régler ces choses banales et bassement humaines!

Il est toujours occupé à faire de l'argent, à manigancer quelque formule qui rapporte vite et beaucoup.

Si vous l'invitez chez vous, laissez-lui toute la place. De toute manière, il ne se gênera pas pour la prendre! Il est chez lui partout. Et si vous organisez une petite fête, il ne peut imaginer que ce serait pour vous: c'est pour lui!

Il a la grande qualité de s'adapter rapidement aux gens, il est le type intelligent, un peu superficiel. La dimension profonde de la vie lui fait peur. Il préfère s'imaginer et croire qu'il est ce qu'il pense, plutôt que de chercher à savoir s'il ne pourrait améliorer certains aspects de sa personnalité.

Il est instable dans une vie de couple, et si le mariage rompt, ce n'est naturellement pas de sa faute. Tous les torts sont du côté du partenaire, qui était si imparfait, qui ne pouvait supporter toute sa splendeur, tout son éclat!

S'il revient avec la même personne, l'autre ferait bien tout de suite de se dire que ce n'est pas pour la vie. Il a bien du mal à tenir ses promesses!

Ce n'est qu'après avoir satisfait son désir de réussite sociale qu'il commencera alors à regarder plus sérieusement en lui et à désirer se perfectionner. Il doit avant tout prouver matériellement qu'il est la personne qui a réussi.

Il peut être pénible pour certaines personnes de le voir évoluer. Il fait un pas en avant et deux en arrière, selon l'argent qui rentre dans sa caisse ou qui en sort. L'amour apporte une certaine sécurité, mais il ne fait pas le bonheur. Notre natif se contente de dire qu'il adoucit la peine.

Sa deuxième maison étant dans le signe du Cancer, le signe qui le précède, l'argent vient souvent de la famille, du foyer. Il y est financièrement protégé, mais ça ne veut pas dire qu'il se sente à l'aise. La mère du natif est souvent très protectrice et le gâte avec de l'argent. Cette deuxième maison, dans le signe du Cancer, la douzième du Lion, donne à ce Lion-Gémeaux le goût de cacher ses sous. Il a l'air généreux, mais il n'a rien à vous donner. Il a tout mis en lieu sûr, à la banque en réalité! Plus il en aura eu de sa famille, plus il aura peur d'en manquer! Il aime bien se faire nourrir par les autres, être reçu, économie de restaurant, et puis il choisit sa compagnie! Habile négociateur, il vous cache des petites choses, rien de grave. Il aime que son gâteau soit bien garni de crème. Il ne veut surtout pas être malhonnête mais, de temps à autre, il prend ce qu'il croit devoir lui revenir... et pourquoi pas? Il n'a vu aucune pancarte lui interdisant de se servir!

Son Soleil se trouve en troisième maison, ce qui en fait un grand communicateur, un bavard. Il sait tout, ou presque. Il est informé sur une foule de choses, de quoi vous impressionner. Il est audacieux dans ses paroles; il adore la discussion, même la controverse. Il arrive qu'il soit le point de départ d'une dispute, mais il s'en lavera les mains avant la fin. Très émotif quand on touche à son «cerveau», il supporte mal qu'on lui reproche une étourderie, une gaucherie.

Il est nerveux, il peut même avoir quelques maladies d'origine nerveuse avec de mauvais aspects de Mercure dans sa carte natale. S'il faisait de l'embonpoint, c'est bien parce qu'il aurait de très mauvais aspects de Vénus. Il bouge sans arrêt, il gesticule. Il aime les voyages, les déplacements. Il aime rencontrer de nouvelles gens, se faire de nouveaux amis... Même s'il les connaît peu, ce sont ses amis!

Sa quatrième maison se trouvant dans le signe de la Vierge, il n'est pas impossible que ce natif subisse quelques critiques dans son foyer de naissance bien qu'il y soit gâté, choyé. Il peut même en perdre sa véritable contenance et développer une assurance de surface. Vous le devinerez, il cache mal ses émotions. Au fond, il est très vulnérable. C'est souvent au foyer également qu'il apprend que le temps c'est de l'argent, et qu'il est important d'en gagner beaucoup. Il aimera avoir deux foyers, il pourrait déménager souvent, surtout durant sa jeunesse. Il ne sera pas exempt de crainte. Il pense sans arrêt à une foule de choses, mais il a du mal à approfondir surtout si le foyer de naissance ne lui a pas appris à vivre avec cette dimension. La vie, il ne s'agit pas uniquement de bien la gagner, il faut surtout bien la vivre.

Sa cinquième maison, dans le signe de la Balance, lui fait rechercher l'amour à tout prix. Il risque de s'emballer souvent, bien qu'il soit un signe fixe. Il risque aussi de vivre plus d'une union. Il rêve du conjoint idéal, extraordinaire, fantastique, sans faille, intelligent et beau, à la fois artiste et gestionnaire (plutôt rare), célèbre et ne vivant que pour être près de lui ou d'elle! La réalité et le rêve sont différents, du moins la plupart du temps. Il devra éviter de se marier trop jeune, le désenchantement pour les Lions est terrible! Comment aurait-il pu se tromper, lui? Cette position est parfois une invitation à devenir parasite. Sans s'en rendre compte souvent, il vit aux dépens de l'autre, de son conjoint; il ne prend pas ses responsabilités, il les confie, mais il s'attire l'inévitable...

Sa sixième maison, celle du travail, se trouve dans le signe du Scorpion, quatrième signe du Lion. Aussi arrive-t-il qu'il obtienne du travail par l'intermédiaire de la famille ou des amis de celle-ci. Dans son milieu de travail, il aura tendance à disperser ses énergies, surtout s'il n'a pas vraiment choisi son métier. Avec de bons aspects de Pluton et de Mercure, il peut être attiré par la médecine ou les laboratoires. Il aura tendance à semer l'intrigue autour de lui, par exemple parler d'un tel ou d'un tel et que l'histoire soit ensuite transformée. Sans le vouloir, il risque parfois d'être responsable de situations tragiques, du congédiement d'une personne qui ne l'a pas vraiment mérité. Il devra se tourner la langue avant de parler, et éviter surtout de supposer ceci et cela. Il est rare que le Lion soit mal intentionné, mais il arrive qu'il commette des bêtises parce qu'il a oublié de considérer les conséquences de ses actes.

Sa septième maison, dans le signe du Sagittaire, le plus souvent provoque deux unions dans sa vie. Il attirera souvent des partenaires avec des moyens financiers appréciables ou qui appartiennent à une classe sociale au-dessus de la sienne. Il se choisit une personne indépendante qu'il ne pourra contrôler, même si jamais l'idée lui passe par la tête. Il sera très attiré par les personnes étrangères ou qui ont voyagé. Possibilité que le natif s'engage dans une deuxième union avec une personne tellement sage qu'elle le transforme en apportant une dimension profonde à sa vie.

Sa huitième maison, celle des transformations dans le signe du Capricorne, symbolise que la première phase de sa maturité, entre vingt-sept et vingt-neuf ans, entraînera un changement dans son travail, une prise de conscience de ses responsabilités face à ceux qui l'entourent, face à la société elle-même. Longue vie à ce natif! Souvent, une personne plus âgée l'orientera ou lui fournira le conseil qui lui manquait. Il arrive qu'il ait souffert de l'absence du père ou que celui-ci ait été trop autoritaire. Le manque d'affection et d'attention de la part du père pouvait avoir marqué ce natif.

Sa neuvième maison, dans le signe du Verseau, lui fait faire des voyages au loin qui transforment sa mentalité et lui font parfois découvrir la face cachée des gens, de l'univers. Il pourrait s'intéresser aux différentes philosophies, surtout dans sa trente-cinquième année, et développer une profonde sagesse qu'il enseignera ensuite à ses petits-enfants. Une longue vie lui est promise, à moins qu'il ne la gâte volontairement ou en défiant les lois de la nature. La rencontre en vue de sa deuxième union est souvent faite au cours d'un voyage ou dans un aéroport... ou par la voie d'Uranus dans la foule... étrangement, d'une manière originale et digne d'être notée dans le calepin de ses souvenirs.

Sa dixième maison, dans le signe du Poissons, le fait hésiter entre différentes carrières. Les changements seront soudains. Parfois la mort d'un ami ou d'un parent provoque la transformation. C'est une sorte de signal d'alarme qui fait réfléchir le natif. Un jour il voudra être missionnaire; le lendemain, ministre, ensuite courtier, banquier et la liste peut s'allonger. Il est vrai qu'il est intelligent, qu'il connaît une foule de choses, mais il lui faut en approfondir une et aller jusqu'au bout! C'est difficile quand tout nous attire et qu'on pourrait réussir aussi bien là qu'ici. Il faut savoir arrêter toute discussion et passer à l'action si l'on veut réaliser ses plus profonds désirs.

Sa onzième maison, celle des amis, se trouve dans le signe du Bélier. Il a beaucoup d'amis. Ils sont nombreux à le connaître et à apprécier son agréable et joyeuse présence. On se fait spontanément ami avec lui. Sa nature bon enfant lui donne un magnétisme peu commun. Sa présence est fraîche comme la jeunesse, quel que soit son âge. Cette position lui apporte de la spontanéité. Si vous lui demandez ce qu'il pense, la réponse lui vient instantanément. Pour ce qui est de la discrétion, elle est passée tout droit le jour où on l'a distribuée! Il est populaire parce qu'il est généralement joyeux, plein d'entrain et qu'il donne le goût de rire, de vivre et de profiter du moment qui passe.

Sa douzième maison, dans le signe du Taureau, symbole de l'argent, indique qu'il pourrait profiter de la générosité d'autrui. Les choses s'inverseront un jour, il faudra qu'il s'en souvienne! Dans sa tête, il est généreux, mais ce n'est pas ce que chacun pense. Les maux de gorge peuvent l'atteindre. Il peut aussi avoir quelques problèmes aux organes génitaux, majeurs ou mineurs, selon les aspects de Vénus, de Neptune et de Mars. Son anxiété vient surtout de son insécurité financière. Notre Lion est un signe fixe, un signe royal, et il finit par trouver la route qui le mène à son royaume où, finalement, il prendra soin de ses sujets s'ils daignent l'aimer comme il le désire. Il est dit qu'on ne reçoit que ce qu'on donne, qu'on ne garde pas ce qu'on n'a pas mérité. Un proverbe japonais dit que le bonheur va vers ceux qui savent rire. Ce natif finira bien par le trouver alors.

LION ASCENDANT CANCER

Il est discret. Le Lion étant régi par le Soleil et le Cancer, par la Lune, il a moins besoin de briller extérieurement. La recherche intérieure occupe une grande place.

Moins de clinquant dans sa vie, et plus de vérité. Compatissant envers le genre humain, il voudrait sauver l'humanité, lui épargner la douleur. Il voudrait que tout le monde soit heureux.

Il aime se dorloter, comme un chat qui ronronne au coin d'un bon feu un jour d'hiver, quand la tempête rugit. Il voudrait vivre ainsi dans le confort, la chaleur et la sécurité affective.

Mais il se trouve que le chagrin ne manque pas à ce signe. Il est un peu naïf dans ses sentiments, et il tombe parfois sur des gens qui abusent de sa générosité. Comme il aime soigner et sauver le monde, il attire ceux qui sont mal pris et qui, justement, recherchaient un sauveur!

Il ne s'obstinera pas beaucoup avec vous, il préfère être de votre avis. Il se donne le temps de changer d'avis quand la Lune passe dans un autre signe et qu'elle lui fait vivre une autre émotion!

Attachant, il se lie profondément aux gens sans tenir compte de leur rang social. Il regarde à l'intérieur des gens et ne réagit pas uniquement selon leur apparence.

Il est imaginatif et fort créatif, c'est un artiste doué mais aussi diversifié. Il peut être aussi habile pour la danse que pour la peinture, il a l'embarras du choix dans le domaine de l'art.

Il peut lui arriver de vivre de longues périodes où il vit presque dans l'irréel puis, un beau jour, il émerge, il a compris.

Il supporte mal les séparations sentimentales et peut choisir l'isolement presque total pour se guérir de ses blessures. Il peut aussi se laisser aller à une dépression qu'il voudra noyer dans l'alcool ou la drogue, mais il se relèvera... Qui donc peut éteindre le Soleil? Une éclipse, ça passe, ça ne dure pas toujours!

Si vous en avez un chez vous, ne le brusquez pas, c'est un gentil chaton qui ne demande qu'à aimer et à être aimé. Rarement un Lion vous servira mais celui-ci est prêt à se sacrifier pour vous voir heureux.

Son Soleil se trouve dans sa deuxième maison. Il sait gagner sa vie, il n'a pas peur du travail, et ce sont souvent les aspects de Vénus et du Soleil qui détermineront la manière dont il gagnera de l'argent. Bien que romantique, il est très réaliste. Il sait que l'argent ne tombe pas du ciel et qu'il faut travailler pour le gagner. Il ne sera pas démesurément dépensier, mais il essaiera de ne pas se priver des plaisirs de la vie. Il calcule bien ce dont il a besoin et s'il peut se payer tel luxe, il va se l'offrir. Plus il vieillit plus il sait gérer ses affaires personnelles. Et il n'est pas rare que, sous ce signe et cet ascendant, le natif devienne propriétaire d'un commerce, grand ou petit, selon les modèles qu'il aura pu avoir sous les yeux au cours de sa vie.

Sa troisième maison, dans le signe de la Vierge, fait de lui un nerveux, un hypersensible, toujours inquiet de ce qu'il provoque chez les autres. Il surveille ses paroles, il ne veut froisser personne, il veut être agréable. Il souhaite qu'on se sente en sécurité auprès de lui. Il aime tout ce qui se rapporte à la santé et au bien-être. Sa culture est souvent diversifiée sur le sujet. Il est préoccupé en même temps par l'aspect maladie. Il peut donc s'intéresser à différentes médecines, traditionnelles ou non. L'alimentation est un point important dans sa vie. Il suivra différents régimes juste pour voir l'effet qu'ils provoquent sur le mental. L'adolescence est souvent le moment où le natif est fortement secoué par ses différentes attirances professionnelles. Il a besoin d'un guide solide à ce moment et s'il n'en a pas, il choisira plus tard une carrière après s'être livré à des études diversifiées mais qui, à un moment donné, lui serviront s'il veut se donner une compétence dans un domaine particulier.

Sa quatrième maison, celle du foyer, dans le signe de la Balance, signifie souvent un foyer où l'on tente d'y développer des qualités intellectuelles, mais sans la dimension spirituelle vers laquelle le natif se sent attiré sans pouvoir l'expliquer. La mère du natif pourrait avoir des idées mondaines ou vouloir y accéder. Un conflit de personnalité peut survenir entre la mère et le natif, plus fortement dans le cas d'une native. Le sujet aura généralement un appartement, une maison aux couleurs pastel où il voudra se recréer, faire la paix avec lui-même et en lui-même.

Sa cinquième maison, dans le signe du Scorpion, lui fait choisir des amours destructrices surtout durant la première partie de sa vie. Mais il est attentif aux leçons que lui donne la vie. Il peut vivre des épreuves à cause des enfants, ou ne pas en avoir ou avoir des difficultés à les rejoindre s'il survient un divorce et qu'il n'en a pas la charge. Un enfant peut aussi marquer une grande transition dans la vie de ce natif, mais ce ne sera pas facile. Pour une femme un avortement ou une fausse couche sont possibles. Cette position de la cinquième maison qui, en fait, relève du Lion, est importante. Le sujet peut se sentir fortement attiré pour la drogue, l'alcool ou autres produits toxiques, destructeurs. Le père a pu avoir de sérieux problèmes de ce côté, également. Le natif devra faire preuve d'une grande force pour surmonter les tares de sa jeunesse, de son adolescence. Il est silencieusement passionné et souvent prêt à souffrir pour être aimé! Mais après une longue réflexion et parfois un ermitage, il se rendra compte que le véritable amour n'a pas de douleurs.

Sa sixième maison, celle du travail, dans le signe du Sagittaire, crée chez lui une attirance pour les sciences occultes, les religions, la métaphysique, les médecines douces. Avec de puissants aspects de Jupiter et de Mercure, il peut devenir membre du gouvernement, une sorte de conseiller, celui qui inspire. Il peut aussi enseigner. Bon travailleur, dans son milieu il est le guide, celui qui inspire les autres. On se fie à lui pour les tâches complexes. Il aime analyser, comprendre et apporter une solution à ceux qui sont en détresse physique ou morale, ou même politique.

Sa septième maison, celle des unions, dans le signe du Capricorne, lui indique qu'il recherche un partenaire stable, sérieux, souvent plus âgé que lui, qui lui sert de protecteur, qui de temps à autre le retient de tout donner sans pouvoir rien en retirer. S'il se marie trop jeune, il pourra vivre une deuxième union à la maturité, et parfois longtemps après avoir dépassé la quarantaine. La rencontre se fait dans le milieu du travail. Il arrive souvent que ce personnage attire le patron et que ce dernier tombe amoureux lentement, sûrement, par attachement, et parce qu'il reconnaît les qualités du natif.

Sa huitième maison, celle des transformations, dans le signe du Verseau, juste en face du Lion, ne le laisse pas indifférent. Uranus, qui régit le Verseau, laisse souvent entrevoir une séparation. Ce sera la première phase de la grande transformation du natif. Il est sujet à être trompé à sa première union ou à choisir un partenaire à problèmes, et cela peut aller jusqu'à la violence. Le Lion-Cancer a bonne mémoire et la douleur est cuisante. Il se souviendra qu'il ne faut pas vivre le drame deux fois!

Sa neuvième maison, dans le signe du Poissons, peut apporter une certaine confusion, surtout quand le natif touche à différentes religions auxquelles il peut adhérer puis, tout à coup, en changer. Dans sa jeunesse il se laisse facilement influencer par tous ceux qui promettent le bonheur. Ils sont maintenant nombreux à le faire à travers des sectes et mouvements de toutes sortes, mais notre natif est Lion, amoureux de la vérité, et quand il s'apercevra qu'on le trompe il s'en ira sous d'autres cieux, jusqu'à ce qu'il se rende compte qu'il est le responsable de sa paix, qu'elle vient du fond de lui et que, partant de là, il peut la distribuer et la recevoir par voie de retour cosmique.

Sa dixième maison, dans le signe du Bélier, le pousse à gagner sa vie quand il est jeune. Il veut son indépendance. Il croit parfois que l'amour arrive tout d'un coup, comme la foudre, et qu'il dure toujours. Il se blesse, se soigne et guérit. En fait, ce natif ambitionne d'être le meilleur dans le secteur qu'il a choisi, mais il n'a pas vraiment le goût de la grosse compétition, il veut réussir pour mieux servir. Il a le sens de la générosité profondément ancré en naissant...

Sa onzième maison, celle des amis, en Taureau, lui en donne peu mais ils sont fidèles. Il aime la fréquentation des artistes. S'il n'a pas de fortune, il fréquentera quand même les gens qui en ont. Il est l'ami. Il ne demande rien, l'amitié lui suffit. L'échange d'idées est important pour lui.

Il aura de longues périodes de retraite, son contact se fera à distance, mais s'il a été votre ami, il le restera.

Sa douzième maison, dans le signe du Gémeaux, le prévient qu'il doit toujours se méfier des menteurs. Ils viennent vers lui avec une foule d'idées, et il a du mal à les reconnaître. C'est surtout durant l'adolescence que cela se produit, et il peut alors subir un traumatisme dont il aura du mal à se débarrasser. Pendant longtemps il peut rester méfiant et se retirer dans la solitude avant d'accorder de nouveau sa confiance. Des problèmes respiratoires peuvent surgir s'il n'est pas vigilant de ce côté. Il s'enrhume facilement, surtout quand surgit un problème émotif. Un proverbe japonais dit que l'espace d'une vie est le même, qu'on le passe en chantant ou en pleurant!

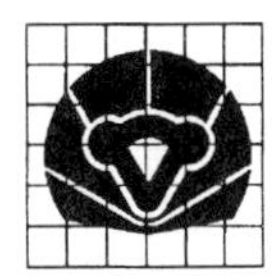

LION ASCENDANT LION

Toute la fierté égocentrique réunie dans une seule personne, la charge est lourde. Démontrer sans cesse qu'on est le meilleur, être toujours le premier, c'est fatigant à la longue! Ça finit par user le cœur!

Le pure race est fière de l'être. Quand il vous dit qu'il est Lion ascendant Lion, c'est avec beaucoup de fierté et d'honneur. Vous n'avez plus qu'à vous incliner et à admirer!

Les sujets de son royaume seront bien traités, et vous le serez si vous êtes poli, si vous vous soumettez sans rouspéter, si vous dites comme lui, si vous approuvez ses paroles, ses farces aussi!

Il se cache de temps à autre derrière un masque d'impassibilité, mais ne vous y fiez pas, il surveille lui-même son taux émotionnel au cas où il ferait de la fièvre! Double signe de feu, ça s'enflamme et le thermomètre chauffe!

L'amour lui sert de guide et entretient son énergie. Double signe fixe, il n'est pas du genre à divorcer. Que dirait-on de lui, si son mariage échouait? Un Lion-Lion n'échoue dans rien. Il peut camoufler sa douleur sentimentale longtemps, mais il peut aussi, en secret, prendre amant ou maîtresse.

Double signe fixe, c'est un têtu, un buté qui mettra tout en œuvre pour atteindre son objectif, et une fois qu'il l'aura atteint, il décidera qu'il peut aller encore plus haut et plus loin. Tout est trop petit pour lui, rien n'est assez grand!

En affaires, en amour, il est capable de tricher mais le moins possible, il a peur qu'on le prenne en faute. La perfection ne commet pas d'erreurs. Les autres oui, mais pas lui!

Il craint toujours qu'on lui dise non. Aussi impose-t-il sa volonté et rarement vous le trouverez en position subalterne, et s'il y est, ce n'est pas pour longtemps.

Il a découvert l'échelle qui lui permettra de grimper sur la tour et d'être reconnu. Vous ne pouvez l'insulter davantage qu'en oubliant son nom ou en l'écrivant mal. Il est fier de tout ce qu'il est.

Grattons un peu cette surface, ce poli. Toute une sensibilité mêlée d'orgueil s'y cache.

Il représente un double Soleil, une double énergie, qui doit vous réchauffer, mais ce double Soleil peut aussi brûler...

Il a intérêt à s'observer et à noter ce qu'on pense réellement de lui même s'il n'aime pas particulièrement entendre dire qu'il n'est pas parfait. Cela lui rendrait service. Non seulement on le respecterait alors, mais on l'aimerait profondément. Il est capable d'un grand dévouement, d'une grande passion pour les humains s'il s'arrête quelques instants de penser à ses comptes en banque et à son or!

Sa deuxième maison, dans le signe de la Vierge, le rend fort habile avec les questions d'argent. Le plus souvent il aura deux sources d'approvisionnement financier. Certains d'entre eux peuvent être radins et si calculateurs qu'on s'étonne que ce roi Lion soit si peu généreux, lui qui parle tant de grandeur et de noblesse de cœur! Son compte en banque est important! Autant que son idéal, souvent. Avec de l'argent on ne dépend de personne, on peut s'offrir du luxe, le plus possible, et au besoin épater ceux qui croyaient moins en son talent!

Sa troisième maison dans le signe de la Balance lui donne une intelligence vive. Il a le sens inné de la diplomatie, il sait exactement quoi dire à la personne qui se trouve devant lui s'il veut s'en faire un ami. Il a le sens de la flatterie. Il peut même vous étourdir; par exemple si vous devez obtenir une faveur du roi Lion-Lion, il a deviné ce que ça pourrait lui coûter en temps ou en argent. Il commencera par vous faire un compliment, vous entretiendra de quelques-unes de ses difficultés administratives... et, bien sûr, au moment où vous vouliez lui demander une faveur, vous ne le pouvez plus. Il vous a déjà démontré qu'il se trouvait dans l'impossibilité de vous être plus agréable qu'il ne l'est maintenant. Vous repartez et vous ne lui en voulez pas. Le tout a été fait dans le plus grand calme et la plus stricte respectabilité. Non seulement ce natif est logique, mais il est aussi très instinctif. Double signe de feu, double Lion, il sait comment chasser, mais il sait aussi quand vous le chassez! Il devine à l'avance les pièges que vous pourriez lui tendre.

Sa quatrième maison, dans le signe du Scorpion, soit le lieu de naissance, représente souvent un foyer possessif. Notre natif a pu être retenu par la mère, trop gâté parfois ou pas assez, tout dépend des aspects de Mars et de la Lune. C'est, en revanche, au foyer qu'il a pu apprendre à utiliser son instinct de protection, sa capacité de deviner, de se méfier également de ceux qui voudraient envahir son territoire. Il arrive que ce natif n'ait pas vraiment connu le confort matériel dans son lieu de naissance. C'est là cependant qu'il aura appris le sens de l'économie. En fait le foyer, bien qu'il soit éducatif pour le natif, étant dans le signe du Scorpion il se trouve quand même en mauvais aspects avec son Soleil. Aussi le sujet est-il invité à quitter le milieu familial aussi vite qu'il en est capable afin de s'en bâtir un lui-même. Certains cas excessifs de Lion-Lion, trop proches de la mère, ont hésité pendant longtemps avant de s'engager dans la lutte pour la vie et ils ont eu du mal à créer leur propre foyer, leur propre famille.

Sa cinquième maison se trouvant dans le signe du Sagittaire, il est courant que ce natif fasse des placements. Là encore, son flair lui sert. L'étranger lui est favorable, ses amours avec les personnes étrangères le fascinent, aussi peut-il souvent aimer plus longtemps une personne dont il a tout à apprendre. Cette position favorise également l'enseignement où il pourra se sentir à l'aise. Il aime sentir la présence de gens plus jeunes autour de lui.

Sa sixième maison, dans le signe du Capricorne, en fait un travailleur, un ambitieux. Plus il vieillit, plus il devient sage et plus on lui confie des postes de responsabilités. On peut se fier à lui pour les grands développements d'un projet, mais quand il arrive dans les détails, il a bien du mal à s'y astreindre. Son sens des affaires et de la propriété se développe aussi avec l'âge. Il sait ce qu'il vaut et sait exiger le prix de ses services. Ce natif aura pu être fragile dans sa jeunesse, mais avec l'âge il devient de plus en plus résistant. Dans son travail, il bénéficie souvent de l'appui de gens haut placés. Il sait s'en faire des amis.

Sa septième maison, dans le signe du Verseau, en fait naturellement un être bien difficile à attacher par les sentiments. Il sera attiré par les partenaires qui ont certains attraits pour le monde de la communication. Le conjoint est le plus souvent rencontré par hasard, grâce à Uranus. Choc amoureux soudain! La manière dont le natif rencontrera le partenaire peut se lire dans sa carte du ciel, d'après les aspects d'Uranus et de Vénus à sa naissance. Il désirera partager sa vie avec une personne ouverte, libre comme l'air du Verseau, d'avant-garde, audacieuse. Il arrive fréquemment que ces gens épousent des personnalités fortes, parfois même sortant de l'anonymat de la masse par le biais du cinéma ou de la télévision. Il prônera le mariage sans contrat officiel. Ce double signe de feu, si émotif et si exalté, a peur finalement de commettre une erreur. De nature généreuse quand il est amoureux, il peut tout donner, ou presque, à la personne qu'il aime. Comme tout bon Lion, il a horreur du divorce aussi se marie-t-il le plus tard possible. De toute manière, un mariage précoce est presque une garantie de divorce!

Sa huitième maison, celle des transformations, de la sexualité, de la mort également, se trouve dans le signe du Poissons. Des aspects de Neptune et de Mars peuvent parfois indiquer une nature bisexuelle. À une période de sa vie il se demandera même s'il est aux «femmes ou aux hommes». Pour lui, la sexualité est la fois un mystère et un miracle. Il croit souvent à une vie après la mort, et il est possible qu'il s'intéresse fortement aux sciences paranormales. Il est du genre à aller voir les voyants, les astrologues, les tireuses de cartes ou toute personne susceptible de pouvoir le renseigner sur son avenir. D'un côté, il nourrit des doutes à l'endroit du monde invisible, et d'un autre il est persuadé de son existence. Il ne voudrait surtout pas passer pour quelqu'un qui s'appuie sur les ouï-dire ou les jugements portés par autrui. Il craint la maladie et quand il en «attrape» une, il est bien plus malade que la majorité des gens! Cette huitième maison étant dans le signe du Poissons, si de mauvais aspects de Neptune, de Mars et de Pluton interviennent dans sa carte natale, il est sujet aux maladies vénériennes. Il devra donc prendre ses précautions, se protéger.

Sa neuvième maison, dans le signe du Bélier, indique que les voyages sont souvent décidés à la dernière minute, sans prévenir, mais qu'il y trouve toujours du plaisir. Sa jeunesse est souvent marquée de déplacements. Il peut lui arriver de changer souvent d'écoles. Mais cette position indique que le natif est chanceux au cours de ses voyages qui peuvent provoquer des changements de carrière, d'orientation de vie. Cette position indique aussi qu'il doit se fier à ses intuitions.

Sa dixième maison, celle de la carrière, dans le signe du Taureau, indique que le natif vise haut et d'une manière fixe. Il s'engage dans une voie et il n'en change pas tant qu'il n'a pas atteint le sommet. Comme le signe du Taureau est à la fois un signe vénusien et un symbole d'argent, le natif peut faire de l'argent dans le domaine artistique ou il pourra être en contact avec des artistes par le biais de son travail. Il peut faire carrière dans le monde des affaires, de l'administration, vu sa sixième maison dans le signe du Capricorne et vu son sens analytique très poussé.

Sa onzième maison, celle des amis, dans le signe du Gémeaux, lui apporte beaucoup de nouvelles connaissances et, encore une fois, il préfère la présence de gens plus jeunes pour discuter. Étant donné finalement que la jeunesse a toujours des espoirs, notre Lion-Lion ne se sent pas vieillir avec eux et il ne veut pas non plus. En fait, il aura très peu de véritables amis. En tant que signe fixe, il arrive souvent qu'il ait pour véritables amis ceux qu'il a connus au cours de son adolescence. En public, il est toujours sympathique et aimé de tous.

Sa douzième maison se situe dans le signe du Cancer, son foyer, sa mère, et également la maison de l'épreuve. Notre natif est profondément attaché à sa mère, mais il n'est pas toujours certain que son influence ait été réellement bénéfique. Une surprotection en fait un être capricieux. Des conflits souvent non exprimés, non verbalisés, peuvent survenir dans le foyer du natif. Celui-ci aime également le mystère dans sa vie privée. Il devra surveiller sa digestion, son alimentation, car il peut lui arriver de commettre des abus dans le boire et le manger! Mais ce, d'une manière périodique, cyclique, quand la Lune l'énerve. Il aime être en santé, en forme, pour s'éviter de vieillir plus qu'il ne le faut!

LION ASCENDANT VIERGE

Nous avons là un gentil minet, qui critique à voie basse. Il ne veut surtout pas passer pour un rouspéteur!

Moraliste, il a toujours une leçon à vous faire. Il faut dire qu'il a le sens de l'observation et qu'il a eu tout son temps pour noter ce qui est bien et ce qui est mal, et qu'avec son cœur de Lion et sa raison de Vierge, il fait très nettement la différence.

Il dissimule ses ambitions, ses désirs matériels, ses craintes à ce sujet. Il peut aussi dissimuler autre chose, quelques mensonges. L'exception fait la règle!

Il aime rendre service et ça lui fait plaisir de vous venir en aide. Il ne calcule pas vraiment ce qu'il donne. S'il a du temps devant lui, il ne le perdra pas pour vous s'il y a de l'argent en jeu. Sa raison le guide. Quand même!

Sa vision peut être limitée. Il se contente de ce qu'il a. Le confort moyen le satisfait. Il est à l'abri pour l'avenir, les gens qui partagent sa vie sont en sécurité, on mange tous les jours, on est en santé, alors remercions le ciel!

Il n'a rarement qu'un seul travail. Prudent, au cas où un le lâcherait, il a autre chose pour se rattraper. Il accumule des biens, et peut même devenir riche sans que ce soit apparent chez lui. Si les voisins savaient, ils viendraient emprunter, chez lui, mais il n'aime pas prêter son argent. Il l'a gagné, il est à lui... Si on ne le lui remettait pas... Après tout, c'est toujours une possibilité!

Il respecte froidement tout le monde, il ne se confie pas et n'aime pas particulièrement, comme la plupart des Lions, parler de lui.

Sentimentalement, il est hésitant, mais quand il donne son accord, c'est pour longtemps. Il aura réfléchi sérieusement. Il se veut le protecteur de l'autre, un guide. Il n'est pas rare qu'il se retrouve avec un partenaire malade et qu'il en prenne soin. Il se sent utile, et cette sensation est bien importante pour lui.

Il évolue bien lentement, mais sûrement, et il s'éveille avec le temps à différentes connaissances. Il s'intellectualise et comprend de mieux en mieux ceux qui l'entourent.

Sa deuxième maison est dans le signe de la Balance; maison de l'argent en Balance, monde de justice, d'esthétique, d'équilibre, le tout dans la raison. En fait, souvent ce natif n'ouvrira la bouche que parce qu'il a à discuter de quelque chose qui rapportera de l'argent, de préférence en double. Son argent, il pourra le gagner par le monde de la communication, des ordinateurs où il peut exceller, car il a le sens du détail. En affaires, il ne prend aucun risque, il a assuré ses «arrières» au cas où il serait temps de partir, au cas où on n'aurait plus besoin de ses compétences.

Sa troisième maison, dans le signe du Scorpion, en fait un être qui parle peu mais qui vous pose toujours la bonne question, pour savoir où vous en êtes. Et peut-être pourra-t-il tirer profit de vos commentaires, remarques, confidences ou informations. Malgré son air assuré, il est inquiet, il a des peurs irrationnelles qu'il croit avoir raisonnées! Il supporte mal de s'être trompé, d'avoir commis une erreur. Là encore, il aura trouvé une bonne raison pour vous expliquer comment une telle chose a pu se produire... et c'est sûrement la faute de quelqu'un d'autre!

Sa quatrième maison, dans le signe du Sagittaire, lui fait préférer un foyer à la campagne, loin de la ville de préférence. Il a grand besoin de la nature pour récupérer et réfléchir. Il n'est pas rare non plus qu'il ait une maison à la ville et une autre à la campagne. Dans sa jeunesse, il a pu changer d'écoles fréquemment, avoir deux foyers et nombreux sont ceux qui ont pu être élevés par un autre membre de la famille plutôt que par la mère. Ce natif désire quitter sa famille quand il est jeune et s'établir à l'étranger. Il a du mal à sentir ses propres racines, il a la sensation qu'il n'appartient pas à sa famille, qu'il est différent et sans nul doute il l'est.

Sa cinquième maison, celle des amours, des enfants, dans le signe du Capricorne, ne lui fait que rarement désirer des enfants quand il est jeune. Il remet cela à plus tard. Il ne voudrait pas qu'ils manquent de quoi que ce soit, il voudrait avoir tout prévu avant même qu'ils viennent au monde. S'il en a, il peut être un père autoritaire et exigeant envers sa progéniture, la poussant à poursuivre des études, plus qu'il n'en a fait lui-même, quel que soit le degré qu'il a atteint et quelle que soit sa profession. Il a beaucoup de mal à exprimer ses émotions. On ne sait trop si on lui fait plaisir ou non, il reste impassible, cherchant toujours à tout contrôler par la raison.

Sa sixième maison, dans le signe du Verseau, sa maison du travail, de la maladie également, indique souvent une mauvaise circulation sanguine. Il devra surveiller ce point et veiller à ne pas forcer son cœur. Il sera attiré par un travail de la nature d'Uranus, l'électricité entre autres, les machines modernes, les avions et leur mécanique, ou autres sortes d'engins. C'est un innovateur. Dans son travail, il est acharné. Son produit doit être utile à la masse. Les aspects d'Uranus dans sa carte natale indiquent la nature de son travail, Uranus étant une planète «surprise». Le natif peut exercer un métier peu commun.

Sa septième maison, dans le signe du Poissons, lui attire des partenaires qui peuvent tomber malades ou être du genre dépressif. Il se peut qu'il collabore à la maladie de son conjoint par son manque de communication et par la froideur qu'il lui manifeste. Mais il s'agit d'un Lion, donc il n'est froid qu'en apparence. En fait, il dissimule sa sensibilité, de peur de perdre le contrôle de lui-même. Sous ce signe et cet ascendant, les divorces ne sont pas rares. Naturellement, un Lion le supporte mal et s'il veut l'éviter il devra être plus ouvert et moins critique face aux petites erreurs que le partenaire peut commettre. Il doit savoir excuser les imperfections et accepter lui-même de ne pas être parfait.

Sa huitième maison, dans le signe du Bélier, est celle des transformations, de la sexualité, de la mort également. Comme cette huitième maison est également la neuvième du signe du Lion, il bénéficie d'une protection contre celle-ci. Quand il sera jeune, il aura le goût du risque. Il pourrait également dans sa jeunesse avoir perdu l'un de ses parents, ce qui pourrait avoir eu pour effet de le faire mûrir plus vite, plus sérieusement.

Sa neuvième maison, dans le signe du Taureau, ne l'incite pas vraiment au voyage. Il préférera une journée à la campagne en compagnie de sa famille, de gens qu'il connaît. Il aura peu d'amis, mais des vrais sur qui il peut compter. Lui-même sera serviable envers ceux en qui il a confiance. Il lui arrive également de travailler dans un milieu d'amis où il a pu être recommandé par l'un d'eux. Il n'aime pas perdre son temps à élaborer des théories, il ne croit pas au Père Noël! Il peut arriver qu'il ait une foi superstitieuse tout axée sur les rites, et qu'il ait du mal à accepter les nouvelles vérités au sujet de la religion. Il adopte une philosophie et croit en celle-ci. Il peut être tout à fait en dehors de la route, mais essayez donc de le faire changer d'avis. Sa raison vous donnera plusieurs «raisons» de croire que vous avez tort de ne pas penser comme lui.

Sa dixième maison dans le signe du Gémeaux lui rend le choix de carrières bien difficile. Il subit alors l'influence de ses amis, lesquels peuvent être bons ou mauvais, tout dépend des aspects de Saturne et de Mercure dans sa carte natale et de leur relation avec Uranus. Il aura besoin d'avoir des gens autour de lui, il choisira rarement une carrière où il serait obligé de s'isoler. Il a besoin de contacts sociaux, de discussions. À noter également que l'argumentation lui fait presque plaisir, une chance de plus de débattre des idées. Comme tout bon Lion, il pourra élever la voix dans les groupes pour prendre la défense de leurs droits.

Sa onzième maison, dans le signe du Cancer, le rend invitant. Il aime également la compagnie des enfants des autres, et peut-être cela lui permet-il de les comparer avec les siens de temps à autre! Sa maison est souvent remplie d'étrangers, d'amis. Il aime organiser des événements chez lui où il est sur son territoire et en sécurité. Les membres de sa famille sont importants. Ils sont aussi ses amis. Il peut avoir l'estomac fragile. Il est nerveux, bien que ça ne soit pas évident.

Son Soleil se trouve donc en douzième maison, ce qui peut faire de lui un être profondément mélancolique, mais qui laisse supposer qu'il est en train d'analyser, de réfléchir. Il garde ses secrets pour lui. Il a pu être marqué par un drame à la fin de l'adolescence, son père a pu avoir des problèmes d'alcool. Son Soleil peut laisser présager des épreuves ou celui qui vient au secours d'autrui. Les aspects de son Soleil avec Neptune nous disent s'il ne pense qu'à se sauver ou s'il vit pour le bien d'autrui. Si, à tout hasard, ce natif vivait égoïstement, il accumulerait alors une dette importante, et le prix à payer serait la maladie provoquée par des remous subconscients, maladie de l'âme d'abord qui la transmet ensuite au corps.

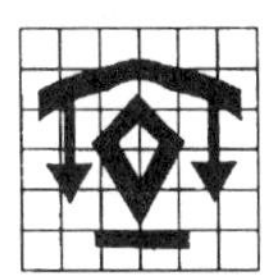

LION ASCENDANT BALANCE

Charmeur, sûr de lui, diplomate, séducteur, fin causeur. Il ne supporte pas une vie terne et sans prestige. Les caméras sont de son côté! Voyons!

Il lui faut être entouré de gens, dans un milieu où il se trouvera sûrement une personne pour lui faire un compliment, pour l'approuver. Sinon, croyez-moi, il se l'attirera, lui mettra presque les mots dans la bouche.

Artiste, il est conciliant en général, à moins qu'il ne soit devenu trop imbu de lui-même et pas assez intéressé par les autres. Il s'y connaît en affaires, vous ne le roulerez pas et vous le paierez selon l'évaluation qu'il se fait de lui, et il le fait si bien que vous l'approuverez, du moins pour un certain temps, pourvu qu'il vous prouve son talent.

Ce Lion a absolument besoin d'un public, tant dans sa vie sociale que dans sa vie privée. Il ne supporte pas qu'on ne l'admire pas. Les échecs amoureux peuvent être nombreux. Qui donc aurait envie de lui regarder le nombril toute la journée, lui répétant sans cesse qu'il est beau?

Naturellement, il ne voit pas ses imperfections, mais il voit celles des autres, ça saute aux yeux, comme l'histoire de la paille dans l'œil du voisin, alors qu'on a une poutre dans le sien.

Il lui faudra beaucoup d'années et peut-être bien des larmes aussi pour grandir et devenir adulte dans ses relations sentimentales. Pourtant l'intelligence et la raison ne manquent pas sous ce signe, la passion non plus, puisqu'il s'agit d'un cœur de Lion, d'un cœur de feu!

Mais les apparences, la vie sociale, la preuve qu'on est quelqu'un, quelle illusion! Le Lion-Balance s'y laisse prendre comme un enfant à qui on présente un beau joujou pour l'apprivoiser!

Si vous en avez un chez vous, si vous y tenez, ne lui donnez jamais d'ordres, il n'en prend pas. Mais il en donne constamment, il se fait servir, cela va de soi pour lui, c'est comme intégré à sa nature!

Il a une bonne mémoire et il peut aussi être rancunier. À l'occasion s'il doit vous donner une leçon pour remonter sur son piédestal, il le fera! S'il le fait devant témoin, il se disqualifiera lui-même aux yeux de plusieurs, et ça, il peut l'oublier!

Généreux, romantique quand il a tout ce qu'il veut, surtout si on lui a démontré plusieurs fois qu'on l'aimait. La répétition des mots d'amour et des promesses ne le gêne nullement, il aime les entendre.

Sa maladie de l'égocentrisme est longue à guérir. C'est une longue convalescence qui lui demande de s'isoler de temps à autre, de calculer les répercussions de ses actes sur l'entourage!

Sa deuxième maison, dans le signe du Scorpion, également la quatrième du Lion, lui fait souvent faire des dépenses excessives pour la maison. Puis, tout à coup, crac, voilà qu'il doit déménager, qu'il est muté dans une autre ville ou qu'on lui offre un prix d'or pour sa demeure. L'argent l'intéresse grandement, l'argent des autres également. Il n'est pas rare de rencontrer des Lions du type parasitaire qui ont cet ascendant. Il est si sûr de ses charmes et il s'imagine qu'on lui doit tout, qu'on doit même l'entretenir. Comme tous les Lions, il aime le beau, le luxe, mais il préfère souvent qu'on le lui offre! Il est toujours plus économe qu'il ne le paraît. Il est rassuré quand il a une somme d'argent «cachée» à la banque, qu'il pourra utiliser en cas d'avarie majeure. Il voudrait que l'argent lui arrive tout cuit dans le bec, sans fournir d'effort, mais avec cette deuxième maison dans le signe du Scorpion, il ferait bien de se fier à lui seul pour ce qui est de l'argent. Il pourrait devenir très riche et subitement très pauvre pour différentes raisons expliquées dans sa carte natale.

Sa troisième maison, dans le signe du Sagittaire, crée chez lui une attirance pour les arts, la musique, tant comme musicien que comme compositeur. La vie pour ce natif ressemble souvent à un coup de théâtre, il n'aime pas passer inaperçu! Il apprend ses leçons au fur et à mesure des expériences de sa vie. Intuitif, il se fie à sa bonne étoile. Effectivement, il finit toujours par briller, par se faire remarquer quelque part.

Sa quatrième maison, dans le signe du Capricorne, lui procure souvent un foyer sévère dans sa jeunesse. Il arrive qu'il soit obligé de gagner sa vie très tôt. On lui demande de se conduire en adulte alors qu'il n'en a pas vraiment l'âge. C'est pourquoi à l'âge adulte, il lui arrive de se comporter comme un enfant, sous la dépendance d'une autre personne, d'un conjoint. Bien qu'il aime se trouver face à la foule de préférence, il se sent seul, isolé, il a la sensation qu'on ne le comprend pas. En fait, pour évoluer, il devrait commencer par comprendre les autres, non pas dans le but d'en soutirer quelque chose, mais afin de leur être le plus agréable possible. Le Capricorne étant le sixième signe du Lion, donc le travail, ici la quatrième maison, il arrive souvent que notre natif produise à la maison, et que le foyer soit en fait son lieu de création.

Sa cinquième maison, celle des amours, est juste en face du signe du Lion, dans son signe opposé, le Verseau, ou son septième signe depuis le Lion. Les coups de foudre sont nombreux tout comme les séparations. Il aime les enfants mais s'en trouve souvent éloigné pour différentes raisons expliquées par les aspects d'Uranus et de sa position solaire dans sa carte natale. Il est attiré par des amours étranges, difficiles à atteindre même. Il vit l'amour davantage comme un idéal que comme une chose possible quotidiennement.

Sa sixième maison, celle du travail, dans le signe du Poissons, lui fait parfois faire deux choses à la fois, dont l'une passe inaperçue et l'autre s'étale à la face du monde. Ce peut être le cas des artistes, qui produisent d'abord dans l'isolement et exposent ensuite leurs œuvres en public. Ce personnage peut aussi devenir paresseux si personne ne le stimule. La principale source d'énergie du Lion étant l'amour, si cela venait à manquer au Lion-Balance il est possible qu'il se «balancerait» de beaucoup de choses et qu'il pourrait alors devenir insoumis, nonchalant et même absent! Cette position provoque de la nostalgie, parfois de la dépression. Possibilité aussi que le sujet s'adonne à la drogue, à l'alcool, surtout s'il vit des déceptions ou des frustrations, tant sur le plan de l'amour que sur le plan professionnel. Ce natif est intelligent, mais il a du mal à s'expliquer, il préfère que vous le deviniez. Confusion entre la raison et les émotions, entre son rêve et la réalité.

Sa septième maison, dans le signe du Bélier, le pousse à se marier jeune, d'où divorce et remariage. Ce natif a bien du mal à vivre seul, il lui faut un témoin, quelqu'un qui l'encourage. Il choisira un partenaire énergique qui pourrait même se révolter contre certaines de ses attitudes et qui ne se gênera nullement pour lui faire savoir ce qu'il pense de lui.

Sa huitième maison, celle des transformations, de la sexualité, de la mort, se trouve dans le signe du Taureau. Il arrive à ce natif de vivre de longues périodes d'abstinence sexuelle. Il pourra être mauvais juge en ce qui a trait aux placements. Bien qu'il aime l'argent, il ferait bien de demander l'avis des experts. Encore une fois, cette position indique que l'argent est parfois mal gagné, en ce sens que le natif essaie d'utiliser le pouvoir financier d'autrui pour assurer sa propre subsistance. Avec cette position, l'amour vit ses déceptions, à moins que des aspects bénéfiques ne viennent interférer royalement.

Sa neuvième maison, dans le signe du Gémeaux, le fait adhérer à des philosophies ou des principes superficiels. Il a du mal à croire à ce qu'il ne voit pas. La sagesse ne lui est pas donnée, il doit l'acquérir avec le temps. Il n'écoute pas les conseils qu'on lui donne. Le plus souvent, il a raison. Souvent, pour lui, l'avoir c'est le pouvoir, ou la célébrité s'il est artiste. Cette position le fait voyager, ses déplacements sont nombreux. De toute manière, il a continuellement besoin de voir de nouveaux visages qui seront certainement aimables avec lui, ce qui le rassurera sur lui-même. Il a grandement besoin de manifester sa présence, d'être approuvé.

Sa dixième maison, celle de la carrière, se trouve dans le signe du Cancer qui symbolise le foyer, la mère. Ce natif a pu être poussé dans une direction voulue par la mère, et le signe du Cancer étant le douzième du Lion, il a pu souffrir du fait qu'il n'a pas véritablement choisi sa carrière, mais qu'on l'y a poussé. Encore une fois, cette position symbolise que le natif peut gagner sa vie à partir de son foyer, où il travaille, tout comme il peut participer à une entreprise familiale où il pourrait connaître quelques difficultés et obstacles, où il aura aussi du mal à émerger d'entre les autres.

Son Soleil se trouvant en onzième maison, l'ambition est puissante, le goût du vedettariat et celui de la domination se côtoient. Le natif est excessif dans ses désirs. Il peut se livrer à différents excès qui peuvent même, à un certain moment, le porter à une forme d'autodestruction. Cette position est favorable aux gens qui font partie du monde des communications, de la télévision, de la radio, du cinéma, de la musique et parfois de la politique.

Sa douzième maison, dans le signe de la Vierge, symbolise encore une fois que le natif est sujet à des dépressions mentales ou à des obsessions dont la nature est indiquée dans sa carte natale par les aspects de Mercure et de Neptune. Un problème aux intestins peut se manifester sournoisement. Une mauvaise alimentation peut en être la cause ou encore s'il boit beaucoup trop d'alcool, ou s'il est un habitué de la drogue ou est du genre à abuser de médicaments.

Il a beaucoup à apprendre pour évoluer, pour cesser de se regarder, d'exiger qu'autrui soit plein d'admiration à ses pieds. Il s'agit ici du Lion et de la Balance, donc du Soleil et de Vénus qui poussent le natif à se faire voir, mais le placent de temps à autre dans une sorte d'état d'inertie parce qu'il se fie trop à ses charmes et pas assez à ses capacités réelles.

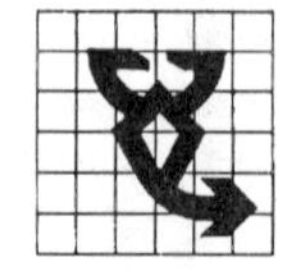

LION ASCENDANT SCORPION

Ange ou démon? Est-il assoiffé de puissance et de gloire? Il peut l'être, mais il peut tout aussi bien détruire lui-même ses beaux rêves intérieurs. Le Scorpion à l'ascendant apporte toujours sa part d'autodestruction.

Il se met lui-même en cendres, mais souvent pour renaître plus fort qu'avant!

Double signe fixe, il est exigeant avec lui-même et avec les autres. Il peut manquer de tolérance devant les faiblesses des autres bien qu'il excuse les siennes. Il est d'abord Lion et un Lion ne commet pas d'erreur! Il ne veut surtout pas que ce soit ébruité!

Les forces du bien et du mal sont en lutte. Si un Lion-Scorpion passe dans votre vie, vous ne pourrez l'ignorer, il prend de la place. Il voudrait bien être discret et se cacher derrière le masque de Pluton, mais le Soleil brille devant! Il vit à l'excès, au maximum, passionnément, qu'il s'agisse d'un travail, d'un amour ou même des deux à la fois!

Les grandes réussites l'attendent. Il les obtient: succès public ou succès financier. La chute le guette, il s'effondrera, mais pas pour le reste de ses jours. Ce signe tient du miracle. Il renaît à lui-même, se transforme selon ce qu'il a décidé qu'il devait être!

L'évolution n'est pas facile, le doute l'assaille, il est intuitif, mais il se demande parfois s'il ne devrait pas plutôt se fier à ce qu'il voit plutôt qu'à ce qu'il ressent, et c'est là qu'il commet son erreur. Lion-Scorpion, fiez-vous à ce que vous ressentez la première fois quand vous rencontrez quelqu'un. Quand vous transigez avec quelqu'un, votre première impression est la bonne. Le reste, ce que vous voyez, peut être un trompe-l'œil! Et vous vous y laissez prendre aisément!

Pourtant, vous n'êtes pas dupe. Vous vous le dites à vous-même, on vous a eu. Comment donc vous êtes-vous laissé prendre?

On vous a fait un compliment sur votre forme, votre allure, votre talent, et ça y est, vous êtes prêt à mordre à n'importe quel hameçon!

Votre cas est étrange. Le dard du Scorpion ne sert pas à grand-chose, vous vous défendez mal. Vous vous détruisez plutôt. Sans doute que, dans cette lutte entre le bien et le mal, comme dans les bons films, c'est le bien qui l'emporte, et si jamais vous vouliez faire régner le mal... votre chute ne serait pas loin.

Sa deuxième maison se trouvant dans le signe du Sagittaire, il faut au natif beaucoup d'argent pour subvenir à ses besoins. Il aime le luxe et la facilité. L'argent lui arrive d'ordinaire facilement, il n'en manque pas. Il sait s'organiser. Comme le Sagittaire est la cinquième maison du Lion, notre natif peut faire beaucoup d'argent, mais il peut soudainement tout dépenser, espérant voir sa caisse se remplir de nouveau. Il a raison de croire à cette magie. Effectivement, l'argent rentre après qu'il a tout dépensé, ou presque.

Sa troisième maison, dans le signe du Capricorne, lui donne un esprit pratique en général (l'ascendant Scorpion étant toujours dangereux à porter, parce qu'il provoque une sorte d'autodestruction, mais également d'autoreconstruction). Notre natif s'instruira pour les besoins de la cause.

Il cherchera une spécialité. Comme le Capricorne est le sixième signe du Lion, il arrive que le sujet gagne sa vie par des voies mercuriennes où l'intelligence est mise au défi. Il est également fort habile, tant avec la parole qu'avec les écrits. Il fait un bon vendeur quand il croit à son produit. Il l'aura analysé et pourra vous en donner le détail si vous avez besoin de le savoir. Il ne retient que ce qui lui est utile.

Sa quatrième maison, dans le signe du Verseau, provoque un foyer uranien, en opposition avec le Lion. Il arrive donc que le foyer de naissance soit un lieu explosif! Le natif pourrait ne pas y être heureux. La quatrième maison représentant la mère, en opposition avec le Soleil, signifie que la mère possiblement aura subi l'intolérance de son mari, influençant de cette manière la vie du natif et provoquant finalement chez lui une sorte de rejet du foyer qu'il fonde lui-même. Comme le Lion est un signe fixe, il peut mettre du temps avant de comprendre que son foyer est nuisible et qu'il entretient chez lui une sorte d'inertie, un esprit de non-créativité.

Sa cinquième maison, celle des amours, est dans le signe du Poissons, huitième signe du Lion. Il arrive que les amours du natif tournent au négatif! Il n'est pas si simple dans sa manière d'aimer. L'idée de fuite et de non-engagement le tenaille. Il a parfois tellement peur d'être abandonné qu'il quitte lui-même le premier. C'est un rêveur passionné. L'inaccessible amour l'intéresse. Il arrive qu'il se laisse détruire par un amour, ce qui peut provoquer une nouvelle phase d'autodestruction. La sexualité est fortement liée à ses émotions comme un tout indivisible.

Sa sixième maison, dans le signe du Bélier, l'invite à vouloir gagner sa vie très tôt, à être indépendant. Il est sujet aux coups de tête dans sa jeunesse: comme décider soudainement d'abandonner ses études, sa famille. Il est prompt à la réaction en cas de contrariété. S'il en vient aux gros mots avec une personne, il peut ensuite se sentir tourmenté et coupable pendant des semaines, s'il n'a pas réussi à faire la paix avec la personne en cause.

Sa septième maison, celle du conjoint, dans le signe du Taureau, lui fait rechercher des personnalités originales, vénusiennes, qui peuvent être liées soit à l'argent, soit à l'art. Position dangereuse, puisqu'elle entre en contradiction avec le signe du Lion. Le natif recherche un partenaire fort, solide, mais qui peut aussi être intolérant... Il peut en résulter un long combat avant qu'il décide de quitter le partenaire, ne pouvant plus supporter sa «dictature». Le Lion aime contrôler et, s'il choisit quelqu'un qui aime aussi contrôler, nous avons là une possibilité d'affrontement qui peut mener au divorce.

Sa huitième maison, dans le signe du Gémeaux, suscite chez ce natif, à un moment indiqué dans sa carte natale, une transformation complète de son mode de penser. Supposons que le sujet ait participé à sa propre autodestruction durant une certaine période de sa vie, cette huitième maison dans le signe du Gémeaux, par la réflexion provoque, à un moment désigné par la carte natale, une vision tout à fait différente qui le poussera à se rebâtir pour devenir même plus solide qu'avant. L'adolescence ou la fin de l'adolescence marque un tournant important dans sa vie. Il peut fixer ses idées auxquelles il sera «accroché» longtemps. Il peut, à l'adolescence, décider d'un mode de vie pour longtemps, mais c'est parfois à son détriment. Il faudra alors quelques années avant qu'il transforme la structure de sa pensée et s'aligne sur un autre mode de vie.

Sa neuvième maison, dans le signe du Cancer, est également le douzième signe du Lion. Cancer symbolisant le foyer, et la neuvième maison, les voyages, la philosophie, le natif aura très tôt envie de quitter le foyer pour explorer un autre monde que celui qu'il connaît. Cette position lui donne une grande intuition et le sens de la mesure sur le plan de la philosophie, en ce sens qu'il peut en étudier plusieurs, mais il prendra un temps de réflexion avant de s'adonner à l'une ou à l'autre. S'il a des enfants, il pourra connaître des moments où ces derniers s'opposent directement à lui, mais ils reviendront finalement car ils comprendront qu'il n'aura voulu que les protéger, même si parfois il a agi avec excès. Position indiquant souvent que la mère du natif a vécu le sacrifice de sa vie, le natif la prenant longtemps pour modèle.

Le Soleil se trouve donc en dixième maison, procurant au natif une sorte d'assurance-vie, une protection du ciel. Ce sujet a toutes les chances du monde, s'il le veut, d'atteindre les sommets dans un domaine qu'il aura choisi. L'ascendant Scorpion, provoquant parfois de longues périodes de destruction, crée en même temps une puissante force de restructuration. Cette position solaire indique qu'il gagne au jeu de la vie. Il peut même être reconnu publiquement si telle est son ambition. Position indiquant que la sagesse lui vient avec la maturité.

Sa onzième maison, dans le signe de la Vierge, lui donne un esprit rapide, un sens peu commun du détail et de l'observation. La Vierge étant un signe de travail et le onzième symbolisant le génie ou la folie, cela invite donc sérieusement le natif aux excès de l'esprit. Si de mauvais aspects de Mercure et d'Uranus interviennent dans sa carte personnelle, le natif pourrait se sentir profondément dépressif à un moment de sa vie et se remettre totalement en question. Il peut également être attiré par le monde de la technologie moderne. La onzième maison étant aussi le signe de la télévision, il peut parfois y jouer un rôle privilégié, comme acteur ou technicien, tout dépend des aspects d'Uranus et de Mercure. Cette position indique que si le natif croit à son produit, il deviendra un excellent vendeur.

Sa douzième maison, dans le signe de la Balance, donc des unions, indique un trouble provoqué par le mariage. Possibilité d'une dépression dont l'origine est l'amour, le conjoint. Le natif peut vivre une épreuve à cause de son conjoint, de son mariage. Cette position étant toujours sournoise, il peut se laisser «gruger» moralement, même matériellement par son partenaire. Il ne s'en rend pas compte immédiatement, mais un beau jour il ne se reconnaît plus. Cette même épreuve est une leçon pour lui. Né sous le signe du Lion, il lui arrive de croire qu'il est au centre de tout, alors que son partenaire conjugal ne lui accorde pas profondément ce qu'il croit qu'on lui doit. Les divorces ne sont pas rares sous ce signe. Réussite sociale qui peut être évidente, mais solitude affective possible. Il n'a personne pour la partager. Même si la première union peut possiblement être source d'épreuve, elle participe à la transformation du mode de penser du natif. La neuvième maison étant dans le signe du Bélier, il pourrait vivre une deuxième union avec une personne plus jeune qui a des aspirations spirituelles.

LION ASCENDANT SAGITTAIRE

Double signe de feu, l'un fixe, l'autre mutable ou double. Un qui a une multitude d'idées et l'autre qui veut les mettre en pratique. Il est le plus chanceux de tous. Il n'a qu'à se trouver quelque part, pour que, justement, il soit l'élu qui rendra un grand service que l'on remerciera chaudement et peut-être même avec des honneurs!

Il est le voyageur, l'acteur, le réalisateur, la doublure, l'auteur et tout le reste... Rien ne l'arrête, il a toujours une idée en tête, amusante, divertissante, et qui coûte cher!

Il a une haute estime de lui-même. Il est fier d'être ce qu'il est. Il a toujours raison et n'a jamais tort. Il est bien prêt à écouter vos remarques, à suivre vos conseils, si ça lui rapporte: en argent, en estime, en relations, en contacts, qu'importe, il lui faut pouvoir ajouter un crédit.

Il est du genre à prendre des risques, mais il est chanceux. Là où tout le monde se frappe le nez, il vient de faire un bon coup, ou du moins en ressortira-t-il en se disant qu'il a vécu une expérience qui lui servira plus tard. Il met tout à la banque. Le capital, ça rapporte des intérêts, qu'il s'agisse de son temps ou de son argent.

Entreprenant, il recherche les causes nobles ou celles qui lui permettront de rayonner à distance. Il aime qu'on le voie venir de loin. Vous avez vu la lumière qui vient vers vous?... Oui. C'est un Lion ascendant Sagittaire.

C'est un être qui se présente en public sous son meilleur jour. Dans sa vie privée, il se donne un autre rôle. Acteur à la maison, il joue plus simplement! Ce n'est jamais du vaudeville, il se respecte tout de même. Il aime rire, mais ne supporte pas qu'on se moque de lui. Il est bien prêt à entendre ses quatre vérités mais attendez qu'il vous défile les vôtres. Il n'aura pas le temps de se tourner la langue sept fois, il n'a tout simplement pas de temps à perdre!

Il a autre chose à faire.

Il a toujours autre chose à faire.

Il supporte bien mal l'ennui et la routine, sauf si cela fait partie du jeu. Acteur, il est fatigué de sa longue journée de tournage!

Vous ne le verrez jamais entrer en compétition, à moins qu'il ne soit à peu près sûr de gagner! Il ne reste pas seul longtemps, il a besoin de s'entourer, il a besoin d'une cour surtout de quelqu'un qui lui fasse un compliment.

Mais il sera sélectif dans ses amis. Finalement, ils seront de ceux qui partagent ses objectifs et qui l'encouragent à bâtir, à créer, à innover. Il a horreur de faire comme tout le monde. Il se distingue. Double signe de feu! Volcanique!

Il peut lui arriver durant la première partie de sa vie de mettre l'amour de côté. Il fait carrière, il est ambitieux. Puis l'amour ça le dérange, quand il s'y livre, il n'arrive plus à produire, ne fait plus de sous et ne peut plus dépenser car il adore se payer du luxe! Oubliez les restaurants minables avec lui, ainsi que les vêtements pas chers! Et il a tendance à l'embonpoint en vieillissant. Il vit bien, mange et boit bien! Mais il a tellement besoin de se voir beau qu'il est capable d'apporter beaucoup d'attentions à sa taille! Il est fidèle et droit dans ses relations, il ne supporte pas le mensonge. Si vous le trompez, c'est fini, vous ne le reprendrez pas deux fois.

Cet extravagant, excentrique et extraverti a bien du mal à se détacher de sa propre image. Il se voit à travers les autres, à travers l'impression qu'il fait. En général, on l'aime du premier coup. Il attire la sympathie, il est charmant et charmeur.

Il est magnétique, vous ne pouvez le rater quand il passe et repasse. Il veut que vous lui fassiez signe, lui, il a trop peur qu'on lui dise non, sa fierté ne le supporterait pas!

L'ascendant Sagittaire donne un côté bien visionnaire à ce Lion. Il peut être doté de pouvoirs paranormaux qu'il développera ou non, suivant le milieu dans lequel il vit et suivant les fréquentations qu'il aura.

Dans le domaine du cœur, il mettra longtemps avant de se «brancher». Il s'est un peu éparpillé dans sa jeunesse et a constaté que ça ne lui rapportait pas grand-chose mais maintenant qu'il est devenu grand garçon, grande fille, il veut se ranger, il sent ce besoin de chaleur et de tendresse, maintenant qu'il a eu ses heures de gloire!

Bien qu'il aime le luxe, ce natif ayant sa deuxième maison dans le signe du Capricorne, possède une bonne dose de prudence lorsqu'il s'agit d'argent. Bien que donnant l'impression de vivre pour le moment présent, il n'oublie pas que le temps passe et qu'il faut mettre de l'argent de côté pour assurer ses vieux jours. Son véritable système d'économie devient actif vers l'âge de vingt-neuf ans. Avant, il aura du mal à épargner. Double signe de feu, comment peut-il attendre pour s'offrir ce qui lui ferait plaisir tout de suite?

Sa troisième maison, dans le signe du Verseau qui s'oppose à son Soleil, peut le rendre distrait à l'adolescence. Il s'imaginera facilement qu'il peut tout faire, tout réussir! L'expérience de la vie lui démontrera qu'il ne sait pas tout et qu'il a encore à apprendre. Cette position peut en faire un génie dans un domaine déterminé par les aspects d'Uranus et de Mercure. Mercure et Uranus l'incitent à s'intéresser au cinéma. Leur position dans la carte natale indiquera quel sera le rôle qu'il pourra y jouer. L'écriture de la fiction l'intéresse. Il aime inventer le monde, le refaire. Cette position l'invite à de nombreux déplacements, il aimera en particulier prendre l'avion. Ce double signe de feu est un grand idéaliste. Impulsif, il ne supporte pas l'autorité et s'il s'y plie vous pouvez être certain qu'il n'est «pas dans son assiette»! Il aime diriger sa propre entreprise, être le maître chez lui. Il a un bon sens du commandement, mais se montre généralement souple. L'imagination est puissante. Son sens de l'innovation, son originalité en surprennent plus d'un. Il est même parfois en avance sur son temps pour ce qui est des idées. Sociable, il sait avancer au rythme des gens qui l'entourent, tout en restant lui-même.

Sa quatrième maison, dans le signe du Poissons, lui procure un foyer parfois étrange où sévissent de grandes transformations, de nombreux bouleversements, le Poissons étant le huitième signe du Lion. La quatrième maison représentant la mère, celle-ci a une forte influence sur le natif, ce qui peut le rendre hésitant dans le choix de sa carrière, même quand il s'y est déjà engagé. Le Lion n'aime pas le désordre, mais il arrive qu'il s'y laisse aller durant un certain temps. Le désir de voir de l'ordre est cyclique chez lui. Quand la Lune le pousse à tout ranger, enlevez-vous de sa route, il fait le ménage! Position qui indique encore une fois une nature prophétique. Le rêve peut prendre ici une place importante, le natif est en contact avec le monde invisible et l'avenir. Le monde du paranormal n'a rien de surprenant pour lui. Il ressent profondément qu'il n'est pas le seul maître de cet univers. Sa foi dans la vie le fait se dépasser lui-même. La foi étant grande sous ce signe, il ne s'agit pas d'une foi de pacotille mais de la foi en la vie elle-même, de celle qui permet de vaincre tous les obstacles et finalement de retirer ce qu'il y a de meilleur en chaque chose, en chaque être.

Sa cinquième maison, dans le signe du Bélier, est la maison des amours. Le natif, dans sa jeunesse, peut vivre des expériences amoureuses passionnées et spontanées. Les bases ne sont pas nécessairement solides, aussi il n'est pas impossible qu'il vive rupture et union, passant de l'une à l'autre avec le même espoir renouvelé, le Lion aspirant toujours à la fixité tant en amour qu'en affaires! Cette position lui permet de garder un esprit jeune et dynamique, il est de ceux et de celles qu'on ne décourage pas facilement. Il croit à l'amour et l'amour le lui rend, parfois un peu tardivement, mais il n'a rien perdu dans son attente.

Sa sixième maison, dans le signe du Taureau, est la maison du travail, et le dixième signe du Lion. Ainsi ce Lion ne sera satisfait que dans une carrière de type vénusien, c'est-à-dire artistique. Les aspects de Vénus et de Saturne nous informent sur la nature exacte de sa carrière, de même que de sa durée. Il peut être acteur, réalisateur, mannequin, cosméticien, esthéticien, décorateur, ou occupé à tout autre travail qui exige le sens de l'innovation, de l'organisation et un bon jugement. Il a horreur de se faire dicter quoi que ce soit! Cette sixième maison étant aussi celle de la maladie, le natif doit surveiller son alimentation. Une nourriture trop riche, trop abondante parfois, peut engendrer des problèmes de digestion et de poids. Volontaire et animé d'un bel esprit, il aime les gens et il les respecte profondément. Il est amoureux de l'amour.

Sa septième maison, dans le signe du Gémeaux, est la maison du conjoint, dans un signe double. Aussi n'est-il pas impossible qu'il y ait mariage et divorce, surtout s'il se marie jeune. Il sera attiré par les personnes communicatrices, qui aiment la conversation. Il se peut qu'il ait du mal à détecter, au départ, le côté superficiel des personnes qu'il attire à lui. Ces dernières peuvent également avoir une nature double, par exemple une façon agréable de se comporter en public et une autre totalement différente dans l'intimité. Ce qui ne manque pas de surprendre le natif quand il découvre, après un moment de vie commune, que son partenaire n'est pas ce qu'il avait cru au moment des fréquentations!

Sa huitième maison, celle des transformations, de la sexualité et aussi de la mort, se trouve dans le signe du Cancer.

La sexualité est vive et « gourmande ». Dans le cas d'un natif masculin, celui-ci peut être sous l'emprise psychique de la mère qui, inconsciemment, manipule le Lion-Sagittaire pour le garder à elle. Dans le cas d'une nativité féminine, possibilité de devenir mère sans vraiment l'avoir voulu. Ces natives sont généralement fertiles et sont tellement passionnées qu'elles peuvent prendre de grands risques pour faire plaisir à leur bien-aimé! Longue vie à ce natif. Quand même, avec la huitième maison dans le signe du Cancer, il doit se méfier de l'eau, de la navigation et toujours respecter les règles de la prudence s'il s'adonne à un sport marin. Sous ce signe et cet ascendant, il existe parfois une difficulté d'identification sexuelle. Vie amoureuse secrète ou mystère entourant ses liaisons.

Son Soleil se retrouvant dans la neuvième maison, le natif sera attiré par l'étranger. Possibilité qu'il y vive une partie de sa vie. Il a toujours l'impression que le monde est trop étroit pour lui. Cette position solaire en fait un visionnaire. Il aspire à la pureté de l'âme. Il aime la vérité. Il peut cependant manquer parfois de diplomatie quand il a quelque chose à dire. Son sens des perceptions est très aigu. Il sait se protéger contre le danger. En cas d'accident, il aura le réflexe qui le sauvera à la dernière seconde; c'est un protégé du ciel. Il peut être heureux dans l'enseignement, et il est un excellent guide. Il ne décourage personne et dégage la joie de vivre. Tolérant envers le genre humain, il comprend les excès que l'on puisse faire, lui-même s'y étant livré parfois.

Sa dixième maison est dans le signe de la Vierge. Carrière double qui exige souvent un grand sens du détail. Carrière ici de type mercurien dans le signe de la Vierge, ce qui demande réflexion, coordination qui soit à la fois utile et agréable. La Vierge étant également le deuxième signe du Lion, le natif sera fort habile à remplir des papiers, à discuter de prix, de contrats. Il manipule les mots avec aisance quand il s'agit d'argent. Il est serviable, il n'a pas peur des longues heures de travail quand il fait ce qu'il aime. Il a une grande résistance à la maladie. Souvent sa carrière commence à l'adolescence ou au sortir de celle-ci. Il peut s'y dévouer longtemps avec ténacité. Il est à la fois un bon patron et un bon employé.

Sa onzième maison, celle des amis, dans le signe de la Balance, attire à lui les «gens bien», beaux, élégants, intelligents, souvent de type artistique. Il arrive qu'il fasse une rencontre amoureuse par l'intermédiaire d'amis dans son milieu de travail. Il sait se mouler à tous les milieux sans jamais perdre de son élégance. Il a le respect des classes, il ne discrédite jamais personne, mais si vous lui permettez de choisir entre une soirée au bistrot et le palais de la reine, il se rendra assurément à la dernière invitation. Il aime le faste, il aime le théâtre, tant dans la vie que sur scène. Position qui indique encore une fois que le mariage est sérieusement menacé à un moment de sa vie indiqué par sa carte natale. Il peut vivre une transformation de sa carrière à cause de son conjoint dans la quarantaine.

Sa douzième maison se situe dans le signe du Scorpion. L'épreuve est souvent l'identification sexuelle ou alors le natif vit des expériences qui peuvent à un certain moment de sa vie le traumatiser. La mort est également une épreuve. Il peut perdre quelqu'un à qui il tient fortement, un membre de sa famille, un ami proche, ce qui provoquera une grande réflexion et parfois une transformation complète de sa vie. Il arrive que ces natifs aient des contacts avec le monde invisible ou reçoivent des messages venant de leurs disparus, ils sont comme «branchés» sur le ciel. Le mysticisme fait souvent partie de leur vie. L'élévation de l'âme fascine ce Lion-Sagittaire. Il peut dans certains cas s'adonner à des études philosophiques qui lui permettent une croissance spirituelle peu commune. Cette douzième maison, dans le signe du Scorpion, le quatrième signe du Lion, et le Scorpion étant symbole de mort, de transformation, la quatrième maison signifie la mère, sa mort également, qui peut libérer le natif mais avec qui il gardera contact en dehors du lien terrestre. Tout comme sa mère, ce natif vit des mutations importantes qui touchent directement sa conscience et son subconscient.

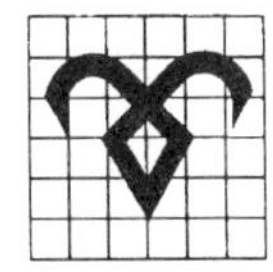

LION ASCENDANT CAPRICORNE

Il est plutôt silencieux celui-là, il ne vous parlera que si vous lui posez une question. Sa majesté royale se fera un plaisir d'être dérangée et de vous être utile à quelque chose! Si vous vous êtes adressé à ce Lion, c'est que très certainement vous avez ressenti sa puissance, son intelligence, sa bonté et que vous avez été frappé par sa beauté!

Il est ambitieux mais ça ne paraît pas trop. Saturne qui régit le Capricorne lui interdit de manifester ses désirs. Il les garde secrètement pour lui. Il préférera vous démontrer sa réussite plutôt que d'en faire un hors-d'œuvre bien étalé à la vue de tous! Il sera ravi de vous avoir surpris!

Il déteste les gens médiocres et prétentieux, il les reconnaît tout de suite. Son flair excelle à détecter les menteurs, les tricheurs et à mettre le point sur le vrai défaut de la personne, tel qu'il est sans rien ajouter, sans rien enlever. Le jugement est juste.

Il est minutieux dans son travail. Il arrive qu'on profite de lui mais jamais longtemps. Il a voulu être bon, vous n'avez pas su l'apprécier ni le remercier, alors il quitte sans tambour ni trompette!

Jeune, il lui arrivera de se comporter comme un dictateur mais l'ascendant Capricorne le calmera très vite. Le foyer, le père particulièrement, est souvent une épreuve pour lui. Il ne s'entend pas très bien avec quelqu'un qui voudrait lui dicter sa conduite, décider à sa place ou lui dire quoi faire. Il décide et personne d'autre que lui ne lui dictera, c'est clair! Le père est souvent très intellectuel ou veut pousser le natif à faire des études supérieures.

Lion, signe fixe, ne prend pas d'ordres; Capricorne, signe cardinal, il en donne. Il n'est pas si docile qu'il pourrait en avoir l'air. Il sait exactement ce qu'il veut. Il fera un plan pour atteindre son objectif, le suivra, en changera quelques données s'il le faut pour amélioration et efficacité.

Plus il vieillit plus ses idées rajeunissent, et plus il a envie d'être authentique, de n'appartenir à aucun groupe; il veut plutôt qu'un groupe lui appartienne et qu'il puisse le diriger.

Dans sa vie privée sentimentale, il peut être rigide et vouloir que les choses se passent selon les règles qu'il a établies. La souplesse lui manque de ce côté. Le partenaire doit être conciliant, l'admirer et glisser ses pantoufles sous son lit afin qu'il sente qu'il est parfaitement maître de la situation. Cela peut aller jusqu'à la domination de l'autre qui peut aussi s'en lasser!

Avec le temps, il développe des valeurs spirituelles et morales puissantes, le plus souvent à la suite d'un drame. La sagesse l'éclaire et l'obscurité disparaît. L'être s'humanise non pas uniquement pour développer ses plans, mais aussi pour développer ceux de toute une collectivité.

Sa deuxième maison, dans le signe du Verseau, lui fera gagner de l'argent par la voie uranienne. Il utilisera la machine moderne pour sa production. Il fait son argent en travaillant pour une masse, de près ou de loin. Il peut gagner beaucoup et il dépensera beaucoup également, mais cette deuxième maison dans le signe du Verseau l'exempte des chocs financiers. De plus, cette maison s'oppose à son signe. Il aura donc bien du mal à accumuler des biens et il devra faire un gros effort pour y parvenir. Il devra demander conseil à des experts avant de faire des investissements ou avant de s'associer. On pourrait abuser de lui pendant longtemps avant qu'il s'en rende compte.

Sa troisième maison, dans le signe du Poissons, lui donne un esprit à la fois fait de logique et de sensibilité. Son sens de l'analyse est poussé bien au-delà des apparences, c'est comme s'il avait un troisième œil. Il possédera une foule de connaissances pour le plaisir. Physiquement, il pourrait paraître lent, mais la rapidité avec laquelle il peut répondre à une question peut surprendre bien des gens. Il a le sens de la diplomatie, il peut écouter des mensonges, faire semblant d'y croire si ça peut faire plaisir à son interlocuteur, mais pendant ce temps il a sérieusement scruté le manipulateur qui risque d'être pris par ses propres paroles si besoin est de gagner une cause. Il sait adopter l'attitude qui plaît pour ceux qui travaillent avec lui, mais il ne faudrait pas l'offenser, il se souviendrait. Avec son ascendant Capricorne, il est patient et peut attendre son heure pour donner une leçon à qui la mérite. Le Poissons étant le huitième signe du Lion, ici la troisième maison, l'adolescence marque l'identification sexuelle. Possibilité qu'à l'adolescence, surtout avec de mauvais aspects de Neptune et de Mercure, il soit victime de la mauvaise foi, du mensonge des personnes qu'il fréquente.

Sa quatrième maison, celle du foyer, de la mère, également le neuvième signe du Lion, dans le signe du Bélier, lui rend la vie plutôt facile matériellement à son foyer de naissance. Il est encouragé par la mère et par la famille dans la poursuite de ses études. Ses déménagements seront décidés promptement et il sera chanceux soit dans l'achat d'une maison, soit dans la location d'un appartement. Il n'est pas impossible avec cette position que le natif fonde un foyer loin de son lieu de naissance. La mère ici est représentée comme une personne dynamique qui ne nuit pas au plan du Lion-Capricorne.

Sa cinquième maison, celle des amours, dans le signe du Taureau, en aspect négatif avec le signe du Lion, risque de créer une vie amoureuse pleine d'embûches. Le natif aura tendance parfois à s'attacher à des personnes attirées par la vie artistique, cependant rien ne va tout seul! Il peut également s'en faire un idéal qu'il aura bien du mal à vivre dans la réalité. Ici nous avons affaire à une maison fixe dans un signe fixe. Il arrive que le natif s'attache longtemps à quelqu'un qui ne lui convient pas. Il a une nature artistique qu'il peut ou non exprimer. Il peut également être un créateur à qui on vole les idées.

Sa sixième maison, celle du travail dans le signe du Gémeaux, est également le onzième signe (Verseau) du Lion. Il n'est pas impossible de retrouver ce Lion dans un travail d'écriture, de créativité, qu'il s'agisse de publicité, de publications, d'édition. Son travail peut également provoquer des déplacements au loin et il devra prendre l'avion. Il peut se faire des ennemis dans son milieu de travail, la onzième maison étant à l'opposé du signe du Lion. Les jaloux trouvent qu'il prend trop de place. Ses amis seront souvent dans le monde de la communication écrite.

Sa septième maison, celle de l'union, se trouve dans le signe du Cancer, le douzième du Lion, signe de l'épreuve et de ce qui est caché. Il lui sera difficile de trouver un partenaire stable, qui accepte finalement de le materner selon son bon vouloir. Cette position comporte souvent une rupture soudaine dont les motifs demeurent cachés au natif. Il peut également être trompé par son partenaire, qui se lasse de l'attendre parce qu'il est parti transformer la société pour laquelle il travaille. Il lui arrive d'attirer des gens douteux, qui recherchent sa protection alors qu'il s'attend également à ce qu'on prenne soin de lui. Donc la vie de couple avec ce natif n'a rien de vraiment facile, à moins que de bons aspects de la Lune et de Vénus ne viennent améliorer la position de cette septième maison.

Son Soleil se trouve dans la huitième maison, celle des transformations, de la sexualité, de la mort également. Il arrive qu'il vive la mort de personnes proches auxquelles il était très attaché, et cela provoque une transformation dans sa vie et parfois même dans ses objectifs. Il est possible aussi que cette position solaire provoque une bisexualité ou l'homosexualité, tout dépend alors des aspects de Mars, du Soleil et de Pluton. Dans une même vie ce natif peut en vivre plusieurs et connaître des événements peu communs. Les transformations sont soudaines, tout comme ses décisions soit au sujet d'une rupture, soit au sujet d'un changement d'orientation professionnelle.

Sa neuvième maison, celle des voyages, dans le signe de la Vierge, signe du travail, indique que, le plus souvent, le natif voyagera par affaires. En bon Lion, il n'oubliera pas d'y prendre du plaisir. Il doit surveiller son alimentation, sa tendance à la bonne chère peut lui valoir des problèmes de foie, d'intestins et de poids par surcroîF"Espace"l! Ses voyages seront formateurs, il observe et retient. Cette position favorise la connaissance des langues que le natif apprend avec facilité. La Vierge étant le deuxième signe du Lion, donc son symbole d'argent, ici dans la neuvième maison, symbole de l'étranger, l'argent peut donc être gagné à l'étranger, avec des étrangers. Position qui indique également qu'il peut perdre de l'argent à l'étranger ou que les étrangers peuvent, du moins durant un certain temps, profiter de sa naïveté.

Sa dixième maison, celle de la carrière, dans le signe de la Balance, il vaut parfois un partage des tâches dans une association. Plus souvent il est marié à son entreprise plutôt qu'à une personne! C'est un ambitieux silencieux qui court davantage après le prestige qu'après la grosse finance! Il aime débattre des idées en toute logique, il aime avoir raison. Il sera doué pour ce qui touche la loi, il sait à la fois la respecter et la déjouer «légalement» quand il a besoin de gagner des points! Son sens de la justice est très élevé.

Sa onzième maison, celle des amis, dans le signe du Scorpion, est une position difficile. Ses amis peuvent le trahir! Il en a donc très peu. Il aura également des relations sexuelles avec des amis, la onzième maison symbolisant le Verseau, la permissivité, et le Scorpion, le monde du sexe. Voilà quelqu'un qui peut avoir des relations sexuelles avec ses amis et toutes sortes d'amis! Quelques-uns peuvent même venir de milieux douteux!

Sa douzième maison, dans le signe du Sagittaire, peut signifier une épreuve par les enfants s'il en a. L'argent également. Cette position empêche les ennemis de s'acharner; il bénéficie d'une protection du ciel là-dessus. Autant l'éloignement du lieu de naissance peut être une épreuve, autant il permet au natif d'évoluer et de devenir tolérant envers ceux qui n'ont pas la même vision que lui dans cet univers. Le Sagittaire étant le cinquième signe du Lion, l'amour, en même temps le douzième signe de son ascendant, il arrive que le natif ait à fuir son lieu natal pour un amour qu'il doit vivre caché.

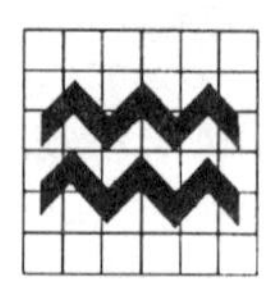

LION ASCENDANT VERSEAU

Il est bien sympathique, il peut jouer à tous les jeux, ça dépend de ses humeurs, qui ne préviennent pas trop quand même.

Original, marginal, type aux idées larges. Il se moque des règles, il a les siennes et c'est bien suffisant. Amical, il adore la compagnie des gens. Il est sincère dans ses bonjours, si votre vue lui plaît, naturellement!

Il sait séduire par sa gentillesse et il n'a pas vraiment d'autre intérêt que de vous être agréable parce qu'il veut qu'on l'aime.

Il s'agit de deux signes fixes qui s'opposent sur la roue astrologique. Il s'agit aussi de quelqu'un qui, dans la première partie de sa vie, fait beaucoup pour les autres, mais n'obtient pas grand-chose en retour sauf peut-être de devenir populaire! En effet, avoir l'opposé de son signe peut permettre à la personne de se placer devant un public et d'obtenir un certain succès.

Autoritaire, ce double signe fixe, exigeant, n'a pas peur du travail. Il lui faut un conjoint fort, afin que ce Lion-Verseau ne l'écrase pas! Le Verseau apporte toujours une certaine tyrannie, jusqu'à ce qu'on ait compris, généralement dans la quarantaine, qu'on se fait plus d'amis par la douceur et plus d'ennemis par la force!

Il n'aime pas la faiblesse, la mesquinerie, les bassesses, il n'a pas pitié de lui et n'aura pitié de personne. S'il reconnaît en vous de la force, alors vous êtes vraiment digne d'être son ami et il sera prêt à vous aider si vous êtes dans un réel besoin. Il aime la première place, la deuxième l'ennuie. Il se passionne pour tout et fait une multitude de choses qui retiennent toute son attention. Ne vous inquiétez pas, il vient à bout de tout. S'il vous a promis quelque chose pour tel jour, telle heure, vous l'aurez: signe fixe.

Il tient à ses amitiés, il n'aime pas rompre des liens. Dans la vie privée, il établit les règles et les accords, vous n'avez qu'à vous y plier ou à faire vos valises. À moins que vous n'attendiez sa quarantaine où il se fera plus conciliant, plus calme, plus raisonnable, quoi!

Ce n'est que bien lentement qu'il devient patient et ne le rendez pas à bout. L'orage est violent et électrocutant. En colère, il dit tout ce qui lui passe par la tête, les plus vilaines méchancetés et je ne suis pas bien sûre qu'il les regrette, même quand elles ont dépassé sa pensée... Il dira plutôt que c'est tout ce que la personne méritait! Il ne faut pas mettre en colère un roi félin!

Pour l'aimer, il faut être aussi entier qu'il l'est lui-même, sinon ça devient intolérable.

Il a tendance à capitaliser un peu trop et à s'accrocher aux apparences, et il se laisse parfois tromper en accordant à des personnes un respect qu'elles ne méritent pas vraiment, mais qu'elles ont l'air de mériter parce que ces personnes sont riches! Maie le Lion-Verseau se reprendra, il retient les leçons de la vie et ne répète jamais deux fois les mêmes erreurs!

Sa deuxième maison, dans le signe du Poissons, lui procure plus d'une source d'argent, mais cet argent parfois lui coule entre les doigts! Avec de mauvais aspects de Neptune et de Vénus, le natif pourrait être tenté de tricher pour faire de l'argent. Il peut mentir pour en faire plus, mais il arrive aussi qu'on lui mente au sujet de l'argent. Il faut être conséquent de ses actes.

Sa troisième maison, dans le signe du Bélier, lui donne une parole vive, audacieuse; il est capable de résoudre les problèmes de l'heure, il est habile pour le court terme, mais il a du mal à prévoir à long terme. Vous avez là un natif parfaitement honnête ou une personne qui ment à tout un chacun pour se valoriser. Double signe fixe, un excessif qui a besoin tant d'être que de paraître. Mais s'il ment, il ne sera pas capable de le faire longtemps; vous n'aurez qu'à le chatouiller un peu et vous saurez la vérité. Il se contente souvent de connaissances superficielles, il connaît une foule de choses, mais sa conversation s'arrête quand vous voulez approfondir. Comme il s'exprime aisément, il donne l'impression de pouvoir vous apprendre quelque chose, mais c'est incertain, surtout si vous ne parlez pas de sa spécialité!

Sa quatrième maison, celle du foyer, dans le signe du Taureau, en aspect négatif avec le Lion lui procure parfois un foyer où on lui enseigne des règles de bonne conduite sociale, mais où on a négligé de lui apprendre qu'il fallait voir au-delà des apparences. Le natif peut vivre des conflits d'autorité avec la mère. Il peut venir d'un foyer profondément désuni dont a sauvé la face! Il recherchera des habitations luxueuses, parfois au-dessus de ses moyens.

Sa cinquième maison, celle des amours, dans le signe du Gémeaux, lui attire une multitude de connaissances, de véritables amis, mais il en a très peu. Ses échanges verbaux sont peu significatifs et révèlent très peu de lui. Il arrive parfois à confondre amour et amitié, jusqu'au jour où une personne bien particulière attire son attention et le fait marcher par le bout du nez! Pour plusieurs, possibilité d'une union à l'adolescence; pour une femme, un enfant hors du lien conjugal.

Sa sixième maison, celle du travail, dans le signe du Cancer, symbole de la Lune, donc également de la foule, de la masse, indique que le natif pourrait travailler directement ou indirectement pour un public. Mais il survient quelques épreuves dans son travail, le Cancer étant son douzième signe. Si le natif commettait une faute à son travail, il pourrait alors être victime d'un scandale. Il peut également se faire des ennemis dans son milieu de travail, surtout s'il n'a pas dit la même vérité à chacun. Il est plus fragile physiquement qu'il n'en a l'air. Il est également sujet à vivre des moments de dépression dont il a du mal à se relever.

Son Soleil se retrouve donc en septième maison. Le désir de briller est puissant. Il a le goût du théâtre ou des coups de théâtre. Au début de sa vie il ne vivra que pour l'amour, le mariage étant souvent son objectif. S'associer à un autre pour vivre heureux, c'est ce qu'il croit, mais comme il vit avec l'opposé de son signe, il joue contre ses intérêts. Les déceptions amoureuses ne sont pas rares sous ce signe et cet ascendant, les divorces non plus, puisque le Verseau en est le symbole. Les ruptures peuvent même être dramatiques au point de transformer un doux Lion en une bête fauve et dangereuse!

Sa huitième maison, dans le signe de la Vierge, symbolise encore une fois que le natif peut utiliser le mensonge pour obtenir de l'argent d'autrui. Il peut faire une dépression, vivre une révolte intérieure. Très peu de gens s'en rendront compte, car il est secret en ce qui le concerne. Cette position le rend combatif. Toutefois, il peut vivre une transformation: changer complètement sa mentalité à son travail qu'il accomplit pour mieux vivre, plus sainement, tant pour lui-même que dans ses rapports avec autrui.

Sa neuvième maison, dans le signe de la Balance, le protège en cas de scandale, de problèmes avec la loi. La solution viendra d'elle-même ou on laissera tomber les accusations contre lui. Ce natif peut être fortement attiré par une personne étrangère en tant que conjoint, et il peut en même temps participer à une heureuse transformation de sa vie où il pourra être heureux. En réalité il ne communique bien qu'avec les gens sortant de l'ordinaire, et il ne peut vivre qu'avec une personne qui peut l'épater ou lui apprendre sans cesse quelque chose de neuf.

Sa dixième maison, dans le signe du Scorpion, ne facilite guère son ascension au sommet de ses ambitions. S'il venait à se lier ou à avoir des aventures sexuelles avec des personnes de son milieu de travail, cela pourrait lui jouer un bien vilain tour. Il peut atteindre une certaine popularité, et tout d'un coup la perdre. Il devra se demander s'il n'a pas mérité ce qui lui arrive. Il pourrait avoir un travail qui lui permet de le faire de son foyer, ou faire une création là où il vit.

Sa onzième maison, dans le signe du Sagittaire, lui attire de nombreux amis étrangers. Une position également qui facilite les voyages en avion, lesquels peuvent susciter d'heureux dénouements dans sa vie privée. En fait, ce natif vit mieux hors de son lieu de naissance ce qui lui permet une plus grande liberté d'expression. Les amis sont le plus souvent des gens originaux, en relation avec le public et qui vivent des expériences peu communes.

Sa douzième maison, dans le signe du Capricorne, suscite parfois des conflits avec le père ou avec les autorités en place. Le natif supporte mal de recevoir des ordres! Le Capricorne étant le sixième signe du Lion, et ici le douzième de l'ascendant, encore une fois cela signifie que le natif risque d'avoir de sérieux problèmes au travail, soit qu'il en soit lui-même le responsable, soit qu'ils proviennent d'une source mystérieuse, d'une personne haut placée qui ne supporte pas les vibrations puissantes de ce Lion-Verseau. Cela peut également provenir d'une personne qui ne veut pas vivre de compétition avec ce natif. La maturité apporte la sagesse à ce personnage qui devient calme, prévoyant et plus conscient de la valeur d'autrui.

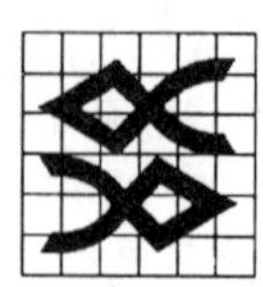

LION ASCENDANT POISSONS

Pas trop drôle à porter comme signe pour un Lion. Lion, signe de feu; Poissons, signe d'eau. L'eau qui éteint le feu. Le feu qui fait bouillir l'eau...

Anxieux et fragile, il se soucie de l'opinion qu'on a de lui. Il est attiré par la poésie, le mysticisme. Il y a en lui un manque de responsabilité... on le fera pour lui.

Il est attiré par la fantaisie, la facilité. Il connaîtra plus d'une union dans sa vie. Ses amours fluctuent, on s'attache à lui, on s'en détache, on ne le comprend pas très bien, il ne se comprend pas très bien lui-même!

Il entretient en lui-même ses échecs, ses blessures sentimentales. C'est tout juste s'il ne leur élève pas un autel, l'autel du sacrifié! Pauvre victime! On le fait souffrir, alors que tout ce qu'il voulait c'était un peu d'amour! Mais il n'a pas fait d'effort pour le garder et l'amour s'en est allé!

Il voudrait toujours se voir sur un autre continent que sur celui qu'il habite, comme si ce pouvait être mieux ailleurs. Il oublie que le temps présent est toujours le meilleur et que le temps passé à regretter ceci et cela, c'est vraiment du temps mort!

Il n'est pas particulièrement chanceux dans la vie. Il se trouve plus souvent qu'un autre dans des situations de victime, ce qui lui permet toujours de dire que ce n'était pas de sa faute! Il peut faire un excellent professeur, se lancer en politique, il n'est pas certain qu'il sera élu car on pourrait le manipuler sans qu'il s'en rende compte. Lion, il a tout de même le goût de briller même si le Poissons veut sauver le monde!

Pour bien vivre sa vie et l'alléger, la métaphysique lui sera d'un grand secours. Il lui faut dépasser la matière s'il ne veut pas subir les encombrements et les inconvénients de la matière. Il devra contrôler la matière et non se laisser contrôler par elle.

La magie l'attire, mais il doit être prudent. Il a des dons psychiques, mais on peut abuser de lui et l'utiliser au service des forces obscures. Il se retrouverait perdant et peut-être même qu'il serait incapable de s'en relever. Le combat ne serait pas facile.

Souple dans ses jugements, il ne condamne personne. Tout le monde a le droit de se reprendre, de se refaire, de vivre autre chose, différemment. Le scandale ne le scandalise pas, sa tolérance peut aussi aller jusqu'à l'élasticité morale!

Très jeune, il a besoin d'être discipliné. Il se laisse facilement entraîner et il suit les courants invitants, il ne voit pas le risque, il se perd dans ses rêves. Il est le type du Lion qui, se rendant compte qu'il perd partout, peut vivre une dépression qui pourrait durer, durer...

Il est facile de vivre avec lui, mais il faut être télépathe ou devin!

Sa deuxième maison, dans le signe du Bélier, le rend habile à faire de l'argent et il a besoin d'en gagner beaucoup car il aime faire des voyages, s'évader quelque part, se payer parfois aussi quelques illusions, des fantaisies peu communes. Il a peur de manquer d'argent et en même temps il a du mal à économiser.

Sa troisième maison, dans le signe du Taureau, le rend obstiné. Il peut être sur une mauvaise voie et s'entêter à y rester. Au départ, il se fie aux apparences, on peut lui mentir, il vous croit, il est naïf. Il croit aussi au grand amour, à la passion, c'est si beau dans sa tête qu'il ne la relève pas pour voir la réalité. Il peut être fleur bleue longtemps! Position qui lui procure un attrait pour le monde artistique. Il aura tout de même besoin de toucher la création.

Sa quatrième maison, dans le signe du Gémeaux, représente un foyer où l'on parle beaucoup, mais superficiellement. Il arrive qu'il ne reçoive pas suffisamment d'attentions ou d'affection de la part de sa mère. Il peut recevoir des soins physiques, mais non l'approbation morale dont il a besoin pour évoluer. Son foyer peut être un lieu où se trouvent diverses personnes toutes aussi différentes les unes que les autres, et le natif a du mal à se faire sa propre idée sur ce qui est, doit être, ne devrait pas être, et ainsi de suite. Il devient alors un récepteur et une personne éponge qui absorbe les idées des autres, car il a du mal à avoir les siennes.

Sa cinquième maison, dans le signe du Cancer, c'est l'amour idéalisé, l'attirance pour les arts, la danse, la scène, les épreuves d'amour; on l'a trompé, trahi, il ne peut se battre ni répondre, il se replie sur lui-même et se fabrique un nouveau rêve, un nouvel idéal. Ce natif peut être un grand créateur. La douleur étant un stimulant, les blessures peuvent être pansées par une ardeur peu commune mise au service d'une créativité indiquée par les aspects de la Lune et de Neptune. La peinture et la photographie l'attirent grandement.

Son Soleil se retrouve donc en sixième maison. La santé peut parfois être chancelante, cependant rien n'est insurmontable. Quand le moral est à la baisse, l'énergie lui manque. Il est travailleur, mais il arrive qu'on ne reconnaisse pas vraiment son talent et qu'on abuse même de ses services. Il est empressé à rendre service, il a tellement besoin d'être aimé. Dans le privé, il peut être critique et faire des remarques sur une foule de détails. Il est d'ailleurs doué pour un travail qui demande le sens du détail.

Sa septième maison, dans le signe de la Vierge, lui attire un partenaire tout aussi critique qu'il ne l'est lui-même, et même pire, dont il pourra être victime. On peut le manipuler avec les mots. Son conjoint peut aussi faire passer son travail et sa carrière avant lui. Il le supportera mal, il se sentira lésé, il est Lion. Il exige alors qu'on ait de nombreuses attentions pour lui. Il arrive également qu'il attire des partenaires qui mentent ou qui ne disent que des demi-vérités. Sa vie n'a rien de vraiment facile, à moins que de bons aspects ne viennent réformer la position des maisons.

Sa huitième maison, dans le signe de la Balance, indique parfois la mort du partenaire, d'une manière tout à fait surprenante, inattendue. Sa profonde transformation ne vient parfois que lorsqu'on le quitte, parce qu'il prend alors parfaitement conscience de la réalité. Cette position avec de mauvais aspects de Mars, de Vénus et de Pluton peut indiquer que le natif a pu être roulé financièrement par son partenaire ou son conjoint. Sa vie sentimentale ne va pas sans heurts, le mariage crée des bouleversements, mais il participe directement à son évolution.

Sa neuvième maison, dans le signe du Scorpion, indique que le natif peut avoir des contacts avec le monde invisible. Il pourrait être attiré par l'astrologie, les sciences paranormales. Les voyages, représentés par la neuvième maison dans le signe du Scorpion, peuvent indiquer un danger au cours d'un séjour à l'étranger. Il peut être le témoin de luttes et de conflits et y être mêlé sans l'avoir recherché.

Sa dixième maison, dans le signe du Sagittaire, lui fait désirer la paix avant tout. Il peut faire un bon missionnaire, un bon représentant diplomatique. En fait, il ne parle que lorsqu'on lui demande quelque chose. Il n'est pas rare non plus de le retrouver dans un travail gouvernemental où il gravit lentement les échelons. Tout comme il peut être celui qui incite les autres à travailler à des changements importants.

Sa onzième maison, celle des amis, est dans le signe du Capricorne. Il préfère la présence de gens plus âgés que lui. Ils sont moins agressifs et généralement ils ont moins à prouver. Ce Lion est le plus souvent un solitaire, qui a bien du mal à exprimer sa version de la vie. Il oscille dans ses choix, il voudrait tout faire.

Sa douzième maison, celle de l'épreuve, dans le signe du Verseau, sous le symbole uranien, juste en face du Lion, signifie que la maladie peut le surprendre, souvent une maladie d'origine nerveuse. Il peut se laisser gagner par une religion ou une philosophie et n'ouvrir les yeux que quand on lui a tout pris sous de vagues motifs de générosité. Il rendra compte alors qu'on a abusé de sa naïveté encore une fois.

Il n'est pas facile à décrire ce Lion-Poisson. Les aspects de sa carte natale sont importants et déterminent ce pour quoi il est réellement fait. Cette énigme Lion-Poissons n'est résolue que lorsqu'on monte avec précision son thème natal. De mauvais aspects de Neptune, par exemple, l'entraînent dans un monde d'illusions, de drogue et d'alcool. Les bons aspects peuvent faire de lui un «saint», quelqu'un qui peut se sacrifier consciemment pour les autres, leur bien, leur bonheur. Ce signe double du Poissons à l'ascendant donne au natif le goût de la recherche intérieure, mais il a un mal fou à s'adapter à la vie telle qu'elle est. L'équilibre n'est pas facile à trouver, mais rien n'est impossible au Lion qui croit.

La Vierge et ses ascendants

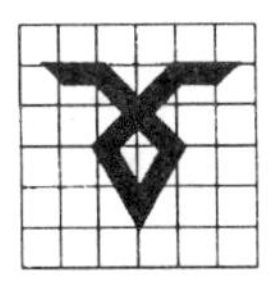

VIERGE ASCENDANT BÉLIER

Drôle de Vierge, on le croirait à peine, elle est complexée, mais pas trop, même un tantinet vantarde de temps à autre. Elle peut passer bien rapidement de la timidité à l'agressivité et devenir même cynique. Le vocabulaire ne manque pas.

Elle n'en a jamais assez et n'arrive pas à être satisfaite. Elle chiale sur tout et on finit par la trouver bien lourde à vivre!

La Vierge veut la paix, mais le Bélier cherche le défi, le combat. Quelle contradiction! Mais il faut bien vivre avec tout cela!

Son esprit d'analyse, doublé de l'énergie rapide du Bélier, lui fait voir et comprendre les choses d'un seul coup. Pas besoin de lui expliquer longtemps, pas même deux fois. Et si vous n'avez pas encore compris, alors qu'elle, elle sait, préparez-vous à entendre des grognements d'impatience. Pas joli à voir, et même fort désagréable!

Ce natif a intérêt à concentrer ses énergies dans des projets constructifs et à rendre service aux autres, plutôt qu'à critiquer. La critique ne change rien à rien, si ce n'est qu'elle ne peut qu'envenimer une situation qui n'est déjà pas reluisante.

La Vierge, pour ne pas nuire à ses amitiés, ferait bien de freiner ses impulsions. Elle risque de se faire des ennemis ou d'éloigner ceux qui voudraient être ses amis.

Elle possède une grande force et une capacité de résistance peu commune. Elle a beau se plaindre, elle est solide. Le sens de l'entreprise est puissant, sous l'effet de la Vierge en signe de terre; le sens de la propriété aussi. Il est donc préférable que cette sorte de Vierge travaille pour elle-même plutôt que de servir un patron dont elle ne tolérerait ni les incertitudes, ni les lenteurs, ni l'impatience.

Ce natif peut se blesser en amour quand il est jeune. Il s'embarque et s'envole dans l'aventure aveuglément. Déçu, il en ressort cassant et sec, comme du bois brûlé!

Cette Vierge-Bélier aime l'argent. Posséder, cela lui donne une sensation de puissance et de liberté. Elle travaillera et gagnera bien sa vie. C'est une débrouillarde.

L'amour est mieux vécu dans la trentaine, quand le calme pénètre sa vie. Quand ce signe s'est assuré de ses biens.

En vieillissant, cette Vierge apprend à faire confiance aux autres et elle ne passe plus son temps à soupçonner qu'on trame quelque chose derrière elle ou contre elle.

Nous avons là une Vierge bien particulière qui suit les courants de la vie et fait en sorte de profiter de chacun.

Sa deuxième maison, dans le signe du Taureau, la rend extrêmement douée pour les négociations. Elle sait ce qu'elle veut et est sûre de l'obtenir car elle est capable d'attendre si cela doit lui rapporter. Cette position de maison la rend fort habile dans les achats de biens immobiliers, de terrains. Son sens de la propriété est aigu.

Sa troisième maison, dans le signe du Gémeaux, en aspect de carré ou aspect négatif avec son signe solaire, lui donne une intelligence très vive, mais le sens du détail et de la critique est encore plus puissant et elle ne se gênera pas tellement pour vous dire que vous lui plaisez ou ne lui plaisez pas. Le sens de la diplomatie peut lui échapper de temps à autre, les mots courent si vite qu'elle n'a pas eu le temps de les contrôler! Pourtant, elle aurait bien aimé, mais c'est dit, c'est trop tard et comme l'orgueil ne manque pas, sous ce signe et cet ascendant, elle peut prendre pas mal de temps à se décider pour s'excuser si elle vous a blessé, mais elle le fera. La réflexion est tout de même puissante, il faut juste lui donner du temps.

Sa quatrième maison, dans le signe du Cancer, en bons aspects avec son Soleil qui symbolise la famille et la mère, notre Vierge a toutes les chances du monde d'avoir eu de bonnes relations avec elle. Encore une fois, cet aspect souligne le sens de la propriété. Cette Vierge a le goût de recevoir chez elle, elle excelle dans les réceptions qu'elle donne. Vous ne manquerez de rien. Elle veillera à votre confort, tant pour se faire plaisir que pour faire plaisir à ses invités. Elle a autant envie d'être chez elle que de vivre en société. Elle sait alterner entre la maison et la vie sociale, l'une rejoignant parfois l'autre.

Sa cinquième maison, celle de l'amour, dans le signe du Lion, le signe qui la précède, donc le douzième signe de la Vierge, symbolise par certains côtés une sorte d'épreuve amoureuse. Notre Vierge quand elle «tombe en amour» ne voit plus clair. Elle est alors envahie par les émotions au point qu'elle pourrait parfois croire qu'elle perdra la raison, mais elle ne la perdra pas. La Vierge, régie par la planète Mercure, l'intelligence raisonnable, fait qu'elle retombe toujours sur ses pieds! Les enfants, quand elle en a, peuvent lui créer des problèmes. Elle les aimera, bien sûr, mais elle voudra les modeler selon ce qu'elle croit être le meilleur pour eux, mais toujours selon elle... Le résultat, parfois surprenant, peut décourager la Vierge puisqu'elle doit assister à une rébellion de la part de ses chers chérubins qui devaient lui faire honneur et être parfaits! Le cœur ne manque pas du tout, bien au contraire. Elle a véritablement «à cœur» leur bonheur, mais toujours selon ce qu'elle est. Elle oublie que les enfants, bien qu'ils ressemblent toujours à leurs parents, sont différents. Ils sont d'une autre époque. La Vierge est une conservatrice et elle pense que ce qui était doit être encore! Ses principes d'éducation sont souvent à réviser!

Son Soleil se trouvant dans la sixième maison, cette Vierge peut être sérieusement attirée par la médecine, le domaine de la santé, le monde des écrits, le secrétariat où elle sera impeccable. Elle est de service mais, comme beaucoup de Vierge, elle attendra que vous soyez vraiment mal pris, que vous soyez presque égorgé pour vous venir en aide, et elle aura alors le plaisir de dire qu'elle vous a sauvé. La Vierge, dans toute son humilité, n'est pas exempte d'égocentrisme. Le souvenir du Lion n'est pas loin: elle a besoin d'être quelqu'un, qu'on la reconnaisse! Toutes les carrières qui demandent de la minutie, de l'intelligence, de l'organisation lui sont ouvertes. Elle peut apprendre n'importe quoi, pourvu qu'elle se sente utile.

Sa septième maison, dans le signe de la Balance, le deuxième signe de la Vierge, lui fait naturellement préférer les conjoints qui ont des moyens financiers au-delà de la moyenne, et le plus souvent, elle trouve son type. L'amour, le mariage, c'est un contrat pratique dans lequel se glissent des sentiments «contrôlés». Pour elle, ce n'est pas toujours dimanche, et le soir, elle doit s'endormir tôt pour être en forme le lendemain afin de produire à son maximum. Mais il arrive qu'elle ait un partenaire qui ne soit pas aussi calculateur, qui aime bien la fantaisie et qui finira par trouver la Vierge trop routinière. Son signe de terre raisonnable peut devenir étouffant. Une relation avec un signe de feu (Bélier, Lion ou Sagittaire): mettez de la terre sur le feu, il s'éteint. Une relation avec un signe de terre (Taureau ou Capricorne): terre-terre, sans eau, tout devient stérile et fort ennuyeux. Une relation avec un signe d'air (Verseau, Balance et Gémeaux): l'air est en haut et la terre est en bas, quand vont-ils se rencontrer? Une relation avec un signe d'eau (Cancer, Poissons ou Scorpion): si à tout hasard il y a trop de terre et pas assez d'eau, rien ne poussera! J'ai dramatisé les relations de cette Vierge-Bélier, mais elle doit surveiller sa propre face. Son signe de terre Vierge est le plus Vierge de tous puisqu'il se trouve en sixième maison. Elle aura souvent raison, tant par déduction-intuition que par logique, mais avoir raison sur tout le monde, ne pas voir qu'ils sont différents mais utiles, c'est avoir tort.

Sa huitième maison, dans le signe du Scorpion, lui procure souvent des amis Scorpion qui peuvent lui donner quelques petites leçons, et elle pourra les accepter. D'ailleurs, certains astrologues soutiennent que le Scorpion et la Vierge se ressemblent. Tous deux sont fort astucieux, énigmatiques, et ils peuvent, à l'occasion, tricher sans se faire prendre parce qu'ils ont su calculer d'avance le déroulement de leurs gestes. La sexualité peut être puissante, mais la Vierge, en tant que signe double, d'un côté est permissive et de l'autre, restrictive. Elle recherche en fait le vrai plaisir de la chair, mais si elle a du mal à le trouver, elle est capable de multiplier les expériences, afin de pouvoir analyser ses différentes réactions physiologiques lors d'une rencontre. Faire l'amour avec sa tête... il est bien possible que le partenaire finisse par s'en apercevoir et qu'un beau jour il décide de vivre une autre sorte d'expérience. Notre Vierge-Bélier devra alors se remettre à chercher un autre partenaire pour vivre une nouvelle expérience intellectuelle!

Sa neuvième maison, dans le signe du Sagittaire, en aspect négatif avec son Soleil, lui donne le goût des départs. Il arrive que ses voyages soient décidés précipitamment et qu'elle puisse même laisser tomber des choses importantes qui pourront éventuellement lui nuire. Elle doit surveiller cet aspect. Bien que signe de terre, cette Vierge aura souvent envie de déménager, de changer de décor. Elle pourrait refuser l'aspect invisible de la vie durant une adolescence prolongée, la logique lui interdisant de croire à ce qu'elle ne voit pas, mais elle pourrait bien changer vers l'âge de trente-cinq ans et considérer d'un autre œil le monde de la philosophie, de l'ésotérisme et de la religion.

Sa dixième maison, dans le signe du Capricorne, la pousse à s'intéresser à tout ce qui est d'ordre social. Ambitieuse, elle compte sur le temps pour se réaliser, si des aspects planétaires dans cette maison l'indiquent. Ce natif pourrait alors atteindre une certaine reconnaissance publique.

Sa onzième maison, dans le signe du Verseau, le sixième signe de la Vierge, lui procure des amis par l'entremise du travail. Notre Vierge en aura très peu en dehors de ses activités professionnelles. Cette position peut la rendre nerveuse quand elle a une idée dans la tête!

Sa douzième maison, celle de l'épreuve, juste en face de son Soleil, est une position dangereuse pour les relations amoureuses qui peuvent engendrer une mauvaise surprise à laquelle elle ne s'attend pas. Son conjoint pourra être malade ou avoir pris la fuite! L'épreuve a son utilité, elle permet d'évoluer, de réfléchir, non plus seulement à ses besoins personnels, mais à ceux d'autrui.

Ce natif, ayant finalement toutes les maisons situées dans les signes qui lui conviennent, peut en arriver plus facilement à l'équilibre. Qui donc ne vit pas quelques excès à certains moments de sa vie? Le ciel de notre naissance est fait pour être dépassé!

VIERGE ASCENDANT TAUREAU

Gentil, ce natif est toujours prêt à vous aider pour être agréable, utile. C'est un infatigable travailleur, solide, calme, patient, honnête. Pratique, il ne se perd pas dans les détails et évite de couper les cheveux en quatre, ce qui lui ferait perdre du temps et de l'argent.

Il est persévérant et l'effort ne lui fait pas peur. La Vierge, signe de terre, Taureau, signe de terre, qui donc pourrait être plus pratique, sinon un autre double signe de terre?

La Vierge est régie par Mercure et le Taureau, par Vénus. L'intelligence et la grâce s'allient en finesse, en délicatesse pour autrui.

Ce type a le sens du toucher très développé, il est tendre et sensuel. Si on ne veut pas le suivre dans ses exigences physiques, il se sentira frustré. Il n'en fera pas un drame, mais il pourra dire gentiment que vous ne faites pas l'affaire et qu'il ira ailleurs, et il partira en reprenant tout ce qui lui appartient. Le sens pratique ne lui fait pas défaut. Il n'oubliera pas rapidement une peine, mais il ne s'y accrochera pas. La Vierge étant un signe double, elle sait qu'il y a quelque part une porte de sortie, et la solitude ne lui fait pas peur. Elle la supporte mieux que n'importe quel autre signe.

La solitude peut même devenir pour ce natif un moment de création. Le Taureau à l'ascendant, régi par Vénus, donne le sens de la beauté, de l'esthétique, un goût raffiné.

Ce natif est attiré par le mystère. L'invisible le fascine. Il soupçonne qu'il existe sur terre autre chose que ce qu'on voit, que l'univers dépasse tout ça... Il cherche une preuve, il la recherchera longtemps. Mais il faut tabler avec la foi, et la foi ce n'est pas une preuve. On l'a ou on ne l'a pas. On peut l'acquérir si on la recherche, et la Vierge peut, en vieillissant, faire un effort de ce côté.

Ce double signe de terre peut, malgré toute sa délicatesse, être aussi un être purement matérialiste et calculateur, un «cheap», si de mauvais aspects se trouvent dans sa carte natale.

Alors là il est possible qu'il passe sa vie à ramasser des sous... et finisse par s'ennuyer. Puis viendra ce moment où ce sera plus fort que lui, où il devra servir les autres, tant dans les affaires matérielles que dans celles du cœur.

Sa deuxième maison, dans le signe du Gémeaux, lui procure souvent deux sources d'argent, et comme il est bon travailleur il arrive qu'il ait deux emplois. Cette position financière peut être dangereuse pour le natif, surtout durant sa jeunesse ou durant la première partie de sa vie. Il oriente mal ses énergies pour assurer sa subsistance, et il est possible qu'il rencontre des gens susceptibles de l'exploiter, mais quand viendra le jour où il aura compris leur astuce, on pourra le reprendre difficilement!

Sa troisième maison, dans le signe du Cancer, aiguise sa curiosité pour tout ce qui dépasse l'œil. Il sent que la vibration est une chose réelle, il aime étudier tout ce qui touche le domaine de l'esprit, souvent pour son plaisir et pas nécessairement pour en faire un métier. Cette position indique souvent qu'il n'est pas vraiment à l'aise dans son foyer de naissance. On y parle beaucoup, mais on ne mène pas grand-chose jusqu'au bout. Possibilité également qu'il ait reçu de la mère un double message tout à fait contradictoire: d'un côté elle l'incite à vivre selon des principes de vie profonds, religieux souvent, et de l'autre, elle l'invite à ne se contenter que des apparences! Le natif peut s'y perdre quand il est jeune. Il peut vouloir une réussite sociale au détriment de sa vie émotive, puis, tout d'un coup, il décide de vivre selon sa vie intérieure et balancer le côté social! Il mettra un certain temps à faire le point. La Vierge est une nature réfléchie, le Taureau est lent à changer sa mentalité.

Sa quatrième maison, dans le signe du Lion, indique ici, surtout avec de mauvais aspects du Soleil et de la Lune, que le natif a pu vivre dans un foyer désuni. Il aura toutefois le plus grand respect pour ses enfants, mais il n'est pas si certain que ceux-ci lui en soient vraiment reconnaissants. Ça peut aller jusqu'à l'ingratitude de leur part, même quand il aura tout fait pour leur créer une vie confortable. Confortable, oui, mais peut-être aura-t-il oublié l'essentiel: donner de l'attention, de l'amour, de l'affection. Si le natif n'en a reçu que très peu lui-même, comment pourrait-il donner ce qu'il n'a pas eu? Mais à chaque génération une nouvelle ouverture d'esprit permet une évolution pour une meilleure qualité de vie.

Son Soleil se retrouve en cinquième maison. Possibilité que le natif se prenne pour quelqu'un de plus important qu'il ne l'est, qu'il supporte mal les refus, qu'il soit aveuglé par sa petite personne et son nombril! Il place souvent l'amour au centre de sa vie, mais pas n'importe quelle sorte d'amour: il veut qu'on l'adore! Ce n'est pas peu demander, n'est-ce pas? Il veut briller, être le point de mire. Quel que soit le milieu d'où il vient, il veut la première place là où il se trouve! Chez les mâles Vierge-Taureau, la dictature n'est pas exclue. Chez les femelles, la manipulation amoureuse pour obtenir sa sécurité n'est pas exclue non plus! Ce natif aura bien du mal à être fidèle dans sa relation amoureuse. Il a tellement besoin qu'on reconnaisse tous ses talents, sa force, sa majesté, qu'il lui faut parfois une personne en dehors de l'union régulière pour le rassurer un peu plus sur sa puissance féminine ou masculine. Ce natif ressemble à un Lion bien maladroit. Quand on vient au monde Vierge, on se doit d'être humble, et quand on offre une résistance à sa vraie nature, la nature se rebelle et ceux qui l'entourent finissent par l'exclure de leur vie.

Sa sixième maison est dans le signe de la Balance. Il peut gagner sa vie par des moyens vénusiens: la décoration, l'architecture, bâtiment quand même solide et pratique. Un moyen vénusien symbolise également l'amour. Alors il peut arriver que le natif fasse le trafic de ses charmes ou les utilise pour atteindre ses fins. Les scrupules pour gagner sa vie ne l'étouffent pas. Il rencontre souvent l'amour sur les lieux de travail et il sait fort bien séduire. C'est d'ailleurs une spécialité chez lui. En amour, il aime les personnes de prestige et bien nanties financièrement. Il n'aime pas vraiment payer pour les autres, sauf pour ses enfants. Il sait économiser l'argent qu'il gagne pour ne rien devoir à personne. Il a cet orgueil, et il ne voudrait pas se faire exploiter. Là-dessus il est méfiant. S'il est lui-même un employeur, il devra alors prendre garde s'il ne veut pas se faire exploiter par plus petits que lui. S'il travaille pour un autre, en position subalterne, il aura plus d'un tour dans son sac pour se hisser, un échelon à la fois! Avec de bons aspects de Vénus et de Mercure, il peut être fort doué pour l'écriture, les romans d'amour, par exemple.

Sa septième maison, celle des unions, dans le signe du Scorpion, fait qu'il recherche des partenaires passionnés du sexe et ayant le goût de l'amour physique. La bisexualité est possible, des aspects de Mars et de Vénus le précisent dans la carte natale. Souvent le mariage tourne au vinaigre. La relation se détériore jusqu'au point mort, au point de non-retour. Les femmes qui, en fait, recherchent tout d'abord une sécurité dans le mariage, se font souvent jouer un vilain tour. Leur partenaire, le plus souvent leur premier amour, est une sorte de beau parleur et d'exploiteur, et cela peut aller jusqu'à la violence. Pour les hommes, alors qu'ils ont voulu jouer au dictateur, la conjointe, n'en pouvant plus, quitte, demande le divorce et ça coûte cher à notre Vierge... Mais c'est souvent à partir de là que ce natif commence à changer son attitude dans la vie.

Sa huitième maison, dans le signe du Sagittaire, symbolise souvent une vie sexuelle double et une grande permissivité. Le natif se trouve toutes sortes de bonnes raisons pour se le permettre! Le Sagittaire étant le quatrième signe de la Vierge, il n'est pas rare que le natif ait vécu des choses étranges en rapport avec la sexualité dans son foyer naturel ou à cause de l'entourage familial. Avec de mauvais aspects, le natif a pu subir des assauts sexuels ou être témoin de scènes pas trop édifiantes en ce qui touche le monde de la sexualité.

Sa neuvième maison, dans le signe du Capricorne, apporte la grande sagesse à la maturité. Cette position peut permettre au natif de fréquenter des gens qui occupent un poste élevé au sein du gouvernement. Il a d'ailleurs l'œil pour reconnaître ceux qui ont du pouvoir. Il aura davantage le goût de voyager à la maturité. Un deuxième mariage peut survenir tard dans sa vie bien au-delà de la quarantaine. Les femmes de ce signe se sentiront toujours plus en sécurité avec un homme beaucoup plus âgé qu'elle. Les hommes, pour un second mariage, pourraient attirer une personne sage et qui leur donnerait de bonnes leçons sur l'art de bien vivre sans avoir besoin d'épater.

Sa dixième maison, dans le signe du Verseau, symbolise une carrière uranienne, et les aspects d'Uranus dans la carte natale spécifient jusqu'où le natif se rendra. Il aimera le contact avec la foule et il est possible qu'il travaille avec des groupes de gens. Bien qu'ils aient l'air traditionnels, ces natifs ne le sont pas toujours. Ils ont leur petit brin de folie qui, parfois, peut aller jusqu'à la phase dépressive dont ils sont capables de se relever plus aisément que beaucoup d'autres signes. Cette dixième maison, dans le signe du Verseau, permet différents types de carrières, artistiques ou théâtrale, par exemple. La radio, la télévision, le cinéma offrent également des possibilités. La machine moderne peut être un gagne-pain et, par la voie d'Uranus, l'électricité, les ordinateurs. L'esprit, je l'ai dit, est brillant, mais il y manque parfois un équilibre émotionnel que le natif finira par acquérir au cours des différentes expériences que lui réserve la vie. La Vierge étant le huitième signe du Verseau et le dixième de l'ascendant Taureau, cela indique que la sexualité est parfois débridée. Une Vierge qui n'a pas reçu de grandes directives morales dans sa jeunesse peut s'adonner à la prostitution pour gagner sa vie. Le plus souvent le natif tiendra très secret ce volet de sa vie. Cette même position qui entraînerait le sujet à la prostitution peut également provoquer un trouble mental profond.

Sa onzième maison, dans le signe du Poissons, lui procure des amis qui viennent de tous les milieux. Et si de mauvais aspects de Neptune et d'Uranus apparaissent dans sa carte natale, il pourrait bien se retrouver en face de gens qui ont un penchant pour le banditisme, la drogue, l'alcool, bref des amis qui ne lui procureraient qu'illusions et déceptions. Ce natif sait s'adapter facilement et on n'a pas de problème lorsqu'il s'agit de le changer de milieu. Il suffit qu'il fréquente les bonnes personnes pour qu'il soit alors lui-même mieux qu'elles. La Vierge a un grand sens du dévouement. Les bons aspects de la onzième maison pourraient indiquer qu'elle serait portée à vouloir sauver l'humanité et tous ceux qui sont dans l'embarras.

Sa douzième maison, dans le signe du Bélier, est la maison de l'épreuve. Fort heureusement, les épreuves peuvent être de courte durée, et le sujet aura toujours la chance de se sortir des mauvaises situations. Il pourra même, au cours des ans, vivre une transformation totale de son être au point que ceux qui l'ont connu ne le reconnaîtront plus tellement il aura changé. Le Bélier représente la tête, ce qui fait que l'épreuve en est souvent une de l'esprit. Mal penser, c'est mal vivre, vivre dans la peur, c'est faire échouer ses rêves. Le ciel le protège et lui facilite des rencontres qui lui permettront s'il vit mal, de se réformer, de faire peau neuve. L'ascendant Taureau lui permet de conserver une apparence jeune et lui donne le goût de se sentir jeune. Même s'il traversait toute une série d'épreuves il s'en sortirait avec un minimum de cicatrices!

VIERGE ASCENDANT GÉMEAUX

Nous avons ici une personne susceptible de troubler la paix, de critiquer tout ce qui lui tombe sous l'œil ou sous la dent. La Vierge se doit de détailler et d'expliquer.

Nerveuse, elle rit même pour rien, comme pour se soustraire à elle-même, pour ne pas entendre ses propos angoissants, ne pas leur faire face, les ignorer! Peut-être lui a-t-on dit que son rire sonnait faux! Elle pleure aussi très souvent en silence. Quelqu'un l'a remarqué, elle ne trompe pas tout le monde! Et elle ne voudrait pas se tromper elle-même, elle cherche, elle va de gauche à droite chercher de l'information.

En réalité, cet être doute continuellement de lui. Fait-il vraiment l'affaire au travail ou bien le garde-t-on par pitié? Si jamais la dernière supposition était vraie, cette personne pourrait avoir une violente réaction vis-à-vis de son employeur. Son partenaire l'aime-t-il sincèrement ou passe-t-il son temps à la tromper? Elle peut même ajouter que c'est tout ce qu'elle mérite, car non seulement elle critique, mais elle se critique aussi beaucoup. Il me semble qu'il y a mieux à faire, et puis à force de s'entraîner à la critique on finit par se rapprocher de la haine, et ça ce n'est vraiment pas joli! La raison dans ce double signe de raison vient toujours à la rescousse.

Les projets que ce natif entreprend sont toujours originaux, complexes, coûteux, mais ils voient rarement le jour ou alors à demi! Œuvre inachevée! Obstacles venant de l'extérieur ou alors le natif a manqué de précision.

Nous avons ici un double signe double, un d'air, l'autre de terre. Si ça ne va pas sur terre, on s'enfuit en l'air, on se remet à rêver, on prend l'avion, on fait un voyage, on change le «mal» de place, ce qui dans la vie ne change pas grand-chose, le mal reste le mal, même quand on l'a changé de place!

La Vierge-Gémeaux a un grave problème: elle ne se donne pas le droit de réussir, comme si elle préférait jouer le rôle de la victime. Mercure lui donne à la fois la puissance et le doute de cette même puissance, il lui donne des élans auxquels elle se met à réfléchir au point de freiner l'action. Personne intelligente, régie par Mercure comme le Gémeaux, ce ne sont pas les idées qui manquent à la Vierge, c'est la confiance. La confiance s'acquiert en se la souhaitant d'abord à soi-même! On se félicite pour les bons coups sans se dire qu'on aurait dû faire mieux, c'est le premier pas à faire pour sortir de cet engrenage de signe double, et puis, si vous commencez ce jeu, vous vous rendrez compte que vous êtes quatre à vous faire des félicitations, et bientôt vous serez prêt à vous accorder une ovation debout!

Et entre le cœur et les intérêts, choisissez le cœur, vous y trouverez un plus grand bonheur! Ou alors trouvez l'équilibre, le juste milieu, vous le pouvez, vous êtes le maître de la réflexion! Double signe de Mercure, double signe de messagers, vous avez tant appris, tant accumulé de connaissances que vous avez le devoir d'en informer ceux qui savent moins.

Sa deuxième maison, dans le signe du Cancer, lui procure parfois de l'argent par l'entremise du foyer. Il arrive aussi que l'éducation que ce natif a reçue en soit une qui mise uniquement sur le confort matériel et le sens de la propriété. Il sera très attaché à sa famille, à son lieu de naissance, et il pourrait même dépendre longtemps de l'opinion du clan familial. Il n'est pas rare non plus qu'il y ait une entreprise familiale à laquelle il participe. Ses amis seront importants, il les considérera comme des membres de sa famille.

Sa troisième maison, dans le signe du Lion, lui donne une facilité de parole et une grande force de persuasion, malgré ses doutes. Le natif aime les idées à la mode, les idées innovatrices, d'avant-garde, tout en voulant rester fidèle à la tradition. Il a le goût du théâtre. Il peut être fortement attiré par un travail d'écriture artistique, et naturellement, comme il est du signe de la Vierge, ce qu'il écrira devra viser à desservir la masse, un groupe, un clan. Doué pour les spéculations qui «lui» rapportent, il se peut que, de temps à autre, il oublie de tenir compte que les autres ont aussi leurs besoins. Ce natif peut avoir deux vérités: une qui plaît, qui flatte, et l'autre qui correspond à la réalité! Il n'a pas l'intention de mentir au départ, mais il ne veut surtout pas s'aliéner l'entourage à cause de ses opinions personnelles qui ne sont peut-être pas celles de la majorité.

Son Soleil, dans sa quatrième maison, le rend habile dans les négociations immobilières. Il est fort probable qu'il s'intéresse de près à la politique, surtout celle qui protège ses intérêts financiers. Ce natif déploie sa sensibilité quand elle concerne le bien-être de sa famille. Ses enfants prennent souvent la première place dans sa vie et le poussent à l'action. En fait, on ne prêche que par l'exemple. Il le fait sans même y penser. Il ne s'est pas rendu compte que, quand il passe à l'action, c'est peut-être bien le fruit de quelques années de cogitation, d'un remue-ménage intérieur, d'une recherche qui le pousse à vivre au-dehors, au service de la société. La Vierge est une personne disciplinée qui impose sa discipline par l'exemple et par la parole. Le plus souvent elle possède un vocabulaire persuasif, logique, capable de faire abstraction des sentiments dans des situations qui l'exigent, seulement elle peut tout aussi bien faire le contraire à l'occasion! Mais il est impossible à tout humain de vivre longtemps sans le support de l'émotion qui, en fait, anime le fond même de l'âme humaine.

Il y a chez ce natif une sorte de contradiction: d'un côté il réfléchit et voudrait tout simplement n'être que le témoin des mouvements sociaux, puis tout à coup, vu sa double nature mercurienne, il faut qu'il parle, qu'il prenne la parole, qu'il occupe une place, une place importante, une place de chef. Le destin, avec de bons aspects de la Lune et de Mercure, peut lui donner le pouvoir d'influencer la masse par les écrits et la parole.

Sa cinquième maison, dans le signe de la Balance, lui fait désirer une vie artistique. Le choix peut se faire très tôt avec de bons aspects de Vénus et de son Soleil. Il désire ardemment l'amour mais un amour parfait, équilibré, raisonnable. L'amour au fond survit complètement en dehors de la raison, et c'est souvent quand on ne trouve aucune raison d'aimer quelqu'un qu'on y est alors profondément attaché. Ce natif sera souvent attiré par les partenaires qui œuvrent dans le milieu artistique ou dans le milieu juridique. Il attire les partenaires qui parlent beaucoup...

Sa sixième maison, dans le signe du Scorpion, troisième signe de la Vierge, lui fait se demander pourquoi, comment, où, avec qui, et encore pourquoi! Ce natif est, en fait, un véritable détective. Il aime la vérité, même s'il peut se laisser prendre par les apparences, la position des maisons lui permettant de vivre une évolution qui lui fera rechercher la vérité, et parfois en «grandissant» il négligera totalement «l'usage de l'emballage des mots» et on le croira alors «non diplomate», dangereux! Personnalité double, aux multiples possibilités, qui peut se livrer à plusieurs jeux, ne sachant de quel côté il doit pencher le plus. Le temps joue en sa faveur, il finit par être lui-même et se faire une place officielle dans un monde officiel.

Sa septième maison, dans le signe du Sagittaire, risque de provoquer une rupture, surtout quand il y a eu mariage dans la jeunesse alors que le natif penche du côté du plus fort, du plus beau parleur, qu'il traverse une phase où il est impressionnable, où les réflexions n'ont pas encore atteint la maturité. Ce natif a tout d'abord besoin d'une grande sécurité, tant matérielle qu'émotive. Aussi est-il fort probable qu'au moment où il choisit un partenaire, ce dernier lui donne une impression de force quasi surhumaine (comme quelqu'un qui choisit presque un menteur). Le conjoint peut être d'une nature forte, au point que le natif peut se sentir, du moins pendant un certain temps, sur un pied d'inégalité pour ne pas dire d'infériorité, jusqu'à l'heure du réveil, de la révolte! Il faut de très bons aspects de Vénus et de Jupiter pour que le mariage tienne!

Sa huitième maison, dans le signe du Capricorne, symbolise de profondes transformations à la maturité, vers la quarantaine pour les uns et la cinquantaine pour d'autres, tout dépend des aspects de Saturne, de Mars et de Pluton. Encore une fois cette position peut inciter le natif à s'occuper de politique. Son action sera centrée sur le monde de l'argent, de la finance, sur ce qui garantit sa sécurité. Mais comme il vieillit en étant préoccupé par autrui, il peut fort bien alors se poser des questions sur la sécurité sociale et même appartenir à un mouvement dit politique ou à une association visant la protection d'un groupe de personnes. Ayant sa huitième maison dans le signe du Capricorne, en bons aspects avec la Vierge, il peut vivre fort longtemps et avoir beaucoup à raconter à ses petits-enfants, s'il ne l'a pas écrit!

Sa neuvième maison, dans le signe du Verseau, lui permet de se faire des amis haut placés, surtout ceux qui appartiennent au monde de la communication, ou au monde de la médecine puisque le Verseau est le sixième signe de la Vierge. Ce natif, surtout vers la quarantaine, parfois plus tôt avec de bons aspects de Mercure et d'Uranus, s'intéressera au domaine de la santé. Avant cet âge, il pourra œuvrer dans ce secteur, en tant qu'infirmière ou médecin. Tout comme cette position indique son intérêt pour tout ce qui touche les affaires sociales.

Sa dixième maison, dans le signe du Poissons, qui lui fait face sur la roue astrologique, indique des traîtrises possibles sur le plan de la carrière. Le natif s'élève, puis tout à coup il fait une chute dont les causes remontent loin... les ennemis ne se faisant pas connaître et faisant exécuter leur travail par d'autres. Il pourra également soupçonner beaucoup de gens de lui en vouloir, à tort ou à raison, tout dépend des aspects de Neptune et de Saturne. Il peut parfois développer des peurs allant jusqu'à la phobie ou la folie si de mauvais aspects de Mercure et de Neptune interviennent sérieusement. Il voudra à un moment de sa vie, et peut-être très tôt, tout dépend des influences qu'il aura vécues dans son enfance et qui sont représentées par la quatrième maison, sauver l'humanité en ne sachant pas par où commencer.

Sa onzième maison, celle des amis, dans le signe du Bélier, signe martien, lui procure souvent des amis dynamiques. Comme le Bélier est le huitième signe de la Vierge, ces mêmes amis peuvent pousser le natif à suivre telle voie plutôt que telle autre. La pression pourra être très forte sur lui et les aspects de Mars et d'Uranus nous indiquent s'il reçoit ou non de bonnes influences. Il a de nombreux amis, mais qui peuvent disparaître soudainement, être remplacés par d'autres, et voilà que notre natif change de cercle d'influence... La carte nous indique encore une fois si c'est bon ou mauvais.

Sa douzième maison, dans le signe du Taureau, symbole d'argent, douzième signe de son ascendant, indique de l'argent parfois difficilement gagné, gagné étrangement ou provenant de source cachée et dont le natif bénéficie. Le Taureau étant un signe de Vénus, l'amour, l'épreuve peuvent donc venir de ce côté, mais comme le Taureau entre en bons aspects avec la Vierge, il y a de grandes chances que le natif puisse vivre une vie amoureuse remplie, mais qui comportera une intrigue, une énigme, un mystère, sans qu'il ait par contre à en souffrir.

VIERGE ASCENDANT CANCER

Voici une personne bien aimable, qui fera tout ce qu'elle peut pour vous être agréable. Elle a du mal à vivre seule, cette Vierge. Elle a un trop-plein d'affection à donner et un grand besoin de recevoir.

Elle est timide et il est facile de lui donner des complexes pour qu'elle se referme complètement sur elle-même.

Cet être s'épanouit dans un milieu où il apprend à avoir confiance en lui-même. La famille est importante. Née dans une bonne famille, cette Vierge a toutes les chances du monde de réussir sa vie.

Ce signe est très influençable. Il s'agit d'un mélange d'eau et de terre. Vous pouvez avoir une terre fertile ou boueuse, noyée dans les émotions! Il lui faut éviter toute mauvaise fréquentation, ou de côtoyer un milieu louche, juste pour faire plaisir car elle serait capable de donner son accord – dans un vol à main armée – j'exagère un peu – mais si peu. Le milieu moule ce signe en bien ou en mal.

Un milieu d'alcooliques, de drogués, l'invitera à prendre cette route. Ce signe résiste mal aux tentations.

L'intelligence ne manque pas. Quand il est jeune, vous le verrez souvent premier de sa classe. Il est attentif et travailleur et se plie facilement aux règlements. Mais si on ne sait pas apprécier les efforts qu'il fait, il abandonnera! Vierge-Cancer fait un bon comptable, c'est aussi un imaginatif qui peut exceller dans un art manuel, un art qui rejoint une utilité. Les Vierge ont toujours besoin de se sentir utiles.

Sa deuxième maison, dans le signe du Lion, lui fait désirer un grand confort matériel. Ce natif aime le beau et il a bien du mal à regarder le prix quand il s'agit de se faire plaisir. Comme le Lion est aussi le douzième signe de la Vierge, il arrive que ce natif trouve qu'il n'en a jamais assez, qu'il lui en faut beaucoup pour se sentir en sécurité. Et s'il réussit à en avoir beaucoup, il se sentira encore craintif, il n'en a jamais assez. Il lui arrive de confondre l'amour et l'argent. Par exemple, il aura bien du mal à aimer quelqu'un uniquement pour ses qualités de cœur! Il faudra aussi que la personne de son cœur soit pourvue financièrement et qu'il soit certain qu'on ne lui empruntera pas quoi que ce soit, ce qui pourrait mettre sa propre sécurité en péril. Sensible, il l'est également lorsqu'il s'agit de sa survie, de son bien-être. Il arrive qu'il gagne son argent dans un milieu artistique ou lié aux arts. Ce natif peut être fort habile dans les spéculations à la Bourse.

Son Soleil se trouve dans la troisième maison. Le natif parle beaucoup ou bien il s'enferme dans de longs silences. S'il se sent en confiance avec vous, vous saurez tout de sa vie, de A à Z! Il lui arrive de ne pas toujours dire la vérité! Mais il ne le fait pas pour mentir, il ne veut pas contrarier, il veut faire plaisir, il veut être diplomate. Il donne souvent raison au dernier qui a parlé. Il aimera la lecture qui éveillera sa connaissance et lui permettra de se faire des opinions bien à lui. Il aimera le contact avec le public. Il peut faire un excellent vendeur. Doué pour ce qui touche les relations publiques, il sait faire plaisir à chacun, le laisser dire ce qu'il veut et il ne va pas le contredire...

Sa quatrième maison, dans le signe de la Balance, lui procure un foyer qui peut être superficiel. L'entente n'est pas certaine avec la mère du natif. La Vierge respecte sa créatrice, mais n'est pas nécessairement d'accord avec elle et elle aura beaucoup de mal à s'opposer! Il peut arriver que ce natif se marie pour avoir son foyer à lui. Peut-être bien que là on respectera ce qu'il est, ce qu'il dit. La mère du natif est souvent une personne autoritaire qui place son fils en état d'alerte intérieurement; il ne peut répondre, mais il est blessé, et parfois les cicatrices sont longues à guérir.

Sa cinquième maison, dans le signe du Scorpion, les amours, laisse entendre que rien n'est vraiment facile. Il arrive même que le natif se laisse prendre dans une histoire sentimentale qui tourne au drame, qui est compliquée. Il en souffre, mais il n'ose pas quitter. Il a peur de se retrouver seul. Il ne devrait jamais laisser une tierce personne s'infiltrer dans sa vie de couple pour leur donner des conseils. Personne ne peut se mettre réellement à la place de l'autre. Il arrive que ce natif vive quelques épreuves à cause de ses enfants quand il en a. Il peut, sans le vouloir, les étouffer d'amour, les empêcher de s'épanouir selon leur vraie nature, selon ce qu'ils sont.

Sa sixième maison, celle du travail, de la maladie également, invite le natif à évoluer dans divers secteurs de Jupiter et de Mercure: technicien dans le milieu du cinéma, dans une organisation artistique, secrétaire pour un groupe de gens particuliers, originaux même. Cette sixième maison, qui est le quatrième signe de la Vierge, peut permettre au natif de trouver du travail par l'entremise d'un membre de sa famille. De mauvais aspects de Jupiter et de Mercure dans la carte natale peuvent provoquer de fréquents changements d'emploi ou alors un travail qui oblige à de nombreux déplacements. Ce natif a tout intérêt à surveiller son alimentation. Il peut facilement développer chez lui des problèmes de foie. Il pourrait mal s'alimenter parce qu'il est du genre nerveux et qu'il «mange n'importe quoi»! Puis tout à coup vous le verrez suivre un régime sévère qu'il aura du mal à poursuivre longtemps.

Sa septième maison, celle du partenaire, dans le signe du Capricorne, l'invite à s'associer à des personnes nettement plus âgées que lui, qu'il soit homme ou femme. C'est finalement un moyen de trouver la sécurité et la protection dont il a tant besoin pour évoluer.

Si, à tout hasard, ce natif, comme beaucoup d'autres, venait à se marier trop jeune, il pourrait choisir une personne autoritaire, comparable finalement à l'autorité familiale, mais de qui il ne recevrait pas beaucoup de déclarations d'amour, ce qui pourrait l'amener à vouloir s'éloigner, à aller même jusqu'au divorce, mais il lui faudra du courage pour prendre une telle décision! Sa nature sensible a grand besoin de sécurité, et s'il a appris que l'amour est douleur, il pourrait mettre longtemps avant de partir et de se lancer à la recherche du véritable bonheur.

Sa huitième maison est dans le signe du Verseau. La huitième étant le symbole des grandes transformations et le Verseau, symbole du divorce, le sixième signe de la Vierge, la vie du natif peut se trouver transformée par un nouveau travail. Il doit surveiller ses relations sexuelles avec une personne de son milieu de travail, ce qui, par voie de conséquence, pourrait aboutir à un important changement dans sa vie. Les aspects d'Uranus, de Mars et de Pluton dans sa carte natale nous indiquent si ces changements lui seront profitables ou non. Cette position indique également que le natif est sujet à vivre des peurs profondes et parfois il aura besoin de secours extérieur pour s'en sortir. La sexualité exerce sur lui un puissant attrait vers «l'essai», il se peut qu'il soit attiré par la bisexualité. Des aspects de Vénus et d'Uranus dans sa carte natale peuvent le confirmer. Sa circulation sanguine est à surveiller, il a grand besoin d'exercices pour équilibrer son corps.

Sa neuvième maison, dans le signe du Poissons, le signe qui lui fait face, le porte parfois à trouver une évasion dans la religion. Il subit facilement l'influence des bons prêcheurs qui sauront le manipuler, même financièrement, une fois qu'il aura donné son consentement. S'en remettre à Dieu, c'est très bien, mais à un Dieu qui demande sans cesse de l'argent, ce n'est pas «catholique»! Si on lui propose l'adoration d'une statue, ce n'est toujours qu'une statue. Dieu n'est pas uniquement dans les églises ni au milieu de sectes, il est partout, il est omniprésent, et il n'a pas vraiment besoin d'une chapelle... Mais pas de cours de morale! La Vierge-Cancer se laisse prendre à des sornettes, son besoin d'appartenir à une famille est si grand, si impérieux, qu'elle se laisse séduire par les belles promesses, surtout si le foyer de naissance ne lui a pas appris le discernement entre le bien et ce qui paraît l'être.

Sa dixième maison, dans le signe du Bélier, lui fait désirer d'accéder très rapidement à des postes de patron, et notre Vierge est impatiente de ce côté, elle a un vif désir de pouvoir, de domination, de contrôle. C'est pourquoi elle est souvent habile dans un emploi de comptable, cela lui permet de contrôler, en partie du moins, un monde d'argent, de finances. Elle aime se donner une impression de puissance. Elle se sécurise. La chance peut survenir effectivement et elle peut obtenir un poste important, mais elle aura ensuite à faire ses preuves.

Sa onzième maison, dans le signe du Taureau, lui fait préférer naturellement les amis riches, ceux qui ont les moyens, ceux qui vivent au-dessus de la moyenne. La plupart du temps, ce désir est satisfait, mais il n'apporte qu'une mince sécurité à la Vierge. Ce ne sont pas les amis qui feront sa fortune, quand même! Avec de mauvais aspects d'Uranus dans sa carte natale, les amis pourraient lui coûter cher! Surprise, ils n'étaient venus que pour se faire nourrir! La Vierge est de service et le côté Cancer a à cœur de faire plaisir pour se faire aimer. Le motif n'est pas mauvais en soi, mais la vraie générosité consiste à n'avoir aucun calcul! Et cela, c'est bien difficile pour une Vierge.

La douzième maison est dans le signe du Gémeaux. Cette dernière étant le symbole de l'épreuve dans un signe de Mercure, il arrive que notre Vierge fasse une dépression! Mais c'est souvent de cette manière qu'elle apprend à être plus forte, à mieux croire en elle-même, qu'elle cesse de penser que les autres feront son bonheur. Il lui arrivera de rencontrer des gens à qui elle se confiera sur-le-champ. Ils l'impressionneront, mais ils ne lui auront pas dit toute la vérité au sujet de ce qu'ils attendaient d'elle. Elle apprend lentement à discerner le vrai du faux. Au départ, elle est naïve comme une enfant, mais elle peut aussi se raconter des histoires comme les enfants et se gaver d'illusions mensongères. Voici un proverbe japonais sur lequel la Vierge-Cancer devra réfléchir pour éviter qu'on ne la trompe, pour éviter la souffrance... «Quand le caractère d'un homme te semble indéchiffrable, regarde ses amis.» Le langage biblique utilise: «Dis-moi qui tu fréquentes et je te dirai qui tu es». Quand on se fait de nouveaux amis, du moins le croit-on, il faut alors regarder ce qu'ils sont. Cela peut être d'une aide précieuse pour reconnaître la personne elle-même.

VIERGE ASCENDANT LION

Voici une Vierge un peu plus compliquée que la précédente. Elle est susceptible. On fait une moquerie et tout de suite elle croit que c'est pour elle. N'est-ce pas un peu égocentrique de croire qu'on s'adresse toujours à elle?

Elle se laisse parfois tromper par les apparences et croit que tout ce qui brille est or, jusqu'à ce qu'elle fasse la preuve elle-même que ce n'est pas toujours vrai!

Le Lion est un signe fixe, la Vierge, un signe double, mutable. Le Lion entraîne la Vierge dans des aventures audacieuses, la pousse à se placer devant, à obtenir un premier rôle, et quand elle l'obtient, elle se demande si c'est vraiment là sa place ou si elle n'a pas commis une erreur!

L'amour c'est compliqué avec ce signe. Un jour, cette Vierge aime passionnément, ne trouve que des qualités au partenaire et s'emballe comme un feu de Lion. Le lendemain, un peu plus Vierge, elle trouve que le partenaire n'est plus tout à fait ce qu'il était la veille. Elle a réfléchi à ses imperfections. Elle les grossit; et à force de ne trouver que le détail désagréable, ce détail finit par engendrer un drame et même un sujet de rupture! S'il y a un sérieux sujet de rupture, elle pourrait décider de tout mettre en œuvre pour que ça marche de nouveau!

Le mariage est plus souvent «de raison» qu'il n'est une impulsion du cœur, question de prestige, d'avancement, d'avantages financiers, ou désir d'oublier un choc, de fuir un foyer...

Habile calculatrice, elle sait imposer avec plus d'autorité que les autres Vierge ses droits dans les questions de contrat, dans les associations. Rationnelle, logique, elle réussit bien dans les entreprises commerciales, et les contrats à long terme sont à son avantage.

Une Vierge-Lion ne vous fera plaisir qu'après que vous aurez fait quelque chose pour elle, autrement elle ne s'offrira pas à vous aider, à moins que vous ne soyez dans un besoin proche de l'agonie. Son grand défaut, c'est d'arriver au secours de l'autre quand il n'en peut vraiment plus, elle a alors l'honneur de dire qu'elle vient de sauver une vie! Cœur de Lion est ravi des applaudissements!

Comme toute Vierge, vous passez au peigne fin avec elle. Elle vous détaille dans vos moindres replis et, à la moindre alerte, au plus léger soupçon, elle se méfiera de vous!

Avec un ascendant Lion, la recherche du pouvoir est grande, ce pouvoir qui lui permettra de briller, d'être admirée. Les Vierges sont souvent des quêteuses d'amour, mais avec l'ascendant Lion, elles le réclament avec éclat!

Le Soleil se trouve donc dans la deuxième maison, maison de l'argent, la deuxième représentant un signe de terre, le Taureau, régi par Vénus, les contrats, l'amour également, mais cette position étant essentiellement faite de terre, nous avons là une personne calculatrice, prévoyante, astucieuse quand il s'agit de ses finances, débrouillarde pour gagner beaucoup d'argent. Elle ne veut pas dépendre de qui que ce soit, elle a de l'honneur. Cela cache également son goût du pouvoir, et chacun le sait, présentement dans ce monde le pouvoir c'est l'argent, et il appartient à ceux qui en ont. La Vierge, pratique dans son signe de terre, intelligente, régie par Mercure, sait quel moyen il lui faudra prendre pour arriver au pouvoir. La Vierge-Lion fait une excellente administratrice, une bonne organisatrice. Elle attire la sympathie et, le plus souvent, le caractère de Vénus de par la deuxième maison lui donne une belle apparence physique, ce qui est toujours utile pour entrer en contact avec autrui. N'a-t-on pas plus envie de regarder et d'écouter une personne belle qu'une autre qui l'est moins! Ce natif aura du goût pour s'habiller. Il sait exactement ce qui convient à un moment ou à un autre, ce qu'il faut porter. Tout dépend du client, mais il sera ravi, presque conquis. Cette position solaire en fait un bon travailleur, les longues heures ne le rebutent pas, il peut y mettre beaucoup d'énergie quand il s'agit de soigner ses intérêts. La Vierge a pour objectif de se rendre utile, c'est fondamental chez elle. Cette position du Soleil en deuxième maison lui dit que l'on doit payer ses services. Elle saura donc discuter d'argent en toute confiance, son ascendant Lion lui donnant l'assurance qu'elle vaut cher! Et effectivement, cette certitude se répand, on la paie bien et on l'admire de bien se faire payer. Le pouvoir, c'est l'argent, surtout en cette fin du XXe siècle.

Sa troisième maison, dans le signe de la Balance, lui donne une intelligence vive, capable d'apprendre n'importe quoi. La Balance étant le deuxième signe de la Vierge, ce n'importe quoi devra cependant rapporter quelque part. Cette Vierge sera attirée par les carrières artistiques, le monde des communications. Elle a un grand besoin à la fois de discuter de ses connaissances et d'apprendre tout ce qui lui est permis de savoir. L'esprit n'est pas obtus. Au contraire, il est largement ouvert. La Vierge aime parler, échanger. Elle aime aussi impressionner, être originale. D'ailleurs, elle n'est jamais banale. Son ascendant Lion la pousse à se distinguer de la masse et elle y arrive souvent. Cette position crée un léger défaut qui peut finir par agacer les personnes qui la côtoient régulièrement.

Vierge-Lion est à l'écoute. Elle est attentive à ce que vous lui dites. Elle retient par cœur la leçon, si ce que vous lui apprenez est utile. Voilà qu'un peu plus tard le sujet en question revient dans une conversation avec une personne qu'elle veut impressionner. Elle utilisera vos réflexions, vos leçons, comme étant siennes. Et si vous en êtes témoin, vous ne pourrez l'arrêter. Si c'est vous qui lui avez appris ce qu'elle sait, au fond d'elle-même elle est persuadée que c'est elle qui a découvert ce que, en fait, elle ne fait que répéter. Le symbole de la Vierge, c'est l'humilité, mais avec un ascendant Lion, c'est plus difficile à concevoir. Le temps fait son œuvre.

Sa quatrième maison, dans le signe du Scorpion, représente la mère, le foyer. Il arrive que ce natif soit puissamment encouragé par la mère à se dépasser, à donner une preuve évidente de sa compétence. Le Scorpion étant un signe de destruction, tout autant que de reconstruction, une partie de la vie du natif peut être vécue sous la dépendance psychique de la mère, sans même qu'il s'en rende compte. Le Scorpion étant le troisième signe de la Vierge, la mère poussant le natif à apprendre toujours plus, provoquera naturellement une ouverture d'esprit peu commune. L'autre côté, plus sombre, c'est que le Scorpion peut susciter des états dépressifs que le natif devra surmonter. Sans, encore une fois, s'en rendre compte tout à fait, comme un moyen de survie il voudra quitter son lieu de naissance le plus tôt possible ou s'en éloigner. Le signe du Scorpion étant en bon aspect avec la Vierge, le natif aura eu raison de quitter son foyer pour ne pas se laisser absorber ni influencer... quitter avant de ne plus se reconnaître.

Sa cinquième maison, les amours, dans le signe du Sagittaire, provoque parfois un éparpillement amoureux. Le goût de la conquête n'est pas absent. Il arrive aussi que les amours ne durent que le temps d'une rose. Le natif a envie de passion, puis tout à coup il se ravise... «Je suis Vierge, donc raisonnable.» Dans sa jeunesse le natif peut connaître quelques déceptions. Il voit grand, il idéalise son partenaire, mais n'a souvent qu'une vue de surface. Cependant, cette Vierge avait cru découvrir le grand amour. Parfois c'était son premier... elle n'oubliera pas rapidement. Pour se distraire, elle partira vers une nouvelle conquête. Cette cinquième maison est aussi celle des enfants, position qui peut laisser entrevoir un enfant conçu à l'étranger ou bien que le natif aura un intérêt marqué pour les enfants étrangers. Cœur de Lion et service de Vierge éprouvent une forte attirance à l'endroit de ceux qui souffrent, mais qui habitent loin du lieu natal. Ils voudraient les sauver. La Vierge et le Lion étant souvent des signes de stérilité (naturellement cela doit être confirmé par les aspects de la carte natale) cela pousse le natif à adopter des enfants venant de pays lointains.

Sa sixième maison, celle du travail, dans le signe du Capricorne, lui donne du sérieux dans l'engagement face à ses responsabilités. Ce natif peut travailler pour un gouvernement ou pour une entreprise bien établie, ce qui garantit la sécurité d'emploi. Le Capricorne étant le cinquième signe de la Vierge, tout en étant ici le sixième par rapport à l'ascendant, confirme encore une fois que cette Vierge peut être fortement attirée par un travail artistique, ou du moins une entreprise marginale où peu de gens s'aventurent. Vierge-Lion se donnera entièrement à son œuvre quelle qu'elle soit. Elle aime relever les défis et il ne faut pas oublier que l'ascendant Lion adore les applaudissements!

Sa septième maison, symbole du conjoint, de l'union, se retrouve dans le signe du Verseau, également le sixième signe de la Vierge. Il arrive souvent que le natif rencontre l'âme sœur dans l'entourage de son travail. Il recherchera un partenaire qui évolue dans un domaine uranien (Verseau), électricité, espace, ondes radio, télévision, ordinateurs, peut-être même médecine d'avant-garde, philosophie nouvelle sinon révolutionnaire. Cette Vierge-Lion aime se distinguer et exige de son partenaire qu'il se distingue aussi! Elle aura davantage de respect pour lui s'il occupe un poste plus en vue que le sien (qu'il s'agisse d'un homme ou d'une femme, j'emploie le «elle» pour Vierge). Elle aimera un partenaire original, qui parfois opposera une résistance à ses idées, ce qui lui fournira une occasion de plus pour discuter. La Vierge aime parler, elle est régie par Mercure, qui maîtrise le langage tant écrit que parlé. Avec de mauvais aspects d'Uranus dans la carte natale, le mariage peut être menacé. Il est souvent préférable que la Vierge-Lion vive en union libre, sans contrat. L'union peut durer plus longtemps ainsi. Le Verseau symbolisant le divorce, il s'agit d'un signe fixe, alors le natif peut parfois supporter de longues années de mariage avant de se décider à une rupture officielle. La Vierge préfère les cadres, l'organisation (une vie à deux s'organise financièrement) et le Lion à l'ascendant qui supporte bien mal une rupture, car il symboliserait alors pour la Vierge un échec à la fois sentimental et social. Et puis qu'est-ce que les gens vont dire?

Sa huitième maison, celle des transformations, se trouve dans le signe du Poissons. Celles-ci se font à partir des couches profondes du subconscient. Ce natif, à un moment de sa vie, ressent un grand besoin d'appartenir à Dieu. Il reconnaît qu'il n'est pas totalement maître de toutes les situations et qu'il a parfois poursuivi un but égoïstement, sans tenir compte des besoins d'autrui. Il arrive à la Vierge-Lion de vivre sa religion en se livrant à des rites qui n'ont rien de personnel, et voilà qu'elle se rend compte que Dieu ne répond pas à ses prières! Dieu n'est pas une personne à qui on envoie des lettres avec un timbre-retour! Dieu, en fait, c'est l'omniprésence et la reconnaissance de l'étincelle divine en chaque être qui vit. Quand la Vierge-Lion reconnaît enfin cette étincelle divine en chaque humain, qu'elle respecte tous ceux qui vivent sans s'insurger contre les différentes classes sociales ou religieuses, elle se libère. Ce processus de transformation ne se fait pas aisément, surtout quand on est si près de la matière, de sa propre matière. Se donner, c'est se libérer de soi, ne plus appartenir ni à soi ni à personne, c'est ne plus être raciste au sens large du mot.

Sa huitième maison est aussi celle de la sexualité. Le signe du Poissons étant celui de l'infini, de la totale liberté, de la divinité tout autant que de l'élasticité morale, le Poissons étant également le signe opposé de la Vierge, il arrive que la Vierge-Lion vive ses relations sexuelles tantôt avec une grande liberté, tantôt dans la plus totale abstinence. Il lui faut faire le point sur elle-même, ne pas se laisser influencer par la morale des uns et des autres, qui convient à l'un et pas à l'autre. Pour résumer, tantôt elle joue les «bigotes et les dames patronnesses», et tantôt, «les filles légères, les femmes faciles»! Être soi demande une grande réflexion et le seul véritable point d'appui c'est le moi profond.

Sa neuvième maison, dans le signe du Bélier, symbolise la philosophie, la religion, les voyages, la politique. Également la huitième maison du signe de la Vierge-Lion, cela symbolise que les voyages sont souvent décidés précipitamment, qu'ils sont à l'origine de la transformation de cette Vierge. Possibilité qu'un éveil se fasse loin du lieu natal. Elle peut y mettre toutes ses idées en place et sera prête parfois à donner une autre orientation à sa vie. Cette neuvième maison, dans le signe du Bélier, indique aussi que, sur les plans religieux et philosophique, le natif se contente d'explications enfantines et se laisse convaincre par celui qui parle le mieux, le plus fort et qui offre d'une certaine façon le paradis si l'on s'engage dans la foi qu'il loue. La Vierge doit être vigilante face aux faux prophètes et aux idoles qu'on lui propose d'adorer. Elle ne doit pas se laisser leurrer par les apparences. Vierge étant signe de réflexion, ce n'est alors jamais pour très longtemps.

Sa dixième maison, celle de la carrière, dans le signe du Taureau, en parfait accord avec le signe de la Vierge, indique que si la Vierge-Lion décide de faire carrière dans le domaine financier, elle réussira. Il en est de même si elle choisit le domaine de Vénus, les arts. Cette position lui est favorable en ce qui touche les carrières qui ont un rapport avec un public. Cependant cela ne l'empêchera nullement de se poser la question sur ce qu'elle fait: suis-je utile à travers mon œuvre? La Vierge-Lion qui arrive à briller dans une carrière se demande également si elle a joué la bonne carte. La Vierge est signe d'humilité et le Lion, celui de la grandeur et de la reconnaissance publique!

Sa onzième maison, celle des amis, dans le signe du Gémeaux, en aspect négatif avec le signe de la Vierge provoque parfois des critiques de la part d'amis de la Vierge-Lion. Elle-même n'aura pu s'empêcher, à diverses occasions, de critiquer injustement certains points de vue ou certaines personnes, son symbole sous Mercure laissant aussi entendre un puissant sens critique. Il est préférable de prévenir plutôt que de guérir. La Vierge a tout intérêt à se tourner la langue plusieurs fois avant d'émettre ses opinions, surtout si celles-ci sont négatives et si on ne lui a rien demandé. La Vierge-Lion ne veut jamais être méchante, elle veut rendre service, et le Lion à l'ascendant veut se rendre important. Mais si on ne lui a rien demandé, la personne en cause se sent visée, moins bonne, et elle reste sur la défensive face à l'autre. Et puis offrir ses services à quelqu'un qui n'en a pas besoin (parce qu'on croit qu'il en a besoin), c'est le placer dans un état de dépendance que personne n'aime vivre! (Matière à réflexion pour vous éviter d'être critiqué.)

Sa douzième maison, dans le signe du Cancer, symbolise la famille, la maternité. Douzième, symbole d'épreuve. Les femmes de ce signe peuvent vivre une épreuve en tant que femme-mère. Possibilité qu'elles n'aient pas d'enfants, elles ont pu refuser d'en avoir ou sont stériles. Elles peuvent ressentir un malaise intérieur imputable à ces dernières situations. Possibilité que, durant l'enfance, le milieu familial n'ait pas été un milieu fort, un milieu où la vie n'avait rien de facile parce qu'il y manquait un véritable sens de la communication. Si la Vierge forme une famille, il peut arriver qu'elle ait du mal à vivre totalement satisfaite dans une vie familiale, la trouvant trop étroite, n'y apprenant rien pour elle. Née sous le signe de Mercure, elle a continuellement besoin d'occuper sa tête et son temps pour vivre heureuse, et parfois les enfants ne lui fournissent pas cette matière. La Vierge-Lion a tant besoin d'attention elle-même qu'elle a du mal à donner ce qu'elle n'a pas encore reçu! Les hommes Vierge-Lion, s'il survient une séparation de couple, pourront avoir du mal à voir leurs enfants. Il pourrait leur être difficile de conserver le contact, de le garder intact aussi. Les événements pourraient jouer contre eux en créant l'épreuve de famille, les enfants pour la plupart du temps étant confiés à la mère. Le père Vierge-Lion devra parfois lutter pour faire valoir sa paternité et le respect de ses enfants. Rien n'est impossible à celui qui croit et qui veut. Comme cette douzième maison est tout de même en bons aspects avec le signe de la Vierge, la Vierge-Lion réussit à passer à travers, mais cela lui aura demandé un peu de courage et d'endurance.

VIERGE ASCENDANT VIERGE

Vous avez ici toutes les qualités de la Vierge, comme tous ses excès. Elle peut être routinière, conformiste, réfugiée dans le travail et se soumettre à toutes les règles et lois que la société décrète.

Il y a l'autre Vierge, tout à fait contraire à celle-là: antiroutinière, anticonformiste, paresseuse, n'acceptant aucune restriction et se révoltant contre tout et rien! C'est plus rare, mais ça existe!

Observatrice, elle reconnaît la juste valeur des choses. Ses élans sont retenus, elle a observé tant de lacunes dans le travail qu'elle faisait que c'est tout juste si elle n'a pas envie de recommencer depuis le début! Elle peut même en cours de route oublier son objectif premier et, finalement, obtenir un résultat complètement différent de celui qu'elle espérait. Réussira-t-elle à obtenir satisfaction? Elle seule le sait.

La Vierge-Vierge se sent facilement coupable. Il suffit de lui faire un petit reproche pour qu'elle se mette à se reconnaître un tas d'autres torts auxquels elle n'avait même pas songé précédemment.

Elle veut qu'on l'apprécie. Elle sera présente à vos besoins, voudra vous rendre service au point que vous pourriez finir par la trouver «collante»! Et quand elle vit un rejet, naturellement il est terriblement dramatisé!

En bons aspects, cette Vierge est studieuse, chercheuse, de type docteur. Les microbes l'intéressent, et si elle pouvait sauver le genre humain des maladies, quelle satisfaction ce serait pour elle!

Si vous en avez une dans votre vie, prenez-en soin. Elle saura vous le rendre cent fois et soyez certain que, gâté d'affection, vous serez aux petits soins, le service sera impeccable.

Sa deuxième maison est dans le signe de la Balance, symbole des unions; deuxième, symbole de l'argent. Nous avons affaire ici à un type pur de la Vierge, et il est plus difficile de la définir sans la carte du ciel natale avec toutes ses planètes qui indiquent la force, la puissance dont dispose cette Vierge-Vierge. Je vais donc non seulement tenter un essai, mais vous décrire les modèles les plus courants qu'il m'a été donné d'étudier pour la Vierge-Vierge. Nous disions donc que sa deuxième maison se trouve dans le signe de la Balance. Il arrive alors que la Vierge-Vierge soit cette personne que le conjoint entretient! Elle fait donc son argent grâce à une vie de couple. (Cela est aussi vrai pour les hommes que pour les femmes.) J'ai rencontré de nombreux types de la Vierge qui vivaient d'une manière quasi parasite, aux frais du conjoint ou de la conjointe, n'apportant finalement que leur charme et leur sexualité comme paiement de retour. Prostitution légale, diront certains! Mais nous n'avons pas à juger les motifs qui animent les gens, on ne peut que les constater. Chacun est libre de ses choix. L'argent peut également être gagné par les arts, la Balance étant le symbole de l'art, et la deuxième maison appartenant au Taureau, également symbole de Vénus, l'art. Les aspects de Vénus dans la carte natale sont extrêmement importants pour déterminer comment le natif Vierge-Vierge gagnera sa vie. Il m'a été permis de rencontrer des prostituées de ce signe. Vierge étant le signe du vice et de la vertu, ces prostituées vivaient matériellement des besoins sexuels des hommes. Et, chose étrange et admirable à la fois, la plupart de ces types Vierge-Vierge faisaient vivre des enfants et les maintenaient à l'université ou dans des écoles privées afin qu'ils puissent se tailler une place de choix dans le monde du travail qu'ils allaient affronter un jour! Juger une telle personne, c'est se mettre à la place de Dieu, et je n'oserais pas. Mon rôle, de toute manière, n'étant pas de juger mais de constater et de conseiller, si c'est ce qu'on veut de moi. Ayant une planète imposante dans le signe de la Vierge, j'évite donc de donner des conseils avant qu'on ne me l'ait demandé!

J'ai rencontré également plusieurs artistes de la Vierge-Vierge qui gagnent leur vie en travaillant avec beaucoup d'énergie. On peut également rencontrer des avocats ou des avocates de ce signe et de cet ascendant. Ils travaillent le plus souvent dans le domaine financier. De nombreuses secrétaires et coiffeuses ont également ce signe et cet ascendant. La Vierge n'est-elle pas celle qui peut couper un cheveu en quatre? Elles font généralement d'impeccables secrétaires et d'excellentes coiffeuses. En tant que femmes, il leur arrive souvent d'avoir de nombreux arguments avec d'autres femmes: la Vierge est un signe soupçonneux et qui dramatise les petites remarques qu'on peut lui faire. Les hommes de ce signe qui ont cet ascendant, donc qui sont nés sous un double signe féminin, sont le plus souvent des hommes extraordinairement gentils, mais qui doivent continuellement prouver ce qu'ils sont. Être un homme dans notre société, c'est gravir l'échelle sociale et faire beaucoup d'argent! Et ces hommes s'y acharnent jusqu'à risquer parfois leur santé et leur bien-être émotionnel. Ils vivent souvent dans l'anxiété, ils craignent qu'on découvre qu'ils ont aussi une grande sensibilité. Ils sont critiques, mais moins ouvertement; ils ne veulent pas passer pour des «mémères» ou des «plaignards». Alors la critique se fait à un niveau plus subtil, mais on finit par s'en rendre compte et elle peut devenir agaçante pour ceux qui vivent dans l'entourage de ces natifs.

Sa troisième maison se trouve dans le signe du Scorpion. L'intelligence est aiguisée, mais elle peut être portée au négativisme à certains passages de la Lune! Comme la Vierge-Vierge est excessive, si nous avons affaire à une Vierge parfaitement honnête, elle sera portée à dénoncer les intrigues, même quand on ne lui a rien demandé, et cela peut lui attirer quelques foudres. Si nous avons affaire à une Vierge du type malhonnête, nous avons une Vierge-Vierge extrêmement manipulatrice qui joue toujours en fonction du plus fort, qui est prête à écraser les petits pour se faire une place et est aussi prête à mentir! Ce qui, dans un cas comme dans l'autre, ne diminue en rien l'intelligence de cette Vierge. On peut être intelligent et parfaitement honnête, comme on peut être intelligent et parfaitement malhonnête! Tout dépend des aspects de Mercure, de Mars et de Pluton dans la carte natale. Vous aurez du mal à cerner la Vierge-Vierge, elle est plutôt cachottière.

La quatrième maison, dans le signe du Sagittaire, indique souvent un foyer de naissance inconfortable. Le Sagittaire étant en aspect négatif avec la Vierge, il peut y avoir des rapports de force au foyer avec la mère, et parfois aussi avec les frères et sœurs. Ce natif aimera les voyages, les déplacements. Possibilité qu'un changement de résidence durant l'enfance l'ait considérablement affecté. Il aimera vivre à la campagne; s'il est contraint de vivre dans le béton, il peut devenir nerveux, mal supporter le stress de la ville et développer des petits bobos ou des manies qui minent tant ses facultés mentales et affectives que son physique. Il est possible aussi qu'il soit propriétaire de deux résidences, l'une à la ville et l'autre à la campagne, pour faire le plein d'énergie.

Sa cinquième maison, celle de l'amour, se trouve dans le signe du Capricorne, symbole de Saturne, du froid. L'amour peut être vécu sans grand déploiement jusque tard dans la vie. Le natif a tendance à se concentrer sur le travail, Vierge-Vierge, double symbole de travail, mais aussi double symbole de maladie. Chez la Vierge-Vierge, il s'agira le plus souvent de maladies d'origine nerveuse parce qu'elle s'est privée de sentiments trop longtemps. L'amour peut être pour le natif une chose pratique, en ce sens que l'on se choisit un compagnon ou une compagne parce que la société suggère, à travers une foule de médias, que la vie se vit mieux à deux, en couple, et qu'il est anormal d'être seul! Pourtant la Vierge-Vierge est capable d'une grande solitude sans souffrir. Cette cinquième maison, dans le signe du Capricorne, ne favorise pas ce qu'on appelle la conception. Hommes ou femmes n'ont que rarement envie de fonder une famille, l'objectif étant le plus souvent leur utilité dans la société sur une plus grande échelle. Avec des aspects particuliers de Saturne dans la carte natale, il est possible qu'un enfant soit conçu quand le natif a atteint la maturité, la quarantaine.

Sa sixième maison, celle du travail, se trouve dans le signe du Verseau. Le natif aura besoin de contacts avec le grand public pour bien vivre sa vie. Il pourra occuper des positions uraniennes: radio, télévision, ordinateurs, monde de l'espace, les aspects d'Uranus et de Mercure dans la carte natale nous informent sur la direction du travail de la Vierge. Le signe pur, je l'ai dit plus haut, est plus difficile à définir, il vit en excès. Les excès d'Uranus ont différentes formes, par exemple celle de vouloir dominer à tout prix, même par la violence, violence dans les mots et leurs jeux subtils. Uranus aime contrôler, transformer la masse. Une vie politique est possible sous ce signe. La réussite nous est décrite dans la carte natale. Uranus, au négatif, est manipulateur, intelligent et raisonnable sans émotions, ce qui a pour effet de limiter l'être humain puisqu'il est une composition à la fois chimique et éthérique! Ce natif peut être bon ou mauvais, tout dépend de l'usage qu'il fait de ses forces. Cette sixième maison est celle de la maladie le plus souvent d'origine nerveuse. Le Verseau étant à la fois le signe de la folie ou du génie, les deux à la fois ne sont pas impossibles. On peut donc trouver des sujets Vierge-Vierge tout à fait géniaux dans un domaine mais complètement dépourvus dans un autre domaine, l'excès étant dans sa nature. Naturellement, il existe de ces natifs qui ont atteint l'équilibre mais, la plupart du temps, ils ont travaillé fort pour l'atteindre et ont demandé de l'aide en toute humilité.

Sa septième maison, dans le signe du Poissons, lui pose quelques problèmes dans sa vie amoureuse. Le natif recherche la personne idéale, qui est souvent le fruit de son imagination. Il découvre quelqu'un qui ressemble à son aspiration, mais, tout à coup, cette personne révèle quelques traits de sa personnalité qui démontrent clairement qu'elle n'est pas parfaite! Déception pour notre natif! Et il s'engage dans un combat subtil pour que l'autre disparaisse de sa vie, s'éloigne, ce qui lui permettra de se mettre de nouveau à la recherche de son idéal! Il arrive aussi, avec cette septième maison dans le signe du Poissons, monde caché, que le natif soit l'amant ou l'amante d'une personne avec laquelle il ne peut partager son quotidien, une personne mariée ou qui a d'autres motifs pour ne pas partager sa vie avec lui. La Vierge étant un signe de terre et se donnant en victime, il arrive qu'elle puisse jouer longtemps le rôle de celui ou de celle qui se cache pour faire plaisir à l'autre et pour montrer en même temps qu'elle est capable de se sacrifier, et de sacrifier même le véritable bonheur! Je ne crois pas qu'on puisse cacher le bonheur. On cache quelque chose dont on se sent coupable, mais pas le bonheur. (Point de vue personnel de votre astrologue, vous en faites ce que vous voulez!) Vierge-Vierge, en tant que signe double préfère l'union libre, ce qui lui donne tout le temps nécessaire pour réfléchir. Double signe de Mercure, dans un signe de terre, double signe de prudence, insécurité matérielle marquée. Cette Vierge-Vierge doit-elle ou non partager ses biens, son temps, son énergie? Il peut arriver que la réflexion dure toute une vie! Si notre natif rencontre un saint, il ferait bien de s'y accrocher! Peut-être qu'il ne repasserait pas deux fois!

Sa huitième maison, celle des transformations, se trouve dans le signe du Bélier, donc dans une position régie doublement par Mars. La huitième maison relève de Mars, tout comme le Bélier. Mars étant l'énergie sexuelle, l'amant, les conquêtes amoureuses, il arrive que la vie de ce natif soit transformée par une relation sexuelle qui peut éventuellement se développer jusqu'à l'amour. Il arrive aussi que le natif, ayant cru qu'il rencontrait l'amour dans une relation sexuelle, se rende compte, une fois la lune de miel terminée, qu'il a fait fausse route. Et voilà qu'il doit rompre son engagement qui entraîne toute une série de transformations qui lui sont profitables. Il doit surveiller ses propres impulsions sexuelles. Il a le don de les refréner longtemps, mais vient un moment où le corps, en ressentant le besoin, le pousse à déguiser le désir physique en amour.

Sa neuvième maison, celle des voyages, de la philosophie, de la religion, dans le signe du Taureau, rend ce natif sceptique en tout ce qui concerne le monde invisible. Il peut même douter de Dieu, ou alors souscrire à une église où l'on croit à une sorte de veau d'or. Le monde matériel exerce une puissante attraction sur lui: son confort est important. Vous aurez du mal à le faire changer d'avis s'il est bien là où il se trouve, parce que ça rapporte. Il est du genre à prier Dieu pour se faire pardonner, mais il ne fait pas souvent le geste de venir en aide à son prochain en qui est contenue l'étincelle divine! Il se sent très peu préoccupé par son évolution intérieure à moins que des aspects bénéfiques n'interviennent. Il mise beaucoup plus sur la vie sociale, sur le monde extérieur pour faire sa vie. Si tout le monde s'accorde à dire que c'est correct de vivre de telle manière, alors ce doit l'être... On a tué des millions de Juifs, un jour, parce que de nombreuses personnes pensaient que c'était correct de les tuer! Naturellement nous avons affaire à un double signe fixe, plus difficile à décrire. Vous pourriez aussi rencontrer la Vierge-Vierge dans le domaine du service social où elle se donne corps et âme pour aider son prochain parce qu'elle l'aime et le respecte.

Sa dixième maison, celle de la carrière, est dans le signe du Gémeaux, un signe de Mercure aérien. Cela peut porter le natif à opter pour une carrière où il aura à s'exprimer publiquement, soit à travers des écrits, Mercure signant aussi l'écriture, laquelle peut prendre différentes formes, soit par la parole. Vous pourriez avoir affaire à une Vierge traductrice ou à quelqu'un du monde de la médecine. Le plus souvent ce natif décide de sa voie à l'adolescence et s'y maintient longtemps. Quand on est né dans un double signe de terre, on s'enracine!

Sa onzième maison, celle des amis, se trouve dans le signe du Cancer. La onzième étant symbole uranien, donc d'avant-garde dans le signe du Cancer, symbole conservateur, vous avez alors une Vierge qui ne change pas son style de vie, sa façon de s'habiller, de se comporter aussi facilement qu'elle le laisse paraître. Ses amis seront souvent des membres de sa famille ou alliés aux membres de sa famille. Il causera avec beaucoup de monde, mais il ne se confiera pas facilement. Il pourra vous parler de la pluie et du beau temps, de son travail, mais très peu de ses émotions. Il lui arrive d'avoir l'humeur changeante quand la Lune passe dans le Cancer ou dans le Verseau. Sous le Cancer, il dit qu'il faut se conformer, que nos ancêtres nous ont légué une belle expérience. Sous le Verseau, il est d'accord pour tout changer de fond en comble, les vieilles valeurs doivent être transformées. Il en va de même avec sa onzième maison, il aura des amis originaux, innovateurs et d'autres tout à fait conformistes.

Sa douzième maison, celle de l'épreuve, se trouve dans le signe du Lion, symbole de la passion amoureuse, des enfants également. Il arrive que cette Vierge n'ait pas d'enfants et il existe une possibilité, s'il survient de mauvais aspects avec Neptune et son Soleil, qu'elle ait des problèmes plus ou moins graves avec ses propres enfants si elle en a. Comme souvent l'amour est tenu caché et vécu comme une épreuve, cette même épreuve peut être la part d'évolution du natif. Il se rendra compte que souffrir n'a aucun rapport avec l'amour. (C'est pourtant ce que des siècles de poésie nous ont laissé croire.)

L'empereur japonais Muthuhito a dit ceci: «Sur la plus petite feuille de trèfle scintillent des gouttes au clair de lune. Ni grand ni petit, ni riche ni pauvre n'est privé de l'éclat du ciel.»

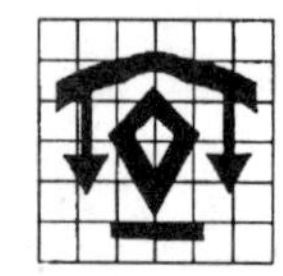

VIERGE ASCENDANT BALANCE

C'est une bien jolie personne, à moins de mauvais aspects de Vénus dans la carte natale. Elle se fait remarquer par son charme, son élégance, sa discrétion, son bon goût, ses allures raffinées. Le souci de plaire est grand. Elle a l'air si paisible, un ange... une fée... une magicienne.

Si vous la laissez parler elle vous racontera ses peurs, ses hésitations, elle vous racontera sa vie dans tous ses détails.

Cette Vierge n'aime pas vivre seule, elle préfère la vie de couple. Son premier mariage est souvent un échec, elle s'est engagée trop vite et trop jeune. On l'aura même fait souffrir. Elle a accepté durant un certain temps, puis elle est partie, se donnant le temps de reprendre confiance et de retrouver toute sa raison.

La Vierge est régie par Mercure, la raison, et la Balance l'est par Vénus, dans un signe d'air de raison. Aussi il n'est pas rare que cette Vierge attende longtemps avant de s'unir à nouveau à un partenaire convenable, tant émotionnellement que financièrement, qui ne lui causera aucun ennui et qui ne sera pas non plus un vrai passionné. Elle se sentira alors un peu plus en sécurité et, lentement, elle reprendra son équilibre et retrouvera son harmonie.

Cette Vierge est étrange. Elle imite le plaisir, la joie de vivre, et finit par devenir une personne heureuse. Cette image qu'elle a projetée devient une réalité.

Elle manque du sens de décision. Il ne lui vient que lentement, ce qui lui fait rater de bonnes occasions de prendre une route plus sûre et plus payante. Même en amour, elle est capable, à force d'attendre, de le laisser passer, une preuve ou je ne sais quelle démonstration inventée par son imagination.

Elle doit apprendre à se fier à ses émotions et à ses sensations, qui, elles, ne trahissent pas vraiment. Le cœur ne dit que la vérité, il faut alors le laisser parler.

Il faut se garder de sacrifier tout en se rappelant que les intérêts peuvent également être de nature intellectuelle et pas uniquement financière. L'intérêt c'est quelque chose que l'on voit, que l'on touche, tandis que l'amour se ressent, est impalpable, est vécu à partir d'une pulsion de l'âme elle-même. Sans amour, quelle triste manière de passer sa vie!

Sa deuxième maison, dans le signe du Scorpion, symbolise l'argent, l'argent des autres. Troisième signe de la Vierge: argumentation pour obtenir de l'argent en fournissant un effort moindre. Cependant, cette Vierge, si elle croit trop longtemps que l'argent tombe du ciel, aura tendance à s'illusionner. Si elle a la chance de venir d'une famille riche, bien sûr que tout est plus facile, mais un jour ou l'autre, à l'âge adulte, il faudra bien qu'elle se fasse à l'idée qu'il faut gagner sa vie. Cette deuxième maison, en Scorpion, crée souvent une obsession pour l'argent: on craint d'en manquer, de ne pas en avoir assez pour se payer ni l'essentiel ni le luxe que la publicité rend si alléchants! Le superflu pourrait être important pour le natif. Certains aimeraient se démarquer de la classe sociale dont ils sont issus. Cette deuxième maison, dans le signe du Scorpion, symbole de la mort et des puissances subconscientes, peut créer une attirance puissante pour tout ce qui touche le monde invisible. Seulement le natif aimerait y toucher ou apporter une preuve que l'invisible est réel. Dans ce monde il faut lutter pour faire approuver une telle vision. La vie étant présentement ce qu'elle est, la preuve de l'existence de la plupart des gens vient de ce qu'ils possèdent matériellement.

La troisième maison, dans le signe du Sagittaire, lui donne envie de tout apprendre. Le problème est d'aller jusqu'au bout. Le Sagittaire espère aller loin, mais la troisième maison lui donne davantage le goût de s'amuser. La connaissance peut alors devenir une sorte de jeu, qui peut être profond ou superficiel. Le natif pourra entreprendre des études universitaires, mais il devra s'entraîner à l'effort pour les terminer. Il a la parole facile, il lui arrive même de dire n'importe quoi, au grand étonnement de ceux qui l'écoutent et l'observent, mais on lui pardonne souvent ses bêtises. On lui reconnaît un certain humour. Il est également capable de rire de lui quand il réalise qu'il se prend un peu trop au sérieux. Ce natif peut faire un excellent professeur; il saura maintenir l'attention de ses élèves comme un bon comédien. Les enfants l'apprécieront car il est honnête, direct dans ses propos, même s'ils ne font pas plaisir à tout le monde. L'adolescence aura pu être difficile, le Sagittaire étant également la quatrième maison de la Vierge. À la maison, beaucoup de promesses ne sont pas tenues à son endroit. La mère a pu également semer la confusion à la fois mentale et émotionnelle chez lui, soit par son absence, soit par abus d'autorité. Des problèmes de communication ont pu surgir à l'insu même du natif, qui n'y a vu que du feu. Naïf au départ, il est comme un enfant toujours émerveillé, mais le temps lui faisant prendre conscience que la vie n'est pas une garderie d'enfants, l'éveil à l'âge adulte peut être douloureux.

Sa quatrième maison, dans le signe du Capricorne, symbolise le père; la quatrième maison symbolise aussi la mère. Nous avons ici une position contradictoire: le père prenant la place de la mère! Et l'inverse peut aussi se produire, selon des aspects spécifiques dans la carte natale. Les aspects de Saturne et de la Lune dans la carte natale nous informent sur le mystère entourant cet aspect. Le natif pourrait être près de son père et vouloir le fuir, être loin de son père et vouloir s'en rapprocher! Le foyer est généralement rigide, les règles y sont établies comme dans un gouvernement. Le natif s'en accommodera s'il y trouve la sécurité matérielle.

Sa cinquième maison, dans le signe du Verseau, indique des amours en mouvement, en mutation. Le natif a du mal à trouver le bonheur. Avec des gens ordinaires, il pourrait vous le dire lui-même, il s'ennuie. Avec des gens originaux, il finit par s'en effrayer, la Vierge ayant toujours un petit côté conservateur. Le Verseau étant le sixième signe de la Vierge, il arrive qu'amant ou maîtresse se rencontrent sur les lieux du travail. Rien ne garantit la durée de l'idylle puisque le symbole du Verseau est la liberté et la non-limitation. Dans sa jeunesse le natif pourra s'amouracher du genre «vivons différemment». La Vierge sera d'accord pour un moment, mais pas pour tout le temps, sa nature terrienne la ramène au «bon sens».

Sa sixième maison, celle du travail, de la maladie également, dans le signe du Poissons, donc juste en face de la Vierge, signifie une opposition qui peut également se traduire par une complémentarité. Il s'ensuit que cette Vierge-Balance peut à un moment de sa vie, précisé par sa carte natale, sombrer dans une sorte de dépression. Elle pourrait se sentir incapable d'atteindre seule son idéal, l'ascendant Balance lui faisant toujours espérer vivre avec une autre personne! Il lui faudra du temps pour apprendre qu'elle peut et doit compter sur sa propre force. Quelques amours déçues, un compte en banque moins gros qu'elle l'avait espéré peuvent la réveiller et l'inciter à se prendre en main. Que cette Vierge-Balance soit homme ou femme, tous deux espèrent l'amour idéal, le prince ou la princesse, et comptent découvrir un trésor qu'ils pourront offrir à la bien-aimée ou au bien-aimé! La vie n'est pas un conte de fées! D'ailleurs, même les enfants n'y croient plus, mais la Vierge-Balance semble s'y accrocher de toutes ses forces. Le réveil est brutal! Cette sixième maison représentant le travail indique que le natif sera le plus souvent attiré par un travail dans le monde médical, ou pour toute forme de médecine ayant trait à l'âme humaine. Le natif de la Vierge voudra comprendre le pourquoi des malaises des gens. Avec de bons aspects de Neptune dans sa carte natale, cela laisse présager un excellent médecin consciencieux, soucieux du bien-être tant physique que moral des gens.

Sa septième maison, dans le signe du Bélier, lui fait croire que l'amour se déclarera spontanément. Elle croit aux coups de foudre! Mais comme le Bélier est aussi son huitième signe, elle pourrait bien justement «tomber», surtout au début de sa vie, sur un personnage qui l'exploiterait! La Vierge ayant le sens du sacrifice, étant un signe de terre, donc prenant racine, pourrait bien s'accrocher à son destructeur, mais un beau jour tout éclate et voilà qu'elle n'en peut plus. Le feu du Bélier l'a brûlée jusqu'à la racine. Cette position indique également que rien n'est perdu, qu'effectivement quelqu'un viendra dans sa vie et la transformera, quand elle sera devenue plus mûre et sélective! Il lui faut prendre garde, quand le Bélier choisit un partenaire, il confond facilement dynamisme et dictature.

Sa huitième maison, celle des transformations, de la mort, du recommencement, dans le signe du Taureau, indique une sexualité qui peut être mal vécue. Le natif peut faire semblant d'aimer la sexualité pour plaire et même multiplier les conquêtes juste pour se prouver qu'il est normal! La normalité n'existe pas. Certaines personnes ont de grands besoins, d'autres, des moyens, et certains plus petits. C'est un peu comme l'appétit: on peut aimer manger beaucoup, moyennement ou juste un peu! Les hommes de ce signe peuvent utiliser leur sexualité pour se faire aimer, tout comme les femmes peuvent le faire. Le but n'est pas de faire de l'argent avec son «sexe», mais de s'attacher quelqu'un. Ce natif supporte mal la solitude sentimentale. Il pourrait bien se faire jouer un tour par ses partenaires, qui, au début d'une relation, peuvent s'enflammer sexuellement pour lui puis, tout à coup, une fois la conquête réalisée, le priver! Quand ce natif prend la décision de faire peau neuve, de vivre autrement quand il n'est pas satisfait, il peut maintenir sa décision et s'enligner vers le bonheur auquel il aspire.

Sa neuvième maison, dans le signe du Gémeaux, maison des voyages dans un signe de Mercure, laisse supposer que le natif aime se déplacer par la route, mais qu'il s'éloigne rarement de son lieu natal, comme s'il avait peur que tout soit changé à son retour et qu'on ne l'ait pas averti. La nervosité est grande chez lui. Il a peu confiance en lui et beaucoup trop dans les autres, à ceux qui disent parfois n'importe quoi mais qui l'impressionnent. Il aimera se faire dire la «bonne aventure»; bizarrement, il n'est pas sélectif dans son choix de voyants! Il pourrait bien se faire dire n'importe quoi et on pourrait même l'orienter dans une mauvaise direction. Bref, les gens qui parlent autant que lui le surprennent. Signe de Mercure, ce natif adore les idées nouvelles. Peut-être que l'une d'elles fera son affaire. Un bon conseil à l'intention de la Vierge-Balance: croyez à vos idées, l'intelligence vous a été donnée, on a juste oublié de vous accorder plus de confiance en vous. C'est une leçon que vous êtes venue apprendre sur terre.

Sa dixième maison se trouve dans le signe du Cancer. Position contradictoire au sujet de la carrière. Le natif a bien du mal à se détacher de sa famille pour se faire une vie bien à lui. Il a du mal à prendre une décision qui ne concerne que lui. Il se sent poussé à solliciter l'aide de la famille (père, mère et autres membres) à laquelle il est attaché. Il arrive qu'il fasse carrière dans une entreprise familiale. Le Cancer étant en bons aspects avec la Vierge, le natif y trouve à la fois la sécurité matérielle dont il a besoin et l'insécurité émotionnelle, parce qu'il voudrait pouvoir agir sans la famille! Il est possible que la natif fasse du travail chez lui, dans sa maison; il faut alors consulter la carte natale pour déterminer à quel genre de travail le natif s'adonne.

Sa onzième maison, celle des amis dans le signe du Lion, est également le douzième signe de la Vierge. Il arrive donc que le natif s'illusionne sur ses amis, que ceux-ci abusent de lui, la Vierge étant de service. Il se fie aux apparences plutôt que de se baser sur la réalité. Le proverbe japonais «Quand le caractère d'un homme te semble indéchiffrable, regarde ses amis» s'applique bien ici. La Vierge se ferait moins souvent tromper! Le natif aura de nombreuses fréquentations avec des personnes riches, du moins qui ont l'air de l'être... avec des artistes, avec ceux qui se démarquent. Il pourrait les envier et même s'attrister s'il n'arrive pas à être un membre actif de la colonie des «gens qui se font remarquer par un talent spécial»! Un autre proverbe japonais dit: «L'espace d'une vie est le même, qu'on le passe en chantant ou en pleurant.»

Le Soleil se trouvant dans sa douzième maison, il arrive que notre natif ne réussisse pas à émerger autant qu'il l'aurait souhaité, pour différentes raisons qui apparaissent dans sa carte natale s'il a de mauvais aspects avec Neptune et son Soleil. Cette position est également karmique, comme si, en fait, ce natif avait déjà tout vécu en tant que Vierge et qu'il lui fallait maintenant évoluer dans la sphère des profondeurs humaines. La Vierge-Balance se trouve à sa place en médecine, comme psychologue, psychiatre, toutes ces professions qui viennent finalement en aide à autrui, les soignent, les guérissent. Mais il arrive que cette Vierge lutte contre sa nature et néglige d'apporter son aide, qu'elle limite sa générosité. Malheureusement, en jouant contre sa propre nature, elle s'expose à connaître des moments difficiles qui peuvent aller jusqu'à la dépression. Elle s'aveugle elle-même pour ne voir personne, pour s'éloigner de la douleur et de la souffrance qu'il y a à soulager dans ce monde. Elle ne punit personne, son absence n'est pas connue. On reconnaît l'absence d'une personne quand elle «s'efface» après avoir été serviable. Pendant qu'elle aspire au vedettariat et qu'elle y met son énergie, si les choses s'attardent, plutôt que d'attendre, pourquoi n'offre-t-elle pas ses services à ceux qui réclament son aide? Qui sait, il y a bien quelques saintes qui ont laissé leur nom à la postérité! Le Soleil en douzième maison donne à ce natif le choix entre le vice et la vertu, entre le bien et la manipulation d'autrui à son profit. Mais, chose curieuse, s'il choisit la manipulation et la facilité, le destin se chargera de lui faire comprendre que ce n'est pas joli d'abuser des gens, de mentir. Si, au contraire, ce natif accepte, souvent dans une sorte d'abnégation, une vie au service d'autrui, toutes les portes lui seront alors ouvertes, et il y trouvera un bonheur qui dépasse l'humain lui-même, puisqu'il sera un ange de paix et d'amour.

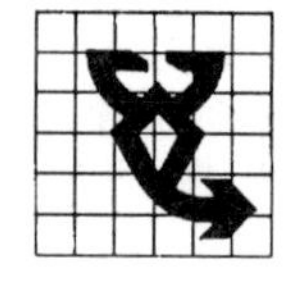

VIERGE ASCENDANT SCORPION

Missionnaire ou infernal, agent de paix ou de guerre? Demandez à sa carte natale personnelle. Avec cet ascendant, on ne sait jamais vraiment si la personne est du côté de la lumière ou des ténèbres. Le pouvoir est attirant... La volonté est puissante, la personnalité est forte, elle se maîtrise, elle est lucide et ses critiques touchent la cible en plein cœur!

Elle peut être dure, ne laisser passer aucune erreur susceptible de nuire à son travail, à sa réputation, à ses intérêts. Rien n'arrête l'infatigable Vierge, elle va jusqu'au bout de ses entreprises et elle sait tirer profit de tout ce qu'elle touche.

Si elle doute le moindrement que vous puissiez lui nuire, elle vous enverra une flèche empoisonnée avant même que vous ayez bougé le petit doigt. Mais là elle peut commettre une grave erreur et se tromper, se faire un ennemi, et souhaitons-lui que ce ne soit pas un Scorpion.

Le Scorpion à l'ascendant c'est le pouvoir de la transformation. Les événements de la vie le forceront aussi à se renouveler.

Quand cet être choisira un partenaire, il préférera une personne faible qu'il pourra dominer, manipuler à sa guise. L'ascendant Scorpion donne un goût de sadisme quand ce n'est pas aussi de masochisme. En bons aspects, cette Vierge sera attirée par l'occultisme et l'astrologie, la foi, les mystères. À coup sûr cette personne possède une grande intuition et a un flair pour détecter le faux.

Cette sorte de Vierge fait un excellent détective.

Naître avec un ascendant Scorpion est toujours une lourde responsabilité à assumer. Le natif a en main le pouvoir de construire ou de détruire, les deux l'attirent en même temps. De plus, la Vierge est un signe double: être vicieuse ou vertueuse, ou les deux à la fois... conseiller l'abstinence... et faire des «parties» à tout casser, du genre orgiaque!

Personne difficile à comprendre, elle ne se laisse pas découvrir, à moins qu'elle n'ait entièrement confiance en vous. Ce qui peut prendre un certain temps, et seulement quand vous lui aurez donné des preuves de votre authenticité et de votre intégrité.

Pour évoluer, cette Vierge ferait mieux de se consacrer à des lectures sur le bien, sur la spiritualité. Il reste en elle un goût de ne travailler que pour elle, de mettre les autres à son service, bien qu'elle soit en même temps généreuse et que le travail ne l'effraie pas.

Sa deuxième maison, maison de l'argent dans le signe du Sagittaire, signe double, incite le natif à vouloir devenir riche, à souhaiter trouver la chance au coin d'une rue. La maison deux étant celle du Taureau, il peut espérer rencontrer l'amour lié à l'argent, à la facilité. Sagittaire, signe double, ce natif peut aussi gagner sa vie en enseignant. Il peut être un adepte d'une philosophie ou d'une religion dont il peut aussi retirer une compensation financière. Avec cette deuxième maison dans le signe du Sagittaire, l'argent peut être gagné hors de son lieu de naissance. Le Sagittaire étant également le quatrième signe de la Vierge, son foyer peut vivre des bouleversements quand il est jeune, comme s'il pouvait passer de la sécurité à l'insécurité matérielle. L'inverse est également vrai. Le natif a du mal à se sentir chez lui dans son lieu de naissance, il a toujours l'impression d'appartenir à un autre monde, à une autre culture. Il ressent ces choses sans pouvoir les expliquer, et peut-être n'y a-t-il aucune autre explication que celle de croire que sa nature tend vers l'universel et qu'il lui est difficile de vivre avec des frontières. Pourtant il arrive que l'argent le limite, l'empêche de s'évader, d'aller et venir, puis la Vierge étant un signe de terre, il prend racine malgré son signe double.

Sa troisième maison, dans le signe du Capricorne, le pousse à vieillir avant son temps. Il est possible qu'on lui donne des responsabilités au cours de son adolescence alors qu'il n'est pas encore prêt à les assumer. On lui demande de se comporter en adulte, alors qu'il a dans l'âme tous les espoirs et les fantaisies que l'adolescence apporte à chaque individu. Quand on est jeune on a la vie devant soi. Mais cette Vierge peut être placée devant une réalité trop brutale: penser et vivre pour travailler, devenir indépendante. Il a pu y avoir mésentente avec le père: le natif vise une telle chose alors que le père préférait telle autre pour son rejeton. Un malaise dans la communication peut naître, parfois il y aura rupture de contact.

Sa quatrième maison, celle du foyer, de la mère dans le signe du Verseau, est le sixième signe de la Vierge. Il arrive que le natif n'ait pas reçu toute l'affection et toute l'attention dont il avait profondément besoin de la part de la mère. Celle-ci a pu être au travail, soit par force majeure, soit parce qu'elle n'était pas du type à supporter la vie au foyer. Cette quatrième maison dans le signe du Verseau symbolise un attrait marqué pour tout ce qui touche le monde invisible, l'astrologie également. La position de cette maison confirme encore une fois que le natif ne se sent pas bien chez lui, c'est trop étroit. Sa patrie, c'est l'univers. Quand il regarde le ciel et qu'il imagine le système planétaire, il peut lui arriver de se dire que, quelque part, une autre forme de vie est possible, mais il ne partira pas. Il ne prendra pas le premier vaisseau spatial. La Vierge est un signe de terre, elle tient à ses racines, mais elle aime imaginer que c'est peut-être plus facile ailleurs, ce qui la pousse parfois à faire ses valises pour s'échapper vers un autre pays ou faire le tour du nôtre! Ces mêmes pensées l'amènent parfois sur une route où elle rencontre la dépression, l'angoisse. Elle voudrait voir ce qui se cache derrière... mais derrière quoi au juste? Elle n'arrive pas à se l'expliquer... Elle traverse parfois une crise religieuse, se met à douter de Dieu... puis la force du Scorpion lui permettant une régénération, elle admet qu'elle aura beau tout désirer, déployer son énergie dans une direction ou dans une autre, il y a au-dessus d'elle une force plus grande. Comme pour beaucoup d'autres Vierge, ici la crise est plus profonde, la transformation plus durable aussi, elle a vécu pour elle, elle a rendu des services, bien sûr, mais c'était pour se prouver qu'elle était quelqu'un et, un beau jour, il n'y a plus personne devant elle, personne à qui donner ce qu'elle a. Elle se demande ce qu'elle est, pourquoi personne ne lui demande plus rien. Elle a donné machinalement, comme on met de l'essence dans sa voiture, elle a oublié qu'en chaque individu il existe une étincelle divine qu'il faut voir, et que c'est parfois l'étincelle de l'autre qui éclaire sa propre vie. Rien n'est irréversible ni impossible à la Vierge-Scorpion, elle se retrouve et même mieux qu'avant la crise!

Sa cinquième maison, dans le signe du Poissons, juste en face de son signe, rend les amours étranges. Le natif aspire à un idéal amoureux qui est parfois bien loin de la réalité. Il aura des attirances sexuelles soudaines et se ravisera à temps, assuré qu'il s'est trompé. L'effet-choc a disparu. Il peut, durant un certain temps, surtout dans sa jeunesse, se disperser, vivre différentes expériences sexuelles; certains peuvent être attirés par la bisexualité, mais rien n'est définitif avant qu'il prenne le tournant de la maturité. Cette cinquième maison, dans le signe du Poissons, représentant ses enfants, le trouble le guette s'il en a, comme il peut tout aussi bien mettre au monde des saints! Le Poissons étant juste en face de son signe, avec de mauvais aspects de Neptune et du Soleil, le natif peut se détruire par la drogue, par l'alcool ou avec les deux. Il peut s'être donné un idéal de vie si élevé, la cinquième maison en Poissons l'y poussant sans même qu'il en soit conscient, et que, n'arrivant pas à l'atteindre, il sombre dans divers états qui peuvent aller de l'obsession à la névrose, mais il s'en sortira, le Poissons étant en bon aspect et son ascendant Scorpion étant lui aussi en bon aspect avec le signe de la Vierge.

Sa sixième maison, dans le signe du Bélier, est la maison du travail. Le Bélier étant de la nature du Scorpion son ascendant, donc de Mars, il arrive que le natif se consacre en totalité à son travail, à son milieu de travail. Le Bélier étant le huitième signe de la Vierge, il peut se laisser envahir jusqu'à sa propre destruction en mettant toute son énergie à la réussite d'un projet durant la réalisation duquel il fait abstraction de ses sentiments, de sa vie privée. Tôt ou tard le choc se produit et voilà notre natif placé devant un choix: accepter la destruction de son projet ou vivre en respectant la totalité de sa personne: raison et émotion sur le même palier.

Sa septième maison, dans le signe du Taureau, lui fait rechercher comme partenaire une personne artiste ou riche ou les deux, tout dépend des aspects de Vénus dans la carte natale. Il est possible qu'il trouve! Mais il est également possible que le mariage ne tienne pas, l'ascendant Scorpion le portant à se trouver dans des situations qu'il lui faudra transformer! Et avec le Scorpion, pour transformer il faut détruire! La Vierge ne détruit personne, ce n'est pas son intention, elle se détruit elle, elle se place dans des situations de victime. Le Scorpion, lui, veut le défi pour se prouver qu'il est fort! S'il est fort, il existe. Imaginez alors que notre Vierge-Scorpion s'invente tout un scénario! Elle se place dans une situation de victime, se fait son propre bourreau, se bat contre elle-même pour se prouver qu'elle est forte! Elle l'est!

Sa huitième maison, dans le signe du Gémeaux, signe de Mercure, est le signe de l'intelligence, de la raison. La huitième est symbole de mort, de transformation. Il peut arriver que cette Vierge sombre un instant dans la folie mentale, la dépression. Cependant la huitième maison étant forte, la position de Mercure s'y trouvant, le natif est capable de vivre une transformation complète de son mental, de ses idées.

Sa neuvième maison est dans le signe du Cancer. Cette position crée, encore une fois, le désir de vivre loin du lieu natal, à la campagne également. Ce natif n'est pas des plus conservateurs, même s'il en a l'air. Le plus souvent il a l'esprit ouvert aux cultures autres que la sienne. Si la Lune et Jupiter se trouvent en bons aspects dans sa carte natale, il sera créateur et sa création pourra dépasser les frontières.

Sa dixième maison, celle de la carrière, se trouve dans le signe du Lion. L'aspiration à devenir artiste est puissante, avec de bons aspects de Saturne et du Soleil, le natif y arrive. En cas d'aspects opposés, il devra affronter les obstacles pour gagner. Il a le vif désir de briller pour différents motifs: pour les uns, c'est le pouvoir de l'argent; pour les autres c'est pour parader, dire, c'est moi, voyez! Un travail dans le milieu cinématographique est également possible.

Le Soleil se trouvant en onzième maison peut pousser le natif vers l'astrologie, ou vers toute carrière uranienne dont le cinéma, la publicité, un travail qui permet d'être devant la foule ou derrière, mais l'influençant. L'orientation de la vie du natif se détermine par les aspects de Mercure et d'Uranus. Encore une fois, cette position indique que l'univers est sa patrie, que la limite est difficile à supporter. La Vierge étant un signe de terre, dans la onzième maison, qui représente le Verseau, un signe fixe, quand le natif choisit une voie il peut s'y maintenir longtemps! Cette position uranienne ne favorise pas le mariage légal à moins de très bons aspects avec la septième maison, Vénus et Uranus. Le natif sera une personne si intense qu'il aura bien du mal à se consacrer à deux choses à la fois. L'amour et la carrière sont bien difficiles à vivre de front, les deux à la fois. Cette position peut indiquer une grande permissivité morale, à un moment de la vie, et une grande foi à un autre moment. La vie de ce natif est remplie de mouvements, de va-et-vient, de transformations qui l'amènent ensuite à une évolution telle qu'il peut se permettre de guider autrui. Cette position solaire le pousse à s'intéresser également au monde médical, aux médecines douces, à celles qui guérissent par le transfert de vibrations. Il est doué. La position uranienne peut lui donner du génie. On connaît l'envers, la folie, mais la Vierge est régie par Mercure, et si jamais elle se laissait aller à la folie, elle pourrait en sortir. L'ascendant Scorpion la supporte dans sa transformation, ce qui ne va pas sans quelques douleurs: détruire tout un moi pour en laisser surgir un nouveau qu'il faudra encore apprivoiser!

Sa douzième maison, dans le signe de la Balance, signifie que l'épreuve vient de l'union. Elle peut également provenir d'associations financières, la Balance étant le deuxième signe, symbole d'argent, de la Vierge. L'épreuve peut également venir à la fois d'associations financières et du conjoint. La Vierge pourrait également être victime de quelques manigances légales, illégales plutôt, ses ennemis s'appuyant sur la loi pour la chasser d'une association!

Il ne faut pas oublier qu'il arrive à ce natif de rechercher le mariage par intérêt. Une mauvaise surprise peut l'attendre quelque part au détour. Il peut lui arriver de rester seul longtemps: il attend de trouver l'idéal, exige que l'autre soit parfait. Je n'ai encore jamais rencontré personne qui le soit! Si l'un de vous rencontre ce rare spécimen, faites-le-moi savoir! Ce serait un bon sujet d'étude pour mon prochain livre.

 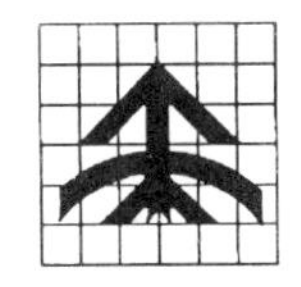

VIERGE ASCENDANT SAGITTAIRE

C'est une personne fondamentalement honnête, loyale, souriante. Elle aime la nature et les hommes! Elle a toujours une multitude de projets qui soulèvent l'enthousiasme, rationnels quand même, mais peut-être lui faudra-t-il aller au bout du monde pour les réaliser. Qu'importe, sa confiance n'a pas de limite. Malgré quelques doutes qui peuvent l'assaillir, elle a de l'ambition, elle veut réussir.

Ce natif est prêt à aider le monde si ce monde veut bien s'aider! Il ne conçoit que ce qui est propre, pur, juste. C'est un passionné de la perfection! Et remarquablement de la fantaisie, surtout à la période de l'adolescence.

Il est du genre de ceux qu'on aime ou qu'on respecte rapidement, et qui fera tout son possible pour vous être agréable.

Il a le sentiment qu'il peut vous apprendre beaucoup et c'est un peu vrai. Il observe, note et étudie, s'informe de tout. Un jour ou l'autre toutes ces choses qu'il apprend peuvent lui servir, mais comme toute bonne Vierge, il aura du mal à vous donner des conseils que vous ne lui avez nullement demandés. Il l'apprendra parfois à ses dépens, au risque de recevoir une réponse, où on lui dira simplement de se mêler de ses affaires!

Il peut lui manquer le sens de la mesure. Il arrive chez vous, il se sent chez lui, surtout si vous êtes du type décontracté, cela va lui plaire. En tant que Vierge, il est très correct, quasi conventionnel, mais donnez-lui une occasion où l'excentricité, l'originalité sont permises, cette Vierge-Sagittaire sera la personne la plus remarquée, dans toute son originalité. Elle aura su conserver le bon goût, le sens de l'esthétique et ce petit quelque chose de pas commun du tout qui vous fait vous poser des tas de questions toute la soirée. Est-ce une personne réelle ou un personnage de film? Le jeu de certains natifs rapproche du snobisme, ce qui, pour un œil universel, n'est pas agréable à constater. Ils peuvent tout à coup dans un discours discréditer les pauvres, ou ceux qui n'ont pas fait leur marque; snobisme ou manque de jugement, le Sagittaire les fait parler trop vite.

Comme le natif est informé sur tout, il peut parler de menuiserie, tout autant que de films, de poésie ou de cuisine! Il y aura toujours dans ses phrases une tournure qui suscitera un intérêt renouvelé.

Il lui arrive parfois de se placer bien au-dessus des autres, d'avoir la tête enflée! Là il devient désagréable, mais si on le lui fait remarquer, il changera. Il n'a pas envie qu'on le méprise, bien au contraire.

Mercure dans la Vierge, c'est l'intelligence et la raison, l'action aussi de par son signe de terre. Avec le Sagittaire, régi par Jupiter, planète de la chance, c'est l'expansion, les grandes réalisations.

Sa deuxième maison celle de l'argent, dans le signe du Capricorne, la cinquième maison de la Vierge, signifie que l'argent peut être gagné dans le domaine des arts, du cinéma, du théâtre, mais aussi grâce à un emploi au sein d'un gouvernement ou d'une organisation gérée par le gouvernement, les hôpitaux par exemple, ou tout autre travail qui lui donne tout de même une grande responsabilité dans l'organisation du travail lui-même. Sous ce signe, un natif qui aurait un projet pour lequel il a besoin d'appui financier pourra en trouver auprès d'un gouvernement. Il lui sera plus facile qu'à un autre d'en obtenir. Plus il vieillit, plus il songe à l'économie et il n'est pas rare que dans la quarantaine il ait déjà accumulé ce dont il aura besoin pour sa retraite!

Sa troisième maison, dans le signe du Verseau, lui donne une grande facilité de parole. Il peut être comédien, dans la vie comme sur la scène. Le Verseau étant le sixième signe de la Vierge, il n'est pas rare que le natif se trouve dans des professions où il aura à utiliser le langage écrit tout autant que le langage parlé. La voie uranienne, celle du cinéma, lui sied bien. Il devra toutefois en supporter l'instabilité qui, à certains moments, peut le «mettre sur les nerfs» jusqu'à provoquer des maladies d'origine nerveuse. Ce natif est physiquement résistant mais il peut lui arriver de sombrer durant de courts moments, bien courts d'ailleurs. Il évite de se laisser envahir par la défaite, de se laisser aller au drame. Un autre coup de théâtre, c'est même ainsi qu'il finira par se regarder et il adore se regarder! Cela lui donne l'occasion de réfléchir sur lui-même et éveille en lui une idée de création qui sort de l'ordinaire. Avec de mauvais aspects dans cette maison, le natif est fortement critique, mais sa critique est froide, elle vous juge et peut même vous blesser. De quoi vous geler pour longtemps, et peut-être désirerez-vous vous éloigner de lui pour un temps indéfini.

Sa quatrième maison, celle du foyer, dans le signe du Poissons, signifie qu'un mystère plane sur son lieu de naissance. Vous aurez du mal à le faire parler de sa famille. Possibilité que l'un des parents s'adonne à la boisson. Mais il aime son père, sa mère; il préfère que vous imaginiez ce qu'il a vécu plutôt que de vous le raconter. Il aime s'entourer d'un nuage de mystère en ce qui concerne sa jeunesse. Neptune qui dirige cette maison peut indiquer un foyer où la religion a joué un rôle dans l'éducation; on l'élève le natif dans la foi, mais il peut se révolter contre cette même foi. Le Poissons étant l'opposé de la Vierge, il préférera rationaliser, surtout si un jour il s'est laissé aller à quelques naïvetés qui lui ont coûté cher!

Sa cinquième maison, celle de l'amour, dans le signe du Bélier, donc son huitième signe, provoque des bouleversements propres à égarer notre natif. Il se laissera facilement séduire par les gens d'action, qui bougent, qui ont du moins l'air innovateur. Bref, il tombe amoureux trop vite! S'il se marie avant la trentaine, il est bien possible qu'il se soit trompé! S'il y a rupture ou divorce, le natif se mettra alors à courir à gauche et à droite, cherchant ceux qui pourraient peut-être lui rendre ses illusions. Il se laissera entraîner dans toutes sortes d'aventures, surtout d'ordre sexuel. Il pourra faire des promesses qu'il est sûr de ne pas tenir. Il n'aura plus le goût de la fidélité! Et c'est très facile pour ce natif de s'en tenir à ce régime... cela lui enlève un tas de responsabilités auxquelles il ne tenait pas vraiment! Tout se calmera quand il rencontrera de nouveau l'âme sœur. La possibilité de deux grandes unions n'est pas exclue pour ce signe, l'amour, les enfants... et cela ne l'empêchera nullement de suivre la voie sacrée de sa carrière. (Il arrive à certains de ces natifs de faire un choix définitif lorsqu'il s'agit des enfants, il n'en veut pas du tout.) L'ascendant Sagittaire apporte la chance parce que le natif, tout au fond de lui, croit en la lumière! Il croit profondément au bonheur. Quand il m'arrive d'en rencontrer un dans sa phase de découragement, je souris. Je ne puis m'en empêcher! Je sais, à moins qu'il n'ait la plus horrible de toutes les cartes du ciel à la naissance, et encore là l'ascendant Sagittaire vient tout sauver, que ce natif un jour, dans la trentaine, trouvera, peut-être tout en même temps, l'amour, l'argent, la sécurité, et parfois la gloire! Vierge-Sagittaire ne vous découragez pas si vous traversez une phase difficile, le ciel vous surveille de près et guette l'occasion de vous offrir quelque chose de mieux.

Sa sixième maison, celle du travail, dans le signe du Taureau, donc dans un signe vénusien, fait qu'il est fortement attiré vers les arts ou vers les affaires financières, purement et simplement. Il ferait mieux de ne pas s'associer en affaires ou du moins pas avant d'avoir pris de nombreuses précautions et d'être certaine de la personne avec qui il fera alliance. Le destin du côté du travail lui réserve toujours de nombreuses surprises qui, en fait, lui permettent d'évoluer et souvent de dépasser ceux qui étaient déjà en place. Cela est dû à sa grande intelligence, à son sens de l'observation des besoins du client, par exemple, et à son sens des affaires qui se développe en vieillissant. Il ne craint pas le travail et les longues heures, c'est un perfectionniste, un touche-à-tout, l'homme ou la femme orchestre dans le milieu dans lequel il opère. Comment une personne dévouée et acharnée pourrait-elle échouer? Il faudrait presque qu'elle le désire. Nul doute que rien n'est jamais vraiment donné et qu'il faut faire sa part. Ce natif doit saisir toutes les occasions qui s'offrent à lui pour prouver sa compétence et, un beau jour on lui court après parce qu'il est le seul à pouvoir remplir telle ou telle fonction.

Sa septième maison, en fait la plus difficile à vivre pour lui, est celle des associés, du mariage. Il lui arrive d'être si naïf quand il est amoureux qu'il ne voit pas bien les motifs qui animent la personne qui veut vivre avec lui ou l'épouser. C'est un débrouillard et on sait pertinemment qu'avec lui on pourra être en sécurité et on sait également qu'il est prêt à tout faire pour se faire aimer de l'autre. Il va même jusqu'à tolérer qu'on le trompe. Il peut lui arriver de faire de même, une manière de ne pas souffrir, de ne pas attendre, de se venger consciemment ou inconsciemment. Avec de mauvais aspects entre le Soleil, Vénus et Mercure, il arrive que ce natif soit froid dans le mariage. On n'aura rien à lui reprocher mais au bout d'un certain temps, l'autre, celui qui était amoureux, s'enfuit car il ne faut plus supporter la distance qui, très rapidement devient, au moment d'aller dormir, un endroit réfrigéré, tant et si bien qu'il faut partir pour ne pas mourir congelé.

Sa huitième maison, dans le signe du Cancer, est importante. Les transformations qui se font dans son lieu de naissance le touchent et peuvent même l'affecter. Admettons que le natif ait eu un parent alcoolique. Il voudra peut-être cacher cet aspect de sa vie et ça l'effrayera au point qu'il hésitera à faire des enfants, même s'il est amoureux de son partenaire. Il pourra craindre de bâtir un foyer de peur de le voir s'effondrer. Je vous l'ai dit il cache quelque chose de son passé, de sa famille. Possibilité qu'un ou des membres de sa famille aient eu des problèmes, non seulement d'alcool mais d'ordre sexuel, que le natif tient cachés comme s'il avait honte, comme si c'était sale d'avoir quelqu'un dans sa famille qui avait choisi une route plus difficile! Pauvreté et richesse ont pu également alterner dans la famille du natif. Il le cache.

Sa neuvième maison, dans le signe du Lion, lui permet généralement de voyager en classe de luxe vers les pays de soleil quand ce n'est pas le travail qui l'y conduit. Malgré plusieurs réussites dans sa vie, ce natif à l'idéal élevé cache souvent une déception: parfois il est arrivé ailleurs que là où il voulait être; on dit qu'il a réussi, mais pour lui il voulait autre chose et vous aurez bien du mal à le savoir, ça aussi. Ce natif a généralement bon cœur. Il faudrait de bien mauvais aspects sur son Soleil pour en faire un tiède. Mais ça arrive. Et le personnage que vous verrez alors, si vous avez l'occasion de le voir vieillir, sera de plus en plus agressif envers tout ce qui n'est pas fait comme il le souhaitait, à sa façon. Il ne veut pas sortir, ça coûte trop cher... et la vie devient un enfer avec lui. La Vierge ayant une nature critique, si elle s'y entraîne, elle gagne toutes les médailles. Alliée à la puissance de l'ascendant Sagittaire qui grossit tout... Conclusion: une Vierge qui grossit et s'élargit dans la critique, ça devient difficile de partager sa vie.

Son Soleil se retrouve en dixième maison, symbole Capricorne, dans le signe de la Vierge, donc double symbole de terre, Capricorne symbole de froid, Vierge symbole de travail, il arrive donc que ce natif consacre une grande partie de sa vie à sa carrière, à son ascension. Il réussira, mais ce sera parfois au détriment de sa vie amoureuse, au détriment de sa santé tant mentale que physique. Nous avons tous le choix de nos vies, l'équilibre n'est pas facile pour aucun de nous, mais il n'est pas impossible si on s'attarde à comprendre ce qui fait notre équilibre. Ce natif peut donc s'enliser dans la routine du travail, il y trouvera de l'agrément, son côté créateur et producteur sera satisfait, il s'assurera le confort matériel et même plus encore, mais il peut en aller tout autrement pour sa vie amoureuse, sa vie émotionnelle. Il peut devenir une sorte de frigidaire. De puissants aspects avec Saturne, le Soleil et Mercure rendent le natif si sérieux qu'il n'a pas le temps pour la tendresse... Le soir il se couche tôt, il doit dormir, demain il doit produire! Vous pouvez deviner les réactions des différents signes face à ce type de personne! Certains s'y soumettent, car ils savent qu'ils sont en sécurité matérielle ou alors l'habitude est prise... mais le bonheur est absent. Disons que c'est l'exception qui fait la règle! J'ai rencontré de ces derniers... je ne vous raconterai pas combien ils affectent leur entourage familial, le conjoint ou la conjointe... c'est triste, une vie sans soleil, toujours en hiver, toujours à préparer sa vieillesse...

Sa onzième maison, celle des amitiés, se trouve dans le signe de la Balance, le deuxième signe de la Vierge. Il arrive alors que ce natif sélectionne ses amis au point de ne choisir que ceux qui ont de l'argent, une belle éducation et un certain niveau de vie! Les amis qui ne sont pas dupes finiront bien par s'en rendre compte! Être fréquenté par intérêt n'est pas très valorisant. En bons aspects, cette maison place le natif en contact avec toutes sortes de gens, venant de partout, spécialement avec ceux qui ont voyagé et qui aiment l'originalité. Il attirera les gens de théâtre, et également des personnes qui lui seront utiles dans son travail. Le hasard peut le mettre en contact avec un avocat susceptible de l'éclairer justement au moment où le natif a besoin de conseils. Il aimera par-dessus tout discuter de travail, des changements qu'on pourrait apporter à ce qui est. Si le natif vit emmuré dans une sorte de convention et que son travail soit réglementé, de quoi au juste pourrait-il discuter? Peut-être bien d'une grève? De pressions à faire pour obtenir des augmentations? Le discours du premier est amusant et celui du second est si officiel que, dans une soirée où on est venu pour rire, les invités pourraient trouver là une raison de partir plus tôt!

Sa douzième maison, celle de l'épreuve, se trouve dans le signe du Scorpion, symbole de sexualité. Il arrive que la Vierge se fasse un raisonnement qui la conduit à l'abstinence sexuelle ou à une permissivité telle qu'on ne peut l'imaginer. Le tout ou rien est possible avec ce signe dans le domaine des relations sexuelles. Il aura quelque chose à régler avec lui-même de ce côté. Le Scorpion étant le troisième signe de la Vierge, possibilité qu'à l'adolescence le natif ait vécu une grande permissivité de ce côté puis, tout d'un coup, sous l'effet de Mercure, d'un raisonnement puissant, il décide de ne plus accorder d'importance à sa vie sexuelle. Ce qui peut engendrer de sérieux problèmes dans une vie de couple. Chez les hommes, le plus souvent, les besoins sont excessifs, et chez les femmes, le refus est quasi total, sauf peut-être un soir où le mari ou l'amant (il faut qu'il ait été régulier) menace de quitter. La Vierge fera son «devoir» dont elle est le symbole.

C'est merveilleux de vivre une belle carrière, de réussir, d'être félicité pour le travail accompli ou la création que l'on a réussie... il est agréable de recevoir des honneurs, des prix de bonne conduite. Mais il est moins agréable de se rendre compte que l'on se trouve avec une rupture, un divorce sur les bras, parce qu'on n'était pas attentif. L'autre attendait, il se demandait si la Vierge n'allait pas s'arrêter pour le voir... puis l'autre s'est dit aussi qu'il allait rester encore un temps, Vierge-Sagittaire, finalement c'est un bon placement! On ne manque de rien, l'avenir matériel est assuré, mais même si l'argent apporte le confort, il ne parle pas, ne discute pas, ne donne pas d'amour. Un choc peut éveiller cette Vierge et elle peut alors désirer une discussion. Elle aime parler, et à parler on finit par communiquer, par se rapprocher, et peut-être bien que cette Vierge, dira que demain... elle prend congé... pour une fois! Et ce peut être le début du recommencement.

VIERGE ASCENDANT CAPRICORNE

Double signe de terre, Mercure et Saturne. Il réfléchit, il ne se livre pas facilement, il a la langue liée. Il pense à son avenir, à son but à atteindre, à se mettre en sécurité pour ses vieux jours, à son confort. Ses pantoufles de retraite, il commence à les tricoter très jeune!

Ce natif est consciencieux à l'excès et d'une patience d'ange. Que n'endurerait-il pas pour atteindre son but? Il peut se priver de toutes sortes de bonnes choses si son objectif l'exige. En fait, pour lui ce ne sera pas une privation, mais simplement un mouvement de sa raison. Vu de l'extérieur par des gens qui pensent autrement, on pourrait le trouver austère, trop sérieux, parfois on le trouve aussi ennuyeux! Tout dépend naturellement de l'angle où on se place.

Il calcule, mesure, ne fait rien au hasard, il a un sens de l'organisation en ce qui concerne le matériel, il ne gaspille rien. Quand quelque chose n'est plus utile au moment présent, il le range: un jour peut-être en aura-t-il encore besoin?

Il parle peu de ses sentiments. Vous pourriez être porté à croire qu'il n'en a pas, qu'il est fait de glace! Double signe de terre, un de fin d'été et l'autre d'hiver enfoui sous la neige!

Il travaille fort, tant et si bien qu'on finit par lui confier un poste de responsabilités, un poste élevé. Il devient un chef, respecté et respectable. Il considérera celui qui est au bas de l'échelle, surtout si la personne est travailleuse, reconnaissant qu'il est préférable de monter lentement et sûrement que d'être en haut et retomber.

Il peut également avoir son propre commerce car il est capable de se fier à sa seule force.

Mais il ne vous donnera rien, il ne vous fera pas de cadeau, pas de faveur; tout se gagne, comme lui-même l'a fait. Si vous lui rendez un service il le paiera comme on le paie, lui, quand il travaille.

Il soigne ses intérêts d'abord et avant tout, sans négliger la collectivité pour laquelle il travaille. Si, à tout hasard, vous lui demandez un service, il faudra le payer, ce n'est pas gratuit avec lui, et l'équivalent bien exactement pesé et mesuré. Si vous ne le faites pas, il vous le fera savoir fermement, jusqu'à vous gêner. Justice.

Sa deuxième maison, celle de l'argent, dans le signe du Verseau, également le sixième signe de la Vierge, lui donne un grand sens pratique. Il aura souvent besoin d'un public pour gagner son argent. Cette deuxième maison sous Uranus (Verseau) peut lui valoir un gain d'argent soudain, ce peut même être à la loterie, surtout s'il a de bons aspects de Vénus et d'Uranus dans sa carte natale. Mais le mieux pour lui, c'est encore de se fier à son travail, ce qui n'interdit pas l'achat de billets de loterie. Avec de mauvais aspects d'Uranus dans sa carte natale, le natif peut, après un gros coup d'argent, en perdre, et c'est parfois sous l'influence d'amis qui aiment un peu trop le risque et la fête. Il arrive que le natif divorce pour raison financière, peut-être était-il seul pourvoyeur alors que l'entente première du mariage stipulait que « nous devions être deux pour assurer la subsistance ».

Sa troisième maison, dans le signe du Poissons, en aspect opposé avec son Soleil, indique qu'un mariage décidé trop jeune peut attirer au natif un partenaire menteur ou qui ne lui dira que la moitié de la vérité. Il peut lui-même être intrigant. Il aimera les jeux de mots, les devinettes, les intrigues, mais pour s'amuser; quand il en arrive aux choses sérieuses de la vie, il ne veut pas mentir, il préfère la vérité, mais on n'agit pas toujours de même avec lui. Il sera tenté d'abandonner ses études jeune, préférant le vaste monde à la limite d'une classe. Si vous en avez un encore adolescent, il faut l'encourager dans ses études. Il aurait le courage de quitter juste pour avoir de l'action et élargir son horizon. Bien que double signe de terre et organisé, ce natif est tolérant envers ceux qui ne le sont pas, à condition que ça ne le touche pas directement. Il a l'esprit large et il accepte toutes les idées, à condition qu'on ne vienne pas lui imposer quelque chose qu'il n'aurait ni décidé ni voulu.

Sa quatrième maison, celle du foyer, symbole de la mère, est également le huitième signe de la Vierge. Sans s'en rendre compte, le natif a pu subir une forte influence de sa mère qui a pu lui donner une nature combative, mais il est aussi possible qu'il n'ait pas reçu de sa mère l'attention et l'affection dont il avait profondément besoin. La mère est sans doute dynamique, mais elle se préoccupe davantage des apparences que de sa nature intérieure, et son enfant doit se tailler une place de choix et réussir – financièrement – preuve incontestable de l'ascension et de la réussite sociale. Naturellement, cela est en fonction du milieu de naissance du natif. Généralement il n'a pas manqué de l'essentiel dans son milieu familial. Aussi lui-même est-il très consciencieux quand il est question de subvenir aux besoins des siens.

Sa cinquième maison, celle des amours, de la créativité, des enfants, se trouve dans le signe du Taureau. Encore une fois, si le natif a des enfants, il pourvoira à leurs besoins en y ajoutant affection, tendresse, ce qu'il n'a pas vraiment reçu de sa mère. Il aimera les beaux vêtements et peut-être, dans tout son conformisme, s'accordera-t-il à ses heures quelques tenues originales et même surprenantes. Il aime la mode. Il peut être d'avant-garde et de bon goût naturellement, à moins de bien mauvais aspects de Vénus et de son Soleil. Il aspire à la stabilité sentimentale, il y recherche en même temps la sécurité. Il aimera la présence des artistes, mais ne se laissera pas impressionner. Il est trop raisonneur pour ça. Pour lui, nous sommes égaux tant que nous pensons et agissons.

Sa sixième maison, celle du travail, relève directement des aspects de Mercure dans sa carte natale. Ce peut être le secrétariat pour les uns, la vente, un travail qui demande des déplacements par la route pour d'autres. Il est habile dans les travaux manuels qui demandent de la précision. L'essentiel pour lui sera d'établir le contact avec différentes personnes où il peut parler de tout, apprendre de chacun leurs intérêts diversifiés afin d'augmenter ses connaissances. L'école de la vie lui apprend beaucoup, et comme il a une grande facilité pour entrer en contact avec le monde extérieur, il est facile pour lui de se faire aimer. S'il est vendeur, soyez certain qu'il ne contrariera pas son client! Sa raison lui dicte instantanément que le client a toujours raison quand il s'agit de faire de l'argent!

Sa septième maison, celle du conjoint, se trouve dans le signe du Cancer. La famille pourrait dans certains cas exercer sur le natif une certaine pression afin qu'il se choisisse mari ou femme de son choix! Il pourrait attirer à lui des partenaires qui se comportent comme des enfants ou qui se placent sous sa dépendance affective ou matérielle, ou les deux à la fois. Parfois le mariage est maintenu pour diverses raisons. Le natif de la Vierge, étant au départ tolérant, trouvera toutes sortes de bonnes raisons pour excuser le comportement de son partenaire. Quand la Vierge, si elle n'a pas encore pris d'habitudes, si elle ne s'est pas enracinée dans la routine, se rendra compte qu'elle a la responsabilité de sa communauté familiale, elle pourrait bien éclater, faire un drame, remettre les choses à leur place si le partenaire veut bien faire un effort dans le sens qu'elle lui demande. La Vierge-Capricorne peut avoir le ton d'un général d'armée de temps à autre, mais en fait elle l'utilisera quand il y a lieu de remettre de l'ordre. Chaque chose à sa place et une place pour chaque chose, tant dans la vie familiale que dans la vie professionnelle. Et s'il n'en va pas comme elle veut, le combat commence. Elle n'a surtout pas l'intention de le perdre ou d'y perdre du temps: elle a tout à gagner à s'occuper intelligemment de son avenir!

Sa huitième maison, celle des transformations, est dans le signe du Lion. Donc les liaisons amoureuses que pourrait avoir une Vierge-Capricorne favorisent ses transformations tant sur le plan psychique que professionnel, émotif et mental. S'il survient une rupture, le natif pourrait s'affoler, aller d'une aventure à l'autre, sans se fixer, et parfois pendant bien longtemps. Un accident, avec de mauvais aspects de Mars, de Neptune et de son Soleil pourrait survenir à l'un de ses enfants ou l'un d'eux pourrait être affecté d'une maladie ou de dépression. Le natif devra surveiller de près l'évolution de son ou de ses enfants. Cet aspect naturellement devra être confirmé officiellement par la carte natale du natif et même celle des enfants en question.

Le Soleil se trouvant dans la neuvième maison de cette Vierge, on aura une personne aux espoirs sans cesse renouvelés qui sait prendre sa chance quand elle passe, et elle finit par passer. Possibilité d'un deuxième mariage avec une personne venant d'un milieu totalement différent de celui du natif, parfois de l'étranger, et souvent riche ou même très fortunée. Quand on croit à sa chance, on l'attire, on la fait! Cette position peut favoriser un adepte de la loterie, surtout avec de bons aspects de Jupiter dans la carte natale.

Sa dixième maison se trouve dans le signe de la Balance, deuxième maison de la Vierge. Possibilité de gagner de l'argent par l'esthétique ou un métier connexe, la mode, les vêtements, tout ce qui est de la nature de Vénus, également d'épouser une personne riche. Le natif pourra toutefois être hésitant avant de s'engager dans une aventure où il doit investir son propre argent. Bizarrement, l'hésitation peut être provoquée par le conjoint, la Balance ayant deux poids, peut-être avec un premier conjoint avec qui finalement rien n'aurait marché! Possibilité que l'amour et la carrière soient liés, et que le natif rencontre son futur amour par le biais de sa carrière.

Sa onzième maison, celle des amis, dans le signe du Scorpion, n'a rien de rassurant, bien que la Vierge soit suffisamment prudente pour reconnaître ceux qui savent l'encourager et ceux qui ne lui veulent aucun bien. Il lui faut se méfier des suggestions apportées par lesdits amis. Il se pourrait bien que, sans mauvaise intention, ils guident mal le natif. Il ferait mieux de se fier sur son propre jugement. Possibilité que, durant une certaine période de sa vie, le natif entretienne des relations sexuelles avec ses amies! La fidélité pourrait aussi être lourde à supporter quand il se sent attiré par une amie alors qu'il est marié! La tentation sera forte, les aspects d'Uranus et de Mars nous informent si le natif pourra ou non résister!

Sa douzième maison, dans le signe du Sagittaire, prévient le natif qu'il doit se prémunir contre des investissements étrangers. Au cours de ses voyages, il lui faut être prudent pour éviter de se faire voler ou d'oublier, par distraction, des effets personnels coûteux! L'étranger, ou un étranger, peut participer à son évolution et lui faire découvrir une facette de la vie qu'il avait négligée de voir: les beautés du monde intérieur, par exemple, la réalité de la vie psychique, du monde invisible, de la vibration, l'existence d'une vie après la mort, que finalement c'est ici qu'on se prépare à vivre la prochaine vie, que nous sommes immortels... À un moment de sa vie, le natif pourra vivre des expériences qui sortent de l'ordinaire.

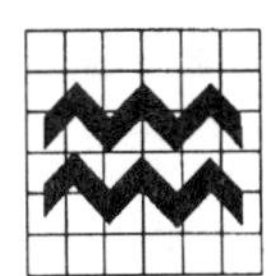

VIERGE ASCENDANT VERSEAU

Voilà quelqu'un qui peut être bien contrariant. Un jour il dit blanc et le lendemain il dit noir. C'est une Vierge intrigante, difficile à comprendre, un paquet de nerfs tout emmêlés comme des fils électriques où le courant passe. Si vous vous y frottez, vous risquez l'électrocution uranienne!

Elle se cherche une raison d'être, elle veut être spéciale! Pas besoin de chercher, elle l'est bien malgré elle, avec un ascendant Verseau.

Le non-conventionnel l'attire, mais en tant que Vierge c'est un risque à prendre! Elle juge les autres, les mesure, les compare, décide même pour eux. Le Verseau est un être qui commande, qui tyrannise même. Il est souvent l'ange déchu plutôt que l'ange divin! Mais il est plus facile de dominer par la force que par la douceur, n'est-ce pas?

C'est un être bizarre que cette Vierge. Un ami lui demande un service, elle n'a pas le temps. Un voisin qu'elle n'a vu qu'une fois demande de l'aide, la voilà qui accourt! Et les remerciements ne lui font pas grand-chose: merci, au revoir, ça lui suffit, elle ne cherche pas qu'on lui soit reconnaissante.

En amour, elle fait marcher. Elle croit qu'elle connaît rapidement l'autre et qu'elle saura le manipuler à sa guise. Surprise, on ne fait pas son jeu. Ça manque franchement de chaleur. Les adultes ont passé l'âge du cache-cache! La Vierge-Verseau attribue à ses partenaires des qualités et des défauts qu'ils n'ont pas. Elle est la reine de l'illusion! Ce signe vit de nombreux chocs qui, finalement, doivent l'éveiller pour que son signe double s'unifie et devienne porteur de bonnes nouvelles.

Sa deuxième maison, dans le signe du Poissons, lui permet d'avoir parfois plus d'une source d'argent. Autant l'argent rentre bien dans ses caisses, autant il sait le faire sortir pour s'offrir du luxe, des fantaisies. Comme le Poissons se trouve juste en face de la Vierge, il arrive que les questions d'argent jouent un rôle capital dans la relation sentimentale. Possibilité que le conjoint ait épousé une personne ayant quelques valeurs financières dont il peut se servir pour prospérer lui-même. Il sera également habile à camoufler de l'argent, à l'impôt par exemple, mais il y a possibilité qu'on le découvre au moment où il s'y attend le moins...

Sa troisième maison, dans le signe du Bélier, lui donne un air audacieux et une parole directe qui parfois peut être choquante. Le Bélier étant le huitième signe de la Vierge, le natif peut avoir un esprit obsédé par la sexualité, et ça peut devenir son sujet de conversation préféré. Il ne manquera pas non plus une occasion de charmer, parfois charmer pour charmer, juste pour se prouver qu'il plaît, qu'on a envie de lui, mais il n'aura pas nécessairement envie de l'autre. Il peut être dépensier à un moment et économe plus tard, au point de se faire offrir des gâteries en utilisant quelques flatteries qui ne ratent pas!

Sa quatrième maison, dans le signe du Taureau, lui fait naturellement désirer un foyer confortable, de préférence près de la nature. Il a pu être éduqué par une mère très affectueuse qui a comblé tous ses désirs, ce qui aura pour effet, quand vient son tour de partager une vie amoureuse, qu'il continuera de demander autant que lorsque sa mère prenait soin de lui. Il aura également beaucoup d'affection pour les membres de sa famille. En leur présence, il leur manifestera beaucoup d'attentions. La Vierge-Verseau devant souvent s'absenter, elle se rattrapera sur la qualité plutôt que sur la quantité.

Sa cinquième maison, celle de l'amour, dans le signe du Gémeaux, la fait s'attacher trop souvent à des personnes superficielles. Généralement, sa vie amoureuse est marquée à l'adolescence où il fait ses premières conquêtes avec grand succès, ce qui a pour effet de lui donner le goût de poursuivre l'expérience longtemps. Il pourrait avoir un comportement d'adolescent dans les questions amoureuses. Il s'accroche à des détails et oublie l'ensemble de la question. Et l'autre a bien du mal à se persuader de sa fidélité, laquelle est douteuse, la plupart du temps. Ce natif peut être fort habile lorsqu'il s'agit d'achat d'objets d'art. Il pourrait même en faire une collection qu'il pourrait un jour revendre à prix fort.

Sa sixième maison, celle du travail, se trouve dans le signe du Cancer, signe de la Lune. Possibilité donc que le natif travaille pour le public. Le symbole de la Lune étant les liquides, la sixième représentant la Vierge, service utile dans le foyer ou son environnement, notre natif n'est pas un rêveur quand il s'agit de travailler, de faire de l'argent. Il aime trop le luxe pour perdre du temps. Il pourrait avoir des employés, la famille pourrait être liée à son travail. Naturellement, la position de la Lune et de Mercure dans sa carte natale donne une indication précise sur la nature du travail qui l'occupe.

Sa septième maison est dans le signe du Lion, son conjoint. Le natif rêve de se promener au bras d'une star. Cela fait parfois partie des objectifs de sa vie: la trouver. Mais cette septième maison étant également la douzième du signe de la Vierge, il peut prendre beaucoup de temps avant de la trouver à moins que des aspects de Vénus et de son Soleil n'en accélèrent le processus. Il pourrait également s'être illusionné et se retrouver déçu devant l'artiste. Pour ceux qui ne le savent pas encore, la vie d'artiste est faite de travail, d'embûches, de recommencement, de créativité qui demande du temps, de la patience. On a tendance à croire qu'un artiste n'a qu'à se présenter et que ce qu'il possède comme talent, comme compétence, il l'a eu tout de suite, comme ça! Si vous grattiez son passé, vous vous rendriez compte qu'il a travaillé plus fort que vous n'auriez pu l'imaginer! Notre natif peut toujours s'imaginer la vie auprès d'une star, mais il n'a peut-être pas étudié toutes les conséquences que cela entraîne pour sa propre vie. Les artistes sont des gens émotifs, et parfois capricieux et exigeants. Ils ont tant besoin qu'on les aime! Le mariage de ce natif est donc toujours un risque, même quand il trouve l'artiste. Il peut, une fois réalisé, durer longtemps avant que survienne une séparation, la septième maison étant en signe fixe. Vous verrez rarement, et peut-être jamais, ce natif au bras d'une personne qui ne serait pas jolie. Bel homme ou belle femme, cela fait partie de ses exigences. Il attache tellement d'importance aux côtés superficiels qu'il peut commettre l'erreur, en ne visant que le beau, de rencontrer quelqu'un qui bientôt le déçoit, n'est pas bon, est même menteur, méchant. Mais il avait choisi la beauté, sans les qualités de cœur...

Son Soleil se retrouve donc en huitième maison, maison des transformations, de la sexualité, de la mort, du renouvellement. Le natif est fortement préoccupé par sa vie sexuelle. Dans un signe double, la fidélité est sur la corde raide! L'occasion fait le larron et le natif semble la rechercher! Au moment où il traversera cette maison, sur le plan astrologique, moment indiqué par sa carte natale, il pourra vivre de grandes transformations, à la manière d'un Scorpion, passer d'une vie à une autre, dont les couleurs sont totalement différentes de la première. Il faudra parfois un choc. La mort peut y jouer un rôle ou une personne pour laquelle il aura une attirance plus forte, et cette même personne, d'un type particulier, l'amène à changer toute sa philosophie. Si le natif avait de mauvais aspects de Mars, de Pluton et de son Soleil, il serait sujet aux maladies vénériennes, peut-être plus que toute autre Vierge. Il raffole des jeux amoureux et il se sentira puni. Il arrive qu'avec cet aspect on retrouve des Vierge appartenant au monde du banditisme, au milieu de la drogue, de la prostitution. Il pourrait être le patron plutôt que l'employé. Disons qu'il s'agit de cas particuliers et de l'exception.

Sa neuvième maison se trouve dans le signe de la Balance. Il est bien possible alors que ce soit au cours d'un voyage que le natif rencontre le deuxième conjoint de sa vie, s'il y a eu un divorce. Avec sa chance, possibilité qu'il fasse la rencontre avec l'artiste dont il rêve! Pour le confirmer officiellement, il faut voir les aspects de Vénus et de Jupiter dans sa carte natale. Généralement élégant, qu'il soit très ou moyennement riche, il paraîtra toujours en public à son mieux. Le goût de plaire est une priorité chez lui.

Sa dixième maison, celle de la carrière, se trouve dans le signe du Scorpion, symbole des transformations ou de ce qui se transforme. Le natif peut donc travailler pour une compagnie ou avoir sa propre entreprise qui exploite un produit qui se transforme et qui, naturellement, dessert le public. Les mines lui sont favorables, ainsi que les propriétés où l'on sert de l'alcool ou autre produit que l'on consomme en cachette, la nuit de préférence! Comme le Scorpion est en bons aspects avec la Vierge, le natif peut espérer voir son entreprise prospérer.

Sa onzième maison, celle des amis, dans le signe du Sagittaire, en aspect négatif avec la Vierge, indique qu'il se fait peu d'amis, qu'il connaît beaucoup de gens mais s'attache très peu. Il lui arrivera fréquemment de rencontrer des gens qui ont l'expérience de la vie. Il les écoutera avec plaisir, y apprenant une leçon de plus. Encore une fois, cette position spécifie son goût pour les voyages où il entrera avec ravissement en contact avec des personnes de nationalités différentes.

Sa douzième maison, dans le signe du Capricorne, symbole de l'épreuve, du père, symbolise que le natif a pu vivre quelques problèmes avec celui-ci, un manque de communication à la base. Le Capricorne étant en bons aspects avec le signe de la Vierge, le natif s'en est accommodé. Dans le cas d'un homme, en tant que père, il pourra subir quelques épreuves, être séparé des siens, du moins partiellement. Dans le cas d'une femme, possibilité qu'elle ait été soumise aux règlements du père et que, si elle se marie, l'homme, le père de ses enfants, pourrait se détacher de la cellule familiale et lui laisser la charge des enfants. Étant donné les bons aspects entre le Capricorne et la Vierge, cette dernière trouvera des solutions qui la satisferont. Il peut arriver que la Vierge de naissance féminine recherche comme mari une sorte de présence du père, quoi qu'il ait été, quoi qu'il ait fait, mais celui-ci n'y correspondant pas, elle aboutit à une séparation consciemment ou non.

Cette dernière position invite le natif à réfléchir, à faire un pas vers la sagesse. Il préfère parfois sa liberté à la limite familiale, sans négliger totalement le côté matériel dont la famille a besoin pour survivre. La Vierge est une personne réfléchie et le Verseau, un enfant de la liberté; et sous l'influence d'Uranus le natif crée une situation d'éclatement. La Vierge se trouve aux prises entre divers désirs d'expansion dans son double signe. Le Verseau veut rénover, tout changer. La Vierge, un signe de terre qui prend racine, et le Verseau, un signe d'air, l'unification n'est pas facile. L'un tient à sa terre et l'autre veut aller s'établir sur une nouvelle planète, la coloniser peut-être, y faire germer de nouvelles racines!

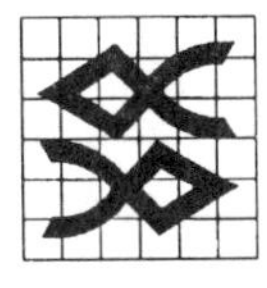

VIERGE ASCENDANT POISSONS

Nous avons ici l'opposé du signe. Le natif est victime, il joue contre ses intérêts. Il se place dans des situations de perdant comme s'il prenait plaisir à souffrir!

Pratique, mystique, tantôt à cheval sur les principes et tantôt plutôt laxiste, anxieux un jour, confiant l'autre ou même quelques heures plus tard! Il se cherche, il veut se comprendre et aimerait bien qu'on l'aide à se comprendre aussi.

Il se laisse souvent ballotter par le destin, on le manipule, on lui fait faire des choses inutiles, on abuse de ses bontés, de sa générosité. Mais, un jour ou l'autre, tout ce qu'on donne nous est remis!

Ce natif a tout intérêt à se diriger vers les arts pour canaliser la multitude d'énergies qu'il possède. Il pourra alors laisser son imagination le guider. Vierge-Poissons entraînée par la beauté et la bonté, vous êtes magnifique, mais si vous vous laissez prendre dans le sous-sol des bassesses de la vie, il vous faudra beaucoup de souffle pour remonter la côte car vous êtes excessif. Double signe double = quatre personnes en une seule qui cherchent à s'unifier!

Sa deuxième maison, celle de l'argent, se trouvant dans le signe du Bélier, huitième signe de la Vierge, le natif a besoin de beaucoup d'argent pour se sentir à l'aise. Il aimera s'offrir du luxe, ce dont on peut aussi se passer!

Sa troisième maison, dans le signe du Taureau, donne à son esprit un côté pratique. Le Taureau, un signe fixe dans une maison en signe double ou mutable, invite le natif à se bâtir une sorte de banque d'idées bien à lui et à s'y maintenir fortement. Il pourra lui arriver de jouer avec les mots, tout simplement pour avoir raison. Il est sensible dès qu'on touche à son orgueil, dès qu'on oppose une résistance à ce qu'il croit être vrai. Il peut s'accrocher à de bons principes comme il peut tout aussi bien s'enliser dans ce qui fait son compte au détriment parfois d'un groupe. Intéressé aux questions qui demandent de la réflexion et qui rapportent de l'argent, cela peut même occuper tout le centre de ses réflexions. Il préfère souvent penser aux autres plutôt qu'à lui-même, pour s'éviter, pour ne pas regarder les motifs qui le font agir, qui le font parfois hésiter et lui font perdre une bonne période de sa vie.

Sa quatrième maison, dans le signe du Gémeaux, symbolie son foyer, ses racines. Le Gémeaux étant en aspect contradictoire avec la Vierge, le natif a pu recevoir des doubles messages dont il ne prendra conscience qu'à un moment difficile de sa vie. Sa mère, qui est peut-être une personne qui manque de sécurité, a tenté de le guider en vue du gain pour qu'il se sente, lui, en sécurité. Les messages de double nature ont pu être: si tu es un bon garçon, le ciel te récompensera. D'un autre côté, on lui cite une liste de gens malhonnêtes qui font fortune. Que doit-il penser? Qu'il faut rester honnête ou voler? Ou alors on lui fait savoir subtilement qu'on l'aime quand il est tranquille, et à un autre moment on s'impatiente contre lui parce qu'il est passif, qu'il ne bouge pas assez vite. Se faire sa propre idée sur soi quand on veut plaire à tout le monde et à son père n'est pas facile. C'est comme si on lui disait qu'il doit être à la fois artiste et homme ou femme d'affaires. Les deux sont possibles, mais difficiles à concilier, en même temps, au même moment.

Sa cinquième maison, celle de l'amour, se situe dans le signe du Cancer, ce qui crée une grande émotivité chez le natif. Préoccupé par le bien-être de sa famille, par l'amour qu'il reçoit de sa mère particulièrement, il ferait n'importe quoi pour lui plaire, mais il l'apprécie peu pour ce qu'il fait. On ne le lui dit pas, on le lui fait sentir. Aussi il aura peur de s'aventurer dans l'inconnu sans l'approbation de sa mère ou des membres de sa famille. Il aimera les enfants, ceux de ses frères et sœurs, il en prendra parfois soin comme s'ils étaient les siens. D'une grande générosité quand il s'agit de rendre service, il oublie ses propres besoins et parfois passe à côté de ce qui est essentiel pour son propre bien-être.

Sa sixième maison, dans le signe du Lion, sa maison du travail, le met en contact avec les artistes ou fait qu'il travaille manuellement dans ce milieu. Comme il est de service, on peut abuser de lui, lui faire faire de longues heures et mal le rémunérer. Il mettra un long moment avant de se rendre compte qu'on ne rend pas «à César, ce qui appartient à César». Comme le Lion est le douzième signe de la Vierge, le côté caché, il peut occuper un poste important, mais il reste dans l'ombre et se fait peu reconnaître pour ce qu'il fait.

Son Soleil, en septième maison, le rend si sensible à autrui qu'il est prêt à leur consacrer sa vie, tant par des services d'ordre matériel que par l'affection et l'attention qu'il leur donnera. Il peut avoir un grand talent de comédien, mais ne sachant plus à qui s'identifier, il se sentira à l'aise quand on lui donnera un rôle à jouer. Il saura, du moins le temps que dure le rôle, qui il est. Il aime plaire, mais il est parfois gauche et timide. On l'acceptera dans tous les milieux, il ne fait pas de bruit, il travaille, il en fait plus qu'on lui en demande. On exagère aussi. Mais le ciel est bon et un jour il réussira à s'affirmer, à se faire reconnaître comme une personne spéciale, et ce pourra aussi bien être dans un domaine artistique, vers lequel il est attiré, que du côté des affaires, dans l'organisation des arts.

Sa huitième maison, dans le signe de la Balance, le fait naturellement rêver de domination, mais il lui faudra attendre son tour. Patient, il l'est. La Balance étant le symbole des unions, des associés, il est conseillé à ce natif de ne se fier qu'à sa seule force s'il décide de bâtir une entreprise. Il peut arriver qu'il vive une rupture qui le marquera puissamment et qui sera alors à l'origine de sa transformation, de sa propre restructuration. Intelligent, il ne le laisse que peu paraître, tant par timidité que par peur de commettre la moindre erreur qui pourrait déplaire.

Sa neuvième maison, dans le signe du Scorpion, le rend intuitif, perspicace. Il peut d'un seul coup d'œil analyser les gens, les deviner. Il saura quoi leur dire pour les encourager, et quand il prendra plus d'assurance, il saura aussi quoi leur dire pour qu'ils cessent d'abuser de ses services sans le payer ou sans lui donner ce qui lui revient. Attiré par l'astrologie, il peut même s'en faire un loisir. Il en profitera pour se retirer seul, pour se mieux connaître et pour mieux connaître les gens qui l'entourent. Cette position indique qu'il peut être doué pour les investissements, mais il ferait bien de travailler seul et ne pas se fier aux opinions d'autrui qui peuvent être pleines d'assurance, apparemment, mais qui, en fait, ne lui serviraient que des paroles en l'air pour le dérouter.

Sa dixième maison, dans le signe du Sagittaire, invite encore une fois le natif à la spéculation financière. Profondément croyant, il devra cependant prendre garde ne pas s'attacher à des religions de pacotille. Il devra se méfier des conseils qu'on pourrait lui donner au sujet de l'argent, surtout quand ils viennent de sa famille. Influençable, il doute facilement de lui-même et fait parfois siennes les idées des autres.

Sa onzième maison, celle des amis, se trouvant dans le signe du Capricorne, lui fera rechercher la présence des gens plus âgés. Il se sentira plus à l'aise avec eux qu'avec ceux de son âge. Il sait qu'il a beaucoup à apprendre et il retiendra les leçons de sagesse de ceux qui l'ont devancé, de ceux qui ont réussi seuls. Il ira y puiser son courage et sa force d'agir. Il aimera également s'occuper des vieillards, qui, par vibrations, lui rendront service.

Sa douzième maison, dans le signe du Verseau, l'invite à être sélectif quand il s'agit de se choisir un associé, un ami, un mari ou une femme. Il pourrait découvrir que la personne qu'il aime, qu'il apprécie a un autre visage que celui qu'il avait tout d'abord vu. Cette position crée chez lui un attrait pour l'astrologie, pour les sciences occultes. Il aimera rencontrer les voyants, entendre parler des mystères qui se cachent dans l'invisible. Lui-même pourra avoir des contacts avec le monde invisible où il pourrait chercher une grande source d'inspiration. Il devra fuir les faux prophètes et les faux voyants et s'enfuir au moindre doute ou pressentiment qu'il est devant une personne négative.

Ce natif est une sorte de boîte à surprises. Il peut émerger tout à coup, sortir de lui-même et démontrer à quel point il est différent. Réfléchi, il regarde où il met les pieds. Aussi quand vient le temps, s'il s'est fié à ses propres intuitions, s'il poursuit ses désirs profonds, qu'il s'agisse de s'affirmer dans le monde des affaires ou dans le monde des arts, on le reconnaîtra.

Si, à tout hasard, et ce qui est peu souhaitable, le natif se trouvait dans un milieu où la drogue et l'alcool sont monnaie courante, il pourrait se laisser influencer et il aurait du mal à en sortir. Il peut se laisser happer par le monde des illusions qui lui promet gloire, fortune ou la fuite au pays des merveilles... mais la raison de la Vierge reviendrait à coup sûr, et le natif aurait la force de s'en sortir.

La Balance et ses ascendants

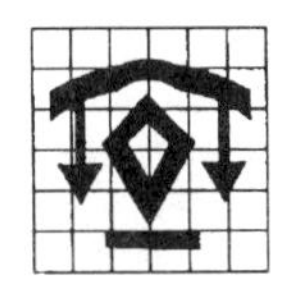
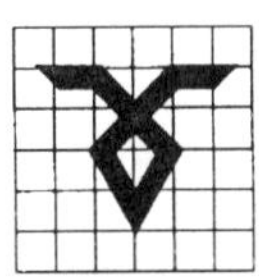

BALANCE ASCENDANT BÉLIER

Double signe cardinal, un de feu et l'autre d'air. Il s'agit aussi de signes opposés qu'on nomme également complémentaires. La Balance est une personne prudente, le Bélier est pressé! Comment vit-on cela ensemble? La Balance veut donner, et le Bélier veut sa part du gâteau... avec beaucoup de sucre. Tantôt vous avez devant vous une Balance harmonieuse, patiente, qui se croit capable d'attendre; voilà qu'un mouvement de Lune dans le ciel vient la bousculer, les plateaux oscillent dans tous les sens, Mars du Bélier y a mis le feu, on ne reconnaît plus cette Balance! C'est une tempête, un ouragan, un incendie!

Cette nature est méfiante et ne se rend pas compte à quel point elle l'est. Comme tous les signes qui s'opposent sur la roue du zodiaque, cette Balance est prête à tout donner à la personne qu'elle aime, elle donne et, surprise, la personne prend tout et il ne lui reste rien!

Elle a bonne mémoire, dame Balance! Pourtant, c'est de l'amour que dépend son destin, et c'est compliqué. Les unions sont décidées rapidement: aussitôt dit, aussitôt fait. Ce natif a terriblement besoin de se sentir aimé et d'aimer l'autre parfois plus que lui-même. Oui, il est presque capable d'une telle abnégation, ça ne se verra pas en public, la Balance a sa fierté!

Voici que nous sommes en face d'un double signe cardinal, signe d'action et de compétition. C'est ce qui se passe souvent dans le ménage: une lutte de couple. Qui aura le dessus sur l'autre? Qui fera marcher l'autre? Qui fera le premier pas? C'est l'erreur que commet inconsciemment et involontairement cette Balance, poussée par la pression de Mars et de son ascendant Bélier. Mais une Balance qui s'en rend compte est capable de rectifier. Rien n'est plus important pour elle que d'atteindre la paix et l'harmonie; elle adore la vie en société, elle aime bien une vie amoureuse dans le calme, pour se récréer, réfléchir pour mieux agir.

Au travail, cette personne peut être extrêmement sévère, exigeante, bourreau, meneuse d'esclaves. Si elle n'est pas le patron, elle fait exécuter les ordres du patron avec toute l'autorité qu'on lui délègue, et même plus!

D'ailleurs, sa deuxième maison, dans le signe du Taureau, position idéale, lui fait aimer l'argent, non pas pour l'argent mais pour ce qu'il procure, le bien-être matériel, la sécurité du moment présent autant que celle de l'avenir. Elle sait économiser, même si elle sait également très bien dépenser. Elle aime les beaux vêtements, les bons restaurants, le luxe. Soyez certain que si cette personne a considérablement dépensé d'argent, du moins c'est ce que vous avez pu constater, elle en a en réserve. Son bas de laine lui permettra toujours de subvenir à ses besoins quand la «bise» viendra. C'est une fourmi au travail; elle n'a rien d'une cigale, bien qu'elle puisse chanter à ses heures... au nom de la victoire qu'elle remporte! Croyez-moi, la moindre défaite la renverse, mais jamais pour longtemps! Cette Balance sait investir. Le monde de l'immeuble peut l'aider à remplir ses caisses, la possession de terrains lui va comme un gant, qu'il s'agit d'en faire l'achat ou la vente.

Sa troisième maison, dans le signe du Gémeaux, encore une fois position idéale pour la troisième maison, également le neuvième signe de la Balance, signifie que la parole est franche; elle veut la vérité, rien que la vérité. Il faut que ça rapporte. L'esprit matérialiste étant très présent sous ce signe, quoi de plus légal que de surveiller ses intérêts? Quand ce natif défend ou combat une idée, il ne donne pas sa place. Il sait défendre ses droits, il n'a pas la langue dans sa poche. C'est ce genre d'individu qu'il nous faut pour défendre nos droits. Naturellement, à condition qu'il y croie profondément. Et ajoutons une nuance: cela doit lui permettre de remplir ses poches, ce qui est bien légitime. La richesse est préférable à la pauvreté, tout le monde est d'accord; la preuve c'est que nous sommes nombreux à prendre des billets de loterie dans l'espoir de gagner le gros lot, de devenir riches. Seulement, il faut éviter de vivre dans le rêve et ne compter que sur ça!

La Balance ne le fera jamais, elle est trop consciente qu'il faut y mettre talent et effort conjugués pour réussir une entreprise. Elle a le sens de l'innovation, de l'originalité, elle sait se faire remarquer, elle a le mot qui veut dire: je suis intelligente, je sais ce que je veux, je sais également le demander, il vous suffit de me remarquer et de constater mes compétences! L'humilité comme telle n'est pas son fort, elle ne se surestime pas, mais elle se donne une juste valeur, pas plus, et surtout pas moins! Les complexes, elle les combat et, encore une fois, elle a raison. Elle croit que chacun a sa place et qu'il y a une place pour chacun. Naturellement, elle préfère en avoir plus! Se mettre devant. En peu de mots: elle a le sens du vedettariat, qui lui sied très bien d'ailleurs.

Sa quatrième maison, dans le signe du Cancer, est en aspect négatif avec celui de la Balance. Quatrième maison, symbole du foyer, ce natif, bien que dévoué à sa famille quand il en a une, n'y passera pas tout son temps et, de plus, il a le vif désir de s'élever au-dessus de sa condition de naissance. Il n'est pas rare de le voir se séparer très tôt de ses parents, de sa famille, pour faire sa vie, celle qu'il choisit avec conviction, surtout si le foyer entre en contradiction avec ses convictions.

Sa cinquième maison, dans le signe du Lion, lui fait aimer les enfants, lui donne le respect de la vie. Au départ, cette Balance est une grande idéaliste! L'idéal de la vie étant la vie elle-même, et la vie étant dans l'action, alors quel que soit le domaine dans lequel elle opère, elle sera active et se donnera entièrement à ce qu'elle croit. Ce peut aussi bien être un idéal artistique que familial, les deux étant tout aussi respectables l'un que l'autre. Élever des enfants, c'est noble; être artiste, c'est noble. Il n'y a pas de sots métiers. En fait, il y a de sottes gens qui croient que les uns valent mieux que les autres parce qu'ils ont des titres, parfois ronflants. Notre Balance-Bélier reconnaît l'importance de tout ce qui vit, de ce qui agit en vue d'une action évolutive.

Sa sixième maison, dans le signe de la Vierge, la rend naturellement travailleuse. Il arrivera souvent qu'elle choisisse un métier de défi qui peut amener quelques épreuves, la Vierge étant le douzième signe de la Balance, donc un signe qui symbolise les épreuves. La santé pourra être menacée si le natif ne se surveille pas et s'il ne respecte pas les règles de la bonne alimentation: un esprit sain dans un corps sain! Il lui arrive d'oublier d'observer cette loi naturelle.

Son Soleil se trouve donc en septième maison, ce qui indique, encore une fois, que ce natif peut avoir des faiblesses organiques, selon les aspects de Vénus et de son Soleil dans sa carte natale. Cette position favorise les unions, les mariages, les divorces également! Mais, notre natif, s'il survient une séparation, ne restera pas seul longtemps. Il est en demande. Il a pu, au cours d'une première union, se comporter à la manière d'un directeur de compagnie, désirant que tout soit parfait, que les horaires de la vie de couple et de famille soient respectés, que tout le monde joue son rôle. Enfin, imaginez un peu un mariage où on trouverait les mêmes règlements qu'à l'armée! Les subalternes risquent de se révolter contre le patron! La vie de famille devant être souple, compréhensive, encourageante, tolérante même envers les divergences d'opinion, notre Balance-Bélier a toujours raison jusqu'au jour où on lui annonce qu'on lui enlève son pouvoir de dictature. Il faut remarquer que la dictature d'une Balance-Bélier se fait avec le sourire, qui, malgré tout, peut être rejetée!

Sa huitième maison, dans le signe du Scorpion, deuxième signe de la Balance, signifie l'argent, la mort. L'argent par héritage est donc possible. Ce natif pourra, à un certain moment de sa vie, s'opposer à tout ce qui est en dehors de la logique et placer le monde de l'invisible au rang des fantaisies. Arrive l'épisode de sa vie qui lui prouve alors que l'intuition fait partie intégrante de l'individu, naturellement il l'analyse, l'expérimente à sa manière, et découvre qu'il faut en prendre note et sérieusement! Il pourra même découvrir que l'astrologie, bien que ne relevant pas uniquement des mathématiques, a ses bases de vérité. Et voilà que notre natif s'y intéresse à divers degrés et commence à rejeter l'idée que seule la logique a force de loi!

Sa neuvième maison, dans le signe du Sagittaire, troisième signe de la Balance, lui permet de s'élever au-dessus de son milieu et de fréquenter ceux qui, par exemple, ont un pouvoir d'argent ou tout autre pouvoir qui lui permet de s'intégrer et de faire un pas de plus dans la direction qui l'intéresse. La Balance-Bélier s'adapte rapidement à toutes les situations. Ce natif fait un excellent professeur quand, naturellement, il croit à ce qu'il enseigne. Il est assez difficile de déterminer la nature exacte de son travail sans sa carte natale. Multidisciplinaire, il s'intéresse à tout. Ses racines sont importantes et influencent grandement l'orientation de sa vie. S'il a reçu des encouragements, il ira très loin, il se fera remarquer, se taillera une place de choix. Si on ne l'a pas encouragé à poursuivre, ce sera plus difficile de choisir mais, chose certaine, il dépassera les attentes de ceux qui l'entourent.

Sa dixième maison, dans le signe du Capricorne, peut provoquer une sorte de rébellion contre le père et, encore une fois, cette position marque l'indépendance du natif face à son milieu de naissance. Il veut être plus que ce qu'on lui a donné et il peut même entrer en compétition directement ou indirectement avec son père.

Sa onzième maison, dans le signe du Verseau, faisant un aspect positif à son Soleil en Balance, lui attire des amis de tous les milieux. Il réussira à passer là où d'autres attendent depuis longtemps, grâce souvent à ses relations qu'il sait si bien entretenir.

Sa douzième maison, dans le signe du Poissons, la sixième de la Balance, lui donne envie de vouloir sauver l'humanité, ce natif étant très conscient des problèmes que connaît la nature humaine. Mais s'il ne surveille pas sa santé, il pourra souffrir de mille petits maux, parfois plus ou moins importants, qui ralentiront sa production. Avec de mauvais aspects de Neptune, il peut tomber dans des extrêmes, et il est à souhaiter qu'il ne touche pas à la drogue, à l'alcool ou à tout ce qui fait partie du monde des illusions. Mais même s'il vivait cette expérience, il réussirait à s'en sortir et cela pourrait même faire de lui un grand militant... contre tout ce qui détruit l'humanité!

La sagesse lui vient avec les expériences de la vie qu'il mène. Il retient les leçons et ne fait jamais deux fois la même erreur. La Balance étant un signe bien pensant, la logique, le cœur et les émotions sont très présents avec l'ascendant Bélier. Il finit par atteindre son équilibre: bien vivre, selon son idéal, dans la paix, l'harmonie, le tout arrosé d'une passion tantôt exprimée tantôt silencieuse, mais toujours brûlante au fond de lui.

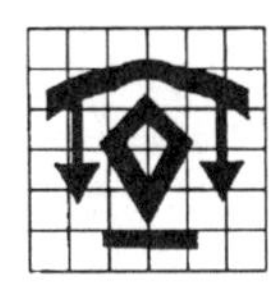

BALANCE ASCENDANT TAUREAU

Je vous présente un jouisseur! Une très jolie personne, qui aime rire, manger, boire et prendre tous les plaisirs que la vie veut bien lui offrir, et la vie, sans le faire exprès, en place beaucoup et souvent sur sa route, juste pour voir si cette Balance-Taureau ne va pas exagérer! Une épreuve par le plaisir! Elle est bien bonne celle-là!

Ce natif a besoin d'amour. Sans amour, il a l'impression de ne pas valoir plus cher qu'un radis! Son besoin d'amour est impérieux!

Ces deux signes sont régis par Vénus, planète de l'amour romantique et de l'amour charnel, des arts, des contrats. Nous avons une personne qui ferait mieux de s'orienter très tôt vers l'art ou le commerce immobilier. Dans les deux cas la personne saura faire de l'argent! Deux signes de Vénus l'un devant et l'autre à l'ascendant, cela peut faire un excellent avocat, qui deviendra riche certainement! La Balance ne peut s'entourer que du beau et le beau il faut le payer!

En général, ce signe attire à lui la richesse, ou les gens riches qui lui permettront d'accéder à un moyen de le devenir. Bien que cette personne ne puisse vivre sans amour, elle ne néglige absolument pas ses intérêts financiers. Je dirais même qu'elle sait très bien s'en occuper et prospérer. L'inverse est très rare, à moins que cette Balance ait voulu de l'argent très vite, ait commis un vol de banque, et se retrouve en prison à se demander comment elle fera bien pour être riche en sortant de là! Mais les Balance en prison sont plutôt rares, on les trouve plutôt comme avocats. Signes d'air, ils se sentent mieux à l'air libre!

La Balance est un signe cardinal, signe qui veut que tout soit fait tout de suite malgré l'oscillation des plateaux. Bien sûr que tout peut être fait tout de suite, si on le fait faire par les autres! Taureau, signe fixe, endurance, ténacité, signe de terre, signe réaliste, il a besoin de la sécurité financière pour bien réaliser sa vie et rendre heureux ceux qui l'entourent! Il fait des cadeaux!

Par contre, un déséquilibre peut se produire sous ce signe. La raison et les sentiments se battent, se heurtent: qui doit l'emporter, est-il plus important de vivre de raison que d'amour? On ne peut vivre d'eau fraîche et de rêves, le Taureau le sait et la Balance en est persuadée! Le plus souvent la raison gagne. Mais personne ne peut vivre sans s'émouvoir, surtout pas une Balance-Taureau, et un jour, se rendant compte qu'elle vit dans un monde superficiel, elle se paiera une dépression, une maladie qui se répand maintenant un peu partout dans la population! Quelle horreur! Quel gâchis! Il serait si simple de vivre de sentiments, puisque, de toute manière quand on fait confiance à la vie, elle nous donne tout ce que nous voulons!

Sa deuxième maison, dans le signe du Gémeaux, neuvième signe à partir de la Balance, symbolise la chance financière! Le natif a souvent deux sources de revenus et il n'est pas rare de le voir investir dans des produits étrangers qui lui rapportent beaucoup plus qu'il ne l'espérait au début. Il sera attiré par la politique, il pourra également faire quelques investissements de ce côté, de façon à assurer sa participation et les fruits qu'il pourrait en retirer. Cette deuxième maison étant dans un signe de Mercure, il est alors possible qu'il gagne de l'argent par la parole, les écrits; il fait un excellent vendeur d'idées et il réussit généralement à vous persuader qu'il a raison et que vous devez lui faire confiance. Certains peuvent même jouer avec vos sentiments, ce qui leur rapporte bien. Ce double signe de Vénus est bien gourmand quand il s'agit d'argent. Si, à tout hasard, il s'adonnait un jour ou l'autre à quelques malhonnêtetés, il lui faudra payer de retour. Quand on crache en l'air, vous savez ce qui arrive.

Sa troisième maison, dans le signe du Cancer, donne à son vocabulaire une teinte sensible, passionnée également, quand il doit l'être. Perspicace, il connaît bien son client et, au premier regard, il sait à qui il a affaire. Son sens de l'observation est puissant. Comme le Cancer est en aspect négatif avec la Balance, cela signifie que si le natif se trouvait dans une situation susceptible de lui coûter de l'argent, il serait capable de mentir. Il déteste perdre... Disons que c'est l'exception à la règle, ma nature positive préfère croire qu'il n'y a que des gens bien sur la planète. Cela m'attriste de constater qu'il existe pourtant des tricheurs Balance-Taureau, j'en ai rencontrés. Naturellement, je garde le secret professionnel!

Sa quatrième maison, dans le signe du Lion, lui fait désirer une habitation riche et pour l'avoir il faut travailler, et il est prêt à faire des sacrifices. Il tient à démontrer qu'il a réussi, d'où qu'il vienne, quoi qu'il fasse, et souvent il vous en fera la preuve en vous invitant dans sa maison ou son appartement, et vous y découvrirez son bon goût et le luxe qu'il peut s'offrir. Manière de dire qu'il réussit bien!

Sa cinquième maison, celle de l'amour, dans le signe de la Vierge, le rend très prudent dans les questions sentimentales. Il peut même être tiède. On ne peut non plus être tout à fait certain de sa fidélité, cette cinquième maison étant dans un signe double! Si la tentation est trop forte, il aura alors une bonne excuse pour y succomber! Cette position, qui parle également de ses enfants, l'incite à les orienter de façon pratique dans la vie. Il les invitera donc, d'une manière parfois détournée, à choisir un métier, une profession qui rapporte. Il pourrait aussi oublier de respecter leurs véritables goûts, persuadé qu'il est de détenir la meilleure solution et qu'il faut l'écouter. Cette position peut indiquer que l'un de ses enfants peut être sérieusement malade, la maladie étant indiquée par les aspects de Mercure et du Soleil dans sa carte natale.

Cette cinquième maison étant également la douzième du signe de la Balance, donc un signe aussi d'épreuves, indique une fois de plus que le natif pourra avoir quelques problèmes avec ses enfants. Si des aspects de stérilité apparaissaient dans sa carte natale, il y aurait possibilité que le natif lui-même ressente un grand malaise du fait qu'il n'a pas d'enfant, qu'il se sente pénalisé, ce qui peut susciter une dépression ou du moins une certaine confusion mentale. Certains de ces natifs peuvent refuser d'avoir des enfants, ou en avoir et les négliger pour différentes raisons, parfois aussi parce que le natif ne se sent pas assez aimé lui-même.

Son Soleil se trouve donc en sixième maison. Sixième, symbole de travail, symbole de la Vierge, signe double ou mutable, et le Soleil étant en Balance, signe cardinal, deux plateaux, donc le natif peut faire ce qui lui plaît. L'intelligence est puissante, le sens de l'analyse est poussé ainsi que le souci du détail, du travail bien fait. Il peut se dévouer à une cause ou se trouver dans des emplois où il gravit lentement mais sûrement les échelons, jusqu'à occuper un poste de directeur. Ce natif a le sens de l'entreprise. S'il met sur pied un commerce, il a toutes les chances du monde de le voir progresser. Il ne calcule pas son temps. Il peut même mettre ses sentiments et l'amour de côté pour se consacrer quasi uniquement à son travail. Et s'il est marié, il risque, à cause de cette passion pour le travail, de voir son ménage se détruire sans qu'il puisse même s'y opposer... Position qui favorise le commerce ayant un rapport avec l'alimentation, entre autres.

D'ailleurs, sa septième maison se trouve dans le signe du Scorpion, maison du mariage dans le symbole de la destruction. Possibilité aussi qu'il y ait un autre mariage puisque le Scorpion, qui est aussi un signe de restructuration, de résurrection, se trouve le deuxième signe de la Balance, symbole d'argent dans la septième maison, symbole du conjoint! Le natif ayant été pendant longtemps attiré davantage par l'argent que par l'amour, il est normal qu'il vive l'amour intéressé! Mon père me disait quand j'étais petite: «Dis-moi ce que tu ressens profondément, et je te dirai qui tu attireras comme ami.» (Pour ma part, je puis me flatter d'avoir de bons amis; j'en ai peu, mais ils sont vrais de la racine des cheveux jusqu'au bout des orteils, du dedans comme du dehors!) Si notre natif ne pense qu'argent, propriété, biens, pouvoir, tout naturellement il attirera ce genre de personnes, ceux qui en ont et aussi ceux qui en veulent!

Sa huitième maison est dans le signe du Sagittaire. Voilà une position qui le fera sérieusement réfléchir vers sa trente-cinquième année. Il pourra se permettre une remise en question de ce qu'il est, de ce qu'il vit, et peut-être même changer de philosophie ou modifier l'orientation de sa carrière. Tout dépend naturellement des aspects que l'on trouvera avec cette huitième maison. Il en aura certainement l'occasion, libre à lui d'en profiter ou non! Cette position symbolise également que le natif aura une mort douce, peut-être en pays étranger. Il se peut aussi que ce soit au cours d'un voyage qu'il se transforme et comprenne qu'il lui faut vivre différemment pour atteindre le bonheur et la sagesse. Cette position, en fait, le protège de la mort, le fortifie physiquement dans des moments critiques. S'il survient un grave accident, le natif s'en tirera. Dans un cas majeur, on criera miracle. Sa résistance face aux obstacles est très forte.

Sa neuvième maison, dans le signe du Capricorne, peut, dans la trentaine, lui faire désirer les voyages, le lointain. Il en devient si curieux qu'il ne peut résister à l'appel. Sédentaire le plus souvent dans la première partie de sa vie, voilà qu'il trouve le monde trop étroit, il part à la découverte de ce qui lui semblait caché. Encore une fois, cette position symbolise qu'il peut avoir un attrait pour la politique ou œuvrer au sein d'une organisation où il occupera un poste important.

Sa dixième maison, dans le signe du Verseau, signifie des dénouements de carrière surprenants. Un jour, un inconnu parmi tant d'autres, et le lendemain le voilà en face d'un public en train de parler d'une chose sérieuse. Grand défenseur des droits des travailleurs, il n'aime pas qu'on lui marche sur les pieds. Balance, il désire la justice et la paix avant tout. Le but de sa vie est rarement d'être connu ou reconnu. Tant mieux si ça arrive, mais pour lui ceci n'est pas vraiment important, l'essentiel étant le bien-être, le confort, la justice et la sécurité.

Sa onzième maison, celle des amis dans le signe du Poissons, lui en attire de toutes les sortes. Il est souvent placé dans une situation où il doit apporter son aide et même du secours. Ce natif peut aussi, avec de bons aspects de Neptune, être attiré par la médecine. Il sera consciencieux, dévoué et recherché pour ses compétences. S'il choisissait cette profession, vous le verriez être le premier à proposer une recherche sur telle ou telle autre maladie; il veut aider son prochain!

Sa douzième maison, dans le signe du Bélier, est le symbole de son épreuve. Il arrive donc que ce natif attire un partenaire malade. Possibilité également qu'il soit sujet aux migraines, aux maux de tête répétés. Les reins peuvent également être faibles. Le natif devra donc surveiller continuellement ce qu'il mange et ce qu'il boit. Les épreuves, quand elles sont dans le signe du Bélier, sont le plus souvent de courte durée. Les aspects de Mars et de Neptune dans sa carte natale les identifient. Il peut également avoir un cerveau qui fonctionne à cent à l'heure, ce qui lui laisse peu de temps pour récupérer! Il lui suffira alors de prendre du repos quand il en ressentira le besoin plutôt que de lutter contre la fatigue et dépasser les limites de sa résistance.

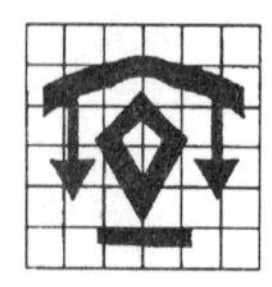

BALANCE ASCENDANT GÉMEAUX

Double signe d'air, double signe de raison, deux coups de vent aussi. L'esprit ne manque pas, il est rapide comme l'éclair! La nature est raffinée, comme l'artiste.

La personne est sociable, elle s'intéresse à tout le monde, fait parler tout un chacun... Elle semble compréhensive, ouverte, elle suit votre conversation sans vous quitter de l'œil... Observez ses yeux, pendant que vous racontez quelque chose. Cette personne réfléchit sur elle-même et à toutes sortes de chose en même temps!

Il lui est bien facile d'être d'accord avec vous, elle n'a nullement envie d'engager la conversation: Balance, deux plateaux qui oscillent, et Gémeaux, signe double. Et si une personne disait exactement le contraire de ce qu'elle vient d'entendre, elle aurait la même attitude qui a l'air d'approuver puisqu'elle ne réprouve rien!

La nature de cette Balance est essentiellement sociable. Aussi vivre une vie privée entre quatre murs, avec ses enfants, son partenaire, c'est bien difficile, bien que cela ait toujours un avantage social. Et s'il y a avantage social, cette nature s'engage.

Cette native adore la conversation, sait répondre juste ce qu'il faut pour alimenter l'interlocuteur et lui permettre de s'exprimer. Elle peut y apprendre quelque chose qui lui servira un autre jour, avec une autre personne!

Finalement, vous ne savez que très peu de choses sur elle mais elle en sait beaucoup sur vous. Double signe d'air, insaisissable ramassis d'idées qui ont bien du mal à s'ajuster dans le concret.

Cette personne ne fait réellement un effort que lorsqu'il s'agit de sa carrière, d'avoir de l'avancement, de faire grossir son capital et ses intérêts. Elle ne s'intéresse pas à l'être humain lui-même mais à ce qu'il représente pour elle, à ce qu'il peut apporter pour la sauvegarde de sa sécurité matérielle et sociale.

Mais la Balance n'arrive pas à trouver le bonheur dans cette voie. Elle le sait, elle en est consciente. Nous sommes ici au deuxième niveau de conscience sur la roue du zodiaque. La Balance ressent qu'on ne se découvre qu'à travers l'amour, que dans l'amour qu'on porte à une autre personne, que dans l'échange.

Pourquoi a-t-elle si peur de donner? Peur de tout perdre? Pourquoi? Elle se repose sans cesse cette question. Les plateaux oscilleront longtemps avant qu'elle trouve l'harmonie dont elle rêve tant!

Sa deuxième maison, dans le signe du Cancer, lui donne un esprit pratique. L'enfance est souvent à l'aise matériellement, mais le natif en souffre quand même. Il n'en a jamais assez, on ne lui en donne jamais assez pour ses besoins. La famille peut être d'un grand appui financier malgré tout ce qu'il peut dire ou penser. Il arrive parfois qu'il gagne son argent grâce à une entreprise familiale. La mère du natif peut également être une personne économe, et beaucoup trop selon son point de vue.

Sa troisième maison, dans le signe du Lion, lui donne un esprit brillant. Non seulement il aime le faste, mais il pourrait même avoir ce qu'on nomme la folie des grandeurs. Ce natif a un talent artistique, qu'il l'ait ou non exploité. Le milieu du théâtre et du cinéma lui convient bien, il peut faire un excellent critique. Il se laisse tout de même impressionner par ce qui brille ou par les gens qui sont persuasifs. Ça ne veut pas dire que ce soit pour longtemps, mais il est possible qu'il se fasse exploiter à cause de sa naïveté. Il aime l'amour, il aime aussi en parler. On croirait, à certains moments, qu'il peut vivre d'amour et d'eau fraîche, mais il ne faut pas s'y fier! Il est prêt à adopter de grands principes philosophiques, de grands principes d'amour humaniste, mais quand vient le moment de sacrifier du temps au profit d'une cause quelconque, il peut reculer. Il aura en tout cas une bonne raison à vous donner pour ne pas devoir consacrer tout son temps à un projet philanthropique! Il faut qu'il travaille, il a besoin d'argent et il «se» coûte cher.

Sa quatrième maison, dans le signe de la Vierge, peut avoir deux significations, selon les aspects qui s'y trouvent. Ou notre natif est ordonné au point d'en être maniaque, ou il est tout à fait désordonné! S'il aime bien être chez lui, c'est surtout pour dormir. Il aime sortir, rencontrer de nouvelles gens, explorer d'autres mondes, prendre connaissance d'une foule de choses qui ne lui sont pas nécessairement utiles, mais qu'il est agréable de savoir. Il a pu être élevé dans un milieu familial plutôt conventionnel contre lequel il a tendance à se révolter, et peut-être qu'un jour il fera la même chose sans même s'en rendre compte.

Son Soleil se trouve dans la cinquième maison. Il est amoureux! Il aime prendre la première place, se faire remarquer, mais d'une manière intelligente. Ce natif peut être très égocentrique, centré sur lui-même, sur ses besoins. Il plaît au premier abord, dès la première rencontre, mais il est possible que l'effet se dissipe au fur et à mesure que vous le connaissez. Il exagère. Son nombril, il le voit énorme. En public, personne ne s'en rend compte; dans la vie privée c'est plus difficile. En amour, il est passionné. Il ne faudrait surtout pas qu'on le blesse, car il n'oublie pas facilement. La Balance, malgré son beau sourire et ses belles paroles a beaucoup de mal à pardonner. Elle peut garder rancune pendant des années. Avec cette position solaire, le natif se complaît dans le monde des artistes. Il peut y faire une carrière en tant que comédien, cinéaste, technicien, ou dans un domaine qui touche le monde du spectacle. Il arrive aussi qu'avec cette position, la femme, plus particulièrement, décide d'abdiquer, de quitter le milieu artistique. Elle se marie et a des enfants! Vous aurez là la mère, celle qui aime ses enfants et qui peut aussi les surprotéger. Si les enfants ne sont pas suffisamment sur leurs gardes, ils risquent de devenir dépendants de maman! Elle sera du genre autoritaire! Ils seront toujours bien traités à condition qu'ils agissent selon les désirs et les vues de maman. Maman Balance ne battra pas ses enfants, mais elle pourrait recourir au chantage, non évident mais subtil, pour les faire obéir! Il ne faut pas oublier que la Balance est un signe cardinal, symbole de commandement.

Sa sixième maison se trouve alors dans le signe du Scorpion. Sixième maison, celle du travail, Scorpion, symbole de ce qui est enfoui! Cette position veut dire aussi qu'il faut relever un défi. Travail de nuit, travail difficile. Le natif peut choisir la médecine, le monde des microbes, par exemple. Le Scorpion, signe d'eau, peut aussi indiquer que le natif travaille comme serveur dans les bars, dans les restaurants également. On peut aussi trouver des détectives dans cette position, tout dépend des aspects dans cette maison. Le Scorpion étant aussi un signe d'énigme, de mort, de transformation, le natif peut se retrouver dans un monde de travail en perpétuel mouvement et changement.

Sa septième maison, celle du conjoint, dans le signe du Sagittaire, indique la possibilité de deux mariages. Le natif recherchera des partenaires qui ont des moyens financiers substantiels. Il les attirera d'ailleurs. Il sait se faire des amis et c'est souvent au milieu de ceux-ci qu'il rencontre l'âme sœur, du moins la première fois. Le natif sera fortement attiré par les étrangers, des gens qui ont beaucoup voyagé. En fait il aime bien que son partenaire ne lui colle pas aux talons, il aime être libre de ses mouvements et supporte mal qu'on lui demande où il va, ce qu'il fera et surtout combien il a dépensé.

Sa huitième maison, dans le signe du Capricorne, indique tout d'abord une longue vie. Puis que les grandes transformations de sa vie arrivent après la quarantaine. À ce moment, le natif peut participer sérieusement dans une œuvre, un mouvement, un groupe, une organisation. Il devient définitivement sensible aux besoins de la masse, il devient conscient qu'il fait partie d'un monde auquel il doit apporter sa participation s'il veut qu'il progresse. Vers l'âge de vingt-sept ou vingt-neuf ans, une étape importante peut être franchie; les aspects de Saturne, de Mars, de Pluton et de son Soleil nous l'indiquent dans sa carte natale.

Sa neuvième maison, celle des voyages, est dans le signe du Verseau. Cette position signifie qu'il est vraiment difficile de retenir ce natif. Quand il a une idée en tête, il la met à exécution, que vous soyez ou non de son avis, s'il est persuadé qu'il est dans la bonne voie. Il a raison de suivre ses impulsions, elles le trompent rarement, et il faudrait qu'il ait de très mauvais aspects d'Uranus dans sa carte natale. Cette position indique que le natif peut être très chanceux dans les jeux de hasard, à la loterie, surtout entre trente-cinq et quarante-deux ans. À cette période de la vie le natif sera fortement attiré par tout ce qui vient d'ailleurs. L'espace pourra le fasciner. Cette position favorise encore une fois le monde du spectacle et, avec de bons aspects, plus particulièrement encore le cinéma. Le natif sera attiré par les appareils modernes, les ordinateurs et s'il s'agit d'une personne qui reste au foyer, elle sera fort bien équipée pour faire la cuisine! On sera bien nourri chez elle et elle se fera un plaisir de vous offrir une démonstration de son tout dernier gadget!

Sa dixième maison, dans le signe du Poissons, fait qu'elle nourrit un idéal très élevé. Les aspects de Saturne et de Neptune nous indiquent alors si elle atteindra son but, si elle devra faire quelques détours pour y parvenir. Encore une fois, avec de bons aspects dans cette maison, le natif peut réussir dans une carrière artistique. Il se peut qu'il mette du temps avant de se décider. Mais il le fera, foi de Balance. Ce natif peut aussi être très habile dans les placements à la Bourse, et même y amasser une petite fortune.

Sa onzième maison, celle des amis, dans le signe du Bélier, indique qu'il se lie facilement avec les gens. Cette position indique aussi qu'il est possible que le natif fasse la rencontre de la personne de sa vie dans son cercle d'amis. Il aime les coups de foudre, mais il doit s'en méfier. Très souvent les aventures sexuelles sont nombreuses chez ce natif. Il aime faire des conquêtes pour se prouver qu'il plaît! Il s'ensuit qu'il a bien du mal à rester fidèle, surtout si on l'a déjà trompé, ou qu'il se soit trompé dans un premier mariage! Il laissera passer le temps entre le premier et le deuxième mariage, se donnant le temps de bien choisir!

Sa douzième maison, celle de l'épreuve, se trouve dans le signe du Taureau, symbole de Vénus, symbole à la fois de l'amour et de l'argent. L'épreuve peut donc venir de là! Le natif peut très bien gagner sa vie, mais il n'en a jamais assez et cela a pu commencer bien jeune. L'amour est parfois difficile à vivre parce que l'autre n'est jamais tout à fait ce qu'il espère et, quand on pense à cela, souvent cet autre s'arrange pour lui prouver que, justement, il n'est pas ce qu'il espérait. Nos pensées deviennent souvent des réalités. Il suffit d'avoir peur, de craindre de perdre ceci, cela, et voilà que nos peurs ne sont pas vaines, le subconscient, pour nous donner raison, nous fait faire ce que nous avions pensé. Il nous place dans les situations difficiles auxquelles nous donnons foi. Nos cerveaux sont des ordinateurs parfaits. Si vous avez un ordinateur chez vous, donnez-lui l'ordre de sauvegarder votre texte, par exemple. Il obéira. Donnez-lui l'ordre de l'effacer, il le fera. Il en va de même avec le cerveau. Donnez-lui l'ordre de réussir en toute confiance et sans difficulté. Il le fera. C'est aussi simple. C'est le doute qui détruit et non pas la foi.

BALANCE ASCENDANT CANCER

Quelle sensibilité! À d'autres moments, quelle froideur! Ça dépend de la Lune!

Ce natif est rempli de bonne volonté. Double signe cardinal, de chef, de commandement, d'action. L'un est plus rapide... L'autre ralentit le premier. Devant qui sommes-nous? Devant quelqu'un qui ne sait trop à quoi il doit ressembler: à un chat qui ronronne ou à un tigre qui rugit et proclame sa liberté.

Il ne réussit à s'épanouir que dans un climat calme, paisible, harmonieux. Les disputes, les combats le blessent. Il ne sait se défendre quand il est jeune. En grandissant, il a appris à se protéger. Parfois il s'est aussi fabriqué une carapace. Étrange! Des plateaux de Balance enveloppés d'une carapace de crabe, vous ne trouvez pas l'image un peu bizarre? Mais notre Balance-Cancer se trouve elle-même, comment dirais-je? hors de l'ordinaire. C'est l'expression la plus simple pour exprimer cette nature!

La Balance ne vit pas sans s'unir, sans vivre avec de l'amour, un amour dans lequel la raison n'est pas absente. Ce qui n'est pas un tort, puisque c'est raisonnable! Le natif recherche un partenaire qui protégera ses intérêts, qui lui offrira une sécurité affective, matérielle si possible, et agréable, ou un partenaire qui occupe un poste de prestige.

Ce natif marcherait sur des piles et des piles de dollars qui lui appartiendraient et il ne se sentirait pas davantage en sécurité. Peut-être que là il aurait peur qu'on le vole, et il aurait peut-être raison. Mais s'il est riche, personne ne le saura vraiment; il ne tient pas tellement à ce que ça paraisse. Cela peut attirer les emprunteurs, et il est comme une fourmi, les cigales ne sont pas les bienvenues dans son compte en banque!

Le Cancer est un signe d'eau. L'eau s'infiltre partout, mais elle met du temps avant de s'évaporer dans l'air pour former un nuage de pluie qui retombera doucement. Certains nuages se remplissent aussi de grêle. Cette Balance éclate rarement, mais alors, tenez-vous bien, vous n'aurez jamais assisté à un drame-vérité aussi touchant!

Il vaut mieux que ça ne lui arrive pas trop souvent. Ce natif n'oublie pas, il pardonne difficilement à autrui et à lui-même les erreurs commises consciemment ou inconsciemment! Il se fait son propre juge et il ne se fait pas de cadeau. Il a souvent l'air triste... Ce jour-là, il s'est offert quelques heures d'emprisonnement, la pendaison, non pas ça! C'est dégoûtant, et les Balances aiment les choses propres!

Sa deuxième maison se trouve dans le signe du Lion, la maison de l'argent dans le symbole de l'or. Il n'est pas étonnant que ce natif soit attaché aux biens de la terre, non seulement à ceux qui assurent sa subsistance, mais également aux gros comptes en banque qui permettent de s'offrir la sécurité et les objets de luxe. Plutôt habile avec les chiffres, il sait fort bien comptabiliser. Vous devez bien payer ses services, il ne les donne pas d'ailleurs. Il s'accorde ce droit.

Sa troisième maison, celle qui représente l'intelligence, le raisonnement, se trouve dans le signe de la Vierge. La troisième étant un signe de Mercure, tout comme la Vierge, alors vous avez là une personne magnifiquement intelligente, avec une grande capacité de raisonnement, qui apprend rapidement ce qu'elle doit savoir pour prospérer. Ce natif a de plus une excellente mémoire, même celle des détails. Émotif, il l'est, mais il est aussi capable de stopper l'émotion quand la situation l'exige et de n'utiliser que sa raison pour traiter certaines affaires. On pourrait même le trouver dur dans ses négociations: il est le requérant. Étant du signe de la Balance, les plateaux de la justice s'ajustent pour vous apporter un résultat tout à fait humain, sorti tout droit de la justice humaine. Il est parfois bien difficile de se battre contre le raisonnement d'une telle Balance. Elle a la faculté de s'ajuster instantanément à ce que vous lui dites. Elle est également capable d'apporter une objection à vos propos, objection tout à fait juste, piquée en plein centre, si elle sait qu'elle a raison. Alors vous perdrez une bataille face à la Balance-Cancer. Elle a l'air bien timide, comme ça, au départ, discrète même, mais vous n'arriverez à tromper ni son flair ni sa logique.

Son Soleil se trouve en quatrième maison, ce qui lui fait rechercher la stabilité au sein de sociétés organisées la plupart du temps. Ce natif est habile en tout ce qui a trait à une organisation limitée, en ce sens qu'il connaît parfaitement ses capacités et ne s'acharne pas à les dépasser. Cette position solaire fait d'excellents comptables ou des gens qui peuvent compiler. La mémoire est quasi phénoménale. Le natif engagé dans un domaine quelconque se souviendra de tout depuis le moment de son arrivée. Il n'est pas du genre à changer souvent d'emploi, à moins que les événements ne l'y forcent. Son Soleil qui se trouve en quatrième maison le fait se comporter parfois comme le prudent Cancer, de même qu'il peut avoir des peurs tout à fait déraisonnables! Vous aurez même peine à le croire tellement il paraît non seulement organisé mais fort. Il a lui aussi des périodes de tensions où il est bien difficile de l'approcher. Il fuit comme un crabe, se cache. C'est pour réfléchir et mieux vous surprendre ensuite. Sous ce signe, en tant que parent le natif peut devenir surprotecteur pour sa progéniture, et à la moindre alerte qui vient de l'un de ses enfants, le voilà qui s'énerve, prêt à remuer ciel et terre. Il est souvent autoritaire en tant que père ou mère. S'il s'agit d'une native, elle sera grandement attachée à ses enfants, mais en même temps subsistera continuellement en elle le goût d'une implication sociale plus grande. De là un déchirement peut survenir, une sorte de crise que la native cherchera à étouffer jusqu'au jour où elle sentira que les oiseaux peuvent voler de leurs propres ailes. Et à son tour elle prendra un nouvel envol social.

Ces natifs Balance-Cancer sont toujours plus acharnés que ne le laissent paraître leurs objectifs. L'attrait pour les arts n'est pas rare sous ce signe et cet ascendant. Le goût d'être populaire peut pousser ces natifs au théâtre ou dans des domaines où ils seront directement ou indirectement en contact avec le public.

Sa cinquième maison, dans le signe du Scorpion, signifie que les amours ne sont pas vraiment faciles à vivre. Il arrive au natif, surtout dans sa jeunesse, de s'attacher à des personnes qui seront même susceptibles de le détruire, du moins en partie, ou de démolir ses rêves. Cette position n'est guère favorable à la conception pour les femmes. Elles peuvent avoir des difficultés lors des accouchements ou durant la grossesse. Il arrive aussi que certaines femmes de ce signe ne désirent pas d'enfants, mais il y aura toujours ambivalence de ce côté. Si la native n'en a pas, elle regrettera un jour d'avoir refusé. Si elle a des enfants, elle remettra sans cesse en question sa vie sociale et aura du mal à vivre deux rôles à la fois.

Sa sixième maison, dans le signe du Sagittaire, est la maison du travail dans un signe jupitérien. Plusieurs possibilités de travail s'offrent ici. Les aspects de Mercure et de Jupiter dans la carte natale déterminent plus précisément ce pour qui le natif est fait. Il peut être attiré par un travail dans le domaine comptable et travailler même pour un organisme gouvernemental. Jupiter représentant également le monde de l'enseignement, le natif peut être doué dans ce domaine. Jupiter étant aussi un guide, un monde en expansion, le natif peut se trouver dans un travail qui est continuellement en mouvement, en progrès. Cette sixième maison, dans le Sagittaire, invite le natif à surveiller son alimentation. Il pourrait aimer la nourriture riche susceptible de nuire à son foie. Cette position favorise l'embonpoint s'il ne se contrôle pas. La Balance, qui veut continuellement bien paraître, doit, avec cet ascendant Cancer, faire attention aux excès de table qui pourraient la «gratifier» d'une ligne disgracieuse!

Sa septième maison dans le signe du Capricorne, symbole du conjoint dans un signe saturnien, symbolise le froid! Il arrive donc que ce natif se choisisse un partenaire plus âgé, ou quelqu'un qui livrerait plutôt rarement ses émotions. Cette position favorise les mariages tardifs avec des personnes haut placées! Le Capricorne, cette septième maison, étant en aspect négatif avec le signe de la Balance, peut occasionner un divorce s'il y a eu mariage au sortir de l'adolescence. Ce natif recherche en fait un partenaire protecteur qui puisse le rassurer quand il a ses peurs déraisonnables!

Sa huitième maison, celle des transformations, dans le signe du Verseau, crée parfois chez ce natif une sexualité confuse. Il veut et ne veut pas en même temps! Parfois il y aura bisexualité ou homosexualité, si les aspects de Mars et d'Uranus l'indiquent dans la carte natale. Cette huitième maison, dans le signe du Verseau, peut effectivement provoquer le divorce parce que le sujet est trompé ou qu'il trompe. Mais c'est souvent à partir de là que le natif devient plus fort et affirme mieux ses désirs. Cette position crée chez de nombreux natifs de ce signe, après une rupture, un désir de conquêtes sexuelles qui va souvent même à l'encontre de leurs principes réels qui penchent plutôt du côté conservateur.

Sa neuvième maison, dans le signe du Poissons, invite le natif à plonger parfois dans les mystères de la vie. Il reconnaît instinctivement la puissance de ses propres pensées et il peut s'intéresser à ce sujet d'une manière surprenante. Cette position lui confère une grande intuition. Il lui arrive de s'arrêter à sa logique, mais vient un temps où il fait naturellement confiance à ses intuitions qui, elles, ne mentent jamais. Ce natif est généralement bon, bien qu'il soit calculateur. Il ne voudrait nuire à personne. Il voudrait bien aussi aider plus de gens, mais il sait fort bien qu'il doit tout d'abord protéger son propre territoire.

Sa dixième maison, celle de la carrière, est dans le signe du Bélier. Il arrive que le natif commence très jeune à gagner sa vie. Il a besoin de se sentir libre, de ne dépendre économiquement de personne. Il a pu avoir des relations tendues avec le père sans avoir pu véritablement les exprimer puisque cette dixième maison s'oppose à son Soleil. Il a pu également subir une sorte de contrainte de la part de la mère et vouloir s'en libérer très jeune en assumant ses propres responsabilités. Il arrive souvent à ces natifs de se sentir mal à l'aise dans leur milieu de naissance, et pourtant ils ont bien du mal à s'en séparer.

Sa onzième maison, celle des amis, se trouve dans le signe du Taureau. Naturellement, il préfère la présence d'amis ayant quelques moyens financiers. Il aimera la compagnie d'artistes avec lesquels il se sentira à l'aise. Il respecte les créateurs, les innovateurs. En fait, il a très peu d'amis, il est très sélectif, mais ceux qu'il a il les garde longtemps, l'art étant très souvent un trait d'union dans l'amitié ou un sujet de discussion.

Sa douzième maison, celle de l'épreuve, étant dans le signe du Lion, le natif pourrait aspirer au vedettariat, mais il devra se contenter d'un peu moins que ce qu'il voulait au départ! Les enfants peuvent également être source d'épreuves à cause de la maladie, ou le natif retarde de gros projets parce qu'il a à cœur de voir sa famille grandir en toute sécurité et il ne veut prendre aucun risque. Dans certains cas où le natif n'a pas fondé de foyer, il pourrait garder secrètement en lui une douleur, une sorte de pincement de n'avoir pu se prolonger à travers des enfants. Le Lion étant le signe du cœur, le natif a en lui des secrets d'amour, des souvenirs dont il n'arrive pas à se débarrasser ou dont il ne veut pas se débarrasser... De temps à autre, avec sa fameuse mémoire, il recule dans le temps et se rappelle que ceci ou cela était bon, doux, agréable. Il voudrait parfois n'avoir pas vécu ce moment; il aurait pu sauver toute une histoire d'amour s'il avait agi autrement! Mais toutes ses histoires de cœur qu'il cache ont participé à le faire grandir, afin qu'il apprenne à mieux aimer. Aimer, c'est partager, ce n'est pas demander à un autre de le protéger.

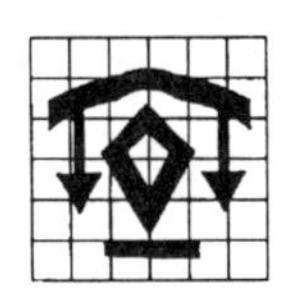

BALANCE ASCENDANT LION

Cette personne prend de la place, beaucoup même. Écartez-vous, Balance-Lion passe. Elle aime bien faire son petit effet, elle aime entendre qu'on la complimente.

Elle a du mal à s'évaluer elle-même, cette Balance. Il faut que quelqu'un le lui dise, l'approuve ou la réprouve. Peu importe que ce soit une approbation ou un reproche, du moment qu'on s'occupe d'elle!

Balance, signe d'air. Lion, signe de feu, volcanique, explosif à certains moments. Il faut se garder de trop l'offusquer. La Balance-Lion exige le respect. La Balance, signe cardinal, donne des ordres avec le sourire. Le Lion exige sans condition, mais chaleureusement.

La nature est généreuse et peut-être un peu trop parfois. Est-ce pour vous acheter? Vous finirez par vous le demander. Pour vous épater, vous surprendre, vous faire plaisir, toutes ces raisons sont souvent incluses dans cette nature. Le Lion a besoin de se manifester par quelque chose de matériel, qui se voit, qui éblouit, qui est original.

On peut exploiter cette nature par la flatterie. Mais la Balance est un signe d'intelligence et quand elle aura vu que vous lui jouez un jeu, vous êtes cuit! De plus, elle n'aura plus jamais confiance en vous!

Le milieu artistique lui convient parfaitement. Son domaine: le plaisir, la beauté, l'esthétique, la musique, la danse. Ce type de personne n'est pas né pour le 9 à 5, ça le tuerait. L'énergie sous ce signe est puissante et jamais le natif ne croira qu'une situation est perdue. Ce signe se renouvelle sans cesse et s'améliore graduellement.

Sa deuxième maison, dans le signe de la Vierge, rend ce natif habile quand il s'agit de compter les dollars. Souvent il aura deux sources de revenus qu'il appréciera bien. Avec de mauvais aspects de Mercure, ce qui est plutôt rare, deux sources de dépenses, souvent plus rapides que les rentrées d'argent, sont à redouter. Comme cette deuxième maison est aussi la douzième de la Balance, il arrive, à un moment de la vie, que ce natif vive différents excès. Cette position peut le porter à boire, à ne plus savoir dans quelle direction se diriger, mais il finit toujours par trouver. La chance, le ciel, lui vient en aide.

Son Soleil se trouve dans la troisième maison, ce qui le rend communicatif. Dès que quelqu'un l'intéresse, il s'arrange pour lui parler; tantôt c'est juste pour le connaître, tantôt c'est parce qu'il estime que la personne peut lui être utile. La Balance oublie rarement ses intérêts, par esprit d'indépendance et par besoin de multiplier ses connaissances. Cette Balance-Lion aime se renseigner sur les expériences des autres, cela pourrait lui être utile dans l'avenir et lui éviter des erreurs. Cette position rend le natif habile avec les mots. Il pourra lui arriver de ne dire que la moitié de la vérité si ça lui est plus utile ainsi. Il ne ment pas, il n'a tout simplement pas tout dit.

Sa quatrième maison, qui symbolise le foyer, se trouve dans le signe du Scorpion. Il arrive donc que ce natif ait pu dans sa jeunesse, sans être nécessairement pauvre, ne pas avoir vécu comme il le souhaitait. Son milieu de naissance a pu être un monde obscur où, subrepticement, on lui dictait sa conduite, mais comme il n'a surtout pas envie qu'on lui dise toujours quoi faire, il lui arrive de quitter jeune le foyer natal, à moins qu'un intérêt économique important ne l'y retienne. Pour lui, l'argent est important. Il est comme une sorte de reconnaissance de son talent. Cette position peut inciter à l'alcool, à la drogue, surtout avec de mauvais aspects de la Lune et de Mars dans la carte natale.

Sa cinquième maison, celle des amours, dans le signe du Sagittaire, signe double, apporte au natif une grande franchise de cœur, mais pas nécessairement la fidélité. C'est moins certain de ce côté tant qu'il n'aura pas atteint la maturité. Il sera attiré par les gens qui sont populaires, qui font de l'effet ou qui ont de l'argent. Il attire souvent à lui des gens qui appartiennent à une classe sociale complètement différente de son milieu de naissance. Il aimera voyager et, naturellement, d'une manière luxueuse. Il suivra la mode, sera élégant... cherchera à faire son effet: il ne sait jamais qui il rencontrera.

Sa sixième maison, celle du travail, se trouve dans le signe du Capricorne, quatrième signe de la Balance. Il n'est pas rare que ce natif soit à la solde du gouvernement où il occupe une haute fonction. S'il se dirige du côté des arts, la grande partie de son travail se fera à partir de son foyer. Bon travailleur, il ne craint pas les longues heures, il est même infatigable quand il a choisi une carrière, un métier, une profession. Qu'importe le domaine, il s'arrangera pour que son travail le fasse bien vivre et qu'il y ait une ouverture pour qu'il puisse aller toujours plus haut, plus loin.

Sa septième maison, celle du conjoint, dans le signe du Verseau, indique qu'il est préférable pour ce natif de vivre en union libre. Les signatures de contrats de mariage dans son cas sont faites pour êtres effacées ou raturées! Il ne supporte pas de se savoir attaché définitivement à quelqu'un. D'un autre côté, il peut vivre vingt ans avec une personne avec laquelle il n'a aucun lien sur papier officiel! Ne supportant pas la routine d'une vie de ménage, il ne veut pas qu'on l'oblige à des servitudes. Il est plutôt celui ou celle qui se fait servir! Il recherchera un partenaire original qui mène une vie différente de celle de la moyenne des gens. C'est à cette seule condition, au fond, qu'il restera attaché à l'autre.

Sa huitième maison, celle des transformations, dans le signe du Poissons, également sixième signe de la Balance, indique que le natif vit ses transformations à partir du travail lui-même. Un jour il occupe une fonction toute simple et, du jour au lendemain, on le nomme à un poste supérieur. Il s'y installe, s'y habitue, et voilà qu'une autre transformation s'amorce et il devra de nouveau se réajuster. Ça fait partie de son évolution intérieure tout autant que sociale. Quand il se met à grimper, il oublie cependant qu'il est parti d'en bas. Mais la vie se charge de lui rappeler ses origines. Il doit respecter le plus petit comme le plus grand. Avec de mauvais aspects de Neptune et de Mars dans sa carte natale, le natif pourra être porté à boire ou à vivre une période de fantaisies sexuelles qu'il n'aimerait pas qu'on dévoile!

Sa neuvième maison, dans le signe du Bélier, indique qu'il trouve toujours l'espoir et qu'il est toujours disposé à recommencer. Il a appris sa leçon et il ferait bien de ne plus l'oublier. Cette position indique que le natif décide soudainement d'entreprendre des voyages, du jour au lendemain. Les bagages sont prêts, le voilà parti. Il a averti la personne qui partage sa vie... parfois seulement quand il descend d'avion! Il arrive que la foi de ce natif soit superficielle et qu'il soit aussi superstitieux. Il ne croit en Dieu que lorsque ça va mal! Il oublie de remercier quand ça va bien! L'énergie nerveuse chez lui est puissante. Il peut soulever des montagnes, faire une crise de nerfs tout autant que bondir de joie dans des moments où personne ne s'y attend. Sa générosité est souvent calculée, il donne aux riches! C'est plus sûr comme ça!

Sa dixième maison, celle de la carrière, se trouve dans le signe du Taureau, symbole de Vénus, arts, beauté, esthétique, argent, immobilier. Le natif, en tout premier lieu, est attiré par la scène. Il aime se faire remarquer, cela fait partie de sa nature. Quoi qu'il fasse, il faut qu'il brille, qu'il n'ait une première place, qu'il joue un rôle important. Tenace, il s'accroche à ses objectifs et, le plus souvent, les réalise les uns après les autres.

Sa onzième maison, celle des amis, dans le signe du Gémeaux, lui procure beaucoup de connaissances mais il ne gardera avec tous ces gens que peu de liens profonds, et parfois aucun. Quand la mode change, il change d'amis! Il aime l'échange de mots, les politesses, mais là s'arrête son amitié. Vous ne pouvez non plus compter sur ses promesses, à moins qu'il n'ait besoin de vous éventuellement! Il est extrêmement logique dans ses démarches et en tout ce qui concerne son ascension, mais il oublie le lien fondamental qui nous relie les uns aux autres et qui nous ramène immanquablement les uns vers les autres.

Sa douzième maison, celle de l'épreuve, dans le signe du Cancer, indique un mal à l'âme. Il sait, au fond de lui-même, que briller n'est pas si important, pourtant il se sent propulsé vers l'avant, vers la réussite sociale, la sécurité matérielle et, si possible, la richesse. Cette position indique qu'il est intuitif, qu'il pressent ce qui lui arrivera. Il n'est pas toujours en mesure de mettre un terme aux épreuves, du moins tant qu'il n'aura pas retenu sa leçon: les plus petits que soi sont aussi importants que les plus grands. Cette douzième maison, dans le signe du Cancer, laisse aussi supposer que le natif cache des choses en ce qui a trait à sa vie de famille dans sa jeunesse. Il a pu y vivre lui-même une épreuve, une douleur, il a pu aussi y être humilié. Lui seul le sait, et peut-être aussi l'astrologue! Le secret professionnel défend qu'on en parle plus longuement.

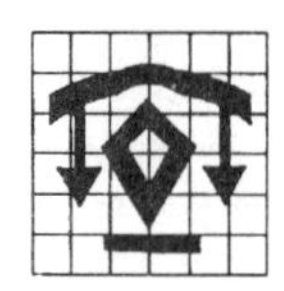

BALANCE ASCENDANT VIERGE

Balance, deux plateaux. Vierge, signe double, signe qui précède la Balance, son douzième signe, ce qui ne rend pas sa vie émotionnelle tellement simple!

Problèmes de santé et troubles psychiques! Pas drôle du tout! Balance-Vierge, elle voudrait tout comprendre. Pourquoi la vertu et le vice existent-ils en même temps, sur le même palier, dans une même maison?

L'humanité veut vivre en paix, mais pourquoi passe-t-on son temps à se battre ici ou là sur la planète? Qui lui fournira la réponse? Comment se fait-il que des gens naissent riches et d'autres pauvres, même très pauvres? Qui donc veut bien lui donner la réponse? Elle cherchera longtemps.

La vie place une multitude de chances sur sa route: travail et carrière.

Vénus par la Balance, Mercure par la Vierge, beauté et intelligence en une seule personne, mais la volonté a parfois pris congé. Les beaux rêves sont présents, le destin ballotte à son gré cette nature qui n'offre pas de résistance. Elle croit que si les choses sont ce qu'elles sont, c'est qu'il devait en être ainsi.

Son esprit est souvent encombré de négatif. La pensée devient une réalité et les tristes rêves de la Balance-Vierge deviennent aussi une réalité. Elle n'a pas offert de résistance, elle n'a pas cru qu'elle pouvait penser autrement!

Cette personne est capable d'un grand dévouement envers autrui. Elle peut même se mettre à la place de l'autre et prendre tout sur ses épaules.

La méditation lui ferait grand bien. Quelques livres sur la pensée positive la transformerait. Cette Balance aime apprendre et il existe des livres sur l'art d'aimer, sur l'art d'être heureux avec le cœur, sans oublier la tête.

Son Soleil se trouvant en deuxième maison, cette Balance ne veut absolument manquer de rien. Elle compte et recompte. Rien n'y manque. C'est une véritable perfectionniste, quel que soit le travail auquel elle s'adonne. Elle est économe. C'est une Balance qui a ses petites habitudes et qui supporte assez mal qu'on les perturbe. Ce natif est un organisateur à grande, petite ou moyenne échelle. Si vous demandez gros, vous n'aurez qu'à y mettre le prix et vous aurez un service impeccable. Si vous payez moins, vous aurez moins, soyez-en certain. La Balance est signe de justice, dans la deuxième maison qui représente l'argent; alors il faut lui payer ce que vous lui devez!

Sa troisième maison, dans le signe du Scorpion, en fait un véritable détective et parfois quelqu'un qui cherche la faute de l'autre, l'imperfection qu'on pourrait lui trouver, lui reprocher, lui souligner, tout cela pour venir en aide, naturellement. Cette Balance oublie qu'il est souvent préférable de faire un compliment plutôt qu'un reproche! Il lui arrive d'avoir des mots durs envers autrui quand elle réussit à prouver logiquement qu'elle a raison, que l'autre a tort. Vous aurez bien du mal à sortir de sa toile qui n'est pas de soie mais de fer, et qui peut-être vous laissera des marques. Cette position rend l'esprit d'analyse très puissant, mais quand il est utilisé pour contrôler son prochain cela n'a rien de bon. C'est plutôt un mauvais tour qu'on se joue à soi-même!

Sa quatrième maison se trouve dans le signe du Sagittaire. Le natif aimera la campagne, il voudra être en bonne forme physique, il aura besoin de cette expression du corps pour maintenir son équilibre. Il préférera une habitation à la campagne plutôt qu'à la ville. La nature lui permet de reprendre contact avec l'essence même de la vie qui n'est pas faite uniquement de raison, mais aussi d'impulsions, de poussées qui s'ajustent les unes aux autres, toutes au service de l'homme finalement. Possibilité que le natif se lie plus avec des étrangers qu'avec des gens de sa propre culture. Il peut y apprendre quelque chose qu'il ne connaît pas, une autre dimension, une façon de vivre, de mieux comprendre, de mieux tout saisir. Possibilité qu'il soit issu d'un milieu matériellement confortable, mais où règne quand même une tension, une dépendance. Il n'aime pas rendre des comptes. Il peut même s'éloigner de son lieu de naissance dès la vingtaine.

Sa cinquième maison, celle des amours, dans le signe du Capricorne, fait plutôt froid. Le natif a bien du mal à exprimer ses émotions et il les refoule continuellement. L'éducation dispensée par le père a pu être rigide bien que le sujet se soit senti protégé. Position qui ne favorise pas les grandes familles, mais l'exception fait la règle, naturellement. Si le natif fonde une famille, il risque d'être bien exigeant avec ses enfants, de les empêcher de choisir librement l'orientation de leur vie. Il peut même s'ensuivre une révolte.

Sa sixième maison, celle du travail, dans le signe du Verseau, incite souvent le natif à travailler en fonction de la masse, pour la masse. Travail également utilitaire. Son monde de travail peut être en mouvement continu, en évolution. Il sera attiré par les appareils modernes, les ordinateurs, le cinéma, la vidéo, par tout ce qui touche les ondes, la communication rapide, etc. Cette sixième maison, en Verseau, indique également que le natif a un système nerveux fragile, bien que rien ne soit apparent extérieurement. Un rien l'irrite, et il lui arrive d'attendre si longtemps pour dire ce qu'il pense réellement de telle ou telle situation qu'il éclate à ce moment. Il est même dangereux car il peut perdre le contrôle. L'intelligence est puissante, parfois géniale. Ne dit-on pas que le génie frôle la folie?

Sa septième maison, celle du conjoint, se trouve dans le signe double du Poissons, ce qui symbolise souvent deux unions! Le natif a pu attirer une personne qui lui est tout à fait contraire, un désordonné, et il s'est donné pour mission de lui apprendre l'ordre! Mais il n'est pas certain qu'il réussisse. Le véritable désordre est en lui, mais à vouloir faire de l'ordre, cela suppose le désordre! Notre natif Balance-Vierge se veut utile à l'autre dans une vie de couple. Il lui arrive de se rendre si indispensable que son partenaire lui remette l'entière responsabilité de la vie du couple. Comme il est impossible de vivre à la place de deux, la rupture finit par arriver. Le plus souvent c'est l'autre qui part et le natif reste seul. Il avait choisi un partenaire désordonné qui n'a plus envie qu'on continue de le surveiller.

Sa huitième maison, celle des transformations, dans le signe du Bélier, juste en face du Soleil, en Balance, est l'indice, surtout avec de mauvais aspects de Mars, qu'un choc, qu'un accident peut transformer la vie du natif. Il pourrait bien même frôler la mort, mais il en ressortira complètement différent. La vie sexuelle du natif est active. C'est un sensuel introverti. Quand il a confiance en son partenaire, c'est un amant ou une maîtresse impeccable.

Sa neuvième maison, celle des voyages, dans le signe du Taureau, symbolise le plus souvent des voyages d'affaires, pour son travail. Les voyages stimulent la créativité du natif et il est possible qu'il rencontre l'amour lors d'un séjour à l'étranger ou entre deux aéroports! Sensible à la beauté esthétique, à l'art, il pourrait même faire des études de ce côté. Il fait un excellent collectionneur de tableaux, de peintures qui prendront de la valeur. Le natif est toujours pratique. Il s'accroche plus aux apparences qu'à l'évolution réelle intérieure. Il faut de bons aspects avec sa neuvième maison, en Taureau, pour qu'il puisse dépasser cette étape. L'amour peut lui permettre de grandir quand il le rencontre de nouveau. Naître Balance signifie qu'on n'est jamais seul en réalité. Il se trouve toujours quelqu'un disposé à aimer une Balance, elle inspire l'amour et est le symbole de l'union. La Balance-Vierge vit généralement deux grandes unions, la seconde étant plus réussie. Elle a bonne mémoire et évite toujours les pièges qu'on pourrait lui tendre de nouveau. Elle désire au fond la paix. Elle veut vivre en harmonie.

Sa dixième maison, dans le signe du Gémeaux, symbolise souvent une carrière dans le monde des communications. Radio, télévision, journalisme, écriture, cinéma. Tout ce qui permet d'être à l'avant-garde l'attire irrésistiblement. Ayant le Soleil en deuxième maison, à la manière d'un Taureau, s'il envisage un objectif, même difficile à atteindre, qui lui permettra de bien gagner sa vie, il le poursuivra jusqu'à la fin. Il a le sens des relations publiques, il fait un bon diplomate.

Sa onzième maison, celle des amis dans le signe du Cancer, lui attire des gens créatifs qui viennent de tous les milieux et qui pratiquent des arts totalement différents. Il garde certains amis d'enfance qu'il prend plaisir à revoir au fil des ans. Il aime les recevoir chez lui. Il se sent plus en sécurité au fond sur son propre territoire. Cette position lui donne une grande imagination créatrice, mais il ne parle de ses idées de rénovation et de transformation qu'à ceux avec qui il est lié intimement. Avec de mauvais aspects d'Uranus dans sa carte natale, il est possible que la famille ait vécu un drame que le natif garde enfoui au fond de lui. Il a pu y avoir de la violence, Uranus n'étant jamais une position de repos!

Sa douzième maison, celle des épreuves, est dans le signe du Lion (Lion symbole du cœur, symbole solaire aussi). Tout dépend nécessairement des aspects du Soleil et de Neptune si l'on veut connaître le véritable genre d'épreuve que le natif peut vivre ou a déjà vécu. Il arrive souvent que l'épreuve vienne du père du natif. L'épreuve étant également une phase d'évolution, sa huitième maison, dans le signe du Bélier, laisse encore une fois supposer que le natif puisse frôler la mort ou qu'il a vécu un drame relié à la mort, dans sa famille, alors qu'il était jeune ou adolescent, l'âge étant indiqué par les aspects planétaires de la carte natale. À la suite d'un deuil, le natif est devenu plus sûr de lui, davantage persuadé encore de la valeur de la vie. Cette position fait de lui un penseur. Il est permis de croire qu'il pourra dépasser la frontière qui sépare ce qui est de ce qu'il voit. Cette douzième maison, dans le signe du Lion, crée une sorte d'aveuglement intérieur, puis un beau jour la lumière se fait, le natif est en mesure de discerner ce qui est illusion ou réalité. L'amour étant aussi une phase importante, ça peut l'éveiller et l'orienter vers autrui. Il cesse alors de vivre uniquement en fonction de sa propre raison, pour songer au partage du cœur, où les fantaisies ont leur place et où l'on découvre qu'il suffit de vivre pour avoir une bonne raison d'être heureux.

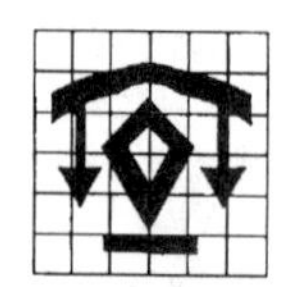

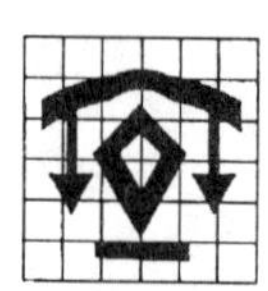

BALANCE ASCENDANT BALANCE

La beauté joue un si grand rôle qu'elle peut entraîner cette nature dans la superficialité, comme si le physique constituait toute la personne. Une personne complète, c'est plus qu'un corps. Le corps sert à la manifestation de l'être!

Double signe d'air, de raison, double signe cardinal! Le cœur ne tient pas toujours la première place.

Balance ascendant Balance, c'est beau à regarder. Quelle allure! Elle s'exprime avec aisance et élégance. Le charme vénusien exerce un pouvoir magique sur l'entourage. Sa courtoisie, enfin tout ce que vous voyez, est si plaisante que vous ne vous lassez pas de regarder, une bonne quinzaine de minutes au moins!

La Balance, c'est la recherche de l'union. Le natif se choisira des partenaires qui paraissent bien naturellement. Il ne faudrait pas avoir l'air dépareillé! Sa passion a une teinte théâtrale, le jeu plaît ou ne plaît pas, cette Balance a pu apprendre son rôle par cœur: bien joué, à la douzième ou à la quinzième représentation, vous commencez à vous lasser...

On chuchotera bien fort que Balance-Balance se prend pour un autre!

Sa deuxième maison, celle de l'argent, dans le signe du Scorpion, signifie souvent une forte tendance à économiser son argent! Balance-Balance souhaitera souvent, au fond d'elle-même, se faire entretenir par un prince ou une princesse, être la personne choisie! Mais il n'en va pas souvent ainsi, bien au contraire. Balance-Balance se retrouve dans des situations où elle devra faire preuve d'une grande force, d'une grande résistance pour gagner la partie engagée. Aussi aura-t-elle beau espérer qu'on reconnaisse son charme, il lui faudra travailler pour gagner son argent! Cette deuxième maison, en Scorpion, lui fait souhaiter profiter de l'argent des autres afin de pouvoir économiser le sien! Vous ne vous rendrez compte de rien au début; le charme faisant son effet vous serez porté à tout donner à cette Balance, mais dès que vous découvrirez qu'il y a abus, vous lui retirerez son pouvoir. À ce moment, elle se rendra compte qu'il faut travailler pour gagner son sel. Physiquement, le natif ou la native pourra avoir l'air fragile, mais il n'en est rien, la Balance-Balance ayant une étonnante résistance.

Sa troisième maison, dans le signe du Sagittaire, lui fait aimer la vérité, mais il n'est pas certain que vous sachiez tout de ce natif. Cependant, il saura tout de vous. Il a l'art de vous faire parler, de vous flatter, de vous faire dire ce qu'il veut bien entendre. Il aime vivre en société, côtoyer les gens bien, les gens fortunés, il les attire, d'ailleurs. Sa conversation sera souvent superficielle. Il se cache de vous, il n'a pas envie de se révéler, il a tout à apprendre de vous, ça peut lui être utile. La Balance, qui joue souvent la discrétion, est, en fait, une personne bien curieuse et plus calculatrice qu'elle ne le laisse paraître. Son charme vous aveugle. Son désir de paix est toutefois profond, au point même de ne pas se mêler à trop de gens afin de préserver son intimité, de garder ses plateaux en équilibre.

Sa quatrième maison, celle du foyer, dans le signe du Capricorne, est souvent l'indice que le natif a pu connaître quelques problèmes familiaux dans l'enfance, qu'il est issu d'un milieu où l'utilité prime tout. On lui enseigne l'ordre, l'obéissance, cependant cette double Balance, elle-même double signe de chef, ne reçoit pas d'ordre! Elle en donne pourtant et peut se révolter contre le système établi dans sa jeunesse, quitter la famille le plus tôt possible pour n'avoir plus à être sous la tutelle de quiconque.

Sa cinquième maison, celle des amours, dans le signe du Verseau, lui fait rechercher la présence de personnes stables, le Verseau étant un signe fixe. Par contre, la jeunesse est parfois marquée par des amours précoces, des unions décidées précipitamment, sous le coup de fouet d'Uranus. Puis arrive la rupture et voilà notre Balance à la recherche d'un nouvel idéal! Cette position parle des enfants que le natif peut avoir ou ne jamais avoir, tout dépend des aspects d'Uranus dans la carte natale. S'il a des enfants, il est possible que ceux-ci aient quelques problèmes face à la vie, tant sur le plan professionnel que sentimental.

La Balance-Balance exerce une sorte de dictature avec le sourire. On finit par s'en rendre compte, et voilà que les enfants se révoltent contre le système. Ils réclament la démocratie, mais ils auront bien du mal à l'obtenir d'un parent Balance-Balance. Le natif veut la paix, l'harmonie, mais à sa manière! Cette position laisse parfois présager qu'il ne voudra pas d'enfant, c'est le cas de nombreuses femmes nées sous ce signe. Elles préfèrent la vie sociale à la vie familiale. Il n'y a jamais de mal à faire un choix judicieux, c'est plutôt l'inconscience qui crée les problèmes. Faire deux ou quatre enfants, faire comme tout le monde, c'est faire le jeu de la société, mais pas le sien! Personne n'a à juger les comportements d'autrui.

Sa sixième maison, celle du travail, indique que le natif peut faire n'importe quoi, ou presque. Il est intelligent, raisonneur, raisonnable, travailleur, ambitieux. Cette maison neptunienne peut entraîner certains types vers des carrières cinématographiques, photo, travail intellectuel ou manuel, tout dépend des aspects de Mercure et de Neptune dans la carte natale. Le natif peut avoir de l'habileté pour l'écriture, la couture, le secrétariat (secrétaire en chef naturellement), la décoration. Le choix est illimité, ce natif est un débrouillard.

Sa septième maison, dans le signe du Bélier, l'incite à se marier jeune, pour diverses raisons, mais cette position est dangereuse! Le divorce peut survenir même peu de temps après l'union. À l'époque où les séparations étaient moins à la mode, où la religion interdisait le divorce, des Balance-Balance sont restées mariées, mais il n'est pas certain qu'elles aient atteint le bonheur auquel elles aspiraient, le signe étant à la fois réaliste et idéaliste! Vivre pour soi ou pour le don de soi? Les déchirements sont nombreux sous ce signe et cet ascendant.

Sa huitième maison, dans le signe du Taureau, est le symbole de Vénus, à la fois amour et argent! Transformations financières importantes par le travail ou par l'intermédiaire d'une personne riche et amoureuse du natif. Cette position promet une longue vie au sujet et une capacité de résistance peu commune face aux événements de la vie, qu'ils soient d'ordre matériel ou émotionnel. Le natif sait toujours s'ajuster aux transformations de façon à en tirer le meilleur parti possible. Cette position rend le natif économe. Il a également le sens de la propriété. Il sait, par exemple, quand acheter une maison, un terrain, et il sait également quand il faut vendre pour réaliser un bon profit. Avec de mauvais aspects de Mars et de Vénus dans la carte natale, le natif pourrait faire le commerce de ses charmes afin de subvenir à ses besoins matériels!

Sa neuvième maison, celle des voyages, dans le signe du Gémeaux, signifie de nombreux déplacements au cours de sa vie. Le natif aura souvent envie de partir au loin, mais il hésitera à quitter définitivement son lieu de naissance, terrain sur lequel il se sent en sécurité parce qu'il le connaît. Bien que, souvent, les gens de ce signe paraissent audacieux, ils ne le sont pas autant que ça et ils hésitent longtemps avant de se décider à faire de grands changements dans leur vie et d'orienter autrement leur vie professionnelle ou sentimentale.

Sous ce signe, l'élévation spirituelle peut laisser à désirer. Le natif a une foi chancelante et il ne croit qu'à ce qu'il voit. Il considère souvent que ceux qui s'adonnent aux sciences paranormales, à l'ésotérisme, et même à l'astrologie, sont des «yoyos»! Eux, ils savent! Il est vrai que sous ce signe l'instinct est puissant, le sens de la débrouillardise est développé, mais il y manque une chose: le natif est souvent peu conscient des répercussions de ses actes à long terme, il ne se rend pas compte de ce qu'il fait aux autres! Sa conscience du «moi» est grande... le «je, me, moi» est son mode de vie habituel. Il connaît souvent de grandes réussites sociales, mais observez-le de plus près, vous vous rendrez compte qu'il lui manque quelque chose. Il ne sait pas quoi, et il se dit qu'il manque sûrement d'argent pour se sentir aussi peu en sécurité.

Sa dixième maison, dans le signe du Cancer, symbole de la Lune, donne à ce natif le goût des foules, d'être devant la masse, d'exercer une influence sur les gens, quel que soit le travail qu'il fait. Ce peut être par le biais du monde des affaires ou des arts. Il arrive qu'il sacrifie sa vie privée au service d'un idéal social. Il se sent poussé par le désir de régner, de diriger, d'être le maître. Il peut y arriver, ce double signe cardinal est puissant.

Sa onzième maison, celle des amis, dans le signe du Lion, lui fait naturellement préférer la présence des personnes qui ont un rayonnement particulier, la puissance financière, une certaine influence sur le pouvoir. Bref, le natif attire à lui ceux qui ont de l'argent ou de l'or. En fait, il n'aura que très peu de véritables amis, mais il connaîtra une foule de gens bien! Du moins c'est ce à quoi il aspire. Si vous êtes quelqu'un de tout à fait ordinaire, il se peut qu'il vous dédaigne un peu. Vous ne l'intéressez pas. Il faudrait se rappeler que, souvent, les gens heureux n'ont pas d'histoire et que ce sont eux les véritables héros de ce siècle où l'amour est à la dérive!

Sa douzième maison, celle de l'épreuve, dans le signe de la Vierge, symbole de Mercure, peut parfois, à un moment indiqué par la carte natale, engendrer une certaine dépression où le natif se pose de sérieuses questions sur l'orientation de sa vie tant professionnelle qu'émotionnelle! Cette position, avec de mauvais aspects de Mercure et de Neptune dans la carte natale, laisse voir que le natif a menti sur plusieurs plans, tant à lui-même qu'aux autres. Il a sauvé la face, mais pas le reste. Position dangereuse qui indique souvent des pertes de mémoire, le système nerveux étant à fleur de peau. Le natif fait sa propre autoanalyse. Il refuse de demander de l'aide et il s'enferme en lui-même, toujours plus présent à lui seul qu'aux autres. Que font donc alors ceux qui le connaissent depuis longtemps, qui ont changé, mais qui n'ont vu aucune transformation profonde chez lui? Ils l'abandonnent... Et personne n'a envie qu'on le quitte, surtout pas la Balance-Balance. Il reste une chose à faire: vivre pour autrui et avec autrui.

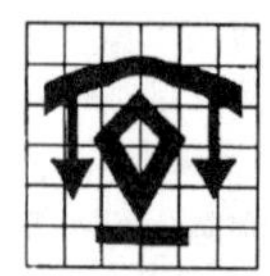
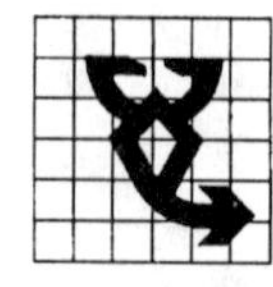

BALANCE ASCENDANT SCORPION

Vivre avec un ascendant Scorpion comporte une lourde charge en soi! Le natif a du pouvoir! Pouvoir sur lui-même, pouvoir sur les autres aussi!

Sensibilité aiguë, instinct puissant, capacité de prévoir ce qui s'en vient, dons paranormaux, sensualité marquée, être magnétique!

Encore une fois, avec un ascendant Scorpion on se demande toujours si la personne est un ange ou un démon. Simple: on reconnaît l'arbre à ses fruits. N'est-ce pas?

Dans la première partie de sa vie, les amours sont tourmentées, les attraits sont multiples et le goût des expériences sexuelles ne se freine pas si facilement sous l'effet de la Balance-Scorpion. Ce natif vit de grands bouleversements dans son destin, au point même de devoir prendre une route différente, souhaiter expérimenter ailleurs. Cette Balance éprouve parfois un certain plaisir dans la douleur qu'elle s'inflige ou qu'elle inflige à autrui.

Les crises, les prises de conscience sont nombreuses, mais chaque fois le natif en sort transformé, plus fort qu'avant. Il s'intéresse à l'occultisme, à l'astrologie, à la parapsychologie, à toute science paranormale qui exerce sur lui un attrait. Il fouinera, et peut-être y trouvera-t-il un véritable intérêt. Deviendra-t-il un expert? Qui sait?

Avec un ascendant Scorpion, le natif ne s'oublie pas dans le domaine financier. Il sait prendre son morceau de gâteau bien glacé! Il sait compter aussi. S'il vous fait un cadeau, c'est qu'il vous apprécie beaucoup, croyez-moi, ou alors il vous remercie pour un service que vous lui aurez rendu.

La Balance est un signe cardinal, l'action, et le Scorpion est un signe fixe, l'endurance; la ténacité dans l'action, voilà tout de même une bonne association!

La Balance-Scorpion peut avoir des vues bien arrêtées sur certaines choses. La Balance est le signe de la justice, mais une justice humaine, qui a un rapport direct avec la raison sociale et le «ça doit se faire comme ceci ou comme cela, selon les règles». Le Scorpion, signe fixe, ne change pas d'avis, surtout si sa Balance lui a donné toutes les bonnes raisons de ne pas avoir tort et de juger selon une justice de Balance, humaine, donc faillible et sujette à changements. Pourtant quand une Balance-Scorpion jure, elle mettrait sa main au feu. Et si dans quelques années elle n'avait plus raison...

Cette Balance doit apprendre à ne pas juger, elle n'en a pas le pouvoir. Et juger autrui, c'est se condamner soi-même à subir un jugement, ce qui éloigne de la sagesse qu'elle recherche.

Le plus souvent, c'est à partir d'un jugement que les guerres éclatent. S'évaluer soi-même, c'est déjà un travail bien ardu!

Sa deuxième maison, dans le signe du Sagittaire, symbolise l'argent. Sagittaire, troisième signe de la Balance, laisse présager que ce natif choisira un travail intellectuel pour gagner sa vie. Il est très attiré par le milieu artistique, vers les gens qui progressent, ceux qui gagnent cher. Il pourrait aussi avoir un talent de professeur. Cette position favorise les finances. Le natif gagne généralement bien sa vie et ne dépend de personne, du moins c'est ce à quoi il aspire.

Sa troisième maison, dans le signe du Capricorne, lui donne le goût d'apprendre ce qui peut lui être utile. Il n'est pas du genre à chercher l'éparpillement intellectuel et il se spécialise souvent dans un domaine bien précis. Il aura un grand respect pour les personnes âgées et sera même très attentif envers elles. L'adolescence a pu être marquée par un grand-parent qui a pris une place importante dans sa vie et qui a même pu intellectuellement l'influencer dans l'orientation de sa vie. Le raisonnement peut parfois être froid, dénué d'émotions, la troisième maison, la parole, étant dans un symbole saturnien, le froid, la distance que l'on prend avec les autres. On se place en haut et on regarde en bas. Il arrive alors qu'on n'ait pas vu tous les détails d'une situation, on regarde de trop loin, puis on juge quand même. L'erreur est possible quand le jugement est trop hâtif. Un humain n'est pas une forme vague ni lointaine. Il est une foule de choses, en gros et en détail.

Sa quatrième maison, dans le signe du Verseau, d'Uranus, est également le symbole de la mère. Le natif peut avoir un lien étroit avec sa mère. Celle-ci a pu être une sorte de victime dans la vie, et le natif pourra le considérer comme une sainte. Tout dépend des générations: les plus jeunes diront que la leur n'a pas été chanceuse, mais qu'elle s'en est assez bien sortie. Le Verseau étant le cinquième signe de la Balance, donc son symbole d'idéal sentimental, indique un lien étroit entre la mère et le natif. Le foyer a pu être un lieu où la créativité a été encouragée, d'une manière qui n'est pas toujours verbale. Une certaine liberté de penser a été laissée à ce natif de façon qu'il forme son propre jugement. Avec Uranus en quatrième maison, par exemple, les liens familiaux ont pu se rompre soudainement. Le foyer s'est désuni, mais le natif en est sorti plus fort.

Sa cinquième maison, celle de l'amour, dans le signe du Poissons signifie que le natif s'est accordé, ou non, une grande permissivité sexuelle durant sa jeunesse. La dernière hypothèse est plus rare. Ce personnage peut vivre des emportements amoureux de style neptunien. Il idéalise la personne rencontrée, ne la voit pas réellement telle qu'elle est. Comme la Balance est un signe de raisonnement quand elle sort de son rêve, celui-ci peut alors être brisé pour longtemps avant qu'elle se laisse aller de nouveau à aimer. Les rencontres amoureuses se font souvent dans le lieu du travail du natif, surtout les premières amours.

Sa sixième maison, celle du travail, en Bélier, juste en face de son Soleil, laisse encore une fois présager qu'il est bien possible que le travail crée le lien amoureux ou que le natif travaille pour son conjoint, ou avec lui, avant ou après la rencontre, tout dépend des aspects de Mars, de Vénus et de Mercure dans la carte natale. Le natif a généralement la parole facile, il s'exprime spontanément, en toute aisance. Il lui arrive de dire trop rapidement ce qu'il pense, ce qui peut parfois créer du remous dans son entourage, au travail. On peut également le jalouser, parler contre lui. On trouve qu'il prend trop de place, car il pourrait bien se classer premier alors qu'il est arrivé le dernier. Il représente alors une menace pour une collectivité bien en place! Son travail est souvent décidé sous le coup de l'impulsion, de l'inspiration. Un jour il est artiste, c'est ce qu'il a décidé, et il le sera jusqu'à la prochaine impulsion. Décide-t-il qu'il est une personne d'affaires, il l'est jusqu'à la prochaine inspiration. Avec toute son énergie, il peut aussi faire les deux à la fois.

Sa septième maison, celle du conjoint, dans le signe du Taureau, huitième signe à partir de la Balance, laisse présager qu'un jour une personnalité marquante entrera dans sa vie, ce qui changera totalement sa façon de gagner de l'argent! Ce natif aura toujours une préférence pour un partenaire en moyens! C'est bien légitime et raisonnable, après tout. Possibilité aussi, avec cette position, que le natif subisse quelques revers financiers à cause d'un amour accordé à une personne qui l'a exploité dans sa jeunesse. Vivre avec un ascendant Scorpion c'est souvent un couteau à deux tranchants. Le bien et le mal se font la lutte.

Sa huitième maison, celle des transformations, dans le signe du Gémeaux, symbole de Mercure, signifie que les changements surviennent à partir de la réflexion, de la discussion avec autrui. Une transformation intellectuelle par la voie des études peut, à un moment, changer complètement la mentalité du natif et sa conception de la vie, sa manière de vivre. Cette position provoque des colères soudaines chez le natif, colères qui peuvent n'avoir très souvent aucun rapport avec le moment présent, plutôt des souvenirs subconscients enfouis qui ressurgissent sans crier gare, des sentiments refoulés, des larmes, des peines qui n'ont pas été exprimées au moment où l'événement se produisait.

Sa neuvième maison, dans le signe du Cancer, lui fait souvent idéaliser le passé. Il le transforme à sa guise selon les jeux de son imagination. Cela permet en même temps au natif d'oublier les durs moments qu'il a pu vivre. Le souvenir est transformé et jaillit l'espoir d'un avenir meilleur sans cesse renouvelé. Perspicace, ce natif peut développer la médiumnité, la clairvoyance, surtout avec de bons aspects de la Lune et de sa neuvième maison. S'il aime voyager, il sera aussi toujours heureux de rentrer chez lui. Ailleurs c'est bien, chez lui c'est mieux. Il aimera la vie au grand air, à la campagne, surtout à partir de la deuxième partie de sa vie.

Sa dixième maison, dans le signe du Lion, indique que le natif aimerait être reconnu publiquement. Il rêve de gloire et de célébrité. La carte natale indique si le natif peut ou non atteindre cet objectif. Rien n'est vraiment impossible avec un ascendant Scorpion, il peut défier le temps, le ciel. S'il a des enfants, il peut arriver aussi qu'il ne soit pas vraiment réaliste en ce qui les concerne. Il rêve, tout autant pour lui que pour eux, de les voir décrocher des médailles, des couronnes, des honneurs, bref, tout ce qui pourrait les mettre en évidence. La Balance-Scorpion pourrait alors dire: «Voilà, cet enfant ou ces enfants sont mes chefs-d'œuvre!» Comme je l'ai déjà écrit, les Balance ne sont pas de véritables éducatrices, elles sont trop occupées en général à bâtir leur monde social et ne peuvent consacrer tout leur temps à des enfants qui limitent leur action. Faire et élever des enfants, c'est une vocation qui, malheureusement, est encore bien mal reconnue! Pourtant, les vraies héroïnes sont des mères, toutes des mères! Pour une Balance femme ce rôle est difficile à accepter totalement. C'est toujours plus facile pour un homme, puisque, en général, c'est aux femmes que l'on confie le rôle d'éducatrices. Mais ne faisons pas ici le procès de la société...

Sa onzième maison, symbole des amis, dans le signe de la Vierge, douzième signe de la Balance, signifie que cette Balance peut s'attendre à quelques mensonges de la part de ses amis. Il lui arrive aussi de n'être pas totalement honnête ou d'être trop intolérante envers celui qui n'est pas de son avis. Les amis se défendent comme ils peuvent! Ils trouvent des excuses pour ne plus la voir, ou pour remettre à plus tard une rencontre. Cette Balance recherchera la présence des intellectuels avec qui elle pourra discuter. Mais il arrive un moment où elle ne discute plus, elle ne se rend même pas compte qu'elle a toujours raison «elle» ou «lui». Je dis Balance au féminin, mais il s'agit tout autant d'une attitude de la part des hommes que des femmes de ce signe et de cet ascendant. Attitude à rectifier si l'on veut éviter de perdre continuellement des amis et devoir continuellement recommencer le cercle des connaissances!

Le Soleil se trouve en douzième maison, une position toujours un peu dangereuse pour la santé du natif. La résistance physique est moindre et la maladie peut être sournoise. Avec de mauvais aspects du Soleil et de Neptune dans la carte natale, le sujet peut être la proie de sa propre imagination qui va jusqu'au délire, et prendre ses rêves pour une réalité. Avec de bons aspects, le natif est extrêmement créateur: musique, peinture, littérature, voie mystique. Il peut être médecin, guérisseur, vivre en retrait et faire pourtant grand bien à l'humanité souffrante.

Il n'est jamais facile de vaincre ses tendances négatives. L'ascendant Scorpion a bien du mal à oublier si on a commis une injustice à son endroit et pourtant il doit s'efforcer d'y parvenir, sinon il risque d'être longtemps malheureux.

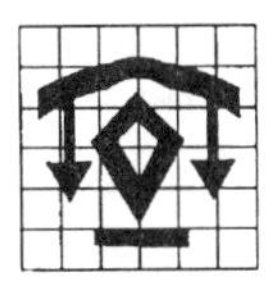

BALANCE ASCENDANT SAGITTAIRE

Elle est remplie de bonne volonté, les objectifs ne manquent pas, elle fait des promesses qu'elle ne tiendra peut-être pas! La vie est presque trop facile pour cette Balance. La chance est toujours présente, comme un chien qui fait le guet et protège son maître. Le natif attire la sympathie des gens, il est populaire dans son milieu, on dit que tout lui réussit!

Le Sagittaire à l'ascendant, c'est une part de chance envoyée par le ciel. À chacun de faire fructifier ses talents!

Balance, deux plateaux; Sagittaire, signe double! Le natif n'hésitera pas à prêter son concours pour jouer un rôle pouvant impressionner la galerie qui l'a remarqué! Il est populaire, on le demande partout, il se plie facilement aux demandes pour les sorties et les visites.

Tout ce qui est nouveau attire cette Balance-Sagittaire. Nouveau club à la mode, vêtements à la mode, nouveau sport à la mode. Tout cela, par contre, demeure dans le monde du superficiel, mais la Balance dégage une vibration harmonieuse, agréable, qui fait que, lorsqu'on est avec elle, on a envie de vivre, de profiter des bons moments de la vie. Comme elle est émotive et que c'est aussi une vibration, cette Balance vous accorde le droit de vivre avec des émotions et d'en ressentir les nuances. Aucune gêne là-dessus avec elle.

Elle a le grand défaut de ne pas aller jusqu'au bout de ses entreprises: elle veut trop en faire à la fois. Les études l'attirent, elle ferait bien de se fouetter un peu pour aller jusqu'au bout, car il y a du plaisir à étudier, à apprendre. Il suffit de s'en convaincre.

Sa vie amoureuse est instable. Comme malgré elle, elle choisit des partenaires qui n'ont absolument pas envie de s'engager à fond dans une relation. Elle vit un emballement sentimental, tout est pour le mieux, et puis hop, on la quitte! Les larmes ne seront que de courte durée, le Sagittaire à l'ascendant sachant très rapidement trouver consolation ailleurs!

Sa deuxième maison étant dans le signe du Capricorne, en aspect contradictoire avec le signe de la Balance, voilà que ce natif veut de l'argent, mais il n'a pas vraiment envie de travailler pour le gagner. Il s'imagine que penser devrait suffire et qu'on devrait le payer pour penser! Il est vrai qu'il est doué d'une grande imagination, surtout quand il est question de plaisir. Cette position en fait un habile négociateur. Il peut faire des coups d'argent. L'immobilier lui sied bien: un achat, une revente avec un large profit, et le tour est joué! Le voilà de nouveau en vacances. Il a toujours l'air de vouloir vous donner tout ce qu'il a, mais il n'en est rien. Il est plus économe qu'il ne le laisse paraître et pour recevoir un cadeau de lui vous devrez lui avoir rendu un très, très, très grand service!

Sa troisième maison est dans le signe du Verseau. Ici l'intelligence est remarquable! Rapide comme l'éclair lorsqu'il doit répondre à vos questions, vous verrez que rien ne l'embête. Il peut apprendre ce qui lui plaît. Il a un esprit de rébellion. Il voudrait tout chambarder. Il est bien pressé, mais il l'est moins s'il doit lui-même faire les premiers pas. Il a une large vision de l'avenir et il aime en parler, en discuter. Il voudrait pouvoir donner des ordres: aussitôt dit, aussitôt exécuté! Il aime fréquenter les gens originaux, ceux qui ont de l'espoir. Il déteste la routine, la répétition du geste quotidien. La vie devrait être une fête, c'est ce qu'il croit profondément, mais ce n'est pas aussi facile de le vivre. Comme le Verseau est aussi le cinquième signe de la Balance, cette Balance-Sagittaire peut vous parler d'amour, vous ravir, vous faire des promesses, pour vous faire plaisir, mais ce n'est pas aussi certain qu'elles seront tenues! Elle domine par la raison. Elle est si intelligente qu'elle peut jouer avec votre raison comme le chat joue avec la souris. Habile aux jeux de mots, elle peut vous faire rire, se moquer de vous gentiment, et vous ne pourrez même pas la détester! Elle aime la philosophie, tout ce qui touche l'humanisme, la politique également. Mais où va-t-on, que fait-on avec tant de capacités? Elle peut mettre un temps fou avant de se décider.

Sa quatrième maison, celle qui représente la mère, le foyer, se trouve dans le signe du Poissons. Le natif pourrait se sentir mal à l'aise dans son milieu de naissance, il a l'esprit large et la famille représente pour lui une limite. Très jeune il voudra la quitter, mais il y reviendra, il quittera de nouveau. Bref, il fera danser sa mère sur une corde raide! S'il devient parent à son tour, il dansera lui aussi sur une corde raide. Chacun son tour, la roue tourne.

Sa cinquième maison, celle des amours, dans le signe du Bélier, en face de son Soleil, indique qu'il est difficile pour ce natif de toujours vivre avec la même personne! Il a du mal à résister aux différents appels qui viennent du sexe opposé! Il aime séduire et il se laisse prendre à son propre jeu. Il place la logique au-dessus de tout, et quand il «tombe amoureux», il s'en défend bien, en recherchant souvent un autre amour! En tant que Balance il cherche l'amour idéal, l'amour parfait. Il peut le trouver un jour, mais il risque de briser quelques petits cœurs en cours de route.

Sa sixième maison, dans le signe du Taureau, maison du travail, huitième signe de la Balance, représente une transformation complète des valeurs du natif par le travail. Cette position favorise des placements faits avec des objets d'art, des peintures, avec tout ce qui prend une valeur sur le marché. Le temps joue en sa faveur de ce côté. Grand admirateur de l'art, il respecte les artistes, les vrais, ceux qui se consacrent à l'art. Il aimera les fréquenter, ce qui lui permet d'être fantaisiste. C'est permis avec les artistes, tout le monde le sait. Cette position indique encore une fois que l'immobilier lui est favorable. Il pourra avoir un talent pour écrire, parfois pour chanter s'il a de bons aspects de Vénus dans sa carte natale. Pour parler, il est «le» spécialiste. C'est pourquoi il fait un bon vendeur.

Sa septième maison, celle qui représente le conjoint dans le signe du Gémeaux, lui fait naturellement préférer l'union libre. Avec lui, un état de mariage, c'est un état de divorce! L'exception fait la règle. Il sera attiré par des personnes de type nerveux, qui parlent beaucoup, qui discutent longuement. Il aime les arguments, mais cela peut aussi aller jusqu'à la dispute. Il lui arrive de se choisir un partenaire, souvent le premier, superficiel, uniquement attaché aux valeurs matérielles. L'ascendant Sagittaire le rendant idéaliste mais pas du tout aveugle, il se rend compte que l'autre n'est qu'une façade ou qu'une infime partie de ce qu'il s'attendait à trouver dans l'intimité. Et voilà la rupture, mais il est déjà parti à la recherche d'un nouvel idéal! Disons que c'est courant dans notre temps dit moderne...

Sa huitième maison, dans le signe du Cancer, lui donne une grande perception. Il peut jouer avec les gens parce qu'il sait immédiatement à qui il a affaire, sauf en amour. Mais dans tout autre domaine, il est habile à manipuler! Longue vie à ce natif, malgré tous ses excès! Il aura toujours la sagesse de s'arrêter à temps pour prolonger sa vie et continuer à vivre dans le plaisir d'être!

Sa neuvième maison, dans le signe du Lion, lui donne la chance de pouvoir se faufiler parmi les grands, d'être lui-même recherché pour sa bonne compagnie et ses encouragements. La chance finit toujours par arriver jusqu'à lui parce qu'il croit, parce qu'il croit en la vie et qu'il n'est pas méchant. Il lui arrive d'avoir le mot pour vous stopper, pour se moquer de vous, mais il aura, la plupart du temps, la délicatesse de s'arrêter avant de vous blesser. Peut-être, à une période de sa vie, essaiera-t-il de vivre agressivement. Pour lui, c'est un jeu, et quand il se rendra compte que le jeu est dangereux pour autrui, il s'arrêtera net! Il ne veut pas être méchant, il veut se faire aimer et vivre de plaisir et dans le plaisir, sans l'ombre d'une méchanceté.

Sa dixième maison, dans le signe de la Vierge, ne lui donne pas une ambition définie, si ce n'est qu'il se sent attiré vers les jeux de l'esprit, les casse-tête. Les problèmes humains l'intéressent, mais il lui arrive de trouver la solution trop facile. Amusez-vous, vous dira-t-il! Il sera habile manuellement s'il veut bien s'y appliquer. Avec un ascendant Sagittaire il arrive qu'on préfère se faire servir, voir les autres le faire à sa place!

Son Soleil se trouve en onzième maison, ce qui lui donne une grande intelligence et une grande facilité d'élocution. Il est sociable, aime les gens, la bonne compagnie, sans vraiment faire de différence entre les races, les riches, les pauvres. Sa nature est humaniste, permissive également. Il peut lui arriver d'être tranchant, à la manière d'un Verseau, d'être changeant encore à la manière d'un Verseau. Il voit grand, il fait d'ailleurs un excellent candidat pour la politique. Il sait défendre les droits des gens et s'allier à la masse. Les carrières publiques lui conviennent. En fait, c'est encore un jeu pour lui: gagner sa vie dans la détente et rencontrer toutes sortes de gens! Vous aimerez cette personne ou vous ne l'aimerez pas sur le coup! S'il a l'occasion de vous revoir et qu'il a compris que vous ne l'aimiez pas, attention: il fera tout pour vous charmer, vous amuser, vous faire rire et vous avoir de son côté! Cette position n'est pas vraiment favorable à la fidélité. Du cœur, oui. Il reste votre ami même après une rupture orageuse, mais vous aurez du mal à être la seule personne élue de son cœur. Comment peut-il n'aimer qu'une seule personne alors que l'humanité sous toutes ses formes est à découvrir?

Sa douzième maison, celle de l'épreuve, dans le signe du Scorpion, symbolise la mort et les transformations. C'est souvent après le décès d'une personne proche, d'une personne chère à qui il tenait, parfois en silence, que le natif comprend qu'il faut «réaliser» sa vie autrement. Au plaisir, il rajoutera la sagesse, se fera plus généreux, plus courtois, profondément aimable parce qu'il pourrait comprendre qu'il vaut mieux aimer les gens lorsqu'ils sont vivants. Après, on ne peut être aussi sûr d'être entendu.

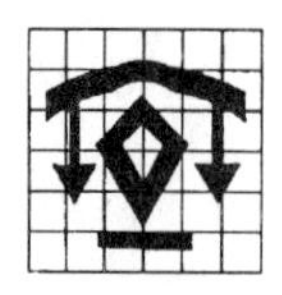

BALANCE ASCENDANT CAPRICORNE

Double signe cardinal, double signe de commandement, nous avons vraiment là la main de fer dans le gant de velours.

C'est la Balance économe, calculatrice, restrictive. Elle ne peut s'empêcher de calculer. Tout est trop cher pour ce que ça vaut. Quand elle fait, par exemple, des achats de vêtements, soyez certain qu'elle les retourne à l'envers pour vérifier si la doublure vaut autant que le reste.

Excellente dans les négociations, elle ne perd jamais le contrôle. Elle peut aussi mettre quelqu'un à bout à force d'arguments et le faire céder à son prix, à son affaire, à son goût.

Vous la croiriez toujours en train de vivre en état de duel, c'est elle ou l'autre et, naturellement, dans sa tête c'est déjà décidé: elle gagnera.

Elle n'est pas facile à vivre dans la vie privée. Elle joue au général, elle commande, toutes les grandes décisions lui reviennent et, surtout ne faites rien sans la consulter, ce serait une véritable insulte à son pouvoir.

Sa principale ambition: le capital qui fait des petits.

Elle est réaliste; c'est une travailleuse, une acharnée, les efforts ne l'effraient pas. Elle a le sens de la propriété, du placement. Elle est bien prête à rendre service, à condition toutefois qu'on ait fait un calcul pour elle et qu'elle en retirera un profit! Rien n'est donné.

Évitez de faire des dettes avec cette Balance, surtout si vous croyez ne pas pouvoir rembourser avant longtemps. Vous seriez harcelé jusqu'au dernier sou, avec intérêt à payer si vous dépassez le terme. C'est une «dure» dans les questions d'argent. Elle est au centre de sa vie et n'allez pas la déplacer.

Être discipliné, elle se demande comment les gens peuvent vivre sans une discipline comme la sienne: ce n'est pas tout le monde qui aime l'armée!

Cette Balance est peu démonstrative. Les sentiments, c'est pour les braillards. Quand on a de l'ordre et qu'on regarde les choses avec logique, on ne se lamente pas pour des petits riens. Elle aurait peur que, en démontrant de l'affection ou de la tendresse, on la prenne pour une personne faible. Elle s'est créé une image de force et tient à ce que l'on pense à elle de cette manière seulement.

Sa deuxième maison, dans le signe du Verseau, en bons aspects avec son Soleil, peut lui permettre de gagner de grosses sommes d'argent. Mais elle peut tout perdre tout aussi soudainement. Mais elle a sa réserve, son bas de laine est rempli et bien caché! L'argent lui donne un certain pouvoir, la liberté! Double signe cardinal symbole de chef, général! Cette deuxième maison, dans un symbole uranien, peut indiquer qu'un divorce est l'occasion d'une perte d'argent considérable, surtout si le natif s'est marié trop hâtivement un jour ou avec la mauvaise personne. L'argent peut être gagné par le biais du monde des communications, de la radio, des journaux, de la télévision, de même que par la vente de produits auprès d'un vaste public.

Sa troisième maison, celle de l'intelligence, dans le signe du Poissons, ne lui fait pas toujours dire la vérité. Balance-Capricorne ne vous dira pas qu'il est menteur, il a tout simplement omis de tout vous dire, il n'a pas eu le temps, il était pressé, puis vous étiez supposé deviner! Cette intelligence est pleine de détours. Il lui arrive de compliquer des situations simples, de faire un drame pour un détail! Et voilà qu'il a oublié l'ensemble de toute une situation. Il a voulu jouer au malin, au plus fin, il a oublié certaines composantes humaines. Certaines personnes devinent tout, mais elles ne diront pas qu'elles savent que le type raconte une histoire à sa façon! Elles sont diplomates et ne voudraient pas insulter le général! Cette position suscite souvent des conflits avec l'entourage au travail. Le natif soupçonne ceux qui l'entourent de manigancer contre lui. Il imagine bien des choses qui n'existent souvent que dans son imagination. Il prête aux autres des intentions qu'il a lui-même! Est-ce possible?

Sa quatrième maison, dans le signe du Bélier, indique parfois un foyer de naissance où la paix est plutôt précaire, où l'harmonie entre les membres fait défaut! Le natif peut se révolter contre cette situation, la trouver intolérable et quitter la maison quand il a encore l'âge d'aller aux études, le prétexte étant souvent un amoureux qui l'invite à prendre sa liberté. Cela est une bonne raison pour une Balance de «balancer» une situation qui ne lui plaît pas. Qu'on soit homme ou femme Balance, l'impulsion amoureuse crée une vive réaction.

Sa cinquième maison, celle de l'amour, fait que notre natif aspire à la stabilité sentimentale, cette maison cinq étant dans le signe du Taureau. Il aimerait bien vivre dans un nid douillet où chacun joue le rôle qu'il lui a assigné, mais il arrive que le travail demande plus de temps que l'amour!

Avec les enfants, notre natif agit de temps à autre en propriétaire. Il aime, il adore ses enfants, ils sont à lui, il veut les garder près de lui, diriger leur vie, en faire des gens forts, autonomes, instruits, équilibrés... parfaits quoi! «Rien n'est parfait», disait le petit Prince. Étrangement, il arrive qu'on ait voulu faire du natif une personne du monde des finances, et qu'il se dirige vers le milieu artistique, histoire de contrarier le parent Balance-Capricorne! Ce signe et cet ascendant se donnent le plus souvent deux rôles familiaux: être à la fois père et mère! Et général en chef! C'est ce qui s'appelle aller vers son propre épuisement, tant moral que physique. C'est déjà bien difficile d'être l'un ou l'autre, être les deux, c'est vouloir battre les records!

Sa sixième maison, dans le signe du Gémeaux, lui donne un grand talent de communicateur. Bavard intarissable, vendeur, il prendra le temps voulu pour vous convaincre de ce à quoi il croit, ou plutôt de ce que ça lui rapportera de vous avoir persuadé! Dans sa jeunesse, il peut être timide. Si vous en avez un en bas âge, ne vous inquiétez pas s'il recule devant les gens. Le temps viendra où il prendra le plancher, et vous en serez étonné, à moins de très mauvais aspects de Mercure dans sa carte natale. Cette position lui donne une grande nervosité et, à un moment de sa vie, il peut lui arriver de commettre quelques bêtises. Dans sa tête, tout est mêlé. Il faut laisser le temps faire les choses; ce natif retrouve sa stabilité la plupart du temps. Il manque de confiance en lui quand il est jeune. Si vous lui donnez très tôt cette confiance en le félicitant à chaque bon coup, il en fera de plus en plus pour vous prouver que vous avez besoin de le féliciter, de lui faire confiance. Il est sensible à la critique, elle le démolit, lui enlève sa spontanéité, ou alors celle-ci devient de l'autodéfense! Quand il vous blesse, il est plus blessé que vous ne l'êtes vous-même, en fait. Il perd son temps à revenir sur sa faute, à se culpabiliser. Quand on a l'ascendant Capricorne, on se sent facilement coupable.

Sa septième maison, dans le signe du Cancer, lui donne le goût de fonder un foyer avec un homme ou une femme qui sera roi ou reine au foyer pendant que Balance-Capricorne se taillera une place dans le monde social! Voilà qui ne fait pas toujours l'affaire du partenaire qu'il soit homme ou femme. Le Cancer étant en aspect négatif avec la Balance, un divorce est possible si le natif n'arrive pas à faire certains compromis. Si vous écoutez l'un d'eux, homme ou femme, après un divorce, il se reconnaît très peu de torts et peu de responsabilités face à l'échec de son mariage. C'est la faute de l'autre. Après tout, ses ordres étaient tout à fait clairs! Une Balance, avant le mariage, est une personne parfaite. Après, dans la vie intime, le climat change. Bien que la Balance soit un signe d'union, elle est aussi un signe de raison, un signe cardinal, un symbole de chef. Le temps adoucit toujours les natifs de la Balance, il corrige ce qui peut leur nuire. Je n'ai jamais rencontré une Balance qui n'était pas une personne intelligente. Peut-être ai-je été chanceuse... Ou que seules les Balance intelligentes osent m'entendre leur dire leurs quatre vérités. Je n'y vais pas avec le dos de la cuillère, comme me l'ont dit certaines personnes. Ayant moi-même trois planètes dans le signe de la Balance, je me sens toute proche, visée même!

Sa huitième maison, celle des transformations, est dans le signe du Lion. L'amour opère une transformation chez le natif, lui donne parfois le désir de changer ce qui ne lui plaît pas. Les enfants, s'il y en a, jouent un rôle important et concourent souvent à transformer l'objectif de vie du natif. Il veut gagner beaucoup d'argent, ça, ça ne change pas, mais ce n'est plus alors uniquement pour satisfaire ses besoins, mais afin de pourvoir à ceux de ses enfants, pour qu'ils ne manquent jamais de rien! Ils ne manqueront probablement de rien, même quand il s'agit d'une femme pourvoyeuse et seule. (Cela demande deux fois plus de force. Sans être entièrement féministe, je me permets de constater que le pouvoir financier est encore et presque uniquement sous la juridiction mâle. J'arrête ici mes constatations sociologiques.) Madame seule est capable de déplacer des montagnes pour faire plaisir aux siens, pour leur donner toute la chance qu'elle n'a souvent pas eue.

Le cœur devra être surveillé en raison de la dépense d'énergie. Bien que le natif soit résistant, il lui arrive de dépasser les limites de sa capacité – rappelons-nous qu'il n'est pas facile d'être père et mère à la fois.

Sa neuvième maison, dans le signe de la Vierge, lui donne, comme à plusieurs autres, une foi bien fragile. Le natif ne croit qu'à la valeur de l'argent et il se contente de prier Dieu quand ça va mal. Et croyez-moi, la liste des demandes est longue et les remerciements n'apparaissent pas. Dans certains cas, cette position favorise l'alcoolisme! À éviter de préférence! (Le mouvement AA guérit non seulement de l'alcoolisme, mais redonne à Dieu ce qui lui appartient!) Cette neuvième maison étant la douzième de la Balance, le natif peut être porté à bien des exagérations, tant dans ses paroles que dans ses actes!

Son Soleil se trouve donc en dixième maison et son symbole est la réussite sociale. Cette position, avec de forts aspects de Saturne, crée une attirance pour la politique. Le natif est persuasif, après tout! Il n'a pas la langue dans sa poche quand il a décidé de vous vendre une idée! Il pourra même vous raconter quelques mensonges, véniels bien sûr! On peut le retrouver dans différentes sphères d'action, où il finira par se frayer une place au premier rang! (J'y pense à l'instant: Pierre Elliott Trudeau, si cela peut vous encourager!)

Sa douzième maison, dans le signe du Sagittaire, est sa maison d'épreuve. Tout ce qui peut se trouver à l'étranger, ou en venir, peut lui créer un problème, mais étant donné que le Sagittaire est en position favorable avec la Balance, les épreuves sont de courte durée! En fait, avec cette position, les ennemis ne s'acharnent pas longtemps. Le natif est si logique, si habile avec la parole, qu'il abat toutes les barrières et il a plus d'un tour dans son sac! S'il veut être heureux, il a tout intérêt à transformer, à troquer son habit de général d'armée pour une tenue plus simple, celle d'une personne plus compréhensive, plus ouverte à ce qui n'est pas d'elle!

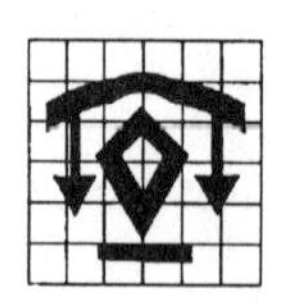
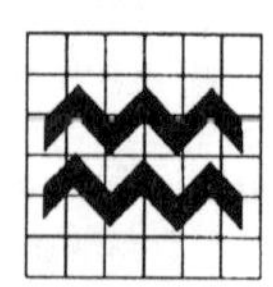

BALANCE ASCENDANT VERSEAU

Voici une Balance qui n'a rien d'ordinaire. Elle est impressionnante. Double signe d'air, signe cardinal par la Balance, et signe fixe par le Verseau. Elle hypnotise, fascine, et sa conversation est des plus intéressantes! Vous ne vous lasserez pas de l'écouter.

C'est une intellectuelle agréable à côtoyer parce qu'elle est aussi bien vivante dans le cœur. Cette nature aspire à la perfection de l'être, à la découverte des replis de l'âme. La paix mondiale, la paix universelle et la paix intérieure l'intéressent au plus haut point.

C'est une nature rêveuse, mais aussi réaliste. Elle sait très bien quand elle rêve tout haut et quand elle a les deux pieds sur terre, bien qu'elle soit un double signe d'air: l'intelligence est présente et ne quitte pas cette personne; la vivacité d'esprit est son compagnon.

Elle a des idées pas comme les autres. Elle pense vingt ans en avant de son temps! Est-elle utopique? Dans vingt ans, elle aura peut-être eu raison.

Cette nature est hautement inspirée et intuitive. Elle peut avoir un don de double vue, des facultés psychiques hors du commun. Ses pressentiments sont si justes qu'elle peut vous décrire un événement à venir avec maints détails. Elle est stupéfiante.

Cette Balance ne se voit pas, elle est tournée vers les autres, elle n'a pas le temps de s'occuper d'elle-même ni des gens qui vivent près d'elle. Elle bâtit et rebâtit le monde sans arrêt!

Assidue au travail, il est cependant préférable qu'elle ne se soit pas engagée dans un commerce de routine. Elle se lasse vite. Ou si à son travail il est interdit de rire ou de bavarder, soyez assuré qu'elle a vu la sortie et qu'elle se dirigera ailleurs dans un endroit plus humain, plus hospitalier.

Elle a besoin d'un contact avec le monde, la foule.

Quand elle commet une erreur, elle a bien du mal à le reconnaître. Elle a une haute estime d'elle-même. Dans toute l'intelligence qu'elle se reconnaît, comment aurait-elle pu faire une faute: c'est la faute des autres, pas la sienne, voyons!

Ne mettez pas cette Balance en colère, ne lui donnez pas d'ordre, elle est son propre maître. Elle oubliera qu'elle s'est fâchée, mais elle n'oubliera pas vos réponses, surtout si elles étaient blessantes, que ce soit la vérité ou non. Elle est bien capable de vous les resservir sur un plat froid, un jour que la Lune éveille ses frustrations!

Si vous voulez vivre avec cette personne, laissez-lui sa liberté. Mais elle tient la vôtre pour acquise. Conciliation, compromis: connais pas, vous dira-t-elle!

Sa deuxième maison, dans le signe du Poissons, symbolise ses avoirs. Deux sources de revenus, deux sources de dépenses également. La Balance-Verseau est un natif si débrouillard qu'il ne vous demandera rien, même quand il est dans le besoin. L'argent peut provenir de différentes sources neptuniennes: cinéma, astrologie, photographie. Neptune régissant également l'alcool, on peut retrouver le natif en service dans un bar où il fait un bon travail. Il aime bien écouter les histoires des autres, il y apprend beaucoup. Neptune régit aussi la drogue. Supposez le reste. Il est à souhaiter que ce natif n'ait que de bons aspects de Neptune. Il peut exercer plusieurs métiers, il n'est pas limité et il est audacieux. Une année vous le trouvez artiste, l'année suivante il sera en affaires. Et voilà qu'il a obtenu un rôle au cinéma. Il s'est fait aussi électricien, médecin... Rien ne l'arrête... Son esprit a faim d'apprendre continuellement. Il peut aussi être doué pour la Bourse!

Sa troisième maison, dans le signe du Bélier, lui donne une intelligence vive, une capacité de réaction peu commune pour aider ceux qui sollicitent son assistance. On peut même abuser de ses bontés à certains moments. Il est sujet aux coups de tête dans les différentes orientations de sa vie. Il veut aider l'humanité, il veut gagner sa croûte, de préférence sans trop d'efforts. Il ne veut dépendre de personne. Il a une sorte de joie enfantine, de débordement juvénile dont il ne se départit pas! Il reste jeune longtemps! Le temps n'altère pas non plus ses idées rénovatrices, son goût pour les transformations et l'exploration, pour une vie différente, nouvelle. On peut s'essouffler à vouloir le suivre. C'est une nature plutôt joyeuse. Tout de même, essayez d'éviter de dépasser son seuil de tolérance!

Sa quatrième maison, dans le signe du Taureau, lui procure souvent un foyer confortable, où il peut trouver force et équilibre. Il s'y sent en sécurité, bien qu'il soit certain qu'il a tout un monde à explorer et que la famille lui crée une limite. Il lui arrivera de quitter son lieu natal pour aller vivre au loin, explorer. La mort peut survenir au foyer durant sa jeunesse. La perte de l'un des membres de la famille peut l'affecter considérablement et même transformer sa nature et lui donner une poussée vers l'avant. Le Taureau étant le huitième signe de la Balance, il symbolise la mort, les grandes transformations dans le symbole du foyer.

Sa cinquième maison, celle des amours, dans le signe du Gémeaux, lui inspire très jeune de grands élans amoureux. L'adolescence peut être vécue avec beaucoup d'exaltation et d'idéal. Sa nature sociable le rend populaire, lui attire toutes sortes d'amitiés. Il accepte tout le monde, les bons, les bien pensants, les moins bons aussi, parce qu'il leur fait du bien. Il a le sens de la conversation, il est encourageant, à moins que de mauvais aspects du Soleil et de Mercure n'interviennent dans sa carte natale. Alors là vous auriez une pie bavarde qui bat des ailes dans toutes les directions et aucune à la fois. Ses amours peuvent être de courte durée toutefois, se situant davantage sur le plan de l'amitié que sur celui de l'amour passion ou de l'amour tel que compris dans notre monde actuel. Se donner l'un à l'autre, pour ce natif, c'est bien difficile. Il se doit d'aider l'humanité, ne l'oubliez pas, puis c'est toujours trop étroit pour lui partout où il se trouve.

Sa sixième maison, dans le signe du Cancer, est la maison du travail. Cancer, symbole du domicile. Il arrive donc, avec des aspects spécifiques de la Lune et de Mercure que le natif fasse du travail à son domicile. Il peut aussi se donner comme but d'élever une famille comme il le faut, de vivre avec ses enfants, de les rendre heureux! Le but est noble, et d'ailleurs c'est un rôle qui se perd et qui mériterait d'être remis à la place d'honneur! Il excelle dans la cuisine, les petits plats, quand il veut, quand il se sent créatif! La santé de ce natif est généralement robuste. Quand il est malade, il fait semblant qu'il ne l'est pas, ça passe plus vite, vous dira-t-il lui-même.

Sa septième maison, celle du conjoint, dans le signe du Lion, lui fait ordinairement choisir un partenaire qui aime les enfants, qui est amoureux et qui désire une fixité. Il faut de bien mauvais aspects avec cette maison pour qu'un mariage soit rompu, si le natif a décidé de s'y engager sérieusement. Il est alors prêt à faire des concessions, au nom de sa progéniture, au nom du respect aussi qu'il porte à la signature de son contrat, au nom de la paix, de l'harmonie qui doit régner entre deux partenaires. Il attirera souvent un conjoint fortuné ou qui occupe un poste important, une fonction qui comporte de grandes responsabilités.

Sa huitième maison, celle des transformations, dans le signe de la Vierge, lui vient la plupart du temps de son inconstance, de son indécision à choisir une ligne fixe et déterminée dans son travail. De même, ce natif, avec de bons aspects de Mercure, de Mars et de Pluton peut être fortement attiré par la médecine ou la recherche. Cette position le rend fort conscient de la portée de ses actes. S'il prend un jour un mauvais tournant sur la route de la vie, il pourra revenir et reprendre la voie qui le conduit à son objectif, à son idéal.

Son Soleil se trouvant alors en neuvième maison, avec de forts aspects du Soleil et de Jupiter, il peut tout aussi bien être un acteur! En fait, tout, ou presque, lui est permis; il n'a qu'à décider, à choisir ensuite. L'influence familiale joue un grand rôle dans sa vie. Le père est une source d'inspiration, un guide. Si le père décède, il pourrait bien, de l'au-delà, continuer à guider le natif. Lui, il le sait, il pourrait vous en parler, si le père n'est plus de ce monde. Le natif a une bonne nature, il désire le bien, le bon, le meilleur même, tant pour lui que pour ceux qui l'entourent.

Sa dixième maison est dans le signe du Scorpion, symbole du mystère, de l'ésotérisme, des microbes également, symbole aussi de tout ce qui est enfoui, caché à la vue. Voilà ce qui intéresse le natif. Il pourra alors se lancer dans un travail qui demande de longues heures de recherche, le Scorpion symbolisant souvent un travail fait de nuit, caché à la vue de tous. Le Scorpion est également un symbole de destruction, et avec de mauvais aspects de Mars, de Saturne et de Pluton dans sa carte natale, le natif peut choisir un métier qui, plutôt que de le grandir comme cela devrait être, l'entraînera sur une voie difficile et qui pourrait ne pas être droite! Disons qu'il s'agit là d'exceptions, ces natifs sont plutôt poussés vers le beau, le bon et le meilleur, comme je l'ai dit plus haut.

Sa onzième maison, celle des amis dans le signe du Sagittaire, lui attire de nombreux amis étrangers, venus de régions lointaines. Possibilité également que ce natif épouse une personne venue de loin! Il est d'ailleurs fasciné par tout ce qu'il ne connaît pas et il aime apprendre, connaître. Il est le plus souvent aimé de tous et de chacun. On lui reconnaît un grand cœur, une belle générosité, mais, je le rappelle, ne dépassez jamais le seuil de sa tolérance. Vous avez déjà vu une tornade Balance? C'est très dangereux. Ce natif oubliera, pardonnera, mais le témoin peut être marqué pour longtemps, pour très longtemps. La scène risque d'être mémorable.

Sa douzième maison, celle de l'épreuve, se situe dans le signe du Capricorne. La perte d'un parent est possible et peut marquer le natif quand il est jeune. Possibilité que l'épreuve, avec de mauvais aspects de Saturne, vienne d'un abus d'alcool, soit le natif – il en abuse, mais jamais pour la vie –, soit un membre de sa famille auquel il est fortement attaché.

Ce natif peut vaincre tous les obstacles qui se trouvent sur sa route. Sa foi dans la vie est grande, ses espoirs se renouvellent. Il aime profondément la nature et la vie elle-même, sous toutes ses formes. Quand on aime la vie, on ne se détruit pas.

BALANCE ASCENDANT POISSONS

Voici une Balance qui aime bien parler de ses petits bobos. Elle en a toujours un quelque part et est sans cesse à la recherche du spécialiste qui la guérira définitivement... jusqu'au prochain bobo! Sans ces bobos, elle aurait l'impression que ses plateaux sont vides! Surtout en vieillissant et si elle a pris cette habitude...

Elle oscille sans arrêt entre le bonheur euphorique et la grande tristesse. Un jour, elle a trouvé sa voie, et le lendemain elle se sent perdue! Si vous l'accrochez par le bras, demandez-lui fermement ce qu'elle veut faire dans la vie.

Si vous faites ça, vous la mettez dans un état de panique. Je vous le dis tout de suite, c'est le meilleur moyen de la faire fuir ou de vous en débarrasser!

C'est une grande romantique de l'impossible amour! La réalité lui échappe, le rêve est sa matière première. Un rien la trouble. C'est à peine si cela paraît, mais l'œil d'un Scorpion le verrait immédiatement.

Cette Balance a besoin de discipline dès la jeunesse. Elle se laisse trop facilement entraîner par les amis, les bons, mais les mauvais aussi qui ont tout autant besoin que les autres d'avoir des témoins, des participants et des gens qui approuvent.

Cette Balance a une conscience large, une morale qui va jusqu'à l'élasticité parfois, quand trop d'aspects négatifs interviennent dans sa carte natale. Si elle permet à chacun de faire ce qui lui plaît, sans aucune censure, elle peut se le permettre aussi. La facilité a quelques attraits sur elle!

Cette Balance peut avoir le cœur broyé à la vue d'un chien écrasé. La voisine s'est coupé un doigt, et la voilà prête à faire son ménage pour elle! Elle tombe dans l'exagération si simplement, tout naturellement.

Sa deuxième maison, celle de l'argent, dans le signe du Bélier, la pousse à gagner de l'argent très vite dans la vie. Elle aurait bien aimé rencontrer un prince ou une princesse qui pourvoirait à ses besoins, mais, malheureusement, elle est une victime, elle a fait confiance et on l'a trompée. Elle se demandera non pas qui est l'autre, mais qu'est-ce qu'elle a pu faire de si mal pour mériter un tel sort!

Sa troisième maison, dans le signe du Taureau, la porte à adopter des attitudes, des comportements répétitifs. En fait, il arrive que, dans une vie de ménage, après un certain temps, on lui fasse sentir que rien ne change avec elle, qu'elle est lente. Il peut lui arriver aussi d'adopter une règle de vie et de s'y conformer strictement, et de perdre ainsi toute spontanéité. Elle apprend lentement, elle a toujours peur qu'on l'induise en erreur, mais une fois qu'elle sait, c'est pour longtemps. Elle peut être attirée par des études artistiques, esthétiques, théâtrales, tout comme elle peut s'intéresser au monde des affaires. Elle sera toujours prudente dans toutes ses démarches. Elle veut mettre les pieds à la bonne place, et quand elle les a, elle est fidèle au poste. Elle aime également que les choses qu'elle apprend ait une application concrète. C'est pourquoi elle est aussi très habile dans les travaux manuels qui demandent dextérité et précision. Elle aime la compagnie des gens beaux et calmes. Elle en a d'ailleurs terriblement besoin pour se soustraire à ses propres angoisses. Ce natif est en quelque sorte une éponge, il absorbe les ambiances, les climats et les fait siens. Et s'il se retrouve dans une situation tendue, il aura bien du mal à s'en échapper et, de plus, il prendra presque sur lui la cause de la dispute! Allez savoir ce qui s'est passé dans sa tête au moment de l'éclat!

Sa quatrième maison, celle qui représente son foyer dans le signe du Gémeaux, indique souvent un lieu de naissance qui ne correspond pas à ses aspirations profondes. Il recevra une éducation superficielle, il devra chercher par lui-même le vrai sens de la vie et sa vraie raison d'être. Il est rare qu'une personne de sa famille puisse vraiment l'informer, et surtout pas la mère du natif auquel il est attaché par le lien du sang! On lui demande d'être correct, de se conformer à ce que la société attend d'un homme ou d'une femme, de gagner sa vie, de se marier, de fonder un foyer, alors que lui, il veut savoir pourquoi tout cela. N'y a-t-il pas quelque chose qu'on lui a caché, la vérité, par exemple? Le milieu naturel peut être un foyer où on parle beaucoup, mais où personne ne prend position, un foyer où on se laisse manipuler par les opinions de la masse et qui sont retransmises au natif. Mais il n'est pas dupe et il pressent qu'on ne peut être d'accord avec tout ce qui se dit.

Sa cinquième maison, celle des amours, dans le signe du Cancer, le rend maternel ou protecteur envers ceux qui lui donnent de l'affection, de l'amour, mais il arrive parfois que le partenaire aime bien durant un moment se faire dorloter comme un bébé. Et quand on est adulte, on finit par trouver le jeu lassant et commence alors une série de situations qui font voir au natif qu'il n'est pas avec la bonne personne! Ce natif a un profond respect pour les enfants. En fait, les enfants le fascinent, il aimerait bien se souvenir quand il était petit...

Sa sixième maison, celle du travail, se trouve dans le signe du Lion. Il est possible que le natif se trouvera dans un travail où il aura des contacts avec des artistes ou des hommes d'affaires fortunés. Il n'aime pas véritablement une place de chef, il préfère la deuxième ou la troisième place. La plupart du temps il sous-estime son travail et se donne moins de qualités qu'il n'en a, alors qu'en fait il est toujours impeccable dans ce qu'on lui demande de faire. Il n'ose pas s'avancer, on ne lui a jamais appris, quand il était jeune, à être sûr de lui. Oh! vous avez affaire à une Balance, rien ne paraît, le natif a l'air d'être bien au-dessus de ses affaires, mais au deuxième coup d'œil vous vous rendrez compte à quel point il est vulnérable. Ce natif est travailleur, mais il a aussi grand besoin de sommeil afin de récupérer son énergie qu'il dépense souvent inconsidérément, tellement il est attentif à tout ce qui se passe autour de lui! Il absorbe, il lui faut faire le vide et le sommeil est le meilleur médicament qu'il puisse trouver.

Sa septième maison, dans le signe de la Vierge, également douzième signe de la Balance, lui fait souvent rencontrer des gens qui lui disent avoir besoin de lui! Voilà qu'il est médecin, médecin de l'âme, aidant et encourageant l'autre! Mais cette Balance a bien droit à ses impatiences! Si elle décide de mettre fin à la relation, cela prendra un bon bout de temps avant que la situation soit officielle. Elle ne veut pas blesser davantage son malade, mais souvent sans s'en rendre compte, elle a elle-même créé cet état de dépendance. Elle voulait le dorloter, certains y prennent goût aussi. Mais une Balance n'a plus l'attrait qu'il faut pour materner longtemps, la contradiction est puissante là-dessus, elle veut aider, puis elle ne veut plus, elle veut se rendre indispensable, puis cela la fatigue de l'être. Elle aime la présence des partenaires dits raisonnables et voilà que, quand ils le sont trop, elle se demande s'ils ont aussi du cœur. Pour s'éviter un long célibat ou des amours tristes, la Balance-Poissons devra se poser toutes ces questions et trouver une réponse, équilibrer ses plateaux.

Son Soleil se trouve donc en huitième maison. L'astrologie, l'occultisme, la religion, la méditation, les médecines douces exercent un puissant attrait sur elle. Son Soleil se trouve alors dans une position comparable à celle d'un Scorpion; elle bâtit puis elle démolit, et elle recommence, surtout sur le plan de ses amours. Une Balance a besoin de l'autre pour se compléter! Bien qu'il arrive souvent que ce natif, avant de s'initier au monde de l'invisible, ait peur de ce que cela pourrait changer dans sa vie, il finit souvent par se risquer et il découvre qu'il est plus grand qu'il pensait, que l'infini est à la portée de sa main, il n'a qu'à demander! Une Position favorable pour recevoir des héritages. Généralement, ce natif a une longue vie! Devinez la suite!

Sa neuvième maison, dans le signe du Scorpion, lui donne des contacts avec le monde invisible. Il peut en avoir peur, mais il peut aussi accepter de le vivre. Il peut être un bon médium, recevoir des messages qu'il va transmettre. Les religions peuvent être un sujet d'étude passionnant pour lui. Il arrive parfois qu'il tombe dans le fanatisme et devienne un adepte où il s'engage dans un «Crois ou meurs»! Il doit se surveiller à ce sujet. Ce natif est fait pour vivre une grande évolution sur la planète Terre. Plus il vieillit, plus il devient sage, et mieux il peut conseiller, devenir un guide.

Sa dixième maison, dans le signe du Sagittaire, un signe double, peut parfois le pousser à embrasser une carrière d'enseignant. Il peut aussi entrer en religion, mais il y en a de moins en moins en cette fin de siècle. Cette position favorise également une occupation dans le monde cinématographique, surtout avec de bons aspects de Saturne et de Jupiter, tout comme il peut occuper un poste où il est le guide, celui qui finalement donne ses conseils au patron... qui les observe quand ce natif a naturellement fait ses preuves sur le sens de sa stratégie. Il peut effectivement développer ce côté. Une carrière journalistique n'est pas impossible non plus. Le natif aime communiquer avec autrui et il est important qu'il ait un rôle actif au sein d'une entreprise déjà organisée!

Sa onzième maison, celle des amis, lui fait souvent préférer la présence de personnes plus âgées desquelles il apprend d'autres leçons. Comme cette maison est en aspect négatif avec son Soleil, il arrive que ce natif se refuse d'être bien avec des gens qui ont plus d'expérience que lui! Encore une contradiction qu'il devra régler avec lui-même. Il veut apprendre, mais il ne veut pas qu'on le brusque en lui dictant une leçon! Il aura peu d'amis, et il est possible qu'il en garde quelques-uns qu'il avait déjà durant sa jeunesse et son adolescence.

Sa douzième maison, celle des épreuves, dans le signe du Verseau, symbole uranien, signifie divorce, explosion, feu, grève, amoureux qui abandonne, tout cela sous forme de surprises et de la manière la plus étonnante et la plus originale qu'on puisse trouver. Comme le Verseau est en bons aspects avec le signe de la Balance, les épreuves sont souvent une source d'enrichissement pour le natif. Il les vit bien, au grand étonnement de son entourage. Sa dépression n'a pas duré trop longtemps! Uranus est également le symbole des enfants des autres. Le natif, s'il se charge d'un enfant qui n'est pas le sien, pour diverses raisons, pourrait y trouver là la plus grande leçon de sa vie! Possibilité que le natif, même après avoir secouru un enfant, ne reçoive pas toute la reconnaissance qu'il en attendait. Il a cru que son geste serait apprécié, qu'on le bénirait! Mais il reçoit souvent de l'ingratitude et, venant d'un enfant, cela pourrait le bouleverser et il mettrait peut-être un peu plus de temps à s'en remettre!

Le Scorpion et ses ascendants

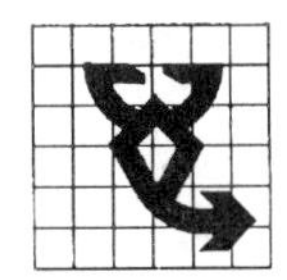
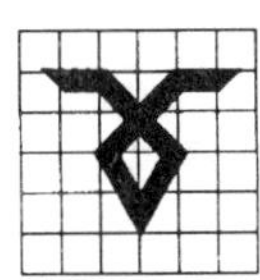

SCORPION ASCENDANT BÉLIER

Double signe de Mars, double signe de guerre, de tempérament combatif et rien ne peut arrêter ce Scorpion dans la poursuite de l'objectif qu'il s'est donné.

Ne vous mettez pas en travers de sa route, vous pourriez vous faire écraser. Il lui arrive de ne pas avoir le cœur bien large, ni trop sensible, puis tout à coup vous le voyez bouleversé pour un détail! Les intérêts et le but à atteindre d'abord, ensuite le reste. Il est à noter que le but visé peut être un idéal qui, éventuellement, lui rapportera. Il pense à long terme. Ce peut être le désir d'une puissance matérielle, tout autant qu'une quête de célébrité.

Les passions sont fortes et pas toujours orientées vers les bonnes personnes. Elle le sont plutôt vers celles qui lui offriront de la résistance. Ce Scorpion se doit de relever un défi: qu'il soit question d'amour ou d'argent, tout est traité de la même manière!

Ce signe peut bâtir ou détruire. Il n'est pas rare que ce Scorpion soit victime d'accidents ou qu'il frôle la mort de près. Et quand il s'en est sorti, il est encore plus puissant qu'avant. Cette détermination peut effrayer bien des gens qui ne connaissent pas le Scorpion. Ils ignorent qu'en dessous de tout cela, de toute cette bataille, ce Scorpion refoule des larmes, une avalanche de larmes. Il sait, au fond, que la vie est faite pour aimer, et il dit non et oui en même temps. Que fera-t-il? Il vivra longtemps avec cette angoisse s'il n'arrive pas à faire la part des choses!

Ce Scorpion a besoin de reconnaissance, il a horreur de passer inaperçu, d'être mis de côté. Il se prend assez souvent pour le nombril du monde. Il est vrai qu'il est puissant et qu'il peut écraser ceux qui lui font obstacle et les éliminer complètement de sa route. Il peut le faire, mais sa conscience le tourmentera sérieusement. Un Scorpion n'est jamais innocent! Il connaît trop bien les répercussions qu'ont ses actes. Il sait ce qu'il provoque chez les autres et quand il s'amuse à créer de la frayeur, on la lui retournera d'une manière ou d'une autre.

L'intuition est forte, le flair financier aussi. Le Bélier lui apprend comment se faire accepter des autres. Il crée chez lui non seulement le goût de l'argent, mais aussi celui du pouvoir.

Il peut faire n'importe quoi, ses choix de carrière sont illimités: relations publiques, commerce, administration, carrière d'artiste, de comédien, de danseur, etc. Rien ne l'arrête, il n'a qu'à fixer son objectif.

Un petit conseil: quand on détient autant de force, il ne faut surtout pas l'utiliser pour nuire, le ciel ne vous le pardonnerait pas. Il vous enverrait quelques messages d'avertissement et le choc s'ensuivrait si vous n'aviez pas tenu compte des prémonitions.

Sa deuxième maison, dans le signe du Taureau, est la position idéale, en fait, puisque la deuxième appartient au Taureau, l'argent. Mais le Taureau étant en face du Scorpion, il peut arriver que ce Scorpion vive un jour un moment de panique à cause de l'argent en ce sens qu'il n'en a pas, alors qu'il lui en faut beaucoup, beaucoup, beaucoup. Il n'y a finalement pas plus Scorpion que ce Scorpion puisque son Soleil se retrouve en huitième maison, dans sa position d'origine. Il aura donc toutes les qualités comme tous les défauts du signe. S'il est celui qui rêve de gloire, il passera parfois par-dessus plusieurs têtes pour y arriver. Il pense à lui d'abord et il n'est pas totalement honnête dans sa compétition. Si, par contre, il fait preuve d'honnêteté, alors vous le verrez travailler avec acharnement et mériter des honneurs. L'argent recueilli ne sera pas entaché! La deuxième maison étant dans le signe du Taureau, un signe de Vénus, il y a possibilité que l'argent lui arrive grâce à des transactions ou qu'il provienne du milieu artistique.

Sa troisième maison, dans le signe du Gémeaux, lui donne une grande facilité de parole, le sens de la repartie. Il peut, comme on dit, répondre à n'importe qui, parfois n'importe quoi, pour faire avancer les choses à son avantage. Le Gémeaux étant le huitième signe du Scorpion, il peut être mordant dans ses discours, avoir un langage acide, venimeux à l'occasion, soit de tromperie, soit d'insulte. Il sera pire que vous; soyez assuré qu'il ne mâchera pas ses mots! Cette position peut parfois l'inciter à quelques mensonges, pieux naturellement, ou à ne pas dire toute la vérité quand il est question de ruser pour atteindre son objectif.

Sa quatrième maison, dans le signe du Cancer, son foyer, en bons aspects avec son Soleil, également le neuvième signe du Scorpion, signifie qu'il aimera voyager, mais qu'il aimera aussi revenir. Cette position le favorise à bien des égards. Dans la vie de ce natif tout peut arriver, mais s'il survient un accident, le ciel lui-même le protégera. En cas de difficulté financière, l'aide surgira d'une manière tout à fait inattendue.

Sa cinquième maison, celle des amours, dans le signe du Lion, lui fait aimer les gens brillants, ceux qui ont le pouvoir dans le domaine qui l'intéresse. Comme ce signe est en aspect négatif avec le Lion, il y a possibilité que notre natif, s'il a des enfants, n'ait pas vraiment le temps de s'occuper d'eux. Il pourra déléguer à son partenaire le soin de leur éducation. Cette position indique aussi que s'il a choisi le milieu artistique, il devra mener une lutte serrée pour prendre sa place. Dans un monde financier, la concurrence pourra être forte: il prend de la place et devient une menace pour ceux qui font la même chose que lui.

Sa sixième maison, dans le signe de la Vierge, la maison du travail, également le onzième signe du Scorpion, signifie souvent un travail en relation avec un vaste public, avec la masse. Cette onzième maison, symbole uranien dans le signe de la Vierge, signifie que le travail est souvent sujet à une fluctuation et aux besoins de la masse. Le natif peut donc se retrouver à un moment de sa vie à travailler très fort, puis, tout à coup, il lui faut se raviser, subir une période d'attente et de vide qu'il supportera d'ailleurs très mal. Uranus étant une planète de choc dans un signe mercurien, elle laisse présager des colères soudaines, des moments de profonde dépression suivis de révolte. Mais le natif ne s'écrase pas quand il vit une telle sorte de répression, il s'élance plus fort, plus avant.

Sa septième maison, dans le signe de la Balance, lui fait rechercher le conjoint idéal! Il se laisse parfois prendre par le charme de l'autre, mais la Balance étant le douzième signe du Scorpion, une épreuve dans sa vie de couple, du moins lors de son premier mariage, survient. Ce Scorpion, s'il vit une peine d'amour, s'en souviendra toute sa vie et, par la suite, il surveillera ses intérêts plutôt que de s'arrêter à l'amour réel. Cette position indique souvent que le natif n'est pas vraiment fidèle. Lui, il a le droit, mais pas l'autre...

Son Soleil se retrouvant en huitième maison, ça le rend extrêmement fort, résistant. Le Scorpion étant le signe de la mort, avec de mauvais aspects de Mars, de Pluton et de son Soleil, le natif pourrait frôler la mort de près. Cette position indique souvent un veuvage. Mais le Scorpion étant aussi un symbole de résurrection, s'il subit un choc, il s'en relèvera plus fort qu'avant. Perception au-delà même de ce qu'on peut imaginer, il sait à qui il a affaire, même s'il le laisse peu paraître. Il devrait toujours se fier à sa première impression lors d'une rencontre. D'instinct il reconnaît si on est honnête ou malhonnête avec lui. L'intelligence étant également raisonneuse, quand il se met à excuser ou à trouver une raison à une sensation négative, il se perd. Il peut même alors se faire rouler. Mais on ne l'y prendra pas deux fois, en tout cas pas de la même manière.

Sa neuvième maison, dans le signe du Sagittaire, étant également la deuxième de son signe, lui fait souvent gagner de l'argent à l'étranger. Une seconde union, en cas d'un divorce, est possible avec une personne d'une autre nationalité que la sienne. Ce deuxième conjoint, le plus souvent, aura un compte en banque assez substantiel. Possibilité pour le natif de faire de l'argent avec la musique, parfois la danse, la publicité, bref avec tout ce qui est appelé «mouvement».

Sa dixième maison, dans le signe du Capricorne, lui fera espérer atteindre un sommet important dans sa carrière où il sera reconnu comme un expert. Le ciel est de son côté pour qu'il atteigne son objectif. Il y mettra le temps qu'il faut. De plus, en vieillissant, il devient à la fois sage et prudent. Les emportements martiens ou belliqueux peuvent se transformer en une sorte de diplomatie qu'il acquiert avec l'expérience de la vie.

Sa onzième maison, dans le signe du Verseau, le quatrième signe du Scorpion, représente les amis et le foyer. Les amis, en fait, deviennent souvent sa véritable famille. Ce natif n'aime pas tellement le cadre familial où il se sent à l'étroit. L'univers est sa patrie et s'il lui faut aller vivre ailleurs pour atteindre son objectif, il le fera. Il préférera travailler plutôt que de rester chez lui retenu dans le cadre familial. La sécurité financière l'intéresse; la sécurité familiale n'a guère d'attrait pour lui.

Sa douzième maison, celle de l'épreuve, dans le signe du Poissons, cinquième signe du Scorpion, représente les amours. Il est possible que ses enfants soient pour lui une source d'épreuves, mais il a suffisamment de force pour triompher de ces difficultés, trouver la meilleure solution. Le Poissons étant en bons aspects avec le signe du Scorpion, cette position le rend sage avec le temps, avec les épreuves. Il pourrait même, dans les moments importants de sa vie, recevoir l'aide du ciel. Il est protégé, il a des amis dans l'au-delà qui veulent l'aider. Quand il reconnaît ce fait, souvent il avance plus vite, mieux, et sans angoisse, puisqu'il comprend alors l'infini, l'illimité, et qu'entre le ciel et la terre il y a toujours un lien qui nous relie... La mort n'existe pas!

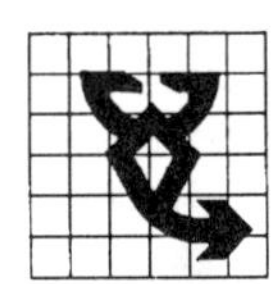
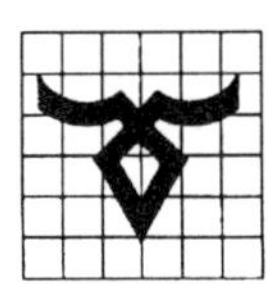

SCORPION ASCENDANT TAUREAU

Nous avons là l'opposé du signe et, comme tous ceux qui s'opposent, le natif joue contre ses propres intérêts, il donne, mais ne reçoit pas grand-chose en retour. Un gros merci peut-être, et puis bonjour, et au prochain service que vous rendrez!

Double signe fixe, l'un de terre et l'autre d'eau, terre gelée, terre bien fertile, de la boue, de la vase. Qui est-il? Il vous faudra le voir de plus près. Ange ou démon, il possède une puissance incroyable, une force de résistance peu commune. Il a la tête dure et il décide ce qu'il veut. Vous pouvez toujours lui faire des suggestions, elles sont notées, mais il ne les utilisera que lorsqu'il jugera que c'est le temps.

Personne intuitive, elle sait tout de suite si elle a affaire à un bon ou un mauvais individu, mais elle saura composer et même faire semblant qu'elle n'a rien vu. Vous pouvez toujours lui mentir, elle peut faire semblant de vous croire si ça vous fait plaisir. Mais ne comptez pas sur son aide. Et ne la trompez pas, quand les portes se ferment derrière elle, elles ne s'ouvrent plus. Double signe fixe, elle s'en ira ailleurs vivre autre chose.

Le pouvoir de renouvellement du Scorpion ne s'arrête jamais. Le Taureau est un gros «bébé joufflu confiant». Vous avez là une personne, Scorpion naturellement, angoissée – tous les Scorpion le sont à des degrés différents – et l'autre qui fait confiance à la vie. Ce Scorpion peut devenir amorphe à un moment ou l'autre. Il attend, il médite sans doute, il incube, il calcule son élan, et quand il décide de la route à suivre, les deux bêtes se mettent d'accord et foncent... Étrange le Taureau qui accompagne le Scorpion dans sa marche dans le désert. Le Taureau peut avoir une de ces soifs de temps à autre. L'humidité suffit au Scorpion. Pas au Taureau. Pauvre bête!

Vivre avec l'opposé de son signe fait commettre des erreurs, des imprudences. Le Taureau apporte une certaine naïveté, mais le Scorpion veille. Vous pourriez le prendre une fois, mais pas deux, du moins pas dans la même situation!

L'être est magnétique. Vénus et Mars alliés sous le même signe et Pluton qui domine! La sexualité est puissante, les besoins peuvent être urgents. Ce signe peut même user de sa sexualité pour posséder et manipuler en vue d'obtenir de l'avancement dans une carrière, un meilleur salaire, et quoi d'autre encore.

Double signe fixe, il est jaloux, possessif, tranchant, pas de demi-mesure. Ses jugements peuvent aussi être radicaux, ses attraits sont spontanés, ses répulsions aussi. Il ressent à la fois par les sens et par l'esprit, l'âme. Quand il apprend à se fier à sa première impression et qu'il ne se laisse pas prendre au jeu des sens comme un Taureau, vous ne le tromperez plus! Il a appris à faire la différence entre ce qu'il voit et ce qu'il perçoit!

L'argent exerce une forte influence sur lui. L'ascendant Taureau a besoin de sécurité financière, mais comme il vit avec l'opposé du signe, cela joue contre ses intérêts. La première partie de sa vie est marquée de dur travail, d'acharnement et souvent on ne lui donne pas ce qu'il mérite. Puis le voile se lève dans la quarantaine, il aura associé ses deux forces. Ce Scorpion connaît plusieurs transformations dans sa vie. Comme tous les Scorpion, je n'en connais pas beaucoup qui n'ont pas eu quelques chocs.

Avec l'opposé du signe, l'amour est souvent une grande déception. Encore une fois, on ne l'apprécie pas tel qu'il est, sa générosité ne lui a rien rapporté, à peine quelques miettes d'affection. L'eau du Scorpion, qui coulait doucement et tiède, entretenant le jardin du Taureau dans sa jeunesse, sous l'effet de maux répétés s'assèche, s'évapore et la sensibilité se transforme en raison de faire. Le natif se dirige vers une carrière et s'y donne avec passion. Il ne peut vivre autrement.

La solitude ne lui fait pas peur. Quand son Taureau a besoin de s'alimenter à une source, il la trouve. Pas besoin de chercher longtemps, son pouvoir d'attraction est fort. Un Scorpion ascendant Taureau qui aurait été trompé a bien du mal ensuite à accorder sa confiance et ne le fera peut-être même plus jamais. Avec son sourire vénusien, vous pourrez croire qu'il se laisse aller, mais le Scorpion fait le guet. Méfiance.

Les douleurs sont cuisantes sous ce signe et la mémoire est phénoménale, surtout quand on l'a blessé. L'avoir pour ami, comme allié, double signe fixe, c'est pour toujours, mais il vaut mieux ne pas l'avoir pour ennemi. Il frappe au moment où vous vous y attendez le moins, en toute justice! Ce peut être vingt ans plus tard. Double signe fixe, il est patient! L'endurance! Vivre avec l'opposé de son signe, c'est laisser une trace de son passage dans la vie, on ne pourra l'oublier. Et quand on est Scorpion, passer dans la vie des gens, c'est la transformer, en bien ou en mal, tout dépend du Scorpion à qui vous avez affaire!

Sa deuxième maison, dans le signe du Gémeaux, l'argent dans ce signe mercurien, le pousse à gagner son argent par la parole, par les écrits. Signe double, deux sources de revenus sont aussi possibles, deux sources de perte également, puisque le Gémeaux est le huitième signe du Scorpion.

Sa troisième maison, dans le signe du Cancer, donc une association entre Mercure et la Lune, le rend bavard, communicatif. Le symbole du Cancer étant le symbole du foyer, le natif aura souvent une grande communication avec sa famille. Le Cancer étant le neuvième signe du Scorpion, position qui indique que, dans le cercle familial, le natif trouve des encouragements, une philosophie évolutive, universelle. Le Cancer étant le signe de la mère, il y a possibilité que le natif ait une mère expressive, habile avec les mots, ce qui suscite sa curiosité.

Sa quatrième maison, symbole du foyer, est dans le signe du Lion. Lion, symbole des enfants, du faste, de l'or, aussi du tape-à-l'œil; Lion, symbole du Soleil, le plus gros luminaire du zodiaque, en aspect négatif avec le Scorpion. Ce Scorpion aspirera à une vie fastueuse! Il voudra une grande réussite pour ses enfants et y sera très attaché mais il peut arriver qu'il laisse tomber le côté faste, grandiose, pour vivre une vie de famille dans laquelle les enfants seront au centre. Le Lion étant le dixième signe du Scorpion, ou il sacrifie la famille ou il sacrifie sa carrière pour s'occuper de la famille. Il peut vivre un grand déchirement de ce côté. Souvent il n'est pas facile d'allier les deux et de réussir, c'est pourtant ce qu'il désire.

Sa cinquième maison, celle des amours, dans le signe de la Vierge, signifie que le natif est attiré par les amours d'un type intellectuel, originales également, car le signe de la Vierge est aussi le onzième signe du Scorpion, symbole du Verseau, symbole uranien, sujet à surprise, aux chocs. Selon les aspects d'Uranus et de Mercure, les amours sont sujettes aux fluctuations, le natif n'est pas à l'abri et il se peut qu'on le trompe dans ses amours. Cette cinquième maison qui signifie les enfants, dans un signe de Mercure dans la Vierge, peut indiquer que les enfants peuvent souffrir de différentes maladies d'origine nerveuse. Le natif sera particulièrement amoureux de l'intelligence et il voudra que ses enfants réussissent intellectuellement. Ceux-ci peuvent être agités, surtout sur le plan intellectuel, mais dans le signe de la Vierge, cela indique qu'ils seront pratiques malgré leur imagination. Ici la Vierge, le onzième signe du Scorpion, le cinquième du Taureau, signifie les enfants des autres, les amis. Ce natif peut donc coopérer au développement intellectuel des enfants des autres par amour et par esprit universel. Ses amis seront le plus souvent d'une nature à la fois logique et émotive. Il sera alors de bon conseil. Mais comme il vit avec l'opposé de son signe, il ne doit s'attendre qu'à une faible reconnaissance.

Sa sixième maison, dans le signe de la Balance, maison du travail dans un signe vénusien, le porte à travailler en direction des arts, de l'esthétique, de la justice. Comme la Balance est le symbole des unions, il arrive que le natif rencontre l'amour sur le lieu du travail. La Balance étant le douzième signe du Scorpion, ses unions sont alors menacées par des épreuves, indiquées par les aspects de Neptune dans sa carte natale, Neptune étant le symbole de l'étrangeté, du mal sournois, dans cette sixième maison. Le natif peut vivre également des épreuves par le travail, encore une fois d'origine neptunienne, c'est-à-dire venant d'ennemis cachés. Dans la sixième, celle du travail, le natif risque d'y rencontrer une concurrence malhonnête, dans un symbole mercurien, symbolisant qu'on parle contre lui ou qu'on écrit des choses qui lui sont défavorables.

Son Soleil se retrouvant en septième maison, le natif est amoureux de la justice, amoureux aussi de l'amour et il peut y consacrer sa vie. L'amour peut être orienté vers une personne, comme il peut l'être vers le travail, s'il y a échec dans le domaine du cœur. Cette position favorise les carrières publiques ou un mariage avec une personnalité forte et puissante, peut-être une personne reconnue par le public.

Le natif attirera à lui un conjoint créateur, artiste, ou du moins quelqu'un qui a de l'autorité, du prestige. Cette septième maison, l'union, dans le signe du Scorpion représente la mort: mort de l'union. Ce peut être par veuvage si des aspects négatifs de Pluton interviennent sur son Soleil; sur Uranus, ce sera alors le divorce, la carte natale nous le précise.

Sa huitième maison, dans le signe du Sagittaire, symbolise souvent l'héritage ou un changement de vie, soit en allant vivre à l'étranger, soit par un étranger, tout dépend des aspects de Mars et de Jupiter dans la carte natale. Le natif sera attiré par les sciences occultes, le paranormal. La mort transforme souvent la philosophie du natif, élargit ses horizons. Double signe fixe, il lui arrive d'être plutôt tranchant dans ses jugements, ses opinions. Il faut le plus souvent un drame pour qu'il s'adoucisse et devienne plus tolérant.

Sa neuvième maison est dans le signe du Capricorne. Cette position signifie un deuxième mariage à un âge plus avancé, peut-être vers la cinquantaine. Le natif pourrait beaucoup voyager à cet âge. Cette position favorise ses relations avec les gouvernements, surtout avec de bons aspects de Saturne et de Jupiter. Cette neuvième maison en Capricorne symbolise la sagesse, à moins de sérieuses afflictions dans ce signe.

Sa dixième maison, dans le signe du Verseau, symbolise un travail du type uranien: télévision, édition, ordinateurs et tout ce qui touche les appareils modernes. De même, le natif peut exercer un métier qui touche l'humanisme, la société en général. Ce peut également avoir trait à la musique moderne. Il arrive que ce natif soit extrémiste. Il peut tout aussi bien adhérer à une philosophie, à une religion, et s'y adonner jusqu'au fanatisme le plus extrême. Comme le Verseau est en aspect négatif avec le Scorpion, le cheminement vers l'objectif ne sera pas facile. Ce Scorpion rencontrera de nombreuses embûches. Un Scorpion-Taureau, double signe fixe, ne démissionne pas malgré tout. S'il lui faut prendre des détours, il les prendra. Le Verseau symbolisant les amis, Verseau, aspect négatif avec les amis, dans la dixième maison, ce natif devra faire preuve de patience avant d'atteindre l'objectif, ses amis n'étant pas toujours aussi sincères qu'il le croyait.

Sa onzième maison, dans le signe du Scorpion, symbolise qu'il se fait des amis de tous les milieux. Le Poissons étant un signe neptunien, donc de ce qui est caché, il peut avoir des amis à problèmes, des amis qui reculent quand lui-même s'avance. Comme le Poissons est en bons aspects avec le Scorpion, celui-ci acceptera tout le monde. Neptune étant aussi le symbole du cinéma, de l'image, de l'illusion, de la photo, de la peinture, de la danse, de la musique, il y a possibilité que le natif ait des amis dans ces milieux.

Sa douzième maison, celle de l'épreuve, dans le signe du Bélier, symbole de Mars, tout comme le Scorpion, c'est donc la position de Mars dans la carte natale qui indique ce que sera l'épreuve du natif. La planète Mars symbolise la guerre, le conflit, l'énergie, l'impulsion, la tête. Le natif peut avoir comme épreuve de mener la lutte pour faire valoir ses idées, une lutte difficile car il peut avoir des baisses d'énergie soudaines et importantes. La tête est un point sensible. Il peut être touché par la migraine, les céphalées. Avec de mauvais aspects de Mars, les accidents à la tête sont à redouter.

Mars symbolise également la sexualité. Ce natif peut être porté à faire des abus sexuels, il peut utiliser son pouvoir sexuel pour obtenir des faveurs. Cette douzième maison étant également représentative de Neptune, il peut aussi sublimer sa sexualité. Elle représente aussi les ennemis cachés sous l'emblème de Mars, dans le signe du Bélier: les ennemis peuvent être violents, par la parole, un rejet puissant face au natif, puis tout à coup la barrière disparaît, les ennemis ne peuvent pas grand-chose face à son obstination. Le Bélier représente ce qui commence. Dans un signe neptunien, le natif peut être fortement inspiré par le monde invisible, commandé par le ciel pour agir ou mettre sur pied un projet. Il rencontrera des obstacles et des retards, donc des facteurs inattendus, la pensée du natif dépassant parfois ce que la masse pense, il est en avance. Il lui faudra donc attendre avant de voir se réaliser ses plus profonds désirs. Il doit donc vivre l'épreuve de la patience. Double signe fixe, il l'est. Double signe fixe, s'il croit à ce qu'il fait il ira jusqu'au bout.

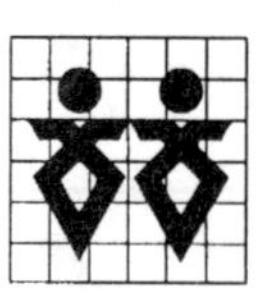

SCORPION ASCENDANT GÉMEAUX

Attention, vous pouvez avoir devant vous un Scorpion bien instable. Il veut tout faire. Gémeaux, signe double, plus un Scorpion, ça fait trois personnes quand même!

À première vue, il est décontracté, il cause beaucoup, il est subtil. Mercure, du Gémeaux, lui procure un vocabulaire plutôt élargi et persuasif! Il sait très bien aussi vous jouer la comédie, être le bouffon qui rit, le bouffon qui pleure. A-t-il un avantage à retirer de vous? Pouvez-vous lui apprendre quelque chose? Alors là vous devenez une personne intéressante.

Le Gémeaux est sa huitième maison, tout comme le Scorpion est le huitième signe du zodiaque. Alors, sous ces airs détachés se cachent une profonde angoisse et un goût de destruction quasi imperceptible. L'argent l'intéresse sérieusement, il en a besoin pour pourvoir à ses nombreux besoins, qu'ils soient réels ou non. Ce Scorpion passe avant les autres. Sa conscience est déchirée entre posséder et la peur d'être possédé lui-même. Il veut donner et il veut tout recevoir aussi.

Il a le don d'exagérer, de faire un drame avec un petit rien du tout. Il provoque. Vous marchez, et c'est de votre faute quand les choses en viennent au pire. Il aime fasciner, faire impression: Pluton et Mercure lui donnent le talent d'un prestidigitateur! Comme il s'exprime bien, il peut aussi bien exprimer son mépris avec des mots si cuisants que vous vous sentirez brûlé vif! Il sait se défendre contre toute attaque. Vous pouvez toujours essayer de le punir pour sa mauvaise attitude, mais au retour vous seriez encore perdant. Il est puissant, malin. Ne l'oubliez pas, il a un ascendant Gémeaux: la vivacité du mot, la vivacité de la réaction. Il sait très bien faire valoir ses droits.

Il est travailleur, pourvu que ça rapporte bien. L'argent, il aime ça. Il en dépose à la banque. Sa deuxième maison étant dans le signe du Cancer, il se fait des «petites cachettes» d'argent. Il est habile pour le placer sur des propriétés. Avec de bons aspects de la Lune et de Vénus, il peut venir d'une famille aisée, comme ce peut être tout à fait le contraire avec des aspects négatifs. Lune et Vénus symbolisant les contrats, les arts, l'inspiration, la création, la musique, le théâtre, ce natif peut peut-être gagner sa vie par la voie des arts. Il y mettra toute son énergie et toute son âme. Il sera également polyvalent; possibilité qu'il produise dans différents arts. Cet aspect favorise aussi les placements. Si le natif a une famille, il verra à ce que personne ne manque de rien, le foyer étant important pour lui.

Sa troisième maison, celle de Mercure, dans le signe du Lion, représente le cinéma, les arts écrits, la scène, l'or également. Ce natif aime élever son esprit vers ce qui est beau. Le Lion étant en aspect négatif avec le Scorpion, les deux en signes fixes, il arrive que le natif ait des idées qui lui plaisent à lui, mais il n'est pas certain qu'elles plaisent à tout le monde. Il pourrait croire qu'il a bon goût alors que son goût ne correspond pas tout à fait à celui de la majorité. Il aime les idées originales, et admire ceux qui ne font pas comme tout le monde. Le Lion étant aussi le dixième signe du Scorpion, dans une maison mercurienne, il est donc encore une fois marqué par cette position: il voudra orienter sa carrière vers le monde artistique, très souvent, ou du moins vouloir se servir de sa plume. Avec de bons aspects de Mercure et du Soleil, il sera excellent comédien. Cette troisième maison dans le signe du Lion donne le goût de tout connaître, mais il lui arrive de ne connaître les choses qu'en surface. Il ne fouille pas en profondeur, ce n'est pas de la nature du Scorpion, en principe. Étant buté, il peut croire qu'il sait beaucoup de choses, alors qu'en fait il en sait peu, mais vous aurez toujours l'impression qu'il sait plus que vous. Il ne se gêne pas pour élaborer des théories que l'on peut décortiquer et démolir d'un seul coup, avec un peu d'analyse systématique. Il a intérêt à faire attention à ce côté et reconnaître qu'il en a toujours plus à apprendre, et que certaines personnes en savent plus que lui, soit par expérience, soit par l'étude d'un sujet scruté à fond.

Sa quatrième maison, celle du foyer, dans le signe de la Vierge, onzième signe du Scorpion, symbolise souvent un foyer où le natif ne se sent pas à l'aise. Il se sent étouffé, limité, son champ d'expérience n'étant pas assez varié. Dans sa jeunesse, il y a possibilité qu'il n'ait pas une grande résistance physique ou que des membres de sa famille soient affectés de différentes maladies. La mère du natif est souvent une personne nerveuse, critique bien que serviable, et à laquelle il est fortement attaché. Cette position peut l'inciter à quitter sa famille très tôt, par esprit d'indépendance. Il veut préserver ses propres idées, ne pas subir l'influence du milieu familial.

Sa cinquième maison, dans le signe de la Balance, signifie souvent un amoureux des arts, un amoureux de l'amour. Il peut vivre un amour romantique. Il est le poète des jours tristes quand son amant ou sa maîtresse s'absente, ou s'éloigne trop longtemps de lui ou d'elle. Le signe de la Balance étant le douzième signe du Scorpion, cette cinquième maison suscite parfois quelques problèmes concernant les enfants. Les problèmes peuvent être à la fois d'ordre émotif physique, les aspects du Soleil et de Neptune dans la carte natale nous donnent plus de précisions là-dessus. Cette position peut provoquer une sorte de dépression. Si le natif, à cause de sa carrière, doit continuellement s'absenter, étant donné qu'il aimera ses enfants il pourrait sacrifier un peu cette carrière, ce qui suscitera des moments d'intense désespoir. Il est à noter que ce même désespoir peut devenir source d'inspiration.

Son Soleil se retrouve donc en sixième maison, symbole du travail, de l'analyse, du détail. Le natif remarquera tout ce qui l'entoure. Il a une très bonne mémoire de ce qu'il entend, de ce qu'il voit, de ce qu'il ressent. Cette position, avec de forts aspects de Mercure, peut faire d'excellents médecins. Si le natif s'oriente vers un travail manuel, il y excellera. Son produit dépassera en qualité celui de beaucoup d'autres. Il peut également être attiré par tout ce qui touche l'alimentation. Il est rare que ces natifs fassent de l'embonpoint. Leur énergie nerveuse brûle les calories. Mais s'il y a prise de poids, ils seront prêts à entreprendre des diètes, parfois même dangereuses pour leur organisme.

Sa septième maison, celle du conjoint dans le signe du Sagittaire, lui attirera souvent un partenaire d'une nationalité différente de la sienne. Avec cette position, le mariage n'est pas garanti pour la vie. Un divorce est possible. Possibilité également que le natif, surtout au moment d'une première union, se marie par intérêt, mais sans s'en rendre compte. Il se laisse alors prendre par les apparences, la fréquentation étant souvent une réalité bien différente de ce qu'est la vie quotidienne intime. Cette position attire des conjoints fortunés. Le symbole du Sagittaire en étant un de guide, le conjoint est souvent un guide important dans l'orientation de la carrière du natif.

Sa huitième maison, dans le signe du Capricorne, indique une longue vie. Il vivra des transformations sages ou des transformations qui le guideront vers la sagesse. Cette position peut indiquer que le père du natif a pu boire. Possibilité aussi, avec de mauvais aspects de Saturne et de Pluton, que le père soit décédé alors que le natif était encore jeune.

Sa neuvième maison, dans le signe du Verseau, indique que le sujet aime voyager, qu'il veut connaître d'autres mondes, d'autres peuples. Il aime fréquenter les gens qui viennent de partout. Possibilité qu'il ait quitté son lieu de naissance afin d'élargir ses horizons. Comme beaucoup de Scorpion, il aime la famille, mais supporte mal ses limites. Il se fera de nombreux amis étrangers ou à l'étranger qui le recevront comme un membre de leur famille. Plus il vieillit, plus il apprend à se détacher et plus il devient sage, son ambition devenant souvent non plus la possession mais le bien-être des gens qu'il veut aider. Souvent très croyant, c'est de sa foi que viennent plusieurs changements. Voyant qu'il ne peut tout faire, il demande à Dieu de prendre soin de lui et Dieu répond à son appel. Rarement le Scorpion-Gémeaux est-il méchant. Arrogant, défensif, prétentieux, d'accord, mais il changera quand il se rendra compte que, de cette manière, on se fait beaucoup plus d'ennemis que d'amis.

Sa dixième maison, dans le signe du Poissons, en bons aspects avec le Scorpion indique qu'il atteindra parfois deux objectifs, deux idéaux, qu'il aura menés de front ou l'un après l'autre, tout dépend du programme de vie personnel qu'il s'est tracé. Il pourra hésiter longtemps avant de s'engager dans une voie ou dans une autre. Il est attiré par le spectacle tout autant que ce qui est caché l'attire. Il veut briller tout autant qu'il veut venir en aide à son prochain. Il n'est pas vraiment facile de faire les deux à la fois. Se faire d'abord plaisir et faire plaisir à tout le monde...

Sa onzième maison, dans le signe du Bélier, sixième signe du Scorpion, lui permet de se faire des amis dans son milieu de travail. Il en aura beaucoup, mais il aura très peu de temps à leur accorder, il a toujours trop à faire. Très résistant physiquement, il se peut toutefois que ses nerfs soient à vif de temps à autre. Il ne se repose que lorsqu'il n'en peut plus! Il récupère également rapidement.

Sa douzième maison, celle de l'épreuve, dans le signe du Taureau, symbole vénusien, représente amour et contrat. Il est donc possible que, s'il travaille à contrat, il ait à un certain moment quelques problèmes de ce côté. L'amour peut également être source de douleurs. Cette douzième maison indique l'obstacle à vaincre. Le natif peut avoir une nature possessive dont il faudra qu'il se guérisse, sinon cela nuira considérablement à son union. Des malaises aux organes génitaux et des maux de gorge peuvent surgir soudainement, entraînant parfois une hospitalisation surprise alors qu'il était en plein travail et croyait pouvoir résister à la douleur. Comme tous les Scorpion, ce natif a le pouvoir de transformer les aspects négatifs en aspects positifs. Il n'a qu'à en prendre conscience, à vouloir s'améliorer et voilà que la porte s'ouvre quelque part et il saura alors comment faire.

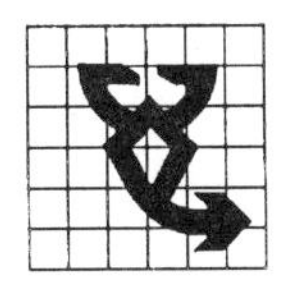

SCORPION ASCENDANT CANCER

Double signe d'eau, sensibilité extrême, il est secret, entier. Sa vie intérieure est un gros bouillon d'émotions. Il aime les sensations fortes, les drames sont comme une vitamine dans sa vie. Ensuite il cherche à les maîtriser; parfois aussi c'est quelqu'un qu'il veut maîtriser!

Scorpion, signe fixe, Cancer, signe cardinal. Il a l'air d'un ange de douceur au départ, mais ce n'est pas aussi sûr que ça. Nous avons de l'eau: elle peut être le petit ruisseau qui descend doucement de la montagne, ou un lac, ou une mare d'eau qui stagne, ou encore être l'océan avec tous ses remous... La goutte d'eau qui fait déborder le vase!

L'imagination est fertile. Comme écrivain du fantastique ou de romans d'amour compliqués, nous avons là un expert!

Mais c'est aussi un très grand réaliste. Il aime l'argent. La sécurité financière est importante pour lui. Il ne voudrait dépendre de personne. Travailleur, il ramasse ses sous pour s'acheter une maison, une bonne voiture, un chalet à la campagne. Il veut avoir de l'argent à la banque et que ça lui rapporte des intérêts. On ne sait jamais ce qui peut arriver. Il lui arrive aussi de faire des économies avec des bouts de ficelle!

Cette nature est douée pour le commerce, pour tout ce qui se rapporte à l'argent, à l'organisation, et si ça ne marche pas assez rondement, si l'argent ne rentre pas assez vite à son goût, vous pourriez voir un tyran émerger! Au fouet!

Ce double signe d'eau est rarement drôle et il s'accorde peu de moments pour la détente, parce que ça ne rapporte pas! Il aime la stabilité, la sécurité, la maison, les pantoufles... et que ces dernières soient toujours à la même place! Ne déplacez pas ses choses, ça le met en rogne!

Naturellement, il prendra bien soin de sa famille, elle ne manquera de rien. On souhaite même vouloir dépendre de lui, il a toujours de l'argent, et il finit par céder à quelques petits chantages émotionnels. Il suffit de lui faire un drame, il adore ça!

C'est un concepteur original, la Lune du Cancer l'inspire. Il peut accomplir des prouesses tant dans le domaine financier que dans le domaine artistique. Les deux natures matérialistes et créatives n'entrent absolument pas en contradiction chez lui: son talent se paie.

Il sera attiré par le monde invisible, les sciences paranormales, l'astrologie. Il aimerait bien percer quelques secrets.

Cette nature astucieuse contourne tous les obstacles. Ne le prenez pas pour un innocent ni pour un naïf, bien qu'il vous en laisse l'impression. Ça fait partie du jeu, pour mieux coincer celui qui voudrait prendre avantage sur lui. On ne l'aura pas.

Double signe d'eau: intuition. Double signe d'eau, l'eau s'infiltre partout et ça peut gruger n'importe quoi, même la pierre...

Sa deuxième maison, dans le signe du Lion, lui fait aimer l'argent, le doré, le brillant, l'or. Il est propriétaire ou alors il lui manque quelque chose; il aime bien épater, démontrer qu'il a réussi, et l'argent est un excellent moyen pour y parvenir. L'argent, l'or, c'est le pouvoir, et le natif le sait. Quand il devient amoureux, il devient aussi le propriétaire de celui qu'il aime. Il lui arrive de créer des situations où l'autre dépend de lui mais hop! voilà qu'il le rejette, ça coûte trop cher, ça ne figurait pas dans son budget. Quand ce natif a des enfants, il rêve pour eux d'une carrière qui leur permettra de garnir leur portefeuille! Il devient aussi le propriétaire de ses enfants. Trop autoritaire, il risque de vivre un rejet venant d'eux, les enfants n'étant pas le parent et ce parent ayant bien du mal à être à la place des enfants. Ce qu'il croit est bon pour l'enfant ou pour les enfants... Les livres de psychologie lui seront utiles, tant pour sa paix à lui que pour le bonheur de ses enfants.

Sa troisième maison, dans le signe de la Vierge, lui donne une grande intelligence, un discours direct, le plus souvent la faculté de saisir un problème et de trouver la solution si rapidement qu'il étonne. Il peut choquer par ses réponses. Ça ne le gêne pas tellement de vous dire ou de vous faire sentir que vous étiez bien bête de ne pas avoir vu la solution aussi vite que lui. Il a quand même le tour de compliquer certaines situations simples. Dans une situation où tout est clair, si on ne l'a pas consulté, il peut alors trouver la virgule qui fait que tout est à recommencer! Il provoque la dispute sans s'en rendre compte, et s'il le réalise, c'est encore pire. Il a l'œil critique; s'il ne dit rien, ça se sent. S'il le dit, vous ne l'oublierez pas de sitôt. Il a d'ailleurs tout intérêt à se tourner la langue plusieurs fois pour éviter de laisser tomber le mot qui blesse, qui choque, qui scandalise...

Sa quatrième maison, dans le signe de la Balance, est une position contradictoire pour l'union du natif. En réalité, c'est un serviteur qu'il cherche dans sa vie de couple, quelqu'un qui tiendra sa maison propre, et si le conjoint est mou, ce natif le rejettera. Pour aimer, il lui faut admirer. Mais s'il rencontre une force égale, il s'enfuira, il ne voudrait pas être perdant ni perdre la face. Il a souvent l'impression qu'on veut l'utiliser plus qu'on veut l'aimer. N'est-ce pas reporter sur l'autre ce qu'on est soi-même? Il arrive souvent que le foyer de naissance n'apporte pas un grand bonheur au natif, il peut être plutôt un lieu d'épreuve. Cette quatrième maison représentant la mère, le natif pourrait vivre plusieurs contradictions avec celle-ci.

Son Soleil se trouvant en cinquième maison, le natif veut être admiré. Il veut être le chef. Il occupera un poste de prestige, mais souvent honorifique. Il sera proche du patron dans une entreprise et il saura se rendre indispensable. Cette position peut également centrer ce Scorpion sur ses enfants quand il est parent. Il règne sur eux, est exigeant. Il aime les autres, mais si, à tout hasard, il a subi quelques déboires sentimentaux, comme Scorpion il n'oubliera rien et il peut alors changer complètement, ne s'aimer que lui-même, jusqu'à ce qu'il ait pris quelques leçons d'humanisme et de détachement.

Sa sixième maison, celle du travail, dans le signe du Sagittaire, laisse entendre que le natif travaille à l'étranger, pour un gouvernement ou pour une entreprise qui a des liens très étroits avec le gouvernement. Il peut même lui arriver d'occuper deux postes en même temps. Il est chanceux quand il s'agit de travail: il n'a qu'à demander et voilà, on lui offre une place et une très bonne en plus, à moins de bien mauvais aspects de cette maison dans sa carte natale. L'argent provient souvent de deux sources. Il est habile dans les placements. Sa générosité est à discuter; il lui arrive de donner à des personnes qui ne sont pas dans le besoin. Il se dit aussi que les pauvres font exprès, qu'ils ne savent pas se débrouiller!

Sa septième maison, dans le signe du Capricorne, provoque souvent un mariage tardif. Le natif sera attiré par une personne plus âgée que lui. Dans une union, il recherche la protection, la force; il veut également la continuité, car il n'aime pas le divorce. Scorpion-Cancer fait de nombreux célibataires! Quand il se marie jeune, la plupart du temps c'est pour fonder son propre foyer, pour être le maître sur un territoire. Il lui arrive alors de se choisir un conjoint peu démonstratif, mais très pratique, qui voit à ce qu'on ne manque de rien et que tout soit soumis à des règles plutôt strictes. Ça risque de n'être pas toujours drôle à la maison! S'il attend de convoler à un âge plus avancé, il choisira alors une personne effectivement peu démonstrative, qui sera le plus souvent sage et l'aidera à modifier son mode de pensée.

Sa huitième maison, dans le signe du Verseau, avec des aspects négatifs d'Uranus et de Mars dans sa carte natale, tend à faire subir au natif de graves accidents. Cette position ne favorise guère la maternité dans le cas d'une femme. Quand ce natif se fâche, la colère peut l'aveugler. Il peut même être violent! N'allez pas le mettre à bout quand il a un couteau à la main! Le Verseau étant le quatrième signe du Scorpion, ici la huitième maison, la mort peut survenir au foyer quand le natif est jeune et transformer complètement son mode de vie.

Sa neuvième maison, dans le signe du Poissons, indique que le natif peut faire appel au bon Dieu uniquement en cas de détresse, pour le supplier de lui venir en aide, et il oublie de remercier pour les bons coups que la vie lui apporte! Ou il est peu croyant ou il s'adonne à une foi de pacotille, à la superstition. Cette position peut favoriser la naissance d'un enfant à l'étranger. Des aspects dans sa carte natale le confirmeraient. Le natif aime voyager, il peut voyager physiquement comme il peut aussi n'être qu'un grand rêveur.

Sa dixième maison, celle de la carrière, dans le signe du Bélier, symbolise des changements subits de carrière, de travail. Un mauvais aspect de Mars et de Saturne peut immobiliser le natif et l'empêcher de faire son travail durant un long moment. Il pourra commencer à travailler jeune et être promu à des postes importants alors qu'il n'en est qu'à ses débuts. Au travail, il sera combatif. Quand il sait qu'il a raison, vous feriez mieux de vous y prendre longtemps à l'avance et d'apporter de nombreuses preuves si vous désirez qu'il consente à partager votre avis.

Sa onzième maison, celle des amis, dans le signe du Taureau, signe opposé à son Soleil, ne lui en procure que très peu. La sélection est assez radicale si lesdits amis n'ont pas d'argent ou s'ils n'occupent pas une place de choix soit au travail, soit sur le plan social. Il se fait souvent des ennemis parce qu'il est trop radical dans ses propos. Il est vrai qu'il est amoureux de la vérité, mais toute vérité mérite réflexion, surtout si, en fait, elle est une critique. Il arrive que ce Scorpion-Cancer ait, comme on dit, un air effacé!

Il peut avoir l'air timide et il vous dira qu'il l'est. Il vous étudie à son aise, mais il sait, bien plus que vous ne le croyez, ce qu'il veut et où il veut en venir. Il aurait avantage à moins voir les intérêts financiers chez les gens, le cœur a aussi sa place. Certaines personnes ne possèdent aucune valeur en argent mais elles ont un cœur large comme le monde... on ne donne pas de médailles à ces gens!

Sa douzième maison, celle des épreuves, dans le signe du Gémeaux, symbole mercurien, représente le langage, le mouvement. Retenir sa langue lui éviterait bien des déboires. La critique constructive lui faciliterait la vie et améliorerait ses relations avec autrui. Scorpion-Cancer, vous le prendrez pour un doux, un inoffensif mais il ne l'est pas tant que ça! Pourtant il a la capacité d'améliorer ce qu'il est, surtout sur le plan du caractère. Il suffit d'observer l'effet que l'on produit sur autrui. Admettons le type douche froide... l'eau tiède, l'eau chaude, c'est plus confortable, plus agréable et plus vivable! Cette maison d'épreuves indique souvent que le natif vivra une sorte d'isolement à la fois physique et intellectuel. Il se place en marge des autres et il le reste s'il ne se réajuste pas. Il faut qu'il apprenne à ne plus jouer au censeur, cela limite ses rapports avec autrui. Et puis on a bien le droit d'avoir une opinion différente de la sienne! Il a du mal à comprendre cela notre petit général! Si vous avez affaire à un type Scorpion-Cancer silencieux, vous ne ressentez pas moins son côté sélectif, sa force de rejet quand vous ne dites pas comme lui. Tout est ressenti, les silences en disent parfois plus longs que les mots eux-mêmes.

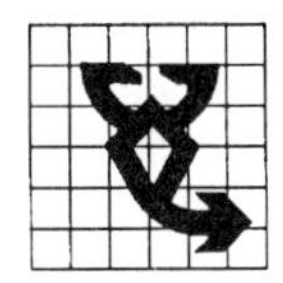

SCORPION ASCENDANT LION

Il peut y avoir de la prétention sous ce signe, le goût de la gloriole, de se faire voir, d'être quelqu'un d'important. Et s'il ne peut être reconnu comme quelqu'un d'important, alors il préférera n'être rien! Il est excessif en tout, dans les honneurs comme dans la défaite.

Quand il gagne une bataille, soyez certain que tout le monde en profitera; quand il en perd une, il se retranche derrière le masque de Pluton et se terre. Cherchez-le! Il vit quelque part un excès de désespoir!

Mais ça ne va pas durer, vous verrez.

Et il faut le laisser faire. Vous pouvez toujours essayer de lui donner quelques conseils, il n'écoutera pas. Il vous dira au terme de la conversation: «Je sais ce que j'ai à faire!» Peut-être avez-vous parlé pour rien? Non, jamais tout à fait avec un Scorpion. Il a retenu ce qui faisait son affaire. Le reste...

Il ne fait pas de compromis. Parfois il croit qu'il en fait!

Il a fière allure, est original, il déteste le mensonge et particulièrement dans le domaine du cœur.

Le cœur de Scorpion-Lion est bien tourmenté. Il est capable d'aimer profondément et pour longtemps, d'entretenir une passion. C'est son domaine. Une personne qui l'aime et qu'il aime peut lui demander n'importe quoi, partir d'un bout du monde et aller le retrouver à l'autre bout, rien ne l'arrêtera dans sa course pour l'amour.

C'est un être fascinant, mais aussi beau puisse-t-il être, il deviendra laid et affreux quand la colère et les rancœurs s'empareront de lui!

Sa vie est parsemée d'obstacles. Aujourd'hui il réussit brillamment et si vous le revoyez dix ans plus tard, il vous racontera qu'il a tout perdu, mais il recommencera! Double signe fixe, rien ne l'arrête. Puissance solaire, puissance plutonienne, les deux se retrouvent dans une même personne! Il peut ressusciter de ses propres cendres!

C'est un être fidèle à ses amis. Si un jour vous lui avez rendu service, il s'en souviendra et quand il aura l'occasion de vous le rendre, il sera là et vous apportera plus que ce que vous lui avez donné. Sa générosité est sans limites, à partir du moment où il a les moyens.

Il a tant besoin d'amour qu'il peut faire n'importe quoi, ou presque, pour le préserver. Il a tant besoin d'affection qu'il prend grand soin de ses amis et les traite en rois.

Comme il est excessif, il n'est pas rare qu'il ait commis des folies, comme personne d'autre ne peut en faire, et les plus excentriques, les plus originales, celles que seul un Scorpion-Lion peut imaginer.

C'est un artiste, un créateur. Il peut aussi s'orienter vers le théâtre, la littérature, la peinture, la sculpture, le cinéma et il est même capable de toucher à tous ces domaines à la fois et il peut réussir dans chacun. Mais il lui faudra canaliser ses énergies s'il ne veut pas les gaspiller.

Il a intérêt à méditer, à regarder comment il vit sa propre vie et à cesser de croire qu'une personne amoureuse de lui fera son bonheur. Le bonheur, il faut d'abord le trouver en soi pour ensuite le retransmettre...

Sa deuxième maison, dans le signe de la Vierge, peut lui procurer deux sources de revenus. Il commencera bien jeune à avoir des goûts de luxe. Il sait administrer, en général, mais il arrive qu'il voie si grand et si beau qu'il ne s'est pas rendu compte qu'il a dépassé son budget! Il aimerait bien que l'argent lui tombe du ciel, mais ça n'arrivera pas et il le sait. Aussi est-il prêt à travailler pour obtenir ce qu'il veut. La deuxième maison, dans le signe de la Vierge, symbole mercurien, peut lui faire gagner de l'argent par les écrits, la comptabilité, le secrétariat, tout ce qui demande le sens du détail et de l'observation. Il peut se retrouver dans des postes subalternes, mais ce n'est pas là son ambition. Le Scorpion-Lion veut régner.

Sa troisième maison, dans le signe de la Balance, lui donne une grande intelligence et le sens des relations publiques. Il sait discuter avec les gens, leur dire ce qu'il leur fait plaisir d'entendre. Le plus souvent le Scorpion-Lion est gentil, il veut plaire, il veut être agréable. Il a besoin d'être aimé, c'est un grand stimulant pour sa créativité. Cette troisième maison en Balance est également le douzième signe du Lion. Il arrive donc que le natif se laisse entraîner dans des phases de profonde dépression, et le plus souvent cela est dû à sa relation amoureuse. Il a le mal d'aimer, d'être aimé. On pourrait le qualifier du dernier amant romantique ou de la dernière maîtresse! Un échec sentimental le bouleverse et peut même stopper pendant un long moment son efficacité au travail. Il lui arrivera de rencontrer des partenaires qui, finalement, ne le fréquentent que pour ce qu'il représente et non pas pour ce qu'il est profondément. Il est rare de voir durer ce genre de relation bien longtemps, quand l'autre a usé son potentiel actif et pratique, il s'en va et souvent en faisant un gros mensonge au Scorpion-Lion. Ce natif, s'il veut vivre une vie amoureuse harmonieuse, ferait mieux de s'arrêter aux qualités de cœur d'une personne plutôt qu'à son apparence, mais l'ascendant Lion le pousse à voir en surface.

Son Soleil se retrouve en quatrième maison, ce qui peut faire de lui tant un artiste qu'une personnalité dans le domaine financier, tout dépend des aspects de son Soleil et de sa Lune, mais le plus souvent il désire se faire connaître. Il aimerait influencer la masse et même qu'elle accepte ses décisions. Cette position lui donne une grande sensibilité, une peur semblable à celle du Cancer, peur d'y perdre, peur de l'insécurité tant sur le plan émotif que sur le plan professionnel. L'indépendance financière est capitale, c'est souvent un objectif premier. Ce Scorpion a une grande force de renouvellement. Dans des discussions il lui arrive de pencher du côté du plus fort, non pas par profonde conviction, mais tout simplement parce que le plus fort peut lui procurer davantage. Malgré lui il se laisse influencer par les apparences, mais elles sont souvent bien trompeuses.

Sa cinquième maison, dans le signe du Sagittaire, lui fait préférer les amours avec des étrangers qui pourraient le fasciner. Autre culture, autre chose à apprendre. Cette position lui fait aimer les enfants, mais il est trop souvent occupé par son monde social pour voir à leur éducation. Il fait un très bon professeur quand il embrasse la carrière de l'enseignement. Comme la cinquième maison est celle des amours, il peut lui arriver de tomber amoureux d'un professeur ou d'une personne qui dépasse les cadres habituels et faisant un travail du type jupitérien. Cette position le rend très intéressé aux biens que possédera son partenaire parce que le Sagittaire est la deuxième maison du Scorpion, sa maison d'argent.

Sa sixième maison, dans le signe du Capricorne, maison du travail, lui procure une activité qui peut être en relation avec les gouvernements. Le natif aime se rendre utile et même indispensable. Le Capricorne étant le troisième signe du Scorpion, ce natif, s'il survient un changement de travail, se mettra à étudier le plus possible afin de pouvoir mieux accomplir son travail et ainsi se donner une chance de dépasser ceux qui sont là. Son esprit de compétition n'a rien de malhonnête, il mérite ses honneurs quand il en a. Il a travaillé pour cela. Il est minutieux, les détails sont importants. Cette position en fait un bon négociateur. Il sait discuter intelligemment et patiemment à moins que son Lion ne fasse surface et qu'il soit aveuglé par lui-même, rejetant ainsi tout ce qui n'est pas de lui. Il aura également un grand respect pour les gens plus âgés que lui et peut-être leur accordera-t-il une attention particulière. Il respecte la tradition et ceux qui l'ont créée.

Sa septième maison, celle du conjoint, des associés, dans le signe du Verseau, symbole uranien, donc de choc, attire à lui des conjoints originaux, parfois même bizarres. Le Verseau étant un signe fixe, le natif s'attachera à son conjoint tout comme le conjoint aura bien du mal à quitter le Scorpion, même quand la relation traversera une phase d'effritement grave.

Le Verseau symbolisant la bisexualité, l'homosexualité, peut faire vivre au natif des relations marginales. Il y a toujours danger d'éclatement avec le partenaire. Le Verseau étant aussi symbole de divorce, s'il y a désunion, elle se fera avec éclat, ce sera une sorte de déflagration! Le natif le plus souvent se choisira un conjoint qui appartient au monde des communications et qui lui accordera moins de temps qu'il le voudrait. La nature universelle du Verseau lui attire souvent des personnalités publiques, du moins plus intéressées à sauver l'humanité que sa propre vie de couple.

Sa huitième maison, celle des transformations dans le signe du Poissons, crée une forte attirance pour les sciences paranormales, pour le monde de l'astrologie, du mysticisme. Possibilité d'un contact avec le monde invisible. Le natif est enclin à rêver de ce qui lui arrivera. Il vivra d'importantes pulsions qui proviendront directement des couches profondes de son subconscient. Il aura en mémoire, consciemment ou non, son passé, son passage aussi dans les autres vies. Sensuel, la sexualité est pour lui une sorte d'osmose où l'âme et le corps sont liés, ce qui en fait souvent une personne fidèle, à moins que ses intérêts ne prennent le dessus. Cette huitième maison, également la cinquième du Scorpion, laisse prévoir des difficultés à cause des enfants. Une séparation d'avec eux est possible. Comme le Poissons est en bons aspects avec le Scorpion, le natif, bien qu'il puisse souffrir, ne perdra pas son équilibre intérieur. Il a conscience, du moins la plupart d'entre eux, que l'univers est plus large que ce qu'on voit. Cet ascendant Lion est contradictoire. Autant notre Scorpion aime les jeux de société et le brillant, autant il sait qu'il lui faut aller chercher plus loin la vraie raison de la vie.

Sa neuvième maison, celle des voyages, est dans le signe du Bélier, sixième signe du Scorpion. Aussi arrive-t-il que ce Scorpion ait des départs précipités, à cause d'un travail à l'étranger ou loin de son lieu de résidence habituel. S'il se lance dans un domaine philosophique, il doit prendre garde de ne pas se laisser prendre par les apparences et les explications tape-à-l'œil de certains philosophes. Cette position peut l'inciter à un moment de sa vie à adhérer à une religion de pacotille, la foi ne se trouvant pas au sein d'une église ou d'un groupe mais bien au cœur de l'individu lui-même. La foi est différente et quasi inexplicable puisqu'elle est une question tout à fait personnelle. Le natif peut s'amouracher d'un parti politique; il n'a alors vu que la surface. Cette position de la neuvième maison en Bélier, association de Mars et Jupiter, donne un élan pour tout ce qui s'annonce comme le progrès pour un groupe de gens, mais ce même progrès peut être fragile. Le natif est un passionné, il peut s'acharner à prouver qu'il a raison alors qu'en fait il ne connaît que la roue qui tourne et non pas tout le mécanisme qui active la roue.

Sa dixième maison, dans le signe du Taureau, juste en face de son Soleil, symbolise qu'avant d'atteindre son objectif le natif devra travailler bien fort. Il aura tendance à confondre le véritable idéal et le pouvoir de l'argent. Il est effectivement déchiré entre les deux. D'un côté il se persuade qu'il travaille pour aider, donner, prouver la différence quand il est là. De l'autre, il court après les honneurs, l'argent et la sécurité que pourrait lui apporter un statut social particulier.

Sa onzième maison, celle des amis, dans le signe du Gémeaux, lui procure des amis communicatifs, qui aiment échanger des idées, qui veulent changer le monde. Ce sera le plus souvent des intellectuels, des penseurs, mais aussi des gens qui peuvent changer d'avis, la nature du Gémeaux étant double. Cette onzième maison étant également la huitième du Scorpion, les amis peuvent aussi tout à coup se désintéresser du natif à un moment de sa vie où il ne leur apporte plus rien. Celui-ci pourra alors se sentir délaissé, mal apprécié. En fait, sa nature le pousse souvent lui-même à fréquenter les gens pour ce qu'ils font et non pas pour ce qu'ils sont. Le plus souvent dans la vie on se fait faire ce qu'on fait aux autres, qu'on en soit conscient ou pas. Seule la conscience peut changer l'état des choses. Les astres ne déterminent pas, mais ils inclinent, et ils le font sérieusement.

Sa douzième maison, celle des épreuves, dans le signe du Cancer, indique pour une femme l'épreuve de la mère. Ce peut tout aussi bien être la mère du natif qui, à un moment, permet à son rejeton de vivre une transformation profonde, ou c'est la native qui, ayant des enfants, se met à envisager différemment le rôle qu'elle joue dans la vie. Le Cancer étant en bon aspect avec le Scorpion, l'épreuve en est une de réflexion qui permet de faire un pas de plus à l'intérieur de soi pour émerger ensuite dans une direction parfois totalement opposée à la première. Les valeurs humaines profondes deviennent importantes, le natif cesse alors de rejeter ceux qui ne lui ressemblent pas ou ne partagent pas son idéologie.

De nombreux astrologues ont écrit que deux signes pouvaient particulièrement changer leur carte du ciel, le Scorpion et le Lion. Ils peuvent, plus que d'autres, dépasser ce qui est écrit. Un Scorpion-Lion possède une force extraordinaire. Il peut faire ce qu'il veut de sa vie, la seule condition étant le profond respect dû à autrui, quoi qu'il soit, quoi qu'il fasse.

SCORPION ASCENDANT VIERGE

Scorpion pratique, travailleur, minutieux, soucieux du détail, perfectionniste, observateur, il veut être utile. Ce qu'il fait doit servir à la collectivité.

Il est un peu dissimulateur, il ne vous dira pas ses intentions, ses projets.

Facilement angoissé, inquiet et tourmenté, il lui arrive de faire des insomnies après qu'il a terminé un travail. Tout est-il parfait? Manque-t-il quelque chose? Il passe et repasse tout en revue. Si quelque chose n'allait pas!

Il aime voyager, se déplacer, voir de nouveaux paysages, mais si quelque chose arrivait à la maison durant son absence? Il ne réussit que bien difficilement à se détendre.

Son ambition, en fait, c'est d'assurer sa sécurité. C'est ce qui lui importe d'abord et avant tout. Il ne voudrait pas manquer d'argent.

La sexualité est importante. Si elle est mal vécue, remplie de frustrations et de privations, il peut se retrouver complètement désorienté et même devenir plus angoissé encore face à la vie en général. L'ambivalence sexuelle peut aussi exister sous ce signe.

Il peut être fort critique quand quelque chose ne lui plaît pas, et vous démolir une idée ou même quelqu'un, en relevant tous les détails négatifs qu'il a observés.

Il peut aussi avoir développé un sens de l'humour, ce qui serait bien préférable et fort appréciable pour son entourage immédiat. Cela en fera alors une personnalité très recherchée. Si ce Scorpion ne s'exprime pas, attention à l'éruption volcanique qui, un jour ou l'autre, surviendra, on ne peut refouler toute sa vie...

Sa deuxième maison, dans le signe de la Balance, est la maison de l'argent. Il y a possibilité que l'argent provienne du conjoint, mais comme la Balance est également le douzième signe du Scorpion, il se peut que le natif rencontre avec son conjoint de sérieux problèmes d'argent. Il pourra également gagner son argent dans le domaine artistique, dans le monde des communications. Il n'est pas rare de rencontrer des Scorpion qui gagnent leur vie dans le domaine de la justice: avocat, secrétaire d'avocat ou autres domaines connexes reliés à la justice.

Son Soleil se retrouvant donc en troisième maison, le natif a un esprit très agité qui va dans toutes les directions et qui a du mal à se fixer sur une idée. Imaginatif, il sera satisfait dans un travail qui demande de la créativité, un contact avec autrui. Les relations publiques sont des domaines qui lui conviennent très bien. Il sait écouter, mais pendant que vous lui parlez il pense à une foule de choses à la fois. Possibilité qu'il n'ait pas totalement saisi quelques détails de ce que vous lui avez dit.

Sa quatrième maison, dans le signe du Sagittaire, lui fait préférer des habitations à la campagne, car il a grand besoin de vivre en dehors du bruit de la ville pour rétablir l'ordre dans son système nerveux. Possibilité qu'il soit issu d'une famille aisée ou du moins qu'il n'ait pas eu de problèmes matériels graves durant sa jeunesse.

Sa cinquième maison est celle de l'amour. Il se peut qu'il rencontre un amoureux plutôt froid ou structuré. Il pourra être exigeant avec ses propres enfants; il voudra qu'on exécute ses ordres. Il a du mal à s'épancher, à libérer ses sentiments, il est peu communicatif sur le plan émotionnel. Peut-être ne dira-t-il pas le bon mot, au bon moment...

Sa sixième maison, celle du travail, est dans le signe du Verseau, quatrième signe du Scorpion. Il arrive donc que le natif fasse du travail à la maison. Il peut écrire ou travailler manuellement chez lui, mais son produit servira alors à la masse. Il est habile avec les ordinateurs, la machinerie moderne, la technique, la radio, la télévision. Avec de mauvais aspects d'Uranus dans sa carte natale, il peut de temps à autre manquer de travail, à cause de circonstances extérieures, de nouveaux besoins qui doivent être réétudiés.

Sa septième maison, dans le signe du Poissons, lui fait souvent choisir un conjoint plus souvent absent que présent près de lui, conjoint qui peut aussi être mystérieux. Avec de mauvais aspects de Neptune, il se peut que le conjoint soit plus ou moins fidèle, du moins évasif. Ce natif a dans sa tête un idéal amoureux, mais il n'est pas certain qu'il le vive tel qu'il le conçoit. Il voudra souvent ne pas voir la vérité sur sa vie de couple, préférant vivre sur son nuage romantique, idéologique. Cette position provoque parfois une rupture dans le mariage, rupture qui vient du mystère, de quelque chose qu'on ne s'est jamais expliqué à deux, rupture parce que chacun a pris une grande distance et qu'on n'arrive plus à se rejoindre. On peut éviter tout cela si on le veut vraiment. Il suffit d'entrer en communication directe avec le conjoint, à la moindre alerte, plutôt que d'imaginer ou d'excuser.

Sa huitième maison, dans le signe du Bélier, signifie que les changements peuvent alors être soudains, selon la position de Mars et du Soleil dans la carte natale. Du jour au lendemain le natif peut se retrouver devant le fait qu'il doit vivre sa vie autrement. Le Bélier étant le sixième signe du Scorpion, il peut arriver qu'à la suite d'une maladie le natif soit dans l'obligation de réajuster sa méthode d'action. Les changements dans le travail se font soudainement. Le sujet peut se retrouver en haut d'une échelle sociale et en dégringoler, mais il aura le courage et la force de recommencer.

Sa neuvième maison, dans le signe du Taureau, juste en face de son Soleil, laisse prévoir que de sérieux problèmes financiers viendront modifier son mode de vie. Le ciel est avec lui et lui permet souvent de retrouver plus qu'il n'a perdu. Il aurait tout intérêt à s'initier à un peu de psychologie s'il a des enfants; possibilité qu'il aille à l'encontre de ce que sont ses enfants. Cette neuvième maison est celle des voyages. Ces derniers peuvent parfois provoquer une séparation temporaire entre le natif et son conjoint. Le Scorpion pourrait en souffrir, mais il osera rarement le dire de peur de perdre son conjoint, de peur parfois d'ébranler la sécurité matérielle que deux personnes ont mise sur pied.

Sa dixième maison, dans le signe du Gémeaux, lui fait préférer les carrières qui l'amèneraient vers le monde des communications. Le natif est un ambitieux tempéré. La passion est tiède; il veut bien travailler, mais il ne veut pas se sentir tiraillé. Un Scorpion aime donner son maximum, mais l'ascendant Vierge le fait réfléchir à ce qu'est un maximum. Il est bien certain qu'en se donnant à 100% à une tâche il prend alors le risque de voir d'autres aspects de sa vie privée en souffrir. Il est possible qu'il se questionne longtemps sur ses possibilités et capacités, qu'il mette du temps avant d'opter pour telle ou telle carrière.

Sa onzième maison, celle des amis, dans le signe du Cancer, fait qu'il aime recevoir chez lui. Souvent ses véritables amis seront des membres de sa famille de laquelle il se sent proche, même s'il en vit éloigné. Il sera sujet à subir les influences familiales sur le plan des idées. La famille peut influencer son choix de carrière. Il lui arrivera d'avoir souvent plus d'attentions et d'admiration pour les enfants des autres que pour les siens, quand il en a, ou de penser que les autres réussissent mieux avec les leurs que lui avec les siens. Il aura intérêt à corriger ce trait qui, finalement, peut nuire à sa progéniture.

Sa douzième maison, celle de l'épreuve, dans le signe du Lion, symbolise l'épreuve d'amour. L'idéal reste en suspens, les enfants ne sont pas ce que le natif attend d'eux. Il peut se sentir éprouvé de ne pas vivre dans le faste, le grand luxe, la richesse comme il aurait voulu que ce soit. Ses hésitations lui ont fait rater quelques bonnes occasions de prouver ses capacités, il est profondément déçu de lui et de ceux qui ne lui donnent pas une seconde chance. Dans ce siècle de vitesse, il vaut mieux être bon du premier coup, sinon on doit recommencer à zéro. À notre époque, on ne prend plus le temps d'étudier les questions en profondeur, alors le Scorpion-Vierge se sent un peu perdu dans tout ça. Lui, il veut tout comprendre avant de s'engager dans une voie.

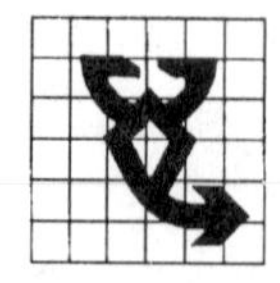

SCORPION ASCENDANT BALANCE

L'amour l'occupe à temps plein et ses histoires de cœur ne sont jamais simples! Un drame ici, une excentricité là, ça ne pouvait pas marcher, l'autre était comme ceci, comme cela. Dans tout ça, il ne s'est pas bien vu, il a été si charmant!

Scorpion, signe fixe, signe de pouvoir, de domination aussi. Balance, signe cardinal de commandement. Voilà quelqu'un qui peut passer sa vie sur la défensive et qui n'arrive même pas à trouver le repos dans son sommeil car, avant de s'endormir, il songe à une stratégie pour faire pencher les plateaux en sa faveur, pour satisfaire son pouvoir, sa domination...

Il ne s'en rend pas compte, il a besoin qu'on lui explique de long en large son propre comportement dans une vie de couple, et encore là, l'autre n'a qu'à bien se tenir. La tolérance n'est pas tout à fait son mot d'ordre, bien qu'il en donne l'impression.

Il peut devenir cynique, invivable, après il se demandera pourquoi on le délaisse. Ne fait-il pas partie de la moitié des gens qui sont seuls!

Il ne se gênera pas pour vous rendre ridicule si vous ne lui plaisez pas du premier coup. Il se défend avant même d'être attaqué, et il prête souvent au gens des intentions qu'ils n'ont pas. Il a beau avoir des ennemis qui ont envie de l'envoyer au loin, le voilà qui s'approche, il vous fait un suprême compliment... Le charme de Vénus vient de vous faire oublier toutes les bêtises qu'il a pu vous dire!

Sa séduction est sa meilleure arme.

Il aime l'argent, le luxe, cela lui permet de démontrer son importance – artificielle – quand même!

Sa morale atteint facilement un degré d'élasticité incroyable: ça dépend combien ça rapporte!

Il veut tout contrôler, en amour comme en affaires, et tous les moyens, ou presque, sont bons pour assurer son pouvoir et sa suprématie. La Balance derrière lui lui donne une petite allure inoffensive, mais ne vous y fiez pas, il mord.

Scorpion, signe fixe, l'organisateur. Balance, signe cardinal, le général bien habillé avec des médailles! Il est le patron.

Si, à tout hasard, vous deviez l'affronter pour le faire changer d'avis sur un certain point, allez-y avec des arguments irréfutables. Il n'est jamais prêt à céder quoi que ce soit sur son terrain. Il vous devine, il sait presque ce que vous allez lui demander, alors il est déjà prêt à vous répondre!

Vous serez bien traité si vous êtes d'accord avec lui. Mais si votre visage ou une de vos attitudes ne lui revient pas, c'est le rejet total.

Il manque de tolérance, de compassion. Quelques lectures là-dessus lui feraient le plus grand bien, pour son bonheur, si jamais il a envie de goûter au bonheur en dehors de toute dictature!

Son Soleil se retrouve en deuxième maison, celle de l'argent. Il aime l'argent, la sécurité qu'il apporte. Il aime le pouvoir de l'argent. Il peut être homme ou femme d'affaires, artiste, créateur, mais avant tout il faut que ce soit payant. Cette position dans le Scorpion étant l'opposé de l'argent, le Taureau, le natif a pu connaître à un moment de sa vie de grandes difficultés financières. Un Scorpion apprend, il retient les leçons. Plus l'apprentissage aura été difficile, plus il saura jouer dur. Il sait s'associer avec ceux qui ont l'expérience et souvent il retiendra leurs méthodes pour se tailler une place d'honneur. Ce Scorpion est charmant, charmeur. Vous aurez envie de tout lui donner en le voyant. Il sait comment vous plaire. Quand vous vous rendrez compte que ça ne rapporte qu'à lui, il est possible que vous le trouviez moins aimable. Il est capable d'honnêteté, même s'il aime l'argent, mais il est aussi capable de malhonnêteté si l'occasion s'y prête. Malheureusement un Scorpion malhonnête le paie plus cher que n'importe quel autre signe.

Sa troisième maison, dans le signe du Sagittaire, lui fait aimer la musique. Avec de bons aspects dans cette maison, il pourrait même gagner sa vie avec la musique, les écrits, les textes, autant qu'avec la partie musicale. C'est un radar quand il s'agit des besoins de la masse. Si, par exemple, il évolue dans le domaine de la publicité, il saura exactement quel est le mot ou quelle est la phrase qui fait réagir. S'il est avocat, il aura aussi le mot pour faire pencher l'opinion en sa faveur. Il est doué pour le langage. Souvent sa connaissance en est une de surface, mais il n'en faut souvent pas plus pour impressionner et s'attirer des faveurs. Il sait manipuler le vocabulaire, mettre son idée à la portée de tous afin que chacun y puise selon ce qu'il est. Il n'a pas l'intention de réformer ou d'accroître le niveau intellectuel des gens, il ne se donne pas cette mission. Ce qu'il veut, lui, c'est réussir.

Sa quatrième maison, dans le signe du Capricorne, lui procure souvent un foyer où les règles de vie doivent être respectées. L'éducation qu'il reçoit peut être sévère. Mais il en retire de la discipline, un grand sens de l'action et de la stratégie. S'il est venu au monde dans un milieu à faible revenu, il retiendra que ce n'est pas ainsi qu'il veut vivre sa vie. S'il est issu d'un milieu riche, il saura alors faire prospérer davantage le patrimoine.

Sa cinquième maison, celle de l'amour, dans le signe du Verseau, signifie que l'amour est plus souvent situé au niveau de la raison qu'au niveau du cœur. Il aimera une personne pour ses qualités, son style de fonctionnement. Il peut aussi avoir de petites surprises, l'amour quotidien se révélant tout autre que l'amour d'une fréquentation. Cette position indique souvent que le natif se retrouve avec les enfants des autres. Par exemple, les enfants d'un deuxième conjoint ou même des enfants adoptés qui viennent de pays éloignés. Il sera généreux envers eux et les traitera comme s'ils étaient les siens. L'amour est vécu avec ses insatisfactions, à la recherche de l'équilibre, dans une discussion, un conflit souvent non verbal qui, un jour ou l'autre, fera éclater le premier mariage.

Sa sixième maison, celle du travail, dans le signe du Poissons, rend ce natif travailleur. En fait, il peut faire n'importe quoi, tout dépend des aspects de Mercure et de Neptune. La musique exerce un puissant attrait sur lui. Il peut être artiste ou aimer négocier ses contrats. Il peut aussi exercer une fonction au cinéma être cinéaste même. Créateur à ses heures, il aime la diversité dans le travail. Il aime rencontrer les gens qui font des choses originales, ceux qui innovent. Il pourra toutefois rencontrer des obstacles, mais il est combatif et il finit par gagner la bataille quand il s'est fixé un objectif. Plus il vieillit plus il connaît de succès.

Sa septième maison, celle du conjoint, dans le signe du Bélier, l'entraîne souvent dans un mariage précoce avec une personne rencontrée dans son milieu de travail. Il se laissera séduire par les apparences. Quand on a l'ascendant Balance, on ne peut pas se balader au bras d'une personne qui n'est pas belle. Il pourrait oublier, surtout quand il est jeune, les qualités de cœur de l'autre et, un beau jour, constater qu'il a fait une union hâtive, et qu'il n'est pas compatible avec l'autre. Le Scorpion déteste les divorces mais, s'il doit se rendre à cette évidence, il est attiré par des personnes aux allures dynamiques, mais, encore une fois, surprise! La personne qu'il épouse a beaucoup moins d'énergie qu'il croyait et elle se plaint plus souvent qu'à son tour. Il faut dire qu'il est bien rare qu'un Scorpion manque d'énergie. Elle est présente quand il en a besoin, mais les signes n'ont pas tous ce même ressort!

Sa huitième maison, celle des transformations, dans le signe du Taureau, signe vénusien d'amour et d'argent. Donc, les grandes transformations se font à partir de l'amour qui a souvent un lien avec l'argent. Supposons que le natif ait choisi comme premier conjoint une personne qui aime particulièrement l'argent et le statut social. Mais ce Scorpion n'en est qu'au début de sa carrière, donc il n'arrive pas encore à fournir autant d'argent que l'autre en réclame. Tout commence par un reproche: ou l'un dépense trop et inconsidérément, ou l'autre n'apporte pas assez d'argent. Devant ces reproches, l'amour commence à s'effriter sérieusement. Mais à partir de là, ce Scorpion est capable de renverser les montagnes, de réussir une carrière qui lui apportera beaucoup d'argent. Voilà que le premier conjoint se mordra alors les pouces. Il n'est pas rare non plus qu'une rupture de ce genre ne donne aucune sorte de coup de fouet à ce Scorpion.

Sa neuvième maison, dans le signe du Gémeaux, lui fait désirer voyager, aller et venir à l'étranger. Il aime revenir. Sur le plan de la philosophie, il ne comprend que les grandes lignes. Il est beaucoup plus attaché aux apparences qu'aux vérités profondes. Comme de nombreux Scorpion il peut aimer l'astrologie, mais il lui faudra alors de très bons aspects de Jupiter pour qu'il devienne un guide, son jugement étant beaucoup plus porté sur les valeurs apparentes que sur les valeurs réelles. Il se laissera prendre par les belles paroles de certains prêcheurs, nouvelles théories resplendissantes, mais qui n'apportent que peu de vrais changements à l'être humain. Il doit lui-même se mettre en garde contre les voyants à la petite semaine, les charlatans. Il est facile de l'impressionner.

Sa dixième maison, dans le signe du Cancer, lui donne souvent l'occasion de choisir une carrière qui le fait travailler chez lui, à la maison. Les obstacles peuvent survenir tout d'un coup, mais il se relèvera en se mettant à l'affût de la nouvelle demande publique. Il est créatif, il aime charmer. Il fera souvent un travail où on aura besoin de ses qualités pour faire avancer un groupe, une entreprise.

Sa onzième maison, dans le signe du Lion, lui procure souvent des amis artistes. Il rencontre des gens qui viennent de partout, qui ont embrassé des carrières hors du commun, originales, publiques. Il n'aime pas vraiment la présence de gens ordinaires, il s'ennuie. Sélectif, il ne fréquente pas n'importe qui, mais de préférence des gens qui lui seront utiles, qui l'inspireront, qui lui donneront de nouvelles idées. Cela ne veut pas dire non plus qu'il fréquente longtemps les mêmes gens, ça tourne autour de lui.

Sa douzième maison, celle de l'épreuve, dans le signe de la Vierge, lui vient de son mental. Il peut parfois faire ce qu'on nomme des minidépressions. Il est à noter que si le natif est artiste, la minidépression peut devenir créatrice. Cela a été prouvé plusieurs fois par les recherches faites en psychologie. Les artistes, en fait, sont les plus grands déprimés!

Il arrive que ce natif commence à s'accrocher à une multitude de détails, qu'il soit insatisfait de tout et que, finalement, il fasse un grand drame! Son drame intérieur c'est souvent de vivre dans un monde qui réclame des artifices pour se faire valoir, alors que lui, au fond, il voudrait vivre le jeu de la vérité, mais où sont ses intérêts? Est-il plus important de poursuivre un idéal qui ne rapporte pas ou de faire un travail qui, sans qu'il apporte beaucoup à l'humanité, concourt à remplir ses caisses?

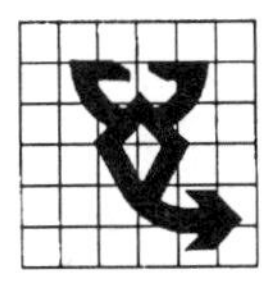

SCORPION ASCENDANT SCORPION

Il peut jouer à tous les jeux: faire pitié, faire peur, faire plaisir, faire rire, vous dire qu'il est bien imparfait et penser tout le contraire... Voilà une force incroyable, un talent pour tout. Il vous le dira lui-même qu'il peut faire n'importe quoi, ou presque, qu'il est très intelligent, qu'il est rempli de qualités, qu'il est généreux, tolérant, patient, travailleur, honnête, perspicace, sensible, intuitif! Il est tout, ce Scorpion-Scorpion, parfois c'est vrai et parfois aussi c'est totalement faux, mais vous aurez envie de le croire. Il vous hypnotise, vous magnétise, vous cerne, vous coince et fait ce qu'il veut de vous, sauf d'un autre Scorpion...

Vous l'aimez ou vous ne l'aimez pas. En général, il fait peur, il aime ça impressionner, cela lui donne du pouvoir! Il adore le pouvoir. Il ne supporte pas qu'on lui dise quoi faire, qu'on décide à sa place, qu'on prenne sa place. Il veut rester libre de ses mouvements, il aime le monde, mais le monde «il est bien mieux de ne pas le déranger». Il accepte avec grande joie que vous lui fassiez plaisir. Il est un peu susceptible. Si vous parlez à voix basse, il est capable de soupçonner que vous parlez contre lui. Vous aurez droit à un regard glacial, vous feriez mieux de lui dire tout de suite de quoi vous parlez, il s'arrangera de toute manière pour le savoir.

Ce Scorpion a l'art de se faufiler vers le pouvoir, de s'entourer de gens puissants, de ceux qui lui viendront en aide, ensuite il prendra leur place. Pourquoi pas, s'il a le pouvoir, pourquoi le Scorpion-Scorpion ne l'aurait-il pas?

Il a généralement peu d'amis, il est si méfiant. Finalement, on se méfie aussi de lui... L'image que l'on projette nous est toujours retransmise! Il ne sent pas le besoin de tout expliquer, vous devriez avoir compris en trois mots, comme lui. C'est vrai qu'il comprend rapidement; vous commencez votre explication et il a deviné le reste. Alors vous l'ennuyez royalement, il vous le dira aussi, ça ne le gêne pas tellement! Mais si vous lui disiez la même chose, je vous garantis qu'il ne l'accepterait pas aussi facilement!

Il veut la paix. L'angoisse ne le quitte pas, ou pour quelques secondes à la fois! Écoutez-le quand il philosophe. Il vous dira qu'il est intolérable de devoir vivre des limites de temps, des limites physiques, des limites partout. L'univers ressemble à un monde fini alors qu'il est infini, ça il l'a très bien saisi, de même que le moins philosophe de tous!

Il ne supporte bien une vie de couple que si on le laisse respirer, que si on ne lui pose pas de questions. C'est lui qui les pose, c'est lui qui décide. Il ne supporte pas l'infidélité. Quand il a donné sa parole, accordé sa passion, c'est pour que ça dure et qu'on lui donne la même chose, et davantage si vous le pouvez, car le Scorpion-Scorpion est insatiable!

Il veut tout réussir, et il réussit le plus souvent. Il se trouve une place de chef, la première; la deuxième ne l'intéresse pas du tout. La compétition, il sait très bien comment s'en débarrasser et pour certains, tous les moyens sont bons. Honnêteté ou pas, c'est le résultat qui compte!

Vu comme ça, il a presque l'air d'un monstre, et il peut fort bien en être un. Bien caché derrière le masque de Pluton, il suffira qu'il ait vécu de profondes blessures qu'il n'arrive pas à oublier, à pardonner, pour qu'il soit ce monstre, cet acteur, ce joueur.

Mais il peut être la force du bien. Non plus la bête rampante ou le serpent, mais l'aigle qui vole au secours des autres, celui qui donnerait sa vie pour les autres. Cette race est rare de nos jours, elle serait même en voie de disparition.

L'argent d'abord. La bourse remplie, des actions partout, il est riche, il n'en a pas l'air et il ne s'en vante pas, vous pourriez lui en demander! Et il n'en a jamais assez! Ses bas de laine sont remplis! Mais ce n'est pas assez. L'angoisse le tient toujours.

Il aurait tout intérêt à s'intéresser au monde du spirituel, à voir au-delà de la matière, lui un signe de mort. Scorpion, vous ne pouvez emporter votre fortune dans l'au-delà, vous ne pourrez emporter avec vous que votre âme que vous aurez pu remplir de bonté, d'amour, de sagesse.

Les émotions et la raison jouent à égalité chez ce Scorpion. Il peut avoir l'air touché quand il ne l'est pas, avoir l'air froid quand il est touché, si le moment convient. Toute sa vie à contrôler! Quel épuisement! Relaxez-vous!

Le bonheur est aussi réel que votre angoisse! Si vous le voulez vous pouvez le trouver, vous êtes capable de tout!

Sa deuxième maison, dans le signe du Sagittaire, lui procure souvent plus qu'une source d'argent. Il peut plus facilement qu'un autre obtenir des subventions ou des appuis gouvernementaux. Il aimera travailler pour des entreprises déjà organisées qui lui fourniront un salaire fixe. L'argent peut aussi être gagné par un travail au sein d'un gouvernement.

Sa troisième maison, dans le signe du Capricorne, fait qu'il n'aime pas perdre son temps à étudier des choses qui ne lui seront pas utiles. Il apprend parce que ça peut servir. La connaissance chez lui est chose pratique. Il ne perdra pas de temps à lire des romans, s'il doit tout comprendre sur un système politique, financier, ou faire un travail qui demande une recherche sérieuse. Il est sévère dans ses jugements. Il voit loin en avant. Il n'aime pas non plus parler pour rien. Ce qu'il dit vous devez le retenir. Il aime de préférence discuter avec les gens haut placés, ceux qui ont le pouvoir, ceux qui pourraient éventuellement parler pour lui. Il aime fréquenter quand il est jeune, les gens plus âgés, ce sont eux qui savent et qui peuvent lui apprendre quelque chose de plus.

Sa quatrième maison, dans le signe du Verseau, son foyer, sa mère, en fait, comme la plupart des Scorpion, un être attaché à ses racines, sinon il n'y serait pas, et il le comprend. Mais bien jeune il trouve le foyer étroit, il a besoin de voir de nouvelles personnes qui lui permettront de voir plus loin que ce que papa et maman peuvent lui enseigner. Sa patrie c'est l'univers. Il n'est pas rare qu'il vive quelques difficultés avec sa mère, celle-ci étant trop autoritaire, et il aime défier l'autorité! Le pouvoir c'est lui et personne d'autre. Il est possible que la mère du natif soit une personnalité originale, défiant quelques lois de ce monde, ou vivant en marge de la société telle qu'on la prescrit. C'est également au foyer que le natif apprendra qu'il faut vivre différemment, surtout s'il n'est pas d'accord avec les leçons de vie qu'on lui donne.

Sa cinquième maison, celle de l'amour, dans le signe du Poissons, en fait un grand sentimental à première vue. Un grand amoureux des enfants, mais il n'est pas si certain qu'il élève lui-même une grosse famille. Il préférera les enfants des autres. Son temps lui appartient et il peut toujours remettre les enfants des autres à leur propriétaire! À moins qu'il n'ait décidé que dans cette fin de siècle, la grosse famille c'est l'idéal, ce qui est plutôt rare. Il aspire à la créativité et au pouvoir dans sa créativité. Il veut se démarquer, se faire remarquer. En y pensant bien, ceux qui élèvent une grosse famille la plupart du temps doivent vivre en retrait pour élever leur progéniture et ce Scorpion double ne veut pas vivre en marge des autres. Il aspire au pouvoir. Il n'est pas exempt d'égocentrisme, d'orgueil, mais allez donc lui dire ça. Il vous soutiendra qu'il est simple et qu'il est comme tout le monde. Au fond il a une grande estime de lui-même et ne veut surtout pas passer pour n'importe qui. Si ce natif a des enfants à lui, soyez assuré qu'ils ne manqueront de rien. Il peut être un parent autoritaire car il veut que ses enfants se taillent une place de roi.

Sa sixième maison, dans le signe du Bélier, en fait un travailleur. Il consacre souvent sa vie à son idéal et oublie qu'il a aussi une vie intime à vivre. Un jour il le comprend, quand il a réussi, alors il peut commencer à vivre une nouvelle étape, mais rarement avant d'avoir atteint son objectif. C'est souvent dans sa jeunesse qu'il peut dire ce qu'il veut devenir. Il se fait une image de lui qu'il maintient et il y mettra toute son énergie pour vous prouver qu'il avait raison de s'accrocher à cette image. Cette position ne l'exempte pas de blessures ou de maladies. Mais rien ne l'arrête.

Sa septième maison, celle du conjoint, est dans le signe du Taureau. En fait, il désirera un conjoint qui se soumettra à sa volonté, à ses caprices, qui lui dira oui quand il aura envie d'entendre oui. De préférence, il choisira un conjoint avec de l'argent ou qui a une grande indépendance financière, de manière à ce qu'il n'ait pas à payer. Autrement, il fera éclater la cellule du couple. Sa justice veut que l'on partage à parts égales... la plus grosse part étant pour lui. Sous ce signe on n'aime guère les divorces, et on est prêt à engager un combat pour maintenir l'union, à moins que ça ne coûte définitivement trop cher. Possibilité que le conjoint frôle la mort. Cela pourrait avoir pour effet de transformer le natif dans sa manière de concevoir la vie à deux.

Sa huitième maison, celle des transformations, est dans le signe du Gémeaux. S'il s'agit d'un Scorpion excessif, qui s'adonne à la drogue, à l'alcool, il est possible qu'à un moment de sa vie, tout à coup, il se mette à réfléchir à ce qui le détruit et qu'il transforme complètement son mode de vie, qu'il se fasse philosophe et beaucoup plus aimable pour les gens qui l'entourent. Cette position, avec de mauvais aspects dans sa carte natale, peut faire de lui un menteur, un tricheur, une personne qui n'hésiterait pas à user de ses charmes sexuels même pour faire avancer sa cause. S'il devait utiliser des moyens malhonnêtes pour parvenir à ses fins, il le paierait cher un jour ou l'autre. Cette huitième maison, qui est celle de la sexualité dans un signe d'air, le Gémeaux, la raison, ou Mercure, fait qu'avant de s'intéresser amoureusement à une personne, il s'intéresse volontiers à sa raison sociale ou à son compte en banque. Le plaisir et les affaires, tout doit servir.

Sa neuvième maison, dans le signe du Cancer, fait de lui un excellent spéculateur quand il est question d'une propriété. Il sait investir son argent afin de voir son capital grossir. Quand il a une famille, cette position lui fait désirer le meilleur pour chacun des membres qui bénéficieront de sa protection. Il s'éveille souvent lentement aux choses de l'esprit, trop occupé qu'il est à gravir l'échelle sociale, mais une fois qu'il a compris qu'une belle vie se réfugie dans une âme saine, il peut alors faire un retour en arrière, pour analyser sa vie sérieusement et faire un pas de géant vers l'avant.

Sa dixième maison, dans le signe du Lion, maison de la carrière, lui fait désirer une ascension dans le monde des arts ou un travail en coopération avec des artistes. S'il s'est lancé dans une carrière du domaine financier, il pourra également avoir un certain renom, favorisant ainsi la fréquentation de ceux qui font les manchettes. Les aspects de Saturne et de son Soleil nous indiquent s'il pourra atteindre le sommet tel qu'il l'entrevoit. Ce ne sera pas sans lutte, le Lion étant en aspect négatif avec le Scorpion.

Sa onzième maison, celle des amis, dans le signe de la Vierge, lui procure des amis intellectuels le plus souvent rencontrés dans le milieu de travail. Il n'est pas impossible que les amis trament contre lui ou que le natif lui-même dise quelques mots contre un tel ou un tel autre, pour se valoriser ou pour avoir leur place. L'ambition est puissante et si nous avons affaire à un «méchant» alors c'est un gros méchant et il ne reculera devant rien pour passer, même faire «pendre» ses amis.

Sa douzième maison, dans le signe de la Balance, symbole de l'union, l'épreuve est le plus souvent fournie par le mariage ou du moins par la première union. C'est le plus souvent un échec sentimental qui fait réfléchir ce Scorpion sur les vraies valeurs de la vie. Il n'est personne sur le zodiaque qui n'ait pas besoin d'amour, et le Scorpion-Scorpion n'en est pas exempt, bien que pendant longtemps il puisse faire passer ses intérêts avant l'amour. Il est certains natifs, peu nombreux, qui ont dépassé le stade de la compétition et pour qui la deuxième place est aussi importante que la première, pour qui le rôle ne consiste plus à dominer, mais à aimer. Non plus uniquement à prendre, mais à donner. Venir au monde avec un pouvoir, c'est extraordinaire, mais s'en servir uniquement pour satisfaire son égoïsme, ce n'est pas bien joli et, au terme de la vie on pourrait bien se demander ce qu'on a fait avec lui!

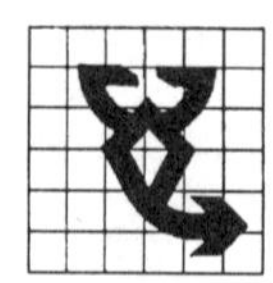
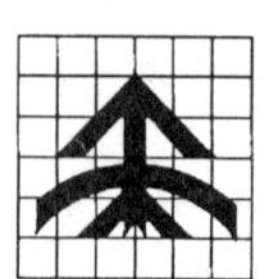

SCORPION ASCENDANT SAGITTAIRE

Sa vitalité est puissante. Il a le goût de l'action, de la diversité. La routine est une peste qu'il ne peut supporter. On l'ennuie rapidement! Vous n'avez qu'à dire deux ou trois banalités, une insignifiance et il a une bonne raison à vous donner pour vous quitter!

Il supporte mal les restrictions, les obligations, il aime la liberté de mouvement. Le mariage est pour un véritable sacrifice quand il se laisse prendre. Il mettra longtemps avant de s'en remettre! Avant qu'il accepte d'être marié, il faudra lui donner du temps! Signe fixe, il ne défait pas ses engagements trop rapidement non plus. Ascendant Sagittaire, il respecte les contrats qu'il signe.

Il a beau vouloir être libre, n'en faire qu'à sa guise, en réalité il a besoin d'agir pour les autres. Le Sagittaire à l'ascendant lui donne ce côté missionnaire, sauveur; il n'aime pas que les gens souffrent, il voudrait que tout le monde soit à l'aise et que personne ne manque de rien, mais il n'ira pas tout leur donner, quand même!

En général, il est chanceux dans la vie. Le Sagittaire, régi par Jupiter à l'ascendant, lui apporte le dernier recours, que ce soit dans les questions matérielles ou sentimentales, ou encore au sujet de sa santé... Bref, c'est un protégé du ciel!

L'âme est bonne.

C'est un grand sentimental qui ne veut pas trop le laisser paraître. Fleur bleue, c'est passé de mode!

À l'âge de Jupiter, à sa trente-cinquième année, il peut avoir un coup de chance inouï, gagner peut-être à la loterie, même si le signe du Scorpion n'est pas si favorable au hasard. Le Sagittaire l'est, lui.

Il n'est pas rare qu'il vive deux grandes unions. Il peut même, avec le temps, dans toute sa belle indépendance, devenir celui qui dépend émotionnellement de l'autre. Sa nature lui fait décou vrir les qualités de l'autre plus que les défauts. Le Sagittaire est un optimiste, tout au contraire du Scorpion, et plus le temps passe plus il subit les bonnes influences de son ascendant.

Sélectif dans ses amitiés, il ne fréquente pas n'importe qui. Je vous l'ai dit, on l'ennuie bien vite. Aussi ne s'entoure-t-il la plupart du temps que de personnes qui ne font rien d'une manière ordinaire. Aussi auront-elles quelque chose d'amusant à lui raconter!

Il aime les maisons aérées où il n'y a pas trop de meubles, ça l'encombre, ça l'étouffe, ça lui donnerait l'impression de vivre en territoire limité.

Comme tout Scorpion, il aime se retrouver seul avec lui-même, mais celui-ci a une manière étrange de se retrouver seul: il s'en va au milieu de la foule, dans un bar rempli à craquer, ça l'inspire sans doute et peut-être finit-il par conclure qu'il était si bien à la maison loin de tout ce cirque!

Sa deuxième maison, dans le signe du Capricorne, le rend prudent dans les questions financières. On peut même dire qu'il peut être radin, économe, calculateur. Il ne voudrait surtout pas dépendre de qui que ce soit durant ses vieux jours. C'est pourquoi il économise, fait des placements qui rapportent, en fait d'autres et ainsi de suite. Il gagne souvent son argent au sein d'une entreprise gouvernementale ou du moins une entreprise organisée depuis longtemps.

Sa troisième maison, dans le signe du Verseau, lui donne une intelligence vive. Curieux de tout, il veut tout connaître de ce qui se fait dans le monde. Les grandes questions internationales l'intéressent. Il se sent relié à l'ensemble de l'humanité. Habile à débattre des questions concernant, par exemple, la sécurité collective, son bien-être, il a vite une vue d'ensemble qui lui permet de tout analyser au premier coup d'œil. Il est tout d'abord un intellectuel bien que souvent rien n'y paraisse. Le Verseau étant le symbole des amis, et la troisième maison représentant Mercure, il est possible que le natif ait plusieurs amis qu'il connaît depuis son enfance et qu'il les garde longtemps, parfois toute la vie. Il aime les discussions avec les amis. Il aime bien chahuter comme un adolescent, même quand il a dépassé l'âge depuis longtemps.

Sa quatrième maison, symbole de la mère, du foyer, dans le signe du Poissons, en bons aspects avec son Soleil, en fait souvent un enfant chéri de la mère. Le Poissons étant le douzième signe du zodiaque, et symbolisant l'épreuve, la maladie, l'hospitalisation, il arrive que le natif ait pu vivre à la fois un attachement à la mère et une douleur parce que celle-ci était malade. Bien qu'il soit attaché à son foyer quand il en a un, il y étouffe. Quatrième maison sous le signe du Poissons, il aspire toujours à la liberté. L'alcool peut aussi avoir été un problème dans son foyer natal. C'est souvent aussi à la maison, dans son foyer, qu'il connaît la plus grande part de son évolution, où il apprend à s'oublier pour vivre pour autrui.

Sa cinquième maison, dans le signe du Bélier, est celle des amours. Les unions sont décidées rapidement: coup de foudre. Cela ne l'exempte pas de commettre une petite erreur de temps à autre. Il en est de même sur le plan du travail, cela lui arrive comme un éclair, l'occasion est là, on lui fait une proposition et le voilà engagé dans une nouvelle entreprise.

Sa sixième maison, celle du travail, dans le signe du Taureau, lui procure le plus souvent un travail fixe et dans l'ombre. Il est celui sur qui on compte mais dont on parle peu. Il sait se rendre indispensable à son travail. Il en fait souvent le cœur et le centre de sa vie. Assez étrangement, un changement de travail surgit lors d'une rencontre amoureuse. Possibilité que ces natifs travaillent avec leur conjoint.

Sa septième maison, dans le signe du Gémeaux, lui fait souvent choisir un conjoint du type communicatif qui s'exprime avec aisance et qui peut être porté vers les lettres ou vers un travail en relation publique. Possibilité qu'il y ait de nombreuses obstinations verbales avec le conjoint. Cette position laisse souvent entrevoir deux unions, surtout si la première a été contractée à la sortie de l'adolescence. Comme le Gémeaux est le huitième signe du Scorpion, il arrive fréquemment que le conjoint transforme complètement la manière de penser du natif. Celui-ci est un raisonneur qui, finalement, ne respecte que les personnes qui raisonnent et le font raisonner. Il demandera à son conjoint d'être intelligent sinon il devra subir quelques sarcasmes s'il n'a pas la force de répondre aux pointes directes de ce Scorpion qui, à ses heures, a bien mauvais caractère.

Sa huitième maison, celle des transformations, est dans le signe du Cancer. Voilà donc que la famille peut achever la transformation du natif. La mort de la mère pourra marquer un tournant important de sa vie. Possibilité que sa sensibilité s'aiguise davantage et qu'il prenne davantage conscience de ses responsabilités vis-à-vis d'autrui.

Sa neuvième maison, dans le signe du Lion, symbolise ici la chance financière. Il se peut qu'il gagne à la loterie, cela peut être confirmé par les aspects de Jupiter et de son Soleil dans sa carte natale. Quel que soit le travail qu'il accomplit, plus il vieillit, plus il prend de l'expérience, et il peut occuper des postes de prestige avant bien d'autres.

Sa dixième maison, dans le signe de la Vierge, ne lui fait pas désirer atteindre la célébrité ou les sommets du prestige. Il préfère davantage être reconnu pour son intelligence pure que pour des qualités d'amuseur public. Son ambition, c'est avant tout la sécurité matérielle. Il aime la connaissance, il aime apprendre, aussi se plaît-il à dépasser les autres avec la force de sa raison. La mémoire est puissante, la faculté d'analyse est exceptionnelle. L'esprit mathématique est puissant.

Sa onzième maison, celle des amis, est dans le signe de la Balance, symbole des unions, et aussi le douzième signe du Scorpion. Possibilité que le natif ait des amis à problèmes, qu'il vive des problèmes de couple à cause de ses amis. Il aimera recevoir ses amis chez lui, ce qui à l'occasion peut être sujet de dispute s'il n'a pas averti son conjoint. Il aura souvent des amis artistes, même s'il n'appartient pas à ce milieu.

Son Soleil se retrouve donc en douzième maison, la maison des épreuves. Les épreuves surviennent selon les aspects de Neptune dans sa carte natale. Neptune est le plus souvent une épreuve sournoise, une maladie étrange, psychosomatique. Ce natif peut souffrir d'insomnie. L'angoisse n'est pas absente, mais elle est le plus souvent peu exprimée. Il refoule ses peurs. Il arrive qu'il s'évade dans les vapeurs de l'alcool, et cette position lui donne le goût de la fuite, de se retrouver seul, d'être libre. Il n'est pas méchant, mais l'exception fait toujours la règle. Plutôt que de détruire autour de lui, quand il n'est pas satisfait, il participe à sa propre autodestruction. Il n'est pas rare de constater que certains sujets prennent de la drogue ou tout autre produit qui leur permet l'évasion. Cependant l'ascendant Sagittaire, qui aspire à vivre sainement, fait son petit effet et procure au natif, s'il s'adonne à la drogue ou à l'alcool, la chance d'en sortir indemne. Alors s'arrête la phase autodestructive. Il devient par la suite conscient du rôle qu'il joue dans son environnement personnel. Il est d'ailleurs un excellent guide pour autrui, et quand il vit sa vie sainement, il la vit alors mieux que la majorité!

SCORPION ASCENDANT CAPRICORNE

Il n'est pas drôle du tout! Il se prend au sérieux! Il est sage, lui! Il ne fait pas de bêtises, lui. Il n'est pas tendre non plus. Une seule chose l'intéresse, la RÉUSSITE, en gros plan et en trois dimensions, avec honneurs de préférence.

En amour, il est possessif, il devient rapidement le propriétaire de l'autre une fois qu'il a terminé sa cour. C'est fini les fleurs, les bonbons, les gâteries, il est rangé pour la vie!

Vous avez tout intérêt à écouter les ordres qu'il vous donne, il n'aime pas répéter deux fois! Et on ne discute pas longtemps avec lui: il avait une solution, c'était la bonne et il ne revient pas sur sa décision!

On lui a appris jeune à se débrouiller seul. Peut-être non plus n'a-t-il pas eu le choix. Sa nature est robuste, résistante. Il est à la fois régi par Pluton et Saturne. Rien ne l'arrêtera dans sa course à la réussite.

Il gravit les échelons les uns après les autres, c'est du solide à chaque étape. La politique l'attire et il finira tôt ou tard à s'y engager, car il sent un appel à desservir une collectivité. Il a un grand sens de la justice et il voudrait la voir régner, mais sa justice est souvent implacable et compte de nombreux condamnés.

Il se fait des amis dans tous les milieux, parmi les bandits aussi. C'est rare, mais ça arrive. Il n'appartiendra jamais vraiment à un groupe plus qu'à un autre. C'est un individualiste-né et un autonome. Il ne supporterait pas de dépendre de qui que ce soit, ni de quoi que ce soit.

Il ne donne jamais vraiment rien, il prête et vous devrez le lui rendre.

Il aurait tout intérêt à prendre quelques leçons sur le détachement, sur le lâcher-prise, que la nouvelle pensée enseigne. Il vivrait sans crispation, cela l'aiderait à prolonger sa vie en santé et dans la joie.

Une fois qu'il aura découvert la joie de vivre, qui sait si ce Scorpion-Capricorne n'aura pas envie de pousser sa recherche plus loin et de découvrir le bonheur?

Sa deuxième maison, celle de l'argent, dans le signe du Verseau, peut lui faire gagner le sien par un travail en relation avec le grand public. Il aime bien détenir un pouvoir financier, mais il devra travailler fort pour y arriver. L'argent peut rentrer rapidement dans ses caisses, et tout d'un coup aussi, disparaître. Il arrive souvent que ces natifs soient issus d'un milieu familial où l'argent était une denrée rare ou que le milieu familial ait connu quelques fluctuations financières importantes.

Sa troisième maison, dans le signe du Poissons, lui donne une belle intelligence. Rusé et astucieux, il ressent à travers les mots les autres vérités que vous pourriez lui cacher. Mais comme il est souvent plus malin que beaucoup de gens, il peut alors lui aussi vous raconter une histoire propre à vous endormir! S'il est élevé dans un milieu où on n'enseigne pas la vérité, il pourra devenir bien plus menteur et plus joueur que tous les autres membres de sa famille. Il aime parler, surtout si cela entre dans la poursuite de ses intérêts. Il aura envie qu'on reconnaisse son intelligence. Il sera habile pour parler en public. Il a un esprit d'analyse bien personnel et, comme je vous l'ai dit, il est capable de vous endormir comme plusieurs de nos politiciens savent le faire.

Sa quatrième maison, dans le signe du Bélier, représente son foyer. Le foyer peut être un lieu explosif. La mère peut exercer une puissante influence sur le natif et le pousser à aller de l'avant. Possibilité d'incompatibilité de caractère entre lui et sa mère, bien que le Scorpion soit toujours attaché à sa créatrice quoi qu'il se passe entre eux, malgré les conflits qui peuvent survenir. Le foyer peut être menacé par le feu quand le natif est jeune. Possibilité également que, durant une partie de son enfance, on l'ait isolé de sa famille, qu'on l'ait placé au collège par exemple, ou qu'il soit élevé en grande partie par un autre membre de sa famille.

Sa cinquième maison, celle des amours dans le signe du Taureau, lui fait rechercher la stabilité sentimentale et aussi des partenaires qui ont quelques moyens financiers. Il pourra dans sa jeunesse, à l'adolescence, connaître de profondes déceptions du côté de l'amour, son premier grand amour l'ayant marqué. Il voudra également briller au sein d'un groupe.

Sa sixième maison, celle du travail, se trouve dans le signe du Gémeaux. Le plus souvent il choisira un travail intellectuel où il lui faudra faire de grandes analyses. Il est sujet à des changements subits dans le travail, à des promotions soudaines qu'il n'avait pas désirées parce qu'il croit qu'il faut grimper une marche à la fois si l'on veut un jour s'asseoir sur du solide. Il est du genre à tout compliquer quand ça ne fait pas son affaire. Les obstinations ne manqueront pas si on commet une erreur au travail et s'il est vendu à la cause pour laquelle il est engagé; il n'hésitera pas à se faire remarquer par un groupe si cela doit l'avantager. On peut dire qu'il lui arrivera de jouer sale, si, à tout hasard, on ne lui a pas appris dès le début qu'il vaut mieux dire la vérité, que le mensonge finit toujours par être découvert et le menteur pointé du doigt. En fait il ne se rend pas toujours compte à quel point il est fanatique et engagé quand il travaille pour lui ou qu'il défend les intérêts de son employeur. C'est un bon chef, il aime diriger et que tout soit fait selon les termes établis.

Sa septième maison, celle des unions dans le signe du Cancer, lui fait souvent choisir un conjoint sensible, si sensible qu'il peut le manipuler! Ce n'est pas joli, mais il arrive que son conjoint sache se défendre et qu'il ait une leçon à en retirer. Il désirera le plus souvent un conjoint pour fonder un foyer, une famille à laquelle il sera profondément attaché. Il remplira son devoir paternel ou maternel selon ce qu'il en connaît d'abord, mais toujours en vue du bien-être et du confort de ses enfants, de sa famille.

Sa huitième maison, dans le signe du Lion, lui réserve parfois une certaine fragilité cardiaque. Il doit faire attention de ne pas dépasser les limites de sa capacité physique. L'amour opère souvent chez lui une transformation importante. Possibilité qu'il ne soit pas toujours fidèle en amour, l'occasion peut le faire complice, il peut devenir l'amant ou la maîtresse mais, comme tout finit par se savoir... Quand la vérité éclate, notre natif doit changer de vie. Possibilité d'un accident grave indiquée par la carte natale, mais aussi grande résistance face à la mort. On dit, en fait, qu'il n'est pas tuable.

Sa neuvième maison, dans le signe de la Vierge, le rend économe. Encore une fois cette position souligne son sens de l'analyse. Il peut faire un excellent professeur qui verra à ce que tout le monde ait compris sa leçon. Il a une philosophie bien matérialiste du monde. Il faut le bâtir solidement, avec des arguments logiques. Le cœur et la sensibilité ont fui hors de son contrôle. Il a oublié que les règles sont suivies par des humains et non par des machines, et que les humains sont soumis à toutes sortes d'influences, leur cœur bat, s'enflamme, ils pleurent, ils rient, etc. Lui, il voudrait que nous soyons réglés comme des horloges. Ainsi, tout tournerait dans la même direction pour donner l'heure juste. Pas bien drôle... et je connais très peu de gens qui peuvent vivre comme des cadrans!

Sa dixième maison, dans le signe de la Balance, peut lui faire embrasser des carrières juridiques, politiques ou du moins un travail où il devra exercer un contrôle souvent sur plusieurs personnes. Possibilité d'être connu publiquement, mais pas nécessairement aimé! Il pense à long terme, selon ses propres termes. Il a tout intérêt à s'épancher sur les besoins d'autrui de s'assouplir. Vivre vieux, c'est bien, mais vivre isolé c'est ennuyeux.

Son Soleil se retrouve donc en onzième maison. Le sens du pouvoir est puissant, ainsi que le goût de dominer les foules, de les convaincre. Ce natif peut être attiré par la politique, il peut être fanatique. Il a la conviction de travailler pour le bien du peuple, mais il arrive qu'il assure son propre pouvoir. Il aura souvent l'art de s'exprimer en public. Ce natif est une force de la nature. Il peut vivre des hauts extraordinaires, comme il peut vivre aussi les bas d'une manière tout aussi fulgurante. Avec cette position solaire, il doit toujours se mettre à l'abri des scandales, surtout s'il a embrassé une carrière publique. Les premières pages des journaux annoncent rarement les bonnes nouvelles! Que ce natif ait choisi le métier de comptable, par exemple, position importante pour gérer les biens d'une société, un jour viendra où on lui offrira pour ses bons services un poste en vue. Il s'élèvera parfois même malgré lui. Il lui suffit de vouloir, et le pouvoir n'est plus loin.

Sa douzième maison, celle de l'épreuve, dans le signe du Sagittaire, laisse entrevoir que les ennemis, même s'ils sont du domaine financier, ne s'acharneront pas. Notre natif a plus d'un tour dans son sac pour se sortir de tous les mauvais pas. Il peut, avec le temps et l'âge, s'élever à une meilleure compréhension de la nature humaine. Il a en lui toutes les possibilités de devenir sage. S'il le veut, il le sera! Scorpion-Capricorne: aucune montagne n'est vraiment infranchissable.

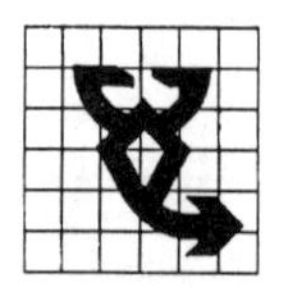
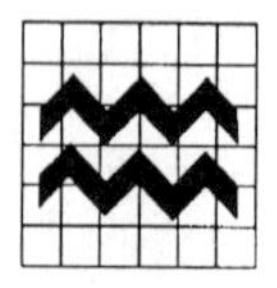

SCORPION ASCENDANT VERSEAU

C'est le Scorpion le plus original de tous, le plus inconventionnel, le moins apeuré, le moins scrupuleux, le plus sociable avec les gens intelligents et le plus sauvage avec les insignifiants. Et les stupides, naturellement, selon ses propres critères.

Sa personnalité est puissante. Double signe fixe, il ne lâche pas facilement ce à quoi il tient. Il possède un grand sens de la communication, il adore se retrouver au milieu des gens, les surprendre, les scandaliser peut-être aussi, si ça peut rendre le climat plus grouillant! Il a horreur de la monotonie! Et si vous êtes du genre à vous répéter, comptez sur lui pour vous dire que vous radotez!

La gêne, il ne la connaît pas tellement. Elle a passé à côté de lui quand il était petit. Elle l'a frôlé, ça l'a choqué, il lui a crié des bêtises et elle n'est jamais revenue.

Il sait se battre pour un idéal. Il a le sens de la stratégie, a horreur de l'injustice et du mensonge, surtout si le mensonge touche la collectivité. Tout ce qui est collectif l'intéresse. Il peut mettre un certain temps avant de s'engager sur une route, il veut poursuivre quatre chemins à la fois, mais une fois qu'il aura pris sa décision, écartez-vous, il passe, et il soulève la poussière!

Les problèmes humains l'absorbent. Il voudrait tout comprendre. Il a horreur qu'on lui enseigne, il préfère tout apprendre par lui-même, et c'est ce qu'il fait et il le fait bien.

Il est altruiste. Ne faites jamais de tort à un faible devant lui. Il se lance à sa défense et ce fort, devant ce faible, ne se sentira plus tellement fort après que ce Scorpion-Verseau «bulldozer» lui aura fait la leçon, en parole car il est plus fort là qu'avec les poings, et il sait que les mots font beaucoup plus d'effet que la force physique.

En amour, il n'est pas facile à vivre! Vous n'avez qu'à lui obéir, il a toujours raison et il fait toujours son possible pour vous plaire, et s'il a une saute d'humeur, il a une bonne raison à vous donner pour la justifier! Il ne calcule pas ses infidélités mais il surveille très bien son partenaire. Lui, il a le droit, mais pas l'autre.

Le Verseau à l'ascendant donne toujours un côté tyrannique au signe dans le domaine sentimental. Dominer, être le maître, voilà son affaire à lui. Ça ne fait certainement pas toujours l'affaire de ceux avec qui il partage sa vie...

Il a de l'instinct, on ne peut pas le tromper. Vous êtes, à première vue, jugé, classé, et il ne se trompe généralement pas. Ses impressions sont si justes qu'elles sont surprenantes.

Sa vie n'a rien de facile en réalité, mais elle n'est surtout pas ennuyeuse. Il aura beaucoup à raconter quand il sera vieux. Vous verrez, aussi, que même les événements les plus dramatiques seront racontés avec un humour qui vous fera rire aux larmes!

Sa deuxième maison, celle de l'argent, dans le signe du Poissons, en bons aspects avec le Scorpion lui procure souvent deux sources de revenus. Habile aux spéculations, la Bourse peut devenir un point fort et lui faire gagner une fortune sans trop d'efforts. D'ailleurs, c'est bien ce qu'il désire. Il a tant à s'occuper sur cette terre, sur notre planète, que gagner sa vie correspond souvent au labeur qui l'empêche de s'amuser, de rencontrer ses nombreux amis et de discuter avec eux.

Sa troisième maison, celle de Mercure, dans le signe du Bélier, lui donne un sens de la repartie peu commun. Original dans ses propos, il a toujours une réponse à vous donner sur tout ce que vous dites. Quand il se tait, vous pouvez commencer à vous inquiéter. C'est un communicateur-né. Il aime les gens, et il a beaucoup à leur dire, même leurs quatre vérités, et surtout si ce qu'ils font va à l'encontre du bien-être de la société. Le Bélier étant la sixième maison de Mercure, ce natif fait un excellent journaliste, un critique dangereux quand il décide de s'opposer, et un partisan quand il donne son accord. Il est habile avec l'écriture tout autant qu'avec la parole. Il est travailleur, comme il est aussi du type jouisseur. Le plaisir étant pour lui aussi important que le travail, il pourrait lui arriver de rentrer au travail avec des heures supplémentaires passées dans une fête! Vous lui pardonnerez, le travail rentre quand même.

Sa quatrième maison, celle de son foyer, dans le signe du Taureau, le signe opposé au sien, le fait souvent vivre en révolte contre son milieu de naissance, la mère n'ayant pas toujours une bonne influence sur lui ou contrariant ses désirs et ses façons de vivre. La rébellion commence chez lui, il y apprend à se battre et il arrive souvent qu'il quitte son foyer très jeune. Il va gagner sa vie, il ne se sent pas aimé et il ne reçoit pas d'argent de son foyer. Comme beaucoup de natifs, bien qu'il soit attaché à sa créatrice, il respecte la vie, celle qui lui a donnée, mais il ne veut pas en dépendre et il veut surtout son indépendance.

Sa cinquième maison, celle des amours, dans le signe du Gémeaux, ne lui donne pas de très grands principes de fidélité. En réalité, il fait des expériences intellectuelles! Il aime bien ceux qui discutent avec lui et qui ne lui donnent pas toujours raison. Cette position ne favorise pas la venue des enfants si le natif se marie. Il préfère sa liberté. Il sait que fonder une famille et avoir des enfants, c'est créer une sorte de limite à sa liberté qui lui est si chère. Il le sait, aussi n'est-il pas rare qu'il passe sa vie à aimer les enfants des autres, car il est respectueux de la vie. Il est l'oncle ou la tante qui fait plaisir aux neveux et aux nièces. C'est lui le comique de la famille.

Sa sixième maison, celle du travail, se situe dans le signe du Cancer. Sa famille, c'est souvent son milieu de travail. Au travail, comme il prend beaucoup de place, il peut toujours se trouver quelqu'un qui a envie de l'envoyer sur les roses! Mais il se trouvera aussi toujours quelqu'un pour prendre sa défense. Son travail lui est souvent obtenu par l'entremise d'amis haut placés ou qui ont des relations! Cette position lui procure une grande imagination, très utile s'il choisit un métier dans le monde de l'écriture ou n'importe quel autre travail qui réclame de l'imagination. En fait, quoi qu'on fasse on en a toujours besoin. Elle soutient la raison, comme la raison la soutient. Un militaire, par exemple, sera peut-être le premier à proposer une autre sorte d'équipement auquel il aura pensé afin que la collectivité bénéficie d'un meilleur service ou rendement.

Sa septième maison, dans le signe du Lion, lui fait désirer épouser une personne de prestige, ou qui a un pouvoir d'argent ou un pouvoir de commandement important. En fait, il ne restera amoureux de la même personne que si celle-ci l'épate, le surprend, lui apprend quelque chose de neuf d'une manière régulière. Il ne supporte pas l'ennui, la routine, la répétition des gestes. Il est romantique à ses heures et vous feriez mieux de deviner que c'est aujourd'hui qu'il l'est. Possibilité que ça ne revienne pas trop vite si vous n'avez pas deviné. Quand il aime, il devient généreux avec l'autre. Pour le garder, soyez avisé qu'il faudra vous renouveler, lui laisser sa liberté, lui faire confiance. Signe fixe, il rentrera parfois après avoir fait un petit tour d'horizon, histoire de se rincer l'œil, de constater qu'il ne perd rien à être fidèle. De temps à autre il a besoin de s'en persuader.

Sa huitième maison, celle des transformations, est dans le signe de la Vierge, le onzième signe du Scorpion. Transformations dans sa façon de penser quand il se rend compte qu'il faut faire autre chose, parce que la collectivité s'effrite, ne comprend pas, décline, ou enfin pour un tas de raisons indiquées dans sa carte natale. Signe fixe, quand il change d'avis, c'est qu'il a raison de le faire. Il sera un grand défenseur des travailleurs exploités. Il n'a pas la langue dans sa poche et l'autorité ne lui fait pas peur. Il sait toujours se mettre à l'abri juste à temps. Il devra surveiller ses fonctions intestinales, de même qu'il peut avoir des problèmes avec sa circulation sanguine. Il est rare de trouver des sportifs sous ce signe, car, là aussi, nous aurions un excessif.

Sa neuvième maison, celle des voyages, se situe dans le signe de la Balance. Voilà que dans toute son indépendance, bien qu'il puisse partir seul en voyage, il n'y tient pas vraiment. Il préfère être accompagné. Il a quelque peu tendance à être révolutionnaire. Il doit faire attention quand il se trouve en pays étrangers. Il peut avoir des opinions qui, finalement, ne cadrent pas avec les idées générales du pays qu'il a choisi pour ses vacances. Étrangement il sera fortement attiré par des voyages dans les pays qui vivent quelques problèmes politiques, comme s'il devait se rendre compte par lui-même qu'il est bien chez lui et que, vivant au Québec, comme la majorité de nos lecteurs, il y trouve des privilèges comme la liberté de parole dont il ne saurait se passer. Il doit toujours être prudent afin d'éviter de se faire voler. Il aimera voyager dans le luxe et faire la belle vie quand il part en vacances. Il n'est pas exempt de problèmes avec la loi dans les pays étrangers qu'il visite.

Son Soleil se trouve en dixième maison, position idéale, par exemple, pour un politicien. Naturellement si ce natif devait s'adonner à ce genre d'exercice, ce ne sera pas sans rencontrer des obstacles. Mais il est tenace, persuasif, et il sait très bien où il veut en venir quand il fait un énoncé et il est capable de savoir à l'avance ce que ses paroles provoqueront. La nature de ce natif est généralement enflammée, mais il arrive un jour dans sa vie où il se calme et devient sage et plus prudent, mesuré dans ses paroles. Révolutionnaire réfléchi, il sait bien dire et on l'écoute parce qu'il commence par le commencement, sachant à l'avance que la majorité des gens ne sont pas aussi rapides que lui. Enfin quel que soit le travail qu'il entreprenne, il se retrouve dans des postes où il prend les décisions importantes.

Sa onzième maison, dans le signe du Sagittaire, lui procure de nombreux amis qui viennent de tous les milieux et de toutes les couches de la société. Plus il vieillira, plus il fréquentera des dignitaires, des vedettes, souvent ceux qui, en fait, sont les rois et qui font les lois, qu'il s'agisse du monde de la finance ou du monde des arts. On l'accepte partout, surtout quand il prend le tournant de la sagesse! Il fera de nombreux voyages à l'étranger vers lequel il se sent appelé. L'univers est trop étroit pour lui, il lui faut voir au-delà de l'horizon. Il rapporte beaucoup de ses voyages. Même quand il part en vacances, il est observateur, il apprend des leçons qui lui seront utiles dans le cadre de sa vie quotidienne.

Sa douzième maison, celle des épreuves dans le signe du Capricorne, est le symbole de Saturne, du père également. Voilà que l'impatience du natif peut lui créer de graves problèmes, mais il apprend que le temps peut jouer en sa faveur. Il peut avoir vécu des problèmes profonds avec le père, un manque de communication entre autres. Comme le Scorpion est en bon aspect avec la Capricorne, il ne tiendra aucunement rancune au père car il a un profond respect pour son créateur. Il pourrait avoir quelques problèmes avec ses os, et il ferait bien d'y voir à la moindre alerte. Il peut être sujet à l'arthrite. Celle-ci étant une maladie dont l'origine psychique est la rancune, ce qu'on n'arrive pas à oublier, ce qu'on n'arrive pas à pardonner. Cela aussi s'apprend comme tout le reste de la vie!

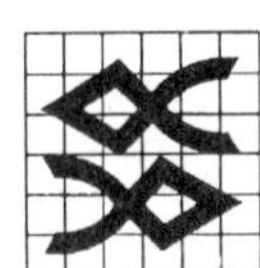

SCORPION ASCENDANT POISSONS

Double signe d'eau, ce n'est pas simple ici. Il change facilement d'avis, il a plusieurs paroles, prenez donc celle qui vous plaît le plus!

Les remous psychiques sont nombreux et hantent le natif. Il se laisse parfois aller à de profondes dépressions, à la drogue, à l'alcool. L'enfance joue un rôle important, il est impressionnable et sensible. Élevé dans un milieu louche, il en prendra la teinte.

Perpétuellement anxieux, il faut sans cesse le rassurer. Il a toujours le sentiment que quelque chose lui échappe, qu'on ne lui a pas tout dit, qu'on lui ment, qu'on joue dans son dos, qu'il est victime de quelques manigances!

Sexuellement, cela en fait un être très attirant, irrésistible même. Son langage est à la fois timide et fier, il fait rêver, il rêve lui-même et il croit à ses rêves. Quelques-uns deviendront réalité s'il y croit assez longtemps et assez intensément.

En amour, il lui faut beaucoup de liberté. L'attacher, c'est le perdre, il étouffe. Il se choisira souvent un conjoint faible, maladif. Il sera humain et en prendra grand soin, cela lui donnera aussi de l'importance parce qu'il se sentira utile. Il aime l'argent pour le plaisir qu'il peut lui procurer, et non pour l'accumuler.

Ce natif est souvent profondément religieux, et c'est souvent cette même foi qui le guide et oriente sa vie, sa carrière. L'inspiration lui vient tout droit du ciel. Il est attiré par l'invisible, la magie, il lui faut éviter les cercles de magie noire ou les gourous qui utilisent leurs «moutons» pour se faire servir (la laine, c'est chaud en hiver et le mouton, ça se mange).

L'amour est véritablement le piment de sa vie, et le natif ressent le besoin de donner, de soigner, de sauver le monde de la douleur. Il est du genre à être missionnaire. Ça lui convient très bien. Il a intérêt à s'éloigner de la drogue et de l'alcool, ce monde d'illusions qui ne sert qu'à détruire, qui ne bâtit rien, qui n'est utile à personne.

Réaliser son rêve n'est pas simple. Il est si grand, si idéal. Et pourtant, à un Scorpion rien n'est impossible, surtout avec le pouvoir magique subconscient que détient le Poissons. Il n'a qu'à frotter la lampe magique de son âme pour le voir se concrétiser!

Sa deuxième maison étant dans le signe du Bélier, le natif est travailleur et il gagnera sa vie avec le plus d'assiduité possible, à moins que de mauvais aspects de Mars n'interviennent dans sa carte natale. Si l'argent est gagné facilement, il peut se dépenser tout aussi facilement. Possibilité que l'argent soit gagné par le sport. Mars du Bélier, dans sa deuxième maison, peut attirer le natif vers un travail en contact avec le métal.

Sa troisième maison, dans le signe du Taureau, le signe en face du sien, lui donne ce qu'on appelle une tête dure! Vous aurez un peu de mal à lui faire comprendre parfois qu'il faut qu'il vive autrement. Il peut avoir une certaine paresse intellectuelle. Si quelque chose ne s'apprend pas assez vite, alors il n'est pas intéressé. Par contre, si ce qu'il doit apprendre peut lui apporter de l'argent, alors vous avez plus de chance de voir sa curiosité s'éveiller.

Sa quatrième maison, celle du foyer, de la mère, dans le signe du Gémeaux, lui procure souvent un foyer où on lui enseigne les valeurs superficielles de la vie. Sa mère pourrait être une de ces personnes qui parlent beaucoup, mais qui, au bout du compte, ne lui a rien appris sur lui-même, sur ce qu'il devrait faire pour vivre sa vie heureusement. Il arrive qu'avec cette position le natif vive une épreuve cuisante quand il est encore jeune, dans son lieu de naissance. Il ne sera pas prêt de l'oublier, le Scorpion ayant une excellente mémoire.

Sa cinquième maison, celle des amours, dans le signe du Cancer, en fait un romantique, un tendre, qui a bien du mal à dire non aussitôt qu'il sent qu'on l'aime. On peut même abuser de lui, mais comme il est Scorpion, cela peut soudainement s'arrêter! Ce Scorpion est un grand créatif, il sera peut-être doué pour la musique, la peinture, les arts abstraits et, dans certains cas, pour les mathématiques. Quand il est amoureux il veut que ce soit pour la vie, mais il lui arrive des surprises, l'ascendant Poissons le rendant victime de ses propres bontés.

Sa sixième maison, celle du travail, dans le signe du Lion, crée chez lui un puissant attrait pour les arts. Il aura quand même du mal à se défendre dans ce milieu. Il peut innover et se faire voler son idée, mais on ne l'y prendra pas deux fois. Il est du genre à souffrir pour l'amour, par amour, mais ça ne sera pas toute sa vie! S'il a des enfants, l'un d'eux peut avoir des problèmes de santé, ce qui retient considérablement ce Scorpion. Possibilité que le natif travaille avec l'un ou plusieurs de ses enfants quand ils sont en âge de le faire.

Sa septième maison, celle du conjoint, dans le signe de la Vierge lui fait rechercher une personne pratique, mais en même temps une personne critique qui peut avoir un pauvre état de santé. Le natif peut subir quelques désobligeances de la part de son conjoint, mais il n'aime pas la dispute, jusqu'au jour où il décide que c'est terminé. Étrange sort, intérieurement il peut avoir décidé de la fin de son union, mais il n'aura pas encore fait un geste que le conjoint partira, comme si finalement son désir de rupture était exaucé. Cette position l'entraîne souvent à vivre deux unions. Possibilité que le conjoint travaille avec le natif et collabore intensivement au progrès de l'entreprise.

Sa huitième maison, celle des transformations, dans le signe de la Balance, symbole de l'union, également douzième signe du Scorpion, donc, encore une fois, cette position indique qu'il y a une grande possibilité que le natif vive une transformation complète à la suite d'une séparation. Il pourra vivre une profonde dépression, se laisser aller à des excès, cependant le ciel a autre chose de meilleur en réserve pour lui.

Son Soleil se situant en neuvième maison, bien que la vie lui fasse voir quelques difficultés, prépare et provoque un tournant important. Il retrouvera sa chance, il n'aura qu'à la prendre. Cette position est favorable aux acteurs. Position également qui crée chez lui un puissant attrait pour les étrangers. Il pourrait à un moment de sa vie avoir envie de s'exiler, de vivre ailleurs, dans un pays plus ensoleillé, par exemple. L'étranger peut lui être favorable. Il peut même y faire carrière. Ce natif aimera travailler dans des endroits, où les gens circulent, où il peut voir de nouveaux visages, entendre parler d'autres langues. Il peut lui-même être doué pour les langues. Un travail qui lui permet de voyager est souvent une garantie de bonheur pour lui et de succès financier.

Sa dixième maison, dans le signe du Sagittaire, indique encore une fois que le natif, en travaillant loin de son lieu de naissance, trouve la chance qui lui permet de gravir les échelons d'une société de qui il a tout à apprendre. Ce Scorpion supporte bien mal l'ennui. Vous ne vous en rendez jamais compte au début, mais si vous le fréquentez assez longtemps vous le saurez. Il vous le fera savoir directement ou subtilement! Ou alors, il sera parti en vous laissant une note.

Sa onzième maison, dans le signe du Capricorne, ne lui procure pas de nombreux amis. Il aime la présence de gens plus âgés, ça le repose en quelque sorte, et puis leur expérience est précieuse, les gens âgés sont ceux qui ont fait notre passé et ce natif respecte ses créateurs. Plus il vieillit, plus il devient indépendant. Il peut très bien être ce propriétaire d'entreprise (pas une grosse, il lui manquerait du temps pour rêver) autonome, original. Il devient populaire ou son entreprise le devient sans même qu'il l'ait cherché plus que ça! C'est arrivé.

Sa douzième maison, celle des épreuves, dans le signe du Verseau, symbolise des chocs, des divorces, des transformations sociales également. Il est possible que ce natif trouve que la vie va trop vite et il manque de temps pour s'ajuster. Il peut être celui qui travaille dans un endroit où on décide de faire la grève et justement, à ce moment-là, il n'y était pas préparé du tout. Il peut prendre beaucoup de temps avant de se remettre d'un divorce. Cette position est favorable pour les astrologues, les philosophes et parfois pour les médecins. Tout dépend naturellement de la position de Neptune et d'Uranus dans la carte du ciel.

Le Sagittaire et ses ascendants

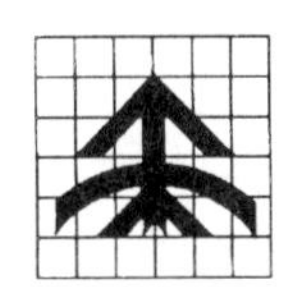
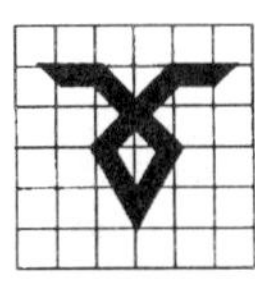

SAGITTAIRE ASCENDANT BÉLIER

Double signe de feu, il ne manque pas de «pétard» là-dedans! Enthousiaste, entreprenant, confiant, innovateur, aventurier, chevalier au grand cœur, passionné, généreux... justice d'abord, à la défense des faibles et des opprimés! Bref rien n'est trop gros, ni trop grand, ni trop de tout pour lui!

Monsieur ou madame perfection?

Pas tout à fait, répond l'astrologue!

Il manque de diplomatie un peu trop souvent, il dit la vérité crûment, et parfois cruellement. Sans complexes, il brille pour que vous l'admiriez et il lui arrive d'être prétentieux. Il connaît tout et il peut vous donner des conseils sur la vie autant que vous en voulez, et la meilleure chose que vous puissiez faire pour lui, c'est de faire son bonheur!

Il a descendu d'un cran ou deux, le voilà au naturel avec toute sa complexité.

Il n'est pas méchant, ne veut surtout pas l'être, car ce n'est jamais dans ses intentions. Il veut vous aider, mais il s'y prend gauchement; il ne vous demande même pas si vous avez besoin d'aide, s'il est là, c'est sûrement que vous avez besoin de lui.

Double signe de feu, Bélier, signe cardinal de commandement, Sagittaire, signe double, il va dans plusieurs directions à la fois. Il ne termine pas tout ce qu'il commence, du moins quand il est jeune. L'égalité, avec lui, ça n'existe pas: il est nettement supérieur à vous... il vous le dira, il réussira presque à vous en persuader si vous venez de le connaître... Si vous acceptez sa protection, si vous désirez être dépendant de lui, il y consentira. Il a ce grand besoin de se sentir comme «superman», et si vous le lui dites, il se gonfle de fierté, il rougit tout en acquiesçant que vous êtes dans le vrai et que vous n'avez jamais dit une chose plus intelligente!

Comme tous les doubles signes de feu, il a de grandes qualités. Il est loyal, passionné et fidèle en amitié! Amoureux, il ne l'est pas à demi, mais entièrement: fou d'amour! Il peut s'attacher, pour longtemps; il suffit de savoir rallumer sa flamme et elle prend vite. Un petit sourire, lui dire qu'il est sexy, appétissant, le meilleur, et ça y est... vous le possédez! Il se laisse prendre assez facilement aux compliments et aux caresses, il s'emballe. N'est-il pas moitié-homme moitié-cheval, et chèvre en plus? Ça court! Et surtout, laissez-lui beaucoup de liberté. Mais attention: il succombe aux occasions faciles!

Advenant une séparation, le choc est absolument terrible. Quand il aime, c'est pour la vie et il est certain que vous pensez la même chose. Comment ne pourrait-on pas l'adorer, lui qui ne brille que pour vous? Rien que pour vos yeux! Un vrai James Bond! Quand il s'absente, c'est sûrement pour une mission!

Et puis, quelques jours passent... ou une semaine, un mois... hop! il voit quelqu'un qui le regarde juste là... cette personne sait déjà quel être merveilleux il est... et le voilà reparti pour le grand amour!

Sa deuxième maison, dans le signe du Taureau, également le sixième signe du Sagittaire, fait de lui une personne qui aime le travail car il aime l'argent pour satisfaire ses goûts de luxe et pour prévenir, au cas où il en aurait besoin de plus! Cette deuxième maison est naturellement la position idéale pour l'argent! Il est bien rare de voir ces natifs manquer de quoi que ce soit. Ils ont parfois l'air de tout dépenser, mais il n'en est rien... à moins de bien mauvais aspects sur l'argent dans la carte natale. Ce natif, même s'il avait de mauvais aspects et qu'il subisse des revers financiers, saura toujours comment s'en sortir. Il est fort habile, comme la plupart des Sagittaire, à persuader les gens de participer à son entreprise et à investir, et, naturellement, il s'arrange pour retirer la plus grosse part du gâteau puisqu'il est l'initiateur du projet.

Sa troisième maison, dans le signe du Gémeaux, en fait une personne intelligente. Un débrouillard. On pourrait d'ailleurs lui donner une médaille pour cette discipline. Il bat les records. Un petit défaut s'infiltre dans sa débrouillardise: il n'est pas toujours honnête... ou du moins cache-t-il plusieurs de ses stratégies pour gagner le client. Le tout fait avec une telle diplomatie que vous ne pouvez lui en vouloir! Comme le Gémeaux est sa septième maison, donc symbolisant le conjoint, il lui arrive de ne pas dire toute la vérité à son partenaire, de lui jouer dans les pattes, comme on dit. Au bout d'un certain temps, rien n'est moins certain que ce stratège!

Sa quatrième maison, dans le signe du Cancer, le huitième signe du Sagittaire, laisse entrevoir que le natif a pu vivre certaines difficultés familiales, principalement sur le plan financier. Il est possible que la famille ait été le lieu d'une grande transformation de son être. Il a pu vivre des pertes importantes dans sa famille, par la mort de personnes auxquelles il était très attaché, ce qui a occasionné chez lui une puissance psychique et le développement d'un instinct peu commun, de même que le sens de l'opportunité. Lui-même, advenant qu'il fonde une famille, il y tiendra beaucoup, il voudra y maintenir l'union mais, s'il est plutôt absent, il se peut qu'il n'arrive pas à atteindre cet idéal!

Sa cinquième maison, dans le signe du Lion, son neuvième signe, en aspect extrêmement favorable avec son Soleil, lui donne l'occasion de rencontrer des gens de prestige, souvent même de côtoyer la richesse, et d'arriver finalement à vivre tout près de ces gens. On dit de lui qu'il est chanceux, car il réussit toujours à se hisser bien au-dessus de la classe sociale dont il est issu. Il possède une vibration peu commune, on l'aime instantanément! Il a le sourire, la facilité d'entrer en contact, d'avoir le bon mot pour flatter et pour que, finalement, on s'intéresse à lui, à ce qu'il fait. Un bon point qui lui apportera la possibilité de se faire valoir tout autant que d'étaler son projet.

Sa sixième maison, dans le signe de la Vierge, fait que plus il avance dans la vie, plus il a l'occasion de devenir fort et plus il développe cette possibilité d'avoir sa propre entreprise, d'avoir des employés qui travaillent pour lui, mais... Puisque rien n'est parfait, notre natif risque de ne pas être aussi aimé par son personnel qu'il le croie... Il arrive qu'il fasse travailler les autres à bon marché, qu'il profite de son charme pour persuader son personnel qu'il travaille pour une bonne cause! Ce truc ne marche pas à vie! Un jour ou l'autre il aura bien quelques problèmes avec les employés, question d'argent! Mais avec sa chance, encore une fois il réussira à s'en sortir!

Sa septième maison, dans le signe de la Balance, lui fait naturellement désirer l'union, l'amour, le partage. Et comme ce signe est également son onzième signe, soit celui d'Uranus, qui symbolise le divorce, un jour que le ménage est en péril – car le Sagittaire a le grand défaut de s'absenter fréquemment – il se rend à peine compte que l'autre a aussi besoin de son amour, de sa présence et qu'une relation sexuelle ne fait certainement pas un couple! Il fera tout pour sauvegarder l'union advenant la possibilité d'une rupture! Si le mariage tient, c'est que le natif a alors vraiment trouvé la compatibilité parfaite! Cas rare de nos jours, puisque, trop souvent, on se marie pour les apparences, un beau gars, une belle fille, un gars avec de l'argent, une fille bien habillée, et le reste... Le Sagittaire se laisse prendre aux apparences, c'est un signe de feu, double... un emballé! Bien que le feu soit intuitif, il aime que ça brille de «tous les feux». Évidemment qu'il y a certains feux de paille, feux de foyer, feux de camp... le feu éternel est d'une extrême rareté.

Sa huitième maison, dans le signe du Scorpion, signe qui le précède, donc son douzième signe, signifie une part d'épreuve! Il arrive donc qu'une relation sexuelle en dehors du lien du mariage soit le moteur qui active sa transformation tant psychique, financière que matrimoniale! Il lui arrive d'être infidèle, ce qui survient à de nombreux Sagittaire qui ne peuvent résister à l'appel de leur nature, le feu étant aussi une impulsion. Ascendant Bélier, une autre impulsion de type animal!

Cette position favorise tout de même sa curiosité pour ce qui touche l'humain, les motifs qui l'animent. À un moment de sa vie, il ne peut résister à vouloir comprendre, savoir, expliquer ce qui le pousse à agir et ce qui pousse aussi autrui à agir. Cette position donne parfois d'excellents médecins, tant pour la médecine du corps que pour celle de l'âme! Il lui faudra commettre quelques bêtises de ce côté avant de comprendre qu'on ne joue et qu'on ne se joue de personne, et qu'en fin de compte c'est le plus mauvais service qu'on puisse se rendre à soi-même! Quand ce natif aura intégré le processus d'action et de réaction, il commencera à être plus sage et peut-être sera-t-il capable d'aller encore plus loin... Tout ce qu'on pense devient une réalité, aussi est-il préférable de ne penser que du bien!

Son Soleil se trouve dans la neuvième maison de son ascendant, position idéale pour lui. Il «retombe toujours sur ses pattes» quels que soient les événements contrariants qui surviennent dans sa vie, à moins de bien mauvais aspects dans sa carte natale. Position qui peut faire de lui un philosophe, un sage, s'il cesse de gambader comme une «chèvre». Il possédera à l'intérieur de lui l'amour humain sans différence. Le besoin d'action est grand et il renouvelle son énergie quand il fait un sport et il peut devenir l'élite de son groupe. Une position également qui le pousse à réunir beaucoup de gens autour de lui. Il a une nature stimulante et on aime sa présence qui redonne sans cesse le courage d'aller de l'avant. Jamais, ou bien rarement, il découragera une personne de ses rêves. Lui il croit, il a un idéal, faites comme lui et vous verrez, ça marche!

Sa dixième maison dans le signe du Capricorne, second signe du Sagittaire, le pousse avec l'âge s'il ne commence pas tôt, ce qui est souvent le cas, à amasser un «petit magot» qu'il garde pour lui tout seul. Il n'est que rarement à court d'argent et de plus il a l'art de se faire offrir repas, cadeaux, faveurs qu'un autre devra payer, mais pas lui. Quand il oublie régulièrement sa carte de crédit, son argent, avec les mêmes personnes, on finit par trouver qu'il «coûte cher» et rapporte peu! Ça lui arrive de s'inviter chez vous à l'improviste; il s'évite ainsi un dîner au restaurant, de plus il a une agréable compagnie! Si à tout hasard vous en avez un comme ça dans votre entourage, qui ne vous rembourse jamais ce que vous faites pour lui, dites-le-lui gentiment, à part, et vous verrez quelle surprise il vous fera pour réparer son manque! Ça sortira de l'ordinaire! Tout feu qu'il est. Il ne voudrait surtout pas qu'on cesse de l'aimer. Ce natif est capable d'entendre la vérité et de se corriger. Il fera d'autres erreurs, personne n'est parfait, mais certes pas la même.

Sa onzième maison est dans le signe du Verseau, maison des amis. Il en a beaucoup, partout, dans tous les pays qu'il a visités. Il a gardé cartes professionnelles, numéros de téléphone et adresses; il s'est arrangé pour être de nouveau le bienvenu; après tout, il a été agréable, il a fait rire ces gens qui se seraient ennuyés s'ils ne l'avaient jamais connu. Ce natif a de multiples connaissances sur une foule de choses. Il est plus observateur qu'il n'en a l'air et il utilise ce qu'il a appris au bon moment. Il aime parler, discourir, raconter. On ne s'ennuie jamais avec lui. Il a une grande facilité pour apprendre d'autres langues. Souvent c'est à l'adolescence, vers la dix-septième année qu'il décide de l'orientation de sa vie qui peut tout aussi bien être intellectuelle, sportive, artistique... il peut tout faire, il a même l'embarras du choix. C'est souvent ce qui arrive aux gens doués, rapides d'esprit et d'exécution. Seule son impatience peut lui jouer des tours. Il doit surveiller la vitesse quand il conduit une voiture... le trafic est toujours trop lent et lui, toujours pressé.

Sa douzième maison, celle de l'épreuve, se trouve dans le signe du Poissons, le quatrième signe de son ascendant. Aussi arrive-t-il souvent à ces natifs d'avoir subi des heurts, d'avoir vécu des conflits au sein de leur famille, dont ils tendent à se détacher le plus tôt possible dans la vie quand c'est le cas. Le natif n'est pas toujours réaliste en ce qui concerne sa famille; il tient souvent à la «placer» sur un piédestal, à s'illusionner sur ses membres, qu'il s'agisse de sa mère, de son père, ou de ses frères et sœurs. Il préfère souvent ne pas voir la vérité à leur sujet et entretenir un rêve qui les rend beaux à tour de rôle. En fait quand il soupçonne qu'ils ne sont pas heureux, que l'un des membres est en difficulté, il voudra aider, se dévouer: ce qui n'est pas un tort. Même si le natif s'en va au loin, il reste attaché à ses racines. Qu'elles soient bonnes, c'est merveilleux, mais si elles ne le sont pas, il risque à son tour de reproduire inconsciemment un foyer où il n'y aura aucune communication réelle. Il doit surveiller cet aspect qui le porte à idéaliser la mère pour les natifs masculins, et à s'opposer à la mère pour les natives tout en les imitant dans ce qu'elles n'aiment pas.

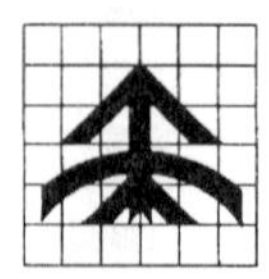
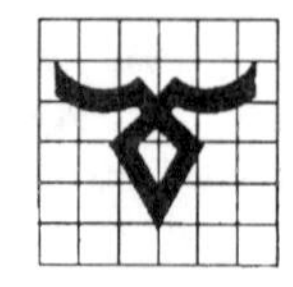

SAGITTAIRE ASCENDANT TAUREAU

Tout d'abord, il va vous en mettre plein la vue sur ses possessions, ses propriétés, ses talents, ses capacités, ses dons, son sens de la psychologie, ses pouvoirs paranormaux, son talent pour les affaires financières, ses voyages au bout du monde... et ça n'en finit plus. Il parle, il parle... Il parle de lui et il ne sait pas qui vous êtes, ou si peu, et est-ce que ça l'intéresse?... Une oreille pour l'entendre et peut-être finirez-vous par parler à quelqu'un d'autre de cette personne merveilleuse que vous avez rencontrée!

Malgré quelques petits défauts agaçants, c'est une personne généreuse et fondamentalement bonne, sauf quand il y a de l'argent en jeu... un gros montant naturellement. Les dix et les vingt dollars, ce ne sont que des pourboires!

Il fait des efforts, sous toutes ces apparences, pour découvrir qui il est vraiment. La philosophie, les sciences paranormales l'intéressent, le monde invisible le fascine, il cherche une réponse... Il sait très bien qu'il se gave d'illusions et que la vraie vie se passe à l'intérieur de soi, dans le cœur, et non dans un compte en banque!

Il aime le plaisir, la jouissance, la bonne compagnie, la bonne table, le bon vin. Il a du mal à imaginer qu'on puisse être méchant, sans-cœur, traître, ignoble, infâme. Pour lui, la vie c'est sain, il aime le grand air, les amis qu'il invite pour partager sa fête, il cherche à voir le beau côté des gens!

Quand il vous offre un cadeau, ce n'est pas pour vous acheter, il est sincère, il veut vous être agréable. Si vous lui faites une surprise, il ne sait même plus comment remercier, il en rougit, ça le met mal à l'aise. Il a, en plus, la sensation qu'il vous doit quelque chose.

Il supporte mal la solitude. Il a besoin de se sentir utile et il apprend à vivre pleinement au contact des gens. Il aime les enfants, sa famille est en sécurité avec lui et il n'abandonnera jamais son rôle de parent. Il arrive malheureusement qu'on le quitte brusquement; il peut aussi arriver qu'il ait provoqué cette rupture, si la personne avec qui il vivait ne voulait pas être aussi humaine que lui et refusait toute évolution ou si la personne le dérangeait pour d'autres raisons, entre autres, le respect de sa liberté tant d'action que d'expression.

Raison, sensibilité, passion, affection, il est tout ça. Surtout ne vous laissez pas étourdir par lui au départ, il a tant besoin de partager, d'attirer votre attention, que vous avez l'impression qu'il en met! Et peut-être que tous ces talents qu'il vous a démontrés sont aussi vrais que sa personne. Allez donc voir de plus près... Plus il vieillit, plus il devient sage... son but c'est la perfection! Comme tous les autres signes, il a du chemin à faire, la perfection n'étant que rarement de ce monde, comme le dit si bien ma mère!

Sa deuxième maison, dans le signe du Gémeaux, soit son septième signe, est la maison du conjoint. Souvent il est lié financièrement au conjoint, soit par le travail, soit purement et simplement par la dépendance financière. Il ne s'en offusque pas outre mesure s'il vit dans la dépendance.

On lui doit ça, il vaut son pesant d'or, il en est persuadé! L'attitude du Sagittaire en est souvent une de prétentions intellectuelles, et ça marche. On le croit bien plus fin et bien plus intelligent que beaucoup d'autres plus discrets, moins tape-à-l'œil! En fait, le Sagittaire ne s'en rend pas compte, il est persuadé dès sa naissance qu'il est précieux. Il est né sous l'influence de Jupiter, la plus grosse planète connue du système solaire, pour l'instant. Ce natif peut parfois gagner de l'argent dans le monde des lettres, le journalisme, ou par la parole... j'ai rarement vu des Sagittaire qui avaient la langue dans leur poche! Il est tout de même avide de connaissances et il arrive qu'il s'intéresse grandement à l'astrologie ou au monde ésotérique, ce qui l'aide à se découvrir, et là il peut apprendre qu'il en sait peu!

Sa troisième maison, huitième signe du Sagittaire, le Cancer, le rend fort habile dans les négociations financières, les placements, la Bourse même. Il est habile avec la paperasse du style ministériel, les rapports de tous genres. Il aime recevoir chez lui, sur son territoire. Il aime discuter des sujets du type lunaire, des écrits, de la musique, de ceux qui inspirent. Il aime la présence des gens créatifs, expressifs. Il n'aime pas le mensonge, les demi-vérités. Avec de bons aspects dans le signe du Cancer, il y a une grande possibilité que le natif s'adonne sérieusement à la recherche ésotérique.

Sa quatrième maison se situe dans le signe du Lion, les enfants, la famille, le foyer. Il est attaché à une certaine tradition, vit le plus souvent dans des maisons luxueuses, et il s'intéresse de près, pourvu qu'un Sagittaire puisse le faire, au développement de ses enfants. On peut constater fréquemment que les enfants des natifs du Sagittaire ont des problèmes émotifs ou de comportements. Le Sagittaire ne se rend pas compte qu'il leur lance deux messages: se conformer aux normes, puis faire ce qui leur plaît! Parfois, faire ce qui nous plaît n'est plus dans la norme! Et voilà que ses enfants n'arrivent pas à trouver une identification.

Sa cinquième maison, dans le signe de la Vierge, crée chez lui une forte attirance pour les arts. Il aimera aussi se trouver en présence d'artistes. Il peut arriver qu'il soit un peu paresseux; il est habile, d'ailleurs, à faire faire son travail par les autres. Encore une fois, il a peut-être le talent pour écrire. En amour, il peut être tiède. Au début d'une relation il pourra s'emballer, du moins tout le temps que durera sa découverte de l'autre. Quand il se rendra compte qu'il n'en retire plus rien, ou presque... que le citron est pressé... peut-être pourra-t-il commencer à se désintéresser de son partenaire amoureux. Il adore les arguments et, finalement, ne pas être d'accord avec lui c'est le tenir en respect, et il aime bien lutter pour mériter l'autre!

Sa sixième maison, dans le signe de la Balance, indique encore une fois que le natif est attiré par les arts, la musique, le droit, la justice, la politique, et par tout ce qui touche le domaine social où il y a un tort à réparer et qui paie naturellement. Le Sagittaire sait toujours se faire payer, l'exception fait la règle. Il arrivera souvent qu'il rencontrera l'amour sur les lieux de son travail ou dans un endroit public non loin d'où il travaille. Généralement, il se lie rapidement, il sait entretenir une conversation et, à la fin, terminer par un point d'interrogation, laissant l'autre sur sa faim... et ainsi provoquer une autre rencontre!

Sa septième maison est dans le signe du Scorpion, maison d'union dans un symbole de destruction... il est rare qu'un mariage dure! Il s'ensuit souvent que, dans sa vie de couple, le natif se sente persécuté, mais il lui arrivera fréquemment aussi de blesser l'autre. Le Scorpion étant le douzième signe du Sagittaire, donc symbole d'épreuve pour lui, il est possible que la détérioration de la vie de couple commence par une mésentente sexuelle. Le natif du Sagittaire, en fait, veut bien que ça se passe à son heure et selon son désir... il ne laisse pas beaucoup de choix à l'autre! Sans doute que le Sagittaire finira par comprendre et que, s'il y a deuxième union, il sera plus délicat envers les désirs de son conjoint.

Son Soleil se trouve donc en huitième maison, symbole de destruction, mais aussi de restructuration. Il est possible que ce natif soit plus destructeur pour son entourage qu'il croit l'être. Il fait tout au nom d'une justice dont il est le seul à détenir les règlements. Mais cette position le force à se transformer, à regarder autour de lui autre chose que son nombril! S'il croit souvent avoir beaucoup d'amis, c'est qu'on n'ose pas vraiment le contrarier. Finalement, on le ressent dans toute sa peur et on lui donne une chance de changer sans vraiment avoir envie de le fréquenter davantage. Arrive un moment où il change, du moins il le peut s'il ouvre les yeux sur le résultat de sa vie. Ce natif peut vouloir briller avec de l'argent, mais l'argent ne signifie pas que vous êtes bon! Il symbolise que vous avez le tour d'en faire! On peut impressionner quelqu'un un court moment, en fait, mais on ne peut jamais l'acheter.

Sa neuvième maison, dans le signe du Capricorne, symbolise que le natif pourrait se remarier quand il aura atteint l'âge mature, soit après 45 ans, et commencer avec ce deuxième mariage à transformer ses valeurs. Il devient plus sage avec le temps, la réflexion lui fait du bien. Et il arrive que quelques années d'isolement, c'est-à-dire lorsqu'il est moins pris par les apparences et plus sensible à la nature profonde des gens, lui fassent le plus grand bien et qu'enfin il puisse se faire des amis, non pas par intérêt mais par complémentarité émotionnelle.

Sa dixième maison, celle de la carrière dans le signe du Verseau, le guide vers des sommets quand même. Il peut faire une longue carrière dans un domaine public au service de la masse. Il peut être fort habile avec les «machines modernes», tels les ordinateurs, la télévision, l'électricité, bref, tout ce qui pourrait être synonyme d'ondes ou de déplacement rapide. Il pourrait même occuper un poste supérieur dans une entreprise, à moins qu'il ne soit trop paresseux pour lever le premier doigt; s'il le fait, le reste vient tout seul, la chance l'accompagne!

Sa onzième maison, dans le signe du Poissons, est en aspect négatif avec le Sagittaire, ses amis. Il risque de ne pas en avoir beaucoup. Bien sûr qu'il connaîtra une foule de gens, mais entre connaître et reconnaître, la marge s'élargit. Il aimera fréquenter des gens dans différentes couches de la société, pour différentes raisons, mais pas nécessairement parce qu'il aime tout le monde.

Sa douzième maison, celle de l'épreuve dans le signe du Bélier, soit son cinquième signe, symbolise qu'il peut vivre un ou plusieurs drames d'amour, que ses amours risquent d'être fugitives. Cette maison, avec de mauvais aspects, peut faire du Sagittaire-Taureau une personne à la fidélité douteuse. Une autre épreuve peut survenir dans la progéniture, surtout en ce qui a trait à l'équilibre émotif de l'enfant du natif. L'épreuve symbolise également l'évolution du sujet. À travers ses enfants, il peut grandir; à travers ses amours, il peut apprendre à être lui-même et sans artifice.

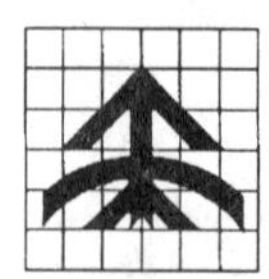
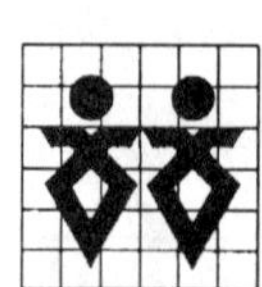

SAGITTAIRE ASCENDANT GÉMEAUX

Si vous en avez la patience, essayez de lui faire prendre quelque chose au sérieux, d'avoir avec lui une conversation sur le même sujet durant cinq bonnes minutes! Il veut tout dire et veut tout apprendre en même temps!

Double signe double! Feu et air! Un air chaud, il vous fait transpirer, il y a tellement de feu qui monte dans l'air que ça devient suffocant! Ou amusant!

Vous avez un travail à lui offrir? Que cela ne demande pas trop d'efforts et que ce soit payant! Et amusant en plus! Et qu'il ait quelque chose à en retirer: il aime apprendre.

C'est un merveilleux acteur, amusant, charmeur. Il adore avoir un public pour le distraire, le fasciner, se faire admirer, l'applaudir, debout de préférence! Curieux intellectuellement, informé sur une foule de choses, il ferait un excellent journaliste. Un peu commère: confiez-lui secrètement quelque chose que vous voulez que tout le monde sache... vous avez la bonne personne... il s'échappera!

Sa deuxième maison est celle de l'argent dans le signe du Cancer. Argent du foyer, par le foyer, par la femme ou le mari, argent de la famille. Ce natif n'aime pas vraiment faire d'efforts pour le gagner et il croit à sa bonne étoile et, effectivement, c'est une bonne idée! Il est doué pour faire de l'argent avec des placements, l'immobilier, les organismes gouvernementaux. Il aimera jouer un rôle en public, prendre la parole et, croyez-moi, il saura se faire écouter. Perspicace, il peut faire un bon psychologue, car il saisit les gens avant même de leur parler. Cependant, il a la mauvaise manie de ne pas écouter à son tour, alors que certaines informations lui seraient très utiles. Ce natif a peut-être des chances d'hériter... il peut aussi gagner à la loterie.

Sa troisième maison, dans le signe du Lion, le neuvième signe du Sagittaire, l'incite à faire carrière dans l'enseignement où il excelle. Excellent défenseur des droits d'une communauté, quand il croit à une cause, il parle directement, sans détours, et dit bien ce qu'il veut dire sans vraiment songer que vous pourriez avoir une réaction négative. Il lui arrive de ne pas être diplomate, de blesser en voulant dire la vérité, toute la vérité.

Il aime les enfants, il se sent à l'aise avec eux: en fait, avec cet ascendant Gémeaux, il devient l'un des meilleurs éducateurs Sagittaire. Il aime enseigner, il aime se faire aimer des élèves, et pour se faire aimer, il faut être aimable. Il peut manquer de patience, mais cela s'apprend s'il en prend conscience. Intelligent, sa vivacité d'esprit est surprenante. Il est de compagnie agréable avec les gens. Il possède en lui-même un grand idéal qu'il n'est pas pressé de définir. Quand on vit avec l'opposé de son signe, on veut faire plaisir à tout le monde, ce qui est une entreprise utopique... mais on s'en guérit avec le temps. Sous ce signe et cet ascendant, le natif veut tout savoir. Quand il s'adonne à une étude, à un travail, il s'y livre à fond, passionnément, jusqu'à en oublier bien d'autres devoirs ou obligations.

Sa quatrième maison, dans le signe de la Vierge, lui procure souvent un foyer où rien n'est tout à fait clair: une mère qui critique ses comportements et avec laquelle il peut vivre quelques confrontations ou conflits de personnalité. Il arrive qu'il ait une mère extrêmement nerveuse et insécure qui, finalement, lui transmet l'envie de s'assurer une sécurité, sans tenir compte qu'il a un idéal bien à lui. Il mettra du temps à se libérer de l'emprise maternelle et à décider par lui-même, du plus profond de sa personnalité, ce qui est le meilleur pour sa vie.

Sa cinquième maison, dans le signe de la Balance, le rend romantique, lui fait voir l'amour en couleurs. Il tient à vivre et à partager sa vie avec quelqu'un, mais, comme à tout bon Sagittaire, il faut lui laisser sa part de liberté. Vivant avec l'opposé de son signe, il peut consacrer sa vie à l'amour et la centrer sur lui, du moins durant la première partie de sa vie, puis, ayant vécu cette phase, l'ayant entretenue, il peut à un autre moment ressentir le besoin d'élargir ses horizons au-delà de sa relation sentimentale. Les divorces sont nombreux sous ce signe. Mais si le natif tient profondément à sa relation, il arrivera à se composer une vie où il peut agir socialement sans détruire ce qu'il a bâti dans sa vie de couple. Si, à tout hasard, il y avait de mauvais aspects dans cette maison, au sujet de ses amours, il pourrait se concentrer sur un art quelconque et vivre avec son art comme on peut vivre avec l'amour. Cette position indique que le natif impose parfois trop de restrictions à ses enfants; en fait, il veut qu'ils soient comme il pense. Les enfants sont la composition de deux parents qui donne un individu distinct et qu'il faut accepter comme tel!

Sa sixième maison, celle du travail, se trouve dans le signe du Scorpion qui est également le douzième signe du Sagittaire, ce qui pousse le natif à s'intéresser de près à l'astrologie, aux sciences occultes. Il peut faire un excellent astrologue. Cette position, encore une fois, peut faire de lui un bon médecin et même un guérisseur. L'énergie est extrêmement puissante sous ce signe puisqu'il s'agit d'une combinaison air et feu qui peut faire une belle explosion positive quand le natif l'est. Il est curieux de tout ce qui anime l'humain depuis les couches profondes de son subconscient. Avec de bons aspects de Neptune et de Mars, il peut faire quelques miracles dans sa vie.

Son Soleil se trouve en septième maison, ce qui le prédispose soit à une vie consacrée à l'amour pour le conjoint et la famille, soit à une création. Cette position favorise ceux qui veulent devenir célèbres, reconnus dans un domaine quelconque. Grâce à ses puissantes vibrations, il ne passe pas inaperçu. Advenant le cas où il choisit une carrière théâtrale, il y a de fortes chances qu'un jour sa carrière monte en flèche jusqu'au cinéma international.

Entier dans tout ce qu'il fait, il se passionne finalement pour le moment présent de sa vie. Il essaie de vivre au jour le jour, ce qui peut retarder le choix d'une carrière où, pour réussir, il faut mettre beaucoup d'énergie et de temps et vouloir sans cesse se dépasser.

Sa huitième maison, dans le signe du Capricorne, l'invite donc à une longue vie sur la planète, où il aura beaucoup à raconter à ses petits-enfants! Et peut-être bien à leurs enfants aussi! Plus il vieillit, plus il devient sage, et plus il est agréable de passer des heures avec lui. Il parle beaucoup. Et quand il croit à quelque chose, qu'il se passionne pour un sujet, il devient intarissable. Il ne manque jamais non plus d'y ajouter quelques petites notes personnelles, sorties tout droit de son imagination et qui vous feront sourire avec un arrière-goût de scepticisme. Il n'a pas voulu mentir, il a juste voulu enjoliver un fait. C'est un acteur, ne l'oubliez pas. Il joue son rôle et devient le personnage au point que le personnage c'est bien lui.

Sa neuvième maison, dans le signe du Verseau, lui fait désirer une paix universelle. Il est essentiellement pacifique, à moins qu'il n'ait à combattre quelques idées dont il est persuadé et qui demandent qu'on se révolte pour les faire accepter. Mais il fera d'abord tout pour que ça se fasse en paix. Il est capable de se dévouer pour des œuvres lointaines. Profondément croyant, cette même foi le guide souvent vers le bonheur, un plaisir de vivre renouvelé. Il peut faire un excellent philosophe, audacieux, passionné de renouveau. Il n'est pas certain qu'il se fera accepter tout de suite. Cette position favorise les innovateurs du côté cinéma et télévision.

Sa dixième maison, dans le signe du Poissons, provoque toutes ses hésitations sur le plan carrière à moins que de bons aspects ne lui tracent une ligne droite qui l'aide à faire son choix. Il est fasciné par les religions, l'ésotérisme, et voudrait aider tout le monde. Un jour il décide de prendre telle direction, et un autre il est bien loin de l'idée de la veille. Le temps lui vient en aide et s'il se fie à son intuition quand il reçoit un message intérieur, ce qui est fréquent sous ce signe, s'il écoute ce que son être profond lui dicte, il pourrait choisir plus rapidement... mais regardez-le, il écoute tout ce qui se passe autour de lui, voulant intervenir ici et là et lui, dans tout ça, où se situe-t-il exactement?

Sa onzième maison se situe dans le signe du Bélier, ses amis. Il se choisit donc pour amis des gens passionnés, des gens imprudents aussi, à qui il peut donner des conseils! Il sera respectueux envers eux. Il en aura plusieurs mais, en général, il n'en a que peu à qui il confie vraiment tout. Pour être son ami, il faut partager au moins une de ses passions et faire des pas dans la même direction, vers la même évolution. C'est ainsi qu'il conçoit qu'on peut être l'ami de l'autre, en partageant quelque chose qui nous fasse grandir. Il est généreux avec ses amis. Il mettrait sa main au feu pour les défendre si on venait à les attaquer.

Sa douzième maison, celle de l'épreuve, est dans le signe du Taureau, le sixième signe du Sagittaire. L'épreuve vient d'un choix à faire dans un domaine quelconque, dans le travail. Il peut s'ensuivre quelques difficultés d'argent dont il se sortira, tous les Sagittaire le peuvent, mais il aura plus de mal que les autres à le faire. Il fait partie de ces Sagittaire qui axent leur vie beaucoup plus sur autrui et sur leurs connaissances que dans le matérialisme et l'ascension pure. L'amour peut aussi devenir un problème à un certain moment; le conjoint peut être malade, le natif se dévouera, peut-être même fera-t-il un miracle en lui transmettant son énergie. Les maux de gorge peuvent être fréquents, il lui faut surveiller ce point. Certains auront tendance à s'alimenter trop richement et il leur sera difficile de suivre un régime car ils succombent vite au plaisir!

J'ai rarement vu de «vilains» Sagittaire-Gémeaux. Bien au contraire, ils avaient à cœur d'avoir une vie remplie, au service d'autrui. Quand ils travaillent dans un domaine social, ils sont les numéros un du dévouement. Ils aiment être présents, parader aussi, mais, par-dessus tout, ils aiment la vie et la respectent.

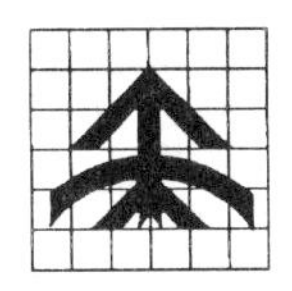

SAGITTAIRE ASCENDANT CANCER

Il est plutôt difficile de lui dire quoi faire ou de lui dire qu'il fait quelque chose de travers. Vous avez aussitôt droit à des yeux qui vous fusilleront, à des paroles qui frôleront la grossièreté et à une bonne période de bouderie au cours de laquelle il réfléchira et commencera à regretter d'avoir été aussi mauvais garçon ou aussi mauvaise fille!

Dès sa naissance le ciel le pourvoit d'une multitude de dons: l'homme ou la femme d'affaires, l'acteur, l'artiste-peintre, l'écrivain, le chanteur, le musicien, le magicien, l'imitateur, et la liste continue... la valise est pleine, trop lourde, on ne l'accepte pas dans l'avion... il faut qu'il fasse un choix... quel malheur... tiens le voilà qui boude...

Son magnétisme est puissant, dans ses yeux vous trouvez à la fois le regard du plus grand criminel et du plus grand missionnaire! Et quand il ferme les yeux il se demande à quoi il peut bien ressembler. Il a du mal à se faire une idée sur sa propre personne.

Il est persuasif. Vous voulez lui faire faire quelque chose qu'il n'a pas du tout envie de faire. Attention... il a plusieurs cordes à son arc... il parlera, causera un peu... pendant ce temps vous serez de corvée et c'est tout juste si ce n'est pas vous qui allez le remercier d'avoir été là!

Il a grand besoin de stabilité et d'encouragements pour se décider enfin à exploiter l'un de ses multiples talents. La réponse, en général, lui arrive comme un éclair, «au clair de lune» alors qu'il cherchait à voir Jupiter!

C'est un grand fantaisiste; n'insistez pas s'il vous dit qu'il ne veut pas devenir physicien ou mathématicien ou horloger... N'insistez pas, mais s'il vous dit qu'il a un penchant pour le domaine artistique, mettez tous les moyens à sa disposition, approuvez, le résultat sera fabuleux.

Il faut éviter toute critique à son égard ou alors faites-le avec la délicatesse d'un ange, en lui jouant de la harpe! Son ascendant Cancer régi par la Lune est en mouvement perpétuel, il n'en faut pas beaucoup qu'il ne perde confiance en lui.

Il n'est pas particulièrement démonstratif en amour, il attend que vous alliez à lui, comme si vous deviez lui donner la preuve que vous l'aimez, mais une fois que vous aurez fait le premier pas, que vous l'aurez rassuré sur l'amour que vous lui portez, alors vous ne pourrez plus compter le nombre de fois où il vous dira qu'il vous aime, que vous êtes une merveille, que vous êtes un être parfait... Non, non, vous ne pourrez plus les compter et lui non plus, sa capacité d'aimer augmente avec le temps en plus!

Sa deuxième maison, celle de l'argent dans le signe du Lion, en bons aspects avec son Soleil lui rend la vie facile financièrement, même s'il s'en plaint! Il voudra surtout gagner son argent dans le milieu artistique. Il fera un bon négociateur, il sait combien il vaut, il vaut cher, c'est certain, mais il respectera ses contrats jusqu'à la fin, pourvu que ce soit payant. Il aime le luxe, les belles choses originales de préférence. Il ne voudrait surtout pas ressembler à personne.

Sa troisième maison, dans le signe de la Vierge, lui donne une grande intelligence vive. Il peut apprendre n'importe quoi, le problème c'est de faire un choix. Il aura du mal à se concentrer, pendant qu'il fait telle chose, il pense déjà à une autre qu'il aura encore plus de plaisir à accomplir. Il a le sens du détail et il est d'ailleurs fort en critique, mais il ne supporte pas qu'on lui en fasse une. Avez-vous déjà vu un Sagittaire avec des défauts? Jamais, vous dira-t-il. Il est égocentrique. Lui d'abord, et sur plusieurs plans; faites-le-lui remarquer et il vous dira que vous êtes trop exigeant ou trop pointilleux! Esprit de contradiction: dites-lui que ce qu'il porte lui va bien et il va aussitôt soupçonner que vous avez certainement remarqué quelque chose qui n'allait pas chez lui et que vous ne voulez pas lui dire quoi. Lui, il ne se gêne nullement pour vous faire des remarques, même quand elles sont désobligeantes. Il en a le droit. Il vous dira qu'il a la liberté de parole. Ce natif excelle dans le monde de l'imagination, de la créativité, mais comment exploitera-t-il son talent? Domaine du roman, du journalisme, de l'improvisation? Peut-être devrait-il s'orienter vers la médecine? Il y a tout plein de monde malade! Bref, il peut apprendre n'importe quoi, il suffit qu'il choisisse une direction.

Sa quatrième maison est dans le signe de la Balance, son foyer! Il y est généralement bien traité, mais son esprit critique le porte parfois à croire qu'on est mieux ailleurs.

Cette maison représente le foyer, la mère. La mère de ce natif est souvent une mère de nature autoritaire sans en avoir l'air, cérébrale, d'où naissent certains conflits d'autorité. Un Sagittaire doit-il accepter des ordres et des conseils? Jamais, vous répondra-t-il, et surtout pas de sa mère, même s'il l'aime beaucoup. Rarement ces natifs se complaisent dans une vie de famille, qu'ils en fassent partie ou qu'ils soient eux-mêmes parents. Ils préfèrent la société et les rapports divers. Le foyer a pu être soumis à quelques changements brusques à la suite d'un déménagement, d'un conflit avec les parents, d'une maladie. Dans tout ça, le natif s'en tire bien, il se contentera de critiquer, soit qu'il n'aime pas le nouveau lieu de résidence, soit qu'il trouve impensable que ses parents se séparent, parce qu'il tient aux deux, soit qu'on pourrait certainement mieux soigner telle personne malade... Bref, il voit tout et décide de ce qui est bien et mal pour toute une colonie!

Sa cinquième maison, celle de l'amour dans le signe du Scorpion, n'a rien d'idéal! Ce n'est pas une bonne position non plus pour faire des enfants. Ces mêmes enfants, quand il en a, peuvent le déranger dans son plan de vie, tomber malades et devenir un poids pour le natif. Sa nature l'incite à se consacrer à une vie sociale plutôt qu'à une vie familiale. On peut le tromper et il peut aussi très bien tromper à son tour. Il n'oubliera pas si on l'a trahi ou blessé dans le domaine sentimental, il est même rancunier et vengeur. Rarement les Sagittaires le sont, mais celui-ci aurait une tendance à le faire.

Son Soleil en sixième maison, maison du travail, signe double et de plus Sagittaire signe double, voilà notre natif bien mal pris dans ses choix! Les aspects de Mercure, son Soleil et Jupiter dans sa carte natale sont les principaux indices de son meilleur talent, celui dans lequel il peut être heureux et exceller. La santé n'est pas vraiment excellente dans cette position; le natif est sujet à attraper des microbes quand ils se baladent dans l'air. Il y aura également des périodes où il sera difficile à supporter à cause de son humour changeante. Faites-lui donc remarquer, quand vous le verrez boudeur, qu'il y a cinq minutes il chantait... Il ne s'est absolument pas rendu compte qu'il a été assailli par ses doutes et ses peurs, mais en lui faisant prendre conscience de la situation, il peut très bien s'en guérir. Après tout, la mauvaise humeur n'est qu'une mauvaise habitude de l'esprit et ça se change.

Se septième maison, dans le signe du Capricorne, lui fera désirer un conjoint doté d'une grande intelligence, de prestige, occupant un poste important, supérieur à la moyenne avec qui il peut discuter. Le Capricorne représente le père dans cette septième maison, et il arrive que le père de ce natif occupe un poste public ou en relation avec le public. Le plus souvent, le natif rencontre une personne à l'aise financièrement ou venant d'une famille qui possède un statut particulier. Il peut être fortement attiré par la politique et y jouer un rôle important à un moment de sa vie, surtout à sa pleine maturité. Le plus souvent, cette position laisse présager un mariage avant que le sujet soit définitivement consacré vieille fille ou vieux garçon! Il était jusque-là occupé socialement à se tailler une place.

Sa huitième maison, celle de la mort, des transformations, des divorces, des héritages, de la sexualité, de l'astrologie, des amis aussi, dans le signe du Verseau, fait que ce natif est plus facilement porté que d'autres à croire aux prédictions et peut même parfois être la proie de charlatans. Il devra faire bien attention quand il consulte un voyant. Il est très impressionnable quand on lui parle du monde invisible auquel il croit, même s'il ne l'avoue pas. Il peut être touché profondément par la mort d'un ami, et cela peut se produire dès l'adolescence puisque ce signe est le troisième du Sagittaire. S'il hérite un jour, il est possible qu'il éprouve des difficultés à retirer ce qui lui est dû, si les papiers ne sont pas parfaitement en règle. Sa sexualité peut être bien curieuse, la bisexualité n'est pas impossible ou, du moins la diversité des partenaires. Ce natif pourrait avoir des contacts avec le monde invisible, les morts, par exemple, qui lui transmettent des messages ou qui le guident dans ses choix de vie, à condition, bien sûr, que le mort n'ait voulu que son bien. Bref, ce natif vit une vie agitée, toujours pleine de rebondissements. Il ne s'ennuie pas, mais trop d'action peut le déranger dans sa rêverie. Il aime bien se retirer seul de temps à autre.

Sa neuvième maison, dans le signe du Poissons, également sa quatrième maison, en aspect négatif avec son signe, fait que son foyer se remplit parfois de toutes sortes de gens avec lesquels il n'est pas compatible. Il absorbe les vibrations de ceux qui entrent chez lui et peut se sentir mal à l'aise. Il est perspicace au point que, si vous lui demandez de vous décrire ce qu'il ressent face à une personne, il donnera l'heure juste, plus que vos propres analyses rationnelles.

Sa dixième maison, celle de sa carrière dans le signe du Bélier, le pousse à entreprendre jeune le chemin de la vie et de l'indépendance économique. Le facteur chance peut intervenir dans sa carrière, une occasion peut le lier à une entreprise dans laquelle il gravira vite tous les échelons vers le sommet. Il se passionne pour ce qu'il fait quand il a fait son choix, et il avance souvent à pas de géant, à la grande surprise des observateurs. Souvent, même les parents, au départ, se demandaient bien ce qu'ils allaient faire avec leur enfant. Son modèle, c'est souvent son père pour qui il a secrètement ou ouvertement une grande admiration. Cette maison, qui est aussi celle du père, indique souvent un père audacieux dans l'entreprise. Comme le Bélier est le cinquième signe du Sagittaire, le lien peut être étroit et fécond.

Sa onzième maison, dans le signe du Taureau, sixième signe du Sagittaire, représente les amis. Le plus souvent il se fera des amis au travail. En signe fixe, il pourrait s'attacher à un ou deux, le cercle sera limité bien que les connaissances soient multiples. Cette position laisse présager des amours dans le milieu du travail, amours qui courent le risque ne pas avoir une longue durée. Le sujet étant trop absorbé par la carrière, il n'a que très peu de temps pour les liens affectifs.

La douzième maison est dans le signe du Gémeaux. Symbole de l'épreuve, Gémeaux symbole de Mercure, dont il est possible que le natif puisse vivre périodiquement des baisses de vitalité liées à des états dépressifs. Plus romantique qu'il ne le laisse paraître, il veut absolument cacher ses émotions qui sont souvent pour lui un signe de faiblesse, car il essaie continuellement de vivre en cérébral. Il peut être secrètement amoureux d'une personne avec qui il a du mal à avoir une relation, ou il recherchera la relation difficile, une façon d'alimenter son imagination. Il se rend à peine compte qu'il se fait subir une sorte de restriction sentimentale en ne parlant pas à la personne en cause de la réalité de ses émotions pour elle. S'il se marie trop jeune, il peut arriver qu'il choisisse un conjoint alors que c'est un autre qu'il désire, comme si, en fait, il prenait plaisir à se tourmenter. Il pourra attendre l'âge de la maturité; revenu à la raison par la force du temps, il pourra s'éviter un divorce!

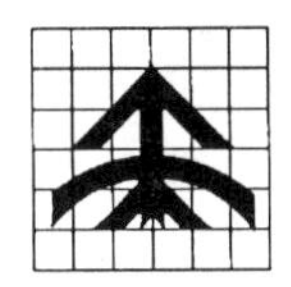

SAGITTAIRE ASCENDANT LION

Il veut se faire apprécier et vous devez le connaître! Il vous fera un feu d'artifice, dessinera un sourire sur la Lune, fera parler ses plantes, miauler son chien, japper son chat... Alors vous détournerez la tête, vous vous direz qu'il n'est pas ordinaire. Il commencera à vous parler, à vous charmer, à vous rendre même plus beau que vous ne l'êtes et, une minute plus tard, vous êtes tombé amoureux du Sagittaire-Lion ou vous vous êtes lié d'amitié avec lui!

C'est tout simplement impossible qu'on ne puisse pas l'aimer. Comme tous les signes de feu, sa flamme brille pour vous, mais aussi pour que vous puissiez la contempler.

Sagittaire, Jupiter, Lion, Soleil, voilà la puissance de projection, le succès dans la vie, la chance à tous coups, l'optimisme à revendre, la joie de vivre, le goût de l'aventure. Le risque ne lui fait pas peur, il sait qu'il va gagner! Et il gagne!

Il a foi en lui, en la vie, en tout ce qui respire et qui bouge, il a un saint respect de l'humain et de lui-même. De naissance, il a la bonne fortune de s'aimer lui-même, comment pourrait-on ne pas l'aimer?

S'il se fâche, ce n'est que pour un instant. Ne vous en inquiétez surtout pas, il n'est pas rancunier. Il vous fera aussi la promesse de ne plus recommencer jusqu'à la prochaine Lune contrariante... où il vous promettra de nouveau de ne plus recommencer, et vous croirez ce bon enfant.

Il a un grand, gros, énorme et terrible défaut: l'orgueil!

C'est là son talon d'Achille et toute sa vulnérabilité. Si vous voulez quelque chose de lui, allez-y tout de suite avec un compliment, ça ne rate pas. Des félicitations, de l'admiration, ayez les yeux écarquillés quand vous le regarderez, il sera certain que c'est parce qu'il vous épate. Dites-lui alors qu'il est épatant! Mettez-y toute la panoplie de compliments que vous connaissez... si c'était un contrat que vous vouliez lui faire signer... il le signerait aveuglément, ou presque.

Il s'est fait avoir...

Attention, pas pour longtemps!

Si vous l'avez trompé, il a des amis haut placés... Il ne vous fera pas casser les deux jambes, il n'est pas méchant, mais... peut-être que pendant longtemps vous ne pourrez plus faire aucun projet et que votre réputation sera ternie.

C'est un organisateur, un monsieur ou une dame qui sait s'allier avec le pouvoir, se faufiler, se faire inviter là où sont les gens d'argent, les politiciens, ceux qui tiennent les bonnes ficelles.

Ambitieux, il réussit à grimper, à monter plus haut, toujours plus haut, même le ciel n'est pas sa limite, la galaxie peut-être!

Mais il est beau à regarder parce que, au fond, il fait tout ça avec cœur, avec passion, avec sincérité. Son seul jeu, c'est la vérité.

En amour, il lui manque quelques principes de fidélité! Il faut être théâtral pour le retenir, car il aime les grandes scènes pathétiques, et quand il dit qu'il vous aime c'est définitivement vrai.

Sa deuxième maison, dans le signe de la Vierge, le rend pratique dans les questions d'argent. Il peut se faire prendre une fois, vous pourrez abuser de lui une fois, mais une seule!

Son travail s'orientera le plus souvent du côté administratif. Possibilité qu'on lui ait inculqué très jeune que, pour vivre heureux, vieux et en santé, il est préférable de devenir riche. Doué pour suivre des cours universitaires, un secteur où ça rapporte naturellement, il est habile avec la paperasse et il sait très bien faire attendre ses créanciers quand il en a. Pendant ce temps, ses intérêts s'accumulent. Les entreprises qui touchent à l'alimentation peuvent exercer une attraction particulière sur lui. Naturellement il s'occupera du côté administratif.

Sa troisième maison, dans le signe de la Balance, lui donne un esprit vif, le sens de la repartie et l'habileté dans tout ce qui a trait à la justice. Il est communicateur, pour ne pas dire bavard! Mais on l'aime tout de suite, quoi qu'il dise; il a l'intention de vous plaire et il est d'une logique irréfutable dans ses arguments sur un point donné où il s'y connaît et où il n'est pas d'accord avec vous. L'adolescence est une phase importante dans l'orientation de sa carrière, c'est le plus souvent à cet âge qu'il prend «sa» décision.

Sa quatrième maison, celle du foyer, de la mère, dans le signe du Scorpion, symbolise des transformations dans le subconscient. Il arrive donc que le sujet ait ou ait eu une mère extrêmement perspicace, maternelle, protectrice, et surprotectrice dans de nombreux cas. Elle étouffe même son enfant... sans le vouloir. Aucune mère ne veut étouffer ses enfants, ni psychologiquement ni physiquement, l'exception fait la règle. De plus, le Scorpion étant le douzième signe du Sagittaire, la relation entre le foyer du natif et lui-même symbolise une épreuve dans le foyer: la mère a pu elle-même subir une épreuve dans sa vie de couple, ce qui affecte directement le natif en le faisant parfois hésiter à fonder un foyer, au point qu'il en reporte sans cesse l'échéance. Possibilité également que le natif lui-même, pour des motifs subconscients, non raisonnés, une impulsion du cœur, se place en situation pour vivre dans son propre foyer des conflits de ménage. De bons aspects dans cette maison peuvent naturellement lui éviter les drames au foyer.

Son Soleil se trouve en cinquième maison, maison de l'or, de la richesse, celle aussi qui peut apporter une reconnaissance publique par le biais du monde des affaires ou par celui des arts, selon les aspects de son Soleil avec les autres planètes, particulièrement la position de Jupiter dans sa carte natale. Le natif aimera voyager, visiter des pays lointains où parfois il peut faire carrière. La chance est avec lui, quel que soit le domaine dans lequel il s'engage. Son magnétisme est on ne peut plus puissant. Il n'est pas méchant, il dégage le goût de la vie, de la paix. L'indépendance et le besoin de liberté sont très forts chez lui. Il ne supporte pas les limites qu'on voudrait lui imposer. En amour, il sera fidèle, mais ce ne sera pas facile, il plaît à tant de gens! Comment pourrait-il refuser la grâce et ses charmes! Cadeau de sa propre personne.

Sa sixième maison, dans le signe du Capricorne, deuxième signe du Sagittaire, fait qu'il travaille sans relâche quand il a choisi une voie d'accès, et il ne cédera pas, ne lâchera pas tant qu'il n'aura pas atteint son objectif. Généralement il gagne bien sa vie et a même la possibilité d'accumuler des richesses. Habile à faire valoir ses services, il sait qu'il vaut cher et se fait bien payer. Lorsqu'il est question de budget, de négociation, il peut se trouver du travail au sein du gouvernement ou d'une grosse entreprise, ce qui lui permettrait de mettre très bien à profit ses capacités et ses talents.

Sa septième maison, dans le signe du Verseau, également le troisième signe du Sagittaire, lui fait préférer des partenaires du type intellectuel avant-gardiste, qui aiment l'inédit, le sensationnel même. Il préférera un partenaire bavard, communicateur, et parfois même qui a un rapport important avec les lettres, la littérature ou le domaine de la communication. Lui conviennent également les journalistes, les écrivains ou ceux qui évoluent dans le monde de la télévision, de la radio, des ordinateurs. Son mariage pourra, à un moment de sa vie, être mis à rude épreuve, surtout si cet être indépendant a choisi quelqu'un d'aussi indépendant que lui: leur problème sera alors l'absence de dialogue entre eux. Et comme chacun le sait, à prendre des distances on finit par tellement s'éloigner qu'on n'arrive plus à se joindre et parce qu'on n'aime plus les mêmes choses, on ne vit plus dans le même monde et on n'a plus les mêmes amis... La suite est facile à deviner. Advenant le cas d'une rupture, il y a une grande possibilité que ce natif reste ami avec son ancien conjoint, ce qui aura aussi pour effet parfois... souvent... d'insulter l'autre qui est rentré dans sa vie!

Sa huitième maison est celle des transformations, dans le signe du Poissons, son quatrième signe. Il arrive donc que le natif ait le profond désir de vivre autrement qu'en famille, le monde social ayant beaucoup plus d'attraits par sa diversité que la famille qui comporte toujours une certaine limite. Cette position, avec de mauvais aspects de Mars et de Neptune, entraîne le sujet vers des amours cachées, des relations sexuelles nombreuses en dehors des liens du mariage. Cette position peut faire subir à son foyer l'épreuve soit par le feu, soit par l'eau, (inondation). La sexualité peut avoir été mal vécue en bas âge. Possibilité aussi que le natif ait vécu des expériences qui l'aient plongé trop rapidement dans un monde d'adultes et qu'il n'ait pu véritablement intégrer sa vie sexuelle à la vie courante. À un moment de sa vie il pourra suivre une thérapie qui lui permettra de faire un retour en arrière et de faire le lien entre ce qu'il a vécu et cru vivre, et ce qu'il a réellement vécu et ce qu'il vit.

Sa neuvième maison, dans le signe du Bélier, le porte à décider précipitamment de ses voyages. Comme le Bélier est également le cinquième signe du Sagittaire, il n'est pas rare de constater que ce natif «tombe» amoureux d'une personne étrangère et que ce soit cette personne qui l'initie à un nouveau monde, tant sur le plan d'une carrière que sur le plan émotionnel.

Il pourrait quand il est jeune s'attacher davantage aux apparences d'un partenaire qu'au cœur et à l'esprit de celui-ci. Comme il est d'une double nature de feu... l'effet flamme passé, il s'engage dans une nouvelle relation qu'il croit meilleure... Il peut faire de nombreux tours d'horizon de cette manière! Mais, un jour, il comprend qu'il faut aller plus loin, au-delà des apparences. Il entreprend alors une réforme de sa façon de penser.

Sa dixième maison, celle de la carrière dans le signe du Taureau, le pousse naturellement vers des carrières où il est certain de bien gagner sa vie. Le plus souvent il sera stable dans son travail. Le Taureau est le signe de l'argent, mais aussi des arts. Selon les aspects, il peut se diriger dans un domaine purement financier, d'ordre pratique – le Taureau étant un signe de terre –, ou purement artistique, mais là encore ce Sagittaire ne perdra pas de vue qu'il lui faut faire de l'argent. Ses besoins de luxe sont pressants, importants pour lui-même. Non seulement veut-il démontrer sa réussite, mais plus il en a plus il peut faire des cadeaux, et plus il court la chance de se faire aimer.

Sa onzième maison, dans le signe du Gémeaux, lui fait rechercher des amis plus jeunes que lui. Il aime la compagnie de ceux qui font l'avenir, qui sont audacieux. Il aura beaucoup d'amis, il sera populaire, mais peu d'entre eux seront vraiment près de lui. Il s'agira le plus souvent de connaissances. C'est souvent par l'entremise de ses amis qu'il rencontrera l'âme sœur, au milieu d'un groupe, à l'occasion d'une réunion, d'une fête.

Sa douzième maison, celle de l'épreuve, dans le signe du Cancer, son huitième signe, symbolise que le natif a pu vivre l'épreuve de la mort au foyer quand il était encore jeune, père, mère, frère ou sœur, tout dépend des aspects de sa carte natale. Le plus souvent, c'est à travers la perte d'un être cher que le natif évolue, qu'il prend sa vie en main et qu'il décide du but à atteindre. Il est d'une grande perception, laquelle peut aller jusqu'à la voyance, et il peut ou non développer ses dons ou s'en servir tout naturellement au sein de l'entreprise qui l'occupe. S'il est un réalisateur de films, il aura d'instinct le don de choisir le bon scénario, celui de l'heure, celui que la masse aimerait voir et il en fera un succès.

Si, à tout hasard, il jouait à la Bourse, il aura instinctivement le doigt sur ce qui rapporte le plus à court ou à long terme, à moins de bien mauvais aspects de Jupiter dans sa carte natale. Il est le plus souvent veinard dans la vie parce qu'il croit à sa chance. Parce qu'il n'est pas méchant, il n'a nulle envie d'écraser son prochain. Compétitif, oui, mais il est rare qu'il joue une compétition malhonnête, à moins d'aspects extrêmement négatifs dans sa carte natale. Il a le goût du faste, du beau, du noble, et ça va parfois jusqu'à l'exagération, mais, s'il se trouve quelqu'un sur sa route pour lui faire comprendre qu'il y a d'autres valeurs tout aussi importantes, il se ravisera. Il veut être entier et il a à cœur de se faire aimer par le plus grand nombre de gens possible.

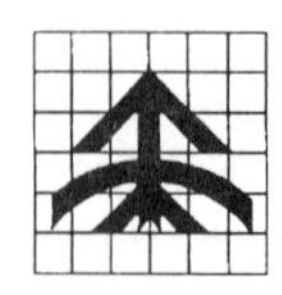

SAGITTAIRE ASCENDANT VIERGE

Vierge, signe de terre; Sagittaire, signe de feu; la terre éteint le feu quand on la jette dessus, le feu brûle ce qui pousse, mais c'est un peu tard, il ne pousse plus grand-chose, la Vierge est à l'heure de la récolte.

Le mouvement est lent chez ce Sagittaire, Mercure le fait réfléchir, longtemps, trop longtemps, et voilà qu'il a même perdu le goût de l'action.

Sagittaire (signe double, 2) + Vierge (signe double, 2) = 4 personnes. Ça fait pas mal de personnes en une seule. Quel natif cela donne-t-il? À quoi peut-il bien s'identifier? Il peut faire des tas de choses, il aime apprendre des tas de choses, expérimenter, mais il lui manque le sens de la continuité... Il explore longtemps ses possibilités.

Comme un bon Sagittaire il s'engage rapidement, puis, comme une Vierge, il réfléchit et se demande s'il ne s'est pas décidé un peu trop vite... Il se critique, critique les autres, au point que très souvent, il n'y a plus que lui-même d'intéressant!

Deux signes doubles cela donne à l'être une morale qui peut être bien élastique: permissif envers lui-même, peut-être est-il un peu moins tolérant envers les autres!

En amour, il recherche l'union stable, la certitude. Il s'est créé un idéal et c'est ce qu'il veut. En attendant, il fera des conquêtes... L'idéal est élevé, dans sa foi de Sagittaire, il existe... et un jour, à force d'y croire, son rêve se concrétisera!

Cette nature vit dans le doute. La Vierge le fait constamment réfléchir, réfléchir sur un sujet sur lequel il a déjà réfléchi, mais quand il se met à réfléchir tout haut, comme pour essayer de se convaincre, ce qu'il peut devenir rasant!

La Vierge, c'est celle qui se met au service des autres. C'est la gentillesse, la délicatesse envers autrui, surtout si la personne se trouve dans le besoin. En fait, les Vierge ne se déplacent que si vous êtes dans un très grand besoin, pour avoir le plaisir de vous dire qu'elles vous ont secouru... Et le Sagittaire aime bien cette attitude aussi!

La Vierge est une calculatrice mais, sous l'effet du Sagittaire, il s'agit souvent de débit plus que de crédit. Le Sagittaire a ce besoin de démontrer qu'il gagne bien sa vie, qu'il n'a besoin de rien et qu'il vit rondement... parfois au-dessus de ses moyens; la Vierge tempère, mais elle a bien du mal à le restreindre.

Très artiste au fond de l'âme, ce Sagittaire est habile de ses mains, il a le sens du mouvement. Mais, encore une fois, il lui manque le sens de la continuité.

Pour bien faire, il devrait devenir acteur. Après tout, n'y a-t-il pas quatre personnes en lui et, de temps à autre, ne jouer qu'un seul personnage, ça le soulagerait!

Sa deuxième maison, dans le signe de la Balance, présente toujours une position étrange. Le natif est prêt à travailler pour gagner son argent. Le voilà ardent, il y met du temps, il néglige même plusieurs autres obligations ou devoirs de sa vie, puis tout à coup il met un terme à son action, il se dit qu'il a grand besoin de repos! Alors qu'on comptait sur lui pour un travail, qu'on l'attendait, il s'est défilé! Le Taureau, deuxième maison ou deuxième signe, représente l'argent et l'art, alors que la Balance symbolise les unions. Aussi n'est-il pas rare de rencontrer un Sagittaire-Vierge attiré par un conjoint artiste sur lequel il se fie afin de pourvoir à ses besoins matériels. Il attire souvent à lui des gens qui ont des moyens financiers assez solides et il veut en profiter, persuadé qu'on lui doit ça. Il est du genre, avec ce double signe double, à rater en même temps les occasions de faire facilement de l'argent parce que son conjoint lui offre une participation active à son entreprise! Il n'aime pas vraiment l'effort et, advenant qu'il voit venir un effort à long terme, il s'arrangera pour se défiler! Avec de mauvais aspects de Vénus, cette deuxième maison rend ce natif parasite dans sa relation de couple: on doit lui procurer les vivres et le gîte! Ce Sagittaire est le premier à démentir qu'il dépend de l'autre matériellement parce qu'il donne de lui-même, de son cœur, de son attention qui, sous ce double signe double, n'est souvent qu'une infime partie de ce qu'un autre natif aimerait recevoir. L'argent peut être gagné par les arts car le sujet excelle souvent dans un domaine artistique. L'ascendant Vierge donne parfois un talent d'écrivain, de dessinateur, de professeur, ou permet d'évoluer dans un métier qui demande à la fois le souci des détails pratiques et esthétiques.

Sa troisième maison, dans le signe du Scorpion, également le douzième signe du Sagittaire, le porte souvent à ressentir une certaine confusion intérieure. Il a parfois bien du mal à voir la réalité telle qu'elle est. Il imagine et croit que les choses se produiront selon ses désirs, et il est la propre victime de ses illusions. Perspicace, il veut cependant raisonner sa perception, l'expliquer, mais elle n'est pas rationnelle, ne s'explique pas. Son douzième signe, soit le Scorpion, symbolise l'ennemi caché dans le signe de Mercure, la parole, les écrits.

Si ce natif se lance dans une carrière marquée par l'écriture, il ferait bien de se méfier de ses jugements s'ils portent à la critique, cela pourrait se retourner contre lui et lui jouer un vilain tour. Il a la langue bien pendue, il aime dire la vérité, mais il arrive que cette vérité change avec les événements ou qu'il adapte sa vérité à la mode du moment ou qu'elle subisse une influence dite amicale! Il aurait intérêt à regarder bien spécifiquement ce qu'il veut pour lui-même, à ne point se laisser influencer par autrui, ce qui, en fin de compte, se révélerait négatif et inapproprié face à ses profondes aspirations. Cette position, qui peut parfois l'entraîner à une sorte de dépression qu'il réprimera en multipliant les aventures sexuelles, ne jouera alors de tour à personne d'autre qu'à lui-même. La fidélité est douteuse sous ce signe: on se laisse facilement berner par les idées des beaux parleurs... et on succombe sous l'effet du charme et de la proposition.

Son Soleil se trouve donc en quatrième maison, symbole du foyer, de la mère. Il est possible que le natif ait très peu de liens réels avec la mère si ce n'est qu'elle est sa génitrice. Il pourra déménager souvent, se trouver dans des situations étranges; en fait, il est constamment à la recherche d'un protecteur ou d'une protectrice qui le mettra à l'abri et lui expliquera à quel point il se laisse aller à la confusion intérieure. Il peut devenir lourd quand la Lune dans le ciel contrarie ses plans et ses humeurs. Il se tait au point d'effrayer la personne qui vit avec lui, ou alors il fait ressentir à l'autre qu'il est coupable de ses insuccès. Cette quatrième maison représente un signe d'eau, alors que le Sagittaire est un signe de feu. Vous le verrez, la plupart du temps, hésiter avant de se lancer dans un projet: oui, sur le coup... ensuite, pas tout à fait... ou qu'en retirera-t-il?

Il aime la famille, mais il a toujours envie de s'en éloigner. Étant une sorte de coureur des bois, d'explorateur, il symbolise le voyage au loin. Il y a possibilité, avec cette position, qu'un jour il décide d'aller vivre loin de son lieu natal, dans un pays étranger. Il peut le faire à cause de sa famille quand il est jeune, ou de son plein gré parvenu à l'âge adulte. Toujours plus sensible qu'il ne le laisse paraître, le Sagittaire étant un signe d'indépendance, il jouera deux cartes: devant les gens on le croit intouchable, alors que dans le privé il dépend souvent de l'opinion de son partenaire.

Sa cinquième maison, dans le signe du Capricorne, symbolise les enfants du père. Possibilité que le sujet ait eu peu de relations avec son père, qu'il ait ressenti un froid provoqué par Saturne, que le père n'ait été qu'un pourvoyeur puisque le Capricorne est le deuxième signe du Sagittaire, soit celui de l'argent. Possibilité aussi qu'il ne désire des enfants qu'à la maturité, soit près de la quarantaine, parfois pas du tout. Quand il est jeune, ce natif pourra être attiré par des personnes qui ont une grande différence d'âge avec lui.

Sa sixième maison, dans le signe du Verseau, est soit un symbole de travail dans un signe uranien, soit un symbole d'innovation. Il pourra donc faire un travail, que ce soit évident ou non, qui desservira, en fait, une foule de gens. Le Verseau est le troisième signe du Sagittaire, troisième symbole mercurien dans la sixième maison de la Vierge, et la Vierge est également symbole de Mercure. Le natif peut donc, sous l'effet de Mercure, se trouver dans un travail nécessitant l'écriture, le dessin, ou un travail en relations publiques qui lui demandera d'utiliser tant la parole que l'écrit. Position favorable pour le journalisme, avec de bons aspects de Mercure et d'Uranus. Position également favorable pour tout ce qui a trait au monde du transport, de la vente ou même de l'invention dans ces domaines, sans oublier la course et les véhicules. Avec de mauvais aspects, le natif doit surveiller sa conduite car il n'est pas à l'abri des accidents. Dans certains cas, il peut être tenté par l'aviation tout autant que par les voyages.

Sa septième maison, dans le signe du Poissons, représente la maison des unions dans un signe neptunien. Les amours auront toujours quelque chose d'étrange, d'inhabituel, qui sort de l'ordinaire. Le natif peut également abandonner une relation sans fournir d'explication ou être abandonné sans trop savoir pourquoi. La rencontre avec le conjoint se fait par la voie de Neptune et de Vénus dans sa carte natale, ce qui signifie qu'il peut rencontrer l'être aimé dans des endroits tout à fait originaux ou lors d'occasions exceptionnelles.

La vie amoureuse de ce natif est tourmentée, les inconnus inexplicables perturbent l'ordre, ils sont hors de contrôle, indéfinissables. Autant a-t-il envie de vivre le grand amour en lettres lumineuses, autant préfère-t-il garder sa liberté afin de pouvoir aller et venir à sa guise, comme bon lui semblera, sans devoir rendre de comptes. Cette septième maison dans le signe du Poissons provoque aussi des rencontres amoureuses dans les bars, les endroits où l'on consomme de l'alcool. Le sujet attire parfois vers lui des partenaires aux prises avec de gros problèmes d'instabilité émotionnelle. Son ascendant Vierge peut alors y aller de son analyse pour comprendre et expliquer le pourquoi d'un tel comportement. Cette position suppose facilement deux mariages, au cas où le natif en contracterait un très tôt dans la vie. Il y a également risque de rencontrer ou d'attirer un conjoint dont les forces physiques sont amoindries ou qui tombera malade au cours de son union.

On se doit d'analyser sérieusement la personne avec qui on veut vivre avant de prendre un engagement officiel.

Sa huitième maison, dans le signe du Bélier, également la cinquième du Sagittaire, indique que le natif succombe facilement à l'appel d'un nouvel amour et que, sans s'en rendre compte, il «succombe» à ses propres besoins sexuels. Il a le sens de la conquête, ce qui lui donne la certitude de sa puissance de séduction et lui fait rechercher les occasions d'aventures. Sa vie se transforme rapidement et souvent au fil de ses amours qui l'aident à se comprendre et à calculer les répercussions de ses actes. Il lui faudra de nombreuses leçons pour apprendre le sens de la continuité d'une relation et saisir que l'amour pour quelqu'un n'est pas une limite à son évolution.

Sa neuvième maison, dans le signe du Taureau, lui fait désirer l'argent vite fait et facilement. Il compte sur sa chance pour boucler son budget! Mais il désire fortement rencontrer une personne riche qui subviendra à ses besoins. Il peut, à certains moments, devenir très économe et, tout à coup, voilà qu'il ne cesse de s'offrir des petits luxes qui dépassent son budget. Il économise avec des bouts de ficelle et il dépense inconsidérément pour des objets qui, croit-il, lui permettront de passer pour une personne riche. Advenant le cas où il aurait une occupation artistique, il a alors plus de chances d'y gagner des médailles que s'il demeure sur le lieu de sa naissance.

Sa dixième maison, dans le signe du Gémeaux, le fait hésiter longtemps dans son choix de carrière. Il se comporte parfois, jusqu'à un âge adulte avancé, comme un adolescent qui a tout l'avenir devant lui. Toute carrière se rapportant à Mercure le satisfait, l'écriture, le monde de la communication tant écrite que verbale. Comme le Gémeaux est également son septième signe, c'est-à-dire son symbole d'union, il arrive donc que son conjoint ou l'un de ses partenaires intervienne favorablement dans le déroulement de sa carrière. S'il accomplit un travail commun avec son conjoint, ça ne se fera pas sans conflits ni oppositions d'idées. Il adore discuter, mais ça dépend de l'autre.

Sa onzième maison, celle des amis, fait, selon les aspects de la Lune dans sa carte natale, qu'il est reçu dans les familles ou qu'il reçoit chez lui. Souvent ses amitiés se nouent par l'intermédiaire de la famille ou d'une famille. Le Cancer étant son huitième signe, symbole de la mort, la onzième maison symbolise les amis, le Cancer, symbole de famille. Allions donc la composition des aspects. Mort-amis-famille. Il peut être question de la mort d'un ami qu'il a connu par la famille, de celle d'un important ami de la famille qu'il connaît bien, de la mort d'un ami proche de sa famille tout comme s'il en était membre. Il peut être le témoin de la mort étrange d'un ami, d'une mort subite que rien ne laissait présager. Le jour également où le natif voit la mort lui ravir sa mère, il peut vivre un choc si profond qu'il commencera alors à changer tout son système de valeurs pour en créer un nouveau.

Sa douzième maison, celle de l'épreuve dans le signe du Lion, neuvième signe du Sagittaire, tout comme le Sagittaire est le neuvième signe du zodiaque, lui fait désirer de devenir riche et célèbre instantanément! Cela s'est rarement produit dans l'histoire! On pourrait croire, par exemple, qu'une vedette devenant célèbre tout à coup, parce qu'on ne la connaissait pas avant, a réussi comme ça! Si l'on s'attardait à en savoir plus long, plutôt que de se fier uniquement à ce qu'on voit on pourrait sans doute se rendre compte que la vedette en question s'acharne peut-être bien depuis une dizaine d'années! C'est le cas de la plupart des célébrités. Cette position symbolise également que le natif pourrait avoir quelques difficultés avec ses enfants, des épreuves physiques ou émotionnelles pour eux, ou pour l'un d'eux en particulier. Ou encore le natif peut se retrouver avec des enfants qui ont eu une ou des épreuves. S'il a envie de devenir célèbre, il lui faudra travailler très fort. Il est si déchiré entre différentes aspirations qu'un jour il lui faudra savoir exactement où il veut aller et prendre des moyens fermes pour y arriver.

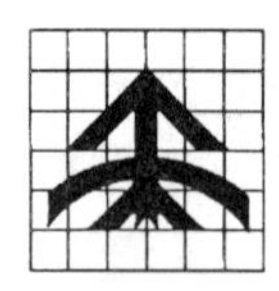
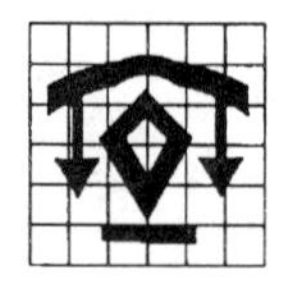

SAGITTAIRE ASCENDANT BALANCE

Il est un peu parasite... Vous ne vous en rendrez pas compte, mais il aime bien se faire payer des choses! En échange, un beau sourire qui n'appartient qu'à lui! Un sourire exclusif! Il sait très bien comment profiter des autres, et on ne le déteste même pas pour en avoir profité autant, car il a aussi le tour de dire merci! Souvent, vous aurez même l'impression que vous lui devez quelque chose!

Il est courtois, a de belles manières, il a l'air paisible, harmonieux, doux, aimable. Avec de mauvais aspects, il est source de conflits, il provoque des oppositions d'idées. Juste pour voir, et c'est plus fort que lui!

Signe double, le Sagittaire, la Balance, deux plateaux, nous en sommes à trois personnes et demie!

Il a tout de même le vif désir de partager avec les autres, mais il arrive que ce partage ne soit pas tout à fait égal. Ça coûte toujours moins cher de son côté et votre addition est toujours plus élevée que la sienne! Vous avez commencé par lui offrir l'apéritif, vous avez causé en mangeant, au moment de l'addition, il vous a fait ses plus beaux compliments, vous payez et tout à coup il décide de prendre un digestif, il va vous l'offrir, vous répondez non, spontanément, et il réplique: «Puisque tu insistes!»

Il n'a pas vraiment pensé à sa méthode avant, elle vient tout naturellement et dans différentes circonstances de sa vie.

Son signe, en principe, veut dire altruisme! Malheureusement, ce genre est plutôt rare sur notre planète. Peut-être que dans une autre galaxie, le Sagittaire-Balance est vraiment un altruiste! Un jour, quand nos moyens de transport nous permettront ces déplacements, nous pourrons vérifier! Tout de même, il nous reste quelques rares modèles.

Persuadé que c'est là la mission des gens qui se placent sur sa route, il veut se faire servir: dévouement à son égard ou à sa cause!

Il prend grand soin de son apparence physique, il est vraiment parfait, il peut même se donner à la fois un air sportif et intellectuel.

Le monde de la communication est le centre dans lequel il s'épanouit le mieux. Il peut se montrer, être l'objet de l'admiration. Bien sûr qu'il devra s'entraîner à une certaine souplesse et concevoir que les autres peuvent être aussi habiles que lui...

Sa deuxième maison, celle de l'argent, dans le signe du Scorpion, n'est pas vraiment la meilleure pour ses finances et, de plus, le Scorpion étant le douzième signe du Sagittaire il représente une certaine épreuve. En fait, il compte sur l'argent des autres, mais ça n'arrive pas vraiment; aussi finit-il par comprendre qu'il ferait mieux de s'entraîner à le gagner lui-même. Avec de mauvais aspects dans cette maison il peut parfois se compromettre dans des affaires financières douteuses qu'il ferait mieux d'éviter! Il serait un bon sujet pour un scandale financier.

Son Soleil se trouve en troisième maison, ce qui en fait un grand communicateur, un bon animateur, un bon brasseur de foules. Il a l'art de s'exprimer. La troisième maison étant celle de Mercure, il peut donc affirmer sa position solaire soit par les lettres, les écrits, le dessin et tout ce qui touche la plume, soit par la parole où il excelle à se défendre et à défendre autrui puisque le Sagittaire est en principe un symbole de politique qui vise au bien-être de la communauté. Rénovateur, il a également le sens du mouvement, il ne supporte pas l'inertie et a bien du mal à rester seul. Il préfère être entouré de gens. Vous le verrez s'inscrire à diverses organisations pour multiplier les rencontres, voir de nouveaux visages. S'il ne le fait pas, c'est qu'il a de bien mauvais aspects solaires dans sa carte natale. Essentiellement sociable, il aime le monde, tant par désir de briller que pour y faire passer ses idées. Aucunement standard et refusant de l'être, il est audacieux et ne se rend pas toujours compte qu'il abuse d'autrui en imposant ses fortes idées, sa façon de voir. On le suit presque sans le réaliser. Il lui arrive aussi de trouver des opposants, mais le Sagittaire étant l'anti-ennemi, celui qui n'en a pas, il réussit à éliminer, sans trop d'efforts, ceux qui ne partagent pas son avis. Dans sa vie privée il lui arrive d'être pointilleux sur les détails, il est porté à la critique, rien n'est jamais assez gros ou assez élaboré pour lui. En société il est parfait.

Sa quatrième maison, dans le signe du Capricorne, lui fait désirer un foyer stable. Sa vie peut se diviser en deux grandes parties: l'une où il mise sur la famille, le confort, la sécurité, et l'autre où il rêve d'une carrière sociale totalement en dehors de sa famille. Ce n'est pas facile de vivre les deux à la fois. Il vit souvent la première partie de sa vie dans un monde conformiste, uniforme, plutôt sévère, organisé, où les règles et la morale sont strictes, parfois même trop. Ce natif est le plus souvent attaché à sa mère qui, d'une certaine manière, porte la culotte et l'incite à faire son ascension dans la vie, tant sociale que matérielle.

Sa cinquième maison, celle des enfants, de l'amour, dans le signe du Verseau, apporte des conflits de ce côté. Le natif peut vivre séparé de ses enfants, à cause du divorce, surtout s'il s'est marié trop jeune ou insuffisamment mûr. Il leur est, par contre, très attaché et a souvent de bons liens intellectuels avec eux, mais les démonstrations sentimentales peuvent manquer. Les amours ne sont pas non plus tout à fait claires, ou le sujet peut avoir amant ou maîtresse en dehors des liens du mariage, ce qui aboutit finalement à la rupture. Souvent amoureux de la musique, il est rêveur quand il se retrouve seul face à lui-même, mais il a du mal à partager ses rêves; il a aussi la hantise du ridicule. Le plus souvent, il est très protocolaire dans toute son originalité et son audace.

Sa sixième maison est celle du travail, dans le signe du Poissons, le quatrième signe du Sagittaire. Il lui arrive donc de faire un travail qui doit être exécuté en grande partie à la maison. Sous le signe de Mercure, cette sixième maison dans le Poissons le porte à choisir un travail où il vient en aide aux autres; en fait, il voudrait sauver le monde ou, du moins en parle-t-il comme tout bon Sagittaire qu'il est. Quoi qu'il fasse, il saura très bien se payer ou se faire payer pour le travail qu'il effectue. Le plus souvent il occupe deux postes, deux emplois, il travaille parfois pour deux. Et comme cette maison se trouve dans le signe du Poissons, il lui arrive d'être victime de son travail, il travaille trop, se surmène. La plupart de ses maladies proviennent d'une grande tension. Il veut qu'on l'approuve, que tout soit parfait. Cette position, d'un côté, lui procure le travail en double, mais s'il advient des aspects négatifs dans cette maison, quand il perd il perd aussi en double, ce qui pourra entraîner chez certains des périodes dépressives. Avec de mauvais aspects de Mercure et de Neptune, il pourrait faire faire son travail par les autres tout en en retirant profit et honneur. Il en existe des gens de cet acabit.

Sa septième maison, celle de l'union, dans le signe du Bélier, le fait souvent s'engager jeune dans la voie du mariage. Parfois un enfant arrive trop tôt, on ne l'avait pas prévu... L'union ayant été décidée à la hâte, il y a possibilité alors qu'on revienne sur l'engagement par une séparation ou un divorce. Le sujet peut vivre très tôt des expériences sexuelles, et ses amours prennent naissance au travail ou dans l'entourage du travail. Il a besoin pour partenaire d'une personne entreprenante, capable de prendre des décisions et de lui tenir tête quand ses désirs sont extravagants, ou de quelqu'un qui stimule son désir d'ascension et de réussite dans la vie. Il supporte mal qu'on dépende de lui; d'un autre côté, il aime bien qu'on soit d'accord avec ses désirs!

Sa huitième maison est dans le signe du Taureau, également le sixième signe du Sagittaire. Aussi le natif peut-il vivre, à un moment de sa vie, une transformation complète de son travail et de la façon de gagner son pain. Souvent cette transformation est liée à un bouleversement sentimental: un choc professionnel doublé d'un choc amoureux qui, finalement, tourne à son avantage. Longue vie à ce natif! Il peut passer par-dessus beaucoup d'obstacles. Il sera souvent du genre à se préoccuper de sa santé, à s'en inquiéter, et il mettra tout en œuvre pour être dans une forme splendide. Il sera habile dans la spéculation, l'achat de terrains et de propriétés.

Sa neuvième maison, dans le signe du Gémeaux, lui donne la parole facile, le goût de débattre certaines théories. Cependant, cette position, qui peut le porter à la philosophie, peut parfois aussi l'exposer à la compréhension superficielle d'autrui, s'il se fie davantage aux apparences qu'à la personne elle-même. Il fait toutefois un bon professeur quand il s'agit des enseignements de base. Sa foi repose d'ordinaire sur des pacotilles. Dieu est là pour lui donner quelque chose de palpable, de matériel; il n'est pas omniprésent, mais c'est un être «à temps partiel» dont il a besoin quand ça va mal! Et si on essaie de le persuader de faire partie d'un mouvement qui lui garantirait la paix de l'esprit, il peut être porté à y adhérer un jour, mais il devra faire attention: il est du genre à se laisser prendre par les paroles des beaux vendeurs de religion! S'il en venait à consulter un voyant, il ferait mieux de «voir» d'abord à qui il a affaire: il est perméable aux suggestions et plus vulnérable qu'il ne le croit émotionnellement.

Sa dixième maison est celle de la carrière, dans le signe du Cancer, symbole de la Lune. Par son travail, il est possible qu'il atteigne une masse de gens, quel que soit le travail qu'il entreprend. Cette dixième maison laisse souvent supposer que le père du natif manquait de force à son endroit ou que ce dernier a vécu très tôt une séparation d'avec son père. Il aspire à la grandeur, qui peut aussi bien être la grandeur morale que la grandeur physique, devant la foule, devant une masse, par le biais de la célébrité, du spectacle ou de tout autre travail qui le place devant des gens qui l'écoutent. Habile à défendre les droits des personnes qui l'entourent et qui subissent des injustices, ce Sagittaire le fera pour rendre service et pour assurer son honneur, il veut être honnête.

Sa onzième maison, dans le signe du Lion, lui permet souvent de rencontrer des dignitaires, des gens haut placés, et de s'en faire des amis. Amis qui peuvent en même temps lui être utiles pour sa carrière, pour des promotions, amis qui participent à sa chance. Il lui arrivera d'abuser de ses amis tout comme il lui arrivera de rencontrer des gens qui abuseront de ses services. Il est à noter que ce natif donnera, mais qu'il demandera en double en retour, et on lui donnera parce qu'on ne se rend pas toujours compte qu'il demande beaucoup, ses demandes étant souvent faites avec tact, diplomatie, et relevant d'une certaine astuce non apparente, et sortant tout droit de son intelligence capable de spéculer, de compiler... le tout sans méchanceté. J'ai rarement vu des Sagittaire méchants. Il est le feu qui veut éclairer tout le monde, mais le feu brûle parfois; il veut réchauffer mais il fait fondre!

Sa douzième maison est celle de l'épreuve dans le signe de la Vierge, symbole de Mercure, dixième signe également du Sagittaire. Le natif peut donc à un certain moment subir un mauvais traitement, se faire une mauvaise réputation parce qu'on est jaloux de sa réussite. Il ne devra jamais rendre la pareille, cela lui retomberait encore plus fort sur le nez. Cette position est tout de même dangereuse. Il pourrait, non pas s'écrouler complètement, mais subir un revers où il lui faudrait de nouveau escalader le même sommet et rencontrer les mêmes obstacles. Il a aussi tout intérêt à ne pas se confier à n'importe qui, surtout dans les choses qu'il veut garder secrètes, car on pourrait prendre un malin plaisir à dire du mal de lui. Le Sagittaire étant le signe anti-ennemis, ceux-ci viendraient à s'éliminer, mais ils pourraient lui avoir causé un certain tort.

Cette position, avec de mauvais aspects de Mercure et de Neptune, peut entraîner le sujet dans la dépression et développer chez lui une accoutumance aux petites pilules relaxantes... Il aurait plutôt intérêt à s'adonner à un sport afin d'y trouver un exutoire à son surplus d'énergie. Le Sagittaire étant un signe d'action, de mouvement, de sport, si ce natif embrasse une carrière purement intellectuelle, il serait bon qu'il se livre à un type d'entraînement physique qui lui permettrait d'établir un certain équilibre entre le corps et l'esprit. Dans les moments de panique intérieure, il est aussi possible que le natif mange davantage. Aussitôt qu'il s'aperçoit qu'il commence à dépasser son poids normal, il doit réagir par le sport ou un exercice physique de son choix.

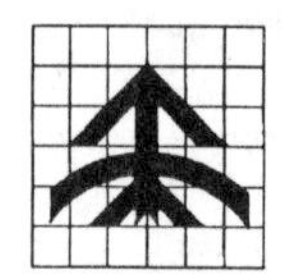
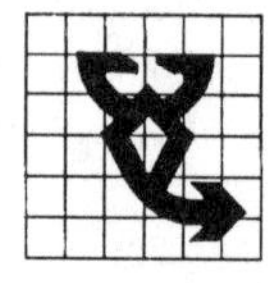

SAGITTAIRE ASCENDANT SCORPION

Les épreuves se multiplient dans cette vie, mais l'être est puissant, il a la force de se ressourcer lui-même, de renaître après chaque combat, et plus fort qu'avant.

Avec un ascendant Scorpion, la mort est là, mort physique, changement de vie total, changement de carrière, changement de fortune, et la roue tourne encore... l'être ressuscite après ses échecs ou les obstacles! Vous pourriez même crier au miracle dans certaines circonstances.

Dans sa jeunesse, il arrive que ce Sagittaire ne soit pas si bon garçon ou si bonne fille que ça. Il peut même avoir une morale bien élastique, voler, tricher, mentir, puis, le temps passant... le voilà rongé de remords, c'est un être de réflexion et il change... Il ne triche pas, ne ment plus, ne vole plus, et devient la personne la plus honnête que vous puissiez connaître.

À la fois séduisant et redoutable, il dit la vérité toute nue, il peut même vous faire de la peine, et s'il s'en rend compte, il s'en excusera.

Si vous l'avez pour ami, c'est pour la vie. Si vous avez sa confiance, vous êtes aussi précieux que ses membres.

Il a un profond besoin d'être aimé. Le moindrement qu'on s'en éloigne, même inconsciemment, il commence à se poser des questions. Peut-être a-t-il fait quelque chose de désagréable ou dit un mot de trop. Il ira même jusqu'à vous demander pourquoi vous ne vous occupez plus de lui!

Son travail se présente souvent comme un coup de chance. Il ne la rate pas. Il n'a pas peur du travail, il sait que, s'il y met l'effort, il se hissera là où il veut aller. Il respecte ses contrats, ses engagements. Il peut même menacer sa santé pour se rendre au terme d'un travail urgent qu'on lui a demandé et auquel il a répondu que ce serait vite et bien fait.

Il a peu d'amis, mais ceux qu'il a c'est pour longtemps, et souvent il les connaît depuis la vingtaine, et ils le suivront jusqu'à la mort.

Son Soleil se trouve en deuxième maison, celle de l'argent. Ce natif fait de l'argent avec tout, quand il a compris que c'est possible. Il se sent, en fait, très insécure et, comme chacun le sait, en cette fin de siècle l'argent apporte l'indépendance et souvent un pouvoir sur autrui. Ou ce natif est extrêmement honnête ou il triche, et s'il triche il triche pour le gros coup. Comme je l'ai mentionné un peu plus haut, il est possible que ce natif ait commis quelques actes malhonnêtes durant sa jeunesse, mais il a la faculté de se transformer s'il le désire.

Sa troisième maison, dans le signe du Capricorne, fait souvent de lui un spécialiste dans un domaine quelconque. Il aime apprendre ce qui lui sera utile. Il n'aime pas s'attarder sur des sujets qui ne lui permettront pas de mettre sa carrière plus en valeur. À l'adolescence, il agit comme une personne qui a besoin tout de suite d'être adulte, indépendante. Il préfère ne rien demander, se débrouiller tout seul! Souvent mystérieux, il ne vous dira que la moitié des choses qu'il sait, il ne veut pas vous effrayer, comme il peut avoir peur de commettre une erreur de jugement.

Sa quatrième maison est celle du foyer, dans le signe du Verseau, troisième signe du Sagittaire. Le foyer sera donc un lieu actif, passant, où peuvent circuler toutes sortes de gens, de toutes les classes de la société également. Ce natif a souvent la sensation qu'il habite nulle part et partout à la fois. Il a le sens de l'universalité. Il peut arriver qu'il ait ou qu'il ait eu une mère qui ne lui donne pas toute l'attention et toute l'affection qu'il réclame. On lui parle, on lui dit quoi faire, mais on ne lui dit pas combien il est précieux! L'affection peut donc manquer dans le foyer de sa naissance. Il aimera aussi se rendre chez autrui, ne serait-ce que pour comparer leur façon de vivre avec la sienne.

Sa cinquième maison, dans le signe du Poissons, laisse supposer que les amours du natif n'ont rien de facile et qu'il se trame quelque part une intrigue. Il est, en fait, beaucoup plus amoureux de l'amour platonique que de l'amour réel. Il peut avoir vécu quelques déceptions de ce côté durant sa jeunesse, être désillusionné, ce qui a pu provoquer son choix de carrière: faire de l'argent. Il est créatif, cependant il lui arrive d'aller et venir dans plusieurs directions de créativité et de ne pas finir ce qu'il entreprend. Et, chose curieuse, un jour tout arrive en même temps.

Sa sixième maison, dans le signe du Bélier, le cinquième signe du Sagittaire, indique que l'amour intervient dans la sphère du travail. Il y a possibilité aussi que le sujet soit en amour avec son travail et qu'il y consacre toutes ses énergies, longtemps, longtemps, jusqu'à ce qu'il devienne riche. Il est sujet aux coups de chance dans le travail, au moment où il s'y attend le moins.

Sa septième maison se situe dans le signe du Taureau. Le natif aspire donc à une union stable. Cette position le fait aussi ambitionner la célébrité. Les aspects de Vénus dans sa carte natale nous informent s'il peut ou non l'atteindre. Le Taureau étant le sixième signe du Sagittaire, il y a possibilité que le conjoint intervienne dans le travail du natif, possibilité aussi que le conjoint soit à l'emploi du natif. Ce sujet attirera souvent des partenaires dont les moyens financiers sont importants. Il se peut également que le conjoint ait des relations avec le milieu artistique et que lui-même y soit attiré.

Sa huitième maison se trouve dans le signe du Gémeaux, symbole de Mercure. Le natif pourra s'intéresser de près à l'astrologie, aux sciences paranormales. Il pourrait bien développer une vision intérieure. Avec de bons aspects de Mercure, il pourrait gagner de l'argent par la voie de la voyance. Il pourrait aussi faire un excellent vendeur d'assurances ou s'intéresser à tout ce qui touche la sécurité d'autrui, être policier entre autres. Si Jupiter était en mauvais aspects dans sa carte natale, le natif serait un mauvais guide pour autrui et il pourrait orienter les gens sur une fausse piste. Comme je l'ai écrit un peu plus haut, il peut être parfaitement honnête comme il peut être un «bandit»!

Sa neuvième maison, dans le signe du Cancer, tout comme le Sagittaire qui est le neuvième signe du zodiaque, apporte de la chance au Sagittaire dans le monde financier, par placements, achat de propriété, ou tout produit vendu à un large public.

En vieillissant, le sujet peut s'intéresser à la philosophie et vivre une transformation importante, passer rapidement du côté négatif au côté positif. C'est le plus souvent vers l'âge de 35 ans qu'il prend le tournant le plus important de sa vie où il décide de son objectif et met en branle tous ses moyens d'action et l'expérience accumulée.

Sa dixième maison, dans le signe du Lion, confirme encore une fois le désir de célébrité et de puissance du sujet. Il peut y arriver s'il est tenace. Il pourra être l'allié des puissants qui lui donneront, en temps voulu, l'appui nécessaire pour qu'il réussisse à se hisser au-dessus de sa condition. Il lui faut alors de bons aspects de Saturne pour connaître la durée de sa bonne fortune. Il a de hautes aspirations, de grandes ambitions. Comme le Lion est aussi le neuvième signe du Sagittaire, attirance politique tout autant que philosophique... tout comme une philosophie peut aussi devenir pour lui une politique.

Sa onzième maison est celle des amis, dans le signe de la Vierge, le dixième signe du Sagittaire. Le natif se fera des amis dans son milieu du travail. Comme la Vierge est un signe double, il devra se méfier des gens, de ceux qui se disent ses amis et qui ont deux vérités, une pour lui et une pour les autres, ce qui peut en même temps lui nuire dans ses démarches pour sa réussite. Il est sujet à être au cœur des transformations sociales, tout comme des mentalités. Il se mettra à jour au fur et à mesure des besoins de la masse. Il aime la conversation, il se sent bien en présence de ceux avec qui il peut échanger des idées. Il arrive parfois qu'il adopte les idées de quelqu'un d'autre et les fasse siennes.

Sa douzième maison, celle de l'épreuve, se trouve dans le signe de la Balance, symbole de Vénus, symbole de l'union. Le natif peut vivre une vie de couple en cachette, parce que son partenaire n'est pas libre. Possibilité de bisexualité ou d'homosexualité si des aspects dans cette maison le confirment. Possibilité également que le natif soit avec un conjoint atteint d'une maladie d'ordre physique, psychosomatique ou psychologique. Son évolution se fait souvent par la voie de l'amour, le choc qui le fait réfléchir!

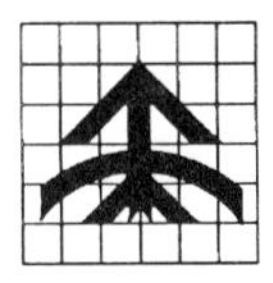
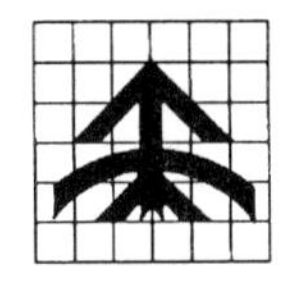

SAGITTAIRE ASCENDANT SAGITTAIRE

Il est à la recherche d'une nouvelle civilisation où il pourra exercer le rôle de grand prêtre, de bienfaiteur, de sauveur!

Il a de l'argent, des valises, un billet d'aller.

Il ne sait pas s'il reviendra, cela n'a aucune importance pour lui. Ça prend tout de même un bon bout de temps pour faire le tour du monde et tout connaître de l'existence des peuples!

Il y a aussi l'autre Sagittaire-Sagittaire, le philosophe, l'altruiste, le professeur, le gentil, le patient, le penseur. Si vous vivez avec ce deuxième type, qui la plupart du temps vit dans ses idées, vous devenez son calepin, son aide-mémoire en quelque sorte, et parfois aussi sa bonne ou son serviteur. Il n'a vraiment pas le temps de s'occuper des choses médiocres: faire à manger, la vaisselle, le ménage...

Qu'il soit du premier ou du second type, il aime la vie, il la ressent au plus profond de lui-même, il aime les humains, ils ont tant de choses à lui apprendre, et lui il a tant à leur donner.

La réalité est bien souvent une suite de répétitions, mais avec lui la réalité c'est la découverte de chaque nouveau mouvement de la nature, d'une fleur, d'un bébé qui grandit, d'un voisin, qu'il trouve fascinant... Il se transforme, il évolue et, pour lui, tout évolue et, dans son mental optimiste et positif, toute évolution n'est faite que pour le meilleur des hommes.

En amour, il n'est pas particulièrement fidèle. Sa sainteté y perd son auréole. Ses promesses de fidélité, il les a oubliées quelque part dans une valise ou dans un cahier qui est maintenant couvert de poussière ou enfoui quelque part.

Ce natif est chanceux. On lui paie ses études si c'est son choix, ses voyages si c'est sa route. Par quel hasard? Dieu le sait, et le Sagittaire l'en remercie.

Il a souvent la manie de croire que tout le monde aimerait vivre et penser comme lui. S'il essayait de se mettre un tout petit peu à la place des autres, il y verrait une différence intéressante, et peut-être se tairait-il pour écouter.

Souvent il travaille pour un organisme établi qui autorise ses déplacements, et ça lui rapporte de l'avancement et des augmentations régulières et substantielles.

Sa jeunesse peut se prolonger jusqu'à 40-45 ans. Ensuite, il devient le parfait modèle adolescent. Il devient un homme ou une femme mature définitivement vers la soixantaine, et après il désirera retomber en enfance... Il a tout son temps pour jouir de la vie. Et la vie est bonne pour lui.

Faire un peu plus attention aux désirs des autres augmenterait sa dose de sagesse. À multiplier les amours, on finit par ne plus croire à aucun!

Sa deuxième maison, dans le signe du Capricorne, le rend tout de même assez économe. Il surveille d'assez près ses intérêts et il s'arrange parfois pour que vous lui payiez ce dont il a besoin... Sa demande est si bien présentée que vous pourriez le croire dans le besoin! Il sait placer, acheter avec soin. Il a l'air de ne pas s'en faire pour l'argent mais il ne voudrait surtout pas en manquer. Il en a besoin pour lui! Il n'est pas vraiment généreux pour ses amis, un service ça se paie!

Sa troisième maison, dans le signe du Verseau, le rend très communicatif, lui donne le goût du mouvement, du sport parfois. Il peut aussi bien être un sportif intellectuel qu'un intellectuel sportif. Il aime les gens, aime se trouver parmi eux, causer, échanger des idées, rebâtir le monde aussi. Il aime les voyages au loin, chaque fois il y découvre un peu plus, et chaque fois il grandit. Il se fait des amis partout, on l'aime spontanément. Avec lui vous avez la sensation qu'il vous défend, vous protège.

Sa quatrième maison, dans le signe du Poissons, signifie souvent qu'il préfère quitter tôt le milieu familial. Il y étouffe, il y a trop d'idées contradictoires qui y circulent et il n'arrive pas à se faire la sienne. Il arrive que sa mère soit envahissante, mais il aura quand même un grand respect pour elle, car, le plus souvent, c'est une bonne nature qui se dit victime de la vie et qui souffre en silence! Il est rare que, jeune, il ait envie de fonder lui-même un foyer. Il préfère visiter le monde. Sa famille c'est la patrie, la nation, sa carrière.

Sa cinquième maison, dans le signe du Bélier, lui crée des emballements amoureux spontanés. Sa préférence ira aux partenaires bien nantis financièrement. Il pourrait vivre très jeune ses premières expériences amoureuses et sexuelles. Il aime l'aventure pour l'aventure, pour le plaisir de la découverte, qui peut être celle d'un être tout autant que celle d'un univers. Il arrive que ses amours enflammées soient aussi un feu de paille!

Sa sixième maison, dans le signe du Taureau, est la maison du travail. Le travail est stable quand il est engagé. Il pourra être attiré par différents types de carrière. Les arts, le théâtre peuvent l'intéresser et il peut y exceller. Le droit, la justice, même la politique peuvent également l'attirer et il peut y faire carrière. Comme il a souvent envie de tout faire et que les aspects lui ouvrent différentes portes, il est assez difficile de préciser dans quel domaine il peut exceller. Le sport, tout autant que les lettres, peut lui valoir du succès. Il est généralement chanceux quand il a fait son choix de vie. Il lui aura suffi de faire un pas et le reste a suivi.

Sa septième maison, dans le signe du Gémeaux, lui fait rechercher la présence d'un conjoint communicatif qui, après quelques mois ou quelques années de relation, s'avère n'être qu'un bavard. Pour l'aimer, il faut être prêt à le suivre dans son pèlerinage à la recherche de ce qu'il y a de meilleur dans cette vie! Il n'est pas facile à suivre. Il ne se rend pas toujours compte qu'il est si occupé à vivre sa vie qu'il oublie de s'intéresser à ce que fait son conjoint, à ce qu'il pense, à ce qu'il veut. Il attirera souvent un conjoint plus jeune que lui. Dans sa vie de couple, il ne détestera pas l'obstination, cela lui donne l'impression de communiquer! Il croit qu'une bonne dispute ça ramène tout... ce n'est pas toujours vrai. Il faudrait qu'il s'assure, avant d'engager le conflit, si c'est bien cela que l'autre veut... Je parie qu'il oubliera de le lui demander parce qu'il est certain que s'il veut ça, l'autre aussi le veut!

Sa huitième maison, celle des transformations, dans le signe du Cancer, peut lui faire vivre des hauts et des bas de popularité, tant dans l'entourage amical que dans un secteur public. Il lui faut être vigilant et soigner ceux qui demandent de l'attention! La mort d'un membre important de sa famille peut parfois changer la vision globale qu'il a de l'avenir. Cette position favorise les héritages.

Sa neuvième maison, dans le signe du Lion, lui donne le goût du prestige, de la grandeur, il aime fréquenter les bien-nés, les riches, les haut placés, et plus d'une occasion se présente dans sa vie de s'initier à cette société. Avec de bons aspects du Soleil et de Jupiter dans sa carte natale, il pourrait gagner à la loterie. Curieux, il questionne les gens sur ce qu'ils sont, sur ce qu'ils font, il veut tout savoir. Il aime les enfants, les respecte, mais il a peu de temps à consacrer à une famille. Il pourrait, par contre, faire un excellent professeur pour les enfants.

Sa dixième maison, celle de la carrière, dans le signe de la Vierge, le fait hésiter dans ses choix. Il entreprend deux carrières à la fois, mais vers laquelle doit-il donc concentrer son énergie? La réponse lui vient avec le temps, l'expérience. Cette position indique encore une fois qu'il peut faire carrière dans l'enseignement privé, tout autant qu'au service du gouvernement. Il pourra être habile dans certains cas à écrire des discours, des romans, dans tout ce qui fait appel à la fois à la logique et à l'imagination au service d'un groupe pour lequel il sera utile.

Sa onzième maison est dans le signe de la Balance. Ses amis appartiendront souvent au monde des arts, de l'esthétique, du droit. L'âme sœur de sa vie pourrait lui être présentée par des amis, soudainement sur le coin d'une rue en saluant quelqu'un qu'il connaît et qui se trouve avec une personne qu'il aimerait aussi connaître. Il est souvent préférable que ce natif recule la date de son mariage au cas où... Il supporte mal la limite d'un contrat mais, en même temps, il n'est souvent fidèle que s'il a signé un contrat! Il lui est donc recommandé d'attendre la quarantaine avant de s'engager dans un projet de mariage à vie!

Sa douzième maison est dans le signe du Scorpion. Elle symbolise ce qui est caché, et le Scorpion symbolise entre autres la sexualité. Cette position incite le natif à vivre de nombreuses expériences sexuelles! Il peut aussi lorgner vers le monde occulte, le monde invisible. Il pourra être médium, mais à condition qu'il ait de bons aspects de Pluton, de Mars et de Neptune dans sa carte natale. Il pourrait être exposé à subir des épreuves venant des mondes invisibles, être la proie des malins, des morts qui n'ont pas accepté leur mort.

Il peut aussi être un visionnaire, en prendre conscience à un certain moment de sa vie, et développer ou non ce don. Il en a généralement le potentiel. Il est parfois un clairvoyant et il exerce cette profession afin de gagner sa vie. Sa nature optimiste lui permet d'encourager les gens dans l'épreuve à surmonter et de prévenir un mauvais coup sans effrayer la personne qui le consulte. Il pourra être très croyant, mais il devra éviter le piège de la superstition auquel il est exposé sans trop s'en rendre compte. Cette nature est puissante.

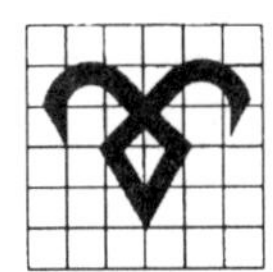

SAGITTAIRE ASCENDANT CAPRICORNE

Il vous observe attentivement. Il réfléchit à ce que vous avez l'air, il ressent vos vibrations, il vous flaire.

Prudent, il ne s'emballe pas aussi vite que les autres Sagittaires et ne fait pas confiance du premier coup.

Il est méditatif.

Philosophe, bien sûr, mais il transposera sa philosophie sur le plan matériel.

Il n'a rien de brutal, même s'il peut en donner l'apparence. Sa jeunesse n'aura certainement pas été facile, l'ascendant Capricorne crée souvent cet état de choses.

Affectueux, il l'est sans grande démonstration; il vous fera ses confidences dans l'intimité. Il a des souvenirs qu'il garde pour lui, figés dans sa mémoire et quand la Lune passe dans celle des souvenirs, il se remémore et peut alors devenir un peu nostalgique.

Son ambition se développe avec le temps et de plus en plus. Malheureusement, cela peut jouer un mauvais tour à sa vie privée. Il ne rentre que très tard, il n'est plus présent à la famille. Il est manquant.

Quand il est père ou mère, ce parent surveille comme un directeur de collège. Il est exigeant avec les enfants. Tant et si bien qu'il peut même étouffer toute leur créativité. Il devra surveiller cet aspect s'il ne veut pas un jour se retrouver avec un de ses enfants en dépression, lui reprochant d'être ce qu'il est: trop autoritaire et pas assez compréhensif. Et pourquoi n'embrasse-t-il pas plus souvent?

Au départ, il a besoin que l'on croie en lui, une toute petite poussée, un geste tendre, un mot d'encouragement, il est prêt. Il pourra alors comprendre qu'il n'est pas nécessaire de centrer sa vie sur un point unique, mais que la vie est faite d'une foule de détails. Pris dans leur ensemble, ces détails font que la vie devient moins monotone.

Sa deuxième maison, dans le signe du Verseau, sa maison d'argent, lui permet de gagner sa vie par un travail qui le tient en relation avec le public, ou alors il occupe un poste où il doit renouveler ses connaissances car on y utilise de plus en plus des appareils modernes. Il a le sens du calcul, les chiffres l'intéressent, les statistiques également. Cette position peut lui faire gagner beaucoup d'argent tout d'un coup, mais il peut aussi tout perdre tout d'un coup surtout si, dans sa carte natale, il a de mauvais aspects d'Uranus. Uranus étant une planète de collectivité, l'argent qu'il peut gagner peut soudainement lui être enlevé si, par exemple, la collectivité manque d'argent.

Sa troisième maison, dans le signe du Poissons, le rend parfois dépressif ou, du moins, enclin à l'être. Il a beau être raisonneur, quelque chose en lui l'a blessé et il n'arrive pas à l'expliquer. Il peut être attiré par la musique, la danse. Cette position peut parfois l'inciter à boire, car il n'arrive pas toujours à mettre de l'ordre dans ses pensées ni à stabiliser ses idées, et il cherche le calme dans la drogue, l'alcool. Le Sagittaire étant peu enclin vers ce genre de choses, en général, dans un cas de toxicomanie ou d'alcoolisme, il pourra en triompher plus facilement qu'un autre, avec moins d'efforts.

Sa quatrième maison est dans le signe du Bélier. Ce natif a pu être fortement aimé dans son milieu familial. Indépendant, il peut aussi en refuser les règlements et l'autorité. Il a pu avoir une mère forte, elle-même indépendante, il peut y être fortement attaché en même temps que rebelle à son type d'éducation. Il est possible qu'il ait été dans l'obligation de repousser des avances sexuelles faites par un membre de sa famille proche.

Sa cinquième maison, dans le signe du Taureau, fait parfois qu'on abuse de ses bons services. Il devient victime de son dévouement. Il peut également être très calculateur quand il est question d'amour... il ne veut surtout pas se faire rouler! Il lui arrive aussi d'être tellement méfiant qu'il passe à côté de l'amour quand il est là. Il sera attiré par le dessin, les arts, et pourra travailler dans un domaine ayant un rapport avec l'esthétique, la justice, l'alimentation, la restauration. Il sera peut-être aussi avocat ou secrétaire d'avocat.

Sa sixième maison, dans le signe du Gémeaux, le fait souvent travailler pour deux. Il sera enclin à travailler pour son conjoint ou avec son conjoint. Il aura le sens du détail, de la minutie, s'inquiétera pour un oui ou pour un non, même d'une légère baisse financière s'il possède un commerce. Il refera ses calculs, il veut balancer. Cette position peut lui apporter quelques petits problèmes physiques presque toujours reliés à une baisse du moral ou à l'insécurité. Il arrive qu'il choisisse un conjoint qui soit plus ou moins honnête, qui lui raconte les choses à sa façon, lui qui aime la vérité! Il sentira quand on lui ment, mais il préférera une preuve avant de se décider à une rupture.

Sa septième maison, dans le signe du Cancer, soit le huitième signe du Sagittaire, est le symbole que l'union peut être brisée soit par la mort de son partenaire soit par un divorce qu'il ne s'attendait vraiment pas à vivre. Possibilité d'une perte d'argent par le conjoint si le natif n'a pas prévu une égalité ou une compensation en cas de séparation ou de divorce. Il attire à lui des partenaires autoritaires; il prend cela pour de la force au début, mais il se rend compte parfois qu'il est la victime d'un conjoint tyrannique. Une carte du ciel peut parfois être vue sous un angle contraire, le natif est alors le tyrannique, mais c'est plutôt rare.

Sa huitième maison, celle des transformations est dans le signe du Lion. Le natif vit davantage ses profondes transformations dans sa relation avec ses enfants. Il arrive que ceux-ci lui fassent quelques problèmes, et il pourra alors se rendre compte qu'il y a eu un manque d'attention de sa part. Il peut alors remédier à la situation et sauver aussi celle de l'enfant qui vit un problème pouvant être relié à la drogue, à l'alcool ou même parfois à un problème physique, mais c'est plus rare. Pour une femme, cette position l'incite à une attention soutenue au cours d'une grossesse. Pour un homme, il doit suivre de plus près l'évolution de ses enfants s'il ne veut pas creuser un fossé trop grand entre lui et eux. Qu'il surveille aussi son cœur car il a tendance au surmenage, aux excès émotionnels non exprimés qui finissent un jour par se transformer en problèmes physiques réels. Possibilité qu'à un moment de sa vie, indiqué par la carte natale, il transforme sa vision de l'amour.

Sa neuvième maison, dans le signe de la Vierge, symbolise qu'il met toute son ardeur au travail, au gain matériel, à l'économie, à l'argent, à la propriété, et que la sagesse lui vient parfois du fait que, après avoir ramassé beaucoup, il conclut que l'argent ne fait pas le bonheur. Il pourrait être ballotté entre différentes philosophies de vie à un certain moment: d'un côté, il sait qu'il lui faut se tourner davantage vers les valeurs morales et, de l'autre, vers les valeurs matérielles, mais un jour, s'il le veut, il peut équilibrer les deux. Il sera curieux de savoir ce que l'avenir lui réserve, mais en cachette!

Sa dixième maison, dans le signe de la Balance, également le onzième signe du Sagittaire, lui procure des emplois de prestige où il peut se placer en tête. Il sera attiré par tout ce qui touche le collectif. Intelligent et raisonneur, on peut se fier à son jugement quand il s'agit d'affaires publiques. Il peut jouer un rôle d'arrière-plan où il sera plus important encore que s'il jouait un rôle plus marquant en apparence. Il arrive avec de bons aspects de Vénus et Saturne qu'il fasse une carrière lui demandant une présence en scène. Le plus souvent le sujet sera sérieux.

Sa onzième maison dans le signe du Scorpion, également le douzième signe du Sagittaire, lui attire parfois des ennemis subtils. Heureusement que le Sagittaire est le signe anti-ennemis. Cette position, avec de bons aspects, favorise la médecine où le natif peut innover avec une méthode révolutionnaire ou découvrir un procédé de guérison miraculeux. Il peut lui-même posséder un pouvoir de guérison. Sa sexualité peut être vécue dans une abstinence totale ou en excès, selon sa carte natale, mais il aura bien du mal à trouver le juste milieu.

Son Soleil se trouve en douzième maison, la maison de ce qui est caché. Le natif peut avoir une vie cachée et faire un travail pour autrui plus important que s'il évoluait au grand jour. Il peut, par exemple, être prêtre, politicien ou celui qui, finalement, tire les ficelles. Cette position peut apporter quelques épreuves physiques, des baisses soudaines de vitalité imputables le plus souvent à un esprit suractivé, ce qui entraîne parfois le natif dans de profondes dépressions. Cette position symbolise l'hôpital, le patient ou le médecin, compte tenu des aspects de la carte natale. Ce natif peut connaître de grands moments de transformations intérieures, et seuls ceux qui le connaissent très bien pourront s'en rendre compte.

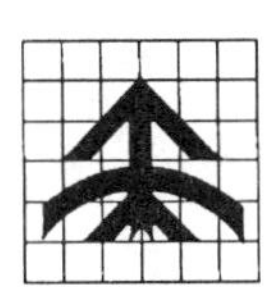

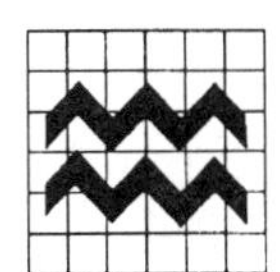

SAGITTAIRE ASCENDANT VERSEAU

Est-il vraiment un humain cet être étrange? Un fou ou un savant? Approchez, il faut voir le phénomène de plus près!

Il a les idées larges, parfois trop, ça dépasse la mesure du temps, de l'espace. Avant-gardiste, il a la solution pour que tous les hommes soient frères sur la planète Terre.

Les extraterrestres s'en viennent, on ferait mieux d'être prêts à les recevoir. Peut-être devrait-on construire un terrain d'atterrissage rond, au cas où, finalement, leurs véhicules seraient circulaires comme on en voit la plupart du temps dans les films!

Les cultures, les différentes civilisations l'intéressent au plus haut point. Son frère? Comment va-t-il? Il n'est pas là! (Il n'a pas répondu à la question, il lit un livre sur les Incas.) Sa sœur? Est-elle toujours aussi jolie? Elle est en Europe où elle termine ses études. Elle va se marier, quelle idiote! (Il n'a pas répondu à la question, il lit un livre sur les animaux sauvages et leur extermination naturelle!) Il n'arrive pas à comprendre! Comment vas-tu? Hier tu ne peux imaginer ce que j'ai vu au musée? Tu sais, celui qu'on vient d'ouvrir! Comme il est distrait!

Il est au courant de tous les progrès technologiques qui révolutionneront l'avenir, ça l'excite. L'argent il n'en manque pas ou très rarement, le ciel pourvoit toujours à cet oiseau rare.

Malgré toutes ses distractions et son manque de présence, il a beaucoup d'amis, on le recherche, il est toujours intéressant, on ne s'ennuie pas avec lui et, la plupart du temps, ses amis sont de milieux fortunés. Ainsi, s'il venait à manquer d'argent ou s'il en avait besoin pour financer une de ses petites expériences, il saurait où aller et on ne le lui refuserait pas.

Il est raisonnable. Il ne doit pas tomber amoureux, c'est dangereux et illogique. Puis il a bien observé que, chez beaucoup de personnes, ça commence par une passion et ça finit par des cris et un divorce qui coûte cher! Quelle horreur!

Mais son destin est étrange et l'amour se présente à lui sous une forme si particulière qu'il le reconnaîtra: quelqu'un qui, finalement, ne fait qu'approuver ce qu'il est et qui ne demande qu'à le voir innover et qui sait qu'il est génial... Et peut-être que cette âme sœur sera là pour faire savoir à tout le monde que lui, Sagittaire-Verseau, il avait raison quand il parlait de la visite des extraterrestres... L'âme sœur vient peut-être d'une autre planète, mais il a réussi une composition chimique avec laquelle il est possible de créer l'alliance, l'union, et une nouvelle génération de génies!

Sa deuxième maison est dans le signe du Poissons. L'argent n'est pas le centre de ses préoccupations ou rarement, si ce n'est quand il se rend compte qu'il en manque vraiment et qu'il en a besoin pour un voyage d'exploration. Il peut faire de l'argent comme de l'eau et, tout à coup elle disparaît dans le ruisseau qui va vers l'océan... C'est donc là qu'il fallait aller pour en trouver. Il a acheté son billet d'avion en vendant ses vêtements et ses meubles. Quand il reviendra, il a confiance, il sera riche et il pourra s'équiper de neuf... tout est possible avec lui et rien ne l'arrête.

Sa troisième maison, dans le signe du Bélier, lui donne l'esprit, le sens de la repartie, et un ton passionné que vous n'oubliez pas quand il vous adresse la parole. Il aime parler, discuter; il aime aussi s'entendre, il ne faudrait pas oublier ce détail. Il a une multitude d'idées qui défilent à un rythme affolant. Il peut tout aussi bien être un créateur artiste que le financier qui sait faire des millions avec juste un sou, au départ. Mais il a l'idée et il sait que ça va fonctionner. Il sait aussi parler aux bonnes personnes qui encourageront ses projets et qui peut-être le financeront ou lui indiqueront les procédures à suivre pour lui faciliter la tâche. Dans son cas, c'est «demandez et vous recevrez». Il faudrait qu'il ait de bien mauvais aspects dans sa carte natale pour qu'il n'arrive pas à obtenir ce qu'il désire. Il peut se fâcher bien vite, vous faire un coup d'éclat grandiose, vous n'oublierez pas la scène mais lui il l'a oubliée aussitôt qu'il a passé votre porte. Ce serait inutile de vous venger, il est le signe anti-ennemis et, de plus, avec son ascendant Verseau, il est humaniste!

Sa quatrième maison, dans le signe du Taureau, lui procure souvent un foyer stable dans la jeunesse où il apprend à s'affirmer. Il y a une grande possibilité que ses parents aient une entreprise dans laquelle il s'initie aux affaires, aux relations publiques, à la négociation. Il peut même participer à l'entreprise familiale en attendant d'avoir la sienne. Le sens artistique n'est pas absent chez lui, et le sens pratique dans toute sa fantaisie est présent; seulement il vous mystifie un peu, il adore ne ressembler à personne et il ne ressemble à personne.

Sa cinquième maison, dans le signe du Gémeaux, lui permet de faire précocement l'expérience de l'amour, des grandes promesses qui ne seront jamais tenues! Il peut être marqué par le premier amour de sa vie et, pendant longtemps, ne plus croire que ça existe vraiment et folâtrer alors de cœur en cœur. Possibilité que ce natif ait un enfant alors qu'il n'a pas atteint l'âge adulte, ce qui est de plus en plus rare de nos jours.

Sa sixième maison, celle du travail dans le signe du Cancer, nous rappelle encore une fois que le natif peut travailler à l'entreprise familiale. Possibilité que cette entreprise soit un jour en déficit. Vous verrez alors son petit génie rénovateur se mettre en action, aller chercher des fonds et moderniser l'entreprise. En fait, il est aussi habile manuellement qu'intellectuellement. Il a envie de tout faire, de tout apprendre, et sa curiosité le pousse à emmagasiner une multitude de connaissances qui, un jour, lui seront utiles pour l'avancement de ce qui l'intéresse.

Sa septième maison, dans le signe du Lion, symbole du conjoint, lui fait rechercher un conjoint égal à son intellect, à sa personnalité, beau, riche, élégant, parfait quoi, et il a des chances de trouver cette personne qui lui convient parfaitement. Peut-être attendra-t-il longtemps, goûtant pendant ce temps à sa liberté et se faisant une idée précise de la personne avec qui il veut bien partager sa vie. Le natif, en matière de mariage, est sélectif, il ne veut pas se tromper et il a cette chance souvent de rencontrer son idéal. Le ciel le place sur sa route. Il sera attiré par les personnes du milieu artistique ou qu'on voit venir de loin. Il ne voudrait surtout pas que son partenaire s'efface quand il est là. Il veut être fier au moment des présentations. Il faut de bien mauvais aspects dans la carte natale pour qu'il y ait divorce et, de plus, le natif est enclin à attendre la maturité pour se lancer dans la dernière grande aventure de sa vie.

Sa huitième maison, dans le signe de la Vierge, lui fait rechercher la vérité et l'origine de chaque chose. La psychologie, l'analyse, la psychiatrie peuvent aussi l'intéresser, ainsi que le monde des médicaments, de la médecine, bref tout ce qui touche l'humain et sa protection. Il sait fort bien faire de l'argent, mais son idéal est ce qui le guide réellement. Il est nerveux, mais il sait se maîtriser. Il peut lui arriver à un moment de sa vie de commettre l'erreur de trop boire, mais il s'en remettra, il a la santé à cœur, tant la sienne que la santé publique. Il est du genre à insister pour qu'on dépollue l'atmosphère, pour défendre les droits communs. Et quand il croit à sa mission, il n'abandonne pas. Il excelle dans le domaine de l'alimentation, de la diététique. L'organisme humain mérite qu'on s'y arrête. De même, il mesure sa capacité de résistance devant le stress.

Sa neuvième maison, dans le signe de la Balance, fait de lui un grand idéaliste. Pour le bien d'autrui, il peut prendre la parole devant le public afin de démontrer qu'il y a quelque chose à faire pour sauver l'humanité qui se perd et se déshumanise. Il peut le faire de différentes façons, le but étant de bien vivre, de vivre joyeusement tout en venant au secours des moins gâtés par la vie.

Sa dixième maison, dans le signe du Scorpion, peut lui faire rencontrer de nombreux obstacles quand il se lance à la défense de quelque droit ou de quelque carrière. Malgré tout, il résistera à ses opposants, ses ennemis n'étant pas capables de s'acharner contre lui. Une carrière destinée à anéantir les microbes lui convient très bien. Il peut tout aussi bien se trouver dans la publicité qu'il utilisera pour faire accepter des idées différentes.

Son Soleil se trouve en onzième maison, ce qui confirme une personnalité originale. Les voyages, qu'ils aient ou non un but de travail, sont souvent le moteur de sa vie. Partir au loin – on ne sait pas ce qui se passe ailleurs – il faut mettre le monde au courant. Il faut faire savoir que nous ne sommes pas seuls et que nous sommes tous frères. On peut le trouver dans un travail où il se fera des relations diplomatiques. Il est le bienvenu partout, surtout loin de son lieu natal où on reconnaît en lui un messager, un porteur de nouvelles. Avec de bons aspects d'Uranus, il peut atteindre des sommets bien particuliers. Il peut se faire connaître de par le monde, soit par la voie du cinéma, soit par celle de la télévision, soit comme écrivain. Sa vie est sujette à plusieurs rebondissements et même à des changements de carrière surprenants.

Sa douzième maison, dans le signe du Capricorne, indique qu'il se peut que le natif ait vécu une épreuve à cause de son père, dans sa jeunesse. Il peut l'avoir perdu, sa mère s'étant séparée de son conjoint, et il s'en est trouvé très affecté. Possibilité aussi de la mort ou d'une maladie grave du père ce qui lui a permis finalement de grandir plus vite, de devenir mature plus rapidement malgré toute sa fantaisie.

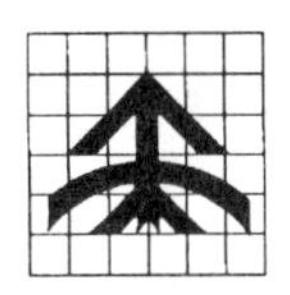

SAGITTAIRE ASCENDANT POISSONS

Il a perçu son sens pratique en cours de route et il ne sait plus sur quelle voie il devrait s'engager définitivement. Il a de la bonne volonté, mais ça prend du temps avant qu'il s'exécute! Il n'est pas paresseux, mais il est rêveur! Il est aussi naïf. Il s'éblouit devant les jeux d'enfants, les manèges, les chevaux de bois.

Les opinions à son égard seront partagées; pour les uns, c'est une «pâte molle», pour d'autres c'est un poète rêveur! C'est plus gentil et plus positif.

Il mène deux vies à la fois et il ne sait pas très bien dans laquelle il se trouve exactement. L'une se passe dans sa tête, l'autre dans la réalité.

La drogue, l'alcool, les mauvais amis l'entraînent assez facilement, il ne veut décevoir personne! Sait-il vraiment ce qu'il fait?

Un jour, tout le monde l'abandonne, on se lasse du rêveur ou de la pâte molle, mais... une personne, un ange se place sur sa route, l'inspire, le soigne, lui enseigne les secrets de la vie, il tombe naturellement amoureux et il se transforme.

Vous ne le reconnaissez plus, mais c'est encore lui. Ses rêves sont devenus réalités, la pâte molle a levé!

Sa deuxième maison, dans le signe du Bélier, lui fait désirer gagner sa vie très tôt, être indépendant, ne pas demander à personne qu'on lui donne de l'argent, qu'on lui en prête. Il a aussi horreur qu'on insiste pour qu'il rende l'argent d'un emprunt; il est honnête, il remboursera, il est seulement un peu lent à le remettre. Il a tant de choses à payer. Il lui arrive aussi d'avoir envie d'un superflu alors qu'en fait il devait s'acheter quelque chose d'essentiel. Il est quand même chanceux quand il s'agit de trouver l'argent dont il a besoin, il a souvent un ami prêt à lui venir en aide.

Sa troisième maison, dans le signe du Taureau, fait qu'il a la tête dure, qu'il ne change pas facilement d'avis. S'il croit qu'il a raison alors que vous savez qu'il a tort, vous êtes mieux de lui apporter de nombreuses preuves. Il est travailleur et créatif, pourvu qu'on ne le bouscule pas et qu'on lui donne le temps de faire son travail avec précision. Il vous surprendra par son exactitude, si vous n'êtes pas trop pressé. Il a des goûts artistiques, si on lui donne la chance de les développer quand il est jeune. Il peut effectivement se diriger dans un monde qui laisse libre cours à son imagination et à ses perceptions, et souvent à ses visions qu'il a d'un monde invisible.

Sa quatrième maison, dans le signe du Gémeaux, juste en face de son Soleil, lui fait désirer prendre la clé des champs, loin de la famille, alors qu'il est adolescent. Il est débrouillard, il peut apprendre tout ce qu'il veut, il a juste besoin d'encouragement. Il peut tout aussi bien vouloir devenir médecin qu'artiste. Si vous lui donnez l'occasion de développer ses talents, il sera capable d'aller jusqu'au bout. L'adolescence est importante pour lui, elle marque une grande étape et elle peut être déterminante pour ce natif. Il peut s'y laisser entraîner à de mauvaises fréquentations, parce qu'il désire une appartenance. Le plus souvent il vit au milieu de conflits familiaux, verbaux ou non, qui l'affectent plus qu'il ne paraît. Il capte les messages invisibles qui deviennent une partie de lui, une partie de ses propres pensées. Élevé dans un milieu organisé où chacun vit son rôle dans la paix et la confiance, il peut alors développer toutes les qualités de son signe et de son ascendant.

Sa cinquième maison est celle de l'amour, dans le signe du Cancer qui est également le huitième signe du Sagittaire. Le natif peut vivre un profond attachement à sa mère qu'il ne peut, en fait, véritablement exprimer, celle-ci pouvant rejeter ses démonstrations d'affection. Dans ses amours, il recherchera une protection complémentaire, parfois celle qu'il n'a pas reçue dans son milieu familial.

Sa sixième maison, dans le signe du Lion, lui procure parfois un travail dans le milieu artistique où, lentement, il peut gravir quelques échelons. Il peut y faire un travail manuel tout autant qu'intellectuel et créateur. Il fait, par exemple, un excellent recherchiste et un bon relationniste. Calme, il essaie de ne pas trop déranger, il sait insister sans que cela paraisse. Plus il vieillira et mieux il gagnera sa vie, surtout s'il est dirigé vers un monde de créativité.

Sa septième maison, celle des unions, dans le signe de la Vierge, lui fait parfois choisir un partenaire dominateur et critique qui, finalement, lui fait perdre sa confiance. Et plus le natif s'affaiblit, plus le partenaire en profite pour l'écraser, cercle vicieux dont il a du mal à sortir. Double signe double, il ne lui reste que la fuite et même la fuite des responsabilités pour être rejeté. Il le fait souvent sans s'en rendre compte, mais si vous lui expliquez il pourrait alors prendre consciemment la décision d'abandonner quelqu'un qui, finalement, l'écrase au lieu de le stimuler. Cette position indique souvent deux mariages, le second étant réussi. Le natif aura appris entre-temps à communiquer.

Sa huitième maison, dans le signe de la Balance, est le symbole de l'union. Effectivement, ses grandes transformations lui viennent souvent par une rupture dans sa vie de couple. Il peut alors s'éveiller à une autre réalité et s'engager sur une voie différente ou alors d'une manière plus indépendante. Possibilité qu'il devienne l'héritier; le veuvage peut survenir également. Les astres inclinent mais ne déterminent pas.

Sa neuvième maison, dans le signe du Scorpion, lui donne en partant dans la vie une compréhension d'autrui qu'il ne peut exprimer. Il voudrait aussi que l'argent lui arrive facilement, afin qu'il puisse faire ce dont il a envie, mais il en est rarement ainsi. Cette position indique d'importantes transformations dans sa vie vers la trente-cinquième année. Le natif pourrait même décider d'entreprendre des études qui le mèneront vers ses aspirations premières et vers ce en quoi il croit profondément.

Son Soleil se trouve en dixième maison. Si le sujet décidait sérieusement d'entreprendre quelque chose de précis dans sa trente-cinquième année et qu'il mette tout en œuvre pour réussir, cette position solaire a pour effet de lui garantir le succès tant sur le plan financier que sur celui de la reconnaissance publique. Une carrière politique peut l'attirer, même s'il se décide tard à s'engager, de même que la médecine. Le sport peut, pour certains, être une véritable raison de vivre et y réussir avec beaucoup de succès. Il a tout ce qu'il faut pour réussir. Il lui suffit d'un bon départ dans la vie et l'encouragement de ses parents. Si ça lui manque, il retarde tout simplement l'éclosion de sa propre individualité et sa réussite.

Sa onzième maison, dans le signe du Capricorne, fait qu'il est possible qu'il ait un père très occupé qui a peu de temps à lui accorder. Il reçoit le gîte et la nourriture, mais ce n'est certainement pas suffisant pour inspirer le bonheur et la confiance. Le père de ce natif peut aussi avoir fait exploser la cellule familiale et avoir affecté ce Sagittaire plus que le père ne peut le croire lui-même. Avec d'excellents aspects dans cette maison, le natif peut être l'ami de son père et vouloir suivre ses traces. Il aura peu d'amis; ils seront souvent des amis d'enfance, des amis de la famille. Il se livre peu à eux, il faut le deviner.

Sa douzième maison, celle de l'épreuve, dans le signe du Verseau, est le symbole du choc, du divorce, des renversements sociaux. Un divorce, ce peut être une grande faveur que ce natif reçoit dans sa vie parce qu'il le forcera à changer son attitude bien qu'un divorce ne soit jamais agréable. Les renversements sociaux peuvent jouer en sa faveur. Quand tout va mal, c'est de lui qu'on a besoin, il est la personne-ressource. Il arrive souvent qu'il soit le sauveur des enfants des autres. S'il est lié à une personne qui a des enfants dont il s'occupe, une séparation d'avec eux, auxquels il s'est attaché, créera un profond désarroi chez lui et peut même le mener à se révolter. Cette position l'invite à la prudence dans ses déplacements sur la route. Il peut être victime d'un accident qui lui enlève pour un temps le contrôle de sa destinée. Il arrivera aussi qu'il soit la victime d'une erreur dont il n'est aucunement responsable.

Le Capricorne et ses ascendants

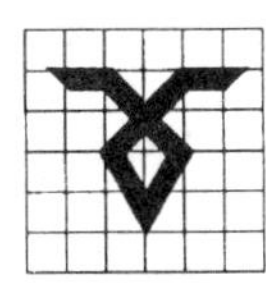

CAPRICORNE ASCENDANT BÉLIER

Double signe cardinal, deux bêtes à cornes, deux chefs. L'un est prétentieux (Bélier) l'autre, humble (Capricorne naturellement). Il sait sourire. Sa maman lui a appris que, pour plaire aux gens et tout obtenir d'eux, les mettre dans un bon état d'esprit pour qu'ils consentent à dire oui sans condition, il faut montrer ses dents, écarter les lèvres et avoir l'air sympathique!

Il a besoin de vous, de votre temps, vous êtes utile dans sa vie et si vous ne lui êtes pas agréable, ce n'est pas nécessaire la fantaisie, c'est du temps perdu. Il arrive que cette nature soit tyrannique, despote. Un vrai dictateur, mais nullement diplomate. Ses règles du jeu sont sévères, tant les siennes que celles qu'il impose. Il n'a pas de temps à perdre, il lui faut assurer ses vieux jours! Mais on le respecte. On ne l'aime pas, on le craint. On est poli avec lui!

Le protocole, il le connaît par cœur et il sait l'appliquer à la lettre. Ça paraît bien et on a l'air digne! Le cœur est au travail, il est à l'organisation.

Le plus souvent, il occupe un poste de direction. Et s'il vous demande de faire des heures supplémentaires, vous feriez bien de vous y plier, sinon ça peut le contredire et aller mal pour vous!

Il n'a pas beaucoup d'amis, c'est inutile. Entre eux ils s'amusent et ils perdent du temps. Pour lui, la relaxation c'est de se savoir bien à l'abri financièrement.

C'est presque un monstre, me direz-vous. Non, pas tout à fait.

Sa deuxième maison est dans le signe du Taureau, une position idéale. Comme je l'ai mentionné plus haut, ça lui donne beaucoup d'appétit pour l'argent, le luxe et la liberté d'action qui peut s'ensuivre. Calculateur sans jamais en avoir l'air, il est impeccable dans son comportement. Il sait parfaitement quoi faire quand il est question de contrats, de financement, ou s'il s'agit de faire un geste pour permettre à son entreprise de progresser. Il sait qu'il faut commencer au bas de l'échelle; le Capricorne a cette sagesse, mais le Bélier le presse de grimper.

Sa troisième maison est dans le signe du Gémeaux, sixième signe du Capricorne. La troisième représentant l'esprit, la sixième, le travail, ce Capricorne a l'esprit entièrement tourné vers le travail, ce dont on ne se rend pas compte chez lui car il sait fort bien cacher ses émotions. C'est un anxieux. Ça tourne à une grande vitesse dans sa tête. Il a également des moments de profonde dépression qu'il camoufle à la perfection. Ce natif est doué le plus souvent d'une intelligence au-dessus de la moyenne. À la fois imaginatif et pratique, il sait inventer un système qui rapporte et, en même temps, il est parfaitement conscient qu'il néglige l'aspect émotionnel, l'émotion étant considérée par lui comme une faute, une offense à la logique. Alors, quand il se pose des questions, il ne fait pas de tapage, il veut tout régler seul et, un beau jour, on a du mal à le reconnaître, on se demande ce qui lui prend de vouloir tout rejeter! Généralement, les méthodes psychanalytiques ont un bon effet sur lui.

Sa quatrième maison, qui représente le foyer, dans le signe du Cancer, signe opposé au sien, signifie que, le plus souvent, il a acquis dès son jeune âge de solides principes de travail et de loyauté. Le Cancer, également son septième signe, lui fait désirer un partenaire de nature plutôt tranquille, qui obéira à ses commandements sans répliquer, comme lui-même a appris à le faire chez lui quand il était petit. Mais, surprise! On a de moins en moins envie d'être traité de la sorte! La famille est importante pour lui et trop souvent, surtout dans le cas des hommes, il laisse à sa conjointe l'entière responsabilité du foyer, de la famille, des enfants. Une femme continuellement délaissée s'ennuie même dans un château, et elle trouve vite la porte de sortie. Et voilà que le mâle Capricorne-Bélier est tout surpris que l'on rejette sa protection... matérielle!

Sa cinquième maison, celle de l'amour, également le huitième signe du Capricorne, le Lion, symbolise une transformation complète grâce à un choc sentimental. Possibilité, si le natif a des enfants, qu'il ait quelques problèmes de nature émotionnelle avec eux. Il pourra croire pendant longtemps qu'il est le propriétaire d'un conjoint, une fois qu'il se sera installé dans une union. Il aimera d'abord avec passion, même s'il ne peut l'exprimer comme il le voudrait. À un moment de sa vie indiqué par le Soleil, Pluton et Mars dans sa carte natale, il pourra vivre un grand tournant dans sa vie financière. Il peut tout perdre tout d'un coup, comme il peut aussi gagner une grosse somme d'argent par des placements, à la Bourse, dans l'immobilier ou grâce à des investissements dans une compagnie en pleine croissance.

Sa sixième maison, dans le signe de la Vierge, symbole du travail, neuvième signe du Capricorne, neuvième symbole de voyages, indique qu'il est possible que les grands déplacements de ce natif soient effectués en raison de son travail. Il se peut aussi, s'il est lui-même propriétaire de son entreprise, qu'il étende sa puissance en pays étrangers en toute sécurité puisque cette maison est en aspect positif avec son Soleil, à moins de très mauvais aspects dans sa carte natale.

Durant de longues années la philosophie du natif pourra être axée uniquement sur la puissance de l'argent. Il arrive, mais surtout avec des aspects bien spécifiques dans sa carte natale, qu'il puisse «tricher un tout petit peu» dans le domaine financier. Son stoïcisme et sa maîtrise lui permettent de jouer serré et de bluffer à l'occasion afin de gagner une bataille financière.

Sa septième maison, dans le signe de la Balance, symbole des unions, de la justice, de l'esthétique entre autres, également le dixième signe du Capricorne, lui donne le sens de l'entreprise et facilite des rapports importants avec le monde de la justice et les gens qui établissent les règles qui régissent un pays, une nation, une ville. Il est possible que le natif rencontre son premier conjoint sur les lieux de son travail et qu'il participe à l'évolution de sa carrière.

Cette position met la vie de couple en danger puisque le natif est axé sur son travail et son ascension sociale. Il lui arrivera, même sans s'en rendre compte, de choisir pour partenaire une personne utile à son ascension sociale. Je vous l'ai dit plus haut, il sait fort bien calculer, soigner ses intérêts et ses avantages sociaux. Il fonctionne par des relations et des personnalités interposées entre lui et le but à atteindre.

Sa huitième maison, dans le signe du Scorpion, également le onzième signe du Capricorne, provoque la plupart du temps dans sa vie des changements radicaux, le hasard jouant en sa faveur en ce qui a trait à sa carrière. Il peut être fortement attiré par la politique, y jouer un rôle caché mais si utile qu'on lui demandera son avis avant de prendre les grandes décisions. On se fie à son jugement qui peut être froid, détaché de la situation elle-même. Il aura peu d'amis, mais ceux qu'il aura le respecteront.

Sa neuvième maison, dans le signe du Sagittaire, également le douzième signe du Capricorne, nous indique qu'il est fort habile à soustraire de l'argent à l'impôt et qu'il peut jouer avec des valeurs importantes. Ce douzième signe symbolise l'épreuve, qui peut venir d'une crise et d'une prise de conscience concernant ce qu'il est et ce qu'il fait. Le moment de la crise est indiqué par les aspects de Neptune et de Jupiter dans sa carte natale. Il pourra alors réviser sa place dans le monde et se rendre compte qu'il n'avait pas à prendre toutes ces responsabilités qui sont devenues une partie de lui-même, faisant corps avec lui jour et nuit. Position qui symbolise également qu'il peut ou pourrait avoir des problèmes avec ses enfants quand ils atteignent un certain degré d'indépendance et de maturité et qu'ils sont, en fait, en mesure de se dresser contre son autorité.

Son Soleil se trouve en dixième maison. Il faudrait alors qu'il ait plusieurs mauvais aspects dans sa carte natale pour ne pas se hisser au sommet d'une entreprise. Il se serait alors enfermé dans une sorte de tour de gloire n'appartenant qu'à lui seul et où il se sent bien malheureux. Ce natif pourrait être porté soit à imiter le père, s'il a réussi, soit à entrer en compétition avec lui pour lui prouver qu'il est plus puissant que lui et qu'il est capable de se hisser au-dessus de sa condition. Encore une fois, il est capable à la fois d'une grande détermination et de froideur dans l'atteinte de ses objectifs, et d'entretenir aussi une grande anxiété qu'il dissimule derrière le masque de la maîtrise.

Sa onzième maison, celle des amis, du monde moderne, dans le signe du Verseau, également le deuxième signe du Capricorne, lui procure des amis qui ont de grands moyens financiers. Ces mêmes amis pourraient subir des revers importants dont il sera victime, mais il s'en relèvera parce qu'il est «surdéterminé». Les techniques modernes mises au service d'un grand bassin de population pourraient faire sa fortune. Il sait également quand il faut solliciter ses connaissances pour pénétrer dans divers milieux. Vous ne pourrez pas dire qu'il n'a pas gagné sa vie; il y met toute son ardeur, malgré quelques accrochages de temps à autre. Question de stratégie, et il est fort habile dans ce genre de manipulation.

Sa douzième maison, dans le signe du Poissons, également le troisième signe du Capricorne, indique encore une fois que le natif pourrait vivre un moment de profonde dépression dans sa vie. Il pourra alors revoir toutes ses valeurs, considérer ce qui lui a assuré sa puissance matérielle. En fait, il a le temps de réfléchir à ses actes, à la philosophie qui, en principe, ne paie pas. Il pourrait alors voir Dieu lui-même sous un œil différent, non pas comme un principe d'analyse, mais comme une omniprésence qui l'a toujours guidé. L'épreuve vient par le mental, la réflexion. Il est sujet à un moment de sa vie à vivre une sorte d'immobilité qui peut être provoquée par un accident mais qui aura un effet bénéfique sur lui. Il sera alors confronté avec lui-même face à ses émotions!

Il a toutes les chances du monde d'évoluer après avoir atteint son objectif matériel qui le mettra en sécurité pour ses vieux jours. Il pourrait bien se mettre à écrire ses mémoires! Et qui sait s'il ne rendra pas service à une multitude de natifs Capricorne-Bélier!

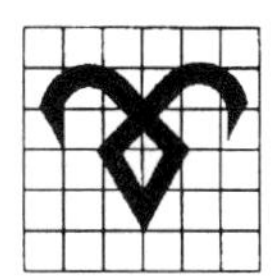
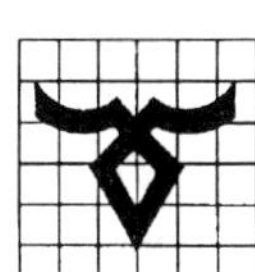

CAPRICORNE ASCENDANT TAUREAU

Double signe de terre, celle-ci est-elle sèche et dure? Humide? Fertile? Stérile? Ce natif a-t-il des sentiments? S'il en a, peut-il les démontrer? Le Capricorne, signe d'hiver, le Taureau, signe de printemps: il y a de l'espoir!

Pendant longtemps il est capable de faire abstraction de sentiments, le mot «passion» figure au dictionnaire, sans plus. Capricorne, signe de commandement, Taureau signe fixe, il donne des ordres et n'en prend aucun. Il est son propre patron la plupart du temps. Il peut apprendre chez les autres, mais dès qu'il se rend compte qu'il peut en faire autant seul, le voilà qui lance son entreprise, et très jeune. La force n'attend pas le nombre des années.

Autonome, indépendant, il ne supporte pas qu'on lui dise quoi faire ni comment. Il aime le beau, le luxe, le cher, l'argent, la sécurité, et il évite les futilités qui lui font perdre du temps. S'il s'accorde du repos, c'est qu'il en a besoin pour récupérer, pour refaire son plein d'énergie et travailler plus fort demain.

Organisateur, il est inébranlable dans la poursuite de ses objectifs et il réussit. Rien ne lui est vraiment donné, il travaille, persuadé qu'il «faut travailler à la sueur de son front». Un petit 3% d'inspiration et 97% de transpiration, ça ne l'effraie pas, ça le stimule! Un jour ou l'autre il aura dépassé tous ses compétiteurs, il en est convaincu.

Le temps passe, le voilà en pleine réussite, l'argent rentre bien dans ses caisses. Maintenant, il peut penser à aimer! Avec un ascendant Taureau régi par la planète Vénus, celle de l'amour, des besoins physiques, il ne peut passer sa vie seul. C'est inconcevable.

Il trouve l'amour. Il s'attache. Il fonde une famille et elle devient pour lui un havre de paix, de tranquillité, où il peut enfin s'éloigner de son propre champ de bataille.

Le plus souvent, cela lui arrive dans la trentaine bien avancée. De toute manière, il ne paraît pas encore son âge, le vieillissement est au ralenti chez lui.

Ses sentiments, quand il aime, sont profonds et durables. Il est fidèle. Il peut décrocher la Lune à ceux qu'il aime et qu'il a mis sous sa protection, sa femme ou son mari, ses enfants. Il garde ses amis longtemps, parfois depuis son enfance. Il a toujours été honnête avec eux, comment pourraient-ils les abandonner? Il a toujours été là pour aider au moment des difficultés.

C'est un être en évolution continuelle. Plus il vieillit, plus il comprend la jeunesse. Il est sage et excuse les fautes, il sait qu'on peut en commettre et que l'erreur est humaines.

Ayant sa deuxième maison dans le signe du Gémeaux, il a de grandes possibilités que dès l'adolescence il soit déjà sur le marché du travail. Il est adulte à l'âge où les autres s'amusent encore comme des enfants. Il pourra bien commettre quelques erreurs, prêter de l'argent pour donner un coup de main, le perdre aussi, mais il ne se laissera pas prendre deux fois dans la même situation. Quand il apprend une leçon c'est pour la vie! Il est capable de faire des économies, mais tout à coup il ne résiste pas à l'envie de s'offrir des petits luxes dispendieux. L'ascendant Taureau l'incite continuellement à se faire beau! Il aime une belle maison, le confort moderne, mais il a parfois besoin de conseils pour éviter les pièges financiers. L'argent peut lui venir de son travail où il se trouve en communication avec une foule de gens qui passent et repassent sans qu'il ait à s'attacher à eux.

Sa troisième maison, dans le signe du Cancer, également la septième du Capricorne, ne lui réserve pas toujours une bonne surprise en ce qui a trait au conjoint. Il se peut que celui-ci soit une sorte de fabulateur, un imaginatif qui ne sait pas toujours lui-même s'il dit la vérité. Il aimera parler avec son partenaire, mais il arrive fréquemment qu'ils ne soient pas sur la même longueur d'onde. L'intelligence ici est également intuitive. Il s'émeut, pressent, puis il analyse, alors que d'autres analysent d'abord et commencent à s'émouvoir par la suite. Il est possible qu'à l'adolescence, ou plus jeune encore, il rencontre la personne qui deviendra son premier conjoint. Il peut vivre deux unions, mais rien n'est certain. Plusieurs connaîtront des difficultés dans leur vie de couple, mais ils se rajusteront et passeront au travers. On remarque chez lui deux tendances très fortes: autant il aime les gens et leur compagnie, autant il aime se retrouver seul face à lui-même pour rééquilibrer ses émotions.

Sa quatrième maison, dans le signe du Lion, le fait aspirer à être le propriétaire d'une maison magnifique. Il rêvera d'avoir de nombreux enfants, mais ça ne restera peut-être qu'un rêve. Le lion étant le huitième signe du Capricorne, il se peut que le natif perde un membre important de sa famille alors qu'il n'est pas très âgé, peut-être à l'adolescence ou vers la fin. La situation familiale se transformant alors, il se sent obligé d'assumer son indépendance économique plus rapidement. La quatrième maison représentant la mère, celle-ci jouera un rôle important dans la vie du natif. Elle peut être plus possessive qu'elle ne le paraît et, par voie subconsciente ou suggestive, elle peut influencer la vie amoureuse de son rejeton. Elle peut amener, par exemple, le natif masculin à choisir un conjoint qui ne lui convient pas, le message vibratoire étant qu'il ne peut trouver de meilleure personne avec qui vivre que sa mère. Sans s'en rendre compte, il choisira comme premier conjoint une personne susceptible de détruire ses rêves mais un jour il la rejettera pour rester fidèle à sa mère. Une native peut avoir quelques conflits d'autorité avec sa mère, surtout quand surviennent des naissances... La grand-mère veut alors prendre en main l'éducation des petits-enfants, ce qui en principe relève de la mère! Le natif pourra cependant, à travers sa mère, beaucoup évoluer. Elle le force, d'une certaine manière, à réviser continuellement son attitude face à la vie.

Sa cinquième maison, dans le signe de la Vierge, également le neuvième signe du Capricorne, indique que si le premier mariage échoue, il y a une grande possibilité alors que le natif rencontre l'amour, le vrai, dans une seconde union, peut-être vers sa trente-sixième année. Doué d'un esprit créatif, souvent artistique, il peut exceller aussi bien dans le dessin, la chanson ou l'ébénisterie. Il est capable d'innover. Il aime toucher, sentir que les choses autour de lui se transforment, évoluent. Sensible au bien-être d'autrui, il sera prévenant, surtout pour la personne qu'il aime. Avec ses enfants, quand il en a, il sera respectueux de leurs aspirations et de leur choix de vie, il sera de bon conseil et serviable quand ils auront besoin de lui. S'il a une famille, les enfants peuvent devenir un but en soi. Il voudra les guider vers le bonheur, leur donner tant de leçons de sagesse que de conseils pratiques.

Sa sixième maison, celle du travail, dans le signe de la Balance, fait de lui une personne très inspirée. Il devine les besoins des gens. Souvent son travail sera en relation directe avec un service à rendre à autrui. Cette position favorise le commerce des cosmétiques, des vêtements également. Mercure et Vénus, dans la carte natale, nous donnent des précisions sur le genre de travail où il excellera. Il sera bon travailleur. La Balance étant le dixième signe du Capricorne, le natif pourra rencontrer des obstacles sur sa route avant de s'élever dans sa carrière. Pendant longtemps il pourrait se contenter d'un travail subalterne, comme s'il devait d'abord se prouver à lui-même ses capacités. Perfectionniste, il voudrait ne commettre aucune erreur susceptible de déplaire au client. Souvent altruiste, il rend des services sans demander un prix, et quand il se rend compte qu'on abuse, il se ravise, et il est bien possible que vous n'en entendiez plus parler. Il ne faut surtout pas tromper sa confiance; il a une mémoire phénoménale, à moins de mauvais aspects d'Uranus et de Mercure. Il n'est pas du type vengeur, mais si vous avez triché avec lui, vous avez perdu un ami et un protecteur.

Sa septième maison, dans le signe du Scorpion, est le symbole des transformations, de la mort, du veuvage, de la sexualité, des recommencements. Plusieurs possibilités peuvent apparaître au sujet du conjoint. Le Scorpion étant énigmatique, puissant, et exerçant une force subconsciente, cela peut susciter autour de lui des êtres aux comportements souvent étranges. Le Scorpion étant également le onzième signe du Capricorne, et le onzième représentant Uranus, la planète des chocs, il se peut que le natif soit avec un partenaire qui manifeste un appétit sexuel immodéré, même anormal. Il est également possible qu'il rencontre l'inverse, une personne froide qui n'a aucun appétit sexuel. Ce sont les aspects de Mars et d'Uranus dans sa carte natale qui déterminent la sexualité de la personne qu'il attire. Le natif peut avoir pour conjoint un veuf ou une veuve, ou une personne qui a traversé de grandes épreuves. Comme le Scorpion est un signe fixe, il arrive que le mariage, bien que d'une durée importante, s'avère destructeur pour le natif, du moins sa première union. Le conjoint qu'il a choisi est très fort et impose ses lois. Ça fait un jour, mais ça ne fait pas toujours!

Sa huitième maison, dans le signe du Sagittaire, le douzième signe du Capricorne, indique que le natif peut vivre des expériences peu communes et même avoir des contacts avec le monde invisible. L'intuition devient de plus en plus puissante au fil de son vieillissement. Il pourra s'intéresser de près à l'astrologie, aux sciences paranormales. S'il en vient à perdre une personne qui lui est précieuse, il pourra rester en contact avec elle, et elle pourrait le guider sur les différents sentiers de la vie, souvent même sans qu'il en soit véritablement conscient. Avec de mauvais aspects dans cette maison, il peut avoir de sérieux problèmes s'il se trouve à l'étranger. Il devra éviter les pays en guerre s'il veut prendre des vacances... Il ferait une victime idéale. Le plus souvent il est profondément croyant et c'est cette même foi qui lui fait surmonter des épreuves pénibles. Il sait qu'une force supérieure à la sienne veut son bien et non le punir. Sa foi est réelle, elle n'a rien de la superstition.

Son Soleil se trouve en neuvième maison, ce qui lui permet de s'élever dans son choix de carrière. Il fait un excellent professeur, un médecin, un médecin de l'âme aussi. Prophète, si l'on peut dire, il devine les gens, mais il a la délicatesse de s'éloigner plutôt que de les blesser quand il se rend compte qu'ils ne veulent pas être aidés. Cette position favorise les grands voyages, les longues absences à l'étranger. Mais il devra toujours être prudent quand il se retrouve ailleurs que chez lui, surtout s'il a dans sa carte natale de mauvais aspects du Soleil, de Saturne et de Jupiter. Sa nature, la plupart du temps, est profondément généreuse. Il voudrait que tout le monde soit heureux, que la misère n'ait jamais existé. Il apporte souvent sa coopération au sein de groupes de bénévoles ou dans toute organisation qui se préoccupe du bien-être d'une société.

Sa dixième maison, celle de la carrière, dans le signe du Verseau, deuxième signe du Capricorne, fait qu'il gagnera bien sa vie et ne voudra surtout pas dépendre de qui que ce soit. Il peut atteindre des sommets très élevés dans la sphère qu'il a choisie. Le plus souvent, il gagnera son argent en offrant un service à un grand public. Ce natif peut faire un bon aviateur ou un bon marin, l'air et l'eau, les grands espaces lui plaisent, il aime être en contact avec la nature, et c'est là qu'il puise son énergie. Vivre dans une ville, ce peut être une punition pour lui. Il pourra s'intéresser de près à la politique ou à ce qui touche directement la population. Cette position suscite une grande curiosité face à l'astrologie. Possibilité aussi d'une carrière à la télévision, avec de bons aspects d'Uranus, de son Soleil et de Saturne.

Sa onzième maison, celle des amis, dans le signe du Poissons, le troisième signe du Capricorne, lui fait accepter toutes les classes de la société. Il n'est pas obligé de les fréquenter, mais il s'abstient de juger uniquement sur les apparences qui ne sont, après tout, que des indices. Il connaîtra beaucoup de choses, aimera parler avec les gens, les rencontrer, mais il ne s'attachera pas véritablement à eux. Il peut être trois ans sans avoir vu un ami, le retrouver et continuer la conversation là où il l'avait laissée. Il aime échanger des idées, il y puise ses informations, il apprend. L'école pour lui, c'est la vie.

Sa douzième maison, celle de l'épreuve dans le signe du Bélier n'apporte que des épreuves de courte durée. Souvent elles ont une relation directe avec la famille ou un membre de la famille. La douzième symbolisant ce qui est caché, il pourra un jour apprendre un secret de famille dont on le tenait à l'écart. Il saura calmer ses anxiétés par l'action, il fera quelque chose d'utile plus souvent qu'amusant. Le Bélier étant un signe de Mars et la douzième, ou Poissons, un signe de Neptune, il peut alors garder pour lui seul un secret en relation avec la sexualité surtout si dans sa carte natale il a de mauvais aspects avec cette maison.

CAPRICORNE ASCENDANT GÉMEAUX

Par Mercure du Gémeaux, il a la tête pleine d'idées. Logique et amusant, il s'exprime aisément, est communicatif et il a le mot gentil qui lui vient tout de suite pour faire plaisir à quelqu'un, pour faire sourire. Son cerveau est un véritable ordinateur: il analyse, fait la synthèse et voilà la réponse instantanément. Il est comme un classeur: vous avez besoin d'une information, il l'a en mémoire, la voici!

Est-il un être fabuleux?

Émotionnellement, il manque de confiance en lui. Il n'est jamais tout à fait certain si vous l'aimez vraiment ou si vous êtes aimable par convention. Il a des doutes dont vous ne vous rendez qu'à peine compte. Il se cache quand il tombe dans son pessimisme et si, à tout hasard, un ami le visitait un jour que la Lune le rend triste, il aurait peine à le reconnaître et s'inquiéterait sérieusement pour sa santé mentale.

Il devient nerveux lorsqu'il constate que quelque chose n'est pas parfait. Un atome crochu le dérange, même si cet atome ne nuit en rien à l'organisation générale, et même si cet atome vit tout croche dans son coin!

Le temps passant et la sagesse ne lui faisant pas défaut, il se rend compte qu'il a perdu un temps fou à s'inquiéter pour des petits riens!

Sa deuxième maison, celle de l'argent, dans le signe du Cancer, qui est également le septième signe du Capricorne, fait qu'il a de grandes chances que son union lui coûte cher! Il peut se retrouver pourvoyeur financier et n'obtenir que très peu de reconnaissance en retour. Il lui arrive de ne pas se rendre compte qu'on l'aime pour ce qu'il fait, pour ce qu'il rapporte, ce qu'il vaut, et non pour ce qu'il est. Il lui arrive de penser que le fait de porter un titre lui attire la considération d'autrui. Avec de mauvais aspects dans cette maison, le natif peut perdre d'importantes sommes d'argent à cause d'associés malhonnêtes. Il sera habile à acquérir des maisons. Il fait un excellent comptable lorsqu'il s'agit de ses biens personnels, pourvu qu'il n'y mêle pas trop ses affaires de cœur.

Sa troisième maison, dans le signe du Lion, également le huitième signe du Capricorne, lui donne le goût d'être continuellement en mouvement. Il pourra prendre des risques sur la route, dans les sports. C'est sa carte natale qui nous informe plus précisément sur la nature de ses imprudences. Il aura la parole facile et saura s'exprimer avec chaleur et conviction s'il croit à une idée et s'il est persuadé qu'il faut la défendre, surtout si elle cadre bien avec son orientation professionnelle et personnelle. Il aura le grand défaut de ne pas étudier les choses en profondeur et de s'aventurer parfois sur des terrains qu'il n'a pas explorés suffisamment. Il parle comme s'il était absolument sûr de tout et voilà que, par le biais d'une information, ses paroles ne sont plus tout à fait le reflet de la réalité. Si on le côtoie régulièrement, on pourrait finir par mettre en double ou en veilleuse, ses affirmations. Il a donc tout intérêt à être plus modéré dans ses discours et à peser ses paroles.

Sa quatrième maison, dans le signe de la Vierge, le neuvième signe du Capricorne, le favorise dans la spéculation, l'achat d'immeubles, les placements. Il peut être issu d'une famille dont les revenus étaient suffisants pour lui assurer la poursuite de ses études. Il n'a probablement manqué de rien dans son foyer de naissance. Sa mère peut être une femme intelligente, bien que nerveuse, qui sait l'orienter en lui montrant le côté pratique de la vie. Elle lui a transmis, par voie génétique, le sens de la débrouillardise. Son lieu de naissance, lieu important pour la formation mentale et l'esprit de synthèse, est un monde où il puise ses idées. Avec de très mauvais aspects de cette maison dans sa carte natale, il pourrait, tout au contraire de la discipline, éparpiller ses talents.

Sa cinquième maison, celle de l'amour, dans le signe de la Balance, le pousse vers la passion, surtout quand il est jeune. Mais en bon Capricorne, il se refroidit à la première déception. Il peut être fortement attiré vers les communications, où il excelle d'ailleurs. Il est sujet à des rencontres amoureuses au sein même de son entreprise et peut-être même à des aventures qui risquent, s'il est marié, de susciter des conflits dans son ménage. Il aura du mal à résister à la tentation quand on le flirte! Le domaine du droit lui convient bien, ou même tout ce qui touche la politique.

Sa sixième maison, dans le signe du Scorpion, lui fait rencontrer quelques embûches avant qu'il atteigne le sommet de sa carrière. Il pourra, à un certain moment indiqué par sa carte natale, changer complètement d'orientation dans son travail. Il est aussi du genre à devenir propriétaire d'entreprise. Si à tout hasard il devenait le patron, il surveillerait alors de près ses employés et aurait bien du mal à faire confiance. Doué d'une grande résistance physique, il ne se rend pas toujours compte qu'il a dépassé la limite et voilà qu'il se sent dépressif. En fait, son corps l'avertit qu'il a besoin de repos.

Sa septième maison, dans le signe du Sagittaire, provoque souvent deux unions dans sa vie. Comme le Sagittaire est le douzième signe du Capricorne, le natif pourra souffrir considérablement au moment d'une séparation et il mettra longtemps à s'en remettre, ce qui ne l'empêchera pas d'avoir des flirts malgré sa peine! Il a cette faculté, rare chez le Capricorne, de pouvoir se détacher quand la douleur devient trop intense. S'adonner à une nouvelle activité distrayante lui permet alors de rencontrer de nouvelles personnes, de se faire de nouveaux amis qui ne lui rappelleront pas son passé. Comme le Capricorne n'est pas un être désintéressé, il pourrait souvent rechercher comme partenaire une personne bien nantie financièrement. Mais, surprise, plutôt que de lui rapporter, c'est à lui que ça coûte cher!

Son Soleil se trouve en huitième maison, ce qui fait de lui un être sensuel, du moins la plupart du temps. Sans trop le laisser voir, il pense profondément à ce qu'il pourrait bien faire pour changer ceci et cela dans sa vie. Souvent la mort d'un proche intervient brutalement et transforme ses valeurs. Cette position, encore une fois, indique qu'il est bon spéculateur. Il pourrait également s'intéresser à l'astrologie, aux sciences paranormales, et y trouver un complément à ses activités. Avec de mauvais aspects dans cette maison, il peut développer de la tyrannie et ambitionner sur les autres, les traitant comme s'ils étaient obligés d'être à son service!

Sa neuvième maison, dans le signe du Verseau, crée chez lui une attirance pour les voyages au loin, l'exploration. Il pourrait occuper un poste gouvernemental qui lui permettrait de se déplacer régulièrement. Il y prendrait plaisir tout en faisant de l'argent! L'utile et l'agréable, quoi! Entre trente-cinq et quarante ans, il peut vivre une série de transformations rapides et atteindre un objectif peu commun. Il peut être attiré par les sports et y avoir du succès avec de bons aspects dans cette maison. Il peut aussi avoir des paroles mordantes pour autrui, mais il ne désire pas leur faire du mal. Il saura s'excuser si jamais il se rend compte qu'il est allé trop loin. Dans une deuxième union, il est possible qu'il se retrouve avec les enfants des autres. Il sera leur ami, préférant d'ailleurs ce rôle à celui de père.

Sa dixième maison, dans le signe du Poissons, entraîne des hésitations dans ses choix de carrière, mais il finira bien par trouver. Il peut hésiter entre un travail de caractère philanthropique, à saveur humanitaire, et un autre qui paie (sa maman lui a bien dit de s'occuper de ses intérêts!). Ce natif peut aller et venir dans différentes sphères de la société, il s'y ajuste rapidement, il ressent les gens, même s'ils parlent parfois trop vite. Il aime discuter et débattre des idées. Il excelle dans l'art d'écrire des discours pour les autres!

Sa onzième maison, dans le signe du Bélier, lui permet de rencontrer facilement les gens et d'échanger, mais il n'est pas impossible que, même avec ses amis, il ait de sérieuses altercations. Il aime discuter tout autant qu'il aime avoir raison, et parfois sans avoir toutes les preuves! Il voudra revoir ses amis d'enfance, et peut-être qu'il en gardera quelques-uns durant toute sa vie. Il se peut également que, dans sa jeunesse, il ait été témoin de la perte de l'un d'eux, par suite d'accident ou de maladie. Jeune, il voudra continuellement partir de chez lui, vivre hors du milieu familial. Il s'y sentira très tôt à l'étroit, même si l'on prend soin de lui, même si on le dorlote!

Sa douzième maison, celle de l'épreuve, dans le signe du Taureau, symbole de l'argent, régie par Vénus, planète de l'amour, douzième régie par Neptune... Nous avons donc une association de Neptune et de Vénus susceptible de causer un ennui au natif: ou il n'est pas fidèle et ça retombe sur lui comme la foudre, ou il est trompé et il en souffre, mais pas toute sa vie. Ou encore il traverse une période où l'argent lui glisse entre les doigts! Il pourrait être porté à boire un peu plus que la limite requise pour conduire une automobile! Et le plus souvent, quand ça arrive, il vous dira qu'il est malheureux en amour. Et là encore il s'en relèvera!

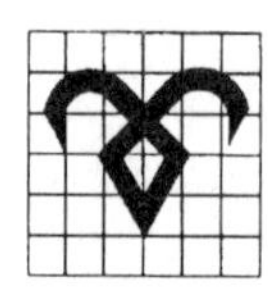

CAPRICORNE ASCENDANT CANCER

Nous avons ici l'opposé du signe, ce qui n'est pas facile à porter toute une vie. Les événements sont dramatisés et il s'ensuit des moments de dépression inquiétants pour l'entourage.

L'individu est extrêmement sensible et se laisse toucher par ce qu'on pense de lui! Que vous le lui exprimiez ou non, il le ressentira. Si vous l'aimez, il sera spontané et ouvert avec vous. S'il sait ou sent que vous ne l'aimez pas, vous n'aurez même pas droit à un demi-sourire! Il ne veut pas mentir et vous faire croire qu'il vous aime quand il ne vous aime pas! Mais si l'on est assez habile, il peut se laisser séduire par de belles paroles, et on peut ensuite profiter de ses services sans pour autant avoir l'intention de le remercier.

Souvent trahi en amour, il finit par avoir peur d'aimer et il en conclut qu'il vaut mieux s'occuper de ses intérêts que de ses sentiments.

À certains moments il donne l'impression d'être frivole; à d'autres, d'être la personne la plus sérieuse du monde. Il est parfois les deux à la fois, ne vous trompez pas à son sujet. Faire des bêtises et marquer de bons points en même temps, il faut le faire.

Quand il est près de vous, dans l'intimité, et que vous scrutez le fond de ses yeux, vous y découvrirez son passé et une nostalgie à faire pleurer. Regardez encore de plus près, vous y verrez des rêves merveilleux, vous sourirez, ce sont des rêves d'enfants qui croient encore au grand magicien... Il a besoin d'être encouragé. La vie lui réserve des obstacles pénibles. Au fond, il souhaiterait qu'on le prenne en charge, qu'il n'ait plus à se préoccuper de ces choses terrestres si ennuyeuses, et qu'il puisse lever la tête au ciel et regarder la Lune pour rêver d'un monde parfait.

Si, à tout hasard, vous le preniez en charge... ce ne serait pas pour longtemps; il y a en lui une nature totalement indépendante et autonome, un goût de liberté chez les uns et de dictature chez d'autres.

C'est à quarante ans que le voile de l'opposition se soulève et que le natif peut enfin vivre ses rêves.

Sa deuxième maison, dans le signe du Lion, également le huitième signe du Capricorne, peut le faire passer de la richesse à la pauvreté et de la pauvreté à la richesse! Il pourra également avoir quelques difficultés d'ordre financier concernant les enfants, ne pouvant les garder à sa charge parce qu'il vient de perdre une grosse somme d'argent. L'argent, dans le signe du Lion, indique que le natif aimerait gagner sa vie dans un milieu artistique ou en relation avec les arts. Comme le Lion est le huitième signe du Capricorne, il peut vivre quelques chocs de ce côté. Au moment où il se croyait installé, voilà qu'un événement souvent extérieur vient défaire ses plans et que tout est à recommencer. Tenace, il peut réussir, mais il lui faut s'accrocher solidement à ses rêves.

Sa troisième maison, dans le signe de la Vierge, lui donne une grande intelligence, le sens et le souci du détail, mais en même temps, cela soulève des tempêtes intérieures, à la fois mentales et émotionnelles. Il ne sait plus où il en est, ce pour quoi il est fait. En cas d'échec, il est bouleversé, proche de la dépression. Il voudra analyser ce qui s'est passé et retournera cent fois dans sa tête l'événement dramatique qu'il a pu vivre puis, tout à coup sa « machine intellectuelle » se répare et le voilà de nouveau plein de courage et prêt à foncer.

Sa quatrième maison, celle de son foyer, de sa mère, dans le signe de la Balance, rend la situation familiale le plus souvent complexe et le natif espérera y échapper le plus tôt possible. La Balance étant le signe de l'union, et ici la quatrième maison, le natif pensera qu'il peut recréer un foyer à sa mesure, selon son propre code de vie ou selon ses rêves. Cette maison étant en mauvais aspects avec son Soleil, il n'est pas rare qu'il vive une profonde déception qui le marquera durant de nombreuses années.

Sa cinquième maison, celle de l'amour, dans le signe du Scorpion, est une position plutôt difficile pour y installer l'amour. En fait, le natif choisira comme premier conjoint ou premier amour une personne susceptible de le détruire, du moins en partie, de l'écraser et de lui faire perdre sa confiance en lui. Il peut être trompé, trahi, et il aura bien du mal à s'en relever; même après qu'il aura pardonné, il n'oubliera pas. S'il a des enfants, il peut vivre des choses désagréables à cause d'eux: un manque de communication ou des enfants qui ont envers lui plus d'ingratitude que de reconnaissance.

Sa sixième maison, celle du travail, dans le signe du Sagittaire, sixième, symbole double et Sagittaire, symbole d'un signe double, indique que le natif peut faire un travail qui lui demande d'être à plusieurs endroits, ou qui lui demande d'être en quelque sorte un chef d'orchestre. Sa vie de travailleur ne sera pas facile. Il pourra changer plusieurs fois d'occupation avant de s'installer et de donner forme à ses projets. Il pourrait aussi être négligent de temps à autre et faire autre chose que ce qu'on lui demandait, mais que lui jugeait comme étant la meilleure. Il lui faudra de bons aspects de Jupiter avec cette maison pour qu'il trouve sa voie quand il est jeune. Il sera attiré par un travail dans le monde du cinéma, de l'écriture, ou il voudra enseigner et parfois même le faire avant d'être parfaitement informé! Il est trop pressé de se tailler une place et, de plus, on lui donne des emplois subalternes ou un poste honorifique dans lequel il est bloqué et ne peut plus rien décider de lui-même.

Son Soleil se trouve en septième maison, ce qui lui donne le goût du vedettariat. Il aimerait être chef de file, démontrer qu'il a réussi. Durant une certaine période de sa vie, ces fausses valeurs, uniquement axées sur les apparences, pourront lui jouer un vilain tour. Et quand il décidera de choisir un travail parce qu'il s'y sent heureux, et non seulement parce qu'on le regarde, il commencera à réussir et peut-être à se faire connaître. C'est bien prouvé que c'est dans le détachement que tout arrive! Il aspirera à vivre d'amour! Mais déception, ça ne marche pas comme il veut! Ce Capricorne-Cancer est un double signe cardinal, donc un double signe de commandement. Le premier donne les ordres froidement et le second, mielleusement, mais les ordres sont toujours des ordres, et ils finissent par devenir insupportables, quelle que soit la manière dont on les reçoit!

Sa huitième maison dans le signe du Verseau symbolise que le natif pourrait, en luttant, retirer de l'argent d'un divorce! Avec de mauvais aspects dans cette maison, il est possible que la mère, au moment d'une séparation, soit sans le sou et avec des enfants à élever. Il lui faudra force et initiative pour se tirer de ce mauvais pas. Cette position n'est guère favorable pour les amis. Il arrive qu'ils se transforment en ennemis ou deviennent des compétiteurs féroces. Ce natif peut avoir des relations sexuelles avec des amis, ce qui peut lui jouer un vilain tour. Cette position peut provoquer chez le sujet une bisexualité ou, du moins, l'envie de faire l'expérience de l'homosexualité. Position où parfois le natif peut utiliser l'attrait sexuel pour obtenir certaines faveurs du sexe opposé.

Sa neuvième maison, dans le signe du Poissons, lui fait quand même rechercher la vérité en toute chose. Il se laisse influencer par les avis des voyants qui lui promettent, par exemple, le paradis sans efforts. Allons donc, ce genre d'histoire n'arrive qu'à une personne sur quelques milliers.

Il pourrait s'adonner à une religion de pacotille, à une sorte de superstition: s'engager comme militant pour une religion, une philosophie, et tarder à se rendre compte qu'on l'exploite et qu'il peut fort bien mener sa vie sans avoir besoin de l'approbation des autres. Dans une vie de groupe, il recrée une famille; ça le rassure, mais parfois pas pour longtemps. Ses poches se vident en faveur d'organisateurs subtils et persuasifs! Mais avec son ardent désir d'améliorer constamment sa vie, il finit par trouver la bonne voie. Ce natif n'est pas méchant, il ne veut nuire à personne, même qu'il a du mal à se défendre contre les attaques. Étrangement, on est injuste envers lui et voilà que c'est lui qui se sent coupable. On a joué avec ses bons sentiments! Il n'est jamais trop tard pour le comprendre et pour remettre les choses à leur place.

Sa dixième maison, celle de la carrière, dans le signe du Bélier, provoque dans sa vie des coups de chance et des coups de malchance! Surtout s'il se met à croire que la malchance court après lui. La pensée crée l'être, l'individu, la personnalité et, par voie de conséquence, les événements. Alors penser mal engendre des malheurs. Penser bien multiplie les bonnes choses. Le natif a tout intérêt à méditer là-dessus, cela lui éviterait de perdre son temps et son énergie à broyer du noir. Il serait sage de s'alimenter à des livres sur le positivisme, sur la force du subconscient, plutôt que de s'en tenir au roman qui pollue trop souvent l'esprit d'idées fausses, à part quelques-uns qui sont tout droit tirés de la réalité. Étrangement, carrière et foyer peuvent être liés. Un membre de sa famille peut lui offrir une ouverture en vue d'une belle carrière.

Sa onzième maison, celle des amis, dans le signe du Taureau, cinquième signe du Capricorne, lui procure souvent des amis artistes ou qui sont en relation avec les arts. Il préférera les amis qui ont un certain niveau de vie. Malheureusement, en se fiant trop aux apparences, il peut se tromper: des amis superficiels ont souvent des agissements peu profonds, et le lien n'a rien de solide. Il ne pourra pas compter sur eux en cas de coup dur, ils seront tous partis en vacances. Il aura de nombreuses connaissances, mais peu de véritables amis sur lesquels il peut compter pour recevoir de l'aide en cas de besoin.

Sa douzième maison, celle de l'épreuve, dans le signe du Gémeaux, symbole de Mercure et douzième symbole de Neptune, fait que le natif pourrait, à un moment de sa vie, se sentir complètement dépassé et se laisser aller à la déprime.

Cette douzième maison symbolise également des ennemis cachés, des gens bavards qui l'envient et qui ne veulent pas être dépassés par lui. Il devra également éviter de confier ses secrets à gauche et à droite, surtout ses secrets d'alcôve qu'on pourrait répéter pour le discréditer et prouver qu'on ne peut se fier à lui à cause de sa morale douteuse. Quand il apprend cette triste vérité, il en est terriblement affecté. Il doit assumer ses responsabilités et être conséquent, tant dans ses gestes que dans ses paroles.

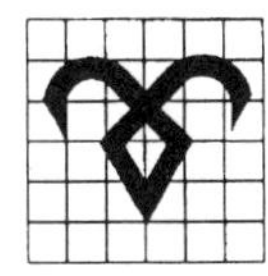

CAPRICORNE ASCENDANT LION

Il a un maître, l'ambition.

Lion, signe fixe, il brille. Capricorne, signe cardinal, régi par Saturne, lui donne raison de vouloir briller par la richesse, l'or et le pouvoir de l'argent.

Il édicte les règles, les lois, réglemente l'organisation elle-même. Il se met à la tâche et ne lâche que lorsqu'il est certain que tout marche à la perfection!

Pour le repos, il attendra; il n'a pas de temps à perdre et il veut démontrer qu'on peut réaliser ses ambitions avant la quarantaine!

Dans la première partie de sa vie, son union est une convention matérielle. Il se choisit une personne digne, le plus souvent populaire dans son milieu, que l'on remarquera plus que lui. Ce sera une sorte de trophée pour lui.

Il est bourré de complexes, mais il faudrait qu'il vous le dise lui-même pour que vous en soyez persuadé. Rien ne paraît, pas même l'inquiétude. On le prendrait pour un surhomme et c'est bien l'impression qu'il veut laisser, une surfemme, au féminin!

Orgueilleux, il ne supporte pas un refus. Si cela arrive, il se retire dans la solitude et commence à réfléchir à une nouvelle stratégie pour revenir à la charge, et elle sera si bien montée que vous ne pourrez faire autrement que d'acquiescer à son ou à ses désirs. Il en a souvent plusieurs à la fois. Il voit loin et il sait d'instinct qu'une chose en amène une autre, et une autre, à l'infini, comme les vagues de l'océan. Il est capable de rire à l'occasion, se laisser aller comme un enfant, se laisser aller dans une glissoire au bout de laquelle il y a une petite piscine dans laquelle il plonge... Vous entendez son rire de loin, de si loin qu'il attire tout le monde et on se dit: «Cette personne a réussi à être heureuse dans la vie.»

Sa deuxième maison, dans le signe de la Vierge, lui fait aimer l'argent, pour la sécurité, pour le pouvoir. Travailleur infatigable, quand ça paie naturellement, il a le sens du détail: on peut se fier sur lui pour un travail parfait, dans tous les coins, dans tous les sens. Il sait fort bien compter, comptabiliser, rentabiliser. Les services qu'il offre, naturellement en échange d'argent, sont impeccables. Si vous avez une plainte à formuler, il ne tardera pas à réagir et à corriger la situation. Quand il est question d'argent, il vous faut oublier les sentiments; ils sont absents jusqu'à la fin de la transaction.

Sa troisième maison, dans le signe de la Balance, lui donne une grande intelligence et un grand sens de l'administration. Il ne supporte surtout pas qu'on le bouscule, qu'on lui dise quoi faire. Il décide lui-même. Mais si c'est lui le patron, attendez-vous à bien mériter le salaire qu'il paie. Cette position indique qu'il pourrait faire un mariage de raison. Il n'épouse pas une personne, mais le niveau de vie d'une famille. Les inconnus le trouvent de commerce agréable. Il est séduisant, il sait tourner un compliment, faire bonne impression. Dans la vie privée, il peut en être autrement; s'il est patron, tout doit être fait selon sa volonté et son bon plaisir. Il a le sens du territoire et chez lui, c'est chez lui, et moins chez l'autre avec qui il vit!

Sa quatrième maison, dans le signe du Scorpion, le fait souvent s'éloigner de sa famille, de son foyer. Le travail d'abord! Il pourrait, dans son enfance, avoir vécu un drame familial qui l'a marqué, et vivre vingt ans avec lui sans qu'il vous en glisse jamais un mot! Mais il se souvient. Il peut être fortement attaché à sa mère. Cette maison, dans le signe du Scorpion, signifie une mère possessive ou une mère absente. Elle a pu être là, mais ne pas s'occuper de son rejeton. La mère du natif peut aussi avoir des forces subconscientes, paranormales. Si elle est décédée, le natif pourrait bien, toute sa vie durant, être en contact avec elle.

Sa cinquième maison, dans le signe du Sagittaire, également le douzième signe du Capricorne, lui donne l'amour et le respect des enfants, les siens et ceux des autres. Pour lui, les enfants c'est sacré, et il a raison. Mais la vie étant parfois étrange, ce natif peut vivre des épreuves à travers ses enfants, en être souvent éloigné ou, en cas de divorce, en être privé. Possibilité de concevoir un enfant à l'étranger. Les amours peuvent également se situer à l'étranger. Ce natif aimera le cinéma et les arts modernes. Il est le plus souvent au courant de toutes les nouveautés, et est l'un des premiers à visiter un restaurant qui ouvre ses portes.

Son Soleil se trouve en sixième maison, symbole de Mercure. Saturne, par le Capricorne, le natif est sérieux. Il ne prend rien à la légère. Cette position est favorable aux médecins. Si le natif fait un travail manuel, il sera expert dans sa matière et tout sera impeccable. Tout ce qui peut passer du plus grand au plus petit l'intéresse. Son travail se doit d'être utile à une foule de gens. Il n'aime pas le gaspillage, ni de temps ni d'argent. Il fait un excellent bureaucrate, il aime démêler les papiers, organiser la matière, la soumettre, s'il le peut! Il ne vient financièrement en aide qu'aux gens qui l'ont mérité, du moins à ceux qui ont fourni tous les efforts possibles et qui n'en peuvent plus! Très intelligent, il est aussi nerveux et inquiet, le tout bien camouflé par ce qu'on nomme la maîtrise.

Sa septième maison, dans le signe du Verseau, deuxième signe du Capricorne, indique que le natif peut faire un mariage intéressé. Son conjoint peut être riche ou, si des aspects l'indiquent, le natif se fait épouser pour son argent! Cette position ne favorise pas les longues unions. Le Verseau, symbole uranien, représentant le divorce, le natif pourrait bien un jour devoir faire face à cette éventualité, principalement dans le cas d'un mariage intéressé! Il peut attirer à lui une personne originale, qui dépasse parfois la mesure, et le mettra de temps à autre dans l'embarras devant même ses amis. D'ailleurs il rencontre souvent son conjoint par l'intermédiaire de ses amis. L'union peut toutefois tenir le coup un bon moment... devant le monde.

Sa huitième maison, dans le signe du Poissons, symbolise que le natif peut être attiré par des relations sexuelles clandestines, ce qui peut activer son imagination. Mais ensuite il se sent confus et coupable, la culpabilité étant le propre du Capricorne. L'eau peut représenter un danger pour lui, il devra éviter les imprudences de ce côté. Il peut aussi s'adonner à la drogue et à l'alcool, mais il est plutôt rare qu'il s'y accroche. Il a suffisamment de force et de volonté pour arrêter son autodestruction à temps.

Sa neuvième maison, dans le signe du Bélier, peut le pousser à vouloir vivre dans une autre contrée que celle de son lieu de naissance. Il pourrait se sentir limité sur son territoire naturel. Il en a fait le tour quand il était jeune et voilà qu'il s'est vite rendu compte que le monde était plus vaste et méritait un coup d'œil plus attentif. Ses voyages peuvent être décidés brusquement, à la dernière minute, tout comme ses déménagements. Ce natif peut avoir vécu ou vivre encore ce qu'on nomme des «froids» avec des membres de sa famille. Un conflit d'idées et d'idéologie peut surgir et il choisira de se tenir loin plutôt que de devoir vivre une lutte.

Sa dixième maison, dans le signe du Taureau, lui permet de gravir les échelons un à un dans le domaine qu'il a choisi. Il n'est pas du genre à prendre des risques sur le plan financier. Il aime les arts. Il peut aimer collectionner des tableaux de grands peintres ou des disques de musique célèbre. Maintenant, avec le vidéo, il peut aussi faire une collection des meilleurs films. Le temps lui donnant raison d'avoir investi, il y a possibilité qu'un jour il y ait revente et qu'il fasse une grosse somme d'argent! L'amour, c'est bien sûr un idéal que tout le monde aimerait vivre, mais, sans argent, pour lui c'est tout simplement impensable.

Sa onzième maison, celle des amis, dans le signe du Gémeaux le rend populaire et on trouve ses amis surtout dans son entourage au travail. Il aime les échanges d'idées et ses conversations tournent toujours autour du travail. C'est sa raison de vivre plus souvent qu'un moyen de subsistance! Il gardera aussi pour amis des gens qu'il a rencontrés à l'adolescence et avec eux il pourra vivre des moments de détente, des moments de fantaisie où il se laissera vraiment aller! Cette position lui donne l'art de s'exprimer clairement et même d'avoir des éclairs de génie! Il est également habile à faire des discours. Il sera peut-être nerveux au début, c'est normal, mais il ne sera pas long à être à l'aise devant une foule attentive à ses paroles.

Sa douzième maison, celle de l'épreuve, dans le signe du Cancer, également son septième signe, symbole de l'union, rappelle qu'il peut vivre durement une séparation qu'il n'a pas désirée mais dont il est en partie responsable puisqu'il n'a eu de temps que pour le travail et très peu pour l'affection. En tant que femme, cette position peut susciter des problèmes après une maternité, une dépression plus prolongée que la normale ou une santé fragile. Possibilité qu'en tant que mère la native se sente mal à l'aise, coincée dans un rôle, cantonnée entre quatre murs, alors qu'elle préférerait vivre davantage dans une organisation sociale. Malheureusement, les mères n'avertissent pas leurs filles des inconvénients qui les attendent quand elles veulent des enfants: elles devront vivre autrement, être privées de sortir, moins dépenser, parce que les enfants, de nos jours, ça coûte cher! Aussi les natives se retrouvent dans une situation de dépendance qu'elles n'avaient pu prévoir ou qu'elles croyaient tout autre. Faire des enfants c'est le plus grand miracle du monde, mais il faut aussi savoir qu'en les faisant il faudra, du moins durant quelques années, faire abstraction de soi, quasi totalement! En tant qu'homme, cette position place souvent le natif face à une situation de quasi-détresse de la part de sa conjointe devenue mère. Il se sentira coincé à la fois dans ses devoirs de père et de mari. Sa femme pourra s'en trouver malade et peut-être bien que, s'il ne lui apporte pas l'aide dont elle a besoin, elle pourrait décider de faire sa valise en emmenant avec elle sa progéniture. L'épreuve est aussi une leçon de vie, le Capricorne a bonne mémoire.

CAPRICORNE ASCENDANT VIERGE

Prudent, cachottier, difficile à connaître, il ne demande rien, il réfléchit, il est même mystérieux pour ceux qui l'observent.

Il est habile dans les travaux qui demandent de la recherche et de la constance. Il possède une habileté manuelle et intellectuelle surprenante, un casse-tête l'intéresse, peu importe la difficulté qu'il présente. Il n'aime pas se placer à l'avant-plan, ça ne l'intéresse pas. Être second et diriger le premier, voilà où il se trouve bien.

Il est le bras droit, on peut toujours compter sur lui moyennant un salaire, naturellement. Double signe de terre, il est pratique. Il va jusqu'à se rendre indispensable, mais il ne recherche pas le prestige, il en rougirait. Il est humble et sans prétention.

Son ascendant Vierge le fait douter de toutes les capacités qu'il possède et en fait un perfectionniste, mais sans tambour, et surtout pas de fanfare quand il a réussi un bon coup. S'il avait commis une erreur... ça pourrait l'empêcher de dormir!

En partie, sa façon d'agir le soustrait à l'entière responsabilité de l'organisation, mais il est celui qui fait tourner la roue et assure la stabilité. Il voit à tout en même temps, vous ne trouverez pas meilleur coordonnateur. Il est facile d'exercer sur lui un chantage émotionnel, il se sent facilement coupable. Une remarque, un détail sur son travail le met dans tous ses états. Il réparera ça, c'est certain. Il n'est jamais si sûr d'être aimé qu'il le laisse croire, c'est pourquoi il peut se fendre en quatre pour la personne de sa vie. Pour lui, un engagement c'est pour la vie. Fidèle, c'est la raison qui contrôle le cœur. Pourquoi risquerait-il d'aller butiner ailleurs? Et si on l'apprenait, et si on le rejetait? Sa peur profonde de ne pas être aimé finit par être perçue comme une évidence qu'on ne peut aimer la même personne toute sa vie, et il a peur. Nos pensées deviennent des réalités, qu'on se les cache à soi-même ou aux autres. La pensée est une vibration puissante et toute vibration se change en acte. Les gens agissent autour d'eux de manière à remettre leurs propres pensées, à ne pas verbaliser la peur mais à la vivre. C'est tout aussi fort que lorsque quelqu'un passe son temps à dire qu'il a peur. La personne la plus tyrannique qu'on puisse trouver c'est soi-même... Se faire peur à soi jusqu'à en souffrir. Peu de gens peuvent saisir le sens profond de la puissance vibratoire, même si l'on s'arrête un instant et qu'on se met à réfléchir. Un homme ou une femme qui, au fond d'eux-mêmes, ont sans cesse l'impression qu'ils ne sont pas dignes d'amour, cela peut parfois prendre vingt ans, mais un jour ils vivront le rejet. On se demande bien pourquoi. L'un et l'autre n'ont rien fait de mal, ils ont tout fait pour se faire plaisir mutuellement et ils se sont quittés. Mais durant ces vingt années qu'est-ce qu'il ou qu'elle pensait de l'autre? Matière à réflexion pour le Capricorne-Vierge.

La peur d'une blessure morale est sa gardienne.

Il aime les gens, il aime se retrouver parmi eux, ne serait-ce que pour les observer, pour y mettre son petit grain de sel. Il a de l'humour quand vient le moment de la relaxation. Et d'ailleurs, il sait fort bien l'apprécier. Être témoin du plaisir d'autrui peut le satisfaire. Et qui sait si l'un de ceux qu'il observe n'a pas la recette idéale du bonheur?

Sa deuxième maison, celle de l'argent, dans le signe de la Balance, symbole des unions, également le dixième signe du Capricorne est en aspect négatif avec celui-ci. Possibilité que le natif travaille avec son conjoint ou, du moins qu'ils aient des points en commun. L'argent peut être apporté par le conjoint, principalement si des circonstances défavorables empêchent le natif de gagner sa vie comme il le voudrait. Il peut à cause de l'argent, à un moment de sa vie, être rejeté par son conjoint. L'argent peut provenir d'un travail effectué dans le monde des communications où le natif exerce une fonction qui lui demande souvent de la précision.

Sa troisième maison, dans le signe du Scorpion, lui donne une intelligence active, mais le natif peut se sentir angoissé pour différentes raisons. Perspicace, il sait fort bien quand on lui ment, mais il peut faire semblant de ne rien voir, préférant éviter une confrontation qui bouleverserait ses habitudes de vie, qui dérangerait sa tranquillité. Il aura beaucoup de mal à exprimer ses sentiments. Possibilité, dans certains cas, qu'il développe une prétention intellectuelle, mais disons que c'est plutôt rare. Et même si vous avez l'impression que c'est vrai, c'est plutôt pour cacher son manque d'assurance dans ce qu'il dit, dans ce qu'il fait. Il doute continuellement de lui. Il lui arrive de soupçonner le pire. Il entretient souvent cette pensée qui, malheureusement, fait son petit bonhomme de chemin et voilà que le pire arrive! S'il s'était concentré sur le meilleur, cela aurait été tout autrement.

Sa quatrième maison, celle du foyer, est dans le signe du Sagittaire, qui symbolise l'étranger, ce dernier étant le douzième signe du Capricorne, à la fois symbole d'épreuve. Faisons donc l'alliance entre ces symboles: foyer/étranger/épreuve. Il arrive donc, à cause de circonstances diverses, que le natif quitte sa ville ou son pays natal et aille vivre à l'étranger. Il pourra y rencontrer des obstacles, il pourra se sentir mal à l'aise intérieurement. D'un autre côté, il manquera rarement d'argent. Bien au contraire, il bénéficie d'une grande protection de ce côté. Cette quatrième maison représentant également le lieu de naissance, le natif a pu vivre en tout confort dans son milieu familial. Il peut être issu d'une famille dont les moyens financiers sont plus que suffisants, à moins que de très mauvais aspects n'interviennent dans sa carte natale. Cette position symbolise également la mère du natif qui peut être une personne généreuse, chaleureuse avec tout le monde, sauf avec son fils lui-même. Il bénéficiera donc d'attentions superficielles; la mère veille à son propre confort matériel d'abord. Elle peut aussi être la cause d'épreuve dans son propre foyer s'il a une famille, des enfants: c'est la sorte de mère qui continue de dire à son fils ou à sa fille quoi faire, alors qu'ils sont en âge de décider puisqu'ils ont été assez adultes pour se marier et faire des enfants.

Son Soleil se trouve en cinquième maison, ce qui lui donne une grande énergie et de la résistance physique. Cette position solaire favorise le milieu du cinéma ou le domaine de la spéculation, des placements à long terme. Elle permet aussi au natif, en vieillissant, de mieux se mesurer à lui-même et de croire en ses propres forces. Il peut pendant longtemps conserver une attitude d'adolescent, parfois jusque dans la trentaine. Il sent le besoin de se faire aimer, de se faire admirer comme s'il lui fallait qu'on lui dise qu'il est quelqu'un. Quand il a des enfants, il y est attaché comme à la prunelle de ses yeux. Il peut marcher sur les mains pour eux! L'amour, c'est le moteur de sa vie. Seulement, il met longtemps avant de pouvoir l'exprimer dans ses mots à lui.

Sa sixième maison, dans le signe du Verseau, le pousse souvent à accepter un travail où il devra utiliser des appareils modernes, ordinateurs ou caméras. Il fait un excellent technicien à qui on ne peut rien reprocher. Il pourrait également se sentir très à l'aise dans le domaine de l'aviation, surtout en tant que mécanicien. Il aime bien jouer avec les petites pièces, les ajuster. Le domaine de l'électricité lui convient aussi. Cette position provoque souvent de nombreuses transformations dans son milieu de travail où il est soumis aux influences extérieures et aux demandes du public, de la masse. Il a le sens du calcul, des mathématiques; l'abstraction c'est son domaine. Le Verseau représentant les amis, notre Capricorne se choisira pour amis les intellectuels, les grands bavards aussi, et parfois des gens qui exagèrent en ce qui les concerne. Ils en rajoutent! Il peut faire semblant d'y croire, il ne veut pas déranger puisque ça fait tellement plaisir à son ami de se dire au-dessus de sa condition! Son travail peut l'amener à des déplacements, en avion principalement.

Sa septième maison, celle du conjoint, est dans le signe du Poissons, ici troisième signe du Capricorne. Le plus souvent, il y a deux mariages, le premier ayant souvent été contracté à la suite d'une rencontre faite durant l'adolescence. Il aura choisi comme premier conjoint une personne bavarde, communicative, mais fabulatrice. Il peut fort bien s'en rendre compte, mais il fera semblant de n'y voir que du feu. Le mensonge peut se glisser dans sa première vie de couple. Le conjoint étant représenté par un symbole neptunien, cela annonce que la séparation est d'une nature étrange, indescriptible. Le natif a pu être trompé; il n'a pas voulu le voir et lentement, comme Neptune relève de l'eau, l'eau a monté... On ne savait pas d'où venait la fuite... Puis ce fut l'inondation, et il a fallu quitter le navire du premier mariage. Comme cette maison, en fait, n'est pas en aspects négatifs avec le Capricorne, même après une séparation le couple qu'il formait continuera de se voir et encore plus s'il y a des enfants.

Sa huitième maison, celle des transformations, est dans le signe du Bélier, qui relève de Mars tout autant que la huitième qui, elle, symbolise le Scorpion. Le natif aura de grands besoins sexuels à combler, mais comme cette maison est en aspects négatifs avec le Capricorne, il y a possibilité que le natif ne puisse vivre sa sexualité à son goût et qu'il soit brimé à ce sujet, par son conjoint. On peut aussi lui avoir inculqué de nombreux principes familiaux qui l'empêchent d'apprécier sa vie sexuelle ou de l'exprimer selon ses fortes impulsions. Les changements de résidences sont décidés soudainement, le natif ne s'y attendant pas, et ce pour diverses raisons indiquées par la carte natale.

Sa neuvième maison, celle des voyages, se situe dans le signe du Taureau. Voyages et amour sont reliés. Le natif peut partir longtemps avec son conjoint. Le Taureau étant le cinquième signe du Capricorne, son signe d'amour idéal, il est donc prêt à aller au bout du monde si l'amour le commande. C'est aussi un grand idéaliste qui a bien du mal à exprimer ses sentiments. Il a peur de trop aimer, peur d'être possessif, peur d'être rejeté. Un enfant peut parfois être conçu à l'étranger. Des voyages peuvent le séparer temporairement de ses enfants. La plupart du temps ses voyages auront un but financier. Chez ce natif la philosophie du matérialisme est puissante. Il aimerait bien penser autrement, vivre d'amour, d'aventure. Cela se passe dans l'imagination pour de nombreux Capricorne-Vierge. Le natif émet de belles hypothèses afin de venir en aide au monde affamé, par exemple. En fait, il ne partira que si le voyage est payant! Il aime donner l'impression qu'il n'est attaché à rien, que seul l'esprit compte, mais ce n'est pas comme ça que ça se passe dans la réalité! Il s'inquiète considérablement de son avenir. Il voudrait que tout soit réglé dès qu'il entreprend une affaire, que le tout soit en ordre.

Sa dixième maison, dans le signe du Gémeaux, le fait longtemps hésiter à choisir une carrière, à prendre un chemin officiel. Il a envie de tout apprendre. Il voudrait pouvoir tout faire. Il arrive que pendant de nombreuses années, et même jusque non loin de la quarantaine, il se comporte comme un adolescent dans son choix de vie. Il entreprend une chose qu'il ne finit pas et, tout au long de son travail, il s'inquiète et souhaite que tout soit terminé. Les carrières qui ont un rapport avec le monde de la communication lui conviennent. Il a besoin de contacts avec autrui. En fait, il devient ce qu'on pense de lui, ce qu'on attend de lui! Selon la position de Mercure et des autres planètes, on peut le retrouver en médecine, en mathématique, en commerce, ou écrivain, vendeur itinérant, bref un peu partout, puisque Mercure fait appel au mouvement et à l'intelligence. Il lui faudra pour s'accrocher à un travail qu'il y trouve un plaisir semblable à celui qu'éprouvent les adolescents à diversifier leur action, qu'elle soit physique ou intellectuelle ou les deux.

Sa onzième maison, celle des amis, est dans le signe du Cancer, ce dernier étant le septième signe du Capricorne et symbolisant le conjoint. Le plus souvent ce natif se fera des amis par l'intermédiaire de son conjoint. Il gardera le contact avec de nombreux amis de sa jeunesse. Il aimera d'ailleurs échanger avec eux les souvenirs de leur évolution tranquille ou de leur chahut! Lui, il n'était que témoin! Le Cancer étant le symbole de la famille, dans une maison uranienne, il symbolise l'éclatement de la cellule familiale. Encore une fois cette position symbolise que le natif a pu ne pas se sentir chez lui dans son milieu de naissance et qu'il a pu le fuir. Le Cancer étant le symbole de la mère, septième signe du Capricorne, symbole de l'union, également son opposition, onzième maison Uranus, l'éclatement donc, la mère du natif a pu s'opposer au mariage de son fils et désirer consciemment ou inconsciemment l'éclatement du noyau familial que ce dernier a pu construire. Les parents du natif peuvent être à l'origine du divorce de leur fils s'il se produit.

Sa douzième maison, celle de l'épreuve, dans le signe du Lion, symbolise l'amour, les enfants. Possibilité que le natif vive une peine d'amour cuisante et qu'il soit affecté par une séparation d'avec ses enfants. Il n'a pas l'esprit vengeur, et s'il survient une rupture il a suffisamment de sagesse pour pardonner, oublier même, pour avoir la paix et vivre harmonieusement. Du moins fera-t-il le maximum, en cas de divorce, pour conserver l'amitié de son ex-conjoint et de ses enfants. Si le natif s'est orienté dans le milieu des artistes, il aura à vaincre de nombreux obstacles avant de réussir. Il n'est pas rare qu'à la suite de l'échec d'une première union il se méfie pendant longtemps de ce qu'il appelle «amour»! En fait, il se prive d'aimer et d'être aimé!

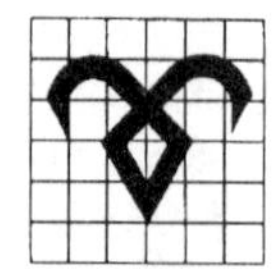

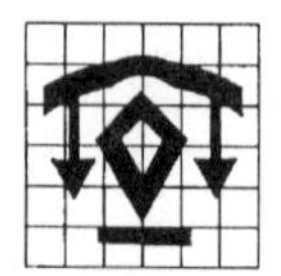

CAPRICORNE ASCENDANT BALANCE

Double signe cardinal, double signe de commandement. Capricorne, signe de terre; Balance, signe d'air. La Balance apporte le charme, l'élégance, l'équilibre, le souci de la perfection, de l'esthétique, mais avec le Capricorne devant...

Elle sait toujours ce qu'elle a à faire et elle le fait mieux que n'importe qui. Persuadée de sa valeur, elle l'a en haute estime, et est assurée que vous pensez de même! Cette personne n'a que très peu de temps à vous accorder, ses mondanités l'appellent, mais son travail terminé, elle a hâte de rentrer à la maison. Elle n'a pas non plus tellement envie d'écouter vos problèmes! Vous ne voyez donc pas l'humanité souffrante? Vous croyez-vous l'unique personne à avoir des problèmes? Non, vraiment, vous vous prenez pour quelqu'un d'autre! Cette personne se veut raisonnable, mais regardez-la de plus près, la sensibilité passe dans ses yeux!

Cette nature est bavarde, elle a l'air de vous parler de sentiments avec sa raison. Pour vous faire accepter ses opinions, elle peut très bien acquiescer aux vôtres devant vous, mais ça ne fait pas son affaire, elle ne le dira à personne et cherchera à vous fuir à la prochaine rencontre. Ce natif n'aime pas les longues discussions qui ne mènent nulle part.

Ce signe a bien du mal à trouver une orientation définie, il peut faire tant de choses! En fait, les plateaux de la Balance le font osciller de gauche à droite et de droite à gauche, ça ne rapporte jamais assez pour tout ce qu'il y a à faire.

Au travail, vous le verrez pris entre deux feux: urgence, plus souvent qu'à son tour, deux objectifs et, naturellement, aussi prometteurs l'un que l'autre.

Sa logique, son réalisme, sa sensibilité, qu'il possède comme tout être humain, se heurtent. Il souffre de ne pouvoir tout exprimer à la fois.

Sa deuxième maison, dans le signe du Scorpion, lui fait gagner sa vie difficilement. Il a besoin d'argent pour vivre, pour assurer sa sécurité et, comme tout bon Capricorne, il pense très jeune à ses vieux jours afin de ne pas dépendre de personne. L'argent peut rentrer soudainement dans ses poches et en sortir tout aussi vite, selon les aspects de Mars dans sa carte natale. Des héritages sont possibles avec cette position, un héritage familial le plus souvent. Le natif est souvent déchiré entre deux choix: gagner sa vie avec un travail qui rapporte régulièrement ou se risquer dans une entreprise dans laquelle il vit l'incertitude, mais où il lui est permis de vivre selon ses états d'âme et ses aspirations créatrices.

Sa troisième maison, dans le signe du Sagittaire, le rend bavard, mais pas trop. Nous avons affaire à un Capricorne dont les silences, tout à coup, tranchent avec son bavardage. D'ailleurs, comme le Sagittaire est le douzième signe du Capricorne, en quelque sorte une épreuve, le natif a tout intérêt à garder ses petits secrets de projets pour lui. Il aura souvent le talent d'enseigner; il sera alors comme un acteur qui se laisse aller dans le sujet et donnera finalement un bon spectacle à ses élèves qui ne seront que plus attentifs. Mais ce natif n'aime pas vraiment fréquenter les institutions scolaires, il préfère apprendre à l'école de la vie elle-même, par le contact avec autrui. Selon l'aspect de Mercure dans sa carte natale, nous avons là un intellectuel humoriste ou un manuel qui se fait comique en travaillant, pour être agréable à autrui. Il aime bien séduire! Souvent issu d'une grande famille, où il a eu du mal à prendre sa place, pour attirer l'attention il se fera quelquefois bouffon! L'inverse peut arriver: il sera enfant unique et, pour intéresser ses parents, il sera un vrai pitre qu'on applaudit. Dans ce dernier cas il pourrait souffrir de sa solitude. Il aime le contact humain, il aime l'âme humaine.

Son Soleil se trouve en quatrième maison, symbole lunaire, donc symbole de la foule. Avec de bons aspects de la Lune dans sa carte du ciel, il pourra s'engager dans un domaine public, où il peut être acteur, politicien. Ce natif aimera la campagne, les maisons, la rénovation, les jardins. À la fois audacieux et timide, il sera déchiré entre ces deux façons d'être. Le plus souvent il aura un talent particulier spécial. Le Soleil en quatrième maison, symbole également maternel, le rend très attaché à sa mère. Plusieurs hommes de ce signe choisissent de vivre avec leur mère plutôt que de se marier et de vivre avec une autre femme. Il n'est pas rare de voir les femmes de ce signe retourner chez leur mère à la moindre crise dans leur vie de couple! Le milieu familial surprotège le natif la plupart du temps, il peut même y étouffer sans s'en rendre compte, comme il peut aussi l'accepter en pleine conscience, mais c'est plus rare. Ceci a pour effet de le limiter dans ses choix, dans sa créativité. Il ne veut pas dépasser la famille, être meilleur que sa mère, que son père. Il n'est pas rare de constater qu'un tel sujet peut vivre des drames à cause du père. La mère joue à la fois le rôle de la mère et du père, ce qui provoque un déséquilibre affectif chez le natif où il ne se sent plus sûr de lui.

Sa cinquième maison, dans le signe du Verseau, s'il s'agit d'une carrière artistique – l'ascendant Balance lui donne souvent cet élan – le natif, qu'il soit comédien ou chanteur ou autre, mais toujours dans le domaine des arts, peut un jour se retrouver devant les caméras de télévision et même du cinéma. Le Verseau étant le deuxième signe du Capricorne, son symbole d'argent vient ici appuyer le fait que le natif peut fort bien gagner sa vie, en fournissant des efforts, naturellement, avec et devant le public. Il est possible, s'il a choisi un métier plus régulier, que le monde de la technologie moderne arrive juste à temps pour lui, le Verseau étant le symbole de l'onde, de la vibration, de l'espace, de l'ordinateur et de tout ce qui touche le service par la voie rapide de la communication. Cette maison étant aussi celle de l'amour, elle peut faire vivre à notre natif une liaison qui sera axée davantage sur l'amitié que sur l'amour passion. Il aimera les enfants, mais surtout les enfants des autres. Il peut faire un bon acteur pour un public d'enfants; ils apprécieront son talent.

Sa sixième maison, celle du travail dans le signe du Poissons, est toujours difficile à définir. Le Poissons étant un symbole d'infini, et le troisième signe du Capricorne, donc sous la direction de Mercure, notre natif a un esprit à la fois créateur et raisonneur. Il n'est pas vraiment facile d'allier les deux, mais il peut y arriver en choisissant un travail qui lui permet de se dépasser lui-même, d'innover, d'inventer. Neptune étant le maître de l'illusion et Mercure représentant les lettres, cela peut en faire un excellent romancier ou un grand raconteur de blagues, ou encore une personne qui peut inventer un moyen de se déplacer plus vite, d'entrer en contact avec autrui plus rapidement.

Sa septième maison, celle de l'union dans le signe du Bélier, quatrième signe du Capricorne, peut indiquer que le natif retarde l'union, il ne veut rien précipiter. Possibilité qu'il ait agi à la hâte quand il était jeune et que l'amour lui ait créé une telle déception qu'il ne peut l'oublier. Cette position laisse présager que le natif s'il se laisse aveugler peut s'attirer un conjoint tyrannique. Le Bélier étant un signe de Mars, dans cette quatrième maison, on peut supposer aussi qu'il a bien du mal à se soustraire à la tyrannie, tyrannie cachée par une possessivité quasi maladive. Dans certains cas, la possessivité peut venir de la mère. Il est toujours préférable que le sujet s'engage plus tard que trop tôt dans la vie. Dans une relation de couple, il n'est pas rare de constater que le natif prend soin de son conjoint comme d'un enfant et que plutôt que de vivre son rôle comme un mari ou une femme, il le vit comme un père ou une mère face au conjoint.

Sa huitième maison, dans le signe du Taureau, symbole des transformations, indique ici que les changements quand ils se font sont radicaux et pour longtemps. Cette position vient confirmer, une fois de plus, que le natif peut être l'objet de tyrannie, mais sous forme sexuelle, surtout avec de mauvais aspects de Mars et de Vénus dans sa carte natale. Possibilité d'une bisexualité chez ce sujet ou rejet de la sexualité, ou encore prostitution dans certains cas. Si le natif a reçu une éducation trop pudique, il peut vivre dans l'abstinence longtemps. Position qui indique une longue vie.

Sa neuvième maison, dans le signe du Gémeaux, est la sixième maison du Capricorne. L'essentiel pour lui c'est le travail, il vit mal et est anxieux quand il ne travaille pas. Il pourrait avoir subi une éducation matérialiste où on lui a enseigné qu'il faut veiller à ses intérêts. La neuvième maison étant celle de la philosophie, dans son signe double du Gémeaux, il a donc une philosophie devant les gens et une autre, tout à fait personnelle, derrière eux. L'ascendant Balance ne voulant contrarier personne, il est apparemment d'accord avec les principes que tout le monde accepte, pourvu que ça ne le dérange pas. Il pourrait avoir une conception de Dieu plutôt matérialiste: il prie pour obtenir un poste en vue, pour qu'on lui accorde une augmentation. En fait, il prie quand quelque chose ne fait pas son affaire. Dieu est bien au-dessus des préoccupations matérielles... et l'histoire du lys des champs est à relire! Il a du mal à voir Dieu dans son omniprésence et sa perfection! Sa conception fait de Dieu quelqu'un qui tient une comptabilité. La loi cosmique est plus juste qu'on ne le croie: faites le bien et il vous revient, mais pas nécessairement de la main à qui vous avez donné. Faites le mal et il vous sera rendu et, encore une fois, un inconnu peut se charger de régler votre compte et vous vous demanderez pourquoi.

Sa dixième maison, dans le signe du Cancer, maison de la carrière dans un symbole lunaire, est aussi un symbole d'esprit de foule et d'inspiration. Il est possible que ce natif recherchera un travail où il pourra être en vue. Étrangement, ce n'est pas vraiment par esprit de domination, mais pour se prouver qu'il est fort, qu'il peut se tenir debout et qu'on peut lui faire confiance. Ici encore la notion père-mère joue, le père jouant à la fois le rôle de la mère et du père. Le milieu familial du natif est le plus souvent étrange à cause du comportement contradictoire des parents. La mère qui porte d'une manière officielle les culottes et le père, la jupe! Il est alors difficile pour ce natif d'identifier sa force. À qui doit-il donc ressembler le plus? Nous avons nos racines, elles sont ce qui nous propulse dans la vie et les parents sont si importants, ils sont l'avenir de leurs enfants. Ils doivent être conscients des rôles qu'ils jouent afin d'éviter les pièges qui mènent, de nos jours, chez les psychiatres.

Sa onzième maison, celle des amis est dans le signe du Lion. Il aura donc pour amis surtout des gens brillants. Il recherchera aussi pour amis des artistes ou des gens en moyens. Comme le Lion est la huitième maison du Capricorne, ce natif pourrait bien vivre la perte d'un ami d'une manière surprenante et être fortement marqué par cette mort. Ses amis ayant une grande influence sur lui, il devra donc se surveiller et ne pas tout «gober»: ils n'ont pas tous raison et ne peuvent certainement pas juger à la place du natif ni décider pour lui. Ce dernier pourrait même être mal inspiré par eux.

Le Lion est le signe du cœur, l'amour, la onzième ou le Verseau, signe des chocs, la huitième, la mort. Il peut arriver, à un moment de sa vie, à la suite d'un choc amoureux, que le natif décide de considérer l'amour comme une chose morte. Certaines cartes du ciel révèlent, avec des aspects spécifiques dans cette maison, une tendance soit à la bisexualité soit à l'homosexualité.

Sa douzième maison, celle des épreuves, dans le signe de la Vierge, indique que le natif pourrait subir la folie d'un ami; ou lui-même, de temps à autre, faire ce qu'on nomme de sérieuses crises nerveuses. Cette position lui donne une grande intelligence. Certains de ces natifs sont géniaux, mais le génie n'est-il pas près de la folie à l'occasion? Autant le natif peut-être raisonnable, autant il peut agir à l'inverse. Original, il a rarement une vie ordinaire. Des événements majeurs, traumatisants le forcent à évoluer plus rapidement que la moyenne des gens. Double signe cardinal, double signe d'action. Il peut alors se sortir de n'importe quelle situation: il lui suffit de commander à sa volonté de se mettre en action et elle obéira. Double signe cardinal, double signe de commandement, ce général au charmant sourire, plutôt que de commander à autrui pourrait se commander à lui-même et ce serait bien suffisant pour tout le monde.

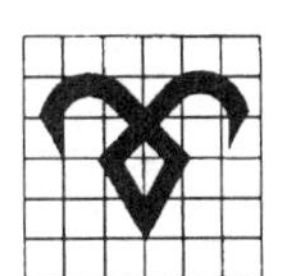

CAPRICORNE ASCENDANT SCORPION

La personnalité est forte. Il y a ici alliance de Saturne et de Pluton, des planètes extrêmement puissantes. L'esprit est concis, tranchant. Posez une question précise et vous aurez une réponse claire et sans détours.

Si votre question comportait quelques stupidités, vous auriez droit à une réponse cynique, et peut-être, si vous étiez assis, que vous le resteriez, le temps de revenir du choc émotionnel.

Ce natif possède une grande facilité d'assimilation intellectuelle, parfois un don pour les langues. Au travail, c'est un acharné, un assidu qui ne perd jamais les pédales même quand les fuites sont sérieuses.

Il poursuit son objectif. Ne lui faites pas la remarque qu'il en fait trop, il vous répondra froidement que vous devriez en faire autant. Son magnétisme sexuel est puissant; qu'il soit beau ou laid, il ne vous laisse jamais indifférent.

Il décide et dispose de vous. Facilement jaloux, il supporte mal que vous le dépassiez et il se sent malheureux de ne pas tout avoir. Comme le Capricorne est un signe de sagesse, un jour vient où il comprend qu'il n'a plus de raison de vouloir tout avoir. Sa compétition se situe le plus souvent sur le plan intellectuel: il va vous prouver qu'il est plus intelligent que vous et vous devrez vous incliner devant ce dictateur qui sourit.

Compétiteur-né, il joue pour gagner. Perdre ne l'intéresse pas et la deuxième place c'est pour un autre, pas pour lui.

Il peut lui arriver, à l'occasion, d'avoir perdu une bataille, mais il réfléchira sérieusement et vous ne le reprendrez pas une deuxième fois, du moins pas dans la même situation.

Doué d'une mémoire fabuleuse, il retient tout, surtout les leçons qui lui éviteront les erreurs susceptibles de ralentir sa course vers l'objectif. Il a le sens de l'observation et de l'organisation très développé. L'analyse qu'il fait est précise et sans discussion.

Les sports ne l'attirent pas tellement. Les jeux de l'esprit, oui, car il est persuadé que l'esprit et le mental peuvent tout.

Le temps l'adoucit, le rend plus conciliant face aux différences qui marquent les gens.

Sa deuxième maison, dans le signe du Sagittaire, également le douzième signe du Capricorne, est une position qui peut être exaltée chez de nombreux natifs de ce signe. On veut sauver les gens, les libérer de la douleur, les servir, à sa façon bien sûr. C'est une manière de garder le contrôle que de servir. On prend l'habitude du serviteur et on ne peut plus s'en libérer. Puis, avant longtemps le serviteur établit ses propres règles... N'a-t-il pas été un bon serviteur? Il mérite bien que vous lui fassiez confiance et c'est alors qu'il décide à votre place ce dont vous avez besoin. Il a souvent deux sources de revenus et peut-être que l'argent peut provenir d'un travail fait à l'étranger ou du moins en communication avec l'étranger. Il est doué pour les placements. Il ne faut jamais perdre de vue que le Capricorne songe très jeune à la retraite. L'argent peut provenir du gouvernement, des hôpitaux, de l'enseignement, en plus des placements qu'il fait!

Son Soleil se trouve en troisième maison, ce qui en fait un grand communicateur, à moins de sérieux empêchements de Mercure, la parole. Il aime être entouré de gens, il supporte mal la solitude. Il a un grand besoin qu'on l'approuve, qu'on reconnaisse ce qu'il fait, c'est pourquoi il cherche à être utile, à faire quelque chose de solide. Son esprit est d'une rapidité peu commune, bien qu'il soit Capricorne, signe de terre. Il se déplace comme l'air. Il peut même être agité et nerveux. Cette troisième maison le fait s'exprimer avec les gestes qui viendront appuyer ses paroles. Il peut passer du drame à l'humour en un rien de temps et sans vous avertir, et le plus souvent pour un détail qui l'a offensé et qui a réveillé du même coup toutes ses vieilles frustrations. L'esprit est très analytique, c'est un véritable détective. N'allez surtout pas lui mentir, il vous a deviné et il ne se gênera pas pour vous le dire. Et comme il a la parole facile, ses colères et ses emportements ne sont pas de tout repos. Vous aurez hâte qu'il termine. Il y a en lui un vif désir de paix et de tranquillité, mais quand ça dure trop longtemps, vous le voyez partir à la recherche de quelqu'un, téléphoner à un ami, l'inviter, s'il n'a pas d'argent, payer pour lui, juste pour le plaisir de converser. J'ai rarement rencontré chez ce type Capricorne des personnes mesquines ou économes jusqu'à la privation comme de nombreux Capricorne le sont.

Sa quatrième maison, dans le signe du Verseau, provoque des déménagements décidés à la hâte. Il est du genre à vivre éloigné des siens; très jeune, son univers familial lui semble étroit. Il n'est pas rare qu'il aille gagner sa vie dans un pays étranger et qu'il s'y installe pour longtemps. Il aura le plus souvent pour amis des membres de sa famille. Et même s'il était à l'autre bout du monde, s'il survient un problème à l'un des siens, vous le verrez accourir. Cette maison étant celle du foyer, elle indique une enfance passée au milieu d'une foule de gens, parents, amis des parents, amis des amis. Le foyer est uranien, à tendance humaniste; l'ouverture d'esprit est large. Cette quatrième maison représente la mère dans un symbole uranien, une mère qui peut pousser le natif vers la connaissance, l'exploration qui permet toujours d'en connaître davantage. La mère pourra être autoritaire, l'effet uranien indiquant une sorte de dictature subtile. Comme le Verseau est aussi le deuxième signe du Capricorne, il y a de fortes chances que la mère incite le natif à rechercher un travail plutôt lucratif et lui enseigne que dans la vie il faut savoir se débrouiller vite et bien. Elle peut avoir un esprit original, auquel le natif pourrait se mesurer de temps à autre. Le Capricorne ayant la plupart du temps un esprit conservateur, il reçoit deux messages subconscients de la mère : pars au loin pour explorer le monde et gagner ta vie, ou reste avec moi, j'ai peur que tu manques de quelque chose.

Sa cinquième maison, dans le signe du Poissons, complique toujours les amours bien que le Capricorne soit en bons aspects avec le Poissons. Le natif voudra être à la fois l'ami et l'amoureux, mais il n'est pas certain que le message soit retenu comme il l'entend. Il sera compatissant envers les gens et voudra soigner tous ceux qui souffrent. Il est bien possible qu'il se choisisse un partenaire maladif pour avoir le plaisir de faire quelque chose pour lui et, en même temps de le contrôler ! Mais c'est sans méchanceté du moins bien rarement. Le natif est extrêmement sensible et vulnérable, mais c'est peu apparent. Il sait fort bien porter le masque de Pluton qui lui permet de camoufler ses vives émotions, et Saturne du Capricorne, le contrôle, la restriction, lui fait dire que l'émotion c'est s'apitoyer sur soi. Son adolescence peut être marquée par un grand amour qu'il pourra entretenir durant de nombreuses années, même s'il n'arrive pas à vivre avec l'objet de son amour. Bien qu'il soit dictateur, il ne peut s'empêcher de s'émouvoir devant la douleur et de vouloir faire quelque chose pour la rendre moins vive !

Sa sixième maison, celle du travail, dans le signe du Bélier, symbole de Mars, tout comme le Scorpion, quatrième signe du Capricorne, invite le natif à s'engager le plus souvent dans un travail où il devra lutter pour venir en aide aux plus petits et aux plus défavorisés que lui. Il est difficile avec cette position de pouvoir définir une carrière, il faut voir la carte natale. Tout ce que cet aspect laisse découvrir, c'est que le natif se passionnera pour son travail, qu'il sera prêt à y consacrer beaucoup plus d'heures que ne le font les autres pour atteindre un objectif. On peut y déceler que ce qui se rapporte au gain touche le gouvernement ou une organisation gouvernementale. Ce peut aussi bien être la politique que la médecine ou tout autre fonction qui s'en rapproche.

Sa septième maison, dans le signe du Taureau, lui fait rechercher un partenaire fortuné. Dans une question de mariage, le calcul n'est pas exempt. Le natif aime bien voir où il met les pieds et si ça vaut le coup d'y investir du temps et de l'énergie amoureuse. Mais un tel calcul joue souvent un mauvais tour. Un jour on peut être riche, et le lendemain c'est la ruine. Il m'a été donné d'observer que certains de ces natifs ont épousé une personne à l'aise financièrement. Quelques années après le mariage pour les uns, quelques mois pour d'autres, le conjoint s'est mis tout à coup à perdre son argent, et même ses moyens de subsistance, et le voilà devenu le parfait parasite du Capricorne-Scorpion sur qui il peut se fier parce qu'il est débrouillard ! L'union n'est pas facile sous ce signe. Le natif veut partager sa vie avec une personne forte, puissante, et comme il est lui-même un dictateur, il est possible que des conflits d'autorité surviennent ! Il a la capacité de changer sa vision de l'amour s'il survient un échec ; il acceptera de ne pas toujours avoir raison, la paix étant essentielle au bonheur.

Sa huitième maison, dans le signe du Gémeaux, maison des transformations dans un signe de Mercure, indique effectivement que le natif, à un moment de sa vie, peut changer totalement sa mentalité tout comme il peut envisager tout autrement son travail. Doué d'une grande intelligence, il pense généralement à plusieurs choses à la fois. Son esprit s'agite et supporte mal de ne plus apprendre. Il pourra se diriger vers des carrières de type mercurien : commerce, médecine, journalisme parlé ou écrit, un travail qui le mettra en contact avec les gens. Je vous l'ai dit, il ne supporte pas de rester seul. Il lui faut bavarder, échanger et, s'il le faut, susciter un débat intellectuel où il démontrera la force de sa logique.

Sa neuvième maison, dans le signe du Cancer, signe opposé au Capricorne, lui fait aimer profondément sa famille. Plus il vieillit, plus il fait rayonner un esprit de philanthropie et d'harmonie autour de lui. Avec de bons aspects dans cette maison, il peut se faire philosophe. Cette position favorise les finances, la chance. S'il est en panne d'argent, un jour, il n'aura pas à chercher longtemps un moyen de pourvoir à ses besoins. Riche d'une nature profondément croyante, on n'a pas besoin de lui enseigner qui est Dieu, il perçoit une force qui le dépasse, et il sait, alors même qu'il ne serait pas élevé dans un milieu spirituel, que les forces du ciel sont là qui veillent sur lui.

Sa dixième maison, dans le signe du Lion, lui attire souvent des honneurs là où il passe. On reconnaît ses services, on apprécie son dévouement. Il peut même aller jusqu'à nuire à sa santé pour atteindre un objectif ou pour servir autrui. Le but est le plus souvent noble et quand il ne l'est pas, comme le Lion est la huitième maison, une destruction peut s'ensuivre, un échec si puissant qu'il ne l'aura pas vu venir. Ce signe et cet ascendant ont une grande responsabilité morale. Si le natif fait le bien, la vie est bonne pour lui et lui permet une longévité extrême; s'il triche, disons que c'est l'exception, il se demandera alors pourquoi il lui arrive autant d'accidents de tous genres.

Sa onzième maison, celle des amis, dans le signe de la Vierge, permet à ce natif de rencontrer une foule de gens qui viennent de partout et de toutes les couches sociales. Il aime échanger intellectuellement avec les amis, mais il ne s'attache pas vraiment à eux. Les vrais amis pour lui sont les membres de sa famille. Cette position, avec de forts aspects d'Uranus et de Mercure, produit parfois des génies qui souffrent, par contre, d'une extrême nervosité, exprimée ou non. Celui qui ne l'exprime pas peut se trouver un jour en thérapie, tandis que celui qui est le plus expressif est capable de trouver une solution à son problème.

Sa douzième maison, celle de l'épreuve, dans le signe de la Balance, symbole de l'union, signifie que l'amour pose un problème. Avec des aspects négatifs de Neptune, le natif peut être abandonné par son conjoint sans même en connaître la raison, ou il se retrouve avec un conjoint malade. L'épreuve sentimentale est sournoise, elle n'avertit pas, elle ne laisse rien voir. La vie amoureuse de ce natif est souvent perturbée. C'est pourquoi, plutôt que de s'isoler, il se tourne vers tous ceux qui ont besoin d'aide et d'amour. Il transmue sa douleur dans le service à autrui jusqu'au jour où, ayant purgé sa peine, il rencontre une personne différente.

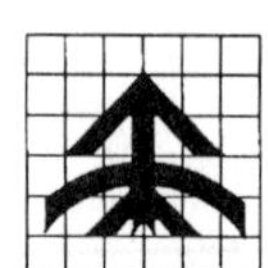

CAPRICORNE ASCENDANT SAGITTAIRE

Il veille sur la philosophie, la religion et sur l'argent, le sien et celui des autres!

Dans le domaine sentimental, il n'est pas très fidèle, il fait des promesses qu'il ne tient pas. L'aventure l'attire, les nouvelles expériences aussi. Chacune est plus excitante que la précédente. Il cherche la stabilité amoureuse, mais il a bien du mal à la préserver. Sa raison et ses émotions rêvent d'équilibre et certains mettent un temps fou à le trouver.

Il a intérêt à faire un effort du côté des études, cela lui offrira une porte d'entrée décente sur le marché du travail, sinon il est bien capable de s'inventer des diplômes que l'on découvrira faux tôt ou tard, mais il est possible qu'il ait prouvé, entre-temps, grâce à sa vive intelligence qu'un diplôme n'est pas une priorité.

Dans la vie ça se passe souvent comme dans les films. Les bons sont récompensés et les méchants sont punis.

Son Soleil se trouvant dans la deuxième maison, le natif place l'argent aux premières loges. Pratique et économe, il a des vues à long terme sur les placements. Il devient très tôt propriétaire de son entreprise ou, du moins il aspire à l'être. Il peut mettre tout son argent de côté pendant longtemps afin de voir son rêve se réaliser. Il déteste le gaspillage et exclut la fantaisie de sa vie. La deuxième maison représentant deux signes de terre, et le Taureau et le Capricorne étant deux signes de terre, nous avons là quelqu'un qui sait fort bien s'enraciner, prendre une direction ferme et s'y engager tant qu'il n'a pas atteint son but. Cette position créant l'alliance entre Vénus et Saturne, ce charmant natif est sensible, mais sa sensibilité va dans le sens des intérêts et du calcul. Ce qui lui fait le plus de peine c'est de devoir payer plus cher qu'il ne le devrait pour un produit! Et l'amour pour lui doit être un bon placement aussi, et à long terme. Il aime la famille, il lui porte un grand respect, et là on y est ordonné.

Sa troisième maison, dans le signe du Verseau, en fait un bon vendeur, une personne agréable dans les relations publiques. Il sait s'exprimer avec finesse et intelligence. Quand arrive le moment de discuter d'argent, de négocier, c'est pour lui un véritable plaisir, surtout s'il doit y mener une lutte de jeux de mots logiques. Il peut avoir une attitude bien froide, ses raisonnements le sont. Capable de dissocier ses sentiments et ses intérêts, il le fait tout naturellement. Il est persuadé de sa valeur, il vaut cher, il coûte cher, ses services valent cher et ça se paie. Il a une vive imagination, aime les coups de théâtre, les provoque et il s'installe ensuite en spectateur. Avec de bons aspects dans cette maison, cela peut faire un bon journaliste. Il sait fort bien vendre ses idées et elles sont originales.

Sa quatrième maison est dans le signe du Poissons, troisième signe du Capricorne. Sa maison est un lieu d'échange important pour lui. Possibilité que, dans sa jeunesse, ce soit à la maison qu'il ait appris à utiliser le langage pour se défendre, pour causer: beaucoup de mots qui, parfois, dissimulent le but réel à atteindre. (Les politiciens possèdent cette sorte de langage.) Il peut arriver que le natif soit un peu dissimulateur, qu'il ne dise pas la vérité à tout coup. Le foyer cache aussi un mystère, un trouble qu'il ne pourra comprendre qu'à l'âge adulte. Cette quatrième maison représente la mère. Dans un signe neptunien, la mère est bonne mais elle a du mal à orienter ses énergies. Elle a pu être malade ou subir la maladie d'un autre membre de la famille. La mère peut jeter le doute dans l'esprit du natif, un doute à la fois intellectuel et émotionnel. Autant l'adolescence du sujet peut être marquée par une rébellion contre la famille, autant elle peut l'être par une soumission à la famille. Dans l'autre cas, la situation sera vécue à l'extrême. Il n'est pas rare de constater que ce natif a quitté jeune le milieu familial pour faire sa vie, afin de se soustraire à l'influence familiale qui ne lui convenait pas. Il faut de bons aspects de Neptune pour qu'il ait trouvé l'équilibre dans sa famille. C'est le plus souvent au dehors qu'il le trouve.

Sa cinquième maison, dans le signe du Bélier, lui donne une grande énergie physique et le goût de l'amour, mais les emballements peuvent être rapides. Possibilité qu'il vive son premier amour par le biais d'un membre de sa famille. Comme le Bélier est le quatrième signe du natif, celui-ci a pu vivre l'amour d'une manière étouffante chez lui. On lui apprend le langage du cœur, puis, tout à coup, on lui suggère d'utiliser de préférence le langage de la raison. Ce natif est un grand amoureux, mais il freine ses impulsions, il ne veut pas perdre le contrôle. Il peut s'engager trop tôt dans une union et trouver peu après qu'il n'est pas à sa place, mais le Capricorne met toujours beaucoup de temps avant de rompre, le signe de terre s'enracine. La fidélité peut parfois être douteuse. Le natif est sensuel et il succombe facilement au charme qu'on lui fait. Au moindre signe il accourt! Possibilité que, dans une relation de couple, il soit traité comme un enfant dont on prend soin.

Sa sixième maison, dans le signe du Taureau, lui donne l'amour du travail. Ici encore, la notion d'argent revient au premier plan. Il sera doué dans le domaine de la spéculation, des achats qui rapportent à long terme. Il aura un sens précis de l'analyse dans toutes les questions financières. S'il est vendeur par exemple, il vend avec son charme. Il sait fort bien dorer la pilule à son client pour lui faire accepter son idée comme étant la meilleure. Persuasif, par ses propres efforts il réussit toujours à se hisser au premier rang de l'entreprise qui l'embauche. Cette sixième maison étant aussi celle de la maladie, avec de mauvais aspects de Vénus dans le signe du Taureau, il peut se retrouver avec une maladie qui affecte son apparence physique. Chez le Capricorne, la partie osseuse est assez fragile.

Sa septième maison, dans le signe du Gémeaux, suppose parfois deux unions. Comme le Gémeaux est le sixième signe du Capricorne, soit que le natif tombe malade et que son conjoint le soigne ou qu'il se retrouve avec une personne malade et qu'il en prenne soin. Possibilité de deux mariages. Le natif ayant beaucoup de mal à résister au charme qu'on lui fait, cela peut entraîner des difficultés pour le couple! De la jalousie. Si on résiste à une séparation, c'est que le natif aura eu un très bon dialogue avec son conjoint. Ce couple n'est pas exempt des obstinations verbales. Le natif adore ça. Cela stimule son imagination.

Sa huitième maison, dans le signe du Cancer, symbolise le plus souvent longue vie et mort au foyer au milieu des siens. Étrangement, cette position est à double tranchant. La huitième maison étant un signe de mort, tout autant que de résurrection, le Cancer étant le septième signe du Capricorne, donc son conjoint. Dans le cas d'une maladie grave, pour lui ou pour son conjoint, l'encouragement qu'il donne ou qu'il reçoit lui permet de survivre, de s'accrocher à la vie. Il est du genre miraculé dans le cas d'une maladie grave ou d'un accident où il frôle la mort. Il y a en lui cet espoir soit de vivre pour son conjoint s'il est malade, soit d'alimenter chez son conjoint un espoir et une énergie incomparables qui aideront l'autre et provoqueront son retour à la santé. Cette position repousse la mort le plus longtemps possible et lui permet de vaincre les pires obstacles jusqu'à un âge très avancé. Quand le natif est jeune, il a pu être fortement touché par la mort d'un proche, ce qui en même temps lui a permis une grande évolution.

Sa neuvième maison, dans le signe du Lion, lui apporte la chance dans le domaine de la spéculation, de l'entreprise. Le Lion étant le huitième signe du Capricorne, la position des finances peut être affectée par un choc hors de son contrôle. Autant il peut bâtir un empire, autant, en voulant aller trop haut, il peut se briser les ailes, mais il aura alors la force de recommencer là où d'autres auront échoué. Le Capricorne n'est pas un signe de loterie, mais avec de bons aspects dans cette maison, il a une possibilité de gagner. Il peut aussi faire de l'argent à la Bourse, ses placements doublant tout d'un coup.

Sa dixième maison, dans le signe de la Vierge, est le symbole du travail et aussi de la maladie. Le natif peut subir un arrêt de travail à cause de la maladie. Il mettra beaucoup d'énergie à son travail, lequel peut même devenir le centre de sa vie et, dans certains cas, au point d'y laisser sa santé. Cette dixième maison symbolise le but à atteindre. Dans le signe de la Vierge, signe de terre, il est donc question de solidité, la solidité et l'argent allant de pair. Encore une fois cette position indique que le natif est sociable, que l'intelligence a la faculté de penser à plusieurs choses à la fois. Les carrières en rapport avec les chiffres et la logique pure sont à sa portée. Son esprit d'analyse est rapide et bien au-dessus de la moyenne, à moins de sérieuses implications de la part de Mercure et de Saturne. À ce moment, le mouvement de l'esprit est paralysé (cas rare).

Sa onzième maison, dans le signe de la Balance, lui donne un grand sens des relations publiques. Il sait s'exprimer avec brio pour amener le client à dire comme lui. Il aura le sens de la légalité. Par exemple, en cas de divorce, à mettre les avocats de son côté et retirer le maximum, ou à se soustraire à des punitions alors qu'il est responsable d'une faute commise envers la justice. Cette position, avec de mauvais aspects dans le signe de la Balance, expose le natif au divorce, la onzième maison étant régie par Uranus, planète des chocs et des divorces, et la Balance symbolisant l'union. Possibilité également que le conjoint du natif, et la Balance en étant le symbole, appartienne au monde des communications. La onzième symbolisant les amis, le natif préférera ceux qui ont un titre, des amis aux allures chics!

Possibilité qu'il ait pour amis des avocats ou des personnes qui évoluent dans un domaine vénusien, artistes, esthéticiennes, acteurs, ou toute autre forme d'art.

Sa douzième maison, celle de l'épreuve, dans le signe du Scorpion, symbolise la mort, aussi la résurrection, onzième signe du Capricorne. Ici encore intervient l'idée qu'il puisse frôler la mort de près ou flirter avec elle. La douzième maison étant le symbole de ce qui est sournois, caché, le Scorpion qui symbolise les microbes, les virus, la onzième, le Verseau, Uranus ou le moderne, nous avons là une association étrange qui peut provoquer une maladie sournoise et un virus tout à fait nouveau! Une sorte de maladie dont on ne connaît pas encore l'origine, une maladie importée d'un autre système solaire, de l'espace sous l'effet uranien... Cette position symbolise une maladie karmique, un mal que l'âme transporte d'une autre vie, une sorte d'autopunition que la logique elle-même ne peut exprimer. Cette position, avec de bons aspects, favorise l'élévation de l'âme, la recherche dans le domaine de la médecine, l'appui qu'on apporte pour secourir plus faible que soi. Le natif, à un moment, peut s'émouvoir devant la douleur humaine et changer l'orientation de sa vie. Du matérialisme il passe à l'humanisme. Une exaltation mystique, religieuse peut survenir. Il pourra cesser de croire en ses propres forces, celles de Dieu étant plus puissantes que toutes les richesses de la terre.

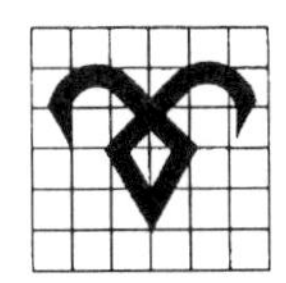

CAPRICORNE ASCENDANT CAPRICORNE

Solitaire, refermé sur lui-même, observateur, poli, économe, raisonnable et raisonneur. Il a bien du mal à communiquer, même quand il est profondément touché. Conservateur, l'extravagance c'est beau pour les autres, et encore là! Il ne gaspille pas, il n'ose même pas jeter ses vieux habits ou ses vieilles robes, dans dix ans, ça peut revenir à la mode!

Il possède une excellente mémoire. Analytique et perspicace, il se concentre facilement. C'est un bourreau de travail, à partir du moment où son intérêt financier, matériel est en jeu.

Double signe cardinal, le patron. Il est exigeant avec ceux qui travaillent pour lui, autant qu'il l'est pour lui-même.

En amour, il commande aussi. Quand il s'est lié, la personne qui partage sa vie devient sa propriété, un acquis. Il est jaloux et possessif.

Dans le domaine des sentiments, il est méfiant; il peut lui arriver d'être méfiant et de se tromper sur la personne et la perdre. Ses intuitions sont puissantes, il devrait s'y fier plutôt que de continuellement accorder crédit à sa raison.

Extrêmement prudent, il ne s'engagera pas dans une affaire avant d'en avoir fait le tour plusieurs fois. Surtout pour constater si sa participation est avantageuse. Mais il a le sens de la justice et il ne prendra pas ce qui ne lui appartient pas, mais il ne vous donnera pas un sou de plus que ça vaut.

Il a horreur des fantaisies qui lui font gaspiller son argent, son temps.

C'est un perpétuel angoissé. Si demain il arrivait quelque chose... mais quoi? Il a tout prévu! Un imprévu, d'ailleurs, le place dans une situation confuse, la logique a du mal à s'en remettre, surtout si cet imprévu fait appel aux émotions.

Il a beau s'efforcer à l'impassibilité, il est humain et il ressent profondément ceux qui l'entourent, mais il ne voudrait pas s'en mêler, ça pourrait lui faire perdre du temps, de l'argent et lui mettre sur le dos un problème qui n'appartient qu'à celui qui l'a créé, et s'il l'a c'est peut-être parce qu'il n'a pas été raisonnable, qu'il n'a pas fait appel à son jugement, à son intelligence.

Il a un cœur enfoui sous une épaisse couche de glace saturnienne. Ses membres «émotionnels» le font souffrir dans cette inertie.

Heureusement qu'avec le temps Saturne s'adoucit et rajeunit. Il pourra aux environs de quarante-cinq ans, quand son compte en banque sera bien garni, sa retraite assurée, commencer à conseiller les autres sur la manière de ne pas trop s'en faire et leur dire que tout vient à point à qui sait travailler...

Sa deuxième maison, dans le signe du Verseau, lui fait voir l'argent comme un pouvoir. Il devient indépendant avec de l'argent. Le Verseau étant le signe de l'espace, il se peut que ses voyages lui coûtent cher et qu'il y consacre une grosse partie de ses avoirs. Capricorne-Capricorne n'a rien de simple, sauf les apparences. Il est excessif. Ses qualités sont au maximum tout comme ses défauts. Cette deuxième maison représente la propriété. Le Verseau, symbole uranien, planète de chocs, il y a donc possibilité que le natif vive un choc important en rapport avec sa propriété ou des complications uraniennes, quelque chose qui sort de l'ordinaire. Il dira qu'il n'y a qu'à lui que ça peut arriver! Cette position étant sous l'effet de Vénus, dans un signe de terre, il y a possibilité que le natif soit aimé pour son argent et qu'il aime une personne parce qu'elle en a! Les voyages et l'amour peuvent jouer un rôle sur sa destinée, un rôle-choc.

Sa troisième maison, dans le signe du Poissons, lui donne la capacité d'apprendre tout ce qui lui plaît. Le Poissons étant un signe neptunien et la troisième maison étant sous l'effet de Mercure, le natif pourra diversifier ses connaissances. Il peut s'adonner à des études de logique pure, comme à la philosophie, le tout parfois se confondant. Il peut être déchiré, agir en toute logique ou suivre ses intuitions. Étrangement, il lui arrive de contredire ses intuitions juste pour voir s'il n'avait pas raison. Neptune relève de l'âme et Mercure, de l'esprit. L'âme apporte donc à l'esprit une multitude d'idées, la source se confondant avec l'infini, il a une connaissance instinctive du mouvement cosmique mais il veut l'expliquer, aussi il arrive qu'il ne prenne pas le temps de vivre pleinement sa vie, il la pense! Neptune, les liquides; Mercure, le mouvement du mental. On retrouve de nombreux alcooliques sous ce signe. Le natif veut noyer le flux de ses cogitations qui peuvent devenir infernales, le Capricorne-Capricorne étant le plus souvent un anxieux. L'évolution se fait tout de même par le mouvement de l'esprit, la recherche que le natif fait sur lui-même. D'où vient-il dans cet espace infini et indéfinissable, quel est son rôle?

Sa quatrième maison, celle du foyer, dans le signe du Bélier, la quatrième qui représente la mère, le Bélier étant un signe de feu en aspects négatifs avec le Capricorne. Bélier-Capricorne, deux signes cardinaux. Voilà donc que la mère du natif lui commande sans se soucier de son angoisse, de ses émotions. Et le voilà bien troublé! Les conflits d'autorité ne sont pas rares entre sa mère et lui, le Bélier étant un signe de Mars, un signe d'impulsion première, instinctif comme l'animal, en fait. Possibilité que le sujet ait eu une mère active, ne suivant que son propre modèle, sans se rendre compte (rarement les mères font exprès de nuire à leurs enfants) qu'elle a brisé l'harmonie familiale si chère au natif. Cette position indique un foyer de chocs, un manque d'affection à la base de son éducation apportée par la mère. La quatrième maison représente la Lune. Ici dans un signe de Mars, le natif peut avoir une mère moins maternelle que la moyenne et plus préoccupée par une action sociale que par la vie au foyer.

La cinquième maison, dans le signe du Taureau, fait de lui un rêveur, sentimentalement parlant. La cinquième représente le Lion et voici qu'elle se retrouve en Taureau, position contradictoire. Le natif peut donc se laisser tromper par des apparences sur le plan sentimental, il prend ses rêves pour la réalité. Il veut un amour idéal, mais il ne puise pas en profondeur pour reconnaître le véritable amour. Il est attiré par la beauté, le charme, le corps, ce qui brille autour d'une personne et le discours qui laisse présager une grande sensibilité. Mais quand il s'engage, il peut alors se rendre compte qu'il s'est trompé et qu'il a épousé une bougie plutôt qu'une véritable énergie. Il n'est donc pas exempt du choc amoureux. Si le natif a des enfants, il s'attachera à eux comme à la prunelle de ses yeux, l'objectif de sa vie étant souvent de fonder une famille et de vivre en communion avec ses enfants où il trouve son prolongement. Le Capricorne est celui qui pense à son avenir, à sa vieillesse. Si, à tout hasard, le natif se retrouvait en situation où les enfants n'entrent pas dans sa vie, il pourrait en souffrir profondément et se replier sur lui-même. Les enfants sont souvent le seul moyen qu'il a d'exprimer sa vie et de lui donner un sens.

Sa sixième maison, dans le signe du Gémeaux, lui permet un travail en relation avec les lettres, une correspondance, l'écriture. Il pourra avoir à faire de nombreux déplacements à cause de son travail. Le travail, le plus souvent, fera appel à la logique pure. La sixième, tout comme le Gémeaux, relève de Mercure. De mauvais aspects de Mercure peuvent affecter son système nerveux et, par ricochet sur le Capricorne, affecter ses os. Il n'est jamais tout à fait certain d'être à la bonne place. Cette double position de Mercure le fait continuellement réfléchir à sa façon de gagner sa vie.

Il excelle dans l'enseignement. Comme cette position favorise l'écriture, une carrière d'écrivain lui convient bien également. Cela peut même lui permettre d'éclairer sa propre pensée. Il oscille facilement entre deux opinions, il en a une pour lui et une pour les autres. Cette position le rend vulnérable aux idées propagées. Il doute de son idée à lui, celle des autres est souvent peut-être meilleure que la sienne. Il étudiera la question. Il se trouve dans des professions qui lui permettent de faire deux choses à la fois, de poursuivre deux objectifs, d'où deux sources de revenus par le travail.

Sa septième maison, celle du conjoint, dans le signe du Cancer, symbole lunaire, lui fait rechercher un conjoint qui le protégera émotionnellement contre les marées envahissantes et dangereuses quand son imagination tourne au noir. La septième maison étant celle de Vénus, et le Cancer, un symbole lunaire, Vénus de la septième maison ou le signe de la Balance et le Cancer ne sont pas en bons aspects sur la roue astrologique. Il arrive donc que le natif, sans savoir pourquoi, soit attiré par des personnes de type passif. Lui qui attendait de la protection, le voilà donc en situation où on réclame la sienne! Le Cancer étant à l'opposé du Capricorne, il n'est pas que dans le domaine du cœur que le natif se trouve dans une union qui joue contre ses propres intérêts et qu'il ne se retrouve qu'avec la moitié de ce qu'il croyait trouver dans une union; dans toute son anxiété, sa peur et sa prudence, il lui arrive quand même de se faire jouer des tours en affaires. On arrive à le prendre par les sentiments et le culpabiliser.

Sa huitième maison, celle des transformations, dans le signe du Lion, amour, enfants, maison de la mort, de la renaissance. Le natif pourrait vivre la mort d'une personne à laquelle il était attaché et cela provoque alors une grande transformation. S'il survient un divorce où les enfants entrent en jeu, il peut avoir de sérieux problèmes de communication avec eux. Cette position ne facilite guère la vie amoureuse, les tensions surviennent sans crier gare. Les ruptures sont souvent comme un choc, une douche froide. Chaque fois elles font réfléchir plus profondément le natif sur les motifs qui le font agir, sur son attitude face à la vie. Il se met parfois à rechercher la raison de l'amour, le pourquoi de son existence. Il n'y a pas de réponse. L'amour appelle à l'amour. Si le choc amoureux survient, c'est parfois qu'il s'est laissé prendre par une apparence; pour un homme, il s'agit d'une belle femme, gracieuse, cultivée, charmante, qui a tout ce qu'il faut... sauf que peu de temps après l'union, c'est une question de mois ou d'années, sa dame n'apporte plus sa coopération sur le plan sexuel! Décevant pour monsieur, elle était si sexy! Les femmes de ce signe sont parfois sans grand appétit sexuel, ce qui peut décevoir le conjoint et l'amener à tromper madame! Décevant pour madame, il avait l'air si correct!

Sa neuvième maison, dans le signe de la Vierge, à moins de très bons aspects de Jupiter, porte le natif à ne croire qu'à ce qu'il voit. Il sera à la recherche de la vérité à l'extérieur de lui plutôt qu'à l'intérieur. Il pourrait rechercher une philosophie de vie en suivant des modèles établis, écrits, qui ont prouvé leur efficacité; la Vierge veut une solution applicable. Cette neuvième maison, dans le signe de la Vierge, peut faire de lui un professeur, un guide; la Vierge étant un signe de terre, comptabilité, commerce, ou tout ce qui s'analyse, se décortique, s'explique et se prouve. Ce natif a un grand sens du détail, de l'observation. Cette neuvième maison représente un deuxième mariage en cas de divorce. Cette deuxième union, il la considérera sous un angle pratique, avec un but défini. Ses voyages auront la plupart du temps un but pratique; la Vierge, de par Mercure dans un signe de terre, n'aime pas se déplacer sans avoir quelque chose à y apprendre. Il y a peu de repos pour l'esprit de ce natif. Il a du mal à se décontracter et à prendre simplement plaisir du moment qui passe. Cette position, surtout avec de mauvais aspects de Jupiter et de Mercure, peut développer chez lui une foi de pacotille. Il recherche Dieu, la raison de son existence. En fait, il recherche la véritable raison de sa propre existence. Il oublie que c'est en donnant aux autres que l'on trouve la vraie raison de son existence puisque Dieu est en chaque être, en chaque souffle. Le natif entretient la crainte de manquer d'argent et, effectivement, il arrive que cette crainte devienne une réalité. Comme le Capricorne a un sens pratique poussé, il aura le goût et le courage de remonter la pente.

Sa dixième maison, dans le signe de la Balance, symbolise l'union, les associés, la légalité, l'esthétique, l'art, la beauté, l'équilibre. La dixième étant le but à atteindre, il y a possibilité que le natif soit en constante recherche de l'équilibre, un équilibre facile à débalancer avec cette dixième maison puisque la Balance est en aspect négatif avec le Capricorne. Son union sentimentale, il la considère comme un but à atteindre et dans laquelle il recherche l'équilibre. Il peut vivre quelques conflits d'autorité s'il a des associés. Il peut travailler dans les domaines de l'esthétique, de la loi, des arts pourvu que cet art ait un côté pratique. Il sera habile dans les pourparlers, les négociations où il a une attitude froide, détachée. Intelligent et prévoyant, il sait calculer, peser le pour et le contre d'une situation et appliquer une solution pratique et à long terme pour un ensemble d'individus ou pour lui-même.

Sa onzième maison, celle des amis, dans le signe du Scorpion, le rend sélectif dans ses choix. Il aura, en fait, peu d'amis. Il aimera la présence de gens peu ordinaires, originaux, même si lui-même n'ose pas s'aventurer dans les voies inédites. La onzième maison symbolisant Uranus, et le Scorpion symbolisant Mars et Pluton, le natif pourra être fortement attiré par l'astrologie, les sciences occultes et le pouvoir que la connaissance de ces sciences peut donner. Le Scorpion étant le signe des transformations, les voyages au loin peuvent l'aider à développer une autre conception moins matérialiste de la vie.

Sa douzième maison dans le signe du Sagittaire, sa maison d'épreuves, bien qu'il puisse apprendre par ce qui vient de loin, le natif peut vivre une épreuve à l'étranger ou par un étranger, surtout avec de mauvais aspects de Neptune et de Jupiter dans sa carte natale. Il pourrait alors se bâtir une sorte de chimère, et s'imaginer que tout ce qui vient d'ailleurs est meilleur! Encore une fois, un mauvais aspect de Jupiter et de Neptune peut le porter à boire, à s'illusionner. Et s'il choisit de vivre à l'étranger, il y a de grandes chances qu'il revienne vers son lieu de naissance, l'exil n'ayant été qu'une longue réflexion qui lui a permis de constater que le jardin du voisin n'est pas plus vert que le sien! Cette position crée, à un moment, une exaltation mystique; le natif a alors tout intérêt à choisir les gens qui le guident. Il pourrait bien ne plus avoir les pieds sur terre et pencher vers l'excès contraire du matérialisme. Encore une fois cette position peut l'attirer vers l'astrologie, les sciences occultes, les religions. Il pourrait alors embrasser plusieurs tendances et provoquer une confusion émotionnelle où il perdrait sa logique, mais jamais pour la vie. Avec de bons aspects de Jupiter et de Neptune, il sera attiré par les médecines douces, les médecines de l'âme où il pourrait être utile à autrui, devenir alors un guide pour une sorte d'épuration des malaises de l'âme et de l'esprit.

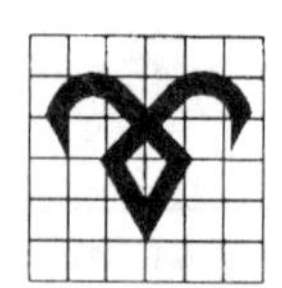
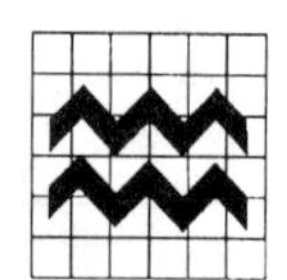

CAPRICORNE ASCENDANT VERSEAU

Il s'informe de vous, de ce que vous faites, de ce que vous êtes, si vous êtes marié, célibataire, indépendant, subalterne ou patron, si vous aimez votre travail, si vous êtes assidu, si vous avez des ambitions...

La série de questions s'allonge, la soirée passe. Il sait tout de vous. Mais, vous ne savez rien de lui.

Il ne sent pas le besoin de se confier. Ce monde est plutôt absurde et, de toute manière, on s'en fait pour tout et pour rien. Et on n'attache pas assez d'importance à la recherche médicale, militaire, scientifique...

Il vit retiré en se passionnant pour son travail. Le passé lui sert de modèle, afin d'aller vers l'avenir où ses yeux sont continuellement tournés.

Il est indépendant, vif d'esprit, perspicace, réceptif, sensible, mais il n'en parle pas. Vous ne saurez pas ce qu'il est au juste, vous ne comprendriez pas, et est-ce si important ce qu'il est? Non, ça ne l'est pas, c'est le résultat de ce qu'il fait qui importe et qui apporte sa part à l'humanité.

En amour, il communique mal, le célibat le retient souvent. Ou alors, il lui faut une personne magnifique, spéciale, vraiment pas comme les autres. Quelqu'un qu'on remarque quand il est derrière!

Mais il arrive fréquemment qu'on le quitte. On finit par ne plus supporter ses silences ou ses crises parce qu'il n'arrive pas à toucher du doigt ce qu'il recherche. Son manque de communication finit par vous donner l'impression que vous n'êtes pas intéressant, que vous êtes un poids, une distraction dont il peut se passer et vous vous découragez de l'aimer. Vous ne lui apportez pas cette passion qu'on décrit dans les livres.

Il se rend à peine compte de ce qu'il est, de l'effet qu'il fait sur les autres, de l'influence qu'il a, ça lui passe dix pieds par-dessus la tête!

Il lui faudra un choc uranien, lequel peut venir de n'importe où, de n'importe qui, de n'importe quoi, pour qu'il redescende parmi les hommes, avec les hommes... Ce peut être une pomme qui lui tombe sur la tête, un enfant qui crie «maman, j'ai faim», un homme ou une femme qui lui dit doucement «quelle belle intelligence!».

Sa deuxième maison, dans le signe du Poissons, maison de l'argent dans un symbole neptunien, fait qu'il peut parfois s'illusionner sur l'argent, vouloir qu'il tombe du ciel et ne pas faire d'effort pour le gagner. Extrême rareté chez le Capricorne. Il peut avoir deux sources de revenus, deux sources de perte également. Avec cette position, l'association de Neptune et de Vénus, en fait, tout laisse croire au natif que l'amour peut participer à sa fortune. C'est le cas de certaines femmes qui croient que le conjoint seulement doit apporter l'argent au foyer. Et parfois, mais plus rarement, c'est l'homme qui se fie sur la fortune de sa conjointe. On a appris aux hommes, depuis plusieurs siècles, qu'ils sont pourvoyeurs et champions dans la matière. Ce natif peut être fort doué pour les placements, mais il devra éviter l'emballement quand tout marche comme sur des roulettes. L'illusion le guette et les ennemis qui convoitent son argent ne se tiennent pas loin! Autant il peut tout donner au nom de l'amour, autant il peut tout prendre parce que l'amour lui doit tout. Tout dépend des aspects de Neptune dans sa carte natale.

Sa troisième maison, dans le signe du Bélier, lui donne une intelligence vive, un sens de la repartie rapide. Il peut arriver aussi qu'il ait des paroles directes, blessantes pour l'entourage. Il apprend rapidement toute nouvelle stratégie d'action. Après un certain temps d'étude, il pourrait avoir tendance à se décourager; il faudra alors qu'il soit stimulé à poursuivre. Le Bélier étant le quatrième signe du Capricorne, il indique que le foyer de naissance est explosif et qu'il ne guide pas le natif sur une voie d'accomplissement directe. L'adolescence marque une phase importante des transformations ou détermine ses critères de sexualité: acceptation ou rejet. La mère du natif a une influence directe sur lui. Elle peut indiquer que la sexualité doit être vécue comme une abstraction et que seul l'esprit compte. Le natif qui forme un couple peut alors vivre un problème avec son conjoint: il détermine les règles et la fréquence de leur vie sexuelle, ce qui ne va pas sans heurts.

Sa quatrième maison, dans le signe du Taureau, représente le foyer comme tel. Le natif y reçoit une éducation pratique. Il est protégé par la mère, et même surprotégé, mais le tout se situe au niveau du corps et des choses pratiques de la vie. Comme le Taureau est le cinquième signe du natif, s'il y a des enfants, il peut centrer son attention sur ces derniers et devenir un parent envahissant, leur laissant très peu de marge d'initiative. Ce natif aura bon appétit, il devra surveiller son alimentation pour s'éviter un embonpoint gênant. De même, en tant que parent, craignant que ses enfants ne mangent pas assez, il peut insister pour qu'ils vident leur assiette. C'est une façon détournée de les protéger. Un bon parent veille à la santé de ses enfants, se dira-t-il, et ça commence par la bonne table. La communication verbale et l'échange des émotions peuvent manquer toutefois. Il faut non seulement nourrir le corps mais aussi l'esprit. Le natif voudra être propriétaire de sa maison. Si nécessaire, pendant longtemps, il fera de grandes économies afin d'en acquérir une. Il excellera d'ailleurs dans la spéculation sur le plan de l'immobilier.

Sa cinquième maison, dans le signe du Gémeaux, représente l'amour, les enfants, l'amour que l'on traite avec la raison, de même que les enfants, l'idéal étant situé dans une vie de travail plutôt que dans l'échange sous tous ses angles. Le natif pourrait être porté à critiquer soit les enfants, soit la personne qu'il aime. Il agit ainsi pour rendre service! Cependant, en se faisant continuellement remarquer les petits défauts que l'on a, on finit par croire que l'on n'a que ça! Le natif sera exubérant en paroles, mais ses discours, tous empreints de logique, peuvent manquer de chaleur, ou encore la chaleur devient étouffante.

Sa sixième maison, celle du travail dans le signe du Cancer, lui fait rechercher un travail dans les relations publiques, où, soit directement, soit indirectement, il sera en relation avec le public. Encore une fois, le domaine de l'immeuble lui convient bien, la comptabilité aussi, et tout ce qui a trait à l'organisation financière. Il pourrait avoir peur de travailler à son compte, il aura peur d'avoir l'entière responsabilité d'une entreprise. Si jamais le bateau coulait! Possibilité qu'il travaille avec son conjoint ou dans un domaine connexe, ou qu'il travaille pour lui, ce qui peut engendrer des frictions, le natif ayant bien du mal à vivre sur un autre plan que celui du pratique. Il pourra souvent attendre la quarantaine avant de comprendre l'importance des relations intimes, de la conversation, d'avoir le goût de faire plaisir à l'autre. Durant longtemps il reconnaîtra qu'il est important par son apport utilitaire et non sur le plan de l'agrément. À force de se sentir utile, de se rendre continuellement de service, on devient indispensable, et puis, tout à coup, le natif en rejette l'idée. Il est fatigué d'être indispensable, il veut qu'on le considère comme agréable. Il pourra toujours reprocher à l'autre son attitude de profiteur, en fait c'est le natif lui-même qui a créé cette situation à son insu.

Sa septième maison, dans le signe du Lion, maison de l'union, huitième signe du Capricorne, peut provoquer une rupture plutôt bruyante dans la vie du couple. Les deux parties réclament fortement leurs droits. Les enfants peuvent se trouver pris entre les deux et servir en quelque sorte de moyen de chantage. Il faudra que le natif évite de tomber dans un tel piège, il risquerait alors de créer de sérieux problèmes à ses propres enfants. Il veut vivre le grand amour, mais à sa façon, à sa manière; il a bien du mal à comprendre le sens du mot «compromis» dans les questions sentimentales, alors qu'il est très doué pour les questions matérielles. En cas de divorce, la rupture peut créer un important problème d'argent et forcer le natif à en gagner davantage. La tromperie est souvent à la base de la séparation, tromperie à long terme où le natif n'arrive même plus à trouver d'intérêt pour son conjoint.

Sa huitième maison, celle des transformations dans le signe de la Vierge, symbolise que le natif peut vivre, à un certain moment, un changement complet d'orientation de carrière et de philosophie de vie. Il peut un jour décider de devenir riche et étudier ce qui, en ce moment, rapporte le plus et le plus vite. Il peut y parvenir aisément. Il n'est pas à court d'idées et le sens de la stratégie est puissant dans tout ce qu'on nomme argent, propriété. Il pourra être exposé à vivre une dépression qu'il transférera au travail en devenant un acharné. Il sera son propre meneur d'esclaves. Il peut exceller dans le domaine de l'assurance et devenir un très bon vendeur. Le Capricorne pense à l'avenir et ses projets sont à long terme. Il essaie de donner le moins d'espace possible à l'imprévu et à la fantaisie.

Sa neuvième maison, dans le signe de la Balance, lui donne le sens de la justice, mais surtout de la sienne. La Balance étant le symbole de l'union en aspects négatifs avec le Capricorne, et la neuvième maison représentant l'expansion, le natif veut que son conjoint participe à son expansion, mais il n'est pas assuré qu'il sera totalement juste dans sa manière de reconnaître le talent de l'autre. Il pourra faire des acquisitions de tableaux d'art ou de tout autre objet susceptible de prendre de la valeur afin d'en retirer un jour du profit. Il sera attiré par la philosophie, mais cette philosophie souvent fait son affaire! Cette position représente une deuxième union, la rencontre peut alors se faire par le biais de la carrière.

Sa dixième maison, dans le signe du Scorpion, ne rend pas l'ascension facile. Le natif a tout de même un sens puissant de stratégie pour faire avancer sa cause. La dixième maison représente la carrière et le Scorpion, l'argent des autres, l'argent fait à la Bourse et provenant de placements faits pour autrui tout autant que pour soi, l'assurance aussi puisque le Scorpion est un symbole de mort.

La médecine également, les opérations, la lutte contre la mort, la recherche contre les virus dans les laboratoires. La politique peut avoir un attrait puissant sur ce natif, mais il y jouera un rôle de meneur dans l'ombre, celui qui suggère, qui mène sans en avoir l'air.

Sa onzième maison, dans le signe du Sagittaire, les amis, également le douzième signe du Capricorne, son épreuve. Possibilité que le natif ait des amis menteurs ou moins honnêtes qu'ils en ont l'air. En fait, il aura plus de connaissances que de véritables amis. Il voudra se fier à leur parole, mais il pourrait être déçu à plusieurs reprises. Il s'intéressera à l'astrologie car il pourrait avoir quelques dons de voyance. Il sera très attiré par les étrangers, les voyages au loin, l'exploration. Ces voyages seront tout de même une occasion de plaisir, de se décontracter, de sortir de la routine! Des événements originaux, des situations cocaces, parfois dramatiques sur le coup mais dont on peut ensuite rire longtemps après, peuvent survenir en voyage. «Ça n'arrive qu'à lui», dira-t-on. Et c'est bien possible.

Le Soleil se trouve en douzième maison, celle de Neptune, qui représente ce qui se vit caché, dans l'ombre, les hôpitaux, les prisons, les endroits retirés, l'isolement choisi ou forcé. Possibilité que, pendant longtemps le natif fasse abstraction de ce qu'il est et qu'il se donne un rôle de victime soit pour apprendre de la vie ou pour se valoriser. «J'ai tout mis en œuvre pour faire le bonheur des gens autour de moi et je n'ai rien reçu», rôle typique de la victime. Chercher à attirer l'attention des autres en jouant les martyrs! Le natif peut chercher à dominer sans même s'en rendre compte. Il domine par suggestions, par la pensée elle-même. Il ne se rend pas compte non plus de l'influence profonde qu'il exerce sur l'entourage. Il devine les gens et peut ainsi leur faire plaisir ou s'arranger pour retirer d'eux le maximum. Cette dernière manipulation peut coûter cher au natif, sur le plan émotionnel, et le placer un jour dans un isolement qu'il n'aura pas choisi. La force subconsciente est puissante. Si le natif entretient une idée de défaite, elle deviendra réalité; mais si sa pensée se situe du côté de la lumière, du positif, il retirera le maximum de la vie. Très réfléchi la plupart du temps, il peut, s'il le veut, changer le cours de sa destinée. Il n'a qu'à y penser avec toute la volonté dont il dispose et les événements surgiront sur sa route de façon qu'il s'oriente dans la direction la meilleure, pour lui et pour tous ceux qui pivoteront autour de lui.

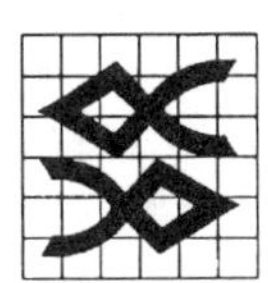

CAPRICORNE ASCENDANT POISSONS

Est-ce de l'eau boueuse, une terre fertile? Ici la puissance occulte est fortement marquée, le natif est extrêmement perspicace. Le Capricorne est un signe d'hiver, de froid, de terre, le Poissons est un signe d'eau, l'océan. Avez-vous déjà vu l'océan couvert de glace? Des icebergs, oui!

Il a un côté vagabond. Il se réfugie souvent dans un monde de rêves et d'illusions. Mais c'est aussi un Capricorne et lui il est un réaliste... et c'est aussi du rêve que naissent les grandes œuvres, les grandes réalisations.

Il n'aime que rarement ce qu'il est, il s'autocritique, comme il peut aussi critiquer sans même s'en rendre compte.

Il est déchiré entre l'altruisme et l'égoïsme, doit-on donner, doit-on prendre, quelle attitude est la meilleure? Y en a-t-il une? Le voilà plongé dans une phase d'inertie.

Il peut vous parler du bonheur avec enthousiasme et, au bout de son discours, vous vous rendrez compte qu'il n'y croit pas, ça ne peut qu'arriver aux autres. Et à projeter sans cesse cette image, elle finit par devenir une réalité!

Vers la trentaine s'effectue souvent une transformation bénéfique chez lui. Il quitte la peur et ose manifester un peu plus sa présence. La transformation se complète dans la quarantaine où il n'est plus le même.

Cet être possède en lui-même des dons et des capacités qui le dépassent lui-même, mais il n'a rien à craindre. Le ciel ne lui tombera pas sur la tête! Bien au contraire, il l'inspirera! Et le jour où il se mettra à voir la vie positivement, qu'il comprendra que ce n'est pas la vie qui fait un détour mais lui-même, alors il ira droit au but et peut-être apportera-t-il au monde la réforme qu'il rêve tant de faire...

Sa deuxième maison, dans le signe du Bélier, lui donne le goût de l'argent. Ça lui en prend beaucoup pour s'offrir du luxe, de la facilité. Possibilité qu'il soit peu généreux de ce côté. Il craint tellement d'en manquer, de trop dépenser, puis il faut bien penser à en mettre de côté, on ne sait jamais ce que l'avenir nous réserve. Le voilà économe, mais tout à coup l'idée lui vient de tout dépenser ou un imprévu le force à sortir ses économies. Il a une attitude enfantine du côté de l'argent: un jour il travaille fort pour ramasser ses sous, et le lendemain il ne veut plus! N'est-il pas assez gentil pour qu'on pourvoie à ses besoins? Être assis entre deux chaises risque de devenir inconfortable. Mettre beaucoup d'énergie sur quelque chose, puis tout à coup se retirer fait parfois faire quelques pas en arrière.

Sa troisième maison, dans le signe du Taureau, le rend buté. Quand il croit à quelque chose vous ne le ferez pas facilement changer d'avis. Il peut s'obstiner sur un détail, il peut être susceptible et se croire fortement attaqué alors qu'on ne lui fait qu'une remarque. Les études auront un but précis: lui faire gagner sa vie, amasser de l'argent. Si ça ne rapporte pas, il ne voit pas pourquoi il devrait s'intéresser à tant de choses. Il est vulnérable à l'opinion qu'on a de lui. Si vous lui dites que vous ne l'aimez pas, il sera complètement anéanti et il peut prendre du temps avant de s'en remettre. Il a une haute estime de lui et il aime croire que ce qu'il a décidé c'est ce qu'il y a de mieux. Il peut fort bien vous demander votre avis, mais il y a peu de chance qu'il en tienne compte. En général, ses décisions sont prises bien avant qu'il entende vos suggestions.

Sa quatrième maison, dans le signe du Gémeaux, peut parfois lui donner un foyer perturbé, sans aucune idée arrêtée, mais où les idées se propagent, se multiplient sans une action concrète. Il a pu subir de nombreuses critiques dans son milieu de naissance, la mère étant souvent à l'origine du malaise émotionnel du natif, de ses incertitudes dans ses choix de carrière. La mère elle-même a pu être une personne tendue et le fils a reçu ce que sa mère a pu lui donner. L'intelligence est grande, féconde, il lui faut une orientation pour centrer l'énergie. Il pourrait se retrouver dans un travail subalterne au service d'autrui, dans des conditions plus ou moins agréables. Il sera en réaction contre son milieu de naissance, à l'adolescence, et il peut décider à ce moment d'aller gagner sa vie.

Sa cinquième maison, celle de l'amour, dans le signe du Cancer, son signe opposé, le porte à s'illusionner sur le plan sentimental et à mettre la personne qu'il aime sur un piédestal, la croire plus belle, plus fine, plus intelligente qu'elle ne l'est. En fait, c'est le natif lui-même qui sous-estime son intelligence. On ne lui a pas appris à s'aimer, mais à aimer ce qu'il y a devant lui. S'il a des enfants, il y mettra beaucoup d'énergie. Possibilité qu'il soit un peu trop dictateur avec eux, ne voulant pas qu'ils soient aussi hésitants que lui. Le résultat peut être une révolte des enfants contre l'autorité. Le natif se demandera pourquoi. Il met tant de cœur à vouloir leur bonheur et leur sécurité. Les enfants apprennent par l'exemple et non par les discours. Ils sont ce que sont leurs parents et un peu plus.

Sa sixième maison, celle du travail dans le signe du Lion, provoque une forte attirance pour les arts. Il ne lui sera pas facile d'accéder au premier rang, il devra fournir beaucoup d'efforts. Chez les natives de ce signe, la sexualité peut être vécue comme un devoir conjugal dans le mariage; une obligation qui finit un jour par être ressentie par le conjoint qui, lui, fait l'amour par plaisir. Ce qui peut s'ensuivre n'est pas si drôle: le conjoint prend maîtresse et les événements s'enchaînent sur la route du divorce ou de la séparation. Avec de mauvais aspects du Soleil et de Pluton, la native pourrait aussi utiliser ses attraits sexuels pour subvenir à ses besoins matériels. La prostitution est tout de même rare chez les Capricorne. Chez les hommes, la sexualité est extrêmement active et parfois exigeante. Les fantaisies érotiques de monsieur peuvent déplaire à madame, à moins qu'il ne se contente de les vivre en fantasmes, cas rare chez l'homme Capricorne. Le natif devra faire attention à son cœur. C'est un émotif refoulé, et un jour le cœur, encaissant silencieusement l'émotion, déborde et se détraque. On dira alors qu'il avait l'air si calme, comment a-t-il pu faire une crise cardiaque?

Sa septième maison, dans le signe de la Vierge, symbolise deux mariages, deux unions. Le natif peut vivre des épreuves concernant son union. Il a la surprise de découvrir, dans l'intimité, que son conjoint n'est pas du tout ce qu'il avait cru qu'il serait. Il désire que son partenaire soit une personne pratique, efficace, rentable, un bon placement sur l'avenir quoi! Mais il n'est pas rare qu'il découvre que le conjoint est critique à son égard, distant et qu'il fait passer ses intérêts avant ceux du natif. Il voulait un partenaire efficace, il est toujours absent pour le travail; il le voulait économe, il l'est tellement qu'il n'est pas non plus généreux et son sens du calcul finit par peser; il le voulait pratique, il l'est tellement que la fantaisie n'existe plus une fois la lune de miel terminée. Il faut toujours prendre garde aux projections d'intérêts, le ciel retourne contre l'envoyeur ses propres messages.

Sa huitième maison, celle des transformations, dans le signe de la Balance, symbole des unions, ici encore revient l'idée de la séparation du couple, surprenante et faite d'une manière quasi brutale, le natif se retrouvant victime de quelques manigances financières. Possibilité du décès du conjoint dans certains cas si des aspects l'indiquent dans sa carte natale. Possibilité également en aspects négatifs, qu'il souhaite la mort de son conjoint, pour éviter le divorce ou se soustraire à la responsabilité d'une séparation. Un mariage n'est heureux que dans l'échange, et cet échange dit que les deux partenaires feront tout pour se rendre heureux l'un et l'autre le plus possible. Contrat qui est rarement respecté de nos jours.

Sa neuvième maison, dans le signe du Scorpion, invite le natif à s'intéresser aux sciences paranormales, à l'astrologie dans le but de découvrir l'avenir. Cette position, avec des aspects négatifs, dans certains cas signifie que le natif peut utiliser son savoir afin d'abuser de la naïveté d'autrui. Cela lui joue de vilains tours. Sa curiosité le poussera vers les médiums. Il voudra avoir des contacts avec les morts, mais cette pratique peut être dangereuse, il pourrait devenir la proie d'esprits malins. Il peut traverser des crises religieuses, mystiques et se croire désigné pour transmettre la vérité. En aspects négatifs, nous avons les charlatans ou des malades qui vivent en dehors de la réalité. La religion doit être vécue non pas dans un sens de persuasion d'une doctrine, mais dans l'exemple, et le seul véritable exemple que l'on puisse donner, c'est d'être généreux et tolérant, et cela peut manquer à certains de ces natifs! En aspects positifs, le natif est perspicace et peut venir en aide à son prochain en le prévenant contre les mauvais coups du sort et l'aider à voir clair afin d'améliorer sa vie.

Sa dixième maison, dans le signe du Sagittaire, ramène l'idée que le natif voudrait jouer un rôle important dans l'orientation de ce monde. Il veut le bien de l'humanité, mais tel qu'il le conçoit. Cette position peut le pousser vers des carrières médicales, ce qui est un bon choix, vers une politique de réforme, autre choix louable, mais dans ce monde sa seule idée ne suffit pas. Le Sagittaire étant le douzième signe du Capricorne, il arrive que le natif puisse vivre des obstacles du côté de la carrière et mener une lutte de force et parfois être recalé au moment où il s'attendait à avancer.

Son Soleil qui se trouve en onzième maison lui donne un esprit large, cependant à travers son esprit large il se préoccupe davantage de ses intérêts matériels, alors qu'au fond il sent une sorte d'attirance à sauver les intérêts de l'humanité. Son esprit s'en trouve déchiré et aux prises avec sa conscience. Cette position indique que le natif pourrait s'occuper des enfants des autres ou vivre des choses étranges en rapport avec les enfants. Encore une fois, des événements sortant de l'ordinaire lui font vivre des moments spéciaux en ce qui regarde les jeunes. Il peut passer de l'emballement à la dépression en un rien de temps. Être heureux la première minute et angoissé à la seconde. On dira de lui qu'il est instable dans ses humeurs. Cette position ne favorise guère l'union à vie. Le natif aime sa liberté, il supporte mal l'enchaînement et il finit souvent par considérer que la vie dans le mariage le limite. Il pourra en accuser l'autre; avec de la sagesse, il pourra changer sa pensée et se dire que, puisqu'il a voulu être indispensable, il lui faut payer la note de la responsabilité.

Sa douzième maison, dans le signe du Verseau, symbolise qu'il peut vivre des épreuves: accident (à cause de la vitesse), enfants des autres, argent (ce dont il a tant besoin), divorce. Des aspects négatifs dans cette maison peuvent entraîner un moment de dépression d'où il aura du mal à sortir. S'il a des idées originales de rénovation il aura du mal à les faire accepter du premier coup. Il lui faudra être patient et attendre son heure. Cette position, encore une fois, favorise le monde de la médecine, médecine d'avant-garde que le natif aura sans doute du mal à faire accepter. Sa vie n'a rien d'ennuyeux, elle a de nombreux rebondissements qui participent à son évolution. Il aura beaucoup à raconter quand il sera vieux.

Le Verseau et ses ascendants

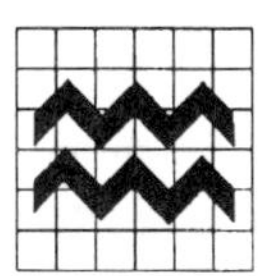
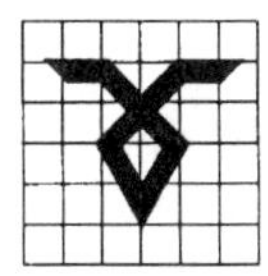

VERSEAU ASCENDANT BÉLIER

Il est nerveux celui-là! Un vrai courant d'air, chaud! Brûlant même! L'air souffle sur la flamme, la flamme vacille dans tous les sens. Va-t-elle s'éteindre et ne laisser que l'air, chaud ou froid cette fois? Le feu monte dans l'air, l'air devient irrespirable, c'est la suffocation totale! Puis, quelle est donc cette idée qui va révolutionner notre époque, notre technologie?

Il ne passe pas inaperçu. Il brille, il est franchement inévitable et toujours certain que vous l'attendez et qu'il sera bien reçu! Une petite rougeur de timidité peut transparaître sous la peau, mais pas longtemps... il sait se mettre à l'aise rapidement.

Si, à tout hasard, ce natif possédait de mauvais aspects de Mars, vous auriez là un être violent, révolté, asocial, sans compromis, tyrannique, et criminel peut-être. Qui sait? Il porte la marque de Mars, le fer et le feu! Et avec le Verseau en avant, qui transforme tout sur son passage! Heureusement que cette sorte de Verseau ne vient pas trop souvent au monde!

Comme tous ceux qui naissent avec l'ascendant Bélier, il est important de voir la carte natale. C'est elle qui détermine ses principales puissances. Ce Verseau, par exemple, peut être ce qu'il pense qu'il doit être, en bien ou en mal. Les racines et l'éducation qu'il aura reçue joueront un grand rôle dans son équilibre, tant sur le plan intellectuel qu'émotionnel. Le Verseau est tout d'abord un être de raison, mais il n'est pas dépourvu d'émotions même s'il agit comme s'il n'en avait pas. L'émotion étant quelque chose qu'il ne peut analyser, alors il évite d'y penser, mais un jour arrive où il doit faire face à ce qu'il a accumulé et c'est vers la quarantaine qu'il trouve son équilibre pour le reste de ses jours. Souvent il vit une importante crise d'identification semblable à celle de l'adolescence. Il ne se reconnaît plus, il se surprend à constater que son cœur bat pour un tel ou un autre, et voilà la révélation. Ce Verseau-Bélier ayant toutes les maisons situées au bon endroit peut mieux que quiconque faire de sa vie un véritable paradis, il n'a qu'à la voir ainsi et le ciel s'arrangera pour lui faciliter la tâche!

Avec sa deuxième maison dans le signe du Taureau, maison de l'argent, quatrième signe du Verseau, en aspect négatif en fait, il est peut-être bon vendeur, mais tout à coup l'affaire a moins d'attrait pour lui et voilà qu'il laisse tomber à la surprise de tous, mais attendez, il est sur un gros coup, et celui-là il va le réussir. Il aime les belles maisons, le luxe, il aime bien manger, il aime le plaisir, il sait rire et s'amuser avec excès. Il peut se mettre à économiser, puis tout d'un coup investir dans une affaire ou dépenser largement sans compter. Il se fie à sa bonne étoile et c'est vrai qu'il en a une. Il est possible que dans sa jeunesse il n'ait pas eu tout ce dont il avait besoin pour vivre à l'aise. Mais c'est un débrouillard! Il s'est arrangé pour gagner ses études, se payer un appartement, une voiture, et voilà qu'il est presque au sommet de la compagnie pour laquelle il travaille, et un peu plus tard il mettra sur pied sa propre entreprise. Généralement il a décidé très tôt de son programme de vie!

Sa troisième maison, dans le signe du Gémeaux, place idéale pour la troisième, fait de lui une personne très intelligente et qui peut en dépasser bien d'autres. Il peut être un indiscipliné, mais ça n'enlève rien à son cerveau! Il a un grand besoin de bouger, d'être en action, d'apprendre ceci et cela, il n'en sait jamais assez. Il a toujours un projet en marche. Il est une conception, un amoureux de l'intelligence et de la raison. D'ailleurs il aura du mal à aimer avec son cœur, sa raison le domine. Aussitôt qu'il a réfléchi à un projet, il le met en marche. Il fonce droit devant.

Sa quatrième maison, dans le signe du Cancer, soit le sixième signe, est la maison du travail et du foyer avec le Cancer. Il y a de grandes possibilités que le natif fasse du travail chez lui ou en collaboration avec sa famille. Bien qu'il soit souvent absent de chez lui, comme tout bon Verseau il est attaché à sa famille, à son bien-être. Il ne voudrait surtout pas que l'un des siens tombe malade, il en serait très affecté. Il est du genre à vouloir bâtir un empire, non seulement pour lui, mais pour le léguer à sa famille, la mettre en sécurité. Il reste à voir si ce sera aussi grand qu'il le veut. Sa carte du ciel personnelle nous renseigne, mais quand un Verseau veut, il peut, il n'y a pas grand-chose sur terre qui puisse arrêter cet ouragan! Sauf, bien sûr, la fatigue, qui le fait rentrer chez lui, écouter de la musique. Il en a grand besoin pour détendre son système nerveux.

Sa cinquième maison, dans le signe du Lion, signe juste en face de son Soleil, représente les enfants, l'amour. Il se peut qu'il soit davantage porté vers l'amour universel que vers l'amour individuel. Conquérant des grands espaces, vivre toujours les mêmes choses avec la même personne, c'est véritablement un tour de force quand il y réussit. Possibilité que la conjointe du natif ait des difficultés à avoir des enfants. Pour une femme, elle pourrait elle-même décider qu'elle préfère s'abstenir de toute conception. Sous ce signe il n'est pas rare non plus de constater que les femmes font un enfant, mais elles ne désirent pas vraiment la présence du père. Madame s'est fait un cadeau! Ce natif est attiré par tout à la fois, tant par la science que par les arts, tant par les mathématiques que par la littérature.

Sa sixième maison, dans le signe de la Vierge, huitième du Verseau, peut le porter vers la médecine ou vers toute science qui a une utilité certaine face à un groupe de gens et à une collectivité. Ce natif est souvent génial, le génie engendrant parfois quelques brins de folie! Mais on peut lui pardonner ses sautes d'humeur, ses colères; dans quelques minutes il aura tout oublié. Pour ceux qui vivent avec lui, ça peut prendre un certain temps avant qu'ils s'habituent, environ une dizaine d'années. Ensuite, c'est facile. La sexualité peut être vécue en excès, en bizarreries que seul un Verseau peut imaginer, ou alors il ne se passe vraiment rien. Sur le plan sexuel il est cyclique, tout dépend toujours du travail qu'il a à faire. S'il reste du temps pour les rapprochements amoureux alors là vous serez servi.

Sa septième maison, dans le signe de la Balance, lui permet souvent de rencontrer son idéal. Il faudra tout de même qu'il s'en rende compte! Et le Verseau, qui est si près de l'humanité, a bien du mal à voir la personne qui vit près de lui. Il considère que, si elle est là, c'est qu'elle y tient. Il peut s'en tenir longtemps à ça! Mais, surprise, il arrive que le conjoint de ce Verseau ne voie pas la vie de cette manière! Il lui faut parfois un choc pour qu'il prenne conscience que la perle rare qu'il a dénichée a besoin d'être choyée de temps à autre. Quand l'autre est parti il se rend compte du vide créé, et là il est prêt à escalader toutes les montagnes s'il le faut pour reconquérir l'être aimé.

Sa huitième maison, dans le signe du Scorpion, dixième signe du Verseau, lui donne le goût de la recherche intensive. Il veut savoir ce qui se cache derrière toute façade. Les apparences ne l'impressionnent pas. Longue vie à ce natif, à moins d'aspects très négatifs avec cette maison. Il choisit rarement une carrière facile. D'ailleurs, quand les choses sont trop faciles, il abandonne. Il aime les défis et, plus c'est haut et plus ça demande de l'énergie, plus il en trouve.

Sa neuvième maison, dans le signe du Sagittaire, onzième signe du Verseau, le pousse souvent à aller vivre au loin ou à partager sa vie avec une personne étrangère. Il faut qu'il soit fasciné par quelqu'un pour qu'il s'y attache. Ce natif est généralement croyant. Il croit en Dieu, mais n'est pas un fétichiste. Pour lui, Dieu est une omniprésence dont il a nettement conscience et qui est son protecteur.

Sa dixième maison, dans le signe du Capricorne, également le douzième signe du Verseau, montre qu'il est possible que le natif ait vécu des conflits avec son père ou que le père ait été malade quand le natif était jeune. Possibilité aussi du décès du père ou épreuve par lui. Ce qui aura fait, au moment où c'est arrivé, mûrir considérablement ce Verseau.

Son Soleil se trouve à sa place idéale, en onzième maison. Ce natif peut donc faire ce qu'il veut de sa vie. Il est libre comme l'air, et plus que tout autre Verseau. Souvent génial dans ce qu'il entreprend, il ne cesse de s'élever au-dessus de sa condition de naissance. Il ne suit le chemin de personne, personne n'est vraiment son modèle. Ce natif est un inspiré.

Sa douzième maison, dans le signe du Poissons, deuxième signe du Verseau, l'argent et l'épreuve, indique deux sources de revenus ou deux sources de perte! L'argent va et vient, il peut s'écouler beaucoup de temps avant que cela ait vraiment de l'importance pour lui. Son avenir est dans son idéal et non pas dans l'«oseille»!

Il est bien difficile de définir exactement ce que sera ce natif. Il vient au monde avec une grande puissance d'action et, généralement, de l'intelligence à revendre. Il faudra donc qu'il sache utiliser positivement tout ce potentiel que le ciel lui a légué. Il n'est jamais ordinaire. Il peut tomber dans tous les excès aussi bien que vivre le plus bel équilibre qu'on puisse imaginer. Pour le situer dans un domaine quelconque, il faut vraiment voir les aspects de sa carte natale. Ce natif, je le répète, possède un potentiel peu commun.

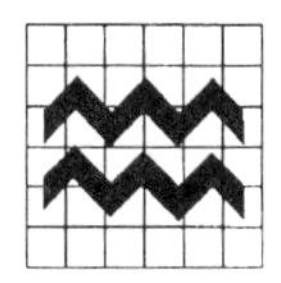

VERSEAU ASCENDANT TAUREAU

Il ne parle pas beaucoup. Il vous examine, mais il pense en même temps, il pense aussi à lui, à ce qu'il doit dire et faire, comment il doit se tenir pour faire bonne impression, pour que vous ne sachiez pas qu'il est un double signe fixe, qu'il a la tête dure et qu'il ne fait que ce qu'il a décidé, qu'il ne consulte personne d'autre que lui-même! Sous l'effet de Vénus du Taureau, il veut que vous le trouviez parfait, charmant, intelligent, attirant, sensuel, tout quoi! Il est possible qu'il s'en rapproche!

Le Verseau aime les transformations rapides. Quand ça traîne trop, ça lui met les nerfs en boule. Le Taureau aime que les choses se transforment lentement et sûrement, sans trop de bousculades! Il faut apprendre à vivre entre le feu rouge et le feu vert! Ça demande des nerfs solides!

C'est assez bizarre: ce qui est formellement interdit l'attire à un haut degré et ce qui est formellement permis, ça ne l'intéresse pas. Il en est de même avec sa sexualité. Qu'on y fasse les choses normalement, ce n'est pas normal, la normalité c'est lui qui l'a inventée. De toute manière, c'est ce qu'il croit!

Il ne se contente pas de la surface des gens et des choses, il veut scruter à fond, savoir qui vous êtes, ce que vous faites, quel est votre degré de compétence et si vous lui serez utile.

Il recherche un conjoint stable, sensible, qui ne lui posera pas trop de questions quand il rentre après les heures prévues. De toute façon, il devait être quelque part à discuter d'argent...

Il aime l'argent, non pas vraiment pour le posséder, drôle de type, mais parce que faire de l'argent ça représente un défi à relever.

Double signe fixe, il a horreur des divorces et des séparations. Il peut très bien cacher un talent en dehors de la compétence qu'on lui connaît, dans un domaine la plupart du temps financier. Il a une nature d'écrivain, c'est un futuriste, mais il ose à peine manifester ses talents non évidents, ou en parler, on le prendrait pour un rêveur. Taureau, c'est un réaliste.

Il a horreur de l'injustice et ne supporte pas qu'on abuse des innocents et des sans défense! Il n'aime pas la laideur, la difformité.

Sans en avoir l'air, il aime être reconnu, qu'on l'appelle par son nom, qu'on le félicite à propos de ses compétences. Double signe fixe, il ne manque pas d'ambitions, mais il regarde bien prudemment où il se met les pieds avant de s'engager, car il a cette conscience que quand il donne sa parole, il la donne pour longtemps.

Sa deuxième maison, dans le signe du Gémeaux, en bons aspects avec son Soleil, lui donne la «bosse» de l'argent. Il sait comment en faire. C'est un débrouillard de première classe dans ce domaine. S'il travaille pour une entreprise, on se rendra vite compte qu'il peut la faire prospérer, lui faire prendre de l'expansion. Il sait administrer, tant ses affaires personnelles que celles de son patron. Il aime l'argent, ça lui garantit la liberté d'action. Quand il en a, il est assuré d'en faire d'autre. Il peut lui arriver pendant longtemps, parfois durant toute sa vie, de faire passer les intérêts, les jeux d'argent avant les jeux de l'amour. Ce n'est pas qu'il soit démuni de sensualité, bien au contraire, mais il manque de temps pour tout faire. Et avec lui, le travail avant le plaisir... ce n'est pas tout à fait juste puisque le travail est un véritable plaisir pour lui, au moins jusqu'à l'âge de la retraite.

Sa troisième maison, dans le signe du Cancer, lui donne une grande intelligence. Il sent où sont l'or et l'argent. Il aimera, après sa journée de travail, rentrer à la maison, même s'il est généralement tard. Il a toujours un tas de choses à finir avant de rentrer, puis il perd la notion du temps. Et quand il enfile ses pantoufles, c'est souvent pour se remettre le nez dans un dossier qu'il veut absolument finir avant d'aller dormir. Ce natif n'est pas agressif, du moins tant que vous ne l'aurez pas attaqué. Sinon, soyez sur vos gardes, sa foudre est la plus terrible de toutes. Vous vous souviendrez de sa colère et des mots qu'il vous aura dits. Et, chose étrange chez ce Verseau, lui aussi il en gardera le souvenir. Et si un jour il vous claque la porte au nez, il vous sera bien difficile de la lui faire ouvrir.

Sa quatrième maison, dans le signe du Lion, juste en face de son Soleil, celle qui représente le foyer de sa naissance, signifie qu'il a peut-être vécu une sorte de révolte contre ce foyer. Il n'en a rien dit et il est parti. Il sera très attaché aux enfants, mais il n'aura pas vraiment le temps d'être près d'eux, son travail est une priorité. Il doit s'occuper d'affaires publiques, la vie privée passe après. Le plus souvent, il confiera à son conjoint la tâche de l'éducation des membres de sa famille. Cette position ne favorise pas vraiment une famille nombreuse, l'exception seule fait la règle. Il choisira souvent un conjoint plutôt tranquille et pantouflard, qui ne s'oppose pas parce qu'il a peur d'être rejeté. Il appréciera d'ailleurs la docilité de son partenaire, car en bon Verseau qu'il est, il le matera subtilement. Ce double signe fixe est patient.

Sa cinquième maison, dans le signe de la Vierge, indique encore une fois l'amour du travail. La Vierge étant le huitième signe du Verseau, il y a possibilité que ses absences amoindrissent l'amour que ses enfants pourraient avoir pour lui et qu'ils ne le voient plus que comme un pourvoyeur. Il lui faudra sans doute attendre la quarantaine pour en prendre conscience, mais il n'est jamais trop tard pour se reprendre. Vaut mieux tard que jamais. Cette position peut, à un moment donné, faire en sorte qu'à cause de ses enfants la vie du natif soit complètement transformée. Il en est de même pour la notion de valeur qu'il accordait à son travail. Doué d'une brillante intelligence, c'est un véritable détective. Non seulement il a deviné, mais il analyse sa découverte avec brio. Il peut tout apprendre ce qui lui plaît. Cette position favorise les amours au travail. Ce peut être l'aventure ou le grand amour, tout dépend des aspects qui interviennent dans cette maison dans sa carte natale. Le natif doit surveiller son alimentation et sa circulation sanguine. Il est sujet aux irritations cutanées imputables à sa nervosité.

Sa sixième maison, dans le signe de la Balance, laisse présager que le natif rencontrera l'amour au travail ou dans son entourage immédiat. Sa vie de couple ne sera jamais compliquée si on le laisse travailler. Cette position suppose toutefois que son conjoint peut tomber malade ou avoir une faible résistance physique. Doué pour les lettres, il peut aussi bien être poète que comptable! Le premier sera moins évident, la poésie n'apportant que rarement à manger, surtout en cette fin de siècle.

Sa septième maison, celle des unions dans le signe du Scorpion, en aspect négatif avec le Verseau, laisse supposer que le conjoint exerce une sorte de pression sur le natif et l'entraîne subtilement vers la destruction. Il est possible que le conjoint envie la force de ce Verseau et qu'il aimerait le voir mort plutôt que de divorcer! S'il y a rupture de l'union, c'est plutôt catastrophique! Le natif ne l'oubliera pas, et son conjoint non plus. À moins d'être Poissons, aucun autre signe ne peut mesurer la résistance de ce natif à toute destruction, qu'il s'agisse d'une situation ou d'une personne. Il faudra qu'il se lève tôt celui qui voudra sa peau! Ce natif aime le pouvoir. Il le recherche à sa manière et, le plus souvent, c'est de se hisser au sommet d'une entreprise. Il est également habile à négocier avec les gouvernements. Pour certains, possibilité d'élection à des postes en vue.

Sa huitième maison, dans le signe du Sagittaire, est la onzième maison du Verseau. Avec de mauvais aspects dans sa carte natale, cela laisse supposer une mort subite, un accident. Mort douce également, mais le plus souvent longue vie. Il est rare que ce natif meure en bas âge, à moins qu'il n'ait vraiment ambitionné sur les heures de travail et dépassé considérablement la mesure! Il aime bien, même en vacances, apporter du travail! Sa tête ne s'arrête pas, seulement quand il dort! Il aimera voyager, mais il devra surveiller ses valises. Il peut être attiré par l'astrologie. L'astrologie, dit-on, n'a pas de base logique! Comment pourrait-on y croire? Ce natif est doué pour les longues études; au fil de sa vie il accumule toutes sortes de connaissances qui lui seront utiles à son travail. Il se permet des lectures fantaisistes... comme sur le paranormal, la puissance subconsciente! Il aime voyager; faire le tour du monde fait partie de ses objectifs et il pourrait effectivement avoir la possibilité de le faire. En fait, il ne se fait pas d'ennemis, et ceux qui voudraient s'acharner sur lui frapperont dans le vide. Il est protégé du ciel! Il n'a qu'un seul gros défaut: celui de trop travailler et faire de son travail le centre de sa vie.

Sa neuvième maison, dans le signe du Capricorne, annonce qu'il voyagera quand il aura atteint le sommet de sa carrière et qu'il sentira que le moment est venu de céder sa place à quelqu'un d'autre. Le Capricorne étant le douzième signe du Verseau et symbolisant le père, un mystère entoure le père du natif. Il a pu le respecter parce qu'il en avait peur et qu'il croyait en sa sagesse et ses conseils, mais le Verseau étant un être d'avant-garde, le père du natif, évidemment plus âgé, était bien en dessous de la vérité quand il parlait à son Verseau. Plus le natif vieillit, plus il fait confiance à la vie elle-même plutôt qu'à ses seules forces. C'est passé la quarantaine, parfois même la cinquantaine, qu'il se rend compte qu'il a laissé passer plusieurs bons moments de plaisir. Cette position indique également que le natif se rapprochera davantage de ses enfants en vieillissant.

Son Soleil se trouve royalement en dixième maison, ce qui symbolise la réussite sociale, l'atteinte de son objectif. Si le natif ambitionne un poste politique, il pourrait l'obtenir mais attention, s'il se trouve là vous pourrez alors voir tout un système social se transformer! Les vieilles habitudes gouvernementales changeraient d'air et les fonctionnaires pourraient s'énerver sérieusement. Quoi qu'il fasse, quel que soit son domaine, ce natif a la garantie de la réussite.

Sa onzième maison, dans le signe du Poissons, sa deuxième maison, indique que le natif peut avoir deux sources de revenus. Il est doué pour les placements. Il a le sens de la stratégie en ce domaine et il n'est pas gaspilleur. Il connaît beaucoup de monde, surtout ceux qui possèdent de l'argent! Il peut fréquenter n'importe qui, mais il ne se liera pas avec n'importe qui, au cas où on le fréquenterait pour son argent! Il pourrait un jour dans sa vie avoir vécu l'expérience de l'exploité, mais on ne l'y reprendra pas deux fois. Il est beaucoup trop intelligent pour ça!

Sa douzième maison, celle de l'épreuve, évoque souvent une suite de maux de tête, naturellement dus à une surcharge mentale. Sa mécanique ne s'arrête pas! L'adolescence pourrait comporter une épreuve, mais il s'en sort. Sous le Bélier, l'épreuve n'est que de courte durée, et comme le Bélier est le troisième signe du Verseau, aussitôt que tout est rangé dans sa tête, que le problème est résolu, le mal de tête disparaît! L'épreuve vient également par l'aspect de Mars dans sa carte natale.

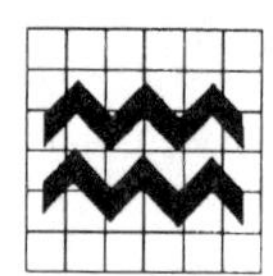 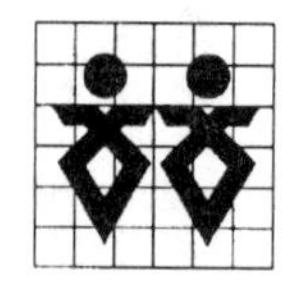

VERSEAU ASCENDANT GÉMEAUX

Double signe d'air, la communication est rapide. La nature est nerveuse, tendue, et en même temps elle affiche son petit air de supériorité intellectuelle!

Il connaît bien des choses, il écoute la radio, la télévision, il lit les journaux, il écoute les potins, les nouvelles et j'en passe... Il se tient au courant.

Et avec lui vous pourriez vous sentir sur le 220! Uranus du Verseau est la planète de l'électricité et Mercure du Gémeaux, un signe d'air, le mouvement rapide qui circule par les ondes...

Doué d'une grande finesse de perception, il sait manier les nouveaux concepts et les adapter. L'intelligence est vive et toujours en mouvement pour recréer, améliorer, aller plus vite. Avec lui tout est possible, il ne nie rien. Il a du talent pour tout ce qui est abstrait, et autant avec le monde du concret.

Il aime se déplacer, mais c'est surtout à l'adolescence qu'il se fait explorateur. C'est son signe fixe du Verseau qui le stabilise. Il aime les gens, la compagnie. La solitude, bien qu'il puisse la vivre, ne lui plaît pas du tout. Il préfère les contacts humains, les conversations, les échanges d'idées.

Il est sympathique dès que vous l'apercevez. Il a l'œil vif et rieur. Et vous sentez très bien qu'il a envie d'une petite causette, histoire d'en savoir un peu plus sur vous.

Il arrive, dans certains cas malheureux, que ce signe soit menteur ou qu'il farde la vérité, surtout à son sujet. Cela a pour nom la prétention. Cas rare! Rare en effet, car ce double signe d'air est amoureux de la vérité.

Les amours sont plutôt instables. Que voulez-vous, cette personne se laisse distraire par une foule de choses, de gens et d'idées qui l'attirent. Comment pourrait-elle prendre le temps de ne s'intéresser qu'à une personne?

En fait, ce que ce natif demande à un partenaire sentimental, c'est de le distraire, de lui parler, le faire rire, le faire sursauter, l'impressionner. Ce jeu d'enfant finit par fatiguer celui qui aspire peut-être à une vie d'adulte plus simple et plus réaliste. Il faut être bon acteur pour garder ce Verseau fidèle, pour que chaque jour il rentre voir le nouveau spectacle.

Finalement l'amitié prend plus d'importance que l'amour dans sa vie. Il aime amicalement.

Sa deuxième maison, dans le signe du Cancer, sixième signe du Verseau, lui fait gagner sa vie. Elle n'est pas donnée et il n'est pas aussi chanceux financièrement que le Verseau précédent, mais il s'amuse beaucoup plus! Doué pour les lettres, il sait s'exprimer avec beaucoup d'émotions quand il croit à quelque chose! Autrement, il peut vous tenir un discours froid, tout fait de formalités et très poli. L'argent qu'il gagne, le plus souvent c'est pour faire vivre sa famille à laquelle il tient beaucoup... même si, comme tant d'autres Verseau, il est plus souvent absent que présent. Ce natif aura été aimé et protégé par sa mère. Il n'aura rien à regretter de ce côté. Il pourrait même, à un moment, réagir contre cette abondance d'affection qu'il considère comme une possession et une entrave à sa liberté d'action.

Sa troisième maison, dans le signe du Lion, lui donne le sens du théâtre. Il pourra s'exprimer royalement et vous retiendrez bien ce qu'il vous dit. Il aime la discussion, surtout si on lui tient tête. Il a horreur de s'ennuyer. En amour, il faudra de fréquentes conversations pour garder le contact. Cette position met sa fidélité en doute. En fait, il était simplement curieux de connaître une autre personne! S'il est parent, il aura une bonne communication intellectuelle avec ses enfants et pourra coopérer de près à l'orientation de leur vie, sur le plan intellectuel, naturellement. Le Lion étant le septième signe du Verseau, et ici la troisième maison, il y a possibilité que le natif ait rencontré sa première conjointe à l'adolescence, ou très jeune s'il en était sorti. Bien que la plupart des Verseau se marient avant quarante ans, il est conseillé à ceux qui ne l'ont pas encore fait d'attendre cet âge avant de signer un contrat pour la vie! Ce type aime trop sa liberté et supporte tellement mal les restrictions qu'impose une vie de couple!

Sa quatrième maison, qui représente le foyer dans le signe de la Vierge, symbolise un foyer où la paix n'était pas vraiment assurée. La famille a pu vivre des revers financiers et la mère, subir quelques peines en rapport avec le père du natif. Celui-ci aura appris de sa mère le sens pratique de la vie. Cette position peut provoquer des périodes de crises émotionnelles quand la Lune passe dans cette maison! Fort heureusement, elle n'y passe que deux jours par mois, exceptionnellement deux et demi. Cette position donne un grand sens de l'analyse et la facilité de parole. Le natif peut clairement exprimer sa pensée. Vous connaîtrez son opinion sans détour si vous la lui demandez. Il est plutôt direct.

Sa cinquième maison, dans le signe de la Balance, lui donne l'amour des arts. S'il a des enfants, il se peut que l'un d'eux soit artiste. Il l'orientera alors dans cette direction. L'amour sera un idéal, le mariage aussi, mais en cas de routine, vous le verrez déchanter rapidement et se trouver beaucoup de travail à faire au dehors.

Sa sixième maison, celle du travail, dans le signe du Scorpion, également le dixième signe du Verseau, signifie que le natif a entrepris un travail difficile, a pris un chemin où il lui faut sans cesse pousser pour passer. Il pourrait choisir la carrière de médecin, d'avocat, de détective, de policier parfois. Il aura tendance à disperser ses intérêts, ce qui peut lui valoir un jour une perte d'argent. Bourreau de travail, celui-ci l'amuse. Il est infatigable. Le Scorpion étant un signe de sexualité et le sixième signe symbolisant le travail, il est possible qu'il ait des aventures sexuelles avec des personnes dans son entourage au travail. Il voudra considérer ses aventures sous un angle cérébral! Quel fouillis cependant dans sa tête! Une dépression pour lui tout seul!

Sa septième maison, dans le signe du Sagittaire, laisse souvent présager deux unions, la seconde étant plus exaltante et plus riche que la première. Il peut cependant éviter cela, tout dépend du natif. Le plus souvent il sera attiré par des personnes exubérantes qui le stimuleront à aller plus loin. Comme chez bien des gens, il est possible qu'il lui manque 25% de confiance et il appréciera qu'on le lui fournisse de temps à autre. Il aura tout de même du mal à divorcer si la routine le fait mourir. Il a un saint respect des contrats, ce qui, en principe, est contre la nature du Verseau qui habituellement ne veut pas se lier définitivement. Il pourra réfléchir longuement là-dessus. Possibilité qu'il rencontre sa conjointe dans le monde des sports, dans un centre sportif ou à la campagne.

Sa huitième maison, dans le signe du Capricorne, symbolise que le natif a pu vivre une épreuve par le père. Celui-ci a pu boire ou essayer de dominer le Verseau, mais celui-ci ne se laisse pas faire facilement. La grande sagesse lui arrive tout d'un coup, au tournant de la quarantaine. Même qu'à ce moment-là il peut voir sa carrière se transformer ainsi que ses objectifs. Longue vie à ce natif! Il est d'une grande résistance physique malgré sa nervosité.

Son Soleil se trouve en neuvième maison, ce qui peut en faire un sportif ou une personne qui évolue dans le sport. Cette position peut faire qu'il soit attiré vers la politique, le domaine de la justice ou la médecine, tout dépend des aspects de Jupiter et de son Soleil dans sa carte natale. S'il choisit plutôt un travail manuel, il sera surtout en relation avec le métal ou avec les explosifs! Il aimera voyager et il aura peut-être la chance de visiter de nombreux pays, à cause de son travail ou pour son plaisir. De toute façon, ce Verseau prend plaisir à tout ce qu'il fait. S'il fait un travail excitant, vous pouvez compter sur lui pour qu'il en fasse un jeu.

Le Verseau étant un symbole de télévision, de cinéma, on peut retrouver ce natif à un poste dans l'un de ces milieux.

Sa dixième maison, dans le signe du Poissons, le fait souvent hésiter dans ses choix de carrière. Il y a une grande possibilité qu'il poursuive deux carrières à la fois. Cette position est toujours à double tranchant pour l'argent: deux sources de rentrées et deux sources de dépenses sont possibles. Lorsque le natif aura atteint la quarantaine, vers quarante-deux ans environ, il pourra s'assurer deux revenus intéressants. Il devra, par contre, toujours faire attention aux bons vendeurs. Il peut se laisser prendre aux mots, et son petit côté adolescent, qui ne le quittera jamais et lui permettra de conserver un air de jeunesse aussi, le portera à vouloir s'associer ou se faire leurrer par de belles promesses!

Sa onzième maison, celle des amis dans le signe du Bélier, lui permet d'entrer instantanément en contact avec des gens dont il se fait ami si ça lui chante, naturellement! Sa position solaire, d'ailleurs, le préserve des mauvaises langues et des ennemis qui voudraient le déloger d'où il se trouve. Il aime parler, je l'ai dit plus haut, il aime l'humour, le rire, il est un amoureux de la communication verbale et intellectuelle. Cette position favorise une sorte de perpétuel recyclage, quoi qu'il fasse, où qu'il se trouve. On a toujours besoin de ses talents quelque part.

Sa douzième maison, celle de l'épreuve, dans le signe du Taureau, symbole de Vénus dans un signe de terre, donc de la chair... et de l'argent. La douzième maison étant un symbole du dissimulé et du sournois, voilà que le natif peut vivre des aventures cachées. Mais cela peut lui jouer un vilain tour, et peut-être venir brouiller un jour sa vie familiale! Il a tant de mal à se retenir! L'épreuve vient aussi de l'argent. Comme il conserve une certaine naïveté dans ce domaine, il lui faut apprendre que tout ce qui brille n'est pas or. Il pourrait mettre sa famille en difficulté financière s'il ne surveille pas où il place ses intérêts. Le Verseau étant un signe tenace, naturellement il s'en relèvera! Il lui faut vivre une évolution dans le domaine du cœur, il s'accroche trop aux apparences et il rêve de fantaisies amoureuses en dehors du lien sacré! S'il s'est marié trop jeune, la vie à deux, si elle s'installe dans la routine, risque d'être une épreuve pour lui et l'autre... à moins que cet autre ait le talent de le distraire et de l'épater continuellement!

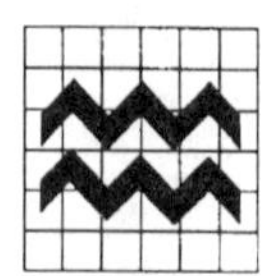

VERSEAU ASCENDANT CANCER

Signe d'air et signe d'eau. Comment cette personne réussira-t-elle à comprendre ce qui se passe dans sa tête quand son cœur s'agite, l'inspirant pour une telle chose, et que la raison lui suggère d'agir autrement?

Le Cancer est gouverné par les émotions, et le Verseau l'est par la raison. Il s'observe, s'étudie, parfois il croit qu'il vient de comprendre ce qui se passe dans sa chimie organique et émotionnelle: c'est la faute du mental. Puis il se réexplique et il ne comprend plus rien de nouveau!

À la fois dépendant et indépendant, il exige comme un Verseau, il donne un ordre avec le sourire comme un Cancer. Il veut vous amener jusqu'à la Lune, mais il est parti en orbite autour d'Uranus!

Il prêche l'égalité et la justice pour tous, mais il pense tout d'abord à son confort. Il peut vous conseiller de partir comme missionnaire pour sauver les pauvres malheureux, et vous auriez bien raison d'accepter car c'est une belle cause, mais si vous lui demandez de vous accompagner, il ne le pourra pas. Sa mère, sa femme ou ses enfants le retiennent ici... et puis, son sous-sol n'est pas encore terminé!

Il a une tendance à la mélancolie qui, peut-être à la suite d'une déception, lui donnera le goût de boire, de se droguer. Une bonne excuse pour ne pas voir la réalité.

Il aura besoin d'encouragements car, comme Verseau, la diversité l'attire et il se dit qu'il faut connaître beaucoup de choses. Le monde est si grand, comment pourrait-on se contenter? Et avec un ascendant Cancer, si la Lune est d'accord avec ce qu'il fait, ça va, et si faire autre chose ce serait mieux, il est capable d'abandonner le premier objectif, d'en prendre un autre et de recommencer.

Sa deuxième maison, celle de l'argent, dans le signe du Lion, le signe juste en face de son Soleil, donc son septième signe, symbolise l'union. Il n'est donc pas impossible que le natif choisisse pour partenaire une personne ayant beaucoup de sous! Il peut faire un mariage d'affaires! Il fait souvent son argent par le foyer ou au foyer; il peut venir du conjoint comme du fruit d'une activité artistique, ou des deux à la fois. Il arrive aussi que des intérêts financiers lient le natif à son conjoint. Ce natif aime le très beau, le très cher, le très luxueux, le très riche. Bref, rien n'est assez beau ni assez original pour lui. Cette deuxième maison, dans le signe du Lion, est une position d'argent, et on peut se poser de sérieuses questions sur les finances du natif. Avec de mauvais aspects sur son Soleil et sur Vénus, il pourrait un jour être riche et le lendemain n'avoir plus rien ou presque. Fortune soudaine, et possibilité d'une perte tout aussi soudaine. Mais avant de l'affirmer d'une manière définitive il faut voir la carte natale du natif.

Sa troisième maison, dans le signe de la Vierge, en fait une personne intelligente, vive d'esprit et qui peut avoir plus d'un tour dans son sac pour vous rendre une idée et la faire accepter. Cette troisième maison, également le huitième signe du Verseau, peut faire du natif, en cas de mauvais aspects de Mars et de Mercure, une personne à la «langue sale»! C'est rare, heureusement! Ce type est fasciné par l'idée de la mort, chez certains ça peut devenir une obsession. Excellente position pour un médecin pathologiste, par exemple. En réalité, ce natif n'a aucune idée de destruction. Il vous le dira d'ailleurs. Mais, sans s'en rendre compte, il peut lui arriver de gruger l'énergie de son partenaire ou des gens qui travaillent près de lui parce qu'il veut être le premier et qu'il lui faut gagner la partie... sorte de partie d'échecs intellectuelle. Il veut gagner, mais pourquoi? C'est à lui à se poser la question!

Sa quatrième maison, dans le signe de la Balance, lui fait désirer un foyer, une maison confortable. Cette position, cependant, ne favorise guère les grosses familles, mais elle favorise une vie publique, une vie de vedette, ce peut être le théâtre, la danse, la musique, la chanson, la peinture également. Il est tout de même important pour ce natif que ses réalisations soient vues! Il s'agit ici de l'association Vénus-Lune-Jupiter, puisque la Balance est le neuvième signe du natif. Donc la popularité peut survenir si le natif travaille dans ce sens. Il peut même faire profiter son talent à l'étranger. Il pourrait aussi s'orienter dans un travail concernant les chiffres, la comptabilité. Dans ce cas vous le verrez grimper lentement mais sûrement les échelons qui mènent au luxueux fauteuil présidentiel! Continuellement actif quand il est à la maison, ce natif a toujours quelque chose à faire, surtout les femmes. La confection de vêtements peut occuper son temps. Ce ne sera pas ordinaire! Le chic et l'originalité sont à l'ordre du jour sous ce signe. S'il fonde une famille, ce sera souvent sous la pression de son conjoint. Il peut y consentir, mais il n'est pas certain qu'il s'y sentira à l'aise. Une personne de sexe féminin aura du mal à accepter de rester à la maison pour laver les couches, faire la cuisine... Elle préfère la vie sociale et ses activités.

Sa cinquième maison, celle de l'amour, dans le signe du Scorpion, le dixième signe du Verseau, ramène l'idée que l'amant ou la maîtresse de ce natif peut intervenir favorablement dans sa carrière. Il sera grandement stimulé de la part de la personne qui partage sa vie. L'amour sera plutôt vu comme quelque chose de pratique, qui fait grandir, mais dont l'évolution est axée sur le monde matériel, la réussite sociale, son élévation. Le natif apprend beaucoup dans ses relations amoureuses. Il est exigeant, mais on ne se plie pas toujours à tous ses caprices. Cette position, encore une fois, ne favorise pas la venue des enfants. Dans le cas d'une femme, l'accouchement pourrait même comporter plus de douleurs que la normale, et parfois un danger pour la santé du bébé.

Sa sixième maison, dans le signe du Sagittaire, lui fait souvent faire deux choses à la fois. Je vous l'ai dit, ce natif a grand besoin d'activités, de mouvement, de diversité. Il ne supporte pas la routine. Le 9 à 5, c'est très peu pour lui. Dans le cas d'un travail fonctionnel, il partira plus tard que les autres, en fera plus et mieux, ce qui lui vaudra des médailles. Doué pour exceller dans plusieurs domaines, son problème c'est de choisir. Il peut un jour être secrétaire; le lendemain, chanteur, acteur de cinéma, de théâtre, réalisateur, producteur, personnalité d'affaires, et la liste ne finit pas. Il faut voir les aspects de Mercure et de Jupiter dans sa carte natale pour constater lequel de ses talents il devrait exploiter pour vivre et être heureux. Cette sixième maison étant également la maison de la maladie, cette position indique tout d'abord une grande résistance physique et des périodes de dépression de courte durée dont le sujet sort en se lançant dans une action quelconque. S'il se permet quelques exagérations dans l'alcool, son foie peut devenir un point très vulnérable. De plus, il pourrait disperser considérablement ses énergies et dégringoler la pente plus vite que la moyenne de ceux qui abusent.

Sa septième maison, dans le signe du Capricorne, symbole de l'union, également douzième signe du Verseau, donc source d'épreuves, laisse présager que dans le cas d'une nativité féminine elle pourrait rechercher un protecteur plus qu'un amoureux ou un amant. Sorte de compensation souvent due à l'incompréhension possible que la native a pu subir de la part de son paternel. La native se sentira bien avec un homme beaucoup plus âgé qu'elle, de qui elle pourra prendre des leçons de sagesse ou des leçons pratiques sur le métier qu'elle exerce. Dans le cas d'une nativité masculine, le sujet pourrait être attiré par une femme qui lui tient tête, qui décide à sa place. Mais le Verseau étant un signe masculin, il est bien possible qu'un conflit d'autorité survienne qui les éloigne. Possibilité aussi qu'il se choisisse une femme du genre tiède ou froide dans sa relation amoureuse, jamais au début, tant que la conquête et la possession ne sont pas assurées, c'est bien prouvé d'ailleurs. Le natif pourrait se retrouver avec une femme dépendante tant sur le plan émotionnel que sur le plan financier. Ce qui pourrait créer de sérieuses frictions puisque le Verseau aime la force, la résistance et l'indépendance sous toutes ses formes. Ce Verseau-Cancer n'est pas un dépensier, sauf en ce qui concerne le bien-être de sa famille. Les siens ne manqueront de rien, à moins de sérieuses afflictions dans sa carte natale. Dans le cas d'un natif masculin, l'ascendant étant un signe d'eau, donc fait de sensibilité, il y a possibilité que le «mâle» soit bien naïf dans sa jeunesse qu'il tient d'ailleurs à prolonger. Les femmes du même signe sont plus sûres d'elles et manifestent plus d'audace quand il s'agit de se lancer dans une nouvelle entreprise.

Son Soleil se trouve en huitième maison, symbole des transformations, de la mort, des héritages, de l'astrologie, des sciences paranormales. Vous avez là un Verseau qui vous devine à partir du moment où il vous a vu. Vous ne le tromperez pas, du moins pas longtemps et jamais deux fois. Il peut aimer l'argent par-dessus tout ou vivre pour un noble idéal qui, éventuellement, lui rapportera de l'argent. Cette position est plutôt radicale. Elle permet au natif d'opérer dans sa vie des changements directs, sans détours. Il peut être totalement honnête ou totalement malhonnête. Dans le dernier cas, vous pourriez mettre beaucoup de temps à vous en apercevoir, il est malin. Comme il a une nature de détective, il vous devine, et s'il doit jouer avec vous vous ne serez pas sûr de gagner. Il aime dominer quelle que soit la route qu'il prend, quel que soit son royaume. Il parle au nom de l'humanité, mais il est bien au-dessus d'elle. L'humanité, c'est les autres, lui c'est différent. S'il doit faire une distribution de biens ou de droits, ce n'est qu'une supposition, il la fera, tout le monde sera servi également, mais il en aura gardé plus que la moitié. Dans sa tête il n'est pas injuste: il mérite beaucoup. Il est capable à la fois d'un égoïsme indescriptible comme d'une générosité à vous faire «tomber les deux bras».

Sa neuvième maison, dans le signe du Poissons, lui fait désirer les voyages au loin. Si vous pouviez lire dans ses pensées vous verriez qu'il n'a pas vraiment envie de revenir mais de pousser l'exploration. Vers l'âge de trente-cinq ans, il peut effectuer dans sa vie une foule de changements d'ordre philosophique ou d'ordre financier, adopter une nouvelle formule de vie. Tout dépend des aspects de Neptune, de Jupiter et de Vénus dans sa carte natale. Encore une fois revient l'idée d'une diversification de ses activités pour gagner de l'argent, et plus il vieillit plus il a envie de connaître en profondeur différents sujets. Position, je le répète, favorable à l'astrologie. Il aimera les croisières. D'ailleurs, l'eau aura un effet bénéfique, très calmant sur son système nerveux. Apparemment, il est calme, mais il ne serait pas surprenant qu'il ait quelques allergies d'origine psychosomatique.

Sa dixième maison, dans le signe du Bélier, troisième signe du Verseau, donne une personne douée pour les études, et qui peut faire volte-face dans une carrière pour en embrasser une autre! Il est imprévisible dans ses choix, mais il est chanceux, la réussite lui va comme un gant. Même s'il est sujet à de grands emballements intellectuels, il possède une grande faculté d'analyse et il peut choisir ce qui lui convient le mieux. Souvent il commence jeune à travailler, les événements l'y poussent, et il obtient rapidement du succès. Il supporte mal qu'on lui impose une discipline de travail. Par exemple, surtout à l'adolescence, s'asseoir sur un banc d'école, attendre que tout le monde ait compris... Lui il apprend vite, aussi il s'ennuie quand il se retrouve avec des gens au-dessous de son calibre mental et qui n'ont pas sa vitesse d'apprentissage. Mais quand c'est lui qui choisit un sujet d'étude, alors là vous n'avez pas la même personne, c'est un acharné, il dévore la «matière» qu'il a sélectionnée.

Sa onzième maison, dans le signe du Taureau, ne lui procure pas beaucoup d'amis. Il en a quelques-uns qui sont timides, d'autres qui n'aiment pas se lier avec n'importe qui, qui n'ont pas d'argent! Encore une fois revient l'aspect de l'argent. Si ce natif est orienté uniquement vers la possession et s'il en fait le but unique de sa vie, il se jouera un tour à lui-même et se sentira bien seul quand la plupart des amis l'auront abandonné. Cette position l'oriente vers un travail administratif ou artistique. Le plus souvent la voix de ce natif est douce à l'oreille, musicale, mélodieuse, et il n'a pas besoin d'être chanteur. C'est un cadeau que le ciel lui a fait, tout simplement. Il m'a été permis de constater plus d'une fois que ces natifs avaient la beauté en atout.

Sa douzième maison, dans le signe du Gémeaux, ramène encore une fois l'idée de la petite dépression! Il lui faut garder ses secrets pour lui, car on pourrait les utiliser pour le faire redescendre au cas où il grimperait trop vite et prendrait la place d'un ancien qui, lui, la convoite depuis longtemps. Cette position réserve quelques chagrins sentimentaux où le natif peut se faire dire, par la personne avec qui il partage sa vie, quelques vérités profondes qu'il ne veut surtout pas entendre. Le Verseau n'a pas que des qualités; son grand défaut c'est de manipuler, et si subtilement qu'on met du temps avant de s'en rendre compte, mais quand on le réalise, attention, il a droit au sermon, et il n'aime vraiment pas ça! Le Verseau ne voit pas que, dans son désir de venir en aide à l'humanité ou aux gens qui l'entourent, il cherche à garder le contrôle! Le contrôle s'éloigne de l'amour et même le détruit, l'amour ne contrôle rien, il est l'amour, le souffle qui alimente toute vie et qui n'a de raison d'être que l'amour lui-même. Je dis souvent que lorsqu'une personne ne trouve que des raisons d'en aimer une autre, il ne subsiste que la raison.

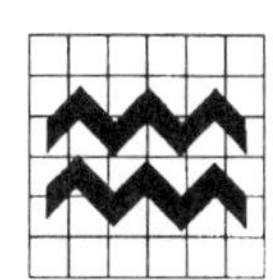

VERSEAU ASCENDANT LION

Vous ne l'oubliez pas quand il a passé devant vous! Vous pouvez le haïr ou l'aimer, il ne vous laissera pas indifférent!

Comme tous les signes qui possèdent l'opposé comme ascendant, ses bonnes œuvres se retournent contre lui et, malheureusement le voile ne se lève que dans la quarantaine.

C'est un être fait de contradictions. Il est à la fois égocentrique et altruiste. Il voudrait tout donner et en même temps tout recevoir. Il veut agir dans le sens de ses intérêts, et sauver aussi la société qu'on exploite...

Il s'occupe de ses affaires personnelles, matérielles et financières, avec zèle et dévouement envers lui-même. Il peut devenir féroce comme un Lion quand vous lui prenez quelque chose qui lui appartient! Si vous n'êtes pas d'accord avec lui, si vous voyez la moutarde lui monter au nez, le poing se lever et le corps se raidir, soulevez les épaules, excusez-vous, vous avez un besoin pressant, et surtout laissez-lui le temps de se calmer.

On a souvent envie de le maltraiter. Il dit tout ce qu'il pense et pas toujours avec délicatesse. En public il est parfait; c'est dans l'intimité qu'il commet quelques erreurs, qu'il se montre un peu dictateur.

Il rend service et se dévoue. Fait étrange, il n'en a pas fait assez. On s'attendait à beaucoup plus de lui. Vivre avec l'opposé de son signe symbolise qu'on peut, pendant longtemps, rencontrer ce genre de difficulté. Il n'y a pas de manuel d'instruction qui enseigne comment penser beaucoup à soi et tout donner en même temps. Le temps permet de rétablir l'équilibre. Il faut juste lui faire confiance et éviter les mouvements d'impatience qui minent la vie, la sienne et celle de ceux qui en sont témoins.

Sa deuxième maison, dans le signe de la Vierge, également le huitième signe du Verseau, nous donne quelqu'un qui peut penser à plusieurs combines payantes, en même temps. Il fait très souvent de l'argent avec celui des autres. Pour lui, l'argent c'est avant tout quelque chose qui permet de bien vivre et d'économiser en vue de ses vieux jours, afin de ne dépendre de personne et de ne manquer de rien qui soit essentiel. Le natif peut exceller aussi bien dans un travail manuel que dans le monde du placement. Il peut également être habile avec les deux. Il aura pu vivre, à l'adolescence, une période financière pénible, la famille ayant subi des épreuves de ce côté. Il se retrouve donc avec son intelligence, son sens de l'astuce et sa détermination. Avec ça, il peut aller loin, là où il veut. Il n'a qu'à se décider. C'est d'ailleurs le lot de nombreux Verseau qui ont toutefois la manie de vous consulter mais d'écouter plus ou moins vos conseils, sauf quand l'avenir vous a donné raison et qu'ils peuvent maintenant s'y fier! Le natif peut essuyer des coups comme ça. Ceux-là, il s'en souvient particulièrement. Cette position lui donne un bon appétit, particulièrement chez les sujets mâles, le Verseau et le Lion étant deux signes masculins.

Sa troisième maison, dans le signe de la Balance, lui donne un bel esprit, le sens de la communication avec autrui. Il est bien rare d'en rencontrer un qui soit malhonnête, il faudrait alors que sa carte natale soit sérieusement en mauvais aspects. Il aura un grand sens de l'honneur et de la justice. S'il vous fait une promesse, il la tiendra; il est plus ferme que tous les autres Verseau là-dessus et l'exécution de sa promesse est plus rapide. Il aimera l'amour. Il est le plus romantique de tous, il essaiera de faire plaisir à son conjoint et il saura encourager quand l'autre prendra des initiatives. Comme chez tous les Verseau, le sens de la critique est développé et beaucoup plus que chez la Vierge qui, elle, tourne autour du pot avant d'affirmer quoi que ce soit. Le Verseau vous dit directement et franchement ce qu'il en pense, mais ça lui joue aussi de mauvais tours et il finit par s'en rendre compte.

Sa quatrième maison est dans le signe du Scorpion. Ici, encore une fois, revient l'idée d'un foyer où le natif a éprouvé quelques difficultés à prendre sa place. Il a pu être témoin d'un conflit entre ses parents et, sans s'en rendre compte, il en a assumé la responsabilité. C'est pourquoi il fera du mieux qu'il peut pour réaliser sa vie amoureuse. Mais les racines sont solides et plus puissantes qu'on l'imagine chez l'individu et il arrive que ce natif vive le rejet de la part de la famille qu'il a fondée, et plus fréquemment encore quand il s'agit d'un natif masculin. Une fois que sa femme lui aura fait des enfants, elle pourrait le congédier. Il pourrait alors se sentir pendant longtemps comme un oiseau amputé d'une aile, mais, miracle, l'autre finit par repousser! Un natif masculin qui vit ce genre de situation, sans s'en rendre compte puisque, avec le Scorpion, les forces subconscientes sont à l'œuvre, aura choisi une personne qui allait le repousser un jour. C'est naturellement plus fréquent s'il a vécu des difficultés dans son milieu familial de naissance. Il peut alors y perdre beaucoup: biens, argent, et parfois même l'entreprise qu'il a bâtie. Il reconstruira, soyez-en certain. Double signe fixe, il ne démissionne pas face à la vie, comme ça. Dans le cas d'une femme de ce signe, elle pourrait, surtout si elle est mère, se comporter d'une manière trop autoritaire et créer dans son foyer un climat peu harmonieux. Elle pourrait protéger ses enfants à outrance, ne leur laissant aucune marge d'initiative ou de décision. Les enfants ne sont pas les parents et ils ont leurs idées bien à eux. Le résultat d'une éducation démesurément sévère, c'est tout simplement la révolte qui peut se manifester par l'usage de l'alcool et de la drogue, la fuite, l'insulte, les absences de l'école, et j'en passe. En tant que mère, la native doit surveiller son propre comportement. Ses enfants ne sont pas sa propriété, et il est bien prouvé que les enfants n'apprennent que par l'exemple. Si vous êtes une personne anxieuse par rapport à eux, ils le deviendront. Ils font aussi leurs racines suivant les plantes qui poussent dans le jardin de leur vie.

Sa cinquième maison, dans le signe du Sagittaire, présente la possibilité qu'un ou des enfants aient été conçus à l'étranger. Le natif pourrait aussi se retrouver avec les enfants des autres s'il survient une deuxième union dans sa vie. Cette position favorise les hautes fonctions publiques, l'ascension, l'accès à des postes de prestige. Il y a aussi possibilité que les affaires du natif le conduisent à l'étranger. Grande possibilité également qu'il tombe amoureux d'une personne d'une origine différente de la sienne. D'ailleurs, le mariage sera plus durable ainsi. Cela lui procurera de plus grandes chances de succès, d'expansion et d'évolution. Une union avec quelqu'un qui vient d'ailleurs le coupera de ses racines initiales, et lui permettra de se refaire une vie, surtout si le natif a été mal servi dans son milieu de naissance.

Sa sixième maison, celle du travail, dans le signe du Capricorne, fait de lui quelqu'un qui n'a pas peur de l'effort ni des longues heures de travail. Il est préférable que le natif bâtisse sa propre entreprise. Quand il est employé, il arrive fréquemment que les autorités soient contre lui. On a peur qu'il prenne trop de place et il le peut. Il sera donc mieux servi par lui-même s'il fonde sa propre entreprise et reste le seul maître à bord. S'il prend un associé, il court le risque d'en faire plus que l'autre, et de ne pas retirer plus de profits même s'il le mérite! Il vit avec l'opposé de son signe, alors il vaut mieux ne pas s'aventurer dans le partage financier: il a ce côté naïf qui le porte à faire confiance à des gens qui ne le méritent pas. Cette position indique que le père du natif a pu être malade et exiger que le fils ou la fille deviennent adultes plus tôt. C'est une possibilité dans cette position.

Son Soleil se trouve en septième maison, celle de l'amour et du divorce! Aussi il est bien difficile de maintenir une union si l'on vient au monde dans cette situation, à moins de défier les astres ou de se connaître suffisamment et de connaître le conjoint à fond. Toutefois, sa recherche de l'harmonie entre deux personnes finit par lui donner raison et il pourra dire qu'un deuxième mariage c'est vraiment le bonheur, et qu'il faut connaître des moments difficiles pour apprécier les douceurs. Certains signes, le Verseau plus que tout autre, ont besoin d'un choc pour apprécier le moment présent, et ils le trouvent souvent par la voie du divorce. Cette position favorise tant les affaires que les arts. Malgré tous les obstacles que le natif peut rencontrer, il se bâtit une solide réputation dans son domaine et il devient la personne dont on a besoin. Il répond rapidement aux besoins de la clientèle quand il en a une, et avec le sourire, même si on le dérange à une heure tardive! Il se met à la place de l'autre!

Sa huitième maison, dans le signe du Poissons, fait de lui une personne très attirante sexuellement! Encore une fois, il pourrait avoir deux sources de revenus. S'il a de mauvais aspects dans sa carte natale avec Neptune, ce natif devra se méfier quand il aura fait beaucoup d'argent. Il est surveillé par les requins, nous sommes ici dans le signe du Poissons. Il y a parfois des gens qui pourraient en profiter malgré lui. Sur le plan financier, il peut se faire des ennemis sans le savoir. Il doit surveiller ses arrières! La Bourse peut lui faire gagner des sommes considérables, ainsi que les placements à court et à moyen terme. Il pourrait même être celui qu'on consulte pour ce genre de chose.

Sa neuvième maison, dans le signe du Bélier, provoque des voyages décidés à la hâte. L'amour en est souvent le motif. Les voyages lui portent chance. Il y a possibilité pour ce natif de vivre loin de son lieu de naissance, même dans un milieu où il y a un manque de communication. Il aime échanger les idées, entreprendre, créer, inventer. S'il se sent trop limité là où il est, alors il part, et vite, ne pouvant plus supporter qu'on le freine. Et il peut arriver que les enfants entrent dans sa vie sans même qu'il soit consentant, c'est surtout le cas des hommes. Les femmes, elles, pourraient se lever un beau matin et décider que le temps est propice à la maternité, et voilà on s'engage!

Sa dixième maison, dans le signe du Taureau, indique qu'il accède à un poste administratif ou à une place de choix sur la scène, au théâtre ou à l'écran. Quoi qu'il choisisse, il a de grandes chances de le réaliser. Le Taureau étant son quatrième signe, il y a une grande possibilité, si le natif se lance en affaires, que l'entreprise démarre dans son foyer! Ce qui peut suivre est parfois moins joli, surtout quand l'entreprise prend toute la place et qu'il faut empiéter sur le territoire de la cellule familiale. Ce natif a toutes les chances du monde de vivre une retraite à l'âge où d'autres en sont encore à leurs balbutiements financiers! Ou, comme artiste, être couvert de lauriers en dépassant, et de loin, ceux qui attendent depuis longtemps déjà!

Sa onzième maison, dans le signe du Gémeaux, le rend habile avec tout ce qui a trait au monde des lettres, de la paperasse. Il fait un excellent vendeur. L'expression verbale est bien développée. Si on le place dans un contexte où il peut apprendre une autre langue, il l'apprendra vite. Son cerveau fonctionne à cent à l'heure et va droit au but. Ses amis seront surtout recrutés dans l'entourage du travail et, avec eux, il pourra encore discuter de l'expansion que l'entreprise pourrait prendre. Il est possible que ce soit par l'intermédiaire du travail qu'il fasse sa rencontre amoureuse ou au cours d'un voyage relié à son travail.

Sa douzième maison, celle de l'épreuve, dans le signe du Cancer, indique un trouble profond qui perturbe le cercle familial, une rupture de la famille ou des gens qui ne s'entendent pas entre eux. Par contre, cette position favorise l'évolution de l'esprit et de l'âme du natif. Il sera rarement vengeur ou arrogant en face de personnes qui traversent d'importantes crises de mutation. Bien au contraire, il apportera son appui. Ça ne lui rapporte rien de concret, mais il peut toujours se consoler et se dire que lui, au moins, il est éligible au grand bonheur et à la réussite et peut-être bien que c'est le ciel qui lui envoie ça! Le Cancer étant le sixième signe du natif, la mère du natif a pu être une personne malade, bien que travailleuse jusqu'à l'épuisement. Le foyer est peut-être croyant, le natif peut avoir été élevé dans la foi, ce qui lui donne beaucoup de courage et la capacité de rallumer la flamme de ses énergies quand elle s'éteint ou qu'elle baisse trop vite. Vivre avec l'opposé de son signe n'est pas une mince affaire. Cela provoque de nombreux bouleversements à l'école de la vie. Le natif est un bon élève et il retient les leçons qu'il pourra, à son tour, retransmettre quand il sera vieux.

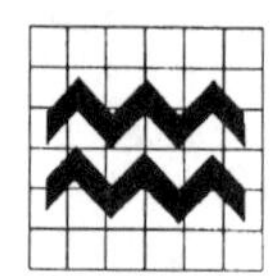

VERSEAU ASCENDANT VIERGE

Ce n'est pas drôle tous les jours de vivre avec lui. Hier il était d'accord pour faire une certaine chose, et aujourd'hui, ça ne l'inspire pas. Il a une autre idée, meilleure que celle d'hier... surtout que cette dernière vient de lui...

La recherche, la science, la médecine et les affaires des autres l'intéressent! Se mêler uniquement des siennes, s'occuper de ses affaires, ça lui demande un effort. C'est épuisant de se comprendre soi-même. Comprendre les autres, c'est plus simple!

Deux tendances sont inscrites dans cette nature, aussi puissantes l'une que l'autre: le bien et le mal!

Il fait le bien d'un côté et le mal de l'autre, comme ça c'est égal. Il dit du bien d'une personne et du mal de l'autre... il brise une chose et en répare une autre... vous lui faites à manger et il digère... il vous rend service, vous lui en devez un, mais un plus gros, cela fait partie de ses calculs.

La justice et l'égalité, voilà un calcul qu'il fait à sa manière. Il est prêt à tout vous donner, surtout quand il n'a pas grand-chose! Ou il fera semblant de ne rien avoir.

La Vierge est un signe de terre, régie par Mercure, l'intelligence et le calcul subtil, bien décomposé et refait à sa manière de Verseau – le dominateur, le maître. Il connaît tout. Demandez-le-lui, il vous dira que c'est tout à fait vrai. Son raisonnement ne peut être dépassé!

Il se fait du «vent» à lui-même. Il est bourré de complexes de ne pas être vraiment le meilleur, de ne pas pouvoir dominer tout le monde, ne pas avoir raison sur tout.

Vierge, signe double, dissimulateur, huitième maison du Verseau, sa propre destruction, sa reconstruction aussi. La volonté est laissée à la disposition du natif, s'il veut vivre sa vie dans la vérité ou le mensonge.

Il parle, il a toujours quelque chose à dire, ça ne suit pas nécessairement le fil, il se rompt et se reprend. Il se répète aussi, mais peut-être pas d'une manière identique...

Ce Verseau-Vierge veut sauver l'humanité de ses problèmes. Comment se fait-il qu'il n'y ait pas à manger pour tout le monde? La maladie ne devrait pas exister, la folie non plus. Mais que fera-t-il pour cette humanité souffrante? Il en parlera. Ça lui fait réellement pitié. Mais il songera tout d'abord à sauver sa peau, à la protéger, à la mettre en sécurité...

Il ne veut pas le laisser paraître, mais il a besoin qu'on le rassure. Quand il critique, c'est souvent pour se prouver qu'il est quelqu'un, qu'il a des opinions. Il tente sa chance, et peut-être vous épatera-t-il avec ses idées. Un jour il pourrait avoir besoin d'aide. Si vous le connaissez bien, vous l'aurez certainement entendu critiquer autrui. Avant de lui apporter votre appui, vous hésiterez, vous pourriez avoir peur d'être critiqué comme il le fait avec les autres! Il ne s'en rend pas compte souvent, mais il vous décourage de l'aimer!

S'il prend conscience que les torts des gens ça ne le regarde pas, que s'améliorer lui-même est de première importance... alors il changera. Il saura se faire aimer parce qu'il est capable d'être franchement généreux et franchement honnête. Être un Verseau-Vierge signifie avoir le Soleil dans sa sixième maison, symbole de Mercure, et le Verseau est symbole d'Uranus: vous avez là un fou ou un génie, parfois les deux à la fois. Les aspects de Mercure avec Uranus sont des plus importants dans sa carte natale. En mauvais aspects, il devient insupportable et il est porté, par Mercure, à dire des paroles regrettables aux amis qui se retournent contre lui. En bons aspects, il est très sociable et chacun a envie de converser avec lui. Cette position donne normalement le goût de servir les autres, mais si on l'inverse – tout aspect peut être positif ou négatif – il s'arrangera pour se faire servir, oubliant déjà ce que vous avez fait pour lui. Il peut être un être réfléchi ou étourdi, c'est dire qu'il peut être merveilleux ou, par distraction, faire des bêtises qui nuisent à une collectivité, le Verseau étant le symbole de la masse. Un Verseau n'est jamais ordinaire. Il se distingue parce que sa vibration est puissante. Sa présence est remarquée sans même qu'il le veuille ou qu'il recherche l'attention. On le trouve immanquablement.

Le désir du pouvoir, de la domination existe en chacun des Verseau. Il veut contrôler autrui parce qu'il croit que ce qu'il pense c'est ce qu'il y a de mieux pour l'humanité. Verseau-Vierge n'est pas exempt de ces désirs. Celui-ci veut le pouvoir par les idées, les siennes. Il y a onze autres signes qui vibrent différemment et il lui faut en prendre conscience. Cela commence par l'observation, ensuite viennent la réflexion et l'acceptation que les différences forment un peuple, un monde où chacun joue un rôle tout aussi important que le sien. On a toujours dit que le Verseau est un être altruiste d'abord. Il est vrai que c'est sa première fonction. Il est à la fois le maître et le serviteur. Il ne veut pas toujours jouer un second rôle, il échappe ainsi à sa mission. La vie se charge alors de la lui rappeler; elle l'incite à donner du sien, c'est le plus beau cadeau que l'on peut se faire. La loi cosmique dit que tout nous revient et que celui qui aura donné beaucoup recevra beaucoup, et qu'à celui qui aura tout pris, tout sera enlevé. Le Verseau vit en pensant à long terme, au point d'oublier l'importance du moment présent. L'avenir est ce qu'il y a de plus incertain, au fond. Le Verseau veut le faire à sa manière, mais il doit penser à autrui et non uniquement en fonction de ses besoins. Un bon serviteur devient indispensable pour le maître.

Être un maître et perdre ses serviteurs, cela fait un maître bien solitaire. Un trop grand calcul enlève la spontanéité. Juger les gens sur leur apparence ou d'après leurs possessions est une grave erreur. Le Verseau-Vierge doit s'en corriger s'il veut vivre heureux: s'épancher sur une fleur fait vibrer de plaisir toutes les autres fleurs du même jardin. Faire du tort à une personne, c'est affecter toute une collectivité, une famille. Il n'y a pas un geste, pas une pensée qui n'ait une répercussion dans cet univers. Penser le bien, le beau, le grand, le noble, c'est se faire un cadeau à soi-même. Soupçonner le pire, c'est s'enlever ses chances de succès, et ça personne n'y tient. Comme le Verseau-Vierge a cette faculté de réflexion, il pourrait réfléchir à ces dernières lignes, faire un retour en arrière, surtout s'il vit des difficultés. Il en est responsable au plus profond de lui-même, qu'il s'agisse d'amour, d'affaires, d'enfant, de santé, etc.

Sa deuxième maison, celle de l'argent, dans le signe de la Balance qui représente l'union, suscite chez lui un attrait très fort pour la personne riche qui pourrait éventuellement l'épouser et lui permettre de vivre ses fantaisies. Il lui arrive de tomber amoureux du prestige de l'autre! Il en est tout de même qui gagnent honnêtement leur vie sans devenir le parasite de leur conjoint. L'argent pourra être habilement gagné par un travail dans le domaine des communications. Ce natif est un bon vendeur d'idées, un bon concepteur également. Il a un grand sens de la justice, mais il arrive que ce soit surtout la sienne! La Balance étant le neuvième signe du Verseau, elle symbolise alors l'étranger, les voyages. Il arrive donc que le natif fasse de l'argent par un travail qui autorise un déplacement, qu'il se déplace à l'étranger ou à cause d'un étranger. Pour lui, l'argent doit servir à s'offrir du luxe, de la fantaisie, et à bien paraître devant le monde! L'argent peut entraîner parfois la rupture du foyer ou devenir un grave problème soit quand il est jeune soit quand il fonde lui-même son foyer. Peut-être bien que c'est le conjoint du natif qui devra assumer les frais et les responsabilités de la vie familiale.

La troisième maison, celle de l'intelligence, est dans le signe du Scorpion. Ici Mercure, qui représente la troisième maison, est en position de destruction. Le natif doit surveiller ses paroles qui peuvent blesser et détruire autrui. Cette position le rend cachottier. Avec de mauvais aspects de Mercure dans sa carte natale, il peut être menteur. Le Scorpion étant le symbole de l'argent des autres, nous avons ici une personne qui, en termes négatifs, ne serait intéressée à vous parler que parce qu'elle peut vous soutirer de l'argent. Comme le Scorpion est le dixième signe du Verseau, il peut arriver que le natif vive un choc à cause de la carrière qu'il vise. On peut l'utiliser, se servir de lui pour passer des messages, sorte de travail d'espion qui, finalement, plutôt que de lui rendre service peut détruire en partie sa carrière ou rendre son ascension difficile. Avec de bons aspects de Mercure, le natif est curieux, il veut connaître le fond et le pourquoi de chaque chose, il s'intéressera à l'âme humaine et non pas à l'argent. Il sera bavard sur tout ce qui lui est extérieur, mais il ne vous dira pas ce qu'il ressent, ce qu'il vit profondément. Cette position engendre des périodes où le natif retourne ses pensées négatives contre lui en s'accusant même de ce dont il n'est pas responsable. Le natif sera ce qu'on nomme un buté. Il a alors tout intérêt à choisir la bonne voie! Il n'est pas exempt de distraction avec cette position. Il peut monter une entreprise et commettre des négligences qui peuvent lui coûter cher. Il aimera les livres, la lecture et tout ce qui peut le distraire de lui-même ou, tout au contraire, le renseigner sur les motifs qui le font agir. Le Verseau met parfois du temps avant de procéder à son auto-analyse. Il préfère s'occuper des autres.

Sa quatrième maison, celle du foyer, dans le signe du Sagittaire, signe double, lui procure souvent deux foyers, un à la campagne et l'autre à la ville. Le plus souvent ils seront luxueux, ou du moins très confortables. Cette position donne le goût de fuir son milieu de naissance. Ce natif pourra un jour s'établir à l'étranger ou loin de son milieu familial. Cette position le favorise dans l'achat ou la vente d'une maison. Il est aussi chanceux à la Bourse ou dans les investissements qui émanent du gouvernement. Il pourrait s'intéresser à la politique, soit par plaisir, soit par conviction. La vie à la campagne lui fait le plus grand bien. Elle l'aide à refaire son système nerveux qu'il use par nervosité et par quasi perpétuelle insécurité. Le plus souvent il préfère vivre à la campagne ou dans une banlieue plutôt que dans un centre-ville achalandé où le taux de pollution est plus élevé et où les klaxons le font sursauter! La quatrième maison symbolise la mère. Dans un signe double, elle indique que la mère est souvent une personne absente de la maison, qu'elle aime le faste, le beau et la facilité. Il est possible qu'elle ait tout ça. Si elle ne l'avait pas, elle presserait alors, consciemment ou non, le natif de trouver un métier ou un travail rémunérateur qui lui assurerait ce qu'elle n'a pas. Le Sagittaire symbolisant la campagne, il y a possibilité que la mère y ait vécu ou y vive encore.

Sa cinquième maison, celle de l'amour, dans le signe du Capricorne, également le douzième signe du Verseau, symbolise l'épreuve. Le natif peut donc vivre retiré ou en solitaire, l'amour étant souvent considéré par lui comme une chose pratique, courante, ou qu'on doit vivre parce que tout le monde le fait. Cette maison représente aussi les enfants du natif. Il se peut qu'il ait quelques problèmes de communication avec eux. Un enfant peut être conçu tardivement, à son grand étonnement!

Son Soleil se trouve en sixième maison, ce qui fait de ce natif une personne douée pour le monde des lettres, le commerce, la médecine, la pharmacie, et tout ce qui touche le domaine de Mercure, englobant également les déplacements sur la route. Il voudra que son travail ait une portée pratique, au service de la masse. Les aspects de Mercure, dans sa carte natale, indiquent le genre de travail auquel il s'adonnera. Il préférera le travail à la vie au foyer, dans le cas d'une nativité féminine. Pour un homme, il pourrait faire de longues heures plutôt que de rentrer tôt à la maison. Cette position rend le natif nerveux et il ferait mieux de s'accorder des moments de détente et même de s'abonner à un centre de relaxation.

Sa septième maison, dans le signe du Poissons, laisse présager deux unions, surtout avec de mauvais aspects de Neptune et de Vénus dans la carte natale. Étrangement, le natif sera attiré par des personnalités indécises qui, au fond, le manipulent plus qu'il ne le croit. Comme le Poissons est le deuxième signe du Verseau, donc son symbole d'argent, il y a possibilité que le natif doive se fier sur les biens du conjoint ou sur sa participation financière pour l'aider à subvenir à ses besoins. Cette position conduit à la dissolution de l'union sans que le natif en connaisse la véritable raison. Possibilité également que le natif soit avec un conjoint à tendance dépressive. Avec de bons aspects, il peut rencontrer une personne généreuse de ses services, à l'âme missionnaire même, et qui a des relations avec la médecine physique tout autant que la médecine de l'âme, une personne altruiste.

Sa huitième maison, dans le signe du Bélier, indique que les transformations dans sa vie se produisent rapidement. La huitième maison étant celle du Scorpion, symbole de Mars, de la sexualité et le Bélier également symbole de Mars, il y a possibilité que le natif soit obsédé par des désirs sexuels puissants. Cette position ne favorise guère la fidélité. Ce natif a sans cesse besoin de bouger en parlant ou de parler en bougeant! Le Bélier étant le troisième signe du Verseau, et Mercure le mouvement sous la poussée martienne, cela peut parfois provoquer des coups de tête, des paroles prononcées sans réflexion comme autant de poussées littéraires si le natif s'adonnait à l'écriture. Il pourrait voyager beaucoup dans sa vie et sillonner le pays en voiture.

Sa neuvième maison, dans le signe du Taureau, symbolise les voyages dans le luxe, la plupart du temps. Voyage pour visiter la famille, le Taureau étant le quatrième signe du Verseau, symbole du foyer. Encore une fois revient ici l'idée d'une résidence à la campagne, du moins loin de la ville, ce qui est préférable pour son système nerveux. Cette position lui donne le sens des affaires dans les négociations.

Sa neuvième maison étant le symbole de la philosophie dans un signe de terre, le Taureau étant, lui, un symbole d'argent, il y a de fortes chances que le natif développe pour philosophie que l'argent il n'y a que ça qui compte! Vous remarquerez qu'il pourrait parler contre l'argent et contre l'abus que les gens riches en font. Observez-le bien... il aimerait se retrouver à la place des riches afin de pouvoir faire quelques abus, s'offrir du luxe. Vous n'aurez qu'à lui poser des questions sur ce qu'il ferait à la place d'un tel qui, lui, s'offre tout. Au cas où il ferait fortune, il voudra certainement vous épater en vous offrant une fantaisie peu commune, surtout s'il a décidé de faire votre conquête. Il aime le tape-à-l'œil et se laisse prendre par les apparences.

Sa dixième maison, dans le signe du Gémeaux, signe double de Mercure peut le faire hésiter dans ses choix de carrière. Il sera doué pour les longues études à moins de mauvais aspects de Mercure. Il prendra plaisir à développer ses connaissances. Il pourrait même poursuivre deux carrières en même temps. La dixième maison étant celle de Saturne, dans le Gémeaux, symbole de Mercure, le natif peut donc accumuler une foule de connaissances qu'il n'aura pas vraiment assimilées ni transposées dans un monde pratique. Il sait, mais il n'applique pas. Le monde de l'édition, du livre lui est favorable. Encore une fois, cette position peut laisser supposer que le natif devra effectuer des déplacements nombreux en rapport avec la carrière. La dixième maison, représentant le père du natif, symbolise un homme généralement nerveux, aux idées nombreuses, qui adopte deux façons de vivre, une pour la vie intime et une autre pour la vie en société. Le Gémeaux étant le cinquième signe du Verseau, sa maison d'amour, le natif est aimé de son père, mais ce dernier, dans un symbole mercurien, donc de raison, peut avoir oublié de lui apprendre à exprimer ses émotions.

Sa onzième maison, celle des amis dans le signe du Cancer, sixième signe du Verseau, rappelle que le natif aimera recevoir chez lui ceux qu'il considère comme ses amis et qui partageront son travail. Cette position rend encore une fois le natif bavard. Dans le cas d'une personnalité masculine, la onzième symbolisant Uranus et le Cancer, la Lune, Lune-Uranus, le natif sera attiré par toutes les femmes! Dans le cas d'une personnalité féminine cette position peut parfois créer un attrait pour le lesbianisme. L'homosexualité masculine n'est pas non plus impossible, mais c'est plus rare. Le natif aimera se rendre populaire auprès de ses amis qu'il considérera presque comme des membres de sa famille. Uranus et la Lune, Uranus qui symbolise les chocs et la Lune, la mère. Le natif pourrait vivre un choc émotif en rapport avec la mère dans sa jeunesse et avoir une vive réaction dans la quarantaine vis-à-vis des autres femmes dans le cas d'une nativité masculine. Dans une nativité féminine, celle-ci pourrait considérer les autres femmes comme des rivales. Uranus étant une planète explosive, il y a possibilité d'éclats négatifs entre le natif et la mère, ce qui peut avoir des répercussions à l'âge adulte, dans la quarantaine, et se transformer en une sorte de révolte et de dépression. De bons aspects de la Lune et d'Uranus dans la carte natale corrigent cette tendance.

Sa douzième maison, celle des épreuves, dans le signe du Lion, septième signe du Verseau, symbolise l'union et les épreuves à travers l'union. Généralement, le Verseau-Vierge, s'il se marie trop jeune, risque de vivre certains problèmes, son choix étant précipité. Position qui indique également que le natif devra donner de l'attention à ses enfants, s'il en a, afin d'éviter un éloignement de leur part, par manque de compréhension et de tolérance.

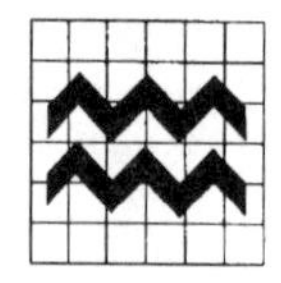
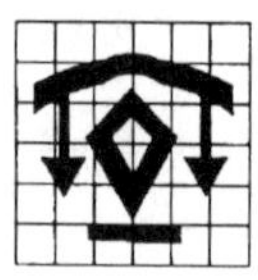

VERSEAU ASCENDANT BALANCE

Artiste, philosophe, original, excentrique, sympathique, beau à voir, bon, aimable, serviable... la liste s'allonge et il aime bien entendre parler de lui en ces termes. Tout à coup il vous regardera et vous dira qu'il n'est quand même pas parfait...

Il déteste la violence, les discussions agressives, bien qu'il sache se défendre. Il préfère l'harmonie et la paix en tout temps.

Il peut régler un conflit par un mot, ou un cri, mais s'il doit utiliser la dernière méthode le supplice ne durera pas. Il est spontané, franc, perspicace, analytique, attachant et généreux. Dans sa générosité il ne vous donnera rien de concret comme tel, mais une solution. Il se débrouille par ses propres moyens et vous devriez en faire autant. Inconsciemment, ou même consciemment, il a compris que les choses que l'on donne sont rarement appréciées... les idées, il en a plein, et il vous les donne.

Il ne recherche pas les honneurs, mais la reconnaissance amicale. Il veut se sentir bien avec les gens et qu'on se sente bien avec lui. Il travaille fort dans la vie, il la gagne. Il pourvoit à ses besoins et ne voudrait dépendre de personne, ce n'est pas son genre. Infatigable, pour le mettre à bout, il lui faudra faire de longues heures supplémentaires et s'acharner deux fois plus que ceux qui font le même travail. Malheureusement, on est peu reconnaissant envers ce qu'il fait pour les autres. Peut-être bien qu'au fond de lui, sans s'en rendre compte, il s'est interdit de recevoir... C'est un mouvement de l'esprit qui se crée souvent à l'insu même du penseur.

Il aime voyager, voir de nouveaux pays, vivre de nouvelles expériences. Il trouve quelque chose d'agréable à tout et partout. Il ne s'attachera pas aux inconvénients, le moins longtemps possible en tout cas.

Il n'a rien de prétentieux et sa maison non plus. Elle est accueillante, confortable, charmante et paisible. Vous y ressentirez peut-être une espèce de flottement, c'est un double signe d'air, après tout, qui en a fait la conception!

Il travaille souvent à deux endroits à la fois. Vous le verrez rarement afficher un air d'épuisement ou se plaindre. Il se ressource rapidement et a toujours une nouvelle idée stimulante.

Son objectif: aller vivre à la campagne, pour écouter les petits oiseaux lui chanter un bonjour. La vie serait belle alors, le matin au réveil. C'est un romantique qui ne perd toutefois pas la raison. Il peut lui arriver de commettre une bêtise, de faire une erreur, mais il la répare. Il ne peut supporter l'injustice, et s'il lui est arrivé d'être injuste, c'était bien malgré lui. Peut-être, ce jour-là, avait-il dépassé sa capacité de résistance?

Il a le sens de la conversation et trouve toujours le mot pour vous mettre à l'aise. Dès qu'il aura perçu chez vous l'intelligence et la bonté, vous vous en ferez un ami. S'il découvre le contraire, vous aurez droit à l'indifférence d'un courant d'air!

Sa deuxième maison, dans le signe du Scorpion, dixième signe du Verseau, signifie que l'argent ne lui arrive pas comme ça sur un plateau, mais l'exception fait la règle. La plupart d'entre eux doivent la gagner à la sueur de leur front. Il est tout de même prévoyant et il a un bon sens de l'économie, seulement si une personne qu'il aime se trouve dans l'affliction et qu'elle ait besoin de son argent, ce qui la sauverait du pire, ce Verseau videra son compte en banque et ira même jusqu'à faire un emprunt pour la secourir. Il en prendra la responsabilité. Son attitude face à l'argent, c'est qu'il en a besoin pour vivre, manger, se loger, s'habiller. Naturellement, il aime le luxe – qui ne l'aimerait pas? – mais sa priorité va à l'idéal, qui peut être un succès artistique, une œuvre, un travail ou quelqu'un à qui il est prêt à donner le maximum de ce qu'il peut.

Sa troisième maison, dans le signe du Sagittaire, fait que bien qu'il soit d'une grande intelligence, il a un côté naïf, bon enfant, qui s'émerveille devant la nouveauté. Encore une fois revient l'idée d'un idéaliste, mais plusieurs le voient tout autrement. Il dit ce qu'il pense, franchement. Il s'emballe. Mais il n'est pas toujours agréable d'entendre ses quatre vérités. Qu'importe, il se fait un devoir de vous les dire, pour vous rendre service. Il vous avertira d'abord que vous n'êtes pas obligé de le croire, que ce qu'il avance, c'est son point de vue et ce qu'il a observé. Faites-en ce que vous voulez, lui, il a fait son devoir, et il a la conscience tranquille. Il arrive que ce natif n'aime pas vraiment l'école organisée; la vraie, c'est celle de la vie où l'on apprend dans le feu de l'action; même s'il faut se frapper sur les doigts, on retient mieux la leçon. Pourtant, s'il se passionne pour un sujet et s'il lui faut faire de longues études, il aura le courage de s'acharner et d'aller jusqu'au bout. Cette position fait un bon professeur. Il aimera la danse, la musique, le mouvement, la littérature. Il se dirigera généralement vers une carrière où il a de grandes chances de pouvoir vivre des déplacements et de rencontrer sans cesse de nouvelles personnes. Il aimera la conversation et comprendre ce qui s'est passé chez autrui pour qu'il en arrive à être ce qu'il est. Qui sait, il pourrait peut-être y apprendre quelque chose d'utile pour lui-même! S'il est mieux dans sa peau, les autres seront encore mieux avec lui. Cette conscience lui vient tout naturellement.

Sa quatrième maison, symbole de foyer, dans le signe du Capricorne, douzième signe du Verseau, symbole d'épreuve, d'où la possibilité que le natif ait vécu ou vive des moments difficiles dans son foyer de naissance. Les règles de discipline ont pu être strictes et sans appel. Position étrange où la mère du natif a pu être celle qui portait des culottes. Elle a pu aussi subir l'épreuve de la maladie à force de travail et de dévouement. Possibilité que la mère ait fait abstraction de ses propres désirs pour soutenir sa famille au maximum. Le natif pourrait être à l'autre bout du monde, être débordé de travail, et tout à coup se souvenir de sa mère et avoir un «coup de cafard». Par ricochet, s'il vient à fonder un foyer, il pourrait se sentir totalement responsable de la sécurité des siens et tout prendre sur ses épaules. Résultat: rigidité de la colonne vertébrale, problème de dos. Comment peut-on, pendant des années, se promener avec un fardeau plus lourd que soi? On a beau être héroïque, il faut parfois déposer le paquet. Puis, prendre continuellement les responsabilités d'autrui, n'est-ce pas démontrer qu'ils ne sont pas assez forts pour mener leur propre vie?

Son Soleil se trouve en cinquième maison, ce qui ne favorise guère les grosses familles pour le natif. Le Verseau est beaucoup trop occupé par la vie sociale, le monde à sauver, pour se limiter à un cadre familial. Cependant, il peut se retrouver avec les enfants des autres, pour lesquels il aura le plus grand respect et aussi un grand dévouement. Position qui favorise les carrières en rapport avec les arts, le cinéma, tout ce qui touche le monde du spectacle, de la création, de la littérature d'avant-garde, naturellement. S'il entreprend une carrière sur scène, il l'aura alors décidé vers l'âge de dix-huit ans. Il aura de fortes chances de gagner la partie. Les obstacles ne le décourageront pas, du moins pas longtemps. Sa personnalité lui fait aimer le monde, la foule. Il déteste l'hypocrisie, l'inconscience, le manque d'honneur. Manquer à votre parole quand vous lui avez fait une promesse risque de vous attirer quelques-unes des foudres d'Uranus. Il a bonne mémoire. Il est plus sensible qu'il ne le paraît. L'amour et la passion sont ses centres de vie. Il se donne avec cœur à ce qu'il fait et il y mettra toutes ses énergies au point même de risquer sa santé.

Sa sixième maison, dans le signe du Poissons, est une position qui peut le conduire à toutes sortes d'emplois: cinéma, danse, musique, chant, ou tout travail comportant quelque chose qui n'est pas ordinaire, habituel, régulier, il n'est pas du genre 9 à 5, cette formule de vie ne lui plaît pas, il a trop besoin d'action et de surnaturel! À un moment de sa vie, l'argent peut filer doublement entre ses doigts, puis, à un autre, il entre en double dans ses caisses! Cette sixième maison, également symbole de la maladie, provoque chez lui des troubles sortant de l'ordinaire, troubles de Neptune, forces subconscientes négatives qui agissent sur le corps et le forcent à s'arrêter pour une réflexion. Il n'est pas rare de constater qu'il a des problèmes avec ses pieds, ses intestins; il se nourrit mal, trop vite, pas assez, rarement il mangera trop. Son esprit est trop occupé, la digestion n'aurait pas le temps de se faire! Il aura souvent des malaises qu'il étouffera car il ne prend pas le temps de s'occuper de lui. Il se dit que tout va s'arranger! Au travail il peut être victime de racontars, de gens envieux. Il peut subir des pertes d'argent, il a prêté sur la bonne foi d'un ami et l'ami a disparu! Vénus-Neptune-Mercure maîtrisent cette position: l'art, le mystérieux, le mouvement. La créativité, quelle que soit sa forme, est puissante. S'il se lance dans une entreprise commerciale, vous pouvez être assuré que celle-ci ressemblera à nulle autre. Pour ce natif, le domaine de l'art est idéal. Il est une ouverture pour l'esprit, il permet la liberté d'action, le déploiement de la passion et le contact avec autrui ou pour autrui. Ce natif peut vivre un grand remous intérieur, mais vous ne vous en rendrez pas compte. Il veut être clair, tant avec lui-même qu'avec les autres. Il raisonne ses peurs, et pour s'en distraire, il se dévouera à une œuvre, à un art, à un groupe de personnes ou pour la personne qui partage sa vie. Comme beaucoup de Verseau, il a la manie de dicter. Cependant, si vous le lui faites remarquer, il peut se corriger. Il ne voudrait surtout pas déplaire de quelque manière que ce soit. Si vous le voyez s'entêter dans une idée fausse et êtes certain qu'il est sur la mauvaise route, vous pourrez le lui dire, mais commencez d'abord par le complimenter, ensuite vous lui direz votre point de vue. Le Soleil en cinquième maison lui donne le goût d'être parfait! C'est ce qu'il vise!

Sa septième maison, celle du conjoint, dans le signe du Bélier, précipite ses unions. Autant ce natif est amoureux, autant il peut mettre du temps avant de se sentir profondément attaché à l'autre, surtout s'il a déjà vécu un échec cuisant. Possibilité de deux unions, surtout si un premier mariage a été contracté jeune. Une fois le lien affectif créé, le natif, s'il sent qu'il doit quitter la situation, prendra un temps fou avant de se décider à une rupture. Il n'a surtout pas l'intention de blesser. Il sera attiré par un conjoint actif, audacieux, communicateur. Il est essentiel, pour que l'union dure, que le natif ait de longues conversations avec l'autre. Comme il sent le besoin de tout expliquer, il pense qu'il en est de même pour son conjoint qui, lui, peut très bien n'avoir aucune envie de connaître les détails du comment, du pourquoi, etc. Il pourra vivre une crise de couple, comme chez tous les autres signes d'ailleurs. Cependant, il la vit en se demandant s'il n'est pas le fautif et s'il ne devrait pas reconsidérer sa position. Et s'il le fait, il peut en arriver à la conclusion que l'autre doit jouer un autre rôle ou adopter une autre attitude. Il est bien d'accord naturellement pour changer la sienne! Mais il arrive que l'autre se sente très bien comme il est et qu'il n'ait nulle envie d'être autrement. Ce qui peut choquer notre Verseau s'il se voit dans un cul-de-sac, et voilà que s'annonce une rupture, mais ce sera long avant que tout soit définitif.

Sa huitième maison, celle des transformations, se trouve dans le symbole de l'argent, le Taureau. Ce natif est inquiet au sujet de ses finances; plus il est inquiet plus ce genre de problème grossit. Il ne faut pas oublier que le magnétisme de ce signe est puissant et la projection de la pensée tout autant. Les craintes se transforment en réalité, à son grand chagrin. Mais il finit par tout régler avec brio. Ce natif peut avoir une sexualité gourmande à l'excès durant un certain temps et, soudainement, il n'a plus aucun désir durant un certain temps qui pourrait, pour le conjoint ou l'amoureux, paraître interminable! Il pourrait croire que ses besoins sexuels sont ceux de l'autre et là-dessus avoir de sérieux arguments. Ce natif peut avoir des problèmes de vessie ou aux organes génitaux s'il y a des mauvais aspects de Mars et de Vénus dans sa carte natale.

Sa neuvième maison, dans le signe du Gémeaux, symbole des voyages, sixième signe du Verseau, donc du travail, laisse présager que le travail du natif comporte de nombreux déplacements. L'adolescence est une phase importante où le natif acquiert son sens de la vie, où il développe le respect envers autrui. Cette position ne favorise guère les longues études à moins d'aspects bénéfiques avec cette maison. Encore une fois, l'école de la vie est son meilleur apprentissage. Il apprend en plongeant dans le feu de l'action. Jeune, il veut son indépendance économique. Fort heureusement, la plupart du temps, le ciel le place sur une route où il peut gagner confortablement sa vie.

Ce natif aimera partir, il aimera revenir aussi. Un jour vous pourrez l'entendre dire qu'il part pour toujours! Ne vous en faites pas trop, il reviendra, il est plus attaché qu'il ne le dit à ceux qui le côtoient régulièrement.

Sa dixième maison, celle de la carrière, dans le signe du Cancer, favorise encore une fois un travail en milieu artistique, puisque la Lune relève du monde de l'imagination, de la foule, de la créativité. Un domaine concernant l'enseignement aux enfants est possible. Il sera doué pour les achats d'immeubles. Cette position, qui symbolise le père du natif, indique que si c'est la mère qui porte la culotte, le père semblera un personnage mou ou un travailleur qui n'aura pas une très bonne opinion de lui. Sous ce signe et cet ascendant, le natif peut avoir des parents qui vivent ensemble et ne se comprennent pas, ou qui ne sont pas sur la même longueur d'onde. Jusqu'à l'adolescence, cette situation peut laisser le natif perplexe, sans sécurité et peu enclin à vouloir imiter le modèle parental, en conséquence peu enclin à fonder un foyer.

Sa onzième maison, dans le signe du Lion, lui donne le sens des relations publiques et lui attire des amis artistes. Il sera invité à des réceptions mondaines chez les gens bien. Possibilité qu'il rencontre son conjoint au beau milieu d'une fête d'amis à laquelle on l'avait invité. Il considérera son conjoint tout d'abord comme un ami. Certains signes ne sont pas aptes à accepter cet état de choses, mais si le coureur est assez patient, il a de fortes chances de se faire aimer plus qu'il ne l'aurait cru au départ. L'amour de son travail et l'amour qu'il a pour son conjoint peuvent lui permettre de vivre loin de son lieu de naissance. S'il reconnaît sa passion, alors il suivra l'appel de son cœur.

Sa douzième maison, dans le signe de la Vierge, symbole de Mercure, peut susciter des états dépressifs profonds, et le plus souvent la cause en sera le travail qui ne marche pas à son goût. Il rencontre des obstacles qui retardent ses projets, le but à atteindre. Il en arrive à se demander s'il ne doit pas mettre ses compétences en doute et puis, hop! il a ce qu'il voulait et il se dit qu'il ne se laissera plus prendre par le trouble émotionnel et intellectuel. Cette position indique que le natif doit élever le niveau de sa spiritualité, il compte trop sur ses seules forces plutôt que sur Dieu. Quand ça va bien, il sait dire merci, mais quand ça va mal c'est la faute du ciel... alors qu'en fait quand ça va mal, c'est tout simplement qu'il a tellement pensé que ça irait mal que cela s'est vraiment réalisée. Comme tous les Verseau, il lui faut sans cesse penser positivement, profondément, s'entraîner à vivre sa vie comme si le Soleil brillait en permanence. Question de pratique. Une fois qu'il aura expérimenté la puissance de son subconscient et des forces divines qui dépassent les siennes, il s'apercevra que tout est si facile et que s'il y avait cru avant, il aurait perdu moins de temps.

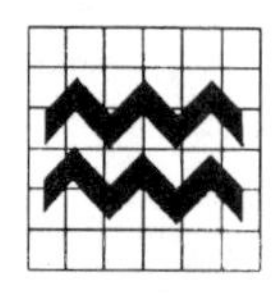
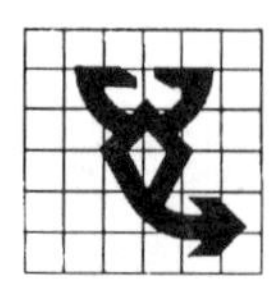

VERSEAU ASCENDANT SCORPION

Vous avez là un double signe fixe, et tous les deux sont dominateurs. Il y a toujours une histoire dramatique derrière eux, mais ils ne tiennent pas à en parler. Puisque c'est fini, dit le Verseau, allons de l'avant, mais souviens-toi, dit le Scorpion, de ne plus jamais te placer dans une situation dangereuse ou perdante!

La vie ne sera pas sans conflits ni difficultés. Elle ne lui fait pas de cadeau, mais elle lui dit: gagne-moi. Les hauts et les bas seront nombreux, tantôt parce qu'il aura été trop naïf et trop confiant, tantôt parce qu'il aura été trop méfiant et aura tellement attendu que la bonne occasion est passée!

Son caractère est puissant, il peut aller de l'altruisme à la tyrannie. Du saint au bandit! Il est inquiétant: il est à la fois séduisant et repoussant. Il semble vouloir s'attacher à vous puis, tout à coup, il vous dit qu'il est libre, que vous l'êtes, qu'il vous aime bien... et vous aurez l'impression qu'il ne tient pas à vous tant que ça et vous conclurez que vous le dérangez. Il n'est pas rare qu'il obtienne la réaction opposée à ce qu'il voulait obtenir. Il n'est pas clair dans son discours. Il se laisse une marge d'action. Et quand il sait ce qu'il veut, il ne demande pas, il ordonne.

Une chose importe, il est le maître de sa liberté.

Vous n'attacherez jamais un Verseau et vous ne dominerez jamais un Scorpion. Il a bien quelques cordes sensibles, mais elles ne vibrent qu'en liberté, sans restrictions, quand il l'a décidé. Ne le flattez jamais inutilement, il vous devine et il se servira ensuite de vos compliments pour vous faire comprendre que vous devez le servir!

Il a la mémoire courte en ce qui touche les promesses. Il n'a pas la main généreuse quand il s'agit d'argent, à moins que ce ne soit inscrit sur son budget et qu'il ait de l'argent de surplus, ce qui est d'une extrême rareté.

Ses passions sont puissantes mais pas nécessairement durables. Dès qu'il voit que cela peut l'emprisonner, le restreindre, le limiter dans son action, vous verrez le feu de l'amour s'éteindre, étouffé sous le poids de la raison!

Le Scorpion est le signe des grandes transformations et il n'y échappera pas: le destin lui-même a tout prévu. En bien ou en mal, tout dépendra de la manière dont il vit sa vie. Le Scorpion fait justice et elle est radicale. Il punit, il récompense. Vous avez été un bon ou un méchant? Vous seul pouvez donner la réponse. La loi cosmique est quasi implacable pour lui, elle lui retourne le mal qu'il peut faire, comme le bien. C'est à ce natif de choisir. Nous avons la liberté en cadeau du ciel et ce sur une base d'égalité.

Sa deuxième maison, dans le signe du Sagittaire, lui procure souvent deux sources de revenus. Le natif aimera l'argent, non seulement pour la sécurité, mais aussi pour le luxe qu'il peut offrir et surtout pour les voyages qu'il peut permettre. Il est doué pour les placements. Il a sa réserve. Quand il vous dit qu'il est fauché, vous n'êtes pas obligé de le croire. Il peut fort bien ne pas être un millionnaire, mais sa marge de sécurité est là. Il est plutôt chanceux en affaires. Il risque rarement, et quand il croit risquer, le placement s'avère plus payant qu'il osait l'espérer. Il faut de très mauvais aspects dans cette maison pour qu'il soit financièrement mal pris ou qu'il fasse exprès!

Sa troisième maison, dans le signe du Capricorne, lui donne un esprit extrêmement pratique. Il n'étudie rien qui ne serait susceptible de lui rapporter quelque chose. Apprendre pour le plaisir d'apprendre n'est pas vraiment fonction de son organisation intellectuelle interne et chimique. L'objet de son intérêt mène quelque part. Ce natif est mentalement ordonné. Il aime également l'ordre autour de lui. Comme le Capricorne est le douzième signe du Verseau, son signe d'épreuve et de ce qui est caché, le natif peut avoir une nature dissimulatrice. Il ne vous dit qu'une partie de la vérité et vous devrez deviner le reste! Il cache aussi ses émotions. Il peut essayer d'en faire une abstraction, l'émotion étant considérée par lui comme une faiblesse. Cependant, comme n'importe qui il est humain, et un jour il devra en prendre conscience! Possibilité qu'il ait une grande hérédité intellectuelle qui lui vient du père. Elle peut être positive ou négative, suivant les aspects de sa carte natale.

Le Soleil se trouvant en quatrième maison indique que le natif a été ou est très attaché à sa mère. Cette position favorise les emplois au sein d'entreprises organisées. Il peut obtenir un poste bien en vue ou du moins monter s'il le désire, si tel est son objectif. Il est tenace. Cette position favorise la famille, et souvent les liens familiaux entre ses membres sont intenses. Si le natif fonde un foyer, il saura créer un climat d'unité entre lui, son conjoint et ses enfants. S'il ne réussit pas, il en sera très malheureux. Il aime les enfants, et comme le Verseau symbolise les enfants des autres, il y a possibilité qu'il garde près de lui non seulement ses enfants, mais aussi leurs amis. Le Verseau est également le symbole des chocs. Dans cette quatrième maison, représentant la Lune, dans le cas d'une nativité féminine, celle-ci pourrait, un beau jour, décider de faire éclater le noyau familial. Il en est de même avec le Verseau, et parfois il n'y a aucune raison d'agir ainsi, simplement le goût et le désir de vivre quelque chose de différent. Pour les hommes, avec de mauvais aspects dans cette maison, il y a possibilité qu'ils ne fondent pas de foyer, bien qu'ils le désirent ardemment. Le natif sera alors l'oncle bienheureux, bienvenu, celui qui amuse les enfants de ses frères et sœurs, qui les garde, qui dépanne dans les cas d'urgence. Possibilité qu'il vive à proximité de sa famille ou qu'il essaie de la voir le plus souvent possible. Bon communicateur, il est au courant de tout ce qui se passe sur le plan social. Il croit aux forces occultes, mais, comme tout bon Verseau qu'il est, il demandera une preuve. S'il l'avait, vous le verriez alors se lancer à fond dans cette recherche.

Sa cinquième maison, dans le signe du Poissons, sa maison des amours, donne une fidélité douteuse ou une fin étrange dans ses amours, un éloignement neptunien. Il peut quitter ou on peut le quitter pour des motifs mystérieux, inexplicables! Poussée psychique de la part de celui qui quitte ou du natif. Il sera attiré par les personnes sensibles et il pourrait essayer quelques manipulations qui ne lui rapporteraient pas le résultat espéré. Il aura la sensation d'aimer l'humanité, d'être tolérant envers la faiblesse, la pauvreté, le dénuement mais, ça accroche quelque part! Il n'est pas totalement désintéressé quand il est attiré par quelqu'un. D'un seul coup d'œil il aura fait l'analyse économique de cette personne de qui, peut-être, il pourrait retirer de l'amour! Encore une fois cette position, surtout avec de bons aspects de Neptune, fait doubler ses investissements!

Sa sixième maison, celle du travail, dans le signe du Bélier, troisième signe du Verseau, lui fait décider précipitamment de son emploi du temps. Les changements sont rapides, sans avertissement. Analytique, il peut exceller dans le domaine de l'écriture, du journalisme. Doué pour la parole, il peut occuper un poste qui demande de la persuasion et un grand sens de la négociation. Il lui arrive également de dire des choses sans trop réfléchir, trop brutalement, et de froisser la sensibilité d'autrui. L'intelligence est vive et possède un pouvoir de décision rapide dans l'ordre de ses fonctions. Un travail mercurien lui convient bien, ce qui englobe, en plus du monde de la littérature, le commerce, la médecine, la pharmacie, les communications écrites ou verbales. Il sera un franc défenseur. Il aime la justice. La justice étant humaine et, selon ses critères, souvent personnelle, il n'est pas certain à 100% que sa justice soit la même pour tout le monde, mais il essaiera d'avoir une vue d'ensemble, le Verseau étant un symbole de masse.

Sous des aspects négatifs de Mars, cette position peut entraîner au trafic de la drogue, à la prostitution, à la consommation excessive d'alcool, aux dérèglements hormonaux graves qui se traduiraient par des crises d'agressivité fort désagréables. Il peut alors être rusé, malhonnête, menteur, tricheur et même voleur! Il pourrait avoir un vif désir de détruire par la parole, d'oppresser, d'écraser ceux qui ne disent pas comme lui! L'aspect négatif n'enlève rien à son intelligence, sauf que le résultat sur autrui est loin de l'altruisme, de la délicatesse du geste et du mot! Cas rare, heureusement, mais je l'ai rencontré. Le tableau n'a rien de merveilleux et, généralement, la punition du choc en retour est plus grave que ne l'aurait supposée le natif.

Sa septième maison, dans le signe du Taureau, donne de la stabilité à ses unions, du moins en a-t-il le désir. Il pourrait survenir une sorte de malentendu et parfois dispute avec les parents de son conjoint, ce qui entraîne inévitablement des répercussions sur la vie conjugale. Il sera attiré tout d'abord par une belle personne! Ensuite, une riche personne! Les apparences peuvent le tromper! En fait, une fois l'union contractée, il pourra exiger qu'on l'aime éperdument! Ça peut arriver comme ça dans les romans, mais plus rarement dans la vie. Il est facile de dire des «je t'aime», mais le plus difficile c'est de démontrer à l'autre à quel point l'affirmation est vraie! Là-dessus le natif peut être économe. Il délaisse lentement son conjoint qui, de son côté, finit par réagir d'une manière ou d'une autre. Ce peut être l'inévitable divorce, ou alors il faut reprendre le dialogue, et comme le natif a la manie de ne pas tout dire...

Sa huitième maison, dans le signe du Gémeaux, symbole de Mercure, de l'esprit, de l'intelligence raisonnable dans la maison des transformations, fait qu'un jour le natif devra vivre une réforme complète de son système de valeurs. Cela peut se faire brutalement, à l'intérieur de lui, ou progressivement, c'est tout de même plus rare, ce double signe fixe étant du genre radical. Cette position affecte le système nerveux, surtout avec de mauvais aspects. Il peut donner une intelligence totalement ancrée dans la destruction plutôt que dans la construction. Les aspects de Mars et de Mercure sont importants dans la carte natale afin de déterminer à quel clan le natif appartient. Si le négativisme l'emporte, rien n'est impossible à ce Verseau qui vient de s'apercevoir qu'il est isolé dans son espace et qu'il a tellement besoin de l'appréciation d'autrui. Se faire respecter par la peur, la menace, conduit ce natif loin de sa fonction première qui est l'altruisme. Ce Verseau peut être divinement génial ou diaboliquement génial, il a le libre choix.

Sa neuvième maison, celle des voyages, dans le signe du Cancer, sixième du Verseau, provoque des voyages de travail, d'études. Mais il aura envie de revenir chez lui. Il est le Verseau qui a le moins le sens de l'exil. Il tient à vivre sur les lieux de sa naissance, à moins d'aspects vraiment particuliers dans sa carte natale. Généralement, s'il part c'est pour revenir. Cette position favorise l'argent par la famille ou l'appui financier par la famille. Encore une fois cette position indique de la chance sur le plan matériel. Pour certains, il y a possibilité de faire de l'argent avec un produit fabriqué chez eux et exporté ailleurs.

Sa dixième maison, dans le signe du Lion, lui fait désirer une carrière royale, une place d'honneur. Il aime le prestige. Mais comme le Lion se retrouve à l'opposé du Verseau, ce natif voulant briller pour briller, il risque malheureusement d'aller au-devant d'une déception. Pour être aimé d'un public il faut avoir quelque chose à lui donner avec son cœur. Dans le cas d'une carrière publique, le natif peut obtenir un grand succès et tout à coup retomber de son piédestal. Il a voulu se faire plaisir alors qu'on lui demandait de faire plaisir aux autres. Cette position engendre quelques désillusions sentimentales. Il a, par exemple, épousé une personne bien et tout à coup, une fois la conquête terminée, il se rend compte qu'elle est froide. Le natif peut également posséder un vocabulaire impressionnant et parler de l'amour en des termes flamboyants, mais sous l'effet de la dixième maison, soit celle de Saturne, ce peut être quelque chose qu'il a appris par cœur, qu'il a lu et retenu. Étrangement, on finit par se refroidir en face de lui, car on sent qu'il cache toujours quelque chose, il n'a pas tout dit, il a du mal à se mettre à nu. Avec cette position, si le natif vit plusieurs excès, entre autres l'alcool ou la drogue, il pourrait un jour avoir de sérieux problèmes avec son cœur physique!

Sa onzième maison, dans le signe de la Vierge, onzième symbole uranien, celui du Verseau, planète des chocs, des amis, des excès sexuels également: le voici placé dans le signe de la Vierge qui, elle, est le symbole de Mercure dans un signe de terre, signifiant à son tour le vice ou la vertu. Cette onzième maison est également le huitième signe du Verseau, le huitième étant à son tour le monde de la sexualité, des virus, de la pourriture, de l'alcool surtout, de la prostitution, bref de tout ce qui fait affront à la morale. Ce huitième signe est à la fois le symbole de la mort et celui de la résurrection. Nous avons donc là une personnalité qui peut un jour faire les pires choses, les plus offensantes, et tout à coup se transformer en saint, ou presque! Cette position, avec des aspects négatifs, peut mener à une certaine folie mentale, à une profonde dépression. Le natif, s'il a soif de pouvoir, pourrait s'entourer pendant longtemps de gens faibles, mais il ne se rend pas compte qu'il risque de devenir plus faible que tous ceux qu'il a dominés. Quand cette maison reçoit de bons aspects, vous avez, tout au contraire, un Verseau qui vient en aide à tous ceux qui souffrent et qui peut faire tout en son pouvoir pour vous apporter son aide. Il est plutôt rare de voir ce natif victime de la vie. La vie lui a donné une force d'action incroyable, il lui reste à en déterminer lui-même les règles du jeu.

Sa douzième maison, celle de l'épreuve, se trouve dans le signe de la Balance. Dans le cas d'un Verseau-Scorpion négatif, il serait totalement infidèle. Par ricochet, puisque tout se paie, il vivrait une douloureuse séparation tant avec le conjoint qu'avec ceux qui avaient cru en lui. Il peut aussi élever ses vibrations d'amour et les donner. Il pourra alors être un grand diffuseur de paix et d'harmonie. Il n'est pas rare qu'une rupture lui serve de leçon. Être abandonné, c'est la plus terrible chose qui puisse lui arriver, surtout s'il est le dominateur, le contrôleur. Mais qui donc a envie d'être contrôlé toute sa vie? Un robot, une machine, mais jamais un être humain. C'est une leçon qu'il est venu apprendre parmi nous: laisser vivre et aimer toutes les différences entre les façons d'aimer.

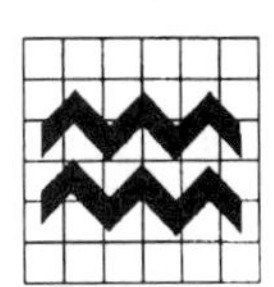
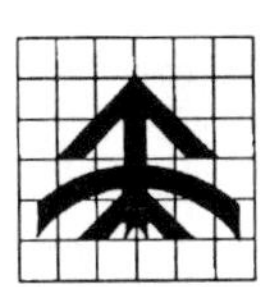

VERSEAU ASCENDANT SAGITTAIRE

Cet ascendant provoque la chance! L'esprit est original, la personnalité est décontractée plus que chez la plupart des Verseau, du moins en donne-t-il l'impression. Le goût de partager est très prononcé; se transformer pour être plus fort, plus puissant est inné.

Il communique facilement avec autrui, avec les étrangers plus particulièrement. Il aime voyager. Son esprit est toujours parti dans une quelconque contrée exotique quand il n'y est pas de corps.

Il est habile dans l'écriture, le langage parlé, la radio, la télévision, le cinéma. Il peut aussi s'orienter vers la religion où il fait un excellent prêcheur, il est persuasif! Il peut devenir fanatique, mais, heureusement, les cas sont rares.

La limite lui pue au nez. Le mot «incapable» ne fait pas partie de son vocabulaire. Tout est possible à celui qui croit et qui veut.

Le Sagittaire à l'ascendant du Verseau adoucit son côté dictateur. Son autorité est atténuée par des paroles d'encouragement plutôt que par des ordres. La routine l'endort. Les mêmes amis qui lui raconteraient toujours la même chose aussi!

Il lui faut de l'action pour qu'il soit heureux, tant dans son travail que dans sa vie amoureuse. Il a horreur qu'on prenne des habitudes, car elles tuent la créativité et la spontanéité. Il fait aussi un bon professeur, il a la patience qu'il faut pour expliquer et faire comprendre. Il veut être aimable et utile. En tant que professeur, il peut être comique.

Il apprend en plongeant au cœur de la vie, plus que par les livres, sauf ceux qu'il choisit lui-même de lire. Quand à son foyer, ce n'est pas une valise, c'est une roulotte, un avion, un train. Il n'aime pas rester à la maison. S'il fonde un foyer, il aura bien du mal à se consacrer à l'éducation de ses enfants! Le Verseau étant le symbole des enfants des autres, ce natif, avant de devenir père ou mère, devrait demander à une personne d'expérience ce que c'est que de prendre soin d'un enfant et de l'élever. Ça lui éviterait quelques désillusions. Trop souvent les parents ont oublié le temps qu'ils ont consacré à leurs enfants et ils font semblant que c'était facile... pour avoir des petits-enfants à faire sauter sur leurs genoux. Mais ce n'est pas facile d'éduquer des enfants. Les aimer demande qu'on fasse abstraction de soi durant plusieurs années, tout en continuant d'être soi, d'entretenir ses rêves. Il faut savoir que les enfants vous garderont jeunes si vous savez vivre avec eux... mais un Verseau n'est pas toujours prêt à consacrer sa vie à une famille, sa vraie famille c'est l'univers. Vous, Verseau-Sagittaire, demandez donc à vos parents la vérité sur ce qu'ils ont vécu quand vous étiez adolescent, naturellement si vous êtes à l'âge adulte; et si vous êtes un adolescent, observez combien vos parents sont toujours inquiets de vous voir devenir adulte et quels sacrifices ils font pour vous donner le maximum. Vous, Verseau-Sagittaire, vous aurez du mal à vous priver, à limiter votre liberté, l'appel du lointain est si puissant... Si vous avez envie d'un enfant, réfléchissez, consultez...

Sa deuxième maison, dans le signe du Capricorne, lui donne le sens de l'économie. Il est pratique et ne veut pas dépendre de qui que ce soit. Il est indépendant. Sur le plan financier, il pourrait être naïf lorsqu'il s'associe et engage son argent dans une entreprise qui risque une dissolution mystérieuse. Il a nettement conscience, même quand il est jeune, que l'argent ne tombe pas du ciel et qu'il faut travailler pour en avoir. Manque de communication avec le père qui agit le plus souvent en pourvoyeur sans tenir compte du besoin émotionnel du natif. L'argent est parfois gagné dans un emploi gouvernemental ou dans une société établie depuis longtemps. Le natif pourra travailler même quand il aura dépassé l'âge de la retraite! Les vieux jours ce n'est pas pour lui, il compte rester jeune et agir.

Son Soleil, en troisième maison, en fait une personne vive qui bouge rapidement, à moins de sérieux aspects négatifs dans cette maison. Le natif aime les discussions, les arguments qui lui permettent d'aiguiser son jugement. S'il survient un moment de tranquillité qui se prolongerait un peu trop, il est bien possible qu'il trouve le mot qui aboutirait à un conflit! Ce natif supporte mal la solitude. Il aime la vie de groupe et se rendre populaire à l'intérieur de sa cellule d'action ou d'activités. Il n'est pas vraiment sportif, l'exception fait la règle. C'est un intellectuel qui aime les lettres, les mots, la logique et les contradictions que les mêmes mots peuvent contenir. Il aime les mesurer. Il possède également une puissance verbale peu commune. Il sait fort bien exprimer avec précision ce qu'il a à vous dire, et il ne passe pas par quatre chemins. Comme chez de nombreux Verseau, la critique est développée, ici beaucoup plus positivement que chez d'autres ascendants. Le natif est extrêmement sensible et vous le verrez s'agiter dans toutes les directions quand il est touché. Il est rare qu'il boude longtemps! L'adolescence est un moment déterminant chez lui. Il peut alors s'orienter dans une ligne directe et précise. À ce moment il aura continuellement envie de fuir la maison, comme d'autres types de ce signe. Il supporte mal la limite territoriale imposée par la famille. Il sera rarement un enfant unique, et il sera proche de ses frères et sœurs, les appuyant dans leur démarche à l'âge adulte.

Sa quatrième maison, dans le signe du Poissons, symbole de la mère et du foyer de naissance, également deuxième signe du Verseau, indique que le natif considérera son foyer comme une aide financière jusqu'au moment où il pourra s'en échapper. Sous le signe du Poissons, le foyer comporte un malaise caché, un secret que la mère porte et que le natif pourrait apprendre à l'âge adulte. Le Poissons étant un symbole d'infinie bonté et aussi de victime, la mère du natif peut être bonne, mais également avoir un comportement de victime face au natif. Et de temps à autre le natif subit le chantage émotionnel de sa mère. Il n'est pas sans s'en rendre compte. Le Soleil de ce natif étant en troisième maison, ses facultés d'analyse sont plus puissantes que sa mère pourrait le deviner.

Sa cinquième maison, celle de l'amour, dans le signe du Bélier, troisième signe du Verseau, fait que le natif s'attachera particulièrement à des personnes qui bougent et qui s'activent tout autant que lui. Il sera tout d'abord amical dans ses flirts. Pour que l'amour dure, un lien intellectuel doit exister entre lui et l'autre. Autrement la relation ne tient, en fait, qu'à un cheveu. Il aime l'affection, la tendresse, le romantisme mais il n'est pas particulièrement sensuel, il peut même avoir une certaine crainte de la sexualité. Comme il est très cérébral, il peut développer la peur d'être envahi par un désir sexuel. Il pourrait considérer le corps, support de la sexualité, cela va de soi, comme une chose à laquelle il ne faut pas penser. Il y a le corps, il y a l'esprit, et des deux c'est l'esprit qui doit gagner, parfois en délaissant tellement la vie sexuelle que le natif se verra abandonné par son partenaire! L'amour platonique est passé de mode, il faudra qu'il s'y fasse. Cette abstraction de la sexualité est courante chez les femmes, rarement chez les hommes. Verseau-Sagittaire étant un double signe masculin, la personnalité, bien qu'apparemment féminine, a parfois du mal à exprimer sa sexualité. Vous remarquerez que la plupart des femmes de ce signe sont ultraféminines dans leur habillement, leur coiffure, etc. Il y a évidemment toute une question d'éducation qui joue. Si une native est élevée selon des principes rigides et faits de sous-entendus tels que le sexe c'est sale, il est bien évident qu'elle limitera considérablement sa vie sexuelle.

Sa sixième maison, dans le signe du Taureau, maison du travail dans un signe vénusien, fait qu'il y a de fortes chances que le natif se dirige du côté de l'art, de la créativité. Vénus et Mercure intervenant ici, il y a possibilité que le natif soit attiré par le droit. Il sera travailleur, pourvu que le travail en question lui permette une certaine créativité et le laisse libre de ses mouvements et lui donne l'occasion de rencontrer de nombreuses personnes. Possibilité que l'amour et le travail soient liés. Cette position est extrêmement favorable aux écrivains. Cette maison représentant également la maladie, le natif peut être affecté par des maux de gorge et avoir une mauvaise digestion. Il devra surveiller son alimentation et éviter les courants d'air!

Sa septième maison, celle du conjoint dans le signe du Gémeaux, qui est également le cinquième signe du Verseau, laisse présager qu'un amour à l'adolescence se prolonge parfois jusqu'au mariage. Mais il faudrait presque un miracle pour que l'union tienne toute la vie! Le Gémeaux, un signe double, indique la plupart du temps deux mariages. Possibilité de nombreux déplacements avec le conjoint.

Sa huitième maison, dans le signe du Cancer, également le sixième signe du Verseau, annonce des changements majeurs au foyer du natif qui forcent celui-ci à choisir rapidement une orientation de travail. Le Cancer étant le symbole de la mère, celle-ci pourrait entretenir des idées négatives qu'elle transmet au natif, mais auxquelles il résiste. Cette position indique que le natif est fragile et résiste peu aux microbes. Il pourrait même attraper quelques virus au foyer. La mère ayant surprotégé le natif, quand celui-ci vit un stress, il a du mal à offrir de la résistance, laissant ainsi la place aux virus. On le sait maintenant, une personne à la fois émotive et négative offre un terrain fertile aux maladies de tous genres, de la plus petite à la plus grande. Le natif a tout intérêt à se relaxer dans le calme et à entretenir des idées positives s'il veut éviter de devoir s'aliter quand il a tant à faire! Cette position, bien qu'elle rende la santé du natif fragile, est une invitation à vivre très vieux!

Sa neuvième maison, dans le signe du Lion, signe opposé à son Soleil, annonce la possibilité que, vers sa trente-cinquième année, le natif décide d'aller vivre à l'étranger. Vers cet âge des changements majeurs dans l'orientation de la carrière peuvent survenir. Possibilité, si le natif s'est engagé dans une carrière littéraire, qu'il soit reconnu à l'étranger. Cette position peut aussi indiquer un enfant conçu à l'étranger. Vu l'ascendant Sagittaire qui favorise les carrières d'écriture pour le cinéma, la télévision ou pour toute forme d'animation, le métier d'acteur n'est pas non plus impossible. Il est rare que ce natif s'engage dans une carrière scientifique. Il est tellement idéaliste qu'il préfère créer les choses à la mesure de son imagination.

Sa dixième maison, dans le signe de la Vierge, huitième signe du Verseau, indique encore une fois qu'un changement majeur surviendra dans le domaine du travail du natif et qu'il réussira une carrière marginale. Il n'est pas vraiment fait pour le 9 à 5 dans un bureau. Le natif pourrait aussi s'engager dans une carrière de technicien – la technique touchant le modernisme, les ondes de la radio, de la télévision, le cinéma ou les ordinateurs. Il saura toujours bien gagner sa vie. S'il survient un arrêt de travail, le natif devra rester confiant. Il se trouvera vite un emploi, à moins qu'il ne s'efforce d'entretenir en lui du négativisme. Le Verseau étant un être magnétique, il doit savoir que tout ce qu'il pense peut devenir une réalité. Il a intérêt à bien penser!

Sa dixième maison étant le symbole du père dans le signe de la Vierge, pour un Verseau ça symbolise que le père est à la fois travailleur et absent. Chez certains, le père peut boire et faire de la mère du natif une victime. Le père est représenté par la raison, l'intelligence, mais c'est également un père qui cache quelque chose. L'idée de ce qui est caché au natif dans sa famille revient à plusieurs reprises. Un jour il saura. Si le secret n'a rien d'agréable, le natif ne devra pas se sentir coupable ou responsable de la situation. Il n'a qu'à en retirer une leçon, éviter le même piège, par exemple.

Sa onzième maison, celle des amis dans le signe de la Balance, place sur sa route des amis artistes. De bons aspects avec cette maison peuvent orienter le natif vers une carrière d'avocat. Cette position place encore une fois sa vie de couple en danger. La onzième étant de la nature d'Uranus, soit le divorce, et la Balance, symbole de l'union, un mauvais aspect de Vénus et d'Uranus dans la carte natale indique qu'il faut réfléchir à deux fois avant de s'engager dans le mariage qui est «supposément» un contrat à vie! Le mariage ne sera pas sans éclats; le natif finit par étouffer si on lui crée des obligations ou qu'on le force à trop de formalités. Il ne supporterait surtout pas d'être surveillé, de se faire poser des questions sur ses allées et venues. Le conjoint ne tarderait pas à réorganiser sa vie sans ce Verseau-Sagittaire.

Sa douzième maison, dans le signe du Scorpion, symbole de l'épreuve, indique que le natif peut avoir des peurs irraisonnées concernant la mort, la maladie; c'est pourquoi elle a une telle emprise sur lui. Vous remarquerez comment de nombreuses personnes racontent un accident. Elles finissent ou commencent par vous dire qu'elles avaient terriblement peur d'en avoir un, d'égratigner leur voiture, etc. Il en est de même pour ce natif. Ses peurs deviennent une réalité. Le subconscient ne veut pas contrarier le natif, au fond. Il lui redonne ce qu'il demande. Il fait la conversation avec lui! Comme s'il lui disait: «Tu as peur de la maladie? C'est justement le moment d'en parler puisque tu en as une!» Cela n'a rien de drôle. La maladie est le reflet le plus souvent d'un état intérieur négatif. Une révision de soi, un retour intérieur permet de voir clair. Le natif a la possibilité de vivre une vie pleine de merveilles, il ne faudrait pas qu'il la gâche avec ses peurs, probablement celles aussi qu'on lui a transmises et qu'il a absorbées sans même s'en rendre compte. On ne peut imaginer à quel point on peut ressembler à nos parents. Que les racines soient bonnes ou mauvaises, il en reste toujours quelque chose. Si les racines sont mauvaises, alors il faut les arracher, accepter qu'elles l'aient été et faire de la place pour planter et laisser grandir nos propres idées, notre propre vie.

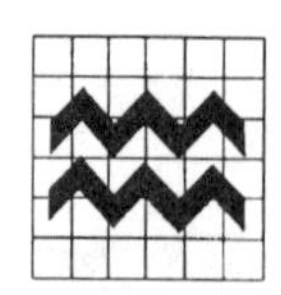

VERSEAU ASCENDANT CAPRICORNE

Nous avons ici un signe fixe, le Verseau, qui ne prend pas d'ordre et ne suit les conseils de personne, et un Capricorne, un signe cardinal qui commande. Le Verseau est un signe d'air et le Capricorne, un signe de terre. L'air et la terre, comment faire pour les unir? Le Verseau est une personne qui regarde en avant, vers l'avenir, et le Capricorne, un conservateur qui emmagasine, même les vieilles choses... on ne sait jamais quand ça peut être utile. Il ne faut rien jeter, dit le Capricorne. Mais voyons, dit le Verseau, tu vas manquer d'espace si tu continues à ramasser comme ça... Il ne lui reste plus qu'à agrandir sa maison ou son garage ou à utiliser une autre boîte à chaussures pour les petits bouts de crayons...

Il est autoritaire, froid, distant. Fort heureusement que cet ascendant Capricorne, qui le rend si sérieux, le rajeunit en vieillissant et le soulage finalement de son anxiété.

Il s'inquiète pour lui, il s'inquiète pour les autres... surtout si ces derniers pouvaient lui causer quelques dommages.

Il a le sens des responsabilités. Le Capricorne, à l'ascendant de ce signe d'air, rend l'air froid et il est intéressé à se chauffer en hiver. Il n'a rien d'une cigale... il serait plutôt fourmi, mais peut-être s'accorde-t-il quelques heures par année, des fantaisies de Verseau et prend-il le temps de s'émouvoir en voyant un maringouin qui pique et qui lui suce le sang! Pourquoi fait-il cela? Quelle est donc l'utilité de cette bête sur notre planète? Elle prend son sang, elle agace et ne rend aucun service.

Avec ce Verseau-Capricorne vous n'êtes intéressant que si vous êtes utile, indépendant, que vous n'avez pas besoin de son argent, le moins possible de son temps (c'est de l'argent), que vous êtes autonome et pas trop émotif. Il ne supporte ni les larmes, ni les drames, ni l'inégalité, selon son calcul personnel.

Il comptabilise tout, le temps qu'il prend à faire ceci, et s'il le faisait faire ça lui aurait coûté tant! S'il fait faire quelque chose, c'est toujours trop cher. Lui, il l'aurait fait plus vite et sans bavures! Quand il ne fait pas quelque chose lui-même, il remarque toujours un petit défaut!

Il peut avoir la politesse de vous demander votre avis sur quelque chose, mais il avait déjà tout décidé!

Force, intelligence et endurance sont réunies sous ce signe, il n'y manque que la sensibilité, après tout!

Mais qu'est-ce qu'un Verseau-Capricorne peut bien faire de la sensibilité? C'est pour les dames patronnesses, les pleureuses et les faibles!

Son Soleil se trouve en deuxième maison, celle de l'argent. Ce natif pourrait être obsédé par l'argent, en faire, en avoir de côté, en avant, en arrière, dans ses comptes en banque secrets... jamais dans ses bas de laine, ça ne rapporte pas d'intérêts! Cette deuxième maison est régie par Vénus, de la deuxième maison, donc Vénus dans un signe de terre. Le natif se laissera prendre à la forme de l'amour, à la forme d'une belle femme, à la forme d'un beau gars pour une fille! Comme le Verseau est un symbole uranien (divorce, chocs) allié à Vénus il peut lui arriver de faire éclater son union dans tous les sens. Le Verseau étant un signe fixe, la deuxième maison représentant le Taureau, un autre signe fixe, le natif a, comme on dit, la «tête dure»! Sa vision de la vie peut, pendant longtemps, n'être axée que sur les apparences. Le Verseau étant un symbole d'amitié, vous le verrez se lier d'amitié de préférence avec ceux qui ont de l'argent; les autres il peut les négliger ou même les dédaigner. Le Verseau doit être, de nature, un altruiste qui s'occupe de réformer le monde pour le faire meilleur et plus juste. Le Taureau bâtit le monde sur des bases solides. De par sa nature, il est égocentrique et possessif. Ce Verseau peut donc être déchiré entre deux puissantes tendances, prendre et donner. Habile, il donne afin de pouvoir prendre. La grosse part du gâteau lui revient plus souvent qu'aux autres! Le Verseau étant un être de réforme, un jour il pourra inverser le processus, prendre afin de pouvoir donner plus.

Sa troisième maison, dans le signe du Poissons, l'intelligence dans un signe neptunien, fait que l'alliance de Neptune et Mercure peut le rendre rusé, dissimulateur, confus également dans la diversité et la multiplicité des idées qui circulent de par le monde. Cette position marque l'adolescence. Élevé dans un milieu où le mensonge fait loi, le natif n'en retiendra que ce sens et il croira que c'est en trichant que l'on gagne. Élevé dans un milieu honnête, il sera, au contraire, charitable. L'esprit de ce natif, dans le symbole du Poissons, signe d'eau, absorbe donc tous les messages subconscients qu'on peut lui envoyer. Le Poissons étant un signe double, la troisième maison étant aussi une maison en signe double, vous avez là une personne qui ne se repose jamais. Elle pense, pense encore, réfléchit et réfléchit de nouveau à ce qui avait été résolu. Cette position incite le natif à broyer du noir, à regarder le pire côté de chaque chose et, en tant que Verseau, le magnétisme est puissant et la projection de sa pensée devient une réalité. S'il se mettait à réfléchir au meilleur de chaque chose, les éléments de la vie s'ajusteraient pour donner raison à sa propre pensée. Il lui faut faire l'effort mental de vouloir être heureux. Il lui est facile de sombrer dans l'inverse, le ciel l'y incline. Le Poissons étant le deuxième signe du Verseau, donc son symbole d'argent ici, troisième signe de son ascendant, il lui est facile de conclure que l'esprit se tourne sans cesse vers le bien-être matériel, la propriété, la possession. Cette troisième maison en Poissons incline aux maladies d'origine nerveuse, psychosomatique. Certains peuvent faire de l'asthme, indication d'une grande insécurité. Vous pourrez observer chez le natif qu'il parle seul, qu'il se fait des commentaires! Il supporte mal le silence et l'absence des gens. Il voudrait comprendre pourquoi il a tant besoin de communiquer!

Sa quatrième maison, celle de son foyer, dans le signe du Bélier, indique que le natif a pu avoir pour mère une femme emballée, une mère de feu, passant de la passion à la colère. Possibilité qu'il ait eu quelques accrochages avec sa mère. Cependant il n'en garde pas rancune, du moins dans la plupart des cas. Comme le Bélier est aussi le troisième signe, celui de Mercure, la raison, il a pu, s'il a vécu des problèmes de tout ordre avec sa mère, à l'âge adulte, les avoir raisonnés et oubliés. Cette position représente des déménagements décidés précipitamment, sur un coup de tête, sur une idée même. Le goût du changement est puissant chez le Verseau, et malgré un ascendant Capricorne qui le ralentit, de temps à autre il se fait ouragan ou typhon! Le foyer de naissance aura pu être un lieu où le natif a appris à former son esprit. On lui a appris à se défendre avec les mots, ceux qui frappent l'imagination de l'adversaire de manière à lui enlever tout pouvoir de réaction. Dans chaque carte du ciel, les racines sont inscrites. On voit bien un arbre, mais on ne voit pas ses racines. Il en est de même pour chacun de nous. Nous recevons des instructions dans l'enfance, comme si nous étions sous hypnose. Nous absorbons et nous faisons nôtres les réactions du père, de la mère, des frères et des sœurs. Ils deviennent une partie de nous, et c'est plus tard que nous avons le choix d'accepter ou de rejeter les données inscrites au plus profond du subconscient. Comme le Soleil de ce natif se retrouve en maison deux, celle du Taureau, un autre signe fixe tout comme le Verseau, le natif peut prendre beaucoup de temps avant de couper les racines subconscientes. Elles se sont bien enracinées dans la terre fertile du Taureau. Un jour le natif pourrait fonder un foyer; s'il a vécu des drames dans sa jeunesse, il y a possibilité qu'il fasse revivre aux siens le même genre de situation, sous une autre forme peut-être, mais avec les mêmes résultats. Si le natif est satisfait de lui et est heureux, alors il évitera cet aspect de la quatrième maison.

Sa cinquième maison, celle de l'amour dans le signe du Taureau, en aspects négatifs avec le Verseau, lui fait voir l'amour sous un angle de jeu, d'amusement qu'il voudrait prolonger. Il n'est pas toujours réaliste de ce côté. Il a souvent la sensation qu'il faut acheter l'amour, qu'il faut aussi épater, prouver qu'on est brillant comme le Soleil qui représente la cinquième maison. Il s'accroche à des valeurs artificielles, des apparences. Dans le thème d'une femme, cette position apporte de la froideur, de la difficulté à communiquer en dehors de ce qu'elle voit. Cependant, à quarante ans, l'âge d'Uranus, soit celui du Verseau, il y a de grandes chances, devant l'évidence dont le miroir n'est qu'un reflet, que le natif se ravise. Cette cinquième maison représente également les enfants. Position contradictoire avec le Verseau: difficultés avec les enfants. Il pourra considérer sa progéniture comme une propriété qu'il faut entretenir et qui, un jour, rapportera des intérêts! Il voudra en être fier (quel parent ne le voudrait pas?) et pouvoir dire: voyez c'est mon œuvre! Il court le risque d'être vu comme un pourvoyeur et rien de plus. Il aime ses enfants, il y est même très attaché, cependant l'amour suffit et n'a pas besoin de promesses de cadeaux! La cinquième maison étant un signe fixe, représentant le Lion, dans le signe du Taureau, également signe fixe, il pourrait se faire une idée de l'éducation et s'y engager à sa façon. Des enfants qui doivent réussir royalement, faire de l'argent, voilà ce qui pourra les rendre heureux! Sans doute que quelques psychologues pourraient l'éclairer là-dessus! On ne fait pas un enfant à son image, il est un produit mixte! Et quelqu'un de bien différent du père et de la mère, mais qui conserve de nombreuses racines.

Sa sixième maison, celle du travail, dans le signe du Gémeaux: ici nous avons une double position de Mercure, donc un homme orchestre au travail. Il fait tout en même temps et il peut aussi réussir tout en même temps. Le Gémeaux étant son cinquième signe, symbole d'amour pour le

Verseau, il y a de grandes chances que ce natif soit amoureux du travail et qu'il en fasse une raison de vivre, plutôt qu'un moyen de subsistance. Le natif est un concepteur, extrêmement intelligent. Double signe de Mercure, la sixième ou Mercure de la Vierge et le Gémeaux également de Mercure, voilà donc un esprit avec une double raison et une faculté de raisonnement peu commune quand il parle travail. Il est imaginatif, de par Mercure du Gémeaux, et réaliste, de par Mercure de la Vierge. Il est également très bavard. Il a toujours une idée en tête, et si vous voulez suivre le fil de ses idées vous devrez vous lever tôt. Il est physiquement nerveux. Il bouge sans cesse. Cette sixième maison étant aussi celle de la maladie, elle symbolise, dans ce double signe de Mercure, qu'il lui faut surveiller ses voies respiratoires et ses intestins. Encore une fois revient ici l'idée que s'il y a maladie elle est d'origine nerveuse et souvent due à un surmenage à cause de son travail. Pendant longtemps il peut occuper des postes subalternes. On pourrait même abuser de ses services, mais un jour on reconnaîtra son talent et le voilà à la direction. Cependant, il n'arrive que difficilement à être le premier, on ne lui donne que le second rôle dans lequel il peut se complaire, sa raison lui disant que si le bateau coule ce n'est pas lui qu'on accusera.

Sa septième maison, dans le signe du Cancer, symbole de la Lune, septième, symbole de Vénus, et Cancer qui se trouve à être le sixième signe du Verseau: encore une fois l'idée du travail prend le dessus. Il pourra laisser son conjoint dans l'ombre pendant qu'il travaille, mais il ne se trouve pas beaucoup de conjoints qui acceptent sans commentaires d'être utiles, quand on a besoin d'eux! Ce qu'il demande à l'autre c'est de lui être utile alors que si on l'a épousé selon la conception du mariage, c'est pour aimer et être aimé et non uniquement pour lui être utile. Il mettra longtemps avant de se rendre compte de la visualisation qu'il a de l'union. Ce qu'il n'a peut-être pas vu, c'est que, par ricochet, le conjoint finira par le regarder comme une personne utile lui aussi. La notion d'amour détachée de la raison ne lui vient que lentement et comme pour beaucoup de Verseau, il attend d'avoir ses quarante ans! Et il réalisera le tout d'une façon concrète à quarante-deux ans!

Sa huitième maison, celle des transformations, ou symbole du Scorpion, se trouve dans le signe du Lion, qui, lui, représente les enfants et l'amour en lettres lumineuses. Le Lion est le signe opposé du Verseau. Possibilité que le natif soit séparé de ses enfants. Possibilité qu'il vive sa transformation intérieure à partir de ses enfants et d'où il pourrait décider de ne plus être ce qu'il était, naturellement s'il n'était pas satisfait de lui, ce qui arrive à de nombreux Verseau-Capricorne. Cette position peut parfois indiquer qu'un ou l'un des enfants s'adonne à la drogue, à l'alcool. Position qui peut, dans certains cas, indiquer un danger de mort pour un enfant. Un enfant conçu avant le mariage est possible également. Pour ce qui est de l'amour, nous retrouvons ici une association Lion-Scorpion. Le natif, au jour de sa transformation, indiqué par les planètes de son thème natal, pourrait vivre un amour-passion allant jusqu'à la possession. Ce natif a bien du mal à nuancer dans les questions d'amour, c'est tout ou rien! Il aime ou il déteste, et quand il déteste, il a la fâcheuse manie de s'acharner à vouloir détruire! C'est pas joli! Comme un Lion, il accuse l'autre plutôt que lui quand ça va mal et, comme un Scorpion, il peut combattre jusqu'à la mort, ou comme certains Scorpion, il va jusqu'à penser: je trompe, mais l'autre n'a pas le droit!

Sa vie sentimentale est rarement simple. Quand tout est calme, il suscite une action, un événement, afin de rompre l'harmonie ou d'arrêter son discours intérieur. Il a tant de mal à communiquer: les souvenirs déçus du Capricorne prennent le dessus. Cette huitième maison est puissante, elle permet au natif de se réformer totalement, sur le plan mental, jusqu'à déraciner sa douleur.

Sa neuvième maison, celle de la philosophie, de la religion, des voyages, dans le signe de la Vierge, signe de terre rationnel, nous donne un philosophe de la matière. Il peut fort bien calculer ce qui rapporte, et si ça rapporte d'être bon il l'est, si ça ne rapporte pas, il ne l'est plus. La neuvième maison étant un signe double, tout comme pour la Vierge, son idéal penche du côté du plus fort, du plus pratique. Mais la Vierge étant le huitième signe du Verseau, elle symbolise que le natif commencera vers la trente-cinquième année à réfléchir sérieusement à sa philosophie du matérialisme et peut-être en changera-t-il quelques paragraphes. Encore une fois cette position indique le travail, l'acharnement et la progression, non pas par coups de chance mais bel et bien par acharnement. La plupart des Verseau sont croyants, mais pour celui-ci Dieu est une conception humaine, sortie tout droit d'un conte, d'un jeu d'esprit. Quand il verra quelqu'un réussir plus vite que lui, il se demandera ce qu'il a bien pu faire au bon Dieu pour qu'il soit encore dans le hall d'entrée. Dieu n'a pas ce calcul. Dieu n'est pas un être punisseur. Aussi longtemps qu'il conservera cette notion de Dieu, qui lui vient la plupart du temps de son héritage familial, il pourrait bien rester dans le hall d'entrée. Dieu est omniprésence, qu'il faut tout simplement bénir et remercier d'être. Pour ce qui est de ses voyages, ils auront à peu près toujours une raison. Il a du mal à se détendre et, même quand il est au loin, il pense au travail qui l'attend. Il lui faudrait faire quelques exercices de détente pour s'éviter des problèmes de santé. Avec de mauvais aspects dans cette maison, le foie peut être menacé.

Sa dixième maison, dans le signe de la Balance, qui représente carrière, associés, mariage dans ce signe vénusien, le natif peut fort bien se retrouver tant dans un monde artistique, créatif que dans celui de la justice, du vêtement, des cosmétiques ou qui touche le monde des artifices chers! Il est à la fois créateur et administrateur. Doué pour les relations publiques, il entre facilement en contact avec autrui. Possibilité qu'il rencontre son conjoint à l'intérieur de sa carrière, quand il est fondé de pouvoir. Cette maison étant en aspect bénéfique avec son Soleil, il peut avoir du succès à travailler en association. Cette position, encore une fois, lui assure du succès dans son entreprise.

Sa onzième maison, celle des amis, dans le signe du Scorpion, le rend très sélectif dans ses relations amicales. Il pourra connaître une foule de gens, mais il aura peu de confidents. La plupart de ses amis seront rencontrés dans ses relations de travail. Comme il s'agit ici du onzième symbole fixe et du Scorpion, symbole fixe, les vrais confidents le seront jusqu'à sa mort. Cette position indique également des relations sexuelles avec les personnes amies qui, en signe fixe, peuvent le suivre longtemps. La bisexualité ou l'homosexualité peuvent exister si des aspects le confirment dans sa carte natale. Ce natif pourrait également avoir des obsessions sexuelles. La onzième qui relève d'Uranus, permissivité sexuelle, et le Scorpion, la sexualité, nous donnent là une personne qui peut avoir des tendances sexuelles non conformes à la norme établie par la société.

Sa douzième maison, celle de l'épreuve, dans le signe du Sagittaire, symbole des voyages, de la philosophie, de l'étranger également, indique que le natif peut rencontrer de sérieuses difficultés à l'étranger et se trouver confronté à une philosophie qui s'éloigne de la sienne. Cette maison d'épreuves est en aspects bénéfiques avec le Verseau: l'épreuve peut donc apporter une bonne transformation psychique. Le Sagittaire, onzième signe du Verseau – les amis, les chocs, la soudaineté – et qui représente la philosophie, l'enseignement, le guide, la douzième qui, elle, relève de Neptune du Poissons, les mystères, ce qui est caché, Dieu, l'infini, tout cela nous permet de conclure qu'un jour ce Verseau pourrait rencontrer un ami étranger, philosophe, qui le guiderait vers une nouvelle compréhension à la fois de Dieu et de la vie elle-même. Cette position est symbolique de l'anti-ennemis; si le natif est susceptible d'avoir des ennemis, ceux-ci s'éliminent d'eux-mêmes. Bien que la douzième soit une maison d'épreuves, elle est l'indication de la phase la plus importante de l'évolution profonde du natif. Ici le natif peut vaincre ses peurs par la foi. Sa vie est faite d'une multitude d'incidents et d'accidents de parcours, mais ça n'arrive jamais pour rien. À certaines personnes trop tournées vers elles-mêmes, il faut de plus grosses épreuves afin qu'elles puissent devenir plus généreuses non pas uniquement sur le plan matériel mais aussi sur celui de la pensée elle-même. On est généreux quand on pense du bien d'une telle ou telle personne. On est généreux quand on s'abstient d'écouter les critiques qu'on fait à l'endroit des autres. On est généreux quand on défend un absent qu'on accuse justement parce qu'il est absent. On est généreux quand on aime ses enfants dans la tolérance et l'abstraction de leurs imperfections. On est généreux quand on respecte profondément les désirs et les goûts d'autrui, surtout s'ils ne correspondent pas aux nôtres. On est généreux quand on aime les amis de nos amis. On est généreux quand on aime la vie!

 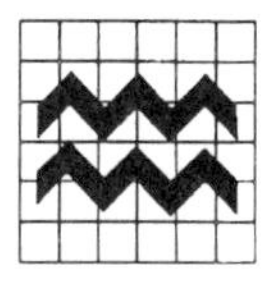

VERSEAU ASCENDANT VERSEAU

Indépendant, généreux, original, l'ordinaire l'ennuie. La routine lui est insupportable. La stupidité le fait vomir. La guerre lui pue au nez. Il déteste la pauvreté, la maladie, l'injustice, le mensonge, le vol, les fausses croyances, les superstitions, les hésitations, les compromis, les toujours et les jamais.

Il est avec tout et contre tout.

Vous ne pourrez éviter de remarquer cette personnalité, elle explose. Elle déborde par sa présence, par son bavardage intelligent, humoristique, souvent empreint de cynisme et de vérités qui passent assez bien avec de l'humour, malgré tout.

Il est vif, a réponse à tout, et quand on ne parle pas de son domaine il sait écouter, il aime apprendre, comprendre. Il est né curieux et il le restera.

Il est le génie du zodiaque, ou le fou aussi. Au premier coup d'œil il peut passer pour quelqu'un de bien ordinaire. Il fait un effort pour ne pas trop se faire remarquer, il s'habille d'une manière conventionnelle, il est poli, aimable, discret même! Mais il détonne par son magnétisme.

La vibration qu'il dégage est d'une puissance incroyable, un courant électrique plus fort que tout ce que nous avons présentement. Le monde est bien étroit pour lui. Son esprit est illimité et il le sait. Il est l'être le plus mal adapté sur cette planète, où il faut tout faire correctement, de peur de déranger, de surprendre, de peur de voir tout changer trop vite. Et de devoir se plier à des règles! Quelle horreur!

Il est sociable par amour des gens, par amour de l'esprit des gens. La logique est puissante, les réactions sont rapides, comme l'éclair. Il émet des idées sans arrêt et, comme il est signe fixe, il s'arrête sur l'une d'elles et se met à l'exploiter. Puisqu'il doit se comporter comme un humain, autant faire et bien faire.

Dites-lui qu'il a des défauts, il s'en fichera éperdument et il vous répondra qu'ils font partie intégrante de sa personnalité. Dites-lui qu'il commet une erreur en faisant tel ou tel geste, il vous répondra que ce sera une expérience de plus! Dites-lui qu'il n'a pas de cœur! Là, vous obtiendrez une réaction vive! Il en a un, mais vous n'avez vu que sa raison et son intelligence! La plupart du temps, c'est vrai. Il cache une profonde sensibilité, à fleur de peau. S'il devait la laisser s'échapper, il aurait peur de ne plus se contrôler, de perdre contact avec la réalité qu'il a tant de mal à garder...

En amour, vous ne le retiendrez pas. Il peut vous dire qu'il vous aime profondément, pour toujours, et deux minutes plus tard, il prend l'avion... On lui fait un drame? Il ne supporte pas! Ça le brise.

Il se fait des amis partout, qu'il ne garde pas longtemps près de lui, mais vingt ans plus tard, s'il était son ami, il l'est encore!

Double signe fixe, mais le moins fixe de tous, il a l'univers à explorer! Et il aura ensuite beaucoup à vous raconter.

Sa deuxième maison, dans le signe du Poissons, peut lui fournir deux sources de revenus, la Bourse, les placements, tout comme l'enseignement dans un monde bien particulier. L'argent peut également être gagné par les liquides: vente d'alcool, en aspects négatifs, vente de la drogue. Comme pour tous les signes qui possèdent à l'ascendant leur signe solaire, vous trouvez là un être excessif, en bien ou en mal. Comme le Verseau est également un symbole excessif d'avant-garde, quel que soit le domaine où il opère, il est difficile de le situer d'une manière officielle. Cette deuxième maison, dans le signe du Poissons qui est en fait le douzième signe du zodiaque, indique que le natif peut faire de l'argent comme de l'eau, mais il peut aussi l'écouler comme de l'eau. Neptune ayant un effet de dissolution dans sa maison d'argent, le natif doit sans cesse surveiller ses transactions et éviter toute illusion. Bien qu'il soit rationnel, quand il en arrive à l'argent il n'est pas certain qu'il soit parfaitement lucide. Le Poissons étant aussi le symbole de l'ennemi caché, il y a un danger que, dans toute sa logique, toute son astuce, ce natif ait oublié un détail dans l'organisation et que l'ennemi surgisse et s'empare de ses profits ou le trahisse. Ce natif peut devenir extraordinairement riche surtout à cause de placements où il excelle d'une manière quasi instinctive, mais il pourrait aussi s'emballer, Neptune de cette deuxième maison l'empêchant de voir sa limite. Comme pour tout autre signe, ce natif peut être bon ou mauvais: un Scorpion-Scorpion et un Verseau-Verseau peuvent engendrer la paix ou la violence. Il aura du mal à voir le juste milieu des choses. Et c'est là que se trouve le nœud de son évolution. Il y a quatre signes sur le zodiaque qui ont bien du mal à trouver leur équilibre, ils fonctionnent au tout ou rien: Taureau, Lion, Scorpion, Verseau. Avec ces quatre-là on peut rebâtir tout un monde ou aussi bien tout détruire, tout dépend de quel côté ils penchent. Les astres inclinent à une force, cette même force peut être en position du bien ou du mal et Verseau-Verseau n'en est pas exempt. Il a le double pouvoir d'Uranus: la paix universelle ou la guerre finale et sans retour. Sur le plan individuel, vous avez là un philanthrope, un humaniste, un philosophe, un intellectuel, à la recherche de l'égalité et de la justice au service de tout un peuple. Le Verseau étant un symbole de la foule, de la masse, Verseau-Verseau pourrait bien vouloir se mettre devant mais pourquoi? Quel rôle a-t-il envie de tenir? Est-ce pour servir ses frères ou les manipuler? La carte individuelle nous informe là-dessus... Venir au monde Verseau, et surtout Verseau-Verseau, c'est une grande responsabilité où on commence par se prendre en charge avant de prendre en charge toute l'humanité. Il voit grand! Mon père m'a toujours dit que l'ambition tue son homme, ce qui s'applique tellement bien à ce Verseau-Verseau.

Sa troisième maison, dans le signe du Bélier, lui donne un esprit rapide, le sens de la repartie, une capacité peu commune de répondre aux oppositions. Ce natif peut être tantôt comique, tantôt dramatique. Il a une tournure d'esprit très originale, il peut dire les mêmes choses que bien des gens, mais dans un langage bien à lui. Il sait faire passer ses idées. Il a aussi la tête dure. Quand il tient à un projet, il ne démissionne pas. On pourrait même dire qu'il talonne. Cette position le rendant prompt à la réaction, il doit donc surveiller son langage face à certaines personnes dont il ne devine pas toujours l'extrême sensibilité, et il blesse sans le vouloir. Sauf en cas de très mauvais aspects, ce natif n'a rien de méchant. Il n'attaque pas. Il a juste un bon système de défense.

Sa quatrième maison, dans le signe du Taureau, lui apporte généralement une sécurité matérielle moyenne au foyer. La mère du natif est ici représentée comme une personne soigneuse, attentive et possessive aussi face au natif qui, lui, peut se rebeller contre elle. La mère se servira de son influence pour inculquer au natif la sécurité matérielle et l'importance du travail. Elle cherchera à le protéger parce qu'elle l'aime profondément. Elle veut lui transmettre également le sens des valeurs de la famille; avec le Verseau, il pourrait trouver le territoire beaucoup trop limité puisque la famille du Verseau c'est le vaste monde!

Sa cinquième maison, dans le signe du Gémeaux, lui donne de bonnes intentions sentimentales et le goût de la fidélité, mais il aura du mal à s'y adonner. Il aime la conquête qui se fait à partir d'une discussion intellectuelle. Il aime l'intelligence et il confond l'amour et la rationalité ou alors il tombe amoureux d'une personne rationnelle. Puis il commence à s'ennuyer! Il n'y trouve pas de sensualité, le plaisir des sens n'étant pas inclus dans l'intelligence comme il aurait aimé qu'il le soit. Le voilà parti de nouveau vers une nouvelle conquête. Il cherche une personne intelligente. Il cherche quelqu'un qui ne regarde que les pièces détachées d'une même chose et qui réalise qu'il manque toujours un morceau! Il lui faudra apprendre, au cours de sa vie, qu'un humain a un cœur, un corps, un esprit. Il dissocie ces trois choses, aussi vous le verrez s'enflammer pour une personne qu'il ne connaît pas. Il lui semble en être amoureux, il l'a aperçue, ne lui a pas parlé, ne lui a pas touché, mais son cœur bat; cette personne est sûrement faite pour lui! Il lui parle, la touche et se rend compte qu'il s'est ému pour rien!

Pour ce qui est du corps, il aime bien les nouvelles sensations et il aura du mal à résister à une nouvelle exploration sexuelle. À l'entendre on croirait qu'il fait des études biologiques sur les comportements face à des attitudes et à des attouchements. Une fois l'examen passé, il ne reste plus qu'à faire un résumé et à ranger le dossier dans un classeur. Il y a des personnes avec lesquelles il n'a qu'un contact intellectuel. Il ne ressent aucune sensation et aucune émotion, et pourtant il reste fasciné si on lui apprend quelque chose.

Sa sixième maison, dans le signe du Cancer, maison du travail, dans le symbole de la Lune, indique qu'il y a possibilité de travailler pour la masse. Possibilité aussi d'un travail à la télévision ou en contact avec un grand public, ou encore l'enseignement. La Lune, dans la carte natale, joue un rôle important au sujet de son travail. Le natif est doué pour les achats immobiliers. Le Cancer l'inspire ainsi que la sixième maison, symbole de la Vierge ou de la raison. Voici donc quelqu'un qui peut ressentir un besoin, et par la raison, mettre sur pied une entreprise au service de la masse. Il sera doué pour la comptabilité et le domaine artistique ne lui est pas fermé. S'il devient un artiste, il saura fort bien négocier un contrat; et s'il choisit de devenir une personne d'affaires, il saura très bien présenter ses projets avec art, délicatesse, de façon qu'on approuve! Le natif pourrait mettre sur pied une entreprise à domicile, en collaboration avec la famille. Dans le cas d'une personne qui a un bureau, il y sera plus souvent qu'à la maison. S'il est un bâtisseur d'entreprises, il y a de fortes chances qu'il passe la majorité de son temps sur le chantier.

Sa septième maison, celle du conjoint, dans le signe du Lion, signe opposé à son Soleil, fait qu'avec de mauvais aspects ou des oppositions dans cette maison le mariage devient difficile à tenir! Le natif sera attiré par des personnes du style vedette! Il aime bien se balader au bras d'une personne qu'on remarquera. Cette septième étant dans un signe fixe, s'il devait y avoir divorce, cela pourrait prendre un long moment avant que ça se produise. Pour vivre une union heureuse, il faudra que le conjoint respecte la liberté du Verseau et l'aime! Pour sa part, il peut aimer, mais il aura peu de temps pour le dire et le prouver. Dans le cas des hommes de ce signe, il n'est pas rare d'entendre qu'ils paient alors que madame se dit satisfaite! Dans le cas d'une femme, elle sera très exigeante envers son conjoint, elle le voudra fort et puissant! Parfait! Pour vivre avec ces natifs, qu'ils soient masculins ou féminins, il faut avoir une bonne dose d'humour et un gros paquet d'indépendance, et surtout ne pas trop s'en faire pour les retards qui surviennent régulièrement. Les Verseau n'ont pas la notion du temps, et ce n'est guère mieux avec le Verseau-Verseau.

Sa huitième maison, celle des transformations, dans le signe de la Vierge, donne ici l'indice d'une fidélité sexuelle douteuse! Ce natif peut se laisser facilement tenter par l'aventure, la nouvelle expérience. Il pourra vous dire lui-même qu'il fait une expérience intellectuelle, comme de nombreux Verseau d'ailleurs, mais celui-ci aura encore plus d'explications à vous donner au sujet de son aventure: elle n'avait rien d'ordinaire, et ça s'est passé comme dans les films! Avec de mauvais aspects dans cette maison, le natif est alors sujet à des troubles génitaux, à des maladies vénériennes. Cette position indique également, au cas où le natif deviendrait riche, ce qui arrive à de nombreux Verseau: il devra, une fois en possession de sa fortune, se méfier de ceux qui lui proposent des investissements sujets à des fluctuations dangereuses.

Sa neuvième maison, dans le signe de la Balance, en fait un excellent avocat ou une personne qui s'arrange très bien avec tout ce qui touche le domaine juridique et les gouvernements. Il sera le plus souvent d'une nature et d'une allure chic. Il aime se faire remarquer comme étant quelqu'un! Vous ne l'aurez vu qu'une seule fois et vous vous souviendrez de lui, il se démarque. Encore une fois cette position fait qu'il se sent attiré vers les arts, le monde de la communication. Il est d'ailleurs très habile pour établir des relations et s'en servir. Le plus souvent le conjoint de ce natif sera bon, et il arrive que le natif abuse de ses bontés! C'est à lui d'y voir. Il attirera un partenaire qui aime les enfants, et il pourra être stimulé par le conjoint dans son ascension. Il sait apprécier les voyages, les vacances. Là-dessus il diffère des autres Verseau qui ont bien du mal à s'arrêter. Possibilité que le travail le fasse voyager dans un contexte particulier où il établit des relations diplomatiques où il fait échange de commerce, ce qui peut favoriser l'expansion de son entreprise.

Sa dixième maison, dans le signe du Scorpion, lui donne le goût et la soif du pouvoir. Cette position le rend habile à manipuler l'argent des autres et à le faire fructifier, une part du profit lui revenant naturellement. Il pourra rencontrer, à ses débuts, de nombreuses difficultés. Il a l'art de s'emballer et le Verseau, quand il est jeune, est généralement naïf, et comme il lui arrive de se faire avoir, alors attention il devient plus méfiant que n'importe qui sur le zodiaque. S'il sent que vous allez le tromper, vous risquez gros, car il peut à son tour vous retourner votre jeu de passe! Ce natif peut vous raconter, par exemple, qu'il n'est pas ambitieux, mais n'allez surtout pas le croire! Il ne veut pas vous écraser pour passer devant, mais si à tout hasard vous êtes son compétiteur, vous devrez déployer beaucoup d'énergie pour ne pas vous retrouver loin en arrière. Il ne vous donnera aucune chance. Possibilité que le natif n'ait pas été choyé par son père qui a pu être rigide et non communicatif avec lui. La mort du père peut ou pourra changer la mentalité du natif face à un tas de choses sur la vie.

Sa onzième maison, dans le signe du Sagittaire, maison des amis venant de partout, indique qu'il pourra avoir de nombreux amis étrangers. Possibilité aussi qu'il vive à l'étranger hors de son lieu de naissance. C'est l'indice d'un Verseau qui fréquente les gens bien, ceux qui ont de l'influence et de l'argent. Possibilité qu'il ait des amis haut placés. Une position qui encore une fois favorise les rapports avec les gouvernements et qui favorise les voyages payés, aux frais d'une compagnie, d'un gouvernement, invitation diplomatique. Il y a également possibilité que le natif s'engage un jour en politique.

Sa douzième maison, celle de l'épreuve dans le signe du Capricorne, ramène l'idée que le natif a pu avoir quelques problèmes à cause de son père. Mésentente, mauvaise communication. Ce natif, en tant que parent, pourrait être un peu trop autoritaire ou ne pas communiquer suffisamment avec sa progéniture, ce qui peut lui créer un jour un problème avec ses enfants. Il devra surveiller ses os, il pourrait souffrir d'arthrite, par exemple. Il n'est pas exempt de problèmes de dos, de la colonne vertébrale. Bizarrement, c'est souvent la maladie, l'inertie, l'immobilité qui font évoluer ce natif. Il réfléchit. Le Verseau-Verseau peut être vu dans toute sa splendeur, c'est un être à succès. En cas de nombreux mauvais aspects sur son Soleil, il est alors le maître de la bêtise. Il est le double symbole d'Uranus et, sous son action, tout saute, pour faire place à du neuf.

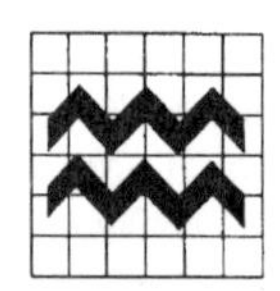

VERSEAU ASCENDANT POISSONS

C'est le sensible, le tourmenté, il met du temps avant de s'imposer ou alors il le fait à temps partiel, quand les eaux de Neptune ne sont pas trop houleuses!

Il est complexé, vous vous en rendrez compte rapidement. Il se demandera même si son sourire vous plaît, s'il vous est agréable, si les couleurs qu'il porte ne vous offensent pas. S'il arrive un peu trop tôt à un rendez-vous, il s'excuse de déranger. S'il est en retard, il se mettra presque à pleurer de vous avoir fait attendre... trois minutes!

Le réel et l'imaginaire se confondent. Il peut aussi bien être un devin, un astrologue, un cartomancien, comme il peut pencher du côté de l'alcool, de la drogue, du monde de l'illusion, du monde de l'invisible.

Poissons, signe d'eau, l'océan à l'infini; Verseau, l'espace!

Le Poissons régit les ondes maritimes, le Verseau régit les ondes électriques! Il y a l'eau et l'air. Comment vont-il se rencontrer? L'eau s'évapore dans l'air et retombe dans l'eau. L'air agite l'eau, la met en mouvement.

Les idées actionnent toutes les cordes sensibles, mais il arrive que tout se joue en même temps, dans le chaos et la confusion.

Il faut regarder le désordre sans s'énerver, c'est souvent du désordre le plus absolu que naît une invention!

Ce Verseau est prêt à vivre toutes les expériences, aussi faut-il qu'il soit bien orienté dans sa jeunesse pour lui éviter l'éparpillement, et pour qu'il puisse concrétiser une de ses idées qui ne peut être ordinaire.

La puissance subconsciente et l'inspiration ne lui font pas défaut. Il a une grande influence sur l'entourage, invisible, du moins imperceptible à la plupart d'entre nous. Il peut vous transformer s'il pense que vous devriez être autrement. Il ne vous dira rien, mais le fluide qui émane de lui vous touchera.

Il peut devenir un excellent guérisseur, un magnétiseur, un hypnotiseur, un manipulateur!

Il est rare qu'il se rende compte qu'il possède autant de force. De toute manière, on passe son temps à lui répéter qu'il n'est qu'un rêveur irréaliste.

Il n'est pas ordinaire.

S'il s'oriente vers la métaphysique, la philosophie, la religion, la foi, il y trouvera une raison de vivre parce que ces domaines quittent la sphère du quotidien terne et routinier et permettent à l'esprit de s'élever pour ensuite redescendre utilement pour tous les humains. Ce signe ne touche jamais qu'une seule personne à la fois, il déplace la foule.

Sa responsabilité humaine est plus grande qu'il ne le soupçonne. Il faut lui souhaiter qu'un jour sur sa route il rencontre l'illumination qui fera de lui un être éclairé qui apportera la lumière à cette humanité souffrante!

Sa deuxième maison, dans le signe du Bélier, troisième signe du Verseau, le porte souvent à vouloir gagner sa vie rapidement. Il peut être bon vendeur, que ce soit d'un produit ou d'une idée. Il peut aussi être un bon prêcheur quand il est persuadé de sa doctrine. Il est tout de même inquiet au sujet de l'argent. Le Verseau de notre temps aime l'argent parce qu'il est l'emblème du pouvoir. Ce natif s'inquiète parfois de ne pas chercher lui-même le pouvoir alors qu'au fond de lui il le désire! L'argent peut très bien rentrer dans ses caisses, mais il n'en a jamais assez. Il économise sans arrêt et ne s'offre aucun plaisir, ou il dépense sans arrêt et ne peut jamais s'offrir un gros plaisir! Pour lui, l'argent ça devrait venir tout seul, sans qu'on ait à faire d'efforts! Mais ce n'est pas tout à fait ce qui se passe. S'il veut devenir riche, il devra mettre du sien, trouver une direction. Élevé par exemple, dans un milieu louche, il pourrait tricher et voler! Élevé dans un milieu non stimulant, il pourrait devenir passif et attendre qu'on s'occupe de lui. Il devra faire l'effort de se stimuler lui-même et de n'attendre après personne. Plutôt que de rêver d'être riche, il devra se mettre en route. Une fois lancé, comme le Verseau n'a pas la notion du temps, il ne se rendra pas compte que ça lui a pris dix ans pour remplir ses caisses!

Sa troisième maison, dans le signe du Taureau, quatrième signe du Verseau, indique qu'il y a possibilité qu'on n'ait que très peu stimulé sa créativité. La mère est présentée comme une personne nerveuse qui donne plusieurs directives à la fois sans en prendre aucune elle-même pour donner l'exemple.

Ce natif a pu avoir de nombreux déplacements dans sa jeunesse, déménagements, instabilité pour toutes sortes de raisons. Il a pu se révolter contre sa mère, mais sans vraiment agir. Il a agi à l'intérieur, mais il n'a pas réagi quant à son autonomie.

Sa quatrième maison, dans le signe du Gémeaux, indique encore une fois un foyer tout plein d'idées. Mais laquelle est la meilleure? Il aura du mal à le savoir. Possibilité qu'on l'ait approuvé alors qu'il ne méritait pas grand-chose et qu'on l'ait puni pour une peccadille. Ce natif n'a pas eu une enfance simple le plus souvent, il cache de nombreux secrets plus ou moins agréables avec lesquels il vit car il ne peut les confier, il a du mal à les livrer. Il a de la difficulté à ajuster sa pensée, il entend des opinions contraires et il se demande qui a raison. Il peut aussi bien approuver de deux côtés à la fois! On le croira menteur quand on l'apprendra. Il ne voulait surtout pas de dispute, et il aurait aimé faire plaisir à tout le monde! Cette position favorise les écrivains, car l'imagination est fertile. Elle va dans toutes les directions à la fois et s'invente des situations, des personnages.

Sa cinquième maison, dans le signe du Cancer, indique que le natif n'a pas eu une grande résistance physique dans sa jeunesse. Trop émotif et vulnérable, il tombe malade afin qu'on prenne soin de lui. Cette position favorise ceux qui travaillent dans un domaine artistique. Le natif est habile de ses mains, il est créatif et peut faire ce qu'il veut.

Il fait également un bon acteur. Le fait de jouer un rôle lui permet en même temps de trouver une identité et de plaire. Il aime le vedettariat, la foule, surtout s'il se trouve des aspects dans cette maison. Il peut très bien se trouver dans un domaine médical. Il est agréable aux enfants et de bonne compagnie pour eux, il est leur égal sur le plan du rêve et de l'imagination.

Sa sixième maison, celle du travail, dans le signe du Lion, signe opposé au sien, fait qu'il rencontre son conjoint sur les lieux de son travail. Il aura tendance, s'il se marie, à n'être jamais certain d'avoir choisi la bonne personne. Il est sujet à vivre des arrêts de travail imputables à une situation collective. Il n'en est pas responsable. Vu sa sensibilité, le natif pourrait souffrir d'une fragilité du cœur ou d'une mauvaise circulation sanguine.

Sa septième maison, qui se trouve dans le signe de la Vierge, indique que le natif, vu son insécurité, pourrait, pour une première union (ici, il a une forte tendance à deux unions) attirer à lui un esprit critique qui, finalement, le détruira. Cette septième maison, également le huitième signe du Verseau, provoque une rupture qui transforme complètement la mentalité du Verseau. Il est possible qu'il en ressorte plus fort, plus sûr de lui, mais il n'est pas exempt d'une petite dépression! Il s'en relèvera cependant. Le conjoint peut être une personne extrêmement pratique, qui aime l'économie au maximum, et parfois jusqu'à l'exagération. Si le natif est dépensier, il pourrait y trouver son équilibre! S'il est économe lui-même, cela pourrait provoquer de sérieuses disputes.

Sa huitième maison, dans le signe de la Balance, lui fait rêver d'une grande justice! Ce natif peut être fortement attiré par les religions, les sectes. Avec des aspects qui incitent aux excès, en relation avec cette maison, il peut même devenir fanatique. Sans s'en rendre compte, il se fait dépendant d'un groupe, d'une communauté où il peut perdre son identité; il se marie avec une idée, un rite, une liturgie. Il peut devenir si radical qu'il rejette tout ce qui ne fait pas partie de ses propres croyances.

Sa neuvième maison, dans le signe du Scorpion, les voyages, sous l'emblème de Pluton, exploration intérieure. Cette exploration peut être due à une sorte de dépression. Avec de bons aspects dans cette maison, le natif fait un bon psychologue, un bon psychiatre. Il analyse, il veut une réponse à la dimension humaine. Où va-t-elle? D'où vient-elle? Encore une fois, cette position, avec de mauvais aspects, indique le fanatisme au nom d'une idéologie.

Sa dixième maison, dans le signe du Sagittaire, indique que, le plus souvent, c'est loin de son lieu de naissance que le natif commence à vivre. Il est plus chanceux hors du territoire qui l'a vu naître que chez lui. Cette position indique qu'il peut être acteur. À peu près tous les rôles lui conviennent. Il sait s'adapter aux circonstances de son personnage. Position qui, encore une fois, favorise la médecine et la politique, tout dépend des aspects de Saturne et de Jupiter dans sa carte natale. C'est surtout vers l'âge de vingt-neuf ans que le natif se découvre et est enfin capable de passer à l'action, de la soutenir jusqu'au bout. Cette étape est importante et trouvera sa finalité dans sa trente-cinquième année. Mission accomplie. Il ne reste qu'à poursuivre. Le Verseau, à quarante ans, se transforme sous l'effet d'Uranus et il devient finalement ce qu'il a toujours voulu être, s'il y a mis des efforts naturellement.

Sa onzième maison, dans le signe du Capricorne, ne lui procure pas beaucoup d'amis, mais ils seront sérieux et stables. Ils seront souvent ses conseillers. Il pourrait avoir gardé plusieurs amis d'enfance. Plus il vieillit, plus il est en mesure de prendre ses responsabilités et il cesse de se sentir coupable de ce qui arrive à ceux qui l'entourent. Attitude qui peut avoir paralysé son action et retardé son éclosion.

Son Soleil se trouve en douzième maison, ce qui indique rarement une vie simple. Les obstacles surviennent sans prévenir. Arrêt de travail. Argent prêté qui n'est pas remboursé. Cette position incline à la recherche de la solitude pendant longtemps parce que le natif a du mal à communiquer, à s'identifier, et il craint d'être jugé ou critiqué. Position qui tend à lui faire développer quelques complexes. La douzième maison favorise la médecine, le travail de recherche en laboratoire, ce qui, en fait, demande une sorte de réclusion et une quasi-abstraction de soi.

Il n'est pas facile de définir ce natif. Un Verseau émotif, ça complique les choses. Il n'est plus uniquement un raisonneur, mais aussi un être ultrasensible! Il peut manipuler, comme il peut lui-même être le manipulateur. C'est à lui de choisir sa vie quand il en a l'âge et s'il a eu une enfance difficile, il n'a pas à trouver d'excuses pour ne pas agir en vieillissant, il est trop intelligent pour ça.

Le Poissons et ses ascendants

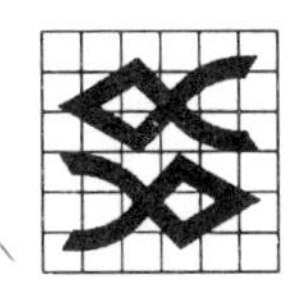
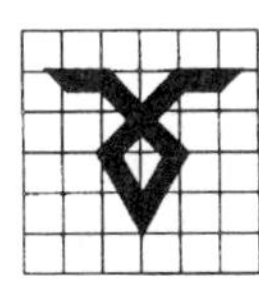

POISSONS ASCENDANT BÉLIER

Il n'est pas de tous repos! Il gigote dans tous les sens! Il s'impatiente rapidement. Il est à la recherche de toutes les nouveautés: mode, art, restaurant, coiffure, etc., de tout ce qui est visuel et palpable.

Dans sa jeunesse il vit de fredaines. Il se raconte mille et une histoires, fait semblant d'y croire ou y croit réellement, et il s'embarque dans plus d'une croisade. Il aime et déteste en même temps; la même personne, un jour, lui est sympathique, et le lendemain il ne peut la supporter!

Il aime plaire, à condition qu'il n'ait pas à se plier en quatre ou à se fendre en deux! Trop d'efforts dans ce sens lui seraient insupportables. Il est prompt à la réaction et supporte mal la moindre offense. Vous devez le trouver parfait dans ses goûts, dans ses choix et dans sa manière d'être; c'est tout juste s'il ne vous met pas les mots dans la bouche...

Il a besoin d'agir, de multiplier les activités, de laisser échapper son trop-plein d'énergie. Il est capable de provoquer une scène juste parce qu'il commence à trouver le temps long et que ça le contrarie!

Il doit canaliser son objectif bien précisément, car il a tendance à la dispersion et il pourrait se retrouver dans des situations embrouillées. Et quand il se retrouve devant une désillusion, il se sent profondément touché, ça frôle la dépression!

Ce Poissons possède une force martienne, la puissance de se battre pour atteindre un objectif, de savoir se défendre en cas d'attaque, mais il sait tout aussi bien provoquer, par défi, pour manifester sa force, son pouvoir, pour dominer, parce qu'il aime se distinguer, démontrer qu'il est le premier quelque part. En classe, être le dernier ou le premier, du moment qu'il tient une place où on le remarque!

En amour, il attire des partenaires de choix, de classe, brillants, raisonnables, mais il ne les garde que rarement. Une seule personne à aimer, c'est limité! Une seule personne qui vous aime, il lui en faut plus. Il ne déteste pas les admirateurs de ses charmes et de ce qu'il juge comme ses prouesses!

C'est un tendre, mais qui ne se sacrifiera jamais pour autrui. Il préfère que vous vous sacrifiiez pour lui! Il est persuadé qu'il mérite bien ça pour être ce qu'il est.

L'humilité peut faire défaut à ce Poissons. C'est une leçon qu'il devra apprendre. Le temps et les circonstances lui feront bien la leçon!

Sa deuxième maison, dans le signe du Taureau, fait de lui un bon spéculateur, il est même chanceux. Il est doué pour acheter, revendre, mais il peut parfois tricher, monter le prix, réaliser un plus gros profit. Il le fait avec un si joli sourire que, quand vous l'apprendrez, vous penserez qu'il était bien coquin! Il a de l'esprit, il répond à tout. Il n'aime pas vraiment apprendre par les livres. Il apprend dans le feu de l'action de la vie dans lequel il se lance avec passion!

Sa troisième maison, dans le signe du Gémeaux, quatrième signe du Poissons, fait qu'il y a possibilité de mésentente dans son foyer de naissance. Il est né sur une longueur d'onde différente de celle de ses frères et sœurs. Il n'a pas non plus envie d'écouter les conseils de sa mère, ça l'agace. Il a beaucoup à faire, mais pas ses devoirs quand il est jeune, du moins la plupart d'entre eux, sauf si de bons aspects viennent rectifier cette maison. Il a pu fuir à l'adolescence, se soustraire au climat familial. Il a pu le faire en esprit, mais beaucoup d'entre eux le font réellement et commencent à travailler très jeunes. Il a un empire à bâtir! Les discussions et les oppositions verbales peuvent être nombreuses à son foyer. La mère a pu être une personne nerveuse, instable, surtout dans sa façon d'agir: dire une chose et en faire une autre. Ce natif n'était pas d'accord. Il choisit donc de faire sa vie à lui!

Sa quatrième maison, dans le signe du Cancer, lui donne le goût de l'amour! Il rêve en couleurs! Pour un homme, il désirera la femme douce qui sera la mère de ses enfants, qui le nourrit bien et qui ne rouspète pas quand il est en retard! Un natif préfère une femme soumise, belle bien sûr. Il voudra être fier de la présenter à ses amis! Il pourrait effectivement rencontrer une perle rare, mais il aime faire l'amour et a bien du mal à résister à la tentation d'aller voir ailleurs! Il n'a pas l'intention de tromper au départ, simplement de vérifier s'il est toujours aussi séduisant, mais l'occasion fait le larron! Dans le cas d'une nativité féminine, la personne sera douce, aimable, mais elle demandera protection, sécurité, luxe et confort à celui qui voudra bien vivre avec elle. En échange, elle prendra soin des enfants, sera une bonne mère, une bonne cuisinière et elle s'efforcera de développer toutes les qualités qu'on attend d'elle! Mais monsieur ferait bien de lui donner de l'attention. Elle a son petit bagage d'indépendance avec elle et ça ne lui fait pas si peur que ça de claquer la porte! Vous pourrez toujours courir après elle par la suite!

Sa cinquième maison, dans le signe du Lion, symbole de l'or, sixième symbole du travail, signifie un travail dans une banque ou en ce qui a trait aux valeurs financières, la Bourse entre autres. Le natif sera fortement attiré par l'art, les artistes. Il supportera mal de ne pas être vu, qu'on ne s'occupe pas de lui, à moins qu'il n'ait des aspects qui l'incitent à la modestie ou qu'il ait des complexes! Il est doué pour les chiffres, les analyses. Il aime le jeu et il peut y gagner plusieurs fois. Il sait miser sur le plus fort! Il est intuitif. Il aime bien faire travailler les autres à sa place. S'il lance sa propre entreprise, il ne tardera pas à déléguer des pouvoirs afin de s'accorder plus d'heures de loisirs. Il sera habile à choisir les bonnes personnes qui lui donneront un excellent service. Il aura toujours le mot pour leur faire plaisir et obtenir ainsi le maximum de leur coopération.

Sa sixième maison, dans le signe de la Vierge, signe opposé au Poissons, lui fait souvent préférer le travail à son mariage! Pendant longtemps il peut être marié avec ses relations publiques! Il aura le sens de la discussion. Il est logique quand il faut l'être et sait s'émouvoir quand il le faut. Ce natif a tout intérêt à être extrêmement prudent s'il forme une association.

Sa septième maison, dans le signe de la Balance, qui est également le huitième signe du Poissons, indique que vous avez là un Poissons qui se croit tout permis et qui ne tient pas compte des besoins de son conjoint. Alors le Poissons-Bélier, un beau jour aura la grande surprise de voir sa perle rare se retrouver ailleurs! C'est l'amour qui transforme le natif. Il a beau être un grand raisonneur, jouer les durs, faire semblant de ne rien ressentir ou de tout contrôler, il ne pourra le faire toute sa vie et voilà qu'une rupture survient sans qu'il y soit préparé. Il était certain qu'on l'aimait pour toujours et sans condition! Il commencera à réviser ses positions, à manifester un peu de sensibilité, et quand il rencontrera une autre perle rare, il reconnaîtra qu'il faut en prendre soin. Il espacera fort probablement ses deux unions s'il a vécu un divorce. Le plus souvent il restera ami avec l'ex-conjoint.

Sa huitième maison est dans le signe du Scorpion. Il lui arrive de dire non à l'astrologie, il n'y croit pas! Il est catégorique et soudain, un beau jour, il se demande si quelque part il n'y a pas un destin de tracé! Il vient donc, en sceptique, demander l'analyse de sa carte du ciel et il rougit devant les quelques premières vérités que vous lui énoncez quand vous lui décrivez ses traits de caractère et que vous commencez à lui parler de sa mère! Il doit être prudent au cours de ses déplacements. Il peut alors être sujet au vol, aux accidents bêtes qui alourdissent le voyage. Il aimera partir, découvrir. Il pourrait avoir une attitude critique face à ce qui lui est étranger, juste pour parler, pour se donner le goût de revenir aussi.

Sa neuvième maison, celle des voyages, indique que le natif, une fois qu'il aura pris goût aux départs, cherchera le moyen de repartir de plus en plus souvent. Il y a possibilité d'une carrière à l'étranger dans le cas d'un artiste. Une personne en affaires pourrait trouver un poste hors de son lieu de naissance, au loin, et faire de l'argent avec ce qui vient d'ailleurs. Ce natif, par hasard, pourra rencontrer au cours de ses voyages des personnalités tout à fait originales qui ne ressemblent nullement à celles qui vivent dans le pays qu'il visite.

Sa dixième maison, dans le signe du Capricorne, lui assure le succès dans la carrière de son choix. Il pourra se décider d'une manière officielle, vers la vingt-septième année, et travailler en vue de son objectif pour atteindre un premier résultat très satisfaisant à vingt-neuf ans, à moins de très mauvais aspects de Saturne dans sa carte natale. Il pourrait vivre une ascension plus rapide qu'il l'aurait cru, car il est habile à s'ajuster rapidement. L'intelligence s'adapte à toutes les circonstances.

Sa onzième maison, dans le signe du Verseau, lui attire beaucoup d'amis et d'ennemis, des gens qui le jalousent, qui l'envient et qui se demandent comment il a pu faire pour grimper aussi vite. Cette position symbolise l'épreuve par le divorce. Si le natif travaille dans un domaine où il est en contact avec des explosifs, l'électricité, il devra être prudent. Une étincelle le cherche, lui en particulier! Ce natif voudra être populaire au point d'exagérer sur son charme. Il en met trop! On le trouve trop nerveux et trop énervant, mais on n'ose pas le lui dire, vous pourrez toujours le lui faire lire! Cette onzième maison a aussi un rapport de masse, au cas où le natif ferait son argent avec la masse. Il peut y avoir danger, à un moment donné, que le produit qu'il vend ou les idées qu'il émet, ne fassent plus l'affaire de la masse, il peut alors y perdre. C'est le genre de chose qui arrive au moment où il est le plus sûr de lui et qu'il cesse d'être attentif.

Son Soleil se trouve en douzième maison, la maison idéale pour lui, à moins qu'il n'ait de bien mauvais aspects de Neptune et de son Soleil. À ce moment-là, tout ce qui aurait pu être si beau, si parfait, devient illusion, maladie psychosomatique, dépression, hospitalisation, internement, prison. La douzième maison représente tout ce qui se tient caché, l'ennemi sournois qu'est la maladie la plupart du temps.

Ce natif est doué d'une grande force intérieure, il n'a qu'à vouloir son propre bien pour voir les événements se ranger devant lui et le satisfaire.

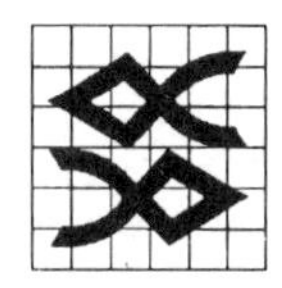
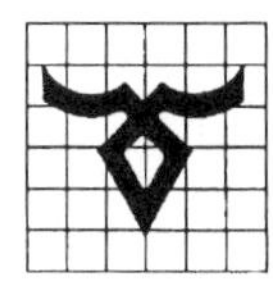

POISSONS ASCENDANT TAUREAU

L'océan est mouvementé, l'amour l'appelle, l'attire, le plaisir des sens opère particulièrement sur lui. Le goût du luxe, du beau, la vie douce, paisible, amoureuse, toutes les couleurs de l'arc-en-ciel apparaissent dans ses yeux. Il croit aux miracles de la vie et de l'amour et il ne se trompe pas. C'est vrai, ils se concrétisent!

Il veut plaire et être agréable à tout le monde, il n'attend d'autre reconnaissance que celle d'être aimé. Généreux, il a le cœur sur la main. Sensible à autrui, à leurs besoins, à leurs douleurs, à leur bonheur, il partage avec l'autre comme s'il était l'autre tout en restant lui-même.

C'est un artiste raffiné. Peinture, théâtre, esthétique, musique, danse, chant, comédie, etc. Il peut également faire un excellent comptable, du moment qu'il a la paix intérieure.

Il a le goût d'une union profonde, durable, sincère, paisible, calme et surtout sans heurts. Quand il accorde son amour, rien n'est superficiel, il aime de tout son être et il est souvent prêt à accepter même les défauts évidents de l'autre, persuadé qu'ils disparaîtront parce qu'il a cessé de les voir. Ce n'est pas toujours assuré!

Il aime les enfants. Les Poissons en général aiment l'humanité, mais ils sont rarement portés vers la famille et le clan. Mais celui-ci rassemble autour de lui sa progéniture et il la protège.

Ce natif est extrêmement sensible. Il vous scrute, il voit vos moindres peines et il est heureux quand vous l'êtes. Il n'hésite pas à vous rendre service, il ne demande que votre affection et votre amitié. Il n'est pas calculateur. En général, il a une vie qui va en s'améliorant, en progrès, et il finit toujours par posséder une maison, un terrain, une propriété. Il y a mis des efforts, mais de façon détachée, sans vraiment s'acharner à vouloir posséder. Tout lui vient parce qu'il a confiance. Peut-être aussi parce que le ciel le récompense d'avoir une belle âme et d'être aussi aimable avec ses semblables!

Parfois il devient excessivement original, sa tenue vestimentaire est surprenante. Il a aussi le don de porter le bon vêtement à la bonne place et avec les bonnes personnes.

Sa nature, bonne et douce, lui apporte le succès et le bonheur dans la vie, de quoi faire des envieux...

Sa deuxième maison, dans le signe du Gémeaux, lui procure parfois deux sources de revenus; le danger c'est qu'il peut aussi avoir deux sources de pertes. Il pourra, surtout à l'adolescence, avoir des difficultés financières, la famille ne l'aidant pas assez. Il décide donc d'aller gagner lui-même de l'argent. Ce ne sera pas facile s'il ne possède pas le bagage intellectuel qu'on réclame aujourd'hui pour obtenir un bon salaire. Mais il est débrouillard. Au départ, dans la vie, il n'a pas vraiment le sens de l'économie et il peut être très généreux. Par exemple prêter sur une promesse verbale et ne plus jamais revoir l'emprunteur, ça peut lui arriver. Il s'en souviendra et vous ne le reprendrez pas deux fois. Le natif peut beaucoup aimer sa mère et n'avoir, en fait, que peu d'affinités avec elle.

Sa troisième maison, dans le signe du Cancer, en fait une personne tolérante envers autrui. Il aime les gens, leur compagnie. Il est travailleur, mais il ne faut pas le bousculer, ça le rend nerveux. Il supporte mal d'avoir commis une erreur et s'accuse alors de tous les torts. Il a du mal à avoir confiance en lui, même quand on lui dit qu'il est expert. Imaginatif, il pourrait entreprendre une carrière dans un des domaines de création mentionnés plus haut. Il est extrêmement perspicace, tout autant que logique. Vous pouvez lui raconter une histoire fausse, il peut faire semblant d'y croire, mais il a deviné! Vous avez alors perdu sa confiance. Il n'est pas dupe, même s'il est tolérant. Habile dans les négociations financières, il lui suffit d'essayer, d'en prendre conscience et de se faire confiance.

Sa quatrième maison, dans le signe du Lion, indique qu'il y a possibilité que la mère du natif l'ait grandement influencé dans le choix de son travail et l'ait forcé sans même qu'il s'en soit rendu compte. Un lien familial peut exister avec le travail, une entreprise commune par exemple. Le natif est nerveux et il s'en fait pour rien. Il voudrait que tout soit parfait. Il ne veut déplaire à personne, faire plaisir à tout le monde. On dit qu'il se rend malade pour les autres. Il est généreux avec ses proches et souvent il ne reçoit pas ce qu'il mériterait comme considération.

Sa cinquième maison, dans le signe de la Vierge, lui apporte parfois quelques difficultés avec les enfants quand il en a. En cas de divorce, il y a possibilité que les enfants tiennent le natif responsable de la situation. Sa grande tolérance et sa patience feront qu'il pourra remettre les choses à leur place. Cette position suscite quand même beaucoup d'hésitations chez ce natif. Avant de «faire des enfants», il a conscience de cette responsabilité et il ne voudrait pas s'engager à la légère. Possibilité qu'il ait des difficultés avec son conjoint, car celui-ci pourrait manquer de travail, ce qui pourrait affecter considérablement sa façon de vivre. Maladie possible pour le conjoint. Le natif y sera dévoué.

Sa sixième maison, celle du travail, dans le signe de la Balance, le fait hésiter dans ses choix de travail. Le natif a tendance à l'inertie ou il a peur de choisir; il maintient ses engagements et ne voudrait pas faire n'importe quoi! Il sera tout autant attiré par le domaine artistique que par ce qui a trait aux chiffres, à la comptabilité. Dans le cas d'un choix artistique, il y sera heureux mais manquera de sécurité vu l'instabilité de ce milieu. Dans le cas d'une entreprise plus commerciale, il se demandera souvent ce qu'il y fait. Position qui indique, encore une fois, que le natif peut se retrouver avec son conjoint qui s'appuie entièrement sur lui pour ce qui est du bien-être familial. Le natif peut être doué pour un travail d'écriture. Il est dans ce cas d'exécution rapide.

Sa septième maison, dans le signe du Scorpion, un signe fixe, est tout de même un symbole de difficulté en ce qui a trait au mariage. L'argent est souvent au cœur du problème. Possibilité que le natif rencontre une personne susceptible de lui faire perdre confiance en lui-même, lui qui a eu tant de mal à l'acquérir. Avec le temps, il la reprendra et plus fortement qu'il ne l'aurait cru. Les épreuves ont pour effet de lui donner de la force tout en le rendant tolérant envers autrui.

Sa huitième maison, dans le signe du Sagittaire, lui donne le goût de l'astrologie, du paranormal. Le natif peut fort bien être en contact avec le monde invisible, il peut en prendre conscience et développer cet aspect de sa personnalité. Il fait également un très bon professeur. La médecine peut avoir un attrait particulier pour lui, principalement en ce qui touche l'âme et le comportement humain.

Sa neuvième maison, dans le signe du Capricorne, indique que, vers la quarante-cinquième année, le natif peut changer de vie et commencer à vivre sur un autre palier. Il pourrait vers la trente-cinquième année entreprendre des études qui donneraient un résultat positif dix années plus tard. Ce natif est d'une grande sagesse et est tolérant envers autrui. Comme je l'ai dit plus haut, il veut faire plaisir à tout le monde, cependant il lui arrive, dans sa naïveté et son bon cœur, d'aider des personnes qui ne lui sont pas reconnaissantes. Le temps viendra où il recevra le meilleur de la vie. S'il survient un décès ou une séparation, le natif à l'âge adulte pourrait bien se remarier.

Sa dixième maison, dans le signe du Verseau, symbolise la masse. Ici encore revient l'idée que le natif aimerait bien se diriger vers une carrière publique ou du moins faire un travail en rapport avec la masse. Il est fort habile à communiquer avec autrui. Il est aimé immédiatement, même s'il doute de son charme. Possibilité qu'il aille travailler au loin pour vivre une expérience nouvelle. Il pourrait s'associer à différents mouvements d'aide ou à des programmes en vue de promouvoir une idée, un parti, et même un mouvement religieux car il est profondément croyant, et c'est cette même foi qui le guide et l'aide à triompher de toutes les embûches de la vie.

Son Soleil se trouve en onzième maison. Le natif est donc indépendant bien qu'il soit proche des gens qu'il aime aider. Par exemple, dans une vie de couple, il est ce qu'il est et le restera. Il ne souffre pas de ce qu'on appelle le mimétisme, il ne devient pas l'autre. Cette onzième maison étant le symbole d'Uranus, planète de la collectivité, des chocs, des divorces, avec de mauvais aspects d'Uranus dans la carte natale le natif pourrait vivre des transformations radicales au moment où il s'y attend le moins. Il aura beaucoup d'amis, mais il est possible que ceux-ci abusent de ses services et ne lui rendent pas la pareille quand il en a besoin. En fait, il doit compter sur lui seul. Il a la force de le faire et de réussir ce qui lui plaît. Il devra y mettre toute son énergie. Comme il est un protégé du ciel, il n'a qu'à demander et, avec son acharnement, il finira bien par recevoir.

Sa douzième maison, celle de l'épreuve, dans le signe du Bélier, deuxième signe du Poissons, ramène l'idée que le natif pourrait avoir des problèmes d'argent, mais ils seront de courte durée, car il est débrouillard. Il peut être affecté par des maux de tête dus à des tensions que lui occasionne sa vie privée. Ce natif est un grand amoureux, et quand il vit une déception, il se demande comment il fera pour s'en sortir. Il n'a qu'à s'en remettre au ciel qui ne veut surtout pas qu'il soit malheureux.

POISSONS ASCENDANT GÉMEAUX

Double signe double, l'un d'eau et l'autre d'air, ce n'est pas aussi facile à vivre que le précédent signe. Il y a quatre personnes en une seule! Ce n'est pas une mince affaire que de s'identifier, même à soi.

Ce Poissons est excessif. Un jour il est dans un état euphorique, fou de joie, et le lendemain il est dépressif comme personne ne peut l'être.

La dualité qu'il vit est difficile aussi à supporter tant pour lui que pour les autres.

Il a les yeux tournés vers l'infini et en même temps vers lui, ses problèmes, ses besoins, mon, ma, mes, moi...

Un jour il est d'une générosité exemplaire, et le lendemain il peut vous arracher la nourriture entre les dents!

Il est capable de tout prendre, mais il peut aussi tout donner. Il commet souvent l'erreur de tout donner à la mauvaise personne et de tout prendre à celle qui n'a presque rien et qui n'a pas mérité ses manipulations! Mais il apprend au fil des erreurs qu'il ne veut surtout pas refaire.

Il se place dans des situations compliquées. Vous le savez. Vous lui faites remarquer en toute franchise qu'il aurait pu s'éviter ce trouble en faisant appel à son jugement. Il vous répondra, en mentant, qu'il savait très bien ce qu'il faisait... ou il se mettra à rire (jaune) en vous disant que vous dramatisez pour rien, qu'il ne faut pas tout prendre au sérieux... On l'a saisi, il n'y a plus rien à manger, il n'a pas de travail, et peut-être des bouches à nourrir en plus...

Le sens du concret fait défaut, la suite dans les idées a une fuite... il n'y croit pas, il ne se voit pas. Il ne tient pas tellement à se voir tel qu'il est ni à voir les choses telles qu'elles sont.

Imaginer qu'elles seront autrement, il en est capable. Imaginer que tout se réglera tout seul, il en est capable.

Ce qui ne l'empêche pas de vivre un terrible conflit intérieur. Ce Poissons est loin d'être bête, mais il est joueur, il joue à la vie, il joue sa vie et il en entraîne d'autres avec lui, dans le risque, dans l'aventure... et parfois dans la défaite.

Il se fait facilement accepter d'un groupe. Comment peut-on ne pas inviter ce bouffon qui rit et qui fait le pitre? Mais si vous le trouvez dans son intimité, il n'est plus aussi drôle. Quand il était avec les gens, il était quelqu'un, et quand il se trouve seul, il cherche qui il est, à quoi et à qui il peut bien ressembler. Quatre personnalités s'opposent et cherchent une réponse et chacune contredit l'autre.

Pour évoluer et trouver le bonheur, il devra être plus sélectif dans ses fréquentations, ne s'attacher qu'aux gens positifs, fréquenter ceux qui ont de la volonté et peut-être finira-t-il alors par trouver un modèle auquel il pourrait s'identifier enfin. À moins qu'il ne devienne acteur et qu'on lui impose un rôle. Au moins durant quelques heures, il sera une seule personne!

Sa deuxième maison, dans le signe du Cancer, l'incite à se fier beaucoup à la famille pour ce qui est de l'argent. Comme c'est le cas pour de nombreuses femmes de ce signe, leur mari doit tout payer, il est leur pourvoyeur. Madame croit que ses charmes suffisent! Il peut un jour y avoir une rectification! Dans le cas d'un homme, par exemple, s'il est celui qui paie pour la famille, il peut devenir économe et tout rapporter à lui, la famille ne manque de rien mais le luxe pourrait être exclu. L'argent pour lui ne servirait pas à s'amuser. Le natif voudrait gagner à la loterie, mais il s'illusionne! Ce n'est pas qu'il ait peur de l'effort pour gagner de l'argent, c'est qu'il n'en gagne jamais assez et il a peur d'en manquer. Il n'est pas rare que la famille soit un grand appui financier sous ce signe.

Sa troisième maison, dans le signe du Lion, le porte à apprendre les choses en surface. Il se fie aux apparences et veut se montrer beau. En société, il est tout simplement impeccable, il vous fera rire comme jamais vous n'avez ri! Il parle franchement, mais il ne dit pas toujours l'exacte vérité, seulement celle qui vous fait plaisir, qui vous flatte. Il est doué sur ce point. Vous pourrez vous laisser prendre à ses jeux, à ses raisonnements. Il est fort habile à vous faire pencher de son côté s'il tient absolument à ce que vous soyez de son avis. Cette maison étant également le sixième signe du Poissons, elle le porte à de profonds moments de dépression, quand il est seul. Il a d'ailleurs bien du mal à se retrouver face à lui-même. Cette position en fait un excellent comédien. Si quelqu'un oublie sa réplique, son sens de l'improvisation vient à la rescousse royalement mais...

il est possible que l'auteur, à la fin, ne reconnaisse plus son œuvre! Le Lion étant le domaine du cœur, ici dans la maison de Mercure, la raison, le natif pourrait bien, quand il dit qu'il tombe amoureux, avoir des motifs financiers pour trouver des qualités à ses prétendants! Dans le cas d'un homme qui s'intéresse moins souvent à l'argent des femmes – elles gagnent généralement moins que les hommes et c'est prouvé – il s'accroche à des valeurs artificielles, à ses beaux cheveux, à ses beaux vêtements, enfin tout ce qui paraît bien! Mais l'habit ne fait pas le moine! Et quand il se rend compte qu'il a rencontré une poupée, il déchante! Il lui arrive de jouer lui-même à être une poupée de qui il faut prendre grand soin... À l'âge adulte on se fatigue de jouer ce jeu, quand même!

Sa quatrième maison, dans le signe de la Vierge, soit son septième signe, indique que le natif pourrait pour son premier mariage – car il existe une grande possibilité qu'il y en ait deux – s'attacher à une personne du type lunaire. Elle le ferait rêver et, pour lui faire plaisir, se soumettrait aux nombreux caprices du natif. Il pourrait croire, devant sa désillusion, que c'est la faute de l'autre s'il n'est pas heureux! Ce n'est pas toujours ainsi que les choses se passent. Ce natif, doué d'une belle intelligence, a la mauvaise manie de croire que c'est ce qu'il voit qui est vrai! L'amour n'offre rien d'autre que l'amour, alors que le natif s'attend à recevoir la Lune et tous les trésors du monde parce que c'est lui. Le sens du pouvoir est puissant chez le natif, le goût de dominer, d'avoir raison aussi. Le Poissons étant un être intuitif, et celui-ci ayant de plus l'atout de Mercure par son ascendant, vous avez là une personne qui peut prévoir les réactions qu'on aura à son endroit. Mais, avec le temps, les personnes qui vivent dans son entourage proche se rendent compte de tous ses petits manèges et se fatiguent d'être prises aux jeux de mots, d'esprit, et finalement d'être obligées vis-à-vis de ce natif! Il brise la relation, quand la conscience est développée, et il le fait de son plein gré. Quand la conscience l'est moins, il s'aventure vers la défaite sans être innocent malgré tout. Le Poissons se doit, dans sa vocation de Poissons, de servir l'âme de son prochain. Ce Poissons-ci veut faire tout le contraire. Quand on ne vit pas selon les règles de sa nature on a bien du mal à trouver le bonheur.

Sa cinquième maison, dans le signe de la Balance, la cinquième étant le symbole de l'amour, de même que la Balance, nous avons donc là un natif qui s'enflamme mais... la Balance étant le huitième signe du Poissons, cet amour enflammé peut fort bien subir une destruction. Suivant certains aspects, le natif peut lui-même détruire l'union ou il peut en être la victime, la deuxième hypothèse étant très rare. Plus souvent c'est le natif lui-même qui provoque la destruction du mariage. Aussitôt qu'il voit la passion diminuer, la lune de miel terminée et la vie reprenant son train-train quotidien, il se sentira désemparé. Il ne peut supporter que les choses soient ainsi, mais il faut être réaliste et il y a des habitudes qui ne sont pas si mal. Passer son temps à grimper dans les rideaux, voilà qui peut être essoufflant! Cette position est également symbolique des enfants. Dans le cas d'une femme, elle pourrait faire un enfant juste pour faire comme tout le monde! Cette native n'a pas vraiment la vocation maternelle à moins que de bons aspects ne viennent corriger cette maison. Elle préfère la vie sociale à la vie de la cellule familiale, comme de nombreux Poissons d'ailleurs. Dans le cas d'un homme, il préférera le plus souvent une vie d'aventure à une vie de famille, et il résistera bien mal aux propositions amoureuses qu'on pourrait lui faire en dehors des liens de mariage! Sa fidélité est douteuse et, quand vient le jour de la vérité, monsieur peut très bien partir et quitter femme et enfants. Dans le cas des enfants, il pourra s'en détacher ou du moins vivre éloigné d'eux. Lui seul, au fond, sait ce qu'il ressent par rapport à ça!

Sa sixième maison, celle du travail, neuvième signe du Poissons, dans le signe du Scorpion, symbolise les transformations. En bons aspects avec le Poissons, voilà donc la plus grande porte de sortie que le natif puisse trouver pour aller vivre au loin et recommencer comme si rien ne s'était passé jusqu'ici, et évitant toutes les embûches et ne commettant plus les mêmes erreurs. Aller travailler loin de son lieu de naissance, refaire son mental, réfléchir et rêver de ne plus être ce qu'il était, s'il s'en est trouvé insatisfait, voilà ce qui arrive à de nombreux Poissons-Gémeaux. C'est souvent au cours d'un voyage, soit d'étude, soit de travail, que le natif transforme sa mentalité et en arrive à voir le meilleur côté de chaque chose. Il est le symbole de l'infini. Se trouver cantonné dans la routine, avec les mêmes gens, qu'il reconnaît d'instinct, ne le fascine pas, ne le retient pas. Cette maison est aussi très dangereuse en ce sens que si le natif a l'esprit continuellement tourné vers la facilité, il pourrait bien ne rien étudier et faire un travail qui lui demande peu d'efforts, en fait, et rapporter beaucoup! Le monde de la drogue et de l'alcool exerce sur lui un puissant attrait. Si ce natif est élevé dans un milieu douteux, il pourrait bien s'y adonner! Cette position favorise les études en médecine, l'astrologie et tout ce qui touche le côté obscur de la vie, auquel on peut ajouter une analyse.

Sa septième maison, celle du conjoint dans le signe du Sagittaire, laisse prévoir deux unions, la deuxième étant généralement plus heureuse que la première. Le natif aura alors eu le temps de réfléchir à ce qu'il est, à ce qu'il fait entre le divorce et la rencontre! Cette position indique que le natif pourrait avoir pour conjoint une personne d'une autre origine que la sienne et qu'il pourrait, en fait, se sentir à l'aise puisque l'autre lui ferait voir un côté de la vie d'ailleurs. Il arrive que ce natif croie que le but de la vie c'est de se marier, de vivre à deux et de s'imaginer que c'est à l'autre de faire son bonheur! Le but de la vie ce n'est ni le mariage ni la carrière: c'est d'arriver à être bien partout, en soi et avec les autres. C'est faire le bonheur d'autrui qui, par ricochet, nous le rend. La vie n'a rien d'injuste, en réalité. Elle nous rend tout simplement nos pensées, nous sommes ce que nous pensons. Si on vous aime, ne vous posez pas de questions, c'est que vous êtes bien dans votre peau! Votre énergie circule bien de vous à autrui qui vous le redonne selon la loi cosmique.

Sa huitième maison, dans le signe du Capricorne, indique que c'est autour de la quarantaine que le natif vit sérieusement et lucidement sa vie. Il devient si sage qu'on ne le reconnaît plus! Ceux qui s'étaient habitués à le voir pirouetter, de gauche à droite, de haut en bas, se rendent maintenant compte qu'il est possible de changer! Cette position indique le plus souvent une longue vie pour le natif.

Sa neuvième maison, dans le signe du Verseau, symbole des voyages pour la neuvième, l'espace pour le Verseau, les terres lointaines: le voilà parti, et très heureux de l'être. Nous avons ici le deuxième mariage du natif qui, en fait, est le plus souvent une union libre avec une personnalité fort originale et se démarquant du commun. Position également qui favorise la médecine, l'astrologie entre autres. Le natif peut un jour entrer en contact avec un monde complètement différent de celui qu'il a connu, de passer du matérialisme à la phase philosophique! C'est un grand saut, mais il en est bien capable et il se sentira bien à l'aise. À partir de là, il s'engage sur une route qui l'éveillera et lui permettra de choisir son propre engagement.

Son Soleil se retrouvant en dixième maison, le natif peut obtenir du succès dans la vie. Musique, danse, vie politique, ou alors il peut se dévouer pour une cause qu'il fait sienne. Il ne faudrait pas tomber dans le fanatisme qui est si destructeur. Encore une fois, longue vie à ce natif. C'est sans nul doute à cause de sa longévité, l'exception fait la règle, que le natif peut se permettre, dans la première partie de sa vie, toutes sortes d'expériences plus ou moins heureuses! Il a tout le temps pour se réformer et c'est comme si, au fond de lui, il l'avait toujours su. Il peut aussi être doué pour le commerce qu'il saura administrer avec intelligence, à la maturité bien certainement.

Sa onzième maison, dans le signe du Bélier, facilite l'arrivée des amis, mais quand il est jeune il sera plus intéressé à la protection que ses amis veulent bien lui accorder. Avec le temps, il s'accordera lui-même sa protection. Il pourrait être un emprunteur quand il est jeune! Il peut aussi un jour recevoir de l'appui matériel de ses amis afin de bâtir une entreprise! S'il est trop jeune, ses amis risquent d'y perdre! Ses voyages sont décidés précipitamment; il suit son impulsion quand il achète son billet d'avion, un aller seulement! Plusieurs ont cette audace. Avec Mars dans la maison des amis, il y en a de tous les genres: agressifs, prompts, violents, impulsifs, et peut-être même des gens douteux. Et il peut aussi fort bien changer de cercle d'amis, les entreprenants, les généreux, les idéalistes, les bâtisseurs. Il refait régulièrement son cercle d'amis. Il est rare qu'il en ait de longue date.

Sa douzième maison, celle de l'épreuve, dans le signe du Taureau, épreuve qui vient de l'argent, rappelle qu'il a joué ses cartes trop vite. Il est dépouillé. Il cherche une idée pour s'en sortir, il trouve, mais il ne l'a pas assez mûrie, il s'endette. Sans doute est-il venu sur terre pour apprendre que l'argent ne pousse pas dans les arbres, que personne n'est obligé de lui en donner. Il l'apprendra. L'amour c'est aussi son épreuve et trop souvent il l'a associé à l'argent. Un jour le natif comprend que l'amour on vit ça tous les jours et que son avenir c'est l'amour lui-même, et pour ce qui est de l'argent, inutile de s'endetter sans être tout à fait sûr où on se met les pieds. Il faut être prudent, sans devenir trop économe... ce qui est d'une extrême rareté chez lui.

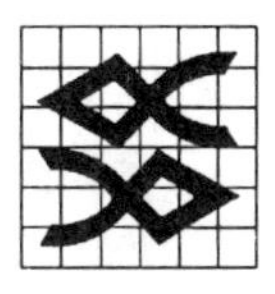

POISSONS ASCENDANT CANCER

C'est une belle personne, tout empreinte de douceur, de compassion, de tendresse, de gentillesse, de finesse, de romantisme, d'amour vrai ou d'amour rêvé. Approchez-vous d'elle, non seulement vous y verrez briller des étoiles, mais aussi un joli croissant de lune, qui vous inspirera une poésie!

Cette nature cache bien ses angoisses et ses insécurités, elle ne veut embêter personne avec ça. Les intimes le sauront, mais ils ne sauront pas tout. Elle connaît leur sensibilité et ne voudrait surtout pas qu'on s'attriste pour elle.

Ce Poissons a peur de manquer d'argent. Il est économe, mais il aime aussi s'offrir de petits luxes, tout petits, pas trop chers, pour se faire plaisir, un petit plaisir. Il ne lui semble pas en mériter un gros. Il ne s'aime pas assez pour ça, et ça il doit l'apprendre.

Il doit apprendre qu'il est aussi important que n'importe qui sur cette planète, qu'il n'est pas obligé de se rendre utile, que sa présence peut suffire. Il peut juste être agréable. Sa compagnie est reposante. Il ne brusque personne, trop sensible lui-même, trop troublé par ses propres émotions et les remous qui s'animent sans cesse en lui.

Il capte comme un radar vos vibrations. Vous avez cligné de l'œil différemment, pas comme d'habitude et il a saisi dans tout son ensemble ce qui ne va pas chez vous. Si vous lui demandiez de vous décrire ce que vous ressentez à ce moment-là, et s'il n'avait pas peur de commettre une erreur, de vous blesser, en vous disant ce qu'il a perçu, parce qu'il sait aussi ce qui va arriver, il vous ferait une description incroyable et détaillée de tous les états que vous traversez. Mais il n'oserait peut-être pas le faire. Sa propre perception l'effraie. Savoir à l'avance lui fait peur. Ne rien pouvoir faire contre un obstacle ou un malheur qu'il a perçu le fait se sentir si impuissant et si inutile qu'il se blesse lui-même à cette pensée.

Les grandes études lui conviennent bien. De toute manière il a bien du mal à choisir. Il est attiré par une multitude de carrières, toutes aussi altruistes et philanthropiques les unes que les autres. Il veut aussi faire quelque chose qui rapporte, sa sécurité matérielle lui importe énormément, parce qu'il ne veut dépendre de personne et il veut pouvoir aider quelqu'un qui a besoin d'argent ou de services.

En amour, il est intense et possessif, passionné et jaloux, mais il ne faut pas que l'on ait la même attitude envers lui, il ne supporte pas l'étouffement, l'emprisonnement. Double signe d'eau, il a besoin de quitter un lac pour aller faire un petit tour du côté de l'océan où la vue est plus vaste et permet de faire de plus grands rêves.

Si vous êtes capable de le laisser vous quitter pour se ressourcer, il rentrera, il reviendra vers vous, plus amoureux qu'avant! Quand les pinces du crabe se sont accrochées et que le climat est favorable à ce Poissons, il remonte alors le courant jusqu'à vous!

Mais comme rien n'est parfait, il rencontrera des obstacles sur la route qui mène au bonheur.

Sa deuxième maison, dans le signe du Lion, lui donne l'amour de l'argent! On ne le croirait pas, à première vue. Il aime bien se faire voir dans toute sa splendeur, être bien habillé, ne ressembler à personne! L'argent, il ne le volera pas, il le gagnera. Cette position le rend indécis par rapport aux moyens de le gagner. Plusieurs sphères de travail peuvent l'attirer: il veut à la fois être utile et rendre service que tout simplement gagner de l'argent pour faire une belle vie! Quel que soit le travail dans lequel il s'engage, il se donnera à fond et gravira les échelons qui mènent au chef de groupe.

Sa troisième maison, dans le signe de la Vierge, symbole du travail, troisième symbole de Mercure, confond notre natif dans ses choix. Il peut tout apprendre et tout faire: écrivain, médecin, commerçant, voyageur, acteur, routier... L'adolescence est une phase très importante pour l'orientation de sa vie. Un amour pourrait le troubler et lui faire abandonner ses ambitions premières. Ses parents jouent alors un rôle très important car il est vulnérable aux influences extérieures. Si on lui enseigne qu'il peut se contenter de peu de connaissances, il se contentera de peu. Si on lui inculque l'importance de l'étude, il s'y consacrera. La Balance est fragile sur le plan intellectuel. Elle penche tant vers l'effort que vers le laisser-aller. Cette position donne un grand sens de l'analyse, seulement le natif n'est jamais tout à fait certain s'il a bel et bien compris le problème et s'il a trouvé la solution idéale. Il mettra sans doute pas mal de temps avant d'affirmer. Il lui faut acquérir l'expérience de la vie.

Sa quatrième maison, celle de son foyer, symbole de la mère, dans le signe de la Balance, également le huitième signe du Poissons, fait que la mère participe puissamment à la transformation du natif. Possibilité pour ce dernier que la mère provoque volontairement ou involontairement une rupture amoureuse à laquelle le natif tenait. Ce double signe d'eau est d'une extrême sensibilité et est très influençable. La mère ici est représentée par un signe d'air, signe de raison; le natif, signe d'eau, recevra donc le plus souvent des messages conscients ou subconscients, la mère lui demandant d'agir avec la tête d'abord, le cœur ensuite. Le natif, pour bien évoluer, a besoin de calme et de paix. S'il doit vivre dans un milieu conflictuel, son système nerveux peut se trouver ébranlé et son corps souffrir de dysfonctions.

Sa cinquième maison, dans le signe du Scorpion, les enfants, ici dans le symbole de la mort, signifie qu'il y a possibilité d'un avortement. Le Scorpion est tout autant le symbole de la vie que de l'anti-vie. Possibilité d'un problème avec les enfants. Le natif est bon et il fera tout son possible pour aider. L'amour peut aussi être vécu d'une façon douloureuse, comme si le natif cherchait à relever un défi, à aimer quelqu'un qui a des problèmes (drogue, alcool) et même une personne suicidaire. Cependant comme le Cancer se trouve en bons aspects avec le Soleil du Poissons tout autant qu'avec le Scorpion, il y a de fortes chances que le natif réussisse à trouver le juste milieu et faire son bonheur sans trop souffrir.

Sa sixième maison, celle du travail, dans le signe du Sagittaire, signe double, peut faire hésiter le natif dans la poursuite de ses études. Le Sagittaire étant un symbole d'université, il est possible, si le natif quitte l'école trop tôt, qu'il reprenne un jour ses études. Position favorable à tout ce qui touche le monde médical, la psychologie. La médecine pour enfants aura un attrait particulier pour lui. Il est doué pour les relations publiques: il est aimable et on l'est avec lui. On pourrait trouver ce natif dans un travail manuel où il offre des produits d'avant-garde, modernes, originaux. Souvent il est un bon vendeur tout simplement parce qu'il aime les gens et qu'il respecte profondément leurs différences.

Sa septième maison, dans le signe du Capricorne, peut parfois provoquer un mariage où il existe une grande différence d'âge entre lui et le conjoint. Les femmes aimeront un homme plus âgé afin de se sentir protégées. Possibilité que la native ait manqué d'affection de la part du père ou n'ait pas reçu la protection dont elle aurait eu besoin. Les hommes, eux, seront attirés par des femmes beaucoup plus jeunes; ils auront l'impression d'être le père, le protecteur. Possibilité aussi que l'homme soit beaucoup plus jeune que sa femme, il n'y a aucune règle là-dessus. Seulement, dans l'esprit des gens, on a décidé que c'était normal pour un homme d'aimer une femme plus jeune, et anormal pour une femme d'aimer un homme plus jeune qu'elle. L'explication c'est qu'à tout âge un homme peut concevoir, et qu'une femme plus âgée n'allait pas concevoir quand elle était avec un jeune et que leur union s'était réalisée sous le signe du plaisir... ce qui allait contre la morale chrétienne d'autrefois! On ne voit plus tout à fait les choses de la même manière maintenant. Il faudra s'y faire! L'union peut être très heureuse et durer longtemps, à moins de bien mauvais aspects de Vénus et Saturne dans la carte natale.

Sa huitième maison, dans le signe du Verseau, fait que le natif peut vivre des événements étranges dans sa vie. La mort peut transformer toute sa mentalité face à la vie. Le Verseau étant le symbole des amis, placé dans cette huitième maison le natif peut donc vivre la mort d'amis proches, mort volontaire, mort accidentelle également. Cette position rend le natif extrêmement perspicace, il perçoit l'invisible, mais il a peur de ce qu'il voit. Un jour il s'habituera à ce don et n'y verra plus d'inconvénient mais plutôt un moyen de prévenir. Cette position peut provoquer un veuvage ou un divorce très étrange. Les aspects de la carte natale donnent plus d'indices.

Son Soleil étant dans la neuvième maison, le natif adorera voyager. Il ne pourra d'ailleurs s'empêcher de le faire. Il pourrait même commencer très jeune à visiter d'autres pays, et plus il en voit plus il veut partir. Cette position indique qu'il y a possibilité que le natif vive à l'étranger ou que son travail provoque de nombreux déplacements loin de son lieu de naissance. Une possibilité aussi qu'il rencontre l'amour de sa vie en voyage, ou qu'il soit d'une origine différente de la sienne. Une position qui indique que le natif est bon, profondément bon, et qu'il aimerait faire plaisir à tout le monde... C'est un idéal bien difficile à atteindre!

Sa dixième maison, dans le signe du Bélier, indique qu'il y a possibilité que le natif s'engage jeune sur la route du travail. Un coup de chance qui lui permet de gagner vite de l'argent car il aime l'argent. Les changements de carrière se font brusquement. Un jour il est en haut, et le lendemain il est en bas, mais rien ne le décourage vraiment, il a tout son temps pour remonter la pente. Cette dixième maison, symbole du père dans un signe de Mars, symbolise souvent un père en révolte, parfois violent, un père toutefois passionné que le natif aura bien du mal à saisir. Comme le Bélier est le deuxième signe du Poissons, le père pourvoit tout de même, quoi qu'il fasse, aux besoins du natif quand il est jeune.

Sa onzième maison, celle des amis dans le signe du Taureau, signe fixe, annonce que le natif aura peu d'amis, mais il les gardera longtemps, peut-être bien toute sa vie. Il aura une entente harmonieuse avec eux. Il pourrait avoir des amis artistes et des amis riches, les riches artistes étant d'une extrême rareté dans le Québec, même si la plupart des gens ont l'impression qu'ils vivent et roulent sur l'or! Il pourrait voyager avec ses amis et avoir avec eux une relation d'échange d'idées enrichissantes.

Sa douzième maison, dans le signe du Gémeaux, symbole des épreuves, signifie que, de temps à autre, le natif traversera des phases où il sera à la recherche d'une nouvelle identification intellectuelle! Il pourra se sentir dépressif durant de courtes périodes mais l'épreuve étant finalement une réflexion, il en sortira plus riche. Il devra se surveiller s'il conduit une voiture et ne jamais prendre de risques. L'épreuve du Gémeaux vient de ce qui roule tout autant que de ce qui réfléchit! Le Gémeaux étant le quatrième signe du Poissons, donc son foyer, le natif pourrait avoir puisé sa source d'ennuis et d'indécisions à son foyer, dans son milieu de naissance. Il n'est donc pas mauvais qu'il le quitte aussitôt qu'il est en mesure de le faire. Il sera alors plus à même de se faire une idée de lui et des autres.

POISSONS ASCENDANT LION

Il multiplie les petits succès, il aime briller, être remarqué, cela lui procure de l'assurance parce que, au fond de lui, il n'est sûr de rien et il voudrait tant que vous l'aimiez... à la folie... passionnément!

Il se fabrique une image de supériorité, une manière de se protéger, de se défendre, avant même qu'on ne l'attaque... contre ses propres faiblesses!

Il aime s'entourer d'artifices, et souvent de gens superficiels qui brillent comme ça, pour rien, ni pour personne. Cela peut lui jouer un bien vilain tour. Il peut perdre le sens même de son objectif, se disperser, et pour un Poissons la dispersion exerce un puissant attrait.

Se soustraire à ses responsabilités pour jouir d'un plaisir exerce sur lui une pression contre laquelle il résiste mal.

Ce Poissons est magnétique. Le Lion, la puissance du Soleil qui fait miroiter les eaux de Neptune et les réchauffe, ce Soleil qui plombe sur l'océan, tout cela peut donner l'illusion que la vague qui vient est moins grosse qu'elle ne l'est en réalité. Parce que vous voyez la lumière, vous croyez que la vague est moins dangereuse, vous devenez imprudent... Et la lame vous renverse...

Les projets sont grandioses, artistiques, spirituels aussi. Cela peut aller jusqu'à l'extrême, quel que soit le domaine choisi. Il devient aveuglé par son propre Soleil quand il s'engage sur une voie!

Il aime le pouvoir, mais le pouvoir n'appartient pas au Poissons. Au Lion, oui; mais au Poissons, ce n'est que pour très peu de temps. Ce n'est pas son rôle de dominer dans la vie.

Mais le pouvoir l'attire et il peut devenir malhonnête pour l'acquérir. Seulement, en tant que Poissons, tout ce qu'il volera lui sera repris, et même tout lui sera enlevé.

En amour, il peut se laisser tromper par les apparences. Il décide vite de ses unions et les rompt aussi vite si ça ne brille pas assez... Il peut être intéressé et faire semblant d'aimer, le sens du calcul ne lui fait pas défaut.

Ses ambitions étant très élevées, il mettra du temps avant d'atteindre l'objectif fixé. Peut-être devra-t-il faire quelques détours et s'incliner humblement devant quelques défaites ou foncer avec plus de détermination devant les obstacles.

Le plus souvent il se retrouve propriétaire d'une entreprise, une grosse ou une petite, qu'importe, du moment qu'il n'y aura personne qui lui dictera sa conduite et lui dira quoi faire et comment le faire.

Sa deuxième maison, dans le signe de la Vierge, également septième du Poissons, annonce que le natif peut se marier pour trouver la sécurité matérielle. C'est plus courant dans le cas d'une femme, mais elle s'en lassera vite! Souvent il y aura deux sources de revenus. Ici, dans un symbole mercurien, il y a possibilité de gains par l'écriture, le commerce, la médecine, la parole aussi, et tout ce qui, en fait, relève du monde de Mercure. Le natif peut avoir l'air bon enfant, mais il arrive qu'il soit plus intéressé que vous ne le croyez à ce que vous pourriez lui apporter.

Sa troisième maison, dans le signe de la Balance, ici encore le pousse vers les arts, la justice et tout ce qui relève de Vénus, le mariage aussi, mais la Balance, symbole de l'union, est le huitième signe du Poissons, ce qui place à peu près toujours le mariage dans une situation de danger. Crise de couple où le natif décide soudainement de rompre, car il ne s'entend plus avec l'autre. L'intelligence, ici dans un signe d'air, est très vive, et toujours plus que le natif ne le laisse entendre. Il est capable de jouer les «innocents» pour vous faire parler et en savoir plus sur vous! Il fait un bon comédien, il aime la scène, tout ce qui touche le monde du spectacle, du moins un travail qui lui permet d'approcher un milieu qui met les gens en évidence. Il aime la beauté, le raffinement, l'esthétique. Quand il se présente en public c'est sous son meilleur jour, bien habillé selon les circonstances.

Sa quatrième maison, dans le signe du Scorpion, son foyer, rappelle que le natif peut vivre de grandes transformations à l'intérieur de son foyer. La mort n'est pas non plus absente quand il est jeune. Il pourrait bien vivre l'épreuve de la perte du père ou de la mère. Nous avons ici comme foyer une association de la Lune, de Mars et de Pluton. Le natif y découvre la sensibilité, il y fait souvent l'apprentissage de la combativité. C'est comme si, à un moment donné, le foyer du natif ressemblait à un champ de bataille d'où il s'échappe avec une grande sagesse, le Scorpion étant en bons aspects avec le Poissons. La mère du natif peut y jouer un rôle important et bien le diriger; elle peut aussi être possessive et le détruire.

Sa cinquième maison, celle de l'amour, dans le signe du Sagittaire, le rend très enflammé à l'heure de sa première rencontre, mais ce n'est pas long qu'il déchante quand il fait face au quotidien d'une vie amoureuse. Là-dessus possibilité qu'il ne soit pas très réaliste. Il aura l'amour des voyages et il est possible qu'il rencontre l'amour à l'étranger ou qu'il se lie avec une personne d'une autre origine que la sienne. Fidélité douteuse chez ce natif. Il résiste mal aux personnes qu'il côtoie. Position qui, à un certain moment de la vie, peut provoquer chez le natif un «désir de sainteté»! Il peut partir en croisade et vouloir évangéliser, tout comme il peut s'engager dans un parti politique, le Sagittaire étant à la fois un symbole des hauts dignitaires et de la religion. Il pourrait bien vivre les deux, à deux moments différents de sa vie. Cette position parle également des enfants. Le natif réussira auprès d'eux; il pourrait également leur enseigner. Possibilité d'une conception à l'étranger.

Sa sixième maison, dans le signe du Capricorne, le fait travailler dans un domaine sérieux auquel il s'acharne quand il a trouvé sa vraie voie. Position qui favorise aussi le travail dans les milieux gouvernementaux en relation avec un large public, puisque le Capricorne est le onzième signe du Poissons. Il pourra occuper un poste de dirigeant; il lui est d'ailleurs bien difficile de recevoir un ordre. Devant un objectif à atteindre, le natif y met toute son énergie et il se fait très sérieux. C'est le plus souvent à la maturité qu'il entreprend de se stabiliser. Le Capricorne étant le symbole du père, cela donne l'indice d'un père du style mercurien, nerveux, intellectuel et travailleur, mais pas communicatif. Par contre, ce natif-ci sera plutôt bavard.

Sa septième maison, dans le signe du Verseau, ne garantit certainement pas la durée du mariage! À moins que le natif n'ait trouvé la perle rare: un grand communicateur vedette qui ne le laisse pas derrière à attendre que tout le monde soit parti pour le présenter... Il sera souvent à la recherche d'un conjoint qui lui permet une sorte de lutte intellectuelle à laquelle il peut se mesurer. Il aimera les discussions. Il peut même provoquer une dispute, il suffit seulement d'un mot, juste pour avoir de l'action dans sa vie de couple. Position qui tend parfois à l'homosexualité ou à la bisexualité, le natif aimant l'amour sous toutes ses formes! Comme le symbole de l'union est en signe fixe, elle peut durer un bon moment, le cycle d'Uranus, du Verseau se répétant tous les quatre ans. Le natif pourra donc renouveler ou rompre sa promesse de mariage tous les quatre ans.

Son Soleil se trouve en huitième maison, symbole d'eau. Tout comme le Poissons, certains pourraient bien se noyer, mais dans l'alcool ou les brumes de la drogue. Cette position indique qu'un jour, s'il survient le pire, le natif révisera totalement sa position et décidera de vivre sa vie autrement. Possibilité qu'avec de mauvais aspects dans cette maison le natif soit suicidaire. La huitième maison étant le symbole de la mort, encore une fois il est possible que le natif ait été mis en contact très jeune avec Madame l'éternité. De là il aura vécu une grande transformation dans sa vie. J'ai vu de nombreuses cartes de Poissons-Lion, de personnes qui sont sorties indemnes de la guerre et qui ont réussi par la suite à se bâtir une vie très chaleureuse. Elles y ont mis beaucoup d'efforts! La huitième maison, celle de la mort ou de l'anti-vie, est aussi celle de la résurrection, du sauve-qui-peut, juste à temps. La vie de ce natif n'est pas ordinaire, elle a une histoire, et j'en ai connu plusieurs dans un moment où ils avaient accès au bonheur.

Sa neuvième maison, dans le signe du Bélier, indique que les voyages sont décidés rapidement, à la dernière minute. On trouve le billet d'avion, l'argent, tout est en règle: part de la chance dans son destin. Possibilité que le natif gagne de l'argent avec un produit étranger ou que son produit soit vendu à l'étranger. Position qui indique aussi que le natif peut s'emballer pour telle religion, et telle autre un peu plus tard, quand il s'est rendu compte qu'il ne trouvait pas Dieu dans cette église! Profondément croyant, quand il est jeune il peut être superstitieux, mais qu'importe, ça lui passera. Il lui faut sans doute faire ce chemin pour trouver sa route vers le bonheur. Un voyage peut déclencher un processus important dans sa transformation intérieure.

Sa dixième maison, dans le signe du Taureau, signifie qu'il fait une carrière artistique ou dans le domaine des affaires, histoire de se retrouver en sécurité! Il peut faire un bon journaliste, un critique d'art, un romancier aussi. Le Poissons étant le signe de la danse, il peut fort bien avoir des relations avec ce métier, ou du moins un métier de scène. Il est bavard et il sait captiver la foule, à moins de mauvais aspects de Vénus et de Mercure. Cette position lui garantit une place au Soleil, celui qu'il veut bien de n'importe quel système solaire! Il travaillera fort, hésitera, mais gagnera.

Sa onzième maison, celle des amis dans le signe du Gémeaux, quatrième signe du Poissons, nous apprend qu'il aimera les inviter chez lui. Sur son territoire, il peut discuter à son goût et avoir raison! Il aimera la présence des intellectuels, des gens d'avant-garde. Cette onzième maison étant le symbole d'Uranus, ses amis peuvent parfois lui causer un choc qui le fera réfléchir sérieusement. Ce Poissons n'aime pas être seul. Il aime bien vivre en bande (banc de poissons). Il peut ainsi mesurer sa capacité intellectuelle. Bien qu'il ait l'air sûr de lui, il ne l'est pas tant que ça! Il lui faut apprendre à se faire confiance et c'est à travers ses amis qu'il l'apprend le plus souvent, et souvent grâce à ceux qui ne sont pas toujours d'accord avec lui (Uranus).

Autant ce natif aime-t-il recevoir ses amis à la maison, autant aime-t-il s'en aller, quand on ne dit pas comme lui. L'adolescence peut être un moment important pour lui. Si, à tout hasard, il n'était pas poussé par sa mère, qui prend une très grande place dans sa vie, il pourrait bien terminer ses études rapidement! Le père est plus souvent vu comme une figure protectrice et pourvoyeuse.

Sa douzième maison, celle de l'épreuve dans le signe du Cancer, épreuve qui peut fort bien arriver à la mère du natif, comme le Poissons est en bons aspects avec le Cancer qui représente la mère, il y a possibilité que l'épreuve fasse partie de son évolution. La mère sera perspicace. Le natif peut donc en avoir absorbé par vibration toute la force et lui-même être en contact avec les mondes supérieurs invisibles. Il ne faudrait pas non plus qu'il tombe dans la fantaisie ou le charlatanisme. Le Cancer étant le cinquième signe du Poissons, le natif pourrait avoir un grand respect et même un grand amour pour sa mère. L'épreuve du foyer le fait finalement évoluer. Les épreuves touchent différents domaines, séparation du père et de la mère le plus souvent, épreuve financière, maison détruite par le feu ou l'eau. Cependant, au cours de sa vie, le natif sera capable, quoi qu'il ait vécu, de réformer sa pensée et même de déraciner dans les couches profondes de son subconscient tout ce qui a pu provoquer chez lui quelques douleurs.

POISSONS ASCENDANT VIERGE

Double signe double, mais il y a tant de finesse dans cette personne, tant de délicatesse, d'attentions... A-t-elle quelque chose à vous demander? Est-elle sincère ou désintéressée? Est-elle dissimulatrice ou cherche-t-elle vraiment la vérité? C'est trompeur. Cette nature a l'air angélique! Tant et si bien qu'on se pose des questions!

Comme tous ceux qui naissent avec l'opposé du signe, l'amour, le don de soi, la générosité en général dominent le natif. Il est amoureux de l'amour et de la personne qui l'aime et il peut, en principe, tout lui sacrifier!

La vie n'est pas si facile quand on vient au monde avec l'opposé de son signe. On donne, on donne, mais on ne reçoit pas grand-chose en échange, et comme Poissons, il arrive même qu'il soit victime, qu'on lui reproche même sa générosité! On l'accusera de choses qu'il n'a pas faites, qu'il n'a jamais eu l'intention de faire. Il reçoit souvent de l'ingratitude en échange de ses bons services! La bêtise est humaine, l'humain est parfois bête parce qu'il commet des bêtises et le natif comprend ça!

Comme tout Poissons qui se respecte, il est excessif: il sera extrêmement propre et ordonné, ou sale et parfaitement désordonné. Il sera vertueux ou il sera vicieux. Cette opposition laisse peu de place à la demi-mesure. L'extrême l'intéresse, la totalité. Il peut développer une santé de «fer» comme il peut être perpétuellement malade. Ça dépend s'il s'écoute se plaindre ou s'il s'écoute chanter.

Sa deuxième maison, dans le signe de la Balance, symbole de Vénus, huitième signe du Poissons, nous révèle un Poissons-Vierge tout à fait respectable ou un Poissons-Vierge qui peut fort bien vendre ses charmes, ou les utiliser pour obtenir des faveurs financières ou se hisser vers le pouvoir que donne la fortune. Comme le natif vit avec l'opposé de son signe, il n'est pas toujours facile de lui attribuer une caractéristique unique. De plus il s'agit ici d'un double signe double, ce qui peut tout aussi bien être un Poissons victime qui, finalement, doit subvenir aux besoins de son conjoint qui s'arrange pour dépendre à peu près entièrement de lui, sachant très bien que ce Poissons est amoureux. L'inverse serait qu'il abuse des bonnes grâces de son conjoint et qu'il vende ses charmes, ce qui peut très bien se faire sous le couvert d'une union légale. L'exemple est que madame refuse les avances de monsieur parce que monsieur refuse de lui offrir un objet qu'elle désire. Dans le cas d'une nativité masculine, il y a possibilité que le natif ne soit pas totalement fidèle. Il succombe aux prétendus charmes qu'on lui fait. Sans s'en rendre compte il aura fait le premier pas... et sur son élan il n'aura pas pu reculer. Possibilité que le natif gagne sa vie par un travail en contact avec le public, soit dans un domaine juridique, soit dans le milieu artistique ou qui a un rapport avec celui-ci. L'argent gagné le sera dans une relation avec autrui et ne proviendra pas uniquement d'un travail de gratte-papier. Le natif est habile dans les négociations.

Sa troisième maison, dans le signe du Scorpion, encore une fois donne deux tendances: ou une méchante langue ou une parole réconfortante à l'endroit de ceux qui ont des ennuis. L'intelligence est celle d'un détective. Le natif ressent, pressent et peut même faire part de ses intuitions qui s'avéreront exactes peu de temps après. Il a le sens de l'observation et sait très bien ce qui peut lui servir. Il peut aussi utiliser ce talent en se demandant si la personne qui est devant lui n'a pas justement besoin d'aide et qu'elle n'ose pas le demander. Il sera inquiété par l'argent, la peur d'en manquer. Il pourra travailler très fort ou prendre un moyen facile pour le soutirer d'une manière quelconque.

Sa quatrième maison, dans le signe du Sagittaire, indique que souvent le natif aura eu une mère aux grandes ambitions et qu'elle l'aura poussé dans la direction qu'elle aurait voulu prendre elle-même, mais ça ne marche pas toujours avec le Poissons. Il fait ce qu'il veut bien, malgré sa grande émotivité. Il pourrait avoir habité la campagne dans sa jeunesse, tout comme la mère pourrait être une femme de la nature. Le plus souvent il préférera habiter à la campagne, loin de la ville, loin du stress. Possibilité de deux foyers.

Sa cinquième maison, dans le signe du Capricorne, peut faire de ce natif une personne peu émotive ou incapable de manifester ses émotions. Il pourra vous donner l'impression d'être une vieille fille ou un vieux garçon tellement il se contient devant des inconnus, tellement il a peur qu'on découvre sa vulnérabilité émotionnelle ou son absence. Souvent ce natif tombera amoureux, avec une personne haut placée ou occupant un poste susceptible de lui être utile un jour! L'amour comporte souvent un intérêt. Il n'est pas amour pour amour, il est amour comme moyen d'échange, une présence contre une faveur matérielle. Cette position ne favorise guère les enfants. Possibilité que le natif se décide tardivement à en faire. Il n'est pas vraiment paternel, ou maternelle dans le cas d'une femme. S'il a des enfants, il pourrait leur donner une éducation telle que: il faut faire les choses dans les règles et selon les normes établies par la société! Le résultat peut fort bien se concrétiser par une résistance de la part des enfants, une révolte. Naturellement l'exception fait la règle, et il se trouve sous ce signe de bons parents qui adorent leurs enfants. Dans ce cas, il serait dangereux que le natif devienne possessif!

Sa sixième maison, dans le signe du Verseau, sa maison de travail, le place la plupart du temps en relation avec un vaste public. Le Verseau, symbole de chocs, signifie que le natif pourrait vivre des arrêts de travail où il n'est nullement responsable de la situation. Télévision, journaux, édition, ordinateurs, parfois cinéma, surtout en tant que technicien, il lui faut un travail où il a besoin de voir les gens, de leur apprendre quelque chose. Professeur, par exemple, mais ce sera rarement un travail régulier. Il comportera presque toujours beaucoup de diversité à l'intérieur du même poste que le natif peut occuper. Cette position le rend très intelligent, et cette même intelligence peut servir pour le bien ou pour le mal, le Verseau étant le douzième signe du Poissons, dans la sixième maison, celle de Mercure, la parole. Vous avez là un natif qui sait très bien garder les secrets, ou qui rapporte, qui joue le rôle d'espion. Dans ce dernier cas, il sera extrêmement dangereux parce qu'il est intelligent. Si vous en rencontrez un du genre, dites-lui simplement bonjour avec un beau sourire.

Son Soleil se trouve en septième maison, symbole de Vénus. Ce peut être le véritable amour qui le guide ou les besoins sexuels! À vous de savoir à qui vous devez vous identifier. Ce natif est à la recherche, consciemment ou non, d'un conjoint qui prend ou prendra de l'importance, et il a toutes les chances du monde de le rencontrer. Il reste à entretenir la relation, ce qui n'est jamais une mince affaire. Comme beaucoup de Poissons existent à l'intérieur de lui, il ressent un puissant désir de domination qui ne s'exprime pas, si peu ou jamais. Il sait qu'il peut manipuler autrui parce qu'il le devine. Il reste à sa conscience de bien ou de mal orienter sa force. Il peut aider son conjoint à grimper dans l'échelle sociale, l'encourager dans un but détaché, simplement par amour. Il peut aussi le faire dans le but d'obtenir sa reconnaissance, parfois sa soumission. Le Poissons étant le douzième signe du zodiaque, il possède en lui la mémoire subconsciente de tous les autres signes, c'est pourquoi il peut agir sur autrui, directement ou indirectement.

Sa huitième maison, dans le signe du Bélier, symbole de Mars, indique une sexualité active. Ici encore revient l'idée, comme le Bélier est le deuxième signe du Poissons, sa maison d'argent, que le natif puisse gagner sa vie en exploitant ses charmes et ses attributs sexuels. Le sport n'est pas absent de sa vie. Ce serait un autre moyen de lui permettre de gagner sa croûte, mais ce n'est pas certain qu'il fasse cela toute sa vie, il est sujet aux accidents. L'alcool et la drogue guettent celui qui aurait eu une éducation de base qui laisse à désirer ou qui a manqué d'amour. Généralement il vit jeune sa première expérience sexuelle. Il est pressé. Position qui donne le sens de la combativité, de la stratégie, de la ruse aussi.

Sa neuvième maison, dans le signe du Taureau, présage des voyages de luxe, de plaisir, voyages planifiés, on sait où on va, ce qu'on va y faire. Les voyages sont enrichissants pour lui, il en retire une expérience intellectuelle la plupart du temps. Économe, il ramasse son argent et finit par s'offrir la maison de ses rêves.

Sa dixième maison, dans le signe du Gémeaux, signifie une carrière qui peut impliquer le mouvement, l'écriture, le commerce, parfois la médecine. Le natif fera souvent deux choses à la fois. Comme le Gémeaux est aussi le quatrième signe du Poissons, il arrive que sa carrière soit son foyer. Il y consacre plus de temps que prévu. Les gens qui pivotent autour de lui sont, en fait, sa famille. Mais il n'est pas certain que l'entente soit parfaite! Mercure fait parler les gens et on peut soupçonner bien facilement ce Poissons de toutes sortes d'intrigues. Dans certains cas, les racontars auront leur fond de vérités; dans d'autres, il s'agira tout simplement de jalousie.

Sa onzième maison, dans le signe du Cancer, symbole de la Lune dans celui d'Uranus, nous apprend qu'il aura pour amis des gens originaux, bavards. Le plus souvent ils seront eux aussi en relation avec le public. Il sera proche de ses frères et sœurs qu'il considérera également comme des amis. Il pourrait même avoir pour amis des personnalités connues. Le natif est sociable et admet tout le monde dans son cercle d'amis, il fait confiance jusqu'à preuve du contraire.

Sa douzième maison, dans le signe du Lion, également le sixième signe du Poissons, signifie que l'épreuve peut venir par le travail. Parfois une intrigue sentimentale vient brouiller la place qu'il occupe. Il peut perdre son emploi ou être muté à un autre poste qui est loin de le satisfaire. Les aventures amoureuses au travail ne sont pas recommandées ici. Le natif est sujet à vivre une grande peine de cœur, plus encore quand il est jeune, et pendant longtemps il sera désillusionné et il pourrait même démissionner de l'amour jusqu'au jour où il s'en remet. Il est possible qu'il ait des problèmes avec ses enfants. Possibilité aussi que le natif ou la native refuse d'en avoir, ce qui peut, chez certains, entraîner une mésentente conjugale. Il manque à ce natif une foi profonde. Il croit aux rites, mais parfois il croit qu'il ne croit à rien du tout! Il a tendance à s'appuyer sur ses seules forces, et à oublier qu'il existe une puissance bien au-dessus de la sienne. S'il faisait davantage confiance à cette puissance, peut-être qu'il réaliserait que tout se fait tout seul!

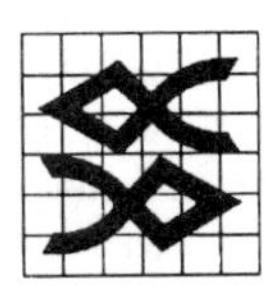
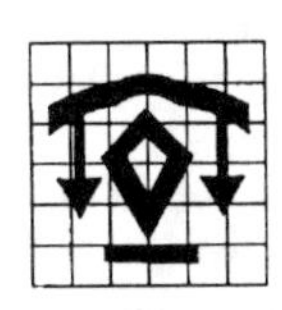

POISSONS ASCENDANT BALANCE

Perfectionniste jusqu'à en être maniaque, avec lui il faut que tout soit beau, astiqué, ordonné, esthétique, logique, en ordre, même dans le désordre!

La Balance est un signe cardinal de commandement et le Poissons, un signe double. De l'eau et de l'air. Une eau en mouvement et de l'air doux! Comment une eau peut-elle être en mouvement si l'air ne l'agite pas? La Balance essaie sans cesse de faire ce tour de force!

Ce natif est généralement bien informé. Passionné de la lecture, il y cherche souvent un refuge. Il peut être un adepte de romans, mais aussi de psychologie, cherchant ainsi à mieux se connaître afin de se débarrasser de ce qui lui déplaît chez lui. S'il consent à se voir tel qu'il est, s'il veut s'améliorer pour son bien et pour le bien de tous, il y arrivera.

Avec un ascendant Balance, si le natif n'exerce pas un art, au moins comme loisir, vous verrez là une personne perpétuellement frustrée... une peste... qui passe son temps à déclencher des discussions à propos de tout et de rien, une peste qui, plutôt que de rechercher la paix, veut à tout prix la confusion. La raison et l'émotion se heurtent. La création et le sens pratique n'arrivent pas à se mettre d'accord. Et s'il échouait... Au fond, il voudrait être une vedette, être adoré, chéri du public, mais il n'est pas prêt à fournir l'effort voulu. Résultat: des rêves et des frustrations! Il doit travailler à devenir autonome s'il veut éviter qu'on le rejette et s'il souhaite qu'on apprécie toute cette finesse d'âme qu'il essaie de dissimuler.

Sa deuxième maison est dans le signe du Scorpion. Voici un symbole qui peut donner deux tendances bien distinctes. Le natif utilise ses relations sexuelles et ses charmes physiques pour obtenir de l'argent. Il peut aussi gagner sa vie en travaillant dans un laboratoire. Dans le monde du Scorpion, l'astrologie, les sciences occultes et la psychanalyse sont possibles. Il a toujours peur de manquer d'argent. Il pourrait même envier ceux qui en ont plus que lui. Avec de bons aspects dans cette maison, le contraire peut se produire.

Sa troisième maison, dans le signe du Sagittaire, lui donne le goût de tout faire, de tout apprendre, mais il a bien du mal à se décider. Il fait un excellent professeur, pour les enfants particulièrement. Nous trouvons ici Mercure, par la troisième maison, signe double du Gémeaux, et le Sagittaire, également signe double; il peut donc arriver que de temps à autre le natif ne dise pas toute la vérité. Il aime montrer ses talents, étaler ses connaissances. Il aura la parole flatteuse pour ceux qu'il.rencontre, mais il ne dira pas nécessairement la vérité.

Il a de nombreuses connaissances, il s'exprime bien, il n'est pas radical... au cas où il lui faudrait avoir une autre opinion. Il fait d'ailleurs un excellent diplomate. Il essaie sans cesse de se hisser jusqu'à ceux qui dirigent les entreprises. Il aime occuper un poste de prestige, mais il n'est pas toujours prêt à faire l'effort pour s'y rendre. Il préfère compter sur sa chance.

Sa quatrième maison, dans le signe du Capricorne, indique qu'il a pu vivre dans un foyer où la mère jouait le rôle du père, foyer qui a pu encadrer le natif dans une certaine rigidité. Ici nous avons les pointes de maisons inversées. En fait, la quatrième maison appartient au signe d'en face, le Cancer, alors qu'ici la quatrième se trouve en Capricorne. Le natif aura du mal à bâtir lui-même son propre foyer et à jouer les deux rôles, ceux de père et de mère, comme il l'a appris. Le

Capricorne étant le onzième signe du Poissons, il y a possibilité que la mère du natif n'ait pas eu un comportement normal de mère. Elle a pu être une personne marginale qui ne désirait pas vraiment élever une famille, et le natif a eu l'impression qu'il dérangeait.

Sa cinquième maison, celle de l'amour, dans le signe du Verseau, symbole uranien dans le signe de l'amour nous révèle que le natif développe des amitiés amoureuses plus que l'amour lui-même, position qui peut l'entraîner à une bisexualité ou à l'homosexualité. Cela peut aussi lui faire rejeter ses propres enfants; il les met de côté parce qu'il ne se sent pas attiré vers la maternité ou la paternité. Ici un enfant peut naître sans que le natif l'ait vraiment désiré. Avec cette position, les complications amoureuses peuvent être nombreuses. D'un côté, le natif veut l'amour passion, l'amour fou, et de l'autre il n'en veut pas, il préfère l'amitié. D'un côté, il voudrait venir en aide à l'humanité, et de l'autre il cherche à soigner ses petits intérêts personnels.

Son Soleil se trouve en sixième maison. Le natif, plutôt que d'agir par sentiments, plutôt que suivre les impulsions de son cœur, poursuit un raisonnement. Un Poissons a bien du mal à vivre selon la logique pure. Il est fait pour vivre selon les élans de son âme, aussi peut-il vivre une grande confusion dans son cœur et dans son esprit. Il a du mal à accepter, par exemple, d'être subalterne. La nature du Poissons est celle du service, de la générosité non calculée, mais ici intervient Mercure de la sixième maison, le calcul. Le natif est souvent doué pour les lettres, les chiffres, les mathématiques, mais au fond de lui il entretient une idée de grandeur, il est bien au-dessus de tout ça! Cela peut même le rendre malade et lui donner un comportement bizarre. Cette position indique parfois que le natif se ment non seulement à lui-même, mais qu'il est aussi capable de mentir à autrui. Il a grand besoin de se valoriser. Position qui indique hospitalisation, maladie étrange, dépression.

Sa septième maison, dans le signe du Bélier, peut inciter le natif à décider bien jeune de sa première union. Comme le Bélier est le deuxième signe du Poissons, donc son signe d'argent, il se peut que le natif se soit marié afin d'assurer sa sécurité matérielle, ce qui peut être le cas de nombreuses femmes de ce signe. Pour un homme, il se peut qu'il ait épousé ou qu'il épouse une personne de bonne famille dans laquelle il voudrait bien faire partie. Dans sa jeunesse, il aurait pu avoir un emballement plus sexuel que sentimental qui l'aura mené à l'union. L'argent peut aussi être une raison de désunion.

Sa huitième maison, dans le signe du Taureau, est une position qui porte à la confusion sexuelle. Il se peut que le natif ait un grand appétit pour le plaisir et la jouissance ou qu'il n'en ait pas du tout. Encore une fois, cette position indique une grande anxiété par rapport à l'argent. Le natif pense continuellement à de nouveaux moyens de s'en procurer. Comme le Taureau est le troisième signe du Poissons, l'esprit, il peut même développer une obsession face à cette peur de manquer d'argent. Il ne donnera jamais cette impression d'avoir peur d'en manquer, mais posez-lui des questions, allez voir au fond! Il a même l'air au-dessus de ses affaires! Longue vie à ce natif! Il aura beaucoup de temps devant lui pour accumuler ses sous et se mettre à l'abri. Position qui peut, à un certain moment, mettre la vie du natif en danger: accident de la route, par exemple. Cependant, le bon aspect qui existe entre le Taureau et le Poissons le protège.

Sa neuvième maison, dans le signe du Gémeaux, le pousse à acquérir une foule de connaissances. Le foyer de son éducation aura pu être religieux; cependant, il aura pu y apprendre beaucoup plus la superstition et la peur de Dieu que la confiance en Dieu. Il changera sa pensée vers la trente-cinquième année. Il aime les voyages, les départs, mais il aime bien revenir à son lieu de naissance. Il pourrait songer à aller vivre à l'étranger, mais une force le pousse à rester chez lui ou à vouloir continuellement y retourner s'il est allé vivre à l'étranger. Cette position le rend bavard. Encore une fois, il aime bien discuter de lettres, de philosophie, mais vous vous rendrez compte qu'il ne s'est pas fait une idée à lui, qu'il n'a pas confiance en ses propres découvertes, qu'il emprunte les citations, ce qu'ont dit les autres, pour faire approuver sa pensée. Cette nature est généralement agréable face au public. Elle n'effraie pas, ne bouscule pas, ne réforme pas. En fait, elle laisse les gens tranquilles! Cette nature flatteuse, dans le cas d'un conférencier par exemple, laisse les gens se complaire dans ce qu'ils sont, même s'il sait qu'ils ont tort et qu'ils devraient apprendre quelque chose de plus sur eux-mêmes. Le Poissons est perspicace, mais il peut jouer double, juste pour ne pas se faire d'ennemis, pour éviter les affrontements qu'il ne supporterait pas.

Sa dixième maison, dans le signe du Cancer, signifie qu'il se peut que le natif ait une carrière publique, puisque la Lune du Cancer est un symbole de masse. Le Cancer étant le cinquième signe du Poissons, le natif peut être fortement attiré vers les carrières artistiques, la musique, le chant, le théâtre entre autres, où il peut obtenir un grand succès. À un moment il peut complètement changer de carrière, selon les aspects de la Lune dans sa carte natale, surtout à la maturité, soit vers la quarantaine, et faire un travail depuis son domicile, comme composer, écrire, peindre. Plus le natif vieillit, moins il ressent le besoin d'être devant la foule, et plus il comprend qu'il peut jouer un rôle aussi important en restant derrière. Le pouvoir du Poissons étant d'influencer à distance, de suggérer, ce natif, avec de forts aspects de Saturne, pourrait bien faire de la politique, soit en restant derrière, soit en se plaçant devant où il court le risque de descendre de son piédestal si une élection lui est défavorable.

Sa onzième maison, dans le signe du Lion, indique des amis riches et influents, également des artistes, qui aiment parader aussi. Il n'est pas si certain que ses amis soient de vrais amis, mais plutôt des connaissances. Le Lion étant le sixième signe du Poissons, le natif se lie à ceux qui sont au sommet de l'entreprise pour laquelle il travaille; il s'en fera des amis. Il peut aussi se faire jouer un tour; on peut l'utiliser et ensuite le rejeter. Ce natif est sujet à ne vivre que sur des apparences! Il se joue des tours à lui-même, et quand vient l'heure du désenchantement, il peut se trouver seul et bien triste.

Sa douzième maison, dans le signe de la Vierge, signe opposé à son Soleil, maison de l'épreuve, nous présente un natif qui peut fort bien, un jour, se retrouver isolé au milieu de ses pensées! Il cherche la solution, mais il n'y en a pas d'autre que celle d'aimer pour aimer. L'épreuve peut lui faire prendre conscience qu'il s'est accroché à de fausses valeurs et que seuls l'esprit et le cœur sont importants. Il a une pensée analytique qui peut parfois aller jusqu'à la déraison.

La vie de ce natif pourrait apparaître facile pour beaucoup. Il a tellement peur de manquer d'argent qu'il s'arrange toujours pour en faire. Il aime le faste et les gens riches, et il s'arrange pour les fréquenter, mais au bout de tout ça il a oublié qu'il est plus important de bien vivre avec soi et plus important encore que ce ne soit pas les autres qui fassent sa vie et son bonheur, mais lui-même. Cette douzième maison, dans le signe de la Vierge, peut à un moment l'inviter à une sorte de retraite où il pourrait écrire, tout mettre au clair.

Quand ce natif a beaucoup de problèmes émotifs et qu'il n'arrive pas à se retrouver lui-même, une psychanalyse peut lui être d'un grand secours et le sauver des apparences.

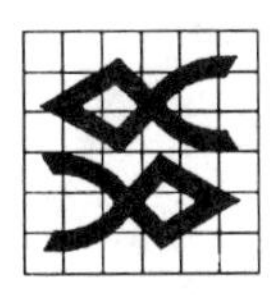

POISSONS ASCENDANT SCORPION

Double signe d'eau! Les émotions sont intenses, plus qu'il ne le laisse paraître, même si, la plupart du temps, il fait tous les efforts voulus pour en garder le contrôle.

Il est magnifique. Il est quelque part au milieu d'une foule, vous vous êtes retourné, vous ne savez pas pourquoi, vous avez senti une présence, vous croisez ses yeux... Demandez-lui son signe: Poissons ascendant Scorpion!

Il a une influence sur les gens qui l'entourent, elle peut être tant bénéfique que maléfique, tout dépend s'il a opté pour le bien et le service à autrui ou pour la manipulation pure et simple en vue de dominer.

Pour un certain temps, il peut devenir ce que vous attendez de lui. L'eau prend la forme qu'on lui donne. C'est qu'il a besoin de vous, qu'il veut obtenir quelque chose de vous, qu'il veut aussi le pouvoir!

Il est magique, saint ou diabolique, honnête ou totalement malhonnête. Il est excessif, passionné, entier.

C'est aussi un créateur. Les idées et les conceptions émanent du plus profond de son âme, des couches lointaines de son subconscient. Il puise à même l'énergie cosmique. Il a des contacts avec le monde invisible. Il sait, il est devin.

Il est sensuel et ses appétits peuvent aller jusqu'à la démesure. Aussi doit-il canaliser ses énergies dans une voie constructive plutôt que destructrice. Il est toujours préférable pour lui de se faire des amis que des ennemis, car avec un ascendant Scorpion, s'il se fait des ennemis, ils seront implacables.

Il doit sans cesse mener la lutte pour ne pas s'égarer. Double signe d'eau, le courant est fort, il subit des influences. Une influence malsaine, et il sera entraîné vers le fond, mais si on l'élève vers les hauteurs et les grandeurs de l'esprit, vers le divin et l'infini, cette nature pourra faire des miracles et être utile à l'humanité.

Il sera alors celui qui vous transporte vers l'espoir, la guérison, la beauté, la paix. En cas contraire, il vous fera chuter et vous vivrez dans l'obscurité.

Il fait un excellent professeur, un métaphysicien, un psychologue, un médecin, un psychiatre... un missionnaire ou un bandit!

Il a tant de pouvoir sur les autres, il sait tellement bien manipuler qu'il peut faire faire ce qu'il veut à plus faible que lui. Il peut même se remplir les poches à leurs dépens.

En amour, il est total. Aimer ou haïr. Aimer de plus en plus ou détester de plus en plus. Alors l'autre, pour sa propre survie, fera sa valise. Il ne lui prendra rien, pas même ce qui lui revient de droit, il aurait trop peur d'être poursuivi. Si vous avez affaire à un être négatif, et si vous l'avez quitté, il dira que tout est de votre faute!

Si vous avez un être positif, alors là tout est différent. Il est dévoué et sensible. Il oubliera de se faire plaisir parce qu'il y a plus de joie à donner qu'à recevoir et que votre sécurité est plus importante que la sienne. Il est souhaitable qu'il n'existe que cette dernière description de ce signe sur la planète.

Sa deuxième maison, dans le signe du Sagittaire, lui fait aimer l'argent, parce que, avec de l'argent, on peut se payer des voyages, explorer. Faire de l'argent peut représenter pour lui un défi, juste pour démontrer sa capacité. Il aura le plus souvent deux sources de revenus. Il sera habile à faire des placements. Son attitude face à l'argent symbolise le plaisir d'en avoir, afin de s'offrir du luxe. L'argent peut être gagné dans un milieu d'enseignement ou grâce à un emploi au service du gouvernement, ou à la Bourse. L'argent rentre généralement facilement. Il est chanceux, dit-on. En fait, il est très débrouillard.

Sa troisième maison, dans le signe du Capricorne, indique que ce natif n'apprend rien qui n'ait une utilité. Il a l'esprit pratique et il n'a pas de temps à perdre à apprendre pour le seul plaisir d'apprendre. Quand il étudie, c'est pour obtenir une formation qui lui permettra de bien gagner sa vie. Il s'intéresse aux choses sérieuses. Souvent il est plus avancé que les gens de son âge à l'adolescence. Il se comporte comme un adulte. Il pense à l'avenir. Il sera intéressé à tout ce qui touche les problèmes collectifs, il sera même fasciné par les mouvements de foule, leurs changements, leurs besoins, leurs désirs.

Sa quatrième maison, dans le signe du Verseau, apporte au natif un foyer à la fois stimulant et trouble. La mère a pu avoir ou a une personnalité bizarre, originale, parfois bien fantaisiste. Il a pu tout de même connaître une épreuve par la mère; possibilité aussi que les parents aient divorcé ou qu'ils soient restés ensemble et aient continué à se disputer. Le foyer où le natif a habité et où il habite peut-être encore a pu recevoir beaucoup de gens, d'amis qui ont participé d'une certaine manière à son évolution et qui lui ont permis de comprendre qu'il faut toute sorte de monde pour faire un monde.

Son Soleil se trouve en cinquième maison, ce qui peut inciter le natif à embrasser une carrière artistique, tel le cinéma. Il peut tout aussi bien être un technicien qu'un acteur. Il peut aussi s'orienter vers les arts. Il pourrait avoir une grande soif du pouvoir, mais le pouvoir pour le plaisir, pour avoir la joie de faire plaisir à plus de monde encore! Il aime l'amour, il est amoureux de l'amour! Il pourrait même être irréaliste de ce côté. Il a le respect de la vie, des enfants. Il est tantôt sérieux, puisqu'il faut bien donner une leçon, tantôt détendu, et il passe rapidement de l'un à l'autre. Ce natif est le plus souvent bon, ou très très méchant. La nature de ce Poissons est extrêmement puissante, il peut faire ce qu'il veut de sa vie. Il fait aussi un bon sportif, il a l'esprit de compétition.

Sa sixième maison, dans le signe du Bélier, maison du travail dans un signe de Mars, peut indiquer un travail de compétition. Et cette compétition peut tout aussi bien être intellectuelle que physique. Cette sixième maison, dans le signe de Mars, peut le rendre batailleur et violent, mais disons que c'est d'une extrême rareté. Très tôt dans la vie il voudra gagner sa vie, avoir son indépendance économique. Il est chanceux dans ses démarches et il se taille rapidement une place de choix.

Sa septième maison, dans le signe du Taureau, lui fait rechercher une belle personne comme partenaire, et il peut fort bien la trouver. Le natif a un grand sens de l'esthétique, de la symétrie. Il ne supporterait pas un conjoint qu'il ne trouverait pas beau! Il aime aussi la présence d'un artiste. Le Poissons est généralement un signe d'infidélité; celui-ci, par contre, quand il est amoureux, évitera de se laisser prendre au piège des charmes infidèles qui peuvent briser son union.

Sa huitième maison, dans le signe du Gémeaux, symbolise les transformations, la mort également. Possibilité si ce natif, par exemple, conduit vite, qu'il ait un jour un sérieux accident. Il se doit d'être toujours prudent sur la route. Il sera intéressé à connaître les motifs profonds qui font agir l'être humain. Il peut avoir des réactions rapides et même violentes, quand il se trouve en face de l'injustice. Et s'il venait à défendre quelqu'un, on se souviendrait longtemps de son plaidoyer. Le Gémeaux étant le quatrième signe du Poissons, symbolisant le foyer, il se peut que le natif ait vécu la mort d'un proche quand il était jeune, ou à l'adolescence, un frère ou une sœur plus particulièrement. Il pourra vivre à un moment une transformation complète de sa mentalité. D'une forme de pensée, il peut passer à une autre totalement différente.

Sa neuvième maison, celle des voyages, dans le signe du Cancer, son cinquième signe, signifie que le natif rencontrera l'amour au cours d'un voyage. Cette position indique, encore une fois que quoi qu'il arrive de négatif dans sa vie, il y a une porte de sortie royale. Au cas où il aurait été bien méchant, un jour vous pourriez le voir se transformer en saint. Mais soyez assuré que vous ne verrez pas le saint se transformer en bandit. C'est inné chez lui ce sens de la vie, le respect de la vie. Position qui favorise d'heureuses naissances quand le natif a des enfants. Il se dévouera pour leur bien-être.

Sa dixième maison, dans le signe du Lion, sixième signe du Poissons, nous laisse entendre que ce natif pourrait bien devenir une vedette, si son choix de carrière le pousse dans cette direction. Il existe aussi des hommes d'affaires vedettes, des sportifs, des écrivains, etc., on parle d'eux. Bref, ce natif peut faire parler de lui et recevoir des honneurs pour son travail. Mais ce n'est pas ce qu'il recherche au départ, c'est le défi à relever: être meilleur qu'avant, plus fort que lui-même.

Sa onzième maison, celle des amis dans le signe de la Vierge, également son septième signe, attire à lui les gens intelligents, vifs d'esprit et qui partagent ses intérêts. Mais voici que cette position est dangereuse pour sa vie sentimentale. Son conjoint pourrait bien tomber amoureux d'un de ses amis et l'abandonner. C'est l'ombre qui guette cette belle nature. Ce genre de situation pourrait donner l'impression que le natif devient fou! Il aura besoin d'autres amis pour le soutenir. Quand il est amoureux, il ne peut même pas imaginer qu'on pourrait le tromper! À moins d'aspects contrariant totalement cette position, disons que la tendance naturelle va à la fidélité, à l'amour partagé et au don de soi!

Sa douzième maison, celle de l'épreuve, se trouve dans le signe de la Balance, symbole de l'union, qui confirme ce que laisse présager la maison précédente. Il faudra de bons aspects dans la carte natale du conjoint pour éviter qu'il ait à souffrir de cette situation. C'est le genre de chose qui tombe du ciel alors que c'est un autre colis qu'on attendait. Rien n'est irréparable et le Poissons qui veut peut. Cette épreuve survient le plus souvent quand le natif se sent trop sûr de lui et il pense que l'amour qu'il a pour l'autre est vécu comme lui le vit intérieurement. Certains aspects que j'ai déjà vus peuvent indiquer une situation contraire: c'est le natif qui tombe amoureux d'un ami du conjoint! C'est plus rare, le Poissons étant en fait le symbole de la victime. Mais il aura la force de se relever. Si un divorce survenait, il mettrait du temps avant de s'engager de nouveau. Par contre, le ciel lui promet qu'il sera plus heureux la deuxième fois et qu'il n'oubliera aucun détail dans le soin à apporter à son union.

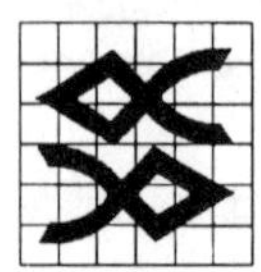

POISSONS ASCENDANT SAGITTAIRE

Double signe double, l'un d'eau et l'autre de feu! Une chimie dangereuse. L'eau qui éteint le feu, le feu qui fait bouillir l'eau; l'eau s'évapore alors ou elle déborde et retombe sur le feu...

Il a de la force, une très grande force: la bonté. Mais il a une grande faiblesse: le plaisir facile.

Il est enfant dans l'âme. Un adolescent qui peut avoir mal tourné ou qui n'arrive pas à faire un choix définitif, à prendre une direction, à s'engager, à assumer ses responsabilités.

Dans les affaires de cœur, il est instable: l'oiseau qui change de branche, le papillon qui butine une fleur après l'autre. Il n'aime pas étudier, à moins qu'on ait réussi un tour de force, qu'on ait eu à son endroit un pouvoir de persuasion plutôt spécial, qu'on lui ait promis une récompense très alléchante: une Ferrari, un voyage autour du monde, une rente à vie...

Il attendra souvent la quarantaine pour se calmer, faire son bilan, juger et mesurer, mettre ses idées en place et se fixer un objectif réel et réalisable!

Il peut aussi développer une évolution spirituelle utile dont il peut faire bénéficier autrui. S'il pratique la charité, s'il œuvre dans un domaine philanthropique, c'est directement du ciel qu'il reçoit les billets d'avion et l'argent nécessaire pour ses bonnes œuvres!

Sa deuxième maison, dans le signe du Capricorne, indique qu'il gagne son argent le plus souvent grâce à un emploi au service du gouvernement. Il aime la sécurité financière. Il aspire à ne manquer de rien dans ses vieux jours. Il a une vision sécuritaire de l'argent: il lui sert à assurer sa subsistance, à pourvoir à ses besoins et à ceux qui pourraient dépendre de lui. Il n'est pas dépensier bien que, comme la plupart des Poissons, il ne soit pas un fanatique de l'économie.

Sa troisième maison, dans le signe du Verseau, également la douzième du Poissons, le rend vif d'esprit et lui donne un petit côté paresseux intellectuellement. Il apprend si vite qu'il n'a pas vraiment d'effort à faire pour pousser sa recherche. Il est à la fois logique et intuitif. Parfois il se demande comment il a pu apprendre ceci ou cela. Observateur, il emmagasine même à son insu une foule de connaissances qui, à un moment de sa vie, lui sont utiles. Il sera intéressé à la psychologie, à la médecine, celle de l'esprit plus particulièrement. Il s'intéresse à des phénomènes ou à des problèmes peu communs; ce qui sort de l'ordinaire le fascine. Ce qui est trop facile ne l'intéresse pas.

Son Soleil se trouve en quatrième maison, d'où la possibilité que le natif travaille pour une entreprise organisée, le gouvernement, les hôpitaux, les prisons, un laboratoire, ou à tout endroit retiré qui lui permet toutefois d'être en contact avec une foule de gens peu ordinaires. La sensibilité est puissante et l'intuition à son mieux. Sa compréhension et sa tolérance envers autrui lui viennent tout naturellement. Le natif aura une psychologie naturelle de l'être humain. Il aimera être en famille tout autant que sortir. Avec de bons aspects dans cette maison, il maintient la famille unie; à l'inverse, naturellement, il y a séparation.

Sa cinquième maison, celle de l'amour, dans le signe du Bélier, indique que le natif est sujet aux coups de foudre. Il peut fort bien confondre ce qui l'attire sexuellement et l'amour, mais finit toujours par s'en rendre compte. L'argent et l'amour peuvent s'entrecroiser, et il en résulte souvent un conflit entre les parties en cause. Le natif est un conquérant, mais il n'en a pas l'air. Rares sont les Poissons qui affichent cette compétence. Bien au contraire, la séduction leur a été donnée à la naissance dans le but d'être utile et non dans le but de manipuler. Malheureusement, de nombreux Poissons, aujourd'hui, nagent à contre-courant. Naturellement, ils n'arrivent pas à être heureux! Cette cinquième maison représente également le rapport que le natif entretient avec ses enfants, quand il en a. Il est spontané à n'en pas douter avec Mars, planète de l'action qui maîtrise cette maison, mais il pourrait bien diriger ses enfants, à la manière d'un petit général, ce qui a pour effet qu'il y a des déserteurs dans la famille. Généralement amoureux de ses enfants, il ferait n'importe quoi pour qu'ils soient heureux. Il est plus simple de leur donner de l'affection que de vouloir en faire des gens forts, avec menace ou chantage à l'appui!

Sa sixième maison, celle du travail dans le signe du Taureau, le rend stable à son travail, travail qui comporte à peu près toujours une relation étroite avec autrui dans le but de faire comprendre quelque chose aux autres, puisque le Taureau est le troisième signe du Poissons, donc qui relève de Mercure. Il pourrait s'adonner à l'enseignement ou être vendeur, vendeur d'un produit à la fois luxueux et utile, ou vendeur d'idées, la publicité par exemple. Il sait très bien faire valoir son point de vue et persuader les autres de la justesse de sa vision des choses. En fait, il a l'âme d'un réformateur et il apporte une bonne nouvelle. Au travail, c'est un optimiste qui sait qu'il pourra aller plus loin. Il ne s'inquiète que rarement du futur, l'avancement pour lui, ça vient avec la preuve de sa compétence et, effectivement, on la reconnaît et on lui accorde de plus en plus de pouvoir dans le domaine où il travaille.

Sa septième maison, celle du conjoint, dans le signe du Gémeaux, en aspects négatifs avec son Soleil provoque la plupart du temps une rupture de mariage. Il aura choisi comme premier conjoint une personne du type mercurien, c'est-à-dire une personne raisonneuse qui ne lui donne que peu d'affection, mais qui fait les choses correctement! Pour lui, l'intelligence est précieuse et il sait la reconnaître. Il se laisse même prendre à ce jeu de logique! Mais déception! Le Poissons étant un signe d'eau, il a beaucoup plus besoin d'affection que de logique pour vivre heureux. Il vous est permis de gaffer, pourvu que ça vienne du cœur! Le premier conjoint sera le plus souvent une personne du type nerveux et critique à l'égard du Poissons, une erreur à ne pas commettre. Il se lasse et finit par provoquer l'autre à le quitter. Il y est d'ailleurs très habile et cela lui permet de se soustraire à la décision et de se déculpabiliser. Il n'a pas voulu ça dira-t-il, mais il a tout fait pour que ça arrive!

Sa huitième maison, celle des transformations, dans le signe du Cancer, qui est le cinquième signe du Poissons, son signe d'amour, indique que le natif vit sa transformation par une rupture au foyer. Il fait ses valises! Ou, dans certains cas, c'est l'autre qui part. À partir de là commencera une grande période de réflexion qui lui permettra de vivre l'amour sur un autre plan. Il pourra s'accorder la passion, la spontanéité, la folie de l'amour qui peut durer! Il pourra choisir, comme deuxième personne à aimer, un type complètement différent de son conjoint et qui pourrait même lui donner un peu de fil à retordre, il aime bien les discussions. Position qui lui donne, ici encore, une grande perception. Il pourra avoir vécu un drame dans sa jeunesse: dans son milieu familial, la mort a pu surprendre, celle d'une personne à laquelle il était profondément attaché. Le natif sera attaché à sa mère. Elle aura pu être possessive, et quand le décès surviendra, le natif restera en contact avec elle. La mort ne brise pas le lien, bien au contraire.

Sa neuvième maison représente les voyages et son deuxième mariage dans le signe du Lion. Le voilà amoureux d'une personne exaltée pour le travail, puisque le Lion est le sixième signe du Poissons, donc sa maison de travail. Il pourrait même l'avoir rencontrée sur les lieux du travail ou décider d'une entreprise commune. Il reste à voir si la carte natale suggère l'association financière, le natif étant souvent la victime dans ses associations. Il doit alors toujours s'assurer de l'honnêteté de son partenaire. Le deuxième conjoint aimera le luxe, l'argent et l'or. Il sera travailleur, passionné: il aimera briller et demandera au natif une protection à la fois affective et matérielle. Encore là, il reste à voir si le natif est prêt à vivre sa seconde union sur ce pied! Il pourrait être heureux cette fois, le second mariage étant actif. Il est représenté par le feu, par l'exagération dans le signe du Lion, ce qui aura pour effet de distraire le natif et de lui lancer des défis, tant matériels que spirituels.

Sa dixième maison, dans le signe de la Vierge, maison de sa carrière dans un signe mercurien, représente le service à autrui par une réforme mentale, intellectuelle et, naturellement, de la part du Poissons, une transformation particulière de l'âme. Il sera habile à soigner, par la parole ou au moyen d'une médecine particulière. Position qui rend le natif bavard, surtout en ce qui a trait à son travail. Il aime en parler, il croit à ce qu'il fait, surtout s'il a choisi un métier qui vient en aide à autrui, à ceux qui souffrent. Il sera alors à la bonne place. Il fait un bon thérapeute, un bon masseur, une personne capable d'en calmer d'autres et de leur inculquer la sagesse. Il sera d'une patience d'ange s'il se retrouve dans une forme de médecine. Position qui favorise le secrétariat, mais s'il y a trop de routine, le natif aura continuellement envie de changer de travail. Il pensera cependant à sa sécurité et mettra du temps avant de changer d'entreprise. Il est fidèle au poste, et plus il a de responsabilités plus il s'y attache. Il n'aime pas faire des choses inutiles qui ne servent à personne. Encore une fois revient l'idée d'un travail gouvernemental, cette maison étant dirigée par Saturne, qui signifie qu'il se trouve dans un monde où il y a une limite de liberté. La carrière pourrait être à l'origine du désaccord entre lui et son premier conjoint, et il subsiste un danger pour ce qui est du deuxième.

Sa onzième maison, celle des amis, dans le signe de la Balance, fait qu'il aimera les gens de tête. Les avocats ne sont pas exclus de ses relations, de même que tous ceux qui ont des rapports avec le monde artistique. Encore une fois cette position indique que le mariage a quelque chose de bien hasardeux pour lui. La onzième étant régie par Uranus, planète des chocs, des divorces, et la Balance symbolisant les unions, huitième signe du Poissons, voilà donc l'alliance, union-divorce-mort de l'union! L'état de choc, quand survient une séparation, est difficile à supporter pour le natif. Il pourrait pendant longtemps se révolter contre le mariage, l'amour, et se contenter de relations sexuelles à la manière d'un consommateur. L'union libre peut maintenir plus longtemps l'union entre lui et l'autre. La signature d'un contrat de mariage l'emprisonne et il supporte mal cet état de choses. Quand survient un divorce, il est possible qu'il perde les amis qu'il avait et qui fréquentaient beaucoup plus le couple que le natif lui-même. Ce natif voyage généralement dans le luxe, il n'aime pas la médiocrité des lieux pour dormir ou pour manger. Il aime la présence des gens bien et beaux. Le côté cosmétique, esthétique est important pour lui. Il peut dépenser beaucoup d'argent pour s'offrir ce genre de luxe, restaurants, hôtels. Il n'aime pas y aller seul, il s'arrangera pour être accompagné. Il prend plaisir à partager.

Sa douzième maison, celle de l'épreuve, dans le signe du Scorpion, symbole de la sexualité, indique qu'il est plus que possible que le natif s'attache à des conjoints qui n'apprécient pas les relations sexuelles, ou qui leur trouvent quelque chose de sale. Il aura donc pour mission d'enseigner que la nature n'a rien de sale et que c'est uniquement l'esprit qui le conçoit ainsi. Dans le cas d'une nativité féminine, possibilité qu'une fois qu'elle aura eu des enfants, elle n'aime plus les relations sexuelles avec le conjoint. Est-ce le jeu de la sainte mère ou une disparition totale de l'appétit? Dans le cas d'un homme, sa conjointe pourrait lui imposer l'abstinence après qu'elle aura eu des enfants. Dans le cas d'une femme, on peut la quitter pour motif de séparation de corps et, dans le cas d'un homme il peut bien prendre en cachette une maîtresse qui pourra comprendre ses besoins, ce qui aura pour effet de lentement tuer sa vie de couple. Possibilité de pertes d'argent lors d'un prêt. Le natif doit savoir à qui il prête. Cette maison étant aussi une maison d'évolution, il se peut que le natif évolue au contact de gens isolés, soit par son travail, soit par bénévolat, auprès de personnes malades, emprisonnées, sous surveillance. Position qui le porte à la curiosité de l'astrologie et de tout ce qui touche l'âme humaine.

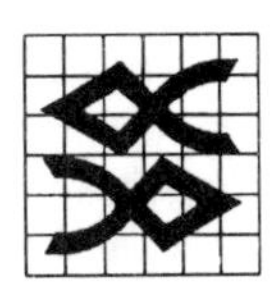

POISSONS ASCENDANT CAPRICORNE

Poissons, signe d'eau; Capricorne, signe de terre, régi par Saturne. L'eau peut être gelée, mais en surface seulement... Et avez-vous déjà vu de la glace sur l'océan?

Poissons sérieux, il ne perd pas de temps aux futilités, pas trop en tout cas. Il fréquente les gens bien, ceux qui rapportent, ceux qui ont un certain niveau de vie, un nom, un pouvoir. Ceux qui ont du cœur au ventre!

Parfois il cherche la solitude, mais il peut aussi la subir. Tout dépend, l'eau s'est-elle réchauffée? Peut-on y plonger sans attraper son coup de mort?

Il est réfléchi, ses opinions sont justes. Il les impose, persuadé que vous êtes d'accord, et sans vous avoir demandé votre avis.

Avec un ascendant Capricorne, signe cardinal, de chef, le Poissons comprend les autres; il peut les manipuler, il peut devenir l'exploiteur, le tyran à qui vous direz merci. Il vous a mal payé, mais il vous a donné du travail, votre chance de faire quelque chose, votre chance de prouver que vous êtes quelqu'un... par rapport à lui et à ses besoins!

Le bonheur est bien difficile à atteindre sous ce signe, il s'accroche au monde matériel avec une telle ardeur, une telle dévotion... Le Poissons est si excessif qu'il ne voit pas les autres trésors que le fond de l'océan lui cache.

Il est à la recherche de la justice, pas toujours divine; la justice humaine, la sienne. Il peut même vivre une raideur selon les règles et les principes qu'il a fixés lui-même et que vous devez observer sous peine de sanction, et quand il sanctionne, il sanctionne froidement! La plupart du temps il sait qu'il est comme ça, il pourra même en discuter avec vous, mais de là à changer, il n'en est pas question!

Sa deuxième maison, celle de l'argent, dans le signe du Verseau, symbole uranien, douzième signe du Poissons, indique que ce natif a bien du mal à mettre de côté de l'argent si ce n'est pour s'acheter un billet d'avion, partir au loin et fuir! L'argent pour lui c'est juste bon pour échapper à son sort, à sa limite de travail, pour partir et aller voir sous d'autres cieux si les gens ne sont pas plus heureux que lui. Sous le symbole uranien, l'argent ne lui tombe pas vraiment du ciel, il le gagne, mais il n'y est pas attaché! Il pourra lui arriver de vivre une période d'économie, puis, tout à coup, tout dépenser pour une fantaisie. Position qui porte parfois notre natif à croire qu'il est fou de travailler comme ça et qu'il serait bien mieux de vivre sur une île déserte où rien ne l'oblige et où personne ne lui demande quoi que ce soit. Il aspire à la liberté, mais il ne se l'accorde que par périodes, quand il part en voyage. Il se donne l'impression de faire ce qu'il veut!

Son Soleil se trouve en troisième maison, symbole de Mercure, la parole et l'écriture. Le natif sera bavard, mais pas avec n'importe qui, c'est sous restriction. Il adresse la parole aux gens susceptibles d'être intelligents! Sous le signe de Mercure, il adore la logique, il a bien du mal d'ailleurs à se laisser aller à l'émotion, celle-ci étant considérée comme une fantaisie qui dérange! Mais le Poissons n'est pas exempt d'émotions, bien au contraire; plus il refuse plus il en a, et plus il lutte plus il devient confus. Le natif est sociable, surtout quand il est question d'un travail intellectuel. Il aime les conversations intelligentes, les idées qui sortent de l'ordinaire. Il est rarement un manuel, à moins que le travail qu'il fait en soit un de précision qui requiert de l'esprit, par exemple un casse-tête. Ce Soleil en maison trois lui fait faire de la route. Il aura donc de nombreux déplacements définis par la carte natale. Il aime le mouvement mais d'une façon cyclique; il pourra s'adonner à un sport. Il sera inconstant, à moins que des aspects ne viennent changer ce trait de caractère.

Sa quatrième maison, dans le signe du Bélier, est son foyer dans un symbole de Mars. Donc à la maison il y a une grande possibilité que ce soit un lieu de guerre. Le natif voudra le quitter, mais il pourrait bien y rester parce qu'il retire l'avantage de la protection financière. Position qui représente la mère dans un signe de feu. Possibilité que la mère soit une personne exaltée, passionnée, comportant une certaine violence dans ses paroles, mais que le natif absorbe sans même s'en rendre compte. Possibilité que, malgré le conflit qui pourrait exister à son foyer, il y vienne en aide matériellement. Le natif est sujet aux déménagements décidés précipitamment, la raison en étant souvent le gagne-pain, l'argent, puisque le Bélier est le symbole d'argent du Poissons.

Sa cinquième maison, celle de l'amour, dans le signe du Taureau, signifie que le natif sera attiré par des personnes de type artistique. Il pourrait aussi se laisser prendre par les apparences, tomber amoureux avec de belles personnes qui, un jour, se transforment en petits dictateurs. Il aura cru à une relation où il pourrait avoir de nombreuses conversations intellectuelles, puisque le Taureau est aussi le troisième signe du Poissons, la maison de l'intellect. Il pourrait pendant longtemps rester fixé sur un modèle de personnes susceptibles de lui plaire. Le temps adoucissant ou changeant son idée, il élargit le modèle. L'adolescence joue un rôle particulier dans cette fixation sentimentale. Pour atteindre le bonheur, il faudra, quand il est adulte, qu'il transforme l'idée de la belle personne parfaite! Lui il ne l'est pas, après tout!

Sa sixième maison, celle du travail, se trouve dans le signe du Gémeaux, ce qui l'incline vers les lettres, la conception, l'organisation où il joue un rôle dans lequel il n'apparaît pas. On pourrait le comparer à l'auteur qui écrit la pièce, celui dont on ne voit jamais le visage. Position qui incline à une forme de secrétariat. Il dirige, mais il n'en retire aucune gloire. Position qui incline aussi à des moments de profonde dépression. Comme le Gémeaux est le quatrième signe du natif, donc son foyer, il y a possibilité que dans l'enfance il ait vécu une confusion intellectuelle à cause de troubles familiaux qui se sont transformés en troubles émotionnels. Le natif est généralement d'une intelligence bien au-dessus de la moyenne et d'une curiosité quasi maladive. Tout savoir, tout connaître pour le plaisir. Il fait une recherche de lui-même, mais le plus souvent il se perd dans le monde de l'intellectualisme et des citations qu'il retient, qu'il peut concevoir comme sages, mais qu'il n'observe que rarement. On les a écrites pour les autres.

Sa septième maison, dans le signe du Cancer, symbolise l'union dans un signe lunaire. Aussi le natif est-il très attiré par les personnes qui brillent en public, qui se font remarquer. Comme le Cancer est également le cinquième signe du Poissons, son symbole d'amour, il tombe alors amoureux avec une image, un idéal, parfois même un mirage! Il recherche comme partenaire la personne parfaite, belle, intelligente, équilibrée, aimant la famille, le foyer et la vie en société, sachant allier tout ça pour ravir le natif. Son conjoint devra être entreprenant également puisqu'ici il est représenté par un signe cardinal donc d'action. Il y a ici menace de séparation ou alors le natif se condamne au célibat, à la réclusion. Pourtant rien n'est impossible, le Cancer étant en bons aspects avec le Poissons, il pourrait bien, à un moment indiqué par la carte natale, rencontrer la perle rare. Il lui suffira alors de l'entretenir! Et surtout ne pas croire que si l'autre existe c'est uniquement pour lui, et que lui n'a rien d'autre à faire que, de temps à autre, manifester sa présence. Personne n'est venu au monde pour le contempler!

Sa huitième maison, celle des transformations, de la mort, de la sexualité se trouve dans le signe du Lion, sixième signe du Poissons. Possibilité alors que le natif transpose toute son énergie sexuelle au travail! Il idéalise la fonction sexuelle et il n'est pas tout à fait réaliste de ce côté. Position qui ne favorise guère la venue des enfants, et qui, dans certains cas, peut faire vivre au natif une sorte de stérilité volontaire ou forcée. Si le natif s'engage à faire un enfant, qu'il soit homme ou femme, ce petit être peut complètement transformer sa vision de la vie et développer chez lui moins de logique, moins de questions sans réponses et plus de générosité. Il sera fasciné par ce qui naît de lui et aura alors le plus profond respect de la vie sous toutes ses formes.

Sa neuvième maison est celle des voyages dans le signe de la Vierge, son septième signe qui, en fait, représente son conjoint, ici dans un symbole de Mercure. S'il y a éloignement à cause de voyages, le natif pourra entretenir une correspondance abondante avec son conjoint. Le but de ses voyages est le plus souvent intellectuel, il découvre d'autres mondes, d'autres manières de vivre. Il apprend, il étudie. Possibilité pour ce natif de compléter ou de faire des études à l'étranger. Ce qui, dans certains cas, a pour effet de provoquer une séparation entre son conjoint et lui, à moins qu'une entente intellectuelle ne soit signée entre eux ou qu'il rencontre une personne qui a le même goût et le même objectif: apprendre, parfaire, compléter une formation. Autant les voyages peuvent lui être bénéfiques sur le plan intellectuel, autant peuvent-ils être catastrophiques en ce sens qu'ils peuvent provoquer une querelle de ménage, si le natif et son conjoint ont déjà entamé un processus de séparation.

Sa dixième maison, dans le signe de la Balance, symbole de sa carrière, dans le signe de l'union, du mariage. La Balance étant le huitième signe du Poissons, donc il y a possibilité que le conjoint ou l'amoureux du natif soit à l'origine d'un changement de carrière ou le pousse dans une autre direction que celle dans laquelle il s'était engagé. Possibilité également que le conjoint stimule l'ambition du natif pour qu'il atteigne des sommets en direction du pouvoir. La carrière peut avoir un rapport avec la légalité, les gouvernements ou des entreprises internationales. Le natif ayant un esprit d'analyse, il peut, dans sa carrière, voir là un esprit de synthèse fort poussé. La carrière comporte des relations avec autrui, des relations qui relèvent de la Balance – justice, équilibre, séduction de la foule, pourparlers, négociations.

Sa onzième maison, celle des amis, dans le signe du Scorpion, le rend plutôt sélectif dans ses choix. Il en aura très peu. Cette position indique que le natif pourrait avoir des relations sexuelles avec ses amis du sexe opposé, et que le natif a bien quelques fantaisies et fantasmes peu communs qui peuvent ou non être vécus. Tout dépend des aspects de Mars dans sa carte natale.

Sa douzième maison, celle de l'épreuve dans le signe du Sagittaire, fait que le natif évoluera au milieu de ses voyages, qu'il y apprendra tant sur les autres que sur lui-même. L'esprit d'analyse étant à l'œuvre, il pourra mieux disserter sur lui par comparaison avec ce qu'il a vécu et doit vivre. Position qui permettra au natif vers sa trente-cinquième année de changer l'orientation de sa pensée, de philosopher tant avec le cœur qu'avec l'esprit. Position qui ne favorise guère les séjours prolongés en pays étrangers, bien que le natif soit tenté d'aller vivre ailleurs, le Poissons étant le signe de l'infini, de l'illimité, celui qui ne peut vivre dans les cadres imposés, réglés. Position où le natif ne se fait pas d'ennemis, ou du moins les jaloux s'éliminent-ils d'eux-mêmes.

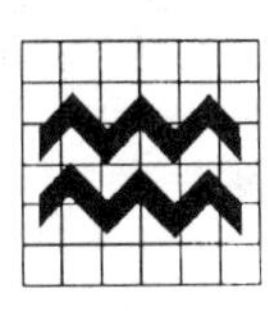

POISSONS ASCENDANT VERSEAU

Nous pouvons avoir là un visionnaire ou un fou!

Il est entier dans ce qu'il est et dans ce qu'il fait. Il est tout aussi total dans un état de paresse que dans l'action.

Il peut consacrer sa vie à une œuvre ou la consacrer à penser à l'œuvre qu'il créera pour sauver l'humanité de sa perte, comme il peut vouloir se lancer à la conquête de l'argent!

Verseau, de l'air, Poissons de l'eau, vous voyez la chimie, mais l'air du Verseau est un courant rapide qui agite l'eau à la manière d'un raz-de-marée, d'une vague déferlante, ou d'un remous, invisible à l'œil, mais meurtrier, un remous qui vous engloutit sans pardon... Le Verseau à l'ascendant provoque souvent chez le natif une tendance à la tyrannie, à la dictature, au pouvoir. Vous n'y verrez que du feu au début!

Mais comme ce natif est Poissons, double signe d'eau manquant souvent de volonté, il laisse aux autres le soin de décider. Lui, il se contente de refaire le monde dans sa tête.

Sentimental à l'excès, il est étrange de noter que c'est souvent un choc amoureux qui lui apprend la vérité de la vie. On l'a délaissé, c'est alors qu'il se posera les vraies questions sur le but et la raison de son existence.

Son Soleil se trouvant en maison deux, deux types de personnes peuvent apparaître: vous avez là le parasite qui ne pense qu'à l'argent sans vouloir travailler; par amour, on lui en donnera. Ou l'obsédé qui ne pense qu'à en gagner pour bien vivre, pour s'offrir du luxe, pour faire une vie différente des autres. Ce natif est plutôt charmant, il peut fort bien se servir de cet atout pour vous persuader de lui prêter ou d'investir dans une de ses affaires qui promet «gros». Possibilité qu'il gagne beaucoup. Il sera doué pour les placements d'argent. Habile dans l'achat des propriétés, il pourra occuper un poste où on compte, où on administre. L'argent c'est souvent son domaine. Il lui en faut beaucoup.

Sa troisième maison, dans le signe du Bélier, lui apprend très tôt le plus souvent, à gagner sa vie par toutes sortes de moyens. Il sera bon vendeur s'il se lance dans ce domaine. Il aura une parole enflammée, persuasive. Vos arguments, à la moindre faute, sont notés et tombent d'un seul coup sous l'effet de sa logique. Il pourrait bien se comporter en petit dictateur. Charmant dans sa vie sociale, il ne l'est peut-être pas autant avec ses proches, il gère!

Sa quatrième maison, dans le signe du Taureau, lui procure le plus souvent un foyer stable, où il se sent en sécurité, où on respecte son indépendance d'esprit. Il pourra être le chouchou de sa maman. Il pourrait bien la ressentir comme une personne envahissante. Il recevra comme instruction consciente ou subconsciente que, dans la vie, il faut gagner de l'argent, se payer une maison, avoir de l'argent de côté, se marier, fonder une famille et vivre selon les règles. Petit Poissons aime bien vivre différemment, pas comme les autres, ça l'ennuie, ça manque de souplesse, de fantaisies, d'improvisation. Il pourra se laisser prendre au message durant une certaine période de sa vie mais sans doute pas pour toujours.

Sa cinquième maison, celle des amours, est dans le signe du Gémeaux. Bien que le natif du Poissons soit un être sensible et sensuel, il est bien possible que celui-ci ne libère que très peu d'énergie sexuelle et même que chez certaines femmes le désir soit absent; les hommes, eux, ont tout d'abord besoin d'une bonne conversation avant de tomber amoureux. L'amour est vu sous l'angle de la raison et non pas vécu comme une impulsion naturelle, allant de soi et ne demandant aucune réflexion. L'influence vient de la famille où le natif y a appris tellement de règles strictes qu'il a bien du mal à s'en débarrasser et qu'il les intègre à sa vie durant un certain temps, mais pas toujours! Il aura donc des amours, qui au départ, avaient l'air de vouloir aller comme sur des roulettes, puis tout à coup se rompent; on lui dit qu'il n'est pas assez expansif dans ses sentiments. Il parle mais le plus souvent en dehors de ce qui regarde l'amour même devant un dîner aux chandelles!

Sa sixième maison, celle du travail dans le signe du Cancer, indique un travail ayant une alliance avec la famille. Le travail peut tout aussi bien être un travail de comptabilité que de création, les aspects de la Lune indiquent l'orientation du travail du natif. Il percevra le travail comme une halte entre lui et sa famille. Il ne voudra pas le considérer comme un objectif, comme quelque chose qui doit progresser, l'exception fait la règle, surtout dans le cas des artistes. Sans progression et renouvellement, un artiste est appelé à disparaître rapidement. Il pourra avoir une attitude amorphe dans son travail et s'arranger pour le faire exécuter par les autres, en faire le moins possible. Les riches n'ont-ils pas la formule, d'ailleurs? Ils sont riches parce qu'ils savent faire travailler les autres! La constatation n'est pas fausse, mais elle mériterait une dissertation que j'éviterai ici. On n'obtient rien en criant lapin et... même pas un lapin! Le natif pourra se sentir à l'aise dans un travail qui fait appel à son imagination. Il aime fasciner, amuser, distraire. Dans un travail de comptable, en affaires, ce natif se prend tellement au sérieux qu'il oublie de rire.

Sa septième maison, celle du conjoint dans le signe du Lion, sixième signe du Poissons, fait que le natif voudra comme conjoint une personnalité forte, dominatrice même. Dans le cas d'une femme, l'union ne durera que si elle demeure en état d'admiration devant la force de son mari, et naturellement s'il participe à son bien-être physique. Les femmes de ce signe peuvent avoir l'air très vivantes et audacieuses, puis tout à coup vous découvrez qu'elles attendent qu'on fasse leur bonheur et qu'on les serve comme des reines! Les fréquentations se passent bien, on fera tout pour faire plaisir à madame, mais une fois le contrat signé, que monsieur devient plus familier et moins pressé, madame commence à lui trouver quelques petits défauts!

Dans le cas d'une nativité masculine, monsieur désirera pour conjointe une personne belle, digne, une vraie reine qu'il pourra présenter à ses amis. Mais ce qu'il n'aura pas vu c'est que madame la reine a de nombreux caprices et qui coûtent cher! Possibilité que le natif rencontre l'élu de son cœur, son premier amour, sur les lieux du travail. L'ascendant Verseau ne favorise guère un mariage à vie!

La huitième maison est celle des transformations dans le signe de la Vierge, signe opposé au Poissons. Dans le cas d'une nativité féminine, il y a possibilité que le mariage entraîne une sorte de stérilité et que la native en vienne à ne plus désirer faire l'amour, ou alors elle peut prendre plaisir à tromper le mari, pour vérifier si ses charmes font toujours le même effet, mais cette seconde hypothèse est plus rare. Quant à l'homme, il pourrait, subir de la part de sa partenaire des refus sexuels, ce qui éventuellement peut pousser le natif à vivre des aventures extraconjugales. Il existe le cas rare où le natif est impuissant. La huitième maison étant le signe des transformations dans un signe de raison, il faudra que notre natif réfléchisse à son attitude sexuelle s'il a des problèmes dans sa vie conjugale. Il y a possibilité de réforme si la sexualité représente un problème. Le natif aura besoin de conseils d'une personne avisée, d'un médecin, la médecine relevant de la Vierge.

Sa neuvième maison, dans le signe de la Balance, apporte au natif le goût du luxe et de la richesse. Il pourra trouver tout ça, mais il devra être prudent dans ses associations financières. La Balance étant le huitième signe du Poissons, il pourrait bien se trouver en face de personnes qui aiment bien l'argent des autres, le sien par exemple. Si le natif est tenté de tricher avec le gouvernement, l'impôt par exemple, il devra faire bien attention! Il arrive que les tricheurs se font prendre. Le Poissons étant un signe de victime, s'il veut jouer au malin ça pourrait bien un jour lui coûter plus qu'il ne l'aurait cru. Par contre, cette position favorise ses débats juridiques et il pourrait les gagner. Par exemple, dans une cause de divorce, s'il est le payeur, il s'en tirera à bon compte; et s'il est le receveur, il pourra recevoir une large part. Comme la plupart des Poissons, il aime les voyages. Possibilité qu'il rencontre une personne étrangère de qui il tombera amoureux et qui changera complètement sa vie.

Sa dixième maison, celle de la carrière dans le signe du Scorpion, lui fait désirer un pouvoir d'argent. Quand le natif aura choisi sa voie, il la poursuivra jusqu'à ce qu'il ait atteint le maximum. Il pourrait s'engager dans un métier de compétition, il joue bien, il est astucieux, il a le sens de la stratégie. Le père du natif a pu lui faire vivre quelques douleurs, à cause du manque de communication. Le père a pu être une personne secrète, le natif toutefois y aura appris une leçon. Il est bien difficile d'apporter une précision sur sa carrière, tout dépend de la force d'action du natif. Autant il peut avoir le sens de l'entreprise, autant il peut laisser les autres et les circonstances décider à sa place. Dans le deuxième cas, il aura l'impression de subir.

Sa onzième maison, celle des amis, dans le signe du Sagittaire, signifie que le natif se fera des amis dans son milieu de travail. Le Sagittaire étant en mauvais aspects avec le Poissons, il devra prendre garde aux influences qui l'entourent. On peut le stimuler correctement comme on peut lui donner de mauvaises indications. Il aimera la présence des gens exubérants, audacieux, de ceux qui sortent de l'ordinaire. Il n'aura pas toujours envie de les suivre dans leurs fantaisies, mais il prendra plaisir à être témoin. Il pourrait avoir des amis qui ont des vies tumultueuses. Il aimera la présence des étrangers, ceux-ci lui apportant quelque chose de différent de ce qu'il connaît. Possibilité qu'il fasse des voyages avec des amis, en groupe; il préférera voyager ainsi que seul.

Sa douzième maison, celle de l'épreuve dans le signe du Capricorne, symbole du père, de l'autorité. Possibilité que le natif, à la suite d'une peine, s'isole du reste du monde pendant longtemps. Il pourra avoir un secret en ce qui concerne son père, ne pas en être aussi fier qu'il l'aurait voulu, par exemple. Le natif peut aussi avoir grandement craint son autorité qui, à juste titre, a pu être sévère. Le natif, d'un côté, aimerait se plier à des traditions et, de l'autre, il ne le peut pas. Vers la quarantaine, il pourrait faire un sérieux retour en arrière pour avancer plus vite, comme son ascendant Verseau le lui suggère.

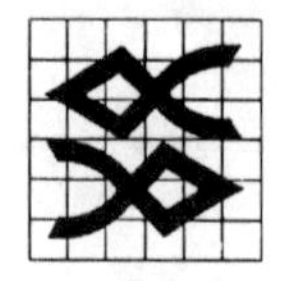
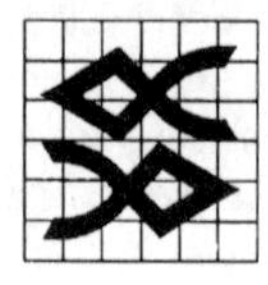

POISSONS ASCENDANT POISSONS

Double signe d'eau double, double douzième signe astrologique, double signe qui signifie la douleur, l'emprisonnement, la maladie, les remous psychiques, l'instabilité émotionnelle, mentale et physique.

Il subit toutes les influences atmosphériques, les tempêtes, les ouragans, les tornades, tout ce qui se passe dans le ciel. Même les mouvements de la terre ont une influence sur lui, le feu le fait bouillir, s'évaporer mais...

Il y a sur cette planète plus d'eau que de terre et sans l'eau nous sommes perdus!

Tous les excès sont compris dans ce signe, excès de travail, excès de paresse, excès sexuels, abstinence totale, excès de boire et de manger, privation absolue. Aussi acharné puisse-t-il être à quelque chose, aussi désintéressé peut-il devenir!

Il va vers le haut des choses, vers le bas, et non pas à mi-chemin! Vous aurez du mal à le suivre. Il ne sait même pas lui-même quel courant il prendra. Le chaud, le froid, le courant rapide, le fleuve, un lac, un ruisseau, une mare ou juste une goutte!

L'eau s'infiltre partout, elle gruge les éléments matériels les plus solides. Elle fertilise, elle noie, inonde, rafraîchit, vous désaltère. En état de putréfaction, elle vous empoisonne sérieusement, vous rend malade. Elle peut vous sauver la vie dans le désert. Le corps est fait d'au moins 85 % d'eau!

L'eau nous procure de l'électricité, de quoi nous laver... La liste s'allonge. Pensez aux bienfaits de l'eau et à ses méfaits aussi, vous aurez alors la description de ce Poissons-Poissons.

La responsabilité de ce signe, dont l'âme vit une évolution infiniment grande, est puissante. Il ne laisse personne indifférent, bien qu'il ne s'impose pas, du moins pas en apparence. La plupart du temps il agit à distance, il crée les événements comme il pense qu'ils doivent être. Il souffre et il peut aussi faire souffrir. Il peut vous rendre heureux ou malheureux, tout dépend de sa source natale.

Dans le domaine sentimental, il est aussi fragile qu'une fleur des champs, à la merci des piétinements, dont il ne peut se défendre. Pour avoir le goût de vivre dans ce monde, il doit se sentir passionnément aimé, attendu, désiré. Les critiques ont pour effet de lui faire perdre confiance, de le traumatiser jusqu'à lui faire perdre ses moyens d'action.

Il donne une impression de faiblesse, de mollesse. Il ne fait pas d'effort pour vous plaire, il est, il a été. Il s'adapte rapidement à toute nouvelle situation, l'eau prend la forme qu'on lui donne. Il n'aime pas se mettre devant, mais derrière, il conseille, dirige, mais il ne veut pas d'honneurs! Il est né humble, mais il manque de confiance en lui.

Le physique de ce Poissons est rarement résistant. Trop de remous émotionnels l'assaillent en même temps. Il n'est pas facile de plaire à son père et à tout le monde en même temps. Mais c'est ce qu'il aimerait faire. Il ne se développe bien que dans le calme, la paix, la sécurité émotionnelle, les caresses, la gentillesse. Autrement, qu'est-ce donc que cette planète où les hommes ne s'entendent pas? Aussi bien retourner au fond de la mer!

Sa deuxième maison, dans le signe du Bélier, un symbole de Mars, fait qu'il peut monter une grosse affaire et soudainement la voir disparaître s'il a de mauvais aspects de Mars dans sa carte natale. Il aime l'argent plus pour le dépenser que l'accumuler. Il le gagnera la plupart du temps à la sueur de son front, rien ne lui est donné à ce Poissons, la chance n'était pas vraiment au rendez-vous ce matin-là. Mais si on ne lui a pas rendu le gagne-pain facile, on lui a donné la faculté de tout apprendre, de tout voir en même temps et d'être un conseiller pour ceux qui voudraient faire de l'argent ou quoi que ce soit d'autre.

Sa troisième maison est dans le signe du Taureau. Bien qu'il ait l'esprit large, ce natif, quand il s'accroche à une idée qu'il croit être bonne pour lui, y reste et parfois pour longtemps. Il a une très grande compréhension envers autrui, et sa tolérance pour le genre humain; il n'en a pas beaucoup pour lui, comme s'il prenait plaisir à se sous-estimer. Il peut tout aussi bien étudier les arts, les affaires, le commerce, bref on le retrouve un peu partout. Avec de mauvais aspects et l'esprit mal tourné, il peut faire le trafic de la drogue ou de quelque autre produit interdit par la loi.

Sa quatrième maison, celle de son foyer, dans le signe du Gémeaux, en mauvais aspects avec son Soleil indique ici un foyer où circule une foule d'idées qui ne sont pas toutes réalisables. Cette quatrième maison, symbole de la mère, dans un signe de Mercure, indique une mère nerveuse qui a peut-être communiqué, consciemment ou non, deux messages au natif, l'un étant de vivre selon ses idées et l'autre de vivre selon ce que tout le monde fait! Un Poissons peut très bien absorber le message, mais il n'est pas sûr qu'il adoptera cette attitude face à la vie. Il est trop sensible pour ne vivre que selon des intérêts et des idées, et trop indépendant pour ne vivre que selon des règlements fixes. Le foyer a pu être un lieu chaotique où les ententes n'étaient qu'en surface. Le Poissons le savait, mais sa complaisance l'empêchait souvent de se révolter ou de dire ce qu'il pensait de la situation.

Sa cinquième maison, celle de l'amour dans le signe du Lion, lui donne l'amour de la famille; même si celle-ci ne lui correspond pas, il y sera attaché. Il aimera l'idée de l'amour et sera un grand idéaliste. Il sait ce qu'est l'amour, mais n'ose souvent pas l'exprimer de peur de passer pour un romantique, notre monde en étant à la robotisation sous toutes ses formes. Il est le poète qu'on comprend mal, son message n'arrive qu'aux gens sensibles, les autres pensent qu'il divague. Mais parlons du bon Poissons-Poissons, l'autre est en train de se noyer et il n'écoute personne qui voudrait l'aider. Ce natif parle de ses enfants quand il en a. Il y sera très attaché. Dans le cas d'une nativité masculine, il aura un grand respect de celle qui aura mis ses enfants au monde. Dans le cas d'une nativité féminine, elle pourrait bien consacrer son temps à ses enfants et peut-être bien les aimer au point de les déranger.

Sa sixième maison, celle du travail dans le signe du Lion, nous enseigne qu'il est bien difficile de déterminer son œuvre. Elle peut être artistique tout autant que financière. Il consacrera un temps fou à son travail, quoi qu'il fasse, et il est toujours préférable qu'il travaille pour lui-même que pour un autre. Avec le Lion dans cette maison, il veut régner sur ses décisions. Possibilité qu'il fasse du travail le cœur de sa vie. Cette sixième maison est aussi celle de la maladie. Un Poissons qui travaillerait trop sans s'accorder du répit pourrait bien souffrir à un moment de problèmes cardiaques.

Sa septième maison, celle du conjoint, dans le signe de la Vierge, son signe opposé, fait qu'il pourrait bien rechercher une personne à la fois différente de lui et complémentaire. Pour que l'union tienne, avec la Vierge qui tient de Mercure, le conjoint devra avoir une conversation intelligente, le goût de l'analyse, avoir une curiosité intellectuelle, être travailleur. Mais il arrive que ce natif, vu l'opposition, attire à lui une personne qui le critique, qui finit par ne lui trouver que des défauts. Cette position peut indiquer deux unions, la cause de la rupture étant le plus souvent une incompréhension mutuelle sur le plan intellectuel!

Sa huitième maison, celle des transformations, de la mort dans le signe de la Balance, qui est, elle, le symbole de l'union, voilà qui met l'union sérieusement en péril. Possibilité que le natif rencontre une personne qui le transforme ou qui le détruise. Situation qui exerce une double force. Le mariage est aussi pour le natif une phase importante de sa transformation, il pourrait ne plus se reconnaître, parce qu'il s'y est affaibli ou qu'il y a pris de la force.

Sa neuvième maison, dans le signe du Scorpion, symbole des voyages, Scorpion, symbole de la mort, de tout ce qui se renouvelle, ce qui est mystérieux. Le natif sera donc fortement attiré par l'astrologie, la psychanalyse, le monde intérieur de l'humain et l'espace infini qui nous entoure. Un voyage peut être à la source d'une grande transformation intérieure. Ce natif peut aussi être obsédé par la mort. Pourquoi? Où va-t-on? Il peut alors regarder le ciel et y trouver l'immensité, ou regarder la terre et n'y voir que de la pourriture. Il est possible que le natif soit sceptique en ce qui concerne la vie après la mort. Il aimera en discuter, et qui sait s'il ne trouvera pas une réponse à sa question. Il ne trouvera nulle part de réponse à la vie, elle n'est pas ni au ciel ni dans la terre, la vie tient de la vie tout simplement. Il n'y a rien qui meurt, tout se transforme perpétuellement.

Sa dixième maison, dans le signe du Sagittaire, peut lui permettre de faire deux carrières différentes à l'âge indiqué par la carte natale. Grand idéaliste, il croit parfois que tout va arriver tout seul et qu'il n'a pas d'effort à fournir. Surprise! Le voilà à la recherche d'un travail et c'est difficile à trouver, pourtant il suffira d'un encouragement pour qu'il fasse un pas, et voilà que la porte de la chance s'est ouverte! Sous l'effet du Sagittaire, le monde de l'argent vite gagné l'intéresse, le jeu, les courses, les cartes. Il aimerait bien y faire carrière, gagner vite, beaucoup, et se reposer ensuite... Ils sont peu nombreux à y arriver! La Bourse peut exercer un attrait particulier sur lui, mais il lui faudra être prudent, le Sagittaire étant en mauvais aspects avec son Soleil. Au moindre faux pas, il pourrait être perdant. Il aura des opinions politiques, mais il ne sera pas vraiment militant. Il déteste la violence et peut trouver que le monde de la politique, qui n'est qu'un rapport de force, n'a rien d'humain. Lui il veut s'amuser. C'est seulement la vie qui le force de la prendre un peu au sérieux, après tout!

Sa onzième maison, celle des amis, dans le signe du Capricorne, fait qu'il aura peu d'amis et peu de confidents. Il connaîtra beaucoup de gens qu'il quittera aussitôt. Il préférera la présence des gens âgés qui le rassurent, qui peuvent lui apprendre quelque chose, qui peuvent peut-être lui révéler quelques mystères. La plupart du temps il fréquentera ceux qui sont déjà dans l'avenir. Le Capricorne étant le symbole du père, ici, dans la maison d'Uranus, le père aura pu être ou est intelligent, original. Le natif le respectera, mais il n'aura qu'un contact intellectuel et froid avec lui. Uranus, planète des chocs, il y a possibilité que le père ait donné un choc au natif ou qu'il l'ait mal orienté.

Sa douzième maison, celle des épreuves, se trouve dans le signe du Verseau. Ici revient l'idée des chocs soudains. Le natif est sujet aux accidents de la route, par exemple. Il devra éviter les explosifs. L'électricité, bien que fascinante pour lui, peut être source d'épreuves. Il lui faudra faire attention aux chocs et s'il travaille dans ce domaine, il devra redoubler de prudence. Uranus étant aussi la planète du divorce, le natif pourrait bien subir ce choc et mettre du temps à s'en remettre. Cette position apporte une grande curiosité pour tout ce qui touche l'espace, la douzième étant ce qui est caché et le Verseau étant ce qui se mesure dans l'espace planétaire! Position qui peut inviter le natif à faire des recherches sur l'astrologie ou l'astronomie.

Le calcul de l'ascendant

Voici une méthode très simple qui permet de calculer son ascendant.

1. Il faut connaître son heure de naissance.

2. Si l'on est né à une date où l'heure d'été était en vigueur, il faut soustraire une heure à son heure de naissance (voir le tableau, à la page 419 des heures d'été).

3. On cherche dans le tableau des heures sidérales (à la page 415) le temps sidéral du jour de sa naissance. Si notre date de naissance n'y est pas indiquée, il faut choisir la date précédente la plus rapprochée et ajouter quatre minutes par jour qui sépare cette date de notre jour de naissance. Disons, par exemple, que vous êtes né le 14 avril. Le tableau donne le temps sidéral pour le 10 avril, soit 13:10. Comme quatre jours séparent le 10 avril du 14 avril, il faut ajouter quatre fois quatre minutes, soit 16 minutes. On obtient donc le temps sidéral du jour de votre naissance si vous êtes né un 14 avril. N'oubliez pas que si le total des minutes dépasse 60, il faut soustraire 60 de ce total et ajouter une heure. Par exemple 06:54 plus 12 minutes. On obtient 06:66, ce qui donne en fait 07:06.

4. On ajoute à l'heure de la naissance le temps sidéral du jour de la naissance qu'on a trouvé dans le tableau des heures sidérales. C'est l'heure sidérale de la naissance. Si l'on obtient ici un total qui dépasse 24 heures, il faut soustraire 24 heures du total obtenu. Par exemple, si l'on obtient 32:18, il faut soustraire 24 heures de 32:18. Ce qui nous donne 08:18. C'est l'heure sidérale de la naissance.

5. On cherche ensuite dans le tableau des ascendants le signe qui correspond au temps sidéral de la naissance que vous avez trouvé lors de l'opération précédente. Ce signe est votre ascendant.

Tableau des heures sidérales

Bélier

22 mars	11:54	1er avril	12:34	15 avril	13:29
26 mars	12:10	5 avril	12:50	20 avril	13:49
31 mars	12:30	10 avril	13:10		

Taureau

21 avril	13:53	1er mai	14:33	15 mai	15:28
25 avril	14:09	5 mai	14:48	21 mai	15:51
30 avril	14:29	10 mai	15:08		

Gémeaux

22 mai	15:55	1er juin	16:35	15 juin	17:30
26 mai	16:07	5 juin	16:51	21 juin	17:54
31 mai	16:31	10 juin	17:10		

Cancer

22 juin	17:58	1er juillet	18:33	15 juillet	19:28
26 juin	18:13	5 juillet	18:49	19 juillet	19:44
30 juin	18:29	10 juillet	19:09	22 juillet	19:56

Lion

23 juillet	20:00	1er août	20:35	16 août	21:34
27 juillet	20:16	5 août	20:51	22 août	21:58
31 juillet	20:31	10 août	21:11		

Vierge

23 août	22:02	1er sept.	22:37	15 sept.	23:33
28 août	22:22	5 sept.	22:53	21 sept.	23:56
31 août	22:34	10 sept.	23:13		

Balance

22 sept.	00:00	1er oct.	00:36	15 oct.	01:31
26 sept.	00:16	5 oct.	00:52	20 oct.	01:51
30 sept.	00:32	10 oct.	01:11	23 oct.	02:03

Scorpion

24 oct.	02:06	1er nov.	02:38	16 nov.	03:37
28 oct.	02:22	5 nov.	02:54	22 nov.	04:01
31 oct.	02:34	10 nov.	03:13		

Sagittaire

23 nov.	04:05	1er déc.	04:36	16 déc.	05:35
27 nov.	04:20	5 déc.	04:52	21 déc.	05:55
30 nov.	04:32	10 déc.	05:12		

Capricorne

22 déc.	05:59	1er janv.	06:39	15 janv.	07:34
26 déc.	06:15	5 janv.	06:54	20 janv.	07:53
31 déc.	06:35	10 janv.	07:14		

Verseau

21 janv.	07:57	1er fév.	08:41	15 fév.	09:36
26 janv.	08:17	5 fév.	08:56	19 fév.	09:52
31 janv.	08:37	10 fév.	09:16		

Poissons

20 fév.	09:56	1er mars	10:31	16 mars	11:30
24 fév.	10:11	5 mars	10:47	21 mars	11:50
28 fév.	10:27	10 mars	11:07		

Tableau des ascendants

L'ascendant est dans le BÉLIER entre 18:00 et 19:04.
L'ascendant est dans le TAUREAU entre 19:05 et 20:24.
L'ascendant est dans le GÉMEAUX entre 20:25 et 22:16.
L'ascendant est dans le CANCER entre 22:17 et 00:40.
L'ascendant est dans le LION entre 00:41 et 03:20.
L'ascendant est dans la VIERGE entre 03:21 et 05:59.
L'ascendant est dans la BALANCE entre 06:00 et 08:38.
L'ascendant est dans le SCORPION entre 08:39 et 11:16.
L'ascendant est dans le SAGITTAIRE entre 11:17 et 13:42.
L'ascendant est dans le CAPRICORNE entre 13:43 et 15:33.
L'ascendant est dans le VERSEAU entre 15:34 et 16:55.
L'ascendant est dans le POISSONS entre 16:56 et 17:59.

Tableau des heures d'été

Au Québec, l'heure avancée, ou heure d'été, a été en vigueur entre les dates suivantes.

1920: du 2 mai au 3 octobre.
1921: du 1er mai au 2 octobre.
1922: du 30 avril au 1er octobre.
1923: du 13 mai au 30 septembre.
1924: du 27 avril au 28 septembre.
1925: du 26 avril au 27 septembre.
1926: du 25 avril au 26 septembre.
1927: du 24 avril au 25 septembre.
1928: du 29 avril au 30 septembre.
1929: du 28 avril au 29 septembre.
1930: du 27 avril au 28 septembre.
1931: du 26 avril au 27 septembre.
1932: du 24 avril au 25 septembre.
1933: du 30 avril au 24 septembre.
1934: du 29 avril au 30 septembre.
1935: du 28 avril au 29 septembre.
1936: du 26 avril au 27 octobre.
1937: du 25 avril au 26 septembre.
1938: du 24 avril au 25 septembre.
1939: du 30 avril au 24 septembre.
1940: du 28 avril
puis tout le reste de l'année.
1941 toute l'année.
1942 toute l'année.
1943 toute l'année.
1944 toute l'année.
1945 jusqu'au 30 septembre.
1946: du 28 avril au 29 septembre.
1947: du 27 avril au 28 septembre.
1948: du 25 avril au 26 septembre.
1949: du 24 avril au 25 septembre.
1950: du 30 avril au 24 septembre.
1951: du 29 avril au 30 septembre.
1952: du 27 avril au 28 septembre.
1953: du 26 avril au 27 septembre.
1954: du 25 avril au 26 septembre.
1955: du 24 avril au 25 septembre.
1956: du 29 avril au 30 septembre.
1957: du 28 avril au 27 octobre.
1958: du 27 avril au 26 octobre.
1959: du 26 avril au 25 octobre.
1960: du 24 avril au 30 octobre.
1961: du 30 avril au 29 octobre.
1962: du 29 avril au 28 octobre.
1963: du 28 avril au 27 octobre.
1964: du 26 avril au 25 octobre.
1965: du 25 avril au 31 octobre.
1966: du 24 avril au 30 octobre.
1967: du 30 avril au 29 octobre.
1968: du 28 avril au 27 octobre.
1969: du 27 avril au 26 octobre.
1970: du 26 avril au 25 octobre.
1971: du 25 avril au 31 octobre.
1972: du 30 avril au 29 octobre.
1973: du 29 avril au 28 octobre.
1974: du 28 avril au 27 octobre.
1975: du 27 avril au 26 octobre.
1976: du 25 avril au 31 octobre.
1977: du 24 avril au 30 octobre.
1978: du 30 avril au 29 octobre.
1979: du 29 avril au 28 octobre.
1980: du 27 avril au 26 octobre.
1981: du 26 avril au 25 octobre.
1982: du 25 avril au 31 octobre.
1983: du 24 avril au 30 octobre.
1984: du 29 avril au 28 octobre.
1985: du 28 avril au 27 octobre.
1986: du 27 avril au 26 octobre.
1987: du 26 avril au 25 octobre.
Depuis 1988: du premier dimanche d'avril au dernier samedi d'octobre.

Nous vivons dans un monde électromagnétique, et la Lune peut devenir meurtrière pour les individus qui n'ont pas un bon équilibre psychique. L'influence de la Lune aboutit souvent à des tensions sociales, à des événements malheureux ou bizarres. Notre société a bien du mal à accepter l'aspect intuitif de la nature humaine.

On tient compte du rationnel dans un monde où seul un comportement raisonnable est accepté. Les vagues de désespoir dans notre société deviennent plus évidentes vues sous la lumière de la Lune. Il a été constaté, par différents astrologues, que le mouvement de la Lune, une pleine Lune ou une nouvelle Lune accentue les tensions internes et mène parfois à faire un acte contre la vie, la sienne ou celle d'autrui, ou à se laisser aller à des crises d'angoisse ou à toutes sortes de manifestations destructrices.

Le sachant, l'individu peut alors se contrôler et ne pas se laisser aller à la dépression s'il en a la tendance. Une certaine vigilance face au mouvement de la Lune et des planètes peut nous enseigner un emploi du temps approprié à nos besoins et nous permettre de vivre en harmonie avec les forces environnantes.

«Les astres inclinent mais ne déterminent pas.» Les vrais astrologues ont adopté cet adage depuis plusieurs siècles. L'homme vient au monde avec certaines tendances négatives qu'il peut corriger et des forces qu'il peut développer. Voilà à quoi sert l'astrologie.

Conclusion

Ce livre a pour but la connaissance de soi. Je ne peux avoir de la volonté à votre place. Ce que vous n'aimez pas de vous, vous devrez trouver un moyen de l'extirper de votre âme, de votre cœur, de votre subconscient, que ce soit par une thérapie de votre choix ou en lisant des livres qui vous enseigneront à vous reprogrammer à partir de la blessure que vous avez subie ou que vous vous êtes infligé. Ce que nous sommes et ce que nous n'aimons pas n'est la faute de personne. C'est la nôtre, la vôtre. Ce que vous serez, vous ne le devez qu'à vous-même et à personne d'autre. Une carte du ciel bien faite peut donner des indices sur notre séjour dans une vie antérieure à celle que nous menons maintenant. Le thème astral peut révéler beaucoup ou peu sur le sujet; cela dépend de chaque individu, de ce que sa naissance veut bien lui divulguer.

Sommaire

IMPRIMERIE QUEBECOR
L'ÉCLAIREUR